AF238057

ACCESO GRATIS *a la Lectura en la Nube*

Para visualizar el libro electrónico en la nube de lectura envíe junto a su nombre y apellidos una fotografía del código de barras situado en la contraportada del libro y otra del ticket de compra a la dirección:

ebooktirant@tirant.com

En un máximo de 72 horas laborales le enviaremos el código de acceso con sus instrucciones.

LA TRATA DE SERES HUMANOS TRAS UN DECENIO DE SU INCRIMINACIÓN

¿Es necesaria una ley integral para luchar
contra la trata y la explotación de seres humanos?

LA TRATA DE SERES HUMANOS TRAS UN DECENIO DE SU INCRIMINACIÓN

¿Es necesaria una ley integral para luchar
contra la trata y la explotación de seres humanos?

Directora
CAROLINA VILLACAMPA ESTIARTE

Coordinadora
ANDREA PLANCHADELL GARGALLO

tirant lo blanch
Valencia, 2022

© Carolina Villacampa Estiarte
Andrea Planchadell Gargallo

© TIRANT LO BLANCH
EDITA: TIRANT LO BLANCH
C/ Artes Gráficas, 14 - 46010 - Valencia
TELFS.: 96/361 00 48 - 50
FAX: 96/369 41 51
Email:tlb@tirant.com
www.tirant.com
Librería virtual: www.tirant.es
DEPÓSITO LEGAL: V-1525-2022
ISBN: 978-84-1130-267-8
MAQUETA: Disset Ediciones

Si tiene alguna queja o sugerencia, envíenos un mail a: *atencioncliente@tirant.com*. En caso de no ser atendida su sugerencia, por favor, lea en *www.tirant.net/index.php/empresa/politicas-de-empresa* nuestro procedimiento de quejas.

Responsabilidad Social Corporativa: http://www.tirant.net/Docs/RSCTirant.pdf

Relación de Autores

TERESA AGUADO-CORREA
Profesora Titular de Derecho Penal
Universidad de Sevilla

ANA BELTRÁN MONTOLIU
Profesora Titular de Derecho Procesal
Universitat Jaume I de Castellón

NEREA BILBATÚA THOMAS
Técnica del área de sensibilización e incidencia
Proyecto Esperanza

JORDI BONET PÉREZ
Catedrático de Derecho Internacional Público
Universitat de Barcelona

SANDRA CAMACHO PADILLA
Técnica del área de relaciones institucionales e incidencia
SICAR cat

NÚRIA CAMPS MIRABET
Profesora Titular de Derecho Internacional Público
Universitat de Lleida

ROSA MARIA CENDÓN LERIS
Coordinadora del área de relaciones institucionales e incidencia
SICAR cat

CARMEN DELGADO ECHEVARRÍA
Magistrada y Letrada Jefa de la Sección de Igualdad
Consejo General del Poder Judicial

MASSIMILIANO DOVA
Research Fellow in Criminal Law
Università degli Studi di Milano-Bicocca

IÑAKI ESPARZA LEIBAR
Catedrático de Derecho Procesal
Universidad del País Vasco/EHU

RUBÉN ESPUNY CUGAT
Investigador predoctoral FPI de Derecho Penal
Universitat de Lleida

GEETANJALI GANGOLI
Associate Professor of Sociology
Durham University

MARÍA JESÚS GÓMEZ ADILLÓN
Profesora Titular de Economía Aplicada
Universitat de Lleida

JUAN-LUIS GÓMEZ COLOMER
Catedrático de Derecho Procesal
Universitat Jaume I de Castellón

MARIANA GONÇALVES
Researcher in Psychology
University of Minho

MARTA GONZÁLEZ MANCHÓN
Coordinadora del área de sensibilización e incidencia
Proyecto Esperanza

LUIS LAFONT NICUESA
Fiscal
Unidad Coordinadora de Extranjería

MARLENE MATOS
Assistant Professor of Sociology
University of Minho

XAVIER MIRANDA RUCHE
Investigador Postdoctoral del Departamento de Geografía y Sociología
Universitat de Lleida

ROCÍO MORA
Directora de APRAMP

IXUSKO ORDEÑANA GEZURAGA
Profesor Titular Derecho Procesal
Universidad del País Vasco/EHU

RENZO ORLANDI
Professore Ordinario di Diritto Processuale Penale
Università di Bologna

EIMYS ORTIZ HERNÁNDEZ
Profesora Lector Serra Húnter de Derecho Internacional Público
Universitat de Lleida

CLAUDIA PECORELLA
Full Professor in Criminal Law
Università degli Studi di Milano-Bicocca

ESTEBAN PÉREZ ALONSO
Catedrático de Derecho Penal
Universidad de Granada

ANDREA PLANCHADELL GARGALLO
Catedrática de Derecho Procesal
Universitat Jaume I de Castellón

ESTHER POMARES CINTAS
Profesora Titular de Derecho Penal
Universidad de Jaén

EDUARDO RAMÓN RIBAS
Catedrático de Derecho Penal
Universitat de les Illes Balears

MARC SALAT PAISAL
Profesor Agregado Serra Húnter de Derecho Penal
Universitat de Lleida

CLÀUDIA TORRES FERRER
Investigadora predoctoral FPU de Derecho Penal
Universitat de Lleida

NÚRIA TORRES ROSELL
Profesora Agregada Serra Húnter de Derecho Penal
Universitat Rovira i Virgili

ELENA VALENTINI
Professoressa Associata de Diritto Processuale Penale
Università di Bologna

JAN VAN DIJK
Professor Emeritus of Victimology
University of Tilburg

MASJA VAN MEETEREN
Associate Professor of Criminology
Leiden University

CAROLINA VILLACAMPA ESTIARTE
Catedrática de Derecho Penal
Universitat de Lleida

ÍNDICE

Parte I
ANÁLISIS CRIMONOLÓGICO COMPARADO SOBRE TRATA Y EXPLOTACIÓN DE SERES HUMANOS

Capítulo III
Sex trafficking in the UK: perspectives, policies and laws
GEETANJALI GANGOLI

Capítulo IV
Human trafficking in Italy: size, trend and criminal prevention
CLAUDIA PECORELLA
MASSIMILIANO DOVA

Capítulo V
Trafficking in human beings in Portugal
MARLENE MATOS
MARIANA GONÇALVES

Capítulo VI
Evaluating the Dutch approach to labour exploitation: promises and bottlenecks
MASJA VAN MEETEREN

Capítulo VII
Forced labour in the institutions of the Sisters of the Good Sheperd: the case of the Netherlands
JAN VAN DIJK

Parte II
ESTUDIO FENOMENOLÓGICO Y JURISPRUDENCIAL SOBRE TRATA Y EXPLOTACIÓN DE SERES HUMANOS EN ESPAÑA

Capítulo VIII
Dimensión de la trata de seres humanos en España
CAROLINA VILLACAMPA ESTIARTE
MARÍA JESÚS GÓMEZ ADILLÓN
CLÀUDIA TORRES FERRER
XAVIER MIRANDA RUCHE

Capítulo IX
El matrimonio forzado como modalidad de la trata de seres humanos: un estudio fenomenológico
NÚRIA TORRES ROSELL
CAROLINA VILLACAMPA ESTIARTE

Capítulo X

¿Qué casos de trata de seres humanos conocen las audiencias provinciales? Análisis cuantitativo de sentencias

MARC SALAT PAISAL

Capítulo XI

Trata de seres humanos y su aproximación institucional en España: perspectiva cuantitativa

CAROLINA VILLACAMPA ESTIARTE
CLÀUDIA TORRES FERRER

Parte III
ANÁLISIS JURÍDICO INTERNACIONAL Y PENAL SUSTANTIVO: PROTECCIÓN EN MATERIA DE TRATA Y EXPLOTACIÓN DE SERES HUMANOS

Capítulo XII
Una aproximación a los mecanismos de protección internacional aplicables a las víctimas de trata de seres humanos desde el enfoque basado en derechos humanos
NÚRIA CAMPS MIRABET

Capítulo XIII
Aproximación internacional a la trata de seres humanos: especial referencia al Consejo de Europa
EIMYS ORTIZ HERNÁNDEZ

Capítulo XIV
El ordenamiento jurídico internacional y la trata de seres humanos con fines de explotación laboral
JORDI BONET PÉREZ

Capítulo XV
La explotación laboral como finalidad propia del delito de trata de personas
EDUARDO RAMÓN RIBAS

Capítulo XVI
La trata de seres humanos con fines de matrimonio forzado: análisis jurídico-penal
NÚRIA TORRES ROSELL

Capítulo XVII
Trata de seres humanos para explotación criminal o criminalidad forzada y ausencia de responsabilidad de sus víctimas
CAROLINA VILLACAMPA ESTIARTE

Capítulo XVIII

Visualizando las prácticas de esclavitud moderna en España. Estado de la cuestión, primer plan de acción nacional contra el trabajo forzoso y propuestas

ESTHER POMARES CINTAS

Capítulo XIX

Necesidad dogmática y conveniencia político-criminal de incriminar los delitos de esclavitud, servidumbre y trabajo forzoso en el Código Penal Español: Una propuesta de regulación penal (con breves consideraciones de urgencia sobre el nuevo Plan de acción nacional contra el trabajo forzoso)

ESTEBAN PÉREZ ALONSO

Capítulo XX

Aproximación a la trata de seres humanos desde su consideración como delito económico

CLÀUDIA TORRES FERRER

Capítulo XXI
Garantizar la indemnización de las víctimas de trata de seres humanos a través de la recuperación de activos
TERESA AGUADO-CORREA

Parte IV
ANÁLISIS DE MEDIDAS DE PROTECCIÓN PROCESAL EN MATERIA DE TRATA Y EXPLOTACIÓN DE SERES HUMANOS

Capítulo XXII
El estatus de la víctima del delito en el ordenamiento francés. En especial, la víctima del delito de trata de seres humanos
IÑAKI ESPARZA LEIBAR

Capítulo XXIII
"Commercio" di esseri umani e relative norme di contrasto nell'esperienza italiana
RENZO ORLANDI
ELENA VALENTINI

Capítulo XXIV

Política procesal criminal y trata de seres humanos

JUAN-LUIS GÓMEZ COLOMER

Capítulo XXV

Investigación y enjuiciamiento del delito de trata: aspectos procesales desde la jurisprudencia

ANDREA PLANCHADELL GARGALLO

Capítulo XXVI

Dificultades que se suscitan en la práctica judicial para la investigación y el enjuiciamiento de causas por trata de seres humanos

CARMEN DELGADO ECHEVARRÍA

Capítulo XXVII

El derecho a la información de las víctimas de trata

ANA BELTRÁN MONTOLIU

Capítulo XXVIII
Configuración jurisdiccional de la mediación intercultural en cuanto mecanismo para combatir la trata realizada con fines de explotación laboral y los conflictos jurídicos adyacentes
IXUSKO ORDEÑANA GEZURAGA

Parte V
ANÁLISIS SOBRE LA ASISTENCIA PRESTADA A LAS VÍCTIMAS DE TRATA Y EXPLOTACIÓN DE SERES HUMANOS

Capítulo XXIX
La protección a las víctimas de trata de seres humanos: análisis comparado y propuestas para un futuro protocolo en España
XAVIER MIRANDA RUCHE

Capítulo XXX
La especial vulnerabilidad de los menores extranjeros no acompañados víctimas de trata: necesidad de una respuesta personalizada
RUBÉN ESPUNY CUGAT

Capítulo XXXI
Aportaciones para una ley integral de prevención de la trata de seres humanos y protección de todas las víctimas: hacia una ley integral holística con enfoque de derechos humanos, etario y de género
MARTA GONZÁLEZ MANCHÓN
NEREA BILBATÚA THOMAS
ROSA MARIA CENDÓN LERIS
SANDRA CAMACHO PADILLA

Capítulo XXXII
¿Por qué es necesaria una ley de medidas integrales contra la trata de personas?
ROCÍO MORA

Capítulo I

INTRODUCCIÓN: ACERCA DE LA CONVENIENCIA DE UNA LEY INTEGRAL PARA AFRONTAR LA TRATA Y LA EXPLOTACIÓN SEVERA DE SERES HUMANOS

CAROLINA VILLACAMPA ESTIARTE

Catedrática de Derecho Penal
Universitat de Lleida

Sumario: I. EL IDEAL VICTIMOCÉNTRICO Y LA NECESIDAD DE UNA LEY INTEGRAL CONTRA LA TRATA DE SERES HUMANOS Y LA EXPLOTACIÓN DE SERES HUMANOS; II. EVOLUCIÓN NORMATIVA TRAS LA CRIMINALIZACIÓN DE LA TRATA DE SERES HUMANOS: BALANCE A UN DECENIO CUMPLIDO DE LA INTRODUCCIÓN DEL ART. 177 BIS EN EL CÓDIGO PENAL; 1. Avances y obstáculos normativos respecto de la persecución de estas conductas; 2. Avances y obstáculos normativos en materia de protección victimal; III. DÉFICITS EN LA APROXIMACIÓN INSTITUCIONAL A LA TRATA Y LA EXPLOTACIÓN HUMANAS; IV. ALGUNAS CONSIDERACIONES CONCLUSIVAS; V. PRESENTACIÓN DE LA OBRA; VI. BIBLIOGRAFÍA.

I. EL IDEAL VICTIMOCÉNTRICO Y LA NECESIDAD DE UNA LEY INTEGRAL CONTRA LA TRATA Y LA EXPLOTACIÓN SEVERA DE SERES HUMANOS

La que puede considerarse la forma ideal de aproximación a la trata de seres humanos y también a las formas severas de explotación humana –i. e., la esclavitud, la servidumbre y el trabajo forzoso-, la denominada aproximación victimocéntrica, precisa que se sitúe a las víctimas en el centro del sistema y supone la implementación de lo que se conoce como política 3P. A estas P se ha añadido posteriormente la P de partenariado, tanto entre países de origen y destino como entre entes dedicados a la gestión de este fenómeno. La denominada política 3P comporta la aproximación a esta realidad no solo a partir de la persecución de las conductas delictivas, sino sobre todo desde la prevención del fenómeno y, en particular, desde la protección de las víctimas[1]. Situar el

---

[1]   *Vid.* ampliamente, VILLACAMPA ESTIARTE, C.: *El delito de trata de seres humanos. Una incriminación dictada desde el Derecho internacional*, Thomson Reuters- Aranzadi, 2011, pp. 145-246 y ss. Extensamente sobre la aproximación a la trata de seres humanos en clave

foco de atención en la protección víctimal supone cumplir con lo que marcan las disposiciones internacionales en materia de trata que vinculan a España: la primera, el Protocolo para Prevenir, Reprimir y Sancionar la trata de personas, especialmente Mujeres y Niños, que complementa la Convención de Naciones Unidas contra la Delincuencia Organizada Transnacional de 2000, conocido como Protocolo de Palermo, pero sobre todo el Convenio del Consejo de Europa sobre la Lucha contra la Trata de Seres Humanos de 2005, o Convenio de Varsovia, y la Directiva 2011/36/UE del Parlamento y del Consejo de 5 de abril de 2011, relativa a la Prevención y la Lucha contra la Trata de Seres Humanos y a la Protección de las Víctimas. El cumplimento de este paradigma holístico condujo tanto a un sector de la academia española primero, justo tras la incriminación de este delito en 2010, como a entidades del tercer sector dedicadas a la asistencia de víctimas de trata de seres humanos, después, a plantear la adecuación de la aprobación de una ley integral que abordase esta realidad[2]. Dichas sugerencias se formularon desde el convencimiento de que para hacer efectiva la referida aproximación victimocéntrica no bastaba con la introducción del delito de trata en el Código Penal, sino que debía incidirse en el establecimiento de medidas de prevención y en el diseño de un estatuto jurídico protector integral de las víctimas de este fenómeno insuficientemente articulado en las normas a la sazón vigentes que solo delineaban un incipiente estatuto jurídico victimal.

Tales demandas, unidas al hecho de que la atención preferente a la trata de seres humanos en España se ha centrado en la que tiene por finalidad la explotación sexual de las personas traficadas, han provocado que la necesidad de aprobar una ley integral contra esta realidad resurgiese en el marco de la aprobación del Pacto de Estado contra la violencia de género de diciembre de 2017. En su virtud, se debe impulsar una ley de lucha integral y multidisciplinar contra la trata con fines de explotación sexual que establezca mecanismos adecuados para la prevención, refuerce la persecución de oficio del delito, promueva la eliminación de la publicidad de contenido sexual y ponga en marcha servicios y programas de protección social y recuperación integral de las víctimas[3].

Precisamente en cumplimiento de la obligación que se ha autoimpuesto el Estado español durante el período de ejecución de dicho Pacto, que cubre el

---

de derechos humanos, entre otros, OBOKATA, T.: *Trafficking in Human Beings from a Human Rights Perspective: Towards a Holistic Approach*, Martinus Nijhoff, Leiden, 2006, *passim*.

2 Al respecto, *vid.* VILLACAMPA ESTIARTE, C.: "¿Es necesaria una ley integral contra la trata de seres humanos?", *Revista General de Derecho Penal*, vol. 33, 2020, pp. 2-4.

3 DELEGACIÓN DEL GOBIERNO PARA LA VIOLENCIA DE GÉNERO: *Documento refundido de medidas del Pacto de Estado en Materia de Violencia de Género. Congreso + Senado*, Madrid, 2019, p. 45.

quinquenio 2018-2022, se explica que haya habido dos tentativas por parte del ejecutivo de producir un texto normativo sobre el particular en el momento en que se escriben estas líneas. La primera, ya de 2018, no pasó de borrador: el Borrador de Proyecto de Ley Integral contra la Trata de Seres Humanos y en particular con Fines de Explotación Sexual, impulsado desde la entonces Vicepresidencia del Gobierno del Partido Socialista. Este texto, pese a tener un nombre que pretendía transmitir que abordaba este fenómeno en su globalidad, se centró, con claras deficiencias técnicas, en brindar un estatuto jurídico preferentemente a las víctimas de trata para explotación sexual[4]. La segunda de estas tentativas viene de manos del Proyecto de Ley Orgánica de Garantía Integral de la Libertad Sexual, actualmente en tramitación parlamentaria, impulsado por el Ministerio de Igualdad, en manos de Unidas Podemos, cuya segunda versión como anteproyecto fue finalmente aprobada como proyecto por el Gobierno el 6 de julio de 2021 tras una tortuosa andadura de más de un año. El mismo incluye entre las violencias sexuales a que se refiere su artículo 3 la trata con fines de explotación sexual y, por tanto, plantea vertebrar un sistema de protección integral exclusivo para víctimas de esta forma de trata excluyendo abiertamente a las restantes.

Aun cuando el impulso de esta segunda iniciativa normativa pudiera hacer pensar que el actual ejecutivo ha abandonado la idea de aprobar una ley integral en materia de trata, al diluir el estatuto protector de estas víctimas en el propio de las que lo son de violencias sexuales, algunas declaraciones de ministras y exministras del actual Gobierno de coalición producidas durante el primer semestre de 2021 parecieron ya desmentir esta primera impresión. De un lado, la Ministra de Igualdad anunció en la propia página web del Ministerio el 18 de marzo de 2021 que la Delegación del Gobierno contra la Violencia de Género había iniciado los trabajos para la elaboración de una ley integral contra la trata. Acerca del contenido del mismo poco trascendió a los medios de comunicación, más allá de indicarse que incluiría un modelo de acreditación que permitiese a las víctimas acceder a derechos sin presentar denuncia y que contendría un plan para atender a mujeres en situación irregular, aun cuando además se abrió una consulta previa a la elaboración de este proyecto normativo. De otro, también declaraciones efectuadas contemporáneamente por parte de quien fuera Vicepresidenta del Gobierno[5] apuntaban que el Partido Socialista estaba preparado para traer a este país una legislación contra la trata con fines de explotación sexual y la prostitución.

Finalmente, mientras este capítulo introductorio estaba siendo redactado, el Gobierno aprobó en Consejo de Ministros de 11 de enero de 2022 el Plan

---

[4]   *Vid.* VILLACAMPA ESTIARTE, C.: "¿Es necesaria una ley integral contra la trata de seres humanos?", *op. cit.*, pp. 14 y ss.

[5]   *Vid. El País*, 21 de marzo de 2021.

Anual Normativo 2022, que contiene las iniciativas legislativas o reglamentarias que pretende impulsar durante 2022. Entre ellas se encuentra la aprobación de una ley de trata para poner fin a la explotación sexual[6], confirmando con esto la noticia de que se habían hecho eco los medios de comunicación semanas atrás, en el sentido de que PSOE y Unidas Podemos estaban negociando llevar al Congreso, como iniciativa legislativa conjunta, una ley contra la trata para explotación sexual en exclusiva[7]. También en la dirección de la necesaria aprobación de una ley integral contra la trata, aunque sin limitar su objeto a la sexual, sino abarcando todas las manifestaciones de este delito, apunta el recién adoptado Plan Estratégico Nacional contra la Trata y la Explotación de Seres Humanos 2021-2023 (PENTRA), que, pese a haber iniciado su despliegue teóricamente ya durante el 2021 y haber sido adoptado en cumplimiento de lo dispuesto en la Estrategia Nacional contra el Crimen Organizado y la Delincuencia Grave (2019-23), no ha sido publicado ni dado a conocer tanto al público en general como a los profesionales concernidos hasta el 12 de enero de 2022. Sea como fuere, se trata del documento que determina las líneas estratégicas en la lucha contra la trata que se seguirán en España en el horizonte de al menos los próximos dos años. Entre las líneas de acción que incluye la segunda de las 5 prioridades que lo conforman, se cuenta la de promover una ley integral de prevención y lucha contra la trata de seres humanos que aborde desde una perspectiva multidisciplinar las distintas finalidades de este delito. En supuesto cumplimiento de la línea de actuación 4.1.H del PENTRA, aunque sobre todo para cumplir, con más de tres años de retraso, el mandato contenido en el Protocolo OIT de 2014 relativo al Convenio sobre Trabajo Forzoso de 1930, en vigor en España desde el 20 de septiembre de 2018, se ha aprobado por el Consejo de Ministros de 10 de diciembre de 2021 el Plan de Acción Nacional contra el Trabajo Forzoso: Relaciones laborales obligatorias y otras actividades humanas forzadas, publicado mediante Resolución de 20 de diciembre de 2021 de la Secretaría de Estado de Empleo y Economía Social. Tanto a algunos contenidos del PENTRA como del Plan de Acción Nacional contra el Trabajo Forzoso se hará después ulterior referencia.

Siendo este el actualmente cambiante estado de la situación, que en todo caso parece apuntar en el sentido de que en el futuro inmediato podemos acabar contando con una iniciativa legislativa para afrontar bien sea la trata y la explotación humana en su conjunto, bien sean solo la trata y explotación sexual, analicemos brevemente en qué se ha avanzado y qué queda todavía por hacer en materia de trata y explotación de seres humanos en nuestro país desde que se incluyera el delito en 2010 y surgieran las primeras voces apelando a

---

6   Vid. https://www.lamoncloa.gob.es/consejodeministros/resumenes/Paginas/2022/110122-rp_cministros.aspx.
7   *Vid. El Diario.es*, 22 de diciembre de 2021.

la conveniencia de diseñar una ley integral en la materia. Tal ejercicio puede permitirnos desentrañar si todavía se precisa recurrir a un instrumento jurídico de estas características y, de ser así, incluso apuntar qué elementos esenciales podría contener.

II. EVOLUCIÓN NORMATIVA TRAS LA CRIMINALIZACIÓN DE LA TRATA DE SERES HUMANOS: BALANCE A UN DECENIO CUMPLIDO DE LA INTRODUCCIÓN DEL ART. 177 BIS EN EL CÓDIGO PENAL

1. Avances y obstáculos normativos respecto de la persecución de estas conductas

El legislador español tipificó en 2010 el delito de trata de seres humanos en el art. 177 bis CP cumpliendo bastante fielmente con los requerimientos internacionales de incriminación de esta conducta a la sazón vigentes, que todavía no incorporaban los contenidos de la Directiva 2011/36/UE. La necesidad de cumplir con algunas exigencias de la Directiva junto a la introducción de determinadas mejoras técnicas que habían venido siendo demandadas desde la academia comportó que el art. 177 bis CP se viera afectado por la reforma de 2015, que introdujo modificaciones en el precepto que permiten seguir afirmando que España cumplió bastante diligentemente con la P de persecución propia de la política 3P, no sin evidenciar que esta reforma constituyó una ocasión desaprovechada para sancionar adecuadamente conductas que deberían tener una respuesta penal de la que actualmente carecen. Así, se ampliaron tanto las conductas típicas –se incluyó el intercambio o la transferencia de control sobre las personas- como los medios comisivos del delito –incorporándose la entrega o recepción de pagos o beneficios para lograr el consentimiento de la persona que posea el control sobre la víctima-, permitiéndose con ello sancionar la compraventa, alquiler y permuta de las víctimas. Se tipificaron nuevas formas de explotación que permiten subsumir en el tipo los casos de trata para criminalidad forzada –art. 177 bis 1.c) CP- y para matrimonio forzado –art. 177 bis.1.e) CP-. Además, se incluyó el delito de trata entre aquellos que pueden dar lugar al comiso ampliado -art. 127 bis CP-, y por actividad delictiva previa –art. 125 quinquies CP- con el consiguiente efecto confiscatorio de ganancias que el acuerdo de tal consecuencia accesoria puede tener, también en términos de permitir hacer efectiva la reparación económica a las víctimas a través de un fondo que se nutra de bienes decomisados. Entre los desaciertos, cabe mencionar que se siga mentando al territorio español en la descripción de la conducta, exigiendo la vinculación de la misma con el territorio español no ya solo para firmar la competencia de los tribunales españoles, sino incluso para afirmar la propia tipicidad de la conducta. También que se haya mantenido sin modificar la regla concursal *ad hoc* en relación con el delito de tráfico ilícito de migrantes o que la cláusula de no punición del art. 177 bis.11 CP continúe conteniendo un requerimiento de proporcionalidad estricto, impropio de exenciones de responsabilidad penal basadas en la inexigibilidad de conducta adecuada a la norma, sin contemplarla además como causa de no procesamiento. A estos déficits, podrían sumarse la ausencia de referencia a la explotación laboral, ni siquiera a formas severas de la misma, entre las finalidades incluidas en el delito de trata laboral –aun cuando personalmente albergo serias dudas acerca que exista dicha necesidad-, o las dificultades para subsumir la trata para maternidad subrogada forzosa en la actual tipicidad del art. 177 bis CP.

Sin embargo, más allá de que quedan supuestos de explotación sexual forzada de adultos todavía no incriminados –su empleo forzado en la elaboración de material pornográfico o su intervención forzada en espectáculos de este tipo- esta reforma ha constituido una oportunidad desaprovechada para incriminar de una vez por todas la efectiva esclavización de las personas o su sometimiento a situaciones de trabajo forzoso, esto es, su sometimiento a formas severas de explotación. Esta constituye, en efecto, una demanda que la academia, a la que se ha sumado la Fiscalía General del Estado, lleva ya años formulando, desde el mismo día de la inclusión de delito de trata en el Código penal español[8]. Afortunadamente, parece que a la subsanación de este déficit puede ayudar el recientemente publicitado Plan Estratégico Nacional contra la Trata y la Explotación de Seres Humanos 2021-2023 (PENTRA) que en su prioridad 3 –persecución del delito-, contempla como línea de acción la necesidad de modificar el Código Penal para tipificar los delitos de trabajo forzoso, servidumbre y esclavitud. En esta medida incide, añadiendo al requerimiento de incriminar las referidas conductas la necesidad de estudiar la posible inclusión de la explotación laboral entre las finalidades propias de la

---

[8]   Al respecto, inmediatamente tras la incriminación del delito de trata, *vid.* VILLACAMPA ESTIARTE, C.: *El delito de trata de seres humanos. Una incriminación dictada desde el Derecho internacional, op. cit.*, pp. 477 y ss.; VILLACAMPA ESTIARTE, C.: "La moderna esclavitud y su relevancia jurídico-penal", *Revista de Derecho Penal y Criminología*, vol. 10, 2013, pp. 330 y ss.; VILLACAMPA ESTIARTE, C.: "Víctimas de la trata de seres humanos: su tutela a la Luz de las últimas reformas penales sustantivas y procesales proyectadas", *InDret*, vol. 2, 2014, pp. 7-17; POMARES CINTAS, E.: *El Derecho penal ante la explotación laboral y otras formas de violencia en el trabajo*, Tirant lo Blanch, Valencia, 2013, pp. 138 y ss.; Posteriormente, además de estas autoras en obras ulteriores, *vid.* entre otros, PÉREZ ALONSO, E.: "Tratamiento jurídico-penal de las formas complementarias de esclavitud", en PÉREZ ALONSO, E. (dir.), *El Derecho ante las formas complementarias de esclavitud*, Tirant lo Blanch, Valencia, 2017, pp. 333 y ss.; MAQUEDA ABREU, M.L.: "Trata y esclavitud no son lo mismo, pero ¿qué son?", en SUÁREZ LÓPEZ, J.M. et al. (coords.), *Estudios Jurídicos Penales y Criminológicos. En homenaje al Prof. Dr. H. C. Mult. Lorenzo Morillas Cueva*, Dykinson, Madrid, 2018, pp. 1251 y ss.

trata laboral, el también recién aprobado Plan de Acción Nacional contra el Trabajo Forzoso.

Mientras eso no suceda, cierto que entre los delitos contra los derechos de los trabajadores se incriminó en 2015, mediante el art. 311 bis, sancionándola con pena de prisión alternativa con multa, la conducta consistente en emplear o dar ocupación de forma reiterada a ciudadanos extranjeros que carezcan de permiso de trabajo o emplear a un menor en dichas condiciones, al que puede recurrirse. Se trata de un precepto que se aplica subsidiariamente, a salvo de que la conducta constituya un delito más grave, lo que habitualmente sucederá si dicho empleo se produce en condiciones que perjudiquen, supriman o restrinjan los derechos que dichos ciudadanos extranjeros tengan reconocidos en disposiciones legales, convenios colectivos o contrato individual, puesto que esta conducta está sancionada con pena de prisión de dos a cinco años cumulativa con multa en el art. 312.2 CP. Cierto también que dar ocupación simultánea a una pluralidad de personas que no tengan autorización para trabajar y que supere determinado porcentaje de trabajadores en la empresa o centro de trabajo se sanciona en el art. 311.2 CP con pena de seis meses a tres años de prisión cumulativa con multa desde 2012, pudiendo escalar hasta los nueve años de prisión si se ha empleado violencia o intimidación. Sin embargo, ninguno de estos preceptos incrimina la conducta de quien emplea a un trabajador –cuente o no con autorización para trabajar- en condiciones de indignidad y de ausencia de respeto a la libertad de la voluntad tales que suponen sometimiento material a una situación de esclavitud o equiparable, ni tampoco la de quien obliga a otro a trabajar.

2.   *Avances y obstáculos normativos en materia de protección victimal*

Aunque España ha sido menos diligente en el cumplimiento del paradigma victimocéntrico que se impone en normativa internacional en el ámbito de la protección, también se ha evolucionado de manera relevante en la consecución de esta segunda P desde que se incriminase el delito de trata. Pese a ello, los instrumentos de protección de las víctimas de trata han estado invariablemente vinculados a la visión trafiquista de esta realidad, a su consideración como fenómeno que afecta fundamentalmente a extranjeros ilegales y que implica movimientos geográficos transnacionales, que no agotan el universo de los supuestos de trata, pero que han conducido a que algunos de los mecanismos jurídicos de protección de estas víctimas, más allá de las que tienen que ver con su situación de estancia irregular, se contemplen únicamente en la legislación de extranjería y pensando en víctimas extranjeras, lo que debería dejar de ser así. Tal sucede con cuestiones como la identificación de las víctimas o las relacionadas con la asistencia victimal, lo que conduce a la invisibilización de víctimas que no entran en el estereotipo del migrante ilegal[9]. Apenas se aborda normativamente la identificación de las víctimas que no están en situación irregular en España, atribuyéndose esta tarea en exclusiva a las Fuerzas y Cuerpos de Seguridad del Estado en el art. 59 bis Ley Orgánica 4/2000, de 11 de enero, sobre Derechos y Libertades de los Extranjeros en España (en adelante, LOEX) y el art. 141 del Real Decreto 557/2011 que la desarrolla (en adelante, Reglamento LOEX), con la consiguiente merma en dicha función al no preverse la intervención de agentes capitales en la detección de estas situaciones. Tampoco se prevé normativamente, más allá de una lacónica referencia en el art. 140 del Reglamento LOEX, cuál es el papel que desempeñan y en qué condiciones las entidades del tercer sector especializadas en la asistencia a víctimas de trata.

En relación con los mecanismos de protección aplicables a las víctimas de trata extranjeras, normativamente cabe que se les reconozca la condición de refugiadas o incluso la protección internacional subsidiaria, de conformidad con lo establecido en los arts. 3 y 4 Ley 12/2009, de 30 de octubre, Reguladora del Derecho de Asilo y de la Protección Subsidiaria. Sin embargo, la realidad nos indica que estas víctimas raramente se benefician de ninguno de estos reconocimientos, lo que ha conducido incluso a demandar que en aquellos casos en que la persecución tenga un fundamento discriminatorio por razones de género se invierta la carga de la prueba, debiendo ser la administración la que demuestre que no concurren los presupuestos para reconocer cualquiera de los dos estatutos protectores referidos a las víctimas de trata[10].

Con la atención puesta en las víctimas extranjeras, la LOEX prevé el reconocimiento de un período de restablecimiento y reflexión –art. 59 bis- de 90 días prorrogable, en que la víctima decide si quiere colaborar con las autoridades en la investigación del delito y el procedimiento penal. La experiencia muestra como existen impedimentos aplicativos a su aplicación –como la ligereza de algunos tribunales a la hora de interpretar que concurren motivos para su denegación o revocación-, que escasas víctimas se acogen al mismo y que no se ofrece a las que residen legalmente en territorio español o son nacionales. Además, aunque formalmente su acuerdo no está condicionado a la colaboración con la Administración de justicia, materialmente se acostumbra a conceder en reconocimiento a dicha colaboración. Con una lógica contraprestacional semejante se interpreta la regulación que la LOEX –arts. 31 y 59 bis- y su reglamento –art. 144-efectúan del permiso de residencia y trabajo por circunstancias excepcionales de hasta cinco años que puede concederse a las víctimas de trata. Dicho permiso puede concederse tanto por razones humani-

---

[9]   Vid. VILLACAMPA ESTIARTE, C. y TORRES ROSELL, N.: "Mujeres víctimas de trata en prisión en España", *Revista de Derecho penal y criminología*, vol. 8, 2012, pp. 449 y ss.

[10]   Vid. CONSEJO GENERAL DEL PODER JUDICIAL: *Guía de criterios de actuación judicial frente a la trata de seres humanos*, Madrid, 2018, pp. 318 y ss.

tarias como por colaboración con la administración. Sin embargo, cuando el motivo alegado son las razones humanitarias, se viene exigiendo por parte de los tribunales que concurran los mismos requisitos que se precisan para otorgar protección internacional subsidiaria.

En lo que a protección procesal de las víctimas de trata se refiere, la regulación ha evolucionado sustancialmente desde la inclusión de este delito en el Código Penal. Ya en aquel momento cabía aplicar las medidas de protección previstas para la protección de testigos en la todavía vigente Ley 19/1994, de 23 de diciembre, de Protección de Testigos y Peritos en Causas Criminales. Una norma obsoleta que no distingue entre medidas a adoptar para garantizar que el testimonio sea oculto o anónimo, además de obligar al juez que debe decidir a desvelar la identidad del testigo o perito si cualquier parte lo solicita en su escrito de calificación provisional, acusación o defensa. Junto a las medidas protectoras previstas en esta norma, podían adoptarse medidas cautelares para proteger a estas víctimas –que recibieron un claro espaldarazo en la reforma penal de 2015 al incluirse el delito de trata entre los que enumera el art. 57 CP que permiten el acuerdo de prohibiciones de residencia, comunicación y aproximación del art. 544 bis Ley de Enjuiciamiento Criminal-. Finalmente, la posibilidad de adoptar mecanismos que evitasen la confrontación visual víctima-victimario o tendentes a anticipar e incluso preconstituir en instrucción la prueba testifical de la víctima resultaban ya aplicables en 2011, de manera que la práctica de la prueba testifical preconstituida ha sido común en los procesos penales por este delito con base en la ausencia de posibilidad de localizar a la víctima o por haber esta retornado a su país.

En el ámbito de la protección procesal victimal desde que se incriminase la trata, el hito normativo más trascendente ha sido la aprobación de la Ley 4/2015, de 27 de abril, del Estatuto de la Víctima del Delito. La Ley 4/2015 supone la transposición de la Directiva 2012/29/UE del Parlamento Europeo y del Consejo de 25 de octubre, por la que se establecen Normas Mínimas sobre los Derechos, el Apoyo y la Protección de las Víctimas de Delitos, y debería haber supuesto también la del espíritu que la informa, superador de una aproximación sectorializada a los derechos victimales en función del delito padecido y reconocedora de un estatuto básico protector aplicable a la víctima de cualquier delito. Esta norma transversal y que, por tanto, establece también el estatuto protector de las víctimas de trata, contempla una regulación pormenorizada de los derechos a la información, participación y protección de las víctimas, si bien aborda solo parcialmente el de asistencia y no incide en el reconocimiento de su derecho a la reparación y compensación. En lo que a protección se refiere, es muy probable que las de trata de seres humanos acaben siendo consideradas víctimas con necesidades especiales de protección tras la realización de la correspondiente evaluación individual, con lo que pueden aplicarse a las mismas todas las medidas reforzadas de tutela -que junto a las contempladas en los arts. 20, 21, 22, incluirían las del art. 25 del estatuto, además de las del art. 26 si son menores de edad o personas con discapacidad necesitadas de especial protección- que prevé el estatuto. En el caso de las víctimas con necesidades especiales de protección cabe que en instrucción se les reciba declaración en dependencias específicas, por profesionales con formación especial o con su ayuda, por la misma persona si es posible y por personas del mismo sexo. En fase de juicio oral, cabe que estas víctimas sean protegidas mediante la adopción de medidas que eviten el contacto visual con el ofensor, que se evite la formulación de preguntas innecesarias atinentes a su vida privada o que se celebre el juicio sin presencia de público. Solamente para las víctimas menores o personas con discapacidad necesitadas de especial protección se prevé en esta norma la práctica de la prueba testifical como prueba preconstituida –además de recibirles declaración por medio de expertos o que se les pueda nombrar un defensor judicial-. El recurso a la preconstitución de la testifical se ha visto reforzado en el caso de los menores de catorce años y personas con discapacidad necesitadas de especial protección tras la aprobación de la Ley Orgánica 8/2021, de 4 de junio, de Protección de la Infancia y la Adolescencia frente a la Violencia, y la consiguiente introducción del nuevo art. 449 ter Lecrim, que otorga carta de naturaleza a esta práctica. En lo que al derecho de participación se refiere, además de las prerrogativas que contempla la Ley 4/2015, las víctimas del delito de trata tienen reconocido el derecho a la asistencia jurídica gratuita sin necesidad de demostrar que carecen de recursos para litigar.

A solventar algunos de estos déficits detectados en la protección de las víctimas puede contribuir la implementación tanto algunas de las prioridades y líneas de acción del PENTRA cuanto de algunas medidas contempladas en el Plan de Acción Nacional contra el Trabajo Forzoso. Así, el PENTRA, en su prioridad 2 –identificación, derivación, protección, asistencia y recuperación de las víctimas- contempla entre sus líneas de acción la optimización de mecanismos de identificación formal de las víctimas de trata (línea de acción 2.2), que, aunque no contempla una sustancial modificación del sistema policial de identificación de base policial, sí prevé la intervención de profesionales del ámbito asistencial en la detección. También en dicha prioridad, incluye como línea de acción (2.4) la necesaria garantía de la recuperación y protección de todas las víctimas de trata. En relación concretamente con las víctimas de relaciones laborales obligatorias y otras actividades humanas forzadas –esto es, todas las actividades humanas que no tengan la consideración de laborales, tanto las alegales como las ilícitas-, el Plan de Acción Nacional contra el Trabajo Forzoso, también incluye medidas de protección y apoyo a las víctimas en su área de actuación IV. Entre ellas, fortalecer la coordinación de interlocutores sociales y ONGs especializadas en la detección –que no identificación- de víctimas. De la misma forma que se plantea dentro de lo que son medidas de detección, investigación y enjuiciamiento que se valore la posibilidad de recurrir al empleo de la prueba preconstituida en estos casos.

III. DÉFICITS EN LA APROXIMACIÓN INSTITUCIONAL A LA TRATA Y LA EXPLOTACIÓN HUMANAS

Junto a los déficits normativos en proceso de subsanación, parte de la desprotección de las víctimas de trata se explica también por el abordaje institucional de este fenómeno en España. En lo que se refiere a la forma en que los poderes públicos se han aproximado a esta realidad, la atención de la clase política y las administraciones en general ha estado siempre centrada en la que tiene por finalidad la explotación sexual. En el plano político, la identificación inducida desde posiciones abolicionistas entre la trata de seres humanos y la prostitución ha sido el discurso que ha calado en la clase política y que ha producido que la atención se haya circunscrito prácticamente hasta ahora a una sola de sus múltiples manifestaciones, la trata para explotación sexual, cuando se han articulado medidas aplicativas. Esto ha provocado la invisibilización de otras formas de trata, como se ha denunciado[11] y como reconoce el propio Ejecutivo tanto en el PENTRA como en el Plan de Acción Nacional contra el Trabajo Forzoso. En particular, ha comportado la ausencia de atención a la trata que persigue la explotación laboral de los traficados, la más cuantiosa según el último informe sobre esclavitud contemporánea de la OIT[12], o de la trata para explotación criminal, entre otras posibles manifestaciones del fenómeno. Además, apenas se ha prestado atención a la explotación humana severa, que, al fin y al cabo, es el objetivo último que la trata persigue.

La identificación entre trata y prostitución propiciada por el discurso abolicionista ha constituido una constante en el diseño de políticas públicas para

---

[11]   Alertan sobre ese sesgo en las políticas públicas para la lucha contra la trata, con la consiguiente invisibilización de las víctimas de otras formas de trata, por orden cronológico, entre otros trabajos, VILLACAMPA ESTIARTE, C: *El delito de trata de seres humanos. Una incriminación dictada desde el Derecho Internacional*, op. cit., pp, 540 y ss.; DEFENSOR DEL PUEBLO: *La trata de seres humanos en España. Víctimas invisibles*, Madrid, 2012, pp. 55 y ss.; VILLACAMPA ESTIARTE, C.: "Víctimas de la trata de seres humanos: su tutela a la Luz de las últimas reformas penales sustantivas y procesales proyectadas", *op. cit.*, pp. 23 y ss.; VILLACAMPA ESTIARTE, C. y TORRES ROSELL, N.: "Trata de seres humanos para explotación criminal: ausencia de identificación de las víctimas y sus efectos", *Estudios Penales y Criminológicos*, 2016, pp. 771 y ss., en especial pp. 782 y ss.; RODRÍGUEZ-LOPEZ, S.: "The Invisibility of Labour Trafficking in Spain. A Critical Analysis of Cases and Policies" *REIC*, vol. 18(2), 2020, pp. 13, 20 y 21.

[12]   De conformidad con la OIT: *Global Estimates of Modern Slavery: forced labour and forced marriage*, Geneva, 2017, p. 5, de los 40 millones de personas en el mundo sometidas a una situación de esclavitud, 25 lo son a trabajo forzoso, de ellas, 16 millones a explotación laboral forzosa frente a 4,8 sometidas a explotación sexual forzosa.

afrontar esta realidad en España, ya incluso antes de que el delito de trata se incriminase, manteniéndose prácticamente invariable esta orientación hasta épocas muy recientes. Baste atender al tenor del II Plan Integral de Lucha contra la Trata de Mujeres y Niñas con Fines de Explotación Sexual 2015-2018, que se ha mantenido implícitamente vigente hasta la aprobación del PENTRA, documento que aun cuando supuestamente ha sido adoptado para el período 2021-2023 no ha sido dado a conocer hasta el 12 de enero de 2022, esto es, más de un año después del inicio del trienio en el que supuestamente debía aplicarse.

Tal orientación política instrumental a la lucha y visibilización casi exclusiva en relación con la trata de seres humanos para explotación sexual se evidencia también en datos oficiales. Tanto en los balances estadísticos policiales sobre víctimas de trata del Centro de Inteligencia contra el Terrorismo y el Crimen Organizado (en adelante, CITCO)[13], como en los de diligencias de seguimiento de la Fiscalía de Extranjería[14], como finalmente en los datos judiciales sobre esta realidad[15]. Todos ellos muestran una sobre-representación de las víctimas de trata para explotación sexual en España superior al porcentaje de otros países europeos, evidenciando el silenciamiento en nuestro país de procesos conducentes a formas de esclavización distintas de la sexual que debería superarse, como parece que va comenzando a hacerse tímidamente. A modo de ejemplo, el CITCO ha identificado entre 2013 y 2020 un total de 2.146 víctimas de trata, de las cuales 1.435 (el 67%) están destinadas a la explotación sexual, siendo que hasta 2018 el 74% de las identificadas eran víctimas de trata sexual. El 28% de esas víctimas (n=602) lo son de trata laboral -aun cuando el porcentaje de la trata laboral dentro de la trata identificada alcanzaba solo al 22% en 2018-, siendo las de trata para criminalidad forzada (n=57), mendicidad forzada (n=38) y matrimonio forzado (n=14) más testimoniales. Según los más recientes datos de la Fiscalía de Extranjería con que se cuenta, de las 117 diligencias de seguimiento por este delito abiertas en 2020, el 75% lo fue por trata sexual, frente a un 19% por trata laboral[16].

---

13   *Vid.* CITCO: *Trata de seres humanos. Balance estadístico 2013-2017*, Madrid, 2018, pp. 4 y ss.; CITCO: *Trata de seres humanos. Balance estadístico 2014-2018*, Madrid, 2019, pp. 4 y ss.; CITCO: *Trata de seres humanos. Balance estadístico 2015-2019*, Madrid, 2020, pp. 5 y ss.; CITCO: *Trata de seres humanos. Balance estadístico 2016-2020*, Madrid, 2021, pp. 6 y ss.

14   *Vid.* FISCALÍA GENERAL DEL ESTADO: *Memoria presentada al Gobierno*, Madrid, 2019, pp. 1239 y ss.

15   Al respecto, *vid.* SALAT PAISAL, M.: "Análisis descriptivo de sentencias sobre trata de personas: Un estudio de casos judiciales entre 2011 y 2019", *REIC*, vol. 18, 2020, pp. 16-17 y 22-23.

16   *Vid.* FISCALÍA GENERAL DEL ESTADO: *Memoria presentada al Gobierno*, Madrid, 2021, pp. 839 y ss.

Con todo, los últimos eventos parecen indicar que afortunadamente esta tendencia podría estar cambiando. Como se ha indicado, acaba de darse a conocer el contenido del Plan Estratégico Nacional contra la Trata y la Explotación de Seres Humanos 2021-2023 (PENTRA), que es el documento que marcará las líneas de actuación institucional en materia de trata y explotación humana en nuestro país como mínimo hasta finales de 2023. Partiendo de la necesidad de una aproximación a la trata y la explotación humanas desde el prisma de los derechos humanos, reconociendo la centralidad de las víctimas en la adopción de políticas para abordar esta realidad y partiendo de un concepto de trata integral, no solo sexual, establece 61 medidas a adoptar articulándolas en 5 prioridades de las que se derivan 16 líneas de acción. Dichas prioridades consisten en: 1. Detección y prevención de la trata de seres humanos[17], 2. Identificación, derivación, protección, asistencia y recuperación de las víctimas de la trata de personas[18], 3. Persecución del delito[19], 4. Cooperación y coordinación[20] y 5. Mejora del conocimiento[21]. Aunque aborda todas las formas de trata, el PENTRA se cuida mucho de dejar clara la necesidad de modificar los delitos de prostitución y corrupción de menores en el Código Penal para completar la asunción de los postulados abolicionistas (medida 3.1 A).

El actual compromiso político del Gobierno en la lucha contra la trata y explotación laboral se ve además reforzado mediante la subsiguiente aprobación Plan de Acción Nacional contra el Trabajo Forzoso: Relaciones laborales obligatorias y otras actividades humanas forzadas. Con vigencia prevista de 3 años -entre 2022 y 2024-, está centrado en la detección y protección de las víctimas, así como en la prevención del trabajo forzoso; en concreto, de las víctimas que lo son de relaciones laborales obligatorias y también de las que han sido sometidas a actividades humanas forzadas, entre las que quedarían incluidas todas las actividades humanas alegales o ilícitas, pero con exclusión explícita de las de explotación sexual y trata sexual. Con la adopción de este Plan, además de

---

[17] Líneas de acción: 1.1. Mejora del grado de sensibilización de la sociedad; 1.2. Potenciar la detección de posibles casos de trata y explotación de personas; 1.3. Desincentivar la demanda de servicios de trata y explotación.

[18] Líneas de acción: 2.1 Promover una ley integral de prevención y lucha contra la trata de seres humanos; 2.2. Optimizar los mecanismos de identificación formal de las víctimas de la trata de personas; 2.3. Perfeccionar los procedimientos empleados en la derivación de las víctimas de la trata de seres humanos; 2.4. Garantizar la protección y recuperación de todas las víctimas de trata.

[19] Líneas de acción: 3. 1. Respuesta legislativa; 3.2. Mejora de la respuesta policial; 3.3. Mejora de la respuesta judicial.

[20] Líneas de acción: 4.1. Reforzar la coordinación institucional; 4.2. Incremento de la cooperación internacional, en especial con los principales países de origen y tránsito de las víctimas; 4.3 Papel de la sociedad civil.

[21] Líneas de acción: 5.1 Creación de una sólida base de conocimiento sobre la trata de personas; 5.2 Favorecer la calidad y comparabilidad de los datos; 5.3. Establecer mecanismos ágiles para el intercambio de información y buenas prácticas.

cumplirse con la medida 4.1.H del PENTRA y con el mandato contenido en el Protocolo OIT de 2014 relativo al Convenio sobre Trabajo Forzoso de 1930, se pretende dar cumplimiento a la Agenda 2030. En concreto al Objetivo de Desarrollo Sostenible 8, relativo al trabajo decente, que incluye entre sus metas la necesidad de adoptar medidas para erradicar el trabajo forzoso, las formas contemporáneas de esclavitud y la trata de personas, poniendo además fin al trabajo infantil. El mismo está estructurado en 5 áreas de actuación, definiéndose para cada una de ellas los correspondientes objetivos -13 en total- a cuya consecución se enderezan las 41 medidas que el Plan contempla. Dichas áreas se centran en la adopción de medidas que no distan sustancialmente de las previstas en el PENTRA, si bien centradas en cualquier forma de explotación humana al margen de la sexual. Entre ellas, I. Análisis y estudio del fenómeno, II. Prevención, concienciación y formación, III. Detección, investigación y enjuiciamiento, IV. Protección y atención y asistencia a las víctimas y V. Coordinación y cooperación internacional.

Solo el tiempo dirá si, más allá de las medidas normativas que deben introducirse en el ordenamiento español en cumplimiento de los programas que establecen ambos documentos, la adopción de estos dos instrumentos programáticos contribuye efectivamente a modificar la aproximación miope que hasta el momento ha habido en España frente a otras formas de trata y explotación al margen de la sexual. Al respecto, permítaseme no ser muy optimista, habida cuenta de que ni el PENTRA ni el Plan de Acción Nacional contra el Trabajo Forzado vienen acompañados de una asignación presupuestaria concreta.

IV. ALGUNAS CONSIDERACIONES CONCLUSIVAS

Respecto a si resulta todavía necesaria una ley integral contra la trata y la esclavitud para abordar convenientemente estos procesos de victimización y qué contenidos debería tener, resulta complejo ofrecer una respuesta suficientemente fundamentada en estas páginas. En los precedentes párrafos se han identificado los déficits de que adolece la situación normativa actual española en punto a conseguir la efectiva implementación de una aproximación holística al fenómeno de la trata. Esto ha permitido evidenciar que, junto a la prevención y la necesidad de efectuar determinados ajustes en el campo de la incriminación, continúan siendo el de la protección a las víctimas y el de la necesaria reorientación de la actuación institucional a manifestaciones de la trata distintas de la sexual y a la propia explotación humana los campos en los que resulta más necesario incidir normativa y operativamente.

Pese a haberse constatado que es esa la situación, atendiendo a que las víctimas de cualquier delito tienen reconocidos en nuestro ordenamiento jurídico, y no poco desarrollados normativamente, los derechos a la información, a la participación, a la asistencia en parte y a la protección procesal de las víctimas en la Ley del Estatuto de la Víctima del Delito, cualquier regulación en materia de trata de seres humanos y explotación humana que se adopte no puede olvidar la existencia del referido estatuto jurídico general, máxime cuando parece que el estatuto de la víctima que contiene se ha acabado volcando en el Anteproyecto de Ley de Enjuiciamiento Criminal de 2020 y resulta previsible que finalmente se integre en la futura ley procesal penal española por antonomasia. Es más, sería deseable que dicho estatuto jurídico general culminase su despliegue normativo transversal reconociendo el que debería ser básico para toda víctima del delito. Esto implica que debería regularse de una vez por todas el derecho a la asistencia también cuando es prestada a través de entidades que no sean las oficinas de asistencia a la víctima, efectuando las correspondientes modificaciones de la Ley 4/2015 y su normativa de desarrollo, así como reconocerse y desarrollarse normativamente el derecho a la reparación y compensación, el derecho victimal básico más faltado de regulación. Hecho esto, nada empecería a que determinados grupos de víctimas, entre ellos las de trata y explotación humana, tuviesen reconocidas una serie de especialidades en relación con el estatuto jurídico general, pero no completamente al margen de lo que de dicho estatuto se colija.

Un modo distinto de proceder, articulando estatutos normativos *ad hoc* –léase, leyes integrales protectoras- para los sucesivos procesos de victimización que vayan identificándose, además de resultar asistemático, entraña riesgos. Así el tratamiento desigual injustificado de determinados grupos de víctimas y el de dilución de su estatuto jurídico protector por hallarse disperso en distintas normas jurídicas orientadas a la protección victimal. Junto a esto, debe advertirse que los procesos legislativos iniciados por inferencia, orientados a resolver puntuales cuestiones de orden jurídico que aparecen en la práctica –en este caso, procesos específicos de victimización- al margen de lo establecido en normas reguladoras de instituciones jurídicas que vertebran categorías más generales comporta el peligro de que pueda acabarse revirtiendo el proceso mismo de codificación.

El mantenimiento de la coherencia sistemática en aras a conseguir la estandarización y la diversidad justificada en el tratamiento normativo victimal no parece que constituyesen objetivos del Borrador del Proyecto de Ley Integral contra la Trata de Seres Humanos y en Particular con Fines de Explotación Sexual de 2018 ni del Proyecto de Ley Orgánica de Garantía Integral de la Libertad Sexual de 2021, y es previsible que tampoco lo sean de la anunciada futura propuesta normativa contra la trata, que podría acabar estando centrada en la sexual. Dichas propuestas normativas, además de crear un sistema de tutela específico para víctimas de la trata de seres humanos –para explotación sexual-, por un lado, y para víctimas de violencias sexuales, por otro, plantean dificultades de conciliación con el estatuto general protector de las víctimas de delitos, abundan incluso más en el escoramiento endémico de las políticas públicas emprendidas en España hacia la trata sexual y dejan sin resolver gran parte de los déficits identificados por la doctrina para ofrecer una adecuada respuesta jurídica global a esta realidad antes mencionados.

En concreto, además de contemplar un estatuto protector que tanto normativa como institucionalmente sigue estando centrado –en exclusiva en el segundo documento- en las víctimas de trata sexual, plantean modificaciones sustantivo penales claramente discutibles. Ni el Borrador de 2018 ni el Proyecto de 2021 incriminan el delito de esclavitud, servidumbre y trabajo forzoso, tal como hace años se viene reclamando tanto desde la academia como desde la Fiscalía de Extranjería y como finalmente demandan el PENTRA y el Plan de Acción Nacional contra el Trabajo Forzoso. Tampoco plantean la modificación del principio de no punición o no penalización previéndolo también como causa de no procesamiento que añadir a su ya existente previsión como causa de no punición, ni en este segundo caso contemplan que se relaje la exigencia de proporcionalidad entre el delito cometido por la víctima y la situación de trata experimentada que contiene el actual art. 177 bis.11 CP. Tampoco plantean la inclusión de la explotación laboral, ni siquiera la severa, entre las finalidades de explotación contempladas en el delito de trata laboral ni la incriminación de la trata para maternidad subrogada forzosa. Tampoco sancionan conductas de explotación sexual de adultos que actualmente no se hallan incriminadas. Se limitan a sancionar determinadas conductas relacionadas con la explotación sexual en el marco de la prostitución siguiendo una lógica claramente abolicionista. La asunción de dicho modelo en su versión nórdica o sueca resulta evidente en el Borrador de 2018, en que se proponía la incriminación *in totum* del proxenetismo no coactivo en el art. 187 CP, la sanción de la conducta consistente en facilitar bienes muebles, inmuebles, instrumentos o medios de transporte para la comisión de delitos de prostitución y explotación sexual en un nuevo art. 187 bis CP y se sugería la incriminación de la compra de servicios sexuales de adultos y de menores a través del nuevo art. 187 ter CP.

Un planteamiento claramente abolicionista aun sin llegar a adoptar el modelo sueco asume también el Proyecto de Ley Orgánica de Garantía Integral de la Libertad Sexual de 2021. Esta norma propone incrementar la sanción de la determinación a la prostitución coactiva en el art. 187. 1 CP, introduce una interpretación auténtica del término "explotación" en el delito de proxenetismo no coactivo que la identifica con el "aprovechamiento de una relación de dependencia o subordinación", introduce un tipo cualificado de proxenetismo cuando la determinación a la prostitución se haya realizado empleando los medios comisivos del art. 187.1 CP. Además, incrimina la tercería locativa mediante la introducción de un nuevo art. 187 bis CP, aunque de manera más restringida que el Borrador de 2018, al limitar la conducta al destino de inmueble, local o establecimiento, abierto o no al público, a esta finalidad, siempre que concurra ánimo de lucro y se haga de manera habitual. Pese a que el Proyecto no llega tan lejos como el Borrador de 2018, en el sentido de sancionar en todo caso la compra de servicios sexuales, se han levantado ya contra el mismo las voces de algunas organizaciones que representan a trabajadoras sexuales denunciando que acabarán siendo criminalizadas por esta norma vía delito de tercería locativa.

No puede dejar de reconocerse, sin embargo, que ambos textos articulados tienen la virtud de incidir en cuestiones como la necesidad de prevenir la trata de seres humanos, previendo la vertebración de una estructura institucional que podría servir para una más completa aproximación a este fenómeno si no fuese porque está muy centrada en la trata sexual. Junto a ello, contemplan la articulación de un fondo, que se dotaría de bienes decomisados y que podría servir para indemnizar a las víctimas de trata. De nuevo, lo discutible aquí no es ya solo que este tipo de fondos sirvan únicamente para reparar a víctimas de grupos delictivos concretos –como las de trata- en demérito de otras –por ejemplo, las de delitos violentos en general-, sino incluso que dentro de grupos de víctimas de delitos concretos se hagan distingos, puesto que el Proyecto de 2021 se refiere solo a las víctimas de trata sexual.

En atención a lo indicado, de plantearse la conveniencia de incidir en la aprobación de una ley integral en materia de trata, como parece planea el actual Gobierno, no resulta deseable que se haga a imagen y semblanza de los referidos Borrador de 2018 o Proyecto de Ley Orgánica de 2021. A partir de esa negativa, la construcción en positivo de una alternativa normativa que constituya el modo óptimo de abordar este complejo fenómeno requiere de una reflexión sosegada, al margen de los avatares parlamentarios que rodean actualmente esta cuestión. De momento, quizá pueda apuntarse que, junto a la necesidad de atenerse al régimen general en punto al reconocimiento del estatuto jurídico victimal –integrado sobre todo por los derechos a la información, participación, protección, asistencia y reparación-, con eventual previsión de alguna especialidad para quienes sufren procesos de trata –también a través de protocolos protectores- y explotación humana, únicamente la regulación de cuestiones como la prevención de este tipo de victimización, la formación de los profesionales, la identificación de las víctimas y la previsión de una estructura institucional que diseñe políticas públicas para abordarla y chequee su aplicación justificarían las correspondientes normas específicas. Sin embargo, que dichas cuestiones precisen de desarrollo normativo no comporta necesariamente que el mismo deba adoptarse en forma de ley integral.

V. PRESENTACIÓN DE LA OBRA

Precisamente con la finalidad de proceder a una reflexión detenida acerca de qué contenidos debería tener un futuro estatuto protector de las víctimas de trata de seres humanos y esclavitud, surgió el proyecto coordinado integrado por los proyectos RTI2018-094686-B-C21 y RTI2018-094686-B-C22, "Hacia una Ley integral contra la trata de seres humanos y la esclavitud" (LITRAES), financiado por el Ministerio de Ciencia, Innovación y Universidades. El mismo tenía por objeto formular propuestas normativas tendentes a la efectiva implementación de una política 3P en esta materia, articuladas o no en forma de ley integral, habiendo previamente efectuado un análisis fenomenológico, jurisprudencial, normativo y protocolario sobre esta realidad en nuestro país, en especial respecto de las manifestaciones menos analizadas de la misma, situando este análisis múltiple en un contexto comparado. Dicho proyecto, que ha estado compuesto por dos equipos de investigación activos en las Universidades de Lleida y Jaume I de Castellón, integrados tanto por investigadores españoles como de países de nuestro entorno (Holanda, Italia, Portugal y Reino Unido), se ha venido ejecutando en el período 2018-2022.

Esta obra, que representa la culminación de esta empresa investigadora, se inicia con el presente capítulo introductorio, al que sigue una aportación de semejante tenor en que, de la mano de Luis Lafont, se efectúan consideraciones de conjunto acerca de los contenidos que debería tener una futura ley integral contra la trata desde la perspectiva que le confiere su vasta experiencia forense. En los capítulos que siguen a estos dos introductorios, elaborados tanto por investigadores del proyecto como por expertos externos al mismo con cuya colaboración se ha contado, se reflejan los principales resultados de la investigación siguiendo una estructura conforme a la cual el análisis comparado, fenomenológico y jurisprudencial precede al análisis normativo y protocolario sobre esta realidad.

Siguiendo la antedicha lógica, la primera parte de la obra se destina a un análisis criminológico comparado en el que se aborda la aproximación institucional a la trata y la explotación de seres humanos en diversos países europeos. Se inicia con la aportación de Geetanjali Gangoli en relación con uno de los países más efectivos en Europa en la visibilización de todas las formas de trata y explotación, cual es Gran Bretaña, aun cuando en referencia preferente a la trata sexual. Sigue con las aportaciones más generales sobre la aproximación a todas las formas de este fenómeno en Italia y Portugal por parte, respectivamente, de Claudia Pecorella y Massimiliano Dova, de un lado, y Marlene Matos y Mariana Gonçalves, de otro. Finaliza con dos capítulos centrados en la realidad en Holanda, uno de los países de la Europa de los 27 que más eficazmente está luchando contra la trata laboral y la explotación laboral, poniendo el foco de atención precisamente en la explotación misma, como testimonian los capítulos que firman Masja Van Meeteren y Jan Van Dijk.

La segunda parte del volumen se dedica al estudio fenomenológico y juris-prudencial de la trata y la explotación de seres humanos en nuestro país. La misma comienza por un estudio cuantitativo sobre victimización por trata de seres humanos en España, en sus distintas manifestaciones, durante los años 2017 y 2018, llevado a cabo por Carolina Villacampa, M. Jesús Gómez, Clàu-dia Torres y Xavier Miranda. Sigue a este un estudio cualitativo sobre victi-mización por un fenómeno intrínsecamente relacionado con la trata todavía poco analizado, el matrimonio forzado, a cargo de Núria Torres y Carolina Villacampa. En tercer término, se analiza desde una perspectiva cuantitativa la aplicación jurisprudencial del delito de trata de seres humanos en el último decenio en el capítulo elaborado por Marc Salat. Concluye esta parte con un estudio cuantitativo sobre aproximación institucional a la trata de seres huma-nos en España, elaborado por Carolina Villacampa y Clàudia Torres.

Una vez abordadas cuestiones de tipo más fenomenológico, tanto compa-radas cuanto centradas en España, la tercera parte de la obra se adentra en el análisis jurídico de la trata de seres humanos y la explotación de las personas. En concreto, se exponen los mecanismos de protección jurídica sustantiva exis-tentes y, sobre la base del análisis de los mismos, se determinan cuáles debería contener un futuro estatuto protector de las víctimas desde un punto de vista sustantivo. Esta parte se abre con dos contribuciones que analizan el estándar de protección internacional de las víctimas de trata, explorando Núria Camps, de un lado, los mecanismos jurídico-internacionales de protección de las víc-timas de trata con especial énfasis en el reconocimiento del estatuto de refu-giado, y exponiendo, de otro lado, Eimys Ortiz los instrumentos de protección regionales europeos. En el tercer capítulo de esta parte Jordi Bonet analiza la regulación de la explotación laboral en el ámbito internacional. Siguen a estos tres capítulos centrados en el Derecho internacional cinco capítulos en que se analizan tanto manifestaciones de la trata que han recibido menos atención hasta el momento, como la trata laboral –por parte de Eduardo Ramón-, la trata para matrimonio forzado –por Núria Torres- y la trata para criminalidad forzada –por Carolina Villacampa-, cuanto la necesidad incriminar conductas consistentes en la explotación de las personas en situación de esclavitud, servi-dumbre y trabajo forzoso por obra de Esther Pomares y Esteban Pérez Alonso. A continuación, finaliza esta parte con dos aportaciones en que se analiza la naturaleza económica del delito de trata de seres humanos y de la subsiguiente explotación de las personas y se diserta sobre las posibilidades de acudir a distintos mecanismos confiscatorios de ganancias para resarcir a las víctimas al tiempo que se analizan los problemas que plantea la atribución de respon-sabilidad penal a las personas jurídicas en este delito. En tal sentido, Clàudia Torres nos adentra en la vertiente económica de la trata y la explotación hu-mana y analiza los instrumentos jurídicos con que se cuenta para hacer frente a la que puede considerarse incluso una manifestación de la criminalidad de empresa, al tiempo que Teresa Aguado concentra su estudio en las posibilidades que brinda la recuperación de activos para resarcir a las víctimas de estas conductas.

La cuarta parte de la obra se centra en el análisis de las medidas normativas de protección victimal de naturaleza procesal. Se abre con dos aportaciones de Derecho comparado que, de la mano de Iñaki Esparza, de una parte, y Renzo Orlandi y Elena Valentini, de otra, dibujan el escenario procesal protector de las víctimas en Francia e Italia, respectivamente. Continúa con un capítulo que nos adentra en clave político-criminal en el derecho procesal español y su gestión de la trata de seres humanos de la mano de Juan Luís Gómez Colomer. Un mayor nivel de apego al Derecho procesal penal positivo español presentan las aportaciones de Andrea Planchadell y Carmen Delgado que, desde una óptica más académica sin perder de vista la realidad jurisprudencial la primera y desde una mirada más aplicada la segunda, analizan los problemas que plantea la investigación y enjuiciamiento de los supuestos de trata. Entre estas dificultades, se hallan las de garantizar el derecho a la información de la víctima, especialmente cuando las diferencias culturales y las barreras idiomáticas pueden resultar tan difíciles de superar como en este delito, lo que explica que en esta obra se haya dedicado un capítulo, el elaborado por Ana Beltrán, a la salvaguarda de este derecho. Finalmente, Ixusko Ordeñana nos plantea en su aportación la posibilidad de acudir a mecanismos al margen de un proceso penal ritualizado para resolver algunos de estos casos, así la mediación laboral intercultural, que podría convertirse en una herramienta útil para combatir la trata y la explotación laboral.

Finalmente, la quinta y última parte de este volumen se dedica al análisis tanto de los protocolos y guías de asistencia, cuanto de las posiciones mantenidas por los principales agentes en el diseño y la aplicación de programas de apoyo a víctimas de trata, las entidades asistenciales, acerca de la conveniencia de aprobar una ley integral. Este último bloque temático se abre con el capítulo que Xavier Miranda dedica al análisis de los protocolos en materia de trata tanto en un entorno comparado como español. Sigue la aportación de Rubén Espuny acerca de los protocolos existentes para atender a unas muy singulares, y a menudo olvidadas, víctimas de trata: los menores de edad. Concluye esta obra con dos relevantes contribuciones de las representantes de dos de las principales entidades asistenciales a víctimas de trata en España, Proyecto Esperanza-SICAR cat y APRAMP, en que sobre la base de su dilatada experiencia en este campo, exponen las razones que a su juicio avalan la conveniencia de aprobar una ley integral y los contenidos que debería tener.

Concluyo ya con esta introducción agradeciendo a todos los que han intervenido en esta publicación, tanto a los integrantes del proyecto coordinado RTI2018-094686-B-C21 "Hacia una Ley integral contra la trata de seres humanos y la esclavitud" (LITRAES) como a quienes desde el ámbito profesional forense y asistencial han colaborado con el equipo investigador, su valiosa aportación a esta obra. Todos ellos la han enriquecido con sus contribuciones y sus propuestas de *lege ferenda* que, efectuadas desde la óptica que confieren el estudio académico y la dilatada experiencia profesional, no son siempre coincidentes en las soluciones sugeridas, como el lector tendrá ocasión de comprobar. Para finalizar, permítaseme indicar que el presente volumen no hubiese podido ver la luz sin el inestimable apoyo de mi compañera Andrea Planchadell, IP del segundo de los subproyectos integrados en este proyecto (RTI2018-094686-B-C22), y su tarea coordinando las aportaciones del equipo de la Universitat Jaume I, ni tampoco sin la ayuda prestada por Rubén Espuny, becario FPI de la Universitat de Lleida, mediante la recepción y maquetación de los capítulos que siguen.

Lleida, 14 de enero de 2022

VI. BIBLIOGRAFÍA

CITCO: *Trata de seres humanos. Balance estadístico 2013-2017*, Madrid, 2018.

CITCO: *Trata de seres humanos. Balance estadístico 2014-2018*, Madrid, 2019.

CITCO: *Trata de seres humanos. Balance estadístico 2015-2019*, Madrid, 2020.

CITCO: *Trata de seres humanos. Balance estadístico 2016-2020*, Madrid, 2021.

CONSEJO GENERAL DEL PODER JUDICIAL: *Guía de criterios de actuación judicial frente a la trata de seres humanos*, Madrid, 2018.

DEFENSOR DEL PUEBLO, *La trata de seres humanos en España. Víctimas invisibles*, Madrid, 2012.

DELEGACIÓN DEL GOBIERNO PARA LA VIOLENCIA DE GÉNERO: *Documento refundido de medidas del Pacto de Estado en Materia de Violencia de Género. Congreso+ Senado*, Madrid, 2019.

FISCALÍA GENERAL DEL ESTADO: *Memoria presentada al Gobierno*, Madrid, 2019.

FISCALÍA GENERAL DEL ESTADO: *Memoria presentada al Gobierno*, Madrid, 2021.

ILO: *Global Estimates of Modern Slavery: forced labour and forced marriage*, Geneva, 2017.

MAQUEDA ABREU, M. L.: "Trata y esclavitud no son lo mismo, pero ¿qué son?", en SUÁREZ LÓPEZ, J.M. et al. (coords.), *Estudios Jurídicos Penales y Criminológicos. En homenaje al Prof. Dr. H. C. Mult. Lorenzo Morillas Cueva*, Dykinson, Madrid, 2018, pp. 1251-1264.

OBOKATA, T.: *Trafficking in Human Beings from a Human Rights Perspective: Towards a Holistic Approach*, Martinus Nijhoff, Leiden, 2006.

PÉREZ ALONSO, E.: "Tratamiento jurídico-penal de las formas complementarias de esclavitud", en PÉREZ ALONSO, E. (dir.), *El Derecho ante las formas complementarias de esclavitud*, Tirant lo Blanch, Valencia, 2017, pp. 333-368.

POMARES CINTAS, E.: *El Derecho penal ante la explotación laboral y otras formas de violencia en el trabajo*, Tirant lo Blanch, Valencia, 2013.

RODRÍGUEZ-LOPEZ, S.: "The Invisibility of Labour Trafficking in Spain. A Critical Analysis of Cases and Policies", *REIC*, vol. 18(2), 2020, pp. 1-25.

SALAT PAISAL, M.: "Análisis descriptivo de sentencias sobre trata de personas: Un estudio de casos judiciales entre 2011 y 2019", *REIC*, vol. 18, 2020, pp. 1-27.

VILLACAMPA ESTIARTE, C.: *El delito de trata de seres humanos. Una incriminación dictada desde el Derecho internacional*, Thomson Reuters-Aranzadi, Cizur Menor, 2011.

VILLACAMPA ESTIARTE, C.: "La moderna esclavitud y su relevancia jurídico-penal", *Revista de Derecho Penal y Criminología*, vol. 10, 2013, pp. 293-342.

VILLACAMPA ESTIARTE, C.: "Víctimas de la trata de seres humanos: su tutela a la Luz de las últimas reformas penales sustantivas y procesales proyectadas", *InDret*, vol. 2, 2014, pp. 1-31.

VILLACAMPA ESTIARTE, C.: "¿Es necesaria una ley integral contra la trata de seres humanos?", *Revista General de Derecho Penal*, vol. 33, 2020, pp. 1-57.

VILLACAMPA ESTIARTE, C. y TORRES ROSELL, N.: "Mujeres víctimas de trata en prisión en España", *Revista de Derecho penal y criminología*, vol. 8, 2012, pp. 411-494.

VILLACAMPA ESTIARTE, C. Y TORRES ROSELL, N.: "Trata de seres humanos para explotación criminal: ausencia de identificación de las víctimas y sus efectos", *Estudios Penales y Criminológicos*, vol. 36, 2016, pp. 771-829.

Capítulo II
ASPECTOS REPRESIVOS, PROCESALES Y DE PROTECCIÓN QUE UNA FUTURA LEY INTEGRAL DE TRATA DEBIERA ABORDAR

LUIS LAFONT NICUESA
Fiscal
Unidad Coordinadora de Extranjería

I. INTRODUCCIÓN

Asumo en este capítulo el encargo realizado por mi admirada Carolina Villacampa que desde la academia tanto ha hecho por la difusión del conocimiento científico sobre los delitos esclavistas. Tras un breve análisis general sobre la utilidad de una ley integral en materia de trata, centraré mi exposición en aquellas cuestiones que, ya sea en una ley especial o en la normativa penal sustantiva o procesal general o en normas de protección de víctimas, debieran ser abordadas para asegurar un castigo penal más efectivo de las conductas de trata y una protección más plena de la víctima. Desfilarán por estas líneas problemas prácticos de toda índole y unas propuestas de soluciones. No debemos olvidar que nos encontramos ante un delito muy difícil de probar en que la prueba principal será la declaración de una víctima aterrorizada cuya sujeción estricta a las reglas procesales actualmente vigentes pueden desembocar en una victimización secundaria si debe declarar varias veces sin las debidas garantías. Concluiré con unas propuestas de *«lege ferenda»* sobre mejoras en el abordaje jurídico de los temas tratados.

II. CONSIDERACIONES GENERALES

Desde diversos ámbitos se reclama una ley integral que regule la trata. En la judicatura, Montalbán Huertas[1] la considera necesaria como instrumento idóneo para la persecución de los tratantes, la prevención y la protección de las víctimas de la trata; de modo especial para las explotadas sexualmente. Pone de manifiesto que «el factor de dispersión de normas es un real obstáculo en la lucha contra la TSH y explica, en buena medida, la escasa utilización de estos tipos delictivos en España, a la espera de una ley integral...». Para la magistrada «Nos enfrentamos a un problema estructural y poliédrico necesitado de una normativa que lo aborde desde sus diversas vertientes jurídicas, de manera coherente, sin contradicciones y que favorezca la visibilización, prevención y sanción. Una ley integral contra la trata de seres humanos sería un instrumento idóneo para conseguir tales objetivos y un nuevo paso muy importante para la prevención y protección de las víctimas de la trata». En el mismo sentido, la magistrada Martínez de Careaga García[2] cree necesario elaborar una Ley integral ante la dispersión normativa y que la nueva Ley «debe abordar el fenómeno desde una perspectiva multidisciplinar y pluriinstitucional, definiendo las actuaciones a realizar por cada uno de los actores implicados en la lucha contra esta lacra».

Desde la perspectiva de las ONGs, la Fundación Cruz Blanca[3] estima precisa la existencia de una Ley integral que dote de coherencia a un sistema normativo actualmente limitado y fragmentado, que se construya a través del consenso, y en cumplimiento a los compromisos internacionales adquiridos. La ONG precisa que la ley debe tener rango de Ley Orgánica al desarrollar derechos fundamentales de las personas víctimas de trata y en una acertada reflexión para evitar que la ley no se convierta en un instrumento ornamental, lo que coloquialmente se conoce como un brindis al sol, la Fundación indica que la ley debe detallar de forma concreta como serán financiadas todas las actuaciones y el origen de los fondos de forma que quede asegurada la disponibilidad presupuestaria.

---

[1]   MONTALBAN HUERTAS, I.: «Guía judicial frente a la trata de seres humanos: análisis con perspectiva de género», en *Cuadernos Digitales de Formación*, nº14, Consejo General del Poder Judicial, Madrid, 2020, p. 14; MONTALBAN HUERTAS, I.: «La trata de seres humanos. El derecho y la esclavitud en el siglo XXI», *Cuadernos Digitales de Formación*, nº10, Consejo General del Poder Judicial, Madrid, 2016, pp. 12 y 31-32.

[2]   MARTINEZ DE CAREAGA GARCÍA, C.: *Guía de criterios de actuación judicial frente a la trata de seres humanos*, Consejo General del Poder Judicial, Madrid, 2018, p.14.

[3]   Aportaciones en MINISTERIO DE IGUALDAD: *Consulta Pública previa a la elaboración de un Proyecto normativo consistente en una Ley Integral contra la trata*, Madrid, 2021, p.21.

En la doctrina, Villacampa Estiarte[4] manifiesta que es difícil señalar si es precisa una nueva ley integral contra la trata para abordar el proceso de victimización y su contenido, pero expone como el sistema actual adolece de claros déficits que impiden una aproximación holística a la TSH. González Beilfuss[5] tras exponer como uno de los objetivos de los trabajos y borradores en la materia es acabar con la dispersión normativa y unificar en un único texto las normas relativas a la trata de seres humanos, al no quedarse sólo en una labor de mera refundición, debe existir una discusión previa de lo que significa una ley «integral» como medio de generar un consenso social y político en la materia. Ambos autores critican que únicamente se regule la trata con fines de explotación sexual, reduccionismo que se atribuye a la influencia política de la corriente abolicionista de la prostitución. González Beilfuss[6] considera que, aunque las disposiciones de una futura ley podrían aplicarse no sólo a la trata sexual sino también a otras modalidades de trata, es necesario prestar atención a la trata como una realidad compleja y el que haya ya investigaciones y procesos en «…relación con la trata por explotación laboral, por mendicidad o para la comisión de pequeños delitos debiera ser una llamada de atención en este sentido».

Siempre he sostenido la necesidad de que las leyes penales sean breves y centralizadas, desconfiando de cualquier ley especial que busque cobijo fuera del Código Penal pero el análisis de un fenómeno tan proteico como es el de la trata, vertebrada en múltiples factores interrelacionados entre sí y la lectura de doctrina autorizada en la materia han matizado mi posición inicial y creo que la atomización normativa puede ser un peligro para la lucha efectiva contra un fenómeno criminal tan complejo y que la centralización y recopilación legal en un solo texto de lo que actualmente está disperso en normas penales, administrativas y protocolos varios que se superponen entre sí, ya es un objetivo que por sí solo justifica una ley integral. Con ocasión de ello, cabe también introducir novedades que corrijan algunos déficits y mejoren un sistema que actualmente, en mi opinión, funciona razonablemente bien.

---

[4]   VILLACAMPA ESTIARTE, C.: «¿Hacia una ley integral contra la trata de seres humanos?», *PostC: La PosRevista sobre crimen, ciencia y sociedad de la era PosCovid19* (Minipapers), 2021.

[5]   GONZÁLEZ BEILFUSS, M.: «La trata de seres humanos: la visión desde la perspectiva del Estado y la visión victimocéntrica», *Cuadernos Digitales de Formación*, nº 19, Consejo General del Poder Judicial, Madrid, 2019, pp. 10-11.

[6]   GONZÁLEZ BEILFUSS, M.: *Ibidem*, p. 10.

III. ASPECTOS REPRESIVOS SUSTANTIVOS

Afirma González Beilfuss[7] que resulta discutible que una ley integral sea el lugar adecuado para introducir la reforma de normas penales, procesales o complementarias vinculadas a la investigación y persecución de este delito, no por una cuestión de coherencia, sino porque algunas de dichas reformas debieran aplicarse a otros delitos y evitar así un riesgo presente en los tiempos actuales como es reformar piezas aisladas sin tener en cuenta su impacto en el sistema. Efectivamente, el riesgo está ahí, pero si la ley aspira a ser integral y a no cubrir exclusivamente aspectos de protección, no puede eludir el abordaje de las cuestiones penales y procesales. Desarrollaremos las más importantes.

1. *Reformulación de la trata con fines de explotación laboral*

Como bien expone Villacampa Estiarte[8] esta reforma ha constituido una oportunidad desaprovechada para incriminar de una vez por todas la efectiva esclavización de las personas o su sometimiento a situaciones de trabajo forzoso. Es una demanda que la academia, a la que se ha sumado la Fiscalía General del Estado, lleva ya años formulando, desde el mismo día de la inclusión de delito de trata en el Código penal español.

Efectivamente, la Fiscalía General del Estado ha expuesto en sus memorias como existe un cierto consenso en la necesidad de replantear una remodelación de los tipos penales comprendidos bajo la rúbrica del Título XV del Libro II del Código Penal que sea más acorde no sólo con el concepto de explotación laboral vinculada a la trata de seres humanos, sino también para diferenciarla de la esclavitud, trabajos forzados, servidumbre o prácticas similares a la esclavitud y servidumbre que, en opinión de la Fiscalía, deberían constituirse en tipos penales propios e independientes. Defiende una propuesta de reforma del sistema más acordes con la realidad española de nuestros días.

El Fiscal de Sala coordinador de Extranjería Sánchez-Covisa Villa[9] sostiene como «Del mismo modo, la erróneamente denominada trata con fines de explotación laboral podría reducirse en un altísimo grado, no solo cuando se tipificara en nuestro país el delito de esclavitud, la servidumbre y el trabajo forzoso de la manera que exigen las Convenciones de Naciones Unidas y OIT sobre la materia, sino también se reelaboraran los delitos contra los derechos de los trabajadores de manera congruente y perfectamente diferenciada del derecho sancionador administrativo».

---

7   GONZÁLEZ BEILFUSS, M.: *Ibidem*, p. 14.
8   VILLACAMPA ESTIARTE, C.: «¿Hacia una ley integral contra la trata de seres humanos?», *op. cit.*
9   SÁNCHEZ- COVISA VILLA, J.: *Entrevista en infofiscalía en el día mundial contra la trata*, 2019.

Efectivamente pugna con cualquier coherencia la existencia de un delito de trata que tenga como finalidad realizar una serie de conductas como son la servidumbre, el trabajo forzado o la esclavitud y carezcamos de tipos penales que recojan expresamente tales finalidades. Por otro lado, el delito que tomamos como referencia finalista, el de explotación laboral de los arts.311 y 312 CP no integra una finalidad expresa del art.177 bis CP con lo que en sentido estricto no existe un delito de trata con fines de explotación laboral.

Un ejemplo de la patología de nuestra regulación lo encontramos en la SAP de Valencia. secc.3ª, nº 140/2019, de 12 de marzo. Vemos tras analizar dicha Resolución como la ausencia de definiciones y referencias típicas precisas determina la absolución por la trata y una sustancial rebaja de pena al condenar únicamente por explotación laboral. El Fiscal acusaba por un centenar de delitos de trata (uno por víctima) a una agrupación familiar, dedicada a trasladar a personas de nacionalidad búlgara, principalmente en la región de Pleven (Bulgaria), con escasos recursos económicos, para trabajar en tareas agrícolas en España. La Sala da por acreditados hechos que integrarían los medios comisivos del engaño y el abuso de una situación de vulnerabilidad. Así, se relata como los acusados ofrecieron a los trabajadores unas condiciones de trabajo muy tentadoras por los ingresos y por cómo supuestamente vivirían. Nada coincidía con la realidad. Se resalta asimismo que se trataban de personas que se hallaban especialmente necesitadas por estar en paro o por tener a su cargo una familia, siendo su nivel cultural y social muy bajo (albañiles, pastores, agricultores, etc.), de lo que se desprende que con aquel engaño abusaron también de su necesidad.

Al mismo tiempo se da por probado que se impusieron a los trabajadores condiciones de vida caracterizadas por su hacinamiento en escasos metros cuadrados y en condiciones insalubres en las viviendas en las que se hospedaban. Asimismo, también les imponían unas condiciones laborales que consistían en quedarse con la totalidad o una parte importante de lo pagado por los empleadores que contrataban a estos trabajadores búlgaros a través de los acusados sin abonar ninguna cantidad o cheque a los mismos. En definitiva, expone la Sentencia «..., *nunca firmaron contratos individuales de trabajo ni consta que estuvieran en la Seguridad Social. A esto se añade que las condiciones de trabajo y de cobro no fueron las inicialmente prometidas: no cobraron o cobraron muy poco. Y las jornadas de trabajo eran de sol o sol, sin apenas descansos y sin apenas festivos (sólo los días de lluvia). El alojamiento era infame: hacinados en habitaciones para cuatro o más personas, con colchones cogidos de basureros. La comida tampoco era especialmente buena, incluso procedente de basureros, según ya ha quedado dicho*».

El Tribunal analiza el tipo de trata, exponiendo como el artículo 177 bis, apartado 1 CP castiga al que valiéndose de engaño o abusando de una situación de necesidad de otra persona la captare, transportare o trasladare con una finalidad de servidumbre, imposición de trabajo o de servicios forzados o de esclavitud o prácticas similares a la esclavitud y recoge un primer problema como es que «*No se cuenta con una definición auténtica en el Código Penal ni tampoco hay ninguna referencia en la Ley Orgánica 5/2010, de 22 de junio, que introdujo el artículo 177 bis, acerca de lo que se entiende por esclavitud o trabajo forzado*». Para solucionarlo, acude a instrumentos internacionales lejanos en el tiempo como la Convención suplementaria sobre la abolición de la esclavitud, la trata de esclavos y las instituciones y prácticas análogas a la esclavitud, firmada en Ginebra el 7 de septiembre de 1956 (BOE núm. 311, 29-12-1967), en cuyo artículo 7 se declara que la esclavitud , «*tal como está definida en el Convenio sobre la Esclavitud de 1926, es el estado o condición de las personas sobre las que se ejercen todos o parte de los poderes atribuidos al derecho de propiedad*», y esclavo «*es toda persona en tal estado o condición*».

Plenamente de acuerdo con un solo matiz. Nuestro Código Penal sí define el delito de esclavitud que se encuentra de forma agazapada como una modalidad del delito de lesa humanidad. Así, el art.607 bis. 2. 10º CP señala que «*Se entiende por esclavitud la situación de la persona sobre la que otro ejerce, incluso de hecho, todos o algunos de los atributos del derecho de propiedad, como comprarla, venderla, prestarla o darla en trueque*».

A continuación, el Tribunal acude a Sentencia del Tribunal Europeo de Derechos Humanos de 26 de julio de 2005 (caso Siliadin contra Francia) donde se señala que «*trabajo forzado u obligatorio*» designa «*todo trabajo o servicio exigido a un individuo bajo la amenaza de cualquier pena y para el que dicho individuo no se haya ofrecido voluntariamente*». La definición corresponde al sentido «clásico» de la esclavitud, tal y como se practicó durante siglos, concluyendo el Tribunal Europeo en dicho supuesto que «*si bien… la demandante fue claramente privada de su libre arbitrio, no se desprende del expediente que fuese mantenida en esclavitud en el sentido propio del término, es decir, que el matrimonio B. hubiese ejercido sobre ella, jurídicamente, un verdadero derecho de propiedad, reduciéndole al estado de objeto*».

Respecto a la noción de servidumbre se indica como constituye una forma de «*negación de la libertad, particularmente grave*» que «*además de la obligación de proporcionar a otra persona ciertos servicios*» implica «*la obligación para el 'siervo' de vivir en la propiedad de otra persona y la imposibilidad de cambiar su condición*». De ello resulta, prosigue el Tribunal que «*…a la vista de la jurisprudencia existente sobre la cuestión, que la servidumbre conlleva la obligación de prestar servicios bajo el imperio de la coacción y que debe vincularse a la noción de esclavitud*».

Con base en estas premisas normativas y judiciales, la Audiencia descarta que los trabajadores búlgaros fueran esclavos ya que «*no hay ningún indicio que permita pensar que la finalidad perseguida por los acusados fuese la de tenerlos como si fuesen de su propiedad, con los que incluso podrían haber comerciado como si fuesen objetos o cosas susceptibles de ser transmitidos a otro».* Asimismo, no hay trabajo forzado ya que *«...no consta con claridad que se les exigiese trabajar bajo cualquier tipo de coacción física o moral o bajo la amenaza de cualquier pena. Lo bien cierto es que los trabajadores vinieron desde Bulgaria voluntariamente, acuciados sin duda por la necesidad de conseguir dinero con el que atender a sus propias familias, y realizaron su trabajo sin recibir especiales coacciones o amenazas para doblegar una voluntad contraria o reacia al trabajo».*

Otro elemento que la Sala valora es que los trabajadores gozaban de libertad ambulatoria *«...ya que podían salir con libertad de la vivienda en que pernoctaban, También podían llamar a su país a través de teléfonos móviles, bien los que algunos de ellos poseían, bien a través de alguno de los teléfonos móviles de los acusados, que se los prestaban ocasionalmente para tal menester».* En mi opinión, tal afirmación no parece compatible con expresiones como que los trabajadores se escaparon *«y de hecho se escaparon varios trabajadores que decidieron denunciar las condiciones en que estaban viviendo y que después regresaron a su país»* o que hubiera víctimas que huyeran y vagaran durante días a la intemperie y desorientados hasta que los encontró la Policía local. Así se indica que un trabajador *« fue hallado por miembros de la Policía Local de Benifairó cuando el día 13 de enero de 2016 deambulaba desorientado por dicha población, consiguiendo los policías averiguar, pese a no disponer de intérprete entonces, que habían huido de su trabajo por considerarse engañados, lo que motivó que miembros del puesto de la Guardia Civil de Tavernes de la Valldigna se hicieran cargo de ellos... en ocasiones se fueron sin dinero y permanecieron a la intemperie uno o varios días hasta recibir ayuda de las fuerzas policiales y de otras instituciones benefactoras ».*

En un aparente giro argumental, el Tribunal apunta que sí podría existir una situación de trabajo forzado *«También es posible pensar que concurrían algunos rasgos propios del delito de trata de seres humanos vinculado a la idea de trabajos forzados, lo que podría centrarse en el hecho de que los acusados hacían todo lo posible para impedir que algunos trabajadores se marchasen, bien reteniéndoles la documentación, bien no dándoles apenas dinero»* pero a continuación se enroca y reconduce su posición a que no hay esclavos porque *«no eran propiedad de nadie»* ni hay trabajo forzado porque había *«libertad de movimientos y de comunicación ».*

Para el Tribunal, la presencia del engaño o de un abuso de vulnerabilidad *«...no es objeto del delito en examen, centrado en la trata de seres humanos, y está referido más bien al delito que atenta contra los derechos de los trabajadores».* No comparto el criterio. El engaño y el abuso de vulnerabilidad sí forman parte de la trata como dos medios comisivos autónomos.

Finalmente, el órgano judicial condena por un delito continuado de explotación laboral del art. 311.1 CP a siete años de prisión cuando la petición del

Fiscal era de centenares de años. La ausencia de un tipo delictivo específico de trabajo forzado hace que sólo se considere como tal el trabajo bajo violencia, amenaza, cadenas, puertas cerradas, o privación del móvil cuando una forma coactiva plenamente integrable en el concepto de forzado es la privación al individuo de los elementos básicos para que pueda desenvolverse con normalidad fuera del entorno del tratante como son la documentación y el dinero. Debemos recordar como la jurisprudencia[10], no reduce la coacción en la trata a la violencia, intimidación o a las amenazas, recalcando la importancia de la documentación que es retenida como forma de coacción.

Consciente de tal situación, el Plan de Acción Nacional contra el Trabajo Forzoso, relaciones laborales obligatorias y otras actividades humanas forzadas[11] expone como medida a adoptar «*la tipificación específica y diferenciada de los delitos finales de esclavitud, servidumbre y trabajos forzados*» como establece el Protocolo de la Organización Internacional del Trabajo del 2014 relativo al Convenio de trabajo forzoso de 1930[12]. Se desprende del texto que la falta de reconocimiento del trabajo forzoso como un delito autónomo y su vinculación a una de las finalidades de la trata de personas recogidas en el artículo 177 bis del vigente Código Penal impide conocer las dimensiones cuantitativas y cualitativas del problema. Así, las estadísticas del Ministerio Fiscal no permiten «determinar cuantitativamente el número de procesos judiciales incoados que tuvieran por objeto la investigación, persecución y castigo de esas conductas, porque estarían subsumidas en una pluralidad de delitos de imposible delimitación (delitos contra los derechos de los trabajadores, delitos de coacciones, delitos de amenazas, delitos de detenciones ilegales, etc.). La ausencia en España de una base de datos centralizada y la falta de coordinación o transmisión de datos entre Autoridades dificulta el conocimiento de la realidad».

2. *Castigo de todas formas de proxenetismo*

La necesidad de castigar cualquier forma de proxenetismo está presente en las últimas memorias de la Fiscalía General del Estado. La memoria del 2019

---

10   Por todas, STS nº 214/2017, de 29 de marzo.
11   Aprobado por Acuerdo del Consejo de Ministros de 10 de diciembre de 2021 y publicado en el BOE de 24 de diciembre de 2021.
12   La definición internacional del trabajo forzoso permite fórmulas de represión penal más amplias y justas permitiendo albergar bajo su cobertura, por ejemplo, a personas que no desempeñan una actividad laboral reglada como es la prostitución y que sólo por la vía indirecta de la actividad de alterne pueden incluirse como víctimas dentro de los delitos de explotación laboral. Como expone el Plan de Acción Nacional el trabajo forzoso incluye tanto el que se de en el ámbito de las relaciones laborales regulares, es decir de objeto lícito y regulada por la legislación laboral como el que se produzca en el seno de cualquier actividad alegal o ilícita.

se inicia con un dato demoledor «Ni un solo proceso abierto por delito de prostitución abusiva ha prosperado, solo acaban con éxito los que persiguen la explotación de las mujeres mediante actos de violencia extrema, coacciones flagrantes o cuando las víctimas son menores de edad».

Para la Fiscalía mientras no se tipifique el proxenetismo en cualquiera de sus modalidades como exige el Convenio de Nueva York, para la represión de la trata de personas y de la explotación de la prostitución ajena, firmado en Lake Success el 21 de marzo de 1950, muchas mujeres de especial vulnerabilidad por sus condiciones familiares, económicas, étnicas y sociales serán explotadas sexualmente en España. No se discute por el Ministerio Público el derecho a la libertad de la mujer para disponer libremente de su cuerpo, pero reivindica el derecho a la igualdad de oportunidades de las mujeres que ejercen la prostitución bajo la dependencia de un tercero. La experiencia acredita que las mujeres que ejercen la prostitución en clubs, pisos o en la vía pública por cuenta de terceros provienen de regiones económicamente deprimidas, sin formación o cobijo familiar o social, asumiendo como único medio de subsistencia entregar su cuerpo a clientes que las desprecian al considerarlas como meros objetos de disfrute; además, ni siquiera se benefician económicamente de su sacrificio. Las memorias advierten asimismo que nuestra sociedad se escandaliza con la instrumentalización de la mujer como instrumento decorativo publicitario, pero acepta sin problema que mujeres se exhiban en escaparates como mercancía (barrios rojos de algún país europeo) o como reclamo en folletos que inundan los parabrisas de los coches.

Sánchez-Covisa Villa[13] manifiesta que «De la misma manera que en España es irrelevante la trata con fines de extracción de órganos porque disponemos de una legislación sobre trasplantes de órganos que prácticamente imposibilitan su consumación efectiva, la trata con fines de explotación sexual se reduciría a niveles mínimos cuando el proxenetismo en cualquiera de sus manifestaciones fuera objeto de tipificación penal en el sentido y con el alcance que exige el Convenio de Lake Success». Afirma el Fiscal[14] como llegan a la sociedad mensajes falsos y nocivos como que la prostitución es una actividad laboral no reglamentada vinculada al ocio; los proxenetas no son tales, son empresarios del sexo; la mujer que ejerce la prostitución lo hace porque quiere; o, habría que reglamentar esa actividad laboral en defensa de la mujer y de la propia sociedad. Estos cantos de sirena desconocen una realidad en que la prostitución bajo el manto del proxenetismo consentido afecta fundamentalmente a mujeres extranjeras, pobres y extraordinariamente vulnerables. La consecuencia es que estas mujeres no están en igualdad de oportunidades con respecto a las demás.

---

[13]   SÁNCHEZ- COVISA VILLA, J.: *Entrevista en infofiscalía en el día mundial contra la trata*, 2019.
[14]   Entrevista en el Diario de Sevilla, 30 de julio de 2021.

Propugna resolver el problema como la ha hecho el legislador francés en la ley de 13 de abril de 2016 para reforzar la lucha contra el sistema prostitucional y apoyar a las personas prostituidas. Haciendo suyas las manifestaciones de varios diputados franceses-entre otros, Maud Olivier, Françoise Héritier, Guy Geoffroy- considera que el hecho de que existan mujeres prostituidas que se declaren libres de ejercer tal actividad (sector claramente minoritario), no puede justificar que la esclavitud de todas las demás se convierta en aceptable. Efectivamente, que una mujer venda su cuerpo no puede ser impuesta desde leyes de mercado vertebradas en posiciones de poder, fuerza, o dinero. Perseguir todas las manifestaciones del proxenetismo no solucionará el problema, pero fortalecerá la lucha contra este tipo de esclavitud. El castigo penal al proxeneta debe ir acompañado de medidas económicas, sociales y formativas que den salida a miles de mujeres que no disponen ya de otro medio de vida.

La magistrada Vivas Larruy[15] expone como una propuesta de jueces y magistrados asistentes al seminario de formación del CGPJ es el de sancionar el proxenetismo per se en el Código Penal y recuperar la figura de la tercería locativa.

3. Tipificación de la gestación subrogada como modalidad de trata

La Resolución del Parlamento Europeo, de 5 de julio de 2016, sobre la lucha contra la trata de seres humanos en las relaciones exteriores de la Unión condena la trata de seres humanos para la maternidad subrogada forzosa en la medida en que constituye una violación de los derechos de la mujer y de los menores; señala que la demanda de gestación subrogada se ve impulsada por los países desarrollados a expensas de personas pobres y vulnerables procedentes, a menudo, de países en desarrollo, y pide a los Estados miembros que analicen las implicaciones de sus políticas reproductivas restrictivas.

En coherencia con esta previsión, considero que debe incluirse la gestación subrogada como modalidad de trata como forma de cosificación de la mujer que es convertida por precio en una vasija o envoltorio.

4. Otros

En otro orden de cuestiones, Villacampa Estiarte[16] critica que -entre los desaciertos, cabe mencionar que se siga mentando al territorio español en la

15 VIVAS LARRUY, M. A.: «Respuesta judicial penal frente al delito de trata de seres humanos», *Cuadernos Digitales de Formación*, nº 21, Consejo General del Poder Judicial, Madrid, 2019, p. 26.
16 VILLACAMPA ESTIARTE, C.: «¿Hacia una ley integral contra la trata de seres humanos?», *op. cit.*

descripción de la conducta, que se haya mantenido sin modificar la regla con-cursal *ad hoc* en relación con el delito del tráfico ilícito de migrantes o que la cláusula de no punición continúe conteniendo un requerimiento de proporcio-nalidad estricto y no se contemple como principio de no procesamiento.

IV. ASPECTOS PROCESALES

1. *Regulación de la prueba preconstituida con el propósito de evitar la victimización secundaria*

Como expone la STS n° 53/2014, de 4 de febrero «*Constituye una norma de experiencia que en los delitos de trata de seres humanos la presión sobre los testigos-víctima sometidos a la trata y explotación, es muy intensa, por lo que el recurso a la prueba preconstituida debe ser habitual ante la muy probable incidencia de su desaparición, huida al extranjero e incomparecencia al juicio oral, motivada ordinariamente por el temor a las eventuales consecuencias de una declaración contra sus victimarios* »[17]. Preconstituir la prueba significa que la testigo declare como si lo hiciera en juicio ante el Juez de Instrucción en presencia de las partes. La prueba preconstituida puede tener como finalidad evitar la frustración de la prueba de modo que si el día de juicio, la testigo no comparece, previa justificación por la Policía ante el tribunal de que se ha in-tentado localizar a dicha testigo ausente sin éxito, se introducirá la prueba en juicio mediante el visionado de la grabación o la lectura del acta del Letrado de la Administración de Justicia. Es como si hubiera ido al juicio.

Por otro lado, la jurisprudencia y la doctrina han atribuido a la prueba anticipada el propósito de evitar una victimización secundaria, de modo que si la víctima es especialmente vulnerable (por razón de edad, discapacidad o ante la existencia de un sentimiento de profundo temor lindante con el pánico o el terror)[18], la víctima declarará en la prueba preconstituida y salvo circunstancias muy excepcionales no volverá a ser llamada a declarar. Así, la STS n° 1002/2017, de 19 de enero expone como « *Es relevante el análi-sis que la sentencia realiza respecto de la valoración de la testigo protegida NUM005, de la que destaca el "atroz miedo" que padecía cuando fue libe-rada por la policía y son igualmente relevantes las afirmaciones contenidas en el peritaje del juicio oral sobre la situación de las víctimas, sus angustias y*

---

[17]   En el mismo sentido, SSTS n°430/2019, de 27 de septiembre, n°312/2017, de 3 de mayo y n°191/2015, de 9 de abril.

[18]   Que en relación a menores de 14 años o con discapacidad necesitados de especial protec-ción recoge la reciente Ley Orgánica n° 8/2021, de 4 de junio de protección integral a la infancia y la adolescencia frente a la violencia.

temores, y los informes psicosociales emitidos por la ONG Esperanza, donde fueron acogidas las víctimas, y ratificadas en el juicio oral». La STS nº 686/2016, de 26 de julio recoge como la testigo no declaró por miedo apreciado por el Tribunal.

La necesidad de eludir la victimización secundaria se describe muy bien por la magistrada Hernández Rueda[19] cuando señala «En caso de que concurran motivos justificados subsumibles en la categoría de "otros motivos" que recogen los artículos 777.2° y 797.2° de la LECRIM, tales como preservar su integridad moral o impedir o retrasar su recuperación física o psicológica o la imposibilidad de declarar por el temor que le produce la situación, puede introducirse la declaración sumarial, practicada con las debidas condiciones de contradicción que salvaguarden el derecho de defensa».

2. Reforma de la Ley de testigos protegidos

La Orgánica 19/1994, de 23 de diciembre, de Protección a Testigos y Peritos en Causas Criminales (LOPTP), resulta manifiestamente insuficiente para dar una protección eficaz e integral a la protección de testigos que van a declaran en procesos contra formas organizadas o violentas de criminalidad. Debe recordarse que las víctimas de trata sufren con frecuencia amenazas, no sólo contra ellas sino contra sus familiares y entorno próximo.

Como recuerda la memoria de la Fiscalía del 2015, la actual LOPTP resuelve con muchas deficiencias, la posibilidad de otorgar a los testigos documentos con una nueva identidad y medios económicos para cambiar su residencia o lugar de trabajo. Es preciso una regulación seria e integral de la materia, de modo que el status del testigo protegido y las consecuencias que su condición haya de tener en su vida diaria deben estar legal y/o reglamentariamente previstas con el necesario nivel de detalle, ofreciéndole, también, la necesaria seguridad jurídica en relación con su situación. La memoria del 2013 apunta a que resulta indispensable, no sólo una modificación sustancial de la LOPTP en la que se valoren y se resuelvan los verdaderos problemas que aquejan el sistema, sino también la adopción de una estrategia preprocesal fundada en la investigación proactiva del delito y de plenitud probatoria que no descanse exclusivamente en el testimonio de la persona tratada.

---

[19]   HERNÁNDEZ RUEDA, M. D.: «Cuestiones generales sobre las víctimas en el enjuiciamiento de los delitos de trata de seres humanos», *Cuadernos Digitales de Formación*, n°23, Consejo General de Poder Judicial, Madrid 2019, p. 12.

3. Inclusión de técnicas especiales de investigación

3.1. Operaciones encubiertas

Sería de interés recoger expresamente en un texto normativo las técnicas especiales de investigación en las que destacan las operaciones encubiertas. Es una forma de dar visibilidad a determinados instrumentos investigadores que, aunque la normativa procesal general permite que se empleen en la investigación del delito de trata[20], no se hace en la práctica porque el diseño y terminología legal general que lo regula piensan principalmente en otros delitos como pueden ser el tráfico de drogas en el agente encubierto físico o la pornografía infantil en el virtual.

El Protocolo de Cooperación Interinstitucional para fortalecer la investigación, actuación y protección a víctimas del delito de trata de personas y tráfico ilícito de inmigrantes, suscrito en el año 2017 por la Asociación iberoamericana de Ministerios Públicos prevé en su art.8 bajo la rúbrica operaciones encubiertas que «Las partes se comprometen, de *ser posible* en su ordenamiento jurídico, y en defecto de la posibilidad de acudir a otras técnicas de investigación, a fomentar el empleo de agentes encubiertos y confidentes para conocer la naturaleza de la organización delictiva, los lugares donde se encuentran las víctimas y sus desplazamientos y el rastro del dinero que deja el delito (cuánto dinero se paga, donde, a quien y el fin para el que se utiliza). En este sentido, resulta de particular importancia el empleo de agentes encubiertos informáticos cuando los tratantes mantienen contactos con las víctimas por canales cerrados de comunicación».

En las jornadas de Fiscales delegados de Extranjería del año 2017 se concluyó que «El empleo de técnicas especiales de investigación en el delito de trata, en especial el agente encubierto informático, resultan importantes cuando los tratantes mantienen contactos con las víctimas por canales cerrados de comunicación».

Un ejemplo lo encontramos en Paraguay con la Ley nº 4788/2012 integral contra la trata de personas que en su art.23 recuerda que en la investigación del hecho punible de trata pueden emplearse agentes encubiertos quienes pueden asumir transitoriamente identidades y papeles ficticios, con la finalidad de evitar la comisión del delito, obtener elementos probatorios e identificar a captadores, transportadores, receptadores y demás partícipes de la trata de personas. Desarrolla en los artículos siguientes esta figura, así como la de los informantes y arrepentidos que tan buenos resultados ofrece en el combate penal contra otras lacras delictivas.

---

[20]   Como ocurre con el agente encubierto del art. 282 bis LECRIM.

3.2.   Informes de inteligencia policial

Sería también interesante la inclusión como herramienta probatoria de los llamados informes policiales de inteligencia que son aquellos dictámenes elaborados por las Fuerzas y cuerpos de Seguridad que desde la perspectiva de la criminología o de la sociología analizan empíricamente el modus operandi de una organización criminal, sus integrantes, su estructura financiera y sus relaciones con otras organizaciones criminales. En definitiva, se describen técnicas delincuenciales, siendo en esencia máximas de experiencia en que un policía identifica en el estudio de un caso una forma de actuar, un patrón que ya se ha encontrado en casos anteriores. Es una prueba más a valorar con otras y el autor del informe debe defenderlo en juicio sometiéndolo al principio de contradicción.

Los informes de inteligencia, asentados plenamente en delitos como el terrorismo o tráfico de drogas comienzan a abrirse camino en el delito de trata. Su importancia se refleja en la Resolución del Parlamento Europeo de 10 de febrero de 2021, sobre aplicación de la Directiva 2011/36/UE que recomienda «...*el uso sistemático de investigaciones financieras y otros instrumentos eficaces de investigación basado en inteligencias, que pueden proporcionar diferentes tipos de prueba que se utilizarán además de los testimonios de la víctima*».

Un ejemplo de la proyección probatoria del informe de inteligencia lo encontramos en la SAP de Murcia, secc. 3ª, nº 159/2020, de 10 de junio en que un Policía experto en la materia explica al Tribunal la técnica del vudú seguida como modus operandi por los tratantes nigerianos. Expone la Sala como «*Si bien, no todos los medios de coacción implican el ejercicio de una violencia visible sobre la persona, siendo necesario conocer los distintos "modus operandi" de las mafias según su procedencia. Por ejemplo, la adquisición de "compromisos culturales" que se convierten en leyes infranqueables y que son suficientes para anular la voluntad de la persona*». Resulta relevante la declaración del inspector de policía «*que mostró durante su interrogatorio, un extenso conocimiento de la realidad de esas mujeres. Y es que como han indicado especialistas en la materia, el valor del vudú se confirma fácilmente cuando se comprueba que mujeres como la víctima (de origen nigeriano y procedentes de la zona de Benin City y sometidas sistemáticamente a rituales de vudú) ejercen la prostitución en condiciones de explotación en las calles sin necesidad de que estén presentes vigilantes que, por el contrario, si resultan necesarios en los casos de explotación de mujeres procedentes de otros lugares y culturas*».

Sería importante crear de forma específica, al igual que en otros países de nuestro entorno, la categoría del consultor técnico que recoge esta modalidad probatoria y que permite asentar sin dudas su naturaleza probatoria como testigo cualificado.

3.3.   Investigación financiera

Hemos visto como el Parlamento Europeo insiste en esta línea. Efectivamente, seguir el rastro de dinero, detectar dinero o bienes que procedan de la explotación de la víctima, resulta crucial para aportar una prueba que ratifique e incluso supla la declaración de la víctima, permita investigar otros delitos como el blanqueo o contra la hacienda pública e incautar bienes que puedan utilizarse para indemnizar a las víctimas. Se trata de convertir un delito de altos beneficios y escasos riesgos en lo contrario. Arruinar la rentabilidad empresarial de la trata supondrá su destrucción como modalidad de crimen estructurado[21].

V. ASPECTOS DE PROTECCIÓN DE VÍCTIMAS

1.   *Estatuto administrativo de la víctima. Acceso a la condición de refugiada*

Un aspecto importante es el de la concesión de un estatuto de regularidad de la víctima que coadyuva a dos finalidades. De un lado, generar en la víctima una situación de sosiego y tranquilidad que facilite su colaboración eficaz con la justicia. La víctima no debe estar pendiente de su situación migratoria mientras colabora. De otro, razones humanitarias imponen que personas que han sufrido una forma de criminalidad tan atroz puedan reconstruir su vida en nuestro país. Ambos objetivos no son incompatibles y cualquiera de ellos es suficiente por sí solo para otorgar a la víctima de trata un estatuto administrativo que permita su residencia estable en nuestro país.

Fundación Cruz Blanca emplaza a un mínimo básico, señalando que una ley integral debe dejar claramente fijado el principio de no devolución recogido en marcos internacionales. Montalbán Huertas[22] critica las previsiones normativas que mantienen vigente la amenaza de expulsión caso de no tener éxito en forma la investigación policial o judicial, y las previstas sanciones en forma de devolución de las ayudas económicas obtenidas en esos mismos casos.

Sobre el acceso de la víctima de trata a la condición de refugiada o de protección internacional subsidiaria, Montalbán Huertas[23] destaca la restringida

---

[21]   Un análisis de esta materia en LAFONT NICUESA, L.: «La prueba financiera en la jurisprudencia sobre el delito de trata de personas», *Revista de la Facultad de Derecho de ICADE*, nº 109, Universidad de Comillas, Madrid, 2020.

[22]   MONTALBAN HUERTAS, I.: «La trata de seres humanos. El derecho y la esclavitud en el siglo XXI», *op. cit.*, p. 27.

[23]   MONTALBAN HUERTAS, I.: «Trata sexual de mujeres. Nuevas claves del derecho de asilo», *Cuadernos Digitales de Formación*, nº56, Consejo General del Poder Judicial, Madrid,

aplicación institucional del sistema de protección internacional y del derecho de asilo a las mujeres víctimas de trata sexual. La Administración rechaza normalmente la petición de asilo y su decisión se confirma normalmente por la jurisdicción. Entre los factores que influyen en dicha situación se encuentran la ausencia de un desarrollo reglamentario del art.46 de la Ley de Asilo 12/2009 lo que provoca una incertidumbre contraria al principio de seguridad jurídica. Otro lo integran las dificultades probatorias a las que se encuentran las víctimas de trata en que su declaración es el principal elemento de prueba. En la misma línea, Villacampa Estiarte[24] afirma como normativamente cabe tal posibilidad de acceso a la situación administrativa de asilo o protección internacional pero que sin embargo la realidad indica que raramente se benefician de algún reconocimiento, lo que ha llevado a demandar que cuando la persecución tenga un fundamento discriminatorio por razón de género se invierta la carga de la prueba y sea la administración la que demuestre que no concurren los presupuestos para reconocer alguno de ambos estatutos.

Es también importante que se desligue la concesión de cualquier estatuto administrativo de residencia o beneficio administrativo de que la víctima colabore con la Policía o la acusación. Deben evitarse situaciones a las que apunta el AAP de Tenerife, secc.2ª, de 13 de noviembre de 2017 (Rollo 47/2017) cuando señala que la declaración de la testigo «...*como sostuvo la defensa de la Sra. B, le privó...de la posibilidad de acogerse a las facilidades para la regularización de su situación administrativa que sí que pueden ofrecerse a las víctimas de delitos de trata de seres humanos. No cabe duda de la conveniencia y necesidad de disponer de estos instrumentos para facilitar la persecución de estos delitos (Cfr. arts. 11 Directiva 2011/36/UE, 59 bis L.O. 4/2000), pero es preciso subrayar la necesidad de evitar que esta ayuda se condicione a la cooperación de la víctima en la investigación el delito (art. 11.3 Directiva 2011/36/ UE): semejante discriminación, según la víctima decida o no colaborar con la investigación, resulta inicua y facilita que surjan dudas sobre la verdadera motivación de las víctimas que sí que se ofrecen a colaborar con las autoridades para perseguir estos graves delitos*». En este sentido, Montalbán Huertas[25] critica acertadamente las previsiones normativas que mantienen vigente la amenaza de expulsión caso de no tener éxito en forma la investigación policial o judicial, y las previstas sanciones en forma de devolución de las ayudas económicas obtenidas en esos mismos casos.

2017, p. 17.

24   VILLACAMPA ESTIARTE, C.: «¿Hacia una ley integral contra la trata de seres humanos?», *op. cit.*

25   MONTALBAN HUERTAS, I.: «La trata de seres humanos. El derecho y la esclavitud en el siglo XXI», *op. cit.*, p. 27.

2. *Identificación de la víctima*

Actualmente, el reconocimiento de la condición de trata corresponde exclusivamente al Cuerpo Nacional de Policía. Villacampa Estiarte[26] reprocha que, en las actuales iniciativas legislativas, esta tarea se atribuya expresamente a «...las Fuerzas y Cuerpos de Seguridad del Estado, con la consiguiente merma en dicha función al no preverse la intervención de agentes capitales en la detección de estas situaciones». Cruz Blanca propugna reformar el actual proceso de identificación, estableciendo nuevos mecanismos coordinados a nivel multiagencial, y con participación de entidades y organizaciones especializadas. Para ello considera que debe crearse un mecanismo de acreditación de entidades y organizaciones especializadas. González Beilfuss[27] estima que ante las estadísticas que revelan que son muchos los casos en que las víctimas siguen sin ser identificadas, una ley integral debe introducir cambios en el procedimiento que incorporen una dimensión proactiva a la identificación y que sería necesaria que la decisión final sobre la identificación definitiva competiera a un grupo interdisciplinar integrado por representantes de diversas instituciones y, por tanto, no sólo a funcionarios policiales. Refleja el autor que los equipos conjuntos de trabajo suponen «...un cambio cultural importante que debe combinar criterios operativos realistas con dosis de confianza que no siempre existen. En todo caso, se trata de una medida valiente que merece ser explorada y ensayada a través de pruebas piloto no solo en grandes ciudades».

En mi opinión, la decisión sobre el reconocimiento debe estar centralizada en una institución. Un concurso de voces en labores decisorias es una fuente de conflictos y dilación del sistema. Cuestión distinta debe ser la detección en que las fuentes de información deben ser plurales. La detección opera como una fase vertebrada en torno a la localización y puesta en conocimiento al órgano decisor de posibles víctimas de trata y en esta fase las ONGs desempeñan una función crucial como también pueden hacerlo los sindicatos y las empresas[28]. El Plan de Acción Nacional hace una muy especial referencia a «la necesidad de fortalecer la colaboración y la coordinación entre las Administraciones Públicas, las Instituciones y la Sociedad civil; destaca el importante papel que deben jugar en ello los sindicatos, las asociaciones empresariales y las organi-

---

[26]   VILLACAMPA ESTIARTE, C.: «¿Hacia una ley integral contra la trata de seres humanos?», *op. cit.*, pp. 10-11.

[27]   GONZÁLEZ BEILFUSS, M.: «La trata de seres humanos: la visión desde la perspectiva del Estado y la visión victimocéntrica», *op. cit.*, pp. 12-13.

[28]   En el artículo «UGT Ceuta exige una ley integral contra la trata de seres humanos desde la perspectiva de género», foro de Ceuta, 2018, se señala como UGT Ceuta destaca el reconocimiento del papel que las organizaciones sindicales pueden desarrollar en la detección de víctimas de trabajo forzoso o de trata con esta finalidad.

zaciones no gubernamentales, principalmente las que trabajan con personas inmigrantes».

La relevancia de las ONGs en el ámbito de identificación de víctimas se refleja en que en vía judicial sus informes considerando a una acusada como víctima pueden ser aceptados sin el refrendo del Fiscal o de la Policía. Así, la STSJ de Cataluña de 2 de noviembre de 2021 (Recurso nº60/2021) acepta la condición de víctima de la acusada a efectos de aplicar la excusa absolutoria del art.177 bis 11 CP en base a un detallado informe de una ONG. El Tribunal, con fundamento en las guías de trata[29], valora la importancia de las intervenciones de identificación de las organizaciones especializadas, en este caso la ONG SICAR., «...una *entidad sin ánimo de lucro que colabora a nivel institucional con la autoridades policiales y administrativas especializadas en la materia y cuya relevancia al respecto en el ámbito de la CCAA de Cataluña es sobradamente conocida*». El informe de la ONG era exhaustivo, aplicado al caso concreto y estaba corroborado documentalmente.

Por tanto, entiendo que si Policía se separa del criterio de la ONG u otro sujeto cualificado para otorgar a una persona el estatuto de víctima de trata, debe motivarlo en detalle.

Por otro lado, considero que la decisión sobre el reconocimiento no sólo debe recaer en el Cuerpo Nacional sino en la fuerza policial especializada, ya sea Guardia Civil o policía autonómica, que asuma la investigación penal. Actualmente, la atribución monopolística del reconocimiento de la víctima en el Cuerpo Nacional de Policía radica en que el mismo se ha identificado con la concesión de un estatuto administrativo de extranjería cualificado que impida su expulsión, siendo la Policía Nacional la institución competente en tal materia. La extensión a otros cuerpos policiales es una solución más coherente en que el factor de extranjería debe desvincularse de la trata, debiendo ser la especialización y el mayor conocimiento que cabe atribuir a la unidad policial de cualquier cuerpo que sobre el terreno investiga la realidad de los hechos delictivos.

---

[29]   La Guía de Buenas Prácticas en la Instrucción y el Enjuiciamiento, publicada por el Centre d'Estudis Juridics i Formació Especialitzada, CEJFE, en 2021, concebida como complementaria a la que realizo el CGPJ en 2018, y en el ámbito de *L'Observatori Catalá en violencia masclist*. La Sentencia recurrida hacía constar los informes psicológicos y sociales de la mujer; la adscripción al sistema SIS de aseguramiento gratuito dependiente del estado de Perú, el acta de nacimiento de su hijo, un bebe de cuatro meses; la certificación del post parto; los informes médicos del hermano enfermo que también vivía en la misma casa de la acusada; y la autorización estatal para realización de un muro de contención para la vivienda en Lima, describiéndose con ello la situación de extrema pobreza y las condiciones de habitabilidad en el lugar de origen.

3. La determinación de la edad de la víctima

La determinación de la edad de la víctima es algo fundamental. Si es menor de edad, la pena a aplicar será más grave por la aplicación de un tipo cualificado agravado, el riesgo de victimización secundaria es claro, los mecanismos de interrogatorio serán distintos y, como veremos, su protección deberá estar informada por el principio de especialidad.

Las herramientas legales de determinación de la edad en la esfera penal son escasas. Cuando la STS nº183/2001, de 8 de febrero cuando reprocha que la víctima «*tampoco fue objeto de reconocimiento médico forense para establecer su edad*» señala que debe aplicarse *el art. 375 L.E.C* «*... que, si bien se refiere al procesado, es perfectamente aplicable al supuesto actual*». El art.375 LECRIM establece que para acreditar la edad el procesado el Letrado de la Administración de Justicia traerá al sumario «*... certificación de su inscripción de nacimiento en el Registro civil o de su partida de bautismo, si no estuviere inscrito en el Registro*». Si no fuera posible averiguar el Registro Civil o parroquia en el que conste el nacimiento o no existieran en el mismo la inscripción y partida y si el procesado manifiesta que ha nacido en un punto lejano por lo que « *...hubiere necesidad de emplear mucho tiempo en traer a la causa la certificación oportuna, no se detendrá el sumario, y se suplirá el documento del artículo anterior por informe que acerca de la edad del procesado, y previo su examen físico, dieren los Médicos Forenses o los nombrados por el Juez* ».

A estas referencias legales debe unirse la Directiva (UE) 2016/800 del Parlamento Europeo y del Consejo de 11 de mayo de 2016 relativa a las garantías procesales de los menores sospechosos o acusados en los procesos penales cuyas previsiones podrían aplicarse a un menor víctima « *(13) Los Estados miembros deben determinar la edad de los menores a partir de las declaraciones de los propios menores, la comprobación del estado civil, investigaciones documentales, otras pruebas y, si no se dispone de tales pruebas o no resultan concluyentes, un reconocimiento médico. El reconocimiento médico debe realizarse únicamente como último recurso, respetando estrictamente los derechos del menor así como su integridad física y dignidad humana. En caso de que persistan dudas sobre la edad de la persona, debe presumirse, a efectos de la presente Directiva, que es menor*».

También es de interés el art. 13.2 de la Directiva 2011/36/UE del Parlamento Europeo y del Consejo de 5 abril de 2011 relativa a la prevención y lucha contra la trata de seres humanos y a la protección de las víctimas establece «*Los Estados miembros garantizarán que, cuando la edad de una persona que haya sido víctima de la trata de seres humanos sea incierta y existan razones para creer que es un menor, sea considerada como tal a fin de que pueda recibir inmediatamente asistencia, apoyo y protección de conformidad con los artículos 14 y 15*».La transposición de esta Directiva se realiza en el art.29.3 de la

Ley 4/2015, de 27 de abril, del Estatuto de la víctima del delito «*Cuando existan dudas sobre la edad de la víctima y no pueda ser determinada con certeza, se presumirá que se trata de una persona menor de edad, a los efectos de lo dispuesto en esta Ley*». Estas previsiones son únicamente aplicables a efectos de protección. El principio in dubio pro minoría de edad no puede esgrimirse para generar una agravante de minoría. Sería una presunción contra reo completamente prohibida conforme a los principios básicos del proceso penal.

En el ámbito judicial, la fijación de la edad de la víctima es un escenario de contienda procesal en que se baten documentos formalmente perfectos contra pruebas médicas. No el que un documento sea genuino y expedido por la autoridad competente es garantía de la realidad o exactitud de su contenido[30]. También las conclusiones de las pruebas médicas resultan en muchos casos controvertidas por proyectar atlas óseos fijados sobre razas y niveles de desarrollo nutricional diferentes[31]. Deben evitarse presunciones probatorias monopolísticas que a priori señalen que siempre deba atenderse a la edad que resulta del documento o a la de la prueba cuando sean contradictorias. Debe examinarse cada caso concreto y la calidad de la prueba enfrentada. La STS nº827/2015, de 15 de diciembre considera que no es un error en la valoración de la prueba dar crédito a la minoría de edad que figura en un documento emitido por la agregaduría de la embajada rumana, sobre todo cuando se complementa por un informe de INTERPOL y los demás medios probatorios no dan una edad cierta sobre la víctima. Se da por probado que la víctima fue obligada a ejercer la prostitución a los 17 años. También resulta de interés la STS nº 270/2016, de 5 de abril en el que hay un informe de Policía Científica cuyos autores confirmaron en juicio que avala la falsedad de dos tarjetas de identidad rumanas de las que se desprendía que dos hermanas gemelas víctimas de trata eran mayores de edad. Se indica además en el informe que los certificados de nacimiento de los que resultan la minoría de edad son auténticos. Se concluye por tanto que las hermanas fueron obligadas a prostituirse cuando tenían 17 años. Señala también la Sala como la facilitación de tarjetas de identidad falsas tenía como objetivo ocultar la minoría de edad «*a los efectos de que las*

---

30   En el Reino Unido, en la «Guidance to assist social workers in completing age assessments in the UK», 2015 se señala como los niños y jóvenes víctimas de trata pueden haber recibido documentos de los traficantes que son falsos, o son documentos genuinos pero que no pertenecen al niño o joven. Por ejemplo, es común que las solicitudes de visado se hagan aportando detalles inexactos para permitir el movimiento de niños de un país a otro. La existencia de un documento no necesariamente demuestra la edad de alguien". La doctrina de la Sala 1ª del TS en su Sentencia nº307/2020, de 16 de junio también se hace eco de esta cuestión al señalar que uno de los factores a ponderar entre el conflicto entre el documento y la prueba médica es evitar el fraude de las mafias.

31   Ver sobre las herramientas probatorias en la materia, LAFONT NICUESA, L.: *La Determinación de la Edad del Presunto Menor Extranjero. Pasaporte Contra Pruebas Médicas*, Tirant Lo Blanch, Valencia, 2018.

admitieran en la casa de citas donde las llevaron para ejercer la prostitución». Había también un informe radiológico que afirmaba la mayoría de edad de las víctimas, pero tras declarar en juicio, el radiólogo indicó que la valoración de la edad *«era aproximada pues con exactitud no se puede saber»* y que las pruebas que hizo en el hospital tienen un margen de error de año o año y medio. La Sala rechaza las pruebas médicas por el amplio margen de error que admite el perito. La STS n°77/2019, de 12 de febrero valora las manifestaciones de los testigos, agentes de policía y profesionales de las organizaciones de ayuda que acudieron en un primer momento a atender a las jóvenes y que coincidieron al describir su aspecto infantil. Consta también en las tarjetas oficiales obtenidas definitivamente por las referidas testigos sus fechas verdaderas de nacimiento. A ello se suma el contenido de las periciales practicadas en relación con ambas testigos, que coinciden al describir su inmadurez tanto física como intelectual y su falta de habilidades sociales propia de su extremada juventud. En concreto, en relación a la STS una testigo afirmó que su aspecto era de menor de edad y en relación a una segunda testigo, las periciales determinan que el aspecto que presentaba era de adolescente y tenía un desarrollo externo más bien infantil.

En la esfera de Audiencia Provincial, cabe citar la SAP Murcia, secc.3ª, n° 159/20020, de 10 de junio expone como el informe del Centro Legal de Murcia manifiesta que la edad del testigo protegido oscila entre no 16 y 17 años.

Por último, es importante poner de manifiesto, como señala la SAP de Valencia, secc.2ª, n° 157/2016, de 30 de marzo *que «El no poder comprobar la minoría de edad de una persona por la falta de fiabilidad de sus registros, no supone que el resto de lo que haya dicho sea mentira».*

4. El sistema de protección de la víctima

Son numerosas las referencias de la doctrina a diferentes cuestiones relacionadas con la protección de las víctimas. Plasencia Domínguez[32] considera positivo que una ley integral aborde de manera multidisciplinar, dado que nuestro ordenamiento jurídico contiene una regulación dispersa y fragmentaria de las medidas de protección a la víctima, lo que representa un obstáculo añadido para su aplicación. Villacampa Estiarte[33] manifiesta ciertas cautelas ante las iniciativas legislativas existentes ya que «además de crear un sistema de tutela específico para víctimas de la TSH –para explotación sexual-, por un lado, y

---

[32]   PLASENCIA DOMINGUEZ, N.: *Protección de las víctimas de trata en tiempo de COVID. Mecanismos de coordinación entre Fiscalía, Fuerzas y Cuerpos de Seguridad del Estado y Organizaciones No Gubernamentales,* Ponencia presentada a las jornadas de Fiscales delegados de Extranjería, Madrid, 2021, p. 4.

[33]   VILLACAMPA ESTIARTE, C.: «¿Hacia una ley integral contra la trata de seres humanos?», *op. cit.*

para víctimas de violencias sexuales, por otro, plantean dificultades de conciliación con el estatuto general protector de las víctimas de delitos». Para la autora, no resulta deseable que la ley integral se haga a imagen de las iniciativas existentes hasta el momento como el Borrador de 2018 o Anteproyecto de Ley Orgánica de 2021. Llama al sosiego, exponiendo como «el campo natural de un marco normativo idóneo arrancaría de añadir a los derechos generales de la víctima-a la información, participación, protección, asistencia y reparación-con alguna especialidad mediante mecanismos protectores, sólo la regulación "de cuestiones como la prevención de este tipo de victimización, la formación de los profesionales, la identificación de las víctimas y la previsión de una estructura institucional que diseñe políticas públicas para abordarla y chequee su aplicación justificarían las correspondientes normas específicas».

González Beilfuss[34] apunta de forma innovadora a una reforma sustancial del sistema de protección de víctimas, considerando que su externalización produce un conflicto de intereses y la ausencia de criterios de calidad y de control sobre la asistencia realmente prestada. La nueva ley integral de trata «debería aprovecharse para discutir este modelo, que se ha consolidado en un contexto de tradicional ausencia del sector público y de grave crisis económica». Resalta el autor que la protección de la víctima debe ser una responsabilidad pública.

La especialización es también un factor importante en diversas reflexiones sobre esta materia. Sánchez-Covisa Villa[35] considera necesario un tratamiento jurídico protector perfectamente diferenciado de las distintas categorías de víctimas de trata (potenciales, identificadas y en situación de grave riesgo) al margen de la legislación de extranjería. Fundación Cruz Blanca[36] aboga por crear un mecanismo coordinador y o de derivación que canalice estas víctimas a recursos especializados, no teniendo este carácter los que prestan una atención «genérica» a víctimas de trata. Deben ser recursos verdaderamente especializados tanto en el tipo de trata como en el perfil de víctima, atendiendo atención a su edad, género, salud mental, salud física, etc. Preocupa particularmente a la Fundación la ausencia de recursos especializados para la atención a hombres y menores, entre otros colectivos. Considera asimismo preciso establecer una red de recursos que permita el acceso a otras prestaciones, además de a los recursos residenciales como son la educación, salud, asesoramiento legal, intervención social y protección a cargo de las Fuerzas y Cuerpos de Seguridad. Concluye afirmando como la recuperación de la víctima debe incluir medidas

---

34   GONZÁLEZ BEILFUSS, M.: «La trata de seres humanos: la visión desde la perspectiva del Estado y la visión victimocéntrica», *op. cit.*, p. 11

35   SÁNCHEZ-COVISA VILLA, J.: *Entrevista en infofiscalía en el día mundial contra la trata*, 2019.

36   MINISTERIO DE IGUALDAD: *Consulta Pública previa a la elaboración de un Proyecto normativo consistente en una Ley Integral contra la trata*, *op. cit.*, p. 21.

de justicia restaurativa que incluyan ayudas económicas, materiales y de apoyo psico-social.

Entiendo que la defensa de un sistema especializado y global en múltiples campos es plenamente defendible desde la perspectiva de las buenas intenciones y grandes principios, pero debe estar avalado por una realidad presupuestaria no vigente actualmente ni probablemente en un periodo prolongado en el tiempo. Entiendo preferible plasmar en textos normativos soluciones realistas, aunque sean más modestas en sus pretensiones que construir proyectos tuitivos faraónicos. Como vimos apuntaba Cruz Blanca «supra» es precisa una partida presupuestaria que avale económicamente lo que en la ley se establezca. Asimismo, y como atinadamente afirma González Beilfuss[37] no solo se trata de que existan recursos, sino de que estos se empleen de forma adecuada y evaluable.

En mi opinión, el sistema de protección en materia de trata con fines de explotación sexual funciona bien. Desde una perspectiva procesal, la labor de las ONG facilita la localización de la víctima y que declare el juicio. Asimismo, el testimonio del personal de la ONG que ha convivido con la víctima o la ha asistido psicológicamente es un factor indiciario relevante ante nuestros tribunales para confirmar la declaración de la víctima. No obstante, hay una sombra preocupante como es la ausencia de plazas para varones víctimas de explotación laboral que distrae esfuerzos policiales que debían dedicarse a la investigación y que se dirigen a buscar de múltiples formas instituciones que puedan acoger temporalmente a estas víctimas, mientras se preconstituye la prueba y antes de volver a su país. Es cierto que su sufrimiento no puede equipararse a las violaciones reiteradas que sufren las víctimas de explotación sexual, pero son también víctimas con derechos que deben ser respetados y protegidos.

5. *Centros de protección específicos de menores víctimas de trata y evaluación de riesgo de trata en adultos acompañados de niños de corta edad que no acreditan ser el progenitor*

Nos detendremos con más detalle en la protección especializada por razón de edad. La Fiscalía ha propuesto la necesidad de que las menores víctimas de trata sean dirigidas a recursos asistenciales especializados. En las jornadas de fiscales delegados de extranjería en los años 2014 y 2015, en reflexiones que podrían hacerse también hoy en día, concluía en la urgente necesidad de que la protección de menores víctimas de trata se lleve a cabo en centros específicos con recursos personales y materiales especializados. En tanto ello no sea

---

[37]   GONZÁLEZ BEILFUSS, M.: «La trata de seres humanos: la visión desde la perspectiva del Estado y la visión victimocéntrica», *op. cit.*, p. 12.

posible, se considera imprescindible que los educadores de los centros de protección de menores dependientes de las CCAA tengan una formación especializada en la detección y tratamiento de víctimas de trata. Se preveía además que esta circunstancia tendría que tener el correspondiente reflejo en los protocolos territoriales que se aprueben en desarrollo del Protocolo Marco de Protección de Víctimas de Trata. Nuevamente la realidad económica se ha impuesto a los buenos deseos que no por ello deben dejar de formularse, pero una cosa son el marco de las intenciones y otra su plasmación normativa.

A diferencia de Fiscalía, Fundación Cruz Blanca[38] propone una especialización temporal. Así, inicialmente la menor víctima de trata deberá ser protegido en recursos especializados, pero fijando pautas de intervención tendentes a su inclusión paulatina en el sistema normalizado de protección de menores. Se propone el establecimiento de una red de recursos residenciales por «grados de intervención», en función de la etapa de intervención y recuperación que se encuentre el menor siendo principio orientador del sistema su posterior integración en el sistema ordinario de protección de menores. Con esta medida, los menores transicionarían de un rol de víctimas al de supervivientes, permitiéndoles siempre que sea posible su desarrollo en el entorno más normalizado posible. Expone también que los jóvenes, entendiendo como tales a personas de entre 15 y 24 años deben ser configurados como personas de especial atención, ampliando las medidas que deben aplicárseles.

Por otro lado, una técnica de las redes de trata nigerianas es asignar un niño pequeño de muy corta edad a la mujer que quiere explotar, indicándole que cuando llegue a España finja ante las autoridades ser su madre. Ello significa que la víctima asume de facto el estatuto de madre con niño que en la práctica hace que no pueda ser expulsada, al no existir en los centros de internamiento instalaciones adecuadas para grupos familiares. El Protocolo Marco sobre determinadas actuaciones en relación con los Menores Extranjeros No Acompañados aprobado el 22 de octubre de 2014 prevé una serie de medidas[39] para detectar estas filiaciones simuladas entre las que destacan la realización de pruebas de ADN por la Policía y una entrevista reservada de la supuesta madre a cargo de unidades especializadas de Policía en que será preguntada sobre su situación actual; decisión migratoria; vínculo y relaciones con el menor extranjero que le acompaña, destino en España; personas a las que va a visitar o con las que permanecerá en nuestro país; como ha contratado proceso migratorio con terceras personas que dirigen las vicisitudes y tiempos del viaje; si se han

---

[38]   Aportaciones en MINISTERIO DE IGUALDAD: *Consulta Pública previa a la elaboración de un Proyecto normativo consistente en una Ley Integral contra la trata*, op. cit., pp. 14-15.

[39]   Véase también el Dictamen 5/2014 de la Unidad de menores de la Fiscalía General del Estado sobre protección de menores extranjeros que acceden irregularmente al territorio en compañía de personas sin vínculo acreditado de parentesco y/o en riesgo de victimización.

realizado prácticas de sumisión a través de vudú u otros rituales y si ha sufrido alguna agresión sexual durante el proceso migratorio.

La decisión de separar al menor de la madre debe ser consecuencia de un proceso global de evaluación del riesgo en el que se pondere el resultado de la prueba de ADN, si el tratamiento al niño por parte de la adulta es correcto y los riesgos objetivos apreciados por la Policía de instrumentalización del niño por parte de redes de trata o de presencia de esclavistas detrás de la madre.

Por otro lado, los niños aun siendo los hijos reales de la víctima pueden ser retenidos con excusas por la red para tener a la víctima en sus manos y que cumpla sumisamente con su rol de servidumbre si desea volver a ver a su hijo. Desde esta perspectiva resulta fundamental como herramienta para su protección que estos niños, como señala el Dictamen 5/2014 de la Fiscalía, accedan al Registro de Menores Extranjeros No Acompañados y que los centros de protección y las ONG que acogen a estas madres informen a la Policía cuando abandonen el centro y el destino al que se dirigen. No puede invocarse, como se hace en ocasiones, el derecho a la protección de datos, para sustraer dicha información a la Policía. Prevalece el interés superior del menor en una actuación policial ajena a cualquier interés de control migratorio cuyo único fin es proteger al niño de conductas criminales. El presupuesto para poder protegerlo es saber dónde está. Negar la información pedida es ponerlo en grave peligro.

VI. INTERNET COMO ALIADO Y ENEMIGO DE LOS ESCLAVISTAS

1. *Internet y trata*

Internet se ha convertido en un valioso instrumento para los tratantes y también en un relevante potenciador de la eficacia de las investigaciones.

De la lectura de los hechos probados en condenas judiciales por trata se desprende la importancia que tienen las nuevas tecnologías para los tratantes y que sin abandonar medios tradicionales como los captadores físicos, las redes sociales se han convertido en un mecanismo eficaz para engañar y seducir víctimas. A modo de ejemplo la STSJ de Madrid nº 91/2021, de 16 de marzo recoge como la acusada contactó a través de las redes sociales con un testigo protegido en Venezuela, ofreciéndole los medios para venir a España a fin de ejercer la prostitución, haciéndole creer que podría devolverle el dinero fácilmente en dos meses. Al llegar a España se le retiró el pasaporte y el móvil, se le dijo que se deuda ascendía a 15.000 euros, le quitaron todo el dinero, el teléfono móvil, no podía salir a la calle sin permiso y debía consumir drogas con los clientes de la prostitución si estos lo pedían. La SAP de Málaga, secc.2ª, nº 15/2021

25 de enero describe como la acusada contactó con su sobrina en Paraguay por medio de Facebook, engañándola para que viniera a España a trabajar como peluquera. En España, tras conseguir que le entregase su documentación personal, la conminó a ejercer la prostitución, manifestándole que si no hacía lo que se le requería sería expulsada de España por encontrarse en situación irregular. El empleo de la red está presente incluso en técnicas de captación que parece que requerirían un estrecho contacto personal sin mediadores tecnológicos como la del «lover boy» en que el tratante despliega un falso proceso de seducción para enamorar a la víctima menor de edad haciéndole creer que es su pareja sentimental, consiguiendo de esta forma dominar su voluntad para poder explotarla sexualmente. En técnicas de «lover boy», la SAP Las Palmas, secc.2ª, nº 128/2019, de 4 de abril recoge como acusado contactó a través de la red social Facebook con la víctima, de 17 años de edad animándola con que comenzará una vida en común en España siendo el propósito del procesado lucrarse de la explotación sexual de la misma. La SAP de Guadalajara, secc., 1ª, nº 17/2020, de 13 de octubre también describe como el acusado inició en Rumania con la víctima una relación ficticia de noviazgo con la única finalidad de explotarla sexualmente. Es una vez que el acusado viene a España, cuando el tratante utiliza Facebook, además de wasap para continuar el vínculo con la víctima.

La red es también un vehículo útil para que el tratante asegure la explotación. Como describe la SAP de Madrid, secc.3ª, nº 98/2020, de 18 de junio, la víctima declaró que las plazas en el club las conseguía el acusado mediante redes sociales.

En la otra cara de la moneda, las redes sociales son también muy útiles como herramientas investigadoras para identificar sospechosos y víctimas. Son ejemplo la SAP de Valencia secc.2ª, nº 390/2018 de 21 de junio que expone como a través de perfiles de Facebook, la denunciante identificó ante la Policía a otras chicas que podían ser víctimas de trata de personas, que también habían estado en la misma casa de citas que ella o la SAP de Madrid, secc. 16ª, nº 63/2021, de 13 de febrero que señala como la víctima identificó al investigado por redes sociales.

2. *Resolución del Parlamento Europeo de 10 de febrero de 2021*

Resulta de particular interés la Resolución del Parlamento Europeo, de 10 de febrero de 2021, sobre la aplicación de la Directiva 2011/36/UE relativa a la prevención y lucha contra la trata de seres humanos y a la protección de las víctimas que afirma como Europol informa que el uso de las tecnologías digitales ha ampliado la capacidad de los delincuentes para traficar con seres humanos y que se aprovechan en todas las fases, ya sea en la captación y la explotación de las víctimas, hasta en el chantaje y control de sus movimientos.

Afirma asimismo como las nuevas herramientas ofrecen un mayor anonimato para los tratantes de personas y que la interacción en línea implica tanto riesgos como oportunidades para los delincuentes, las víctimas y las autoridades policiales.

El Parlamento se dirige a la Comisión y a los Estados miembros, constatando, de un lado, que el creciente uso de la tecnología por parte de las redes delictivas dedicadas a la trata de seres humanos ha transformado considerablemente su modus operandi tradicional, especialmente en algunas fases del proceso de trata. Pone el acento en una de las fases como es el reclutamiento de las víctimas en que las tecnologías digitales, las redes sociales y los servicios de Internet son las principales herramientas para reclutar a víctimas de la trata.

Se proponen un conjunto de medidas variadas como son, de un lado, la capacitación de las autoridades policiales y de las organizaciones de la sociedad civil en la lucha contra la de seres humanos proporcionándoles los conocimientos técnicos y los recursos específicos necesarios para responder a los retos que plantean las nuevas tecnologías. Por otro lado, se propone que la sensibilización cibernética se convierta en una prioridad en las campañas dirigidas a escuelas, universidades, empresas y organismos de investigación. Se sugiere asimismo una alianza cimentada en la cooperación entre las autoridades competentes, los proveedores de servicios de internet y las empresas de redes sociales. Por último, se propugna la creación de conocimientos transnacionales y soluciones basadas en la tecnología, por ejemplo, para bloquear la captación de víctimas. Entiendo que estas proposiciones deben incorporarse a una futura ley integral.

3. *Creación de un grupo especial de policía de trata y cibercrimen*

Fruto de esta situación es la creación en el año 2020 en la Unidad contra las Redes de Inmigración y Falsedad Documental del Cuerpo Nacional de Policía de un grupo investigador de trata y cibercrimen. Su propósito fundacional tiene como ejes prioritarios la protección de mujeres y menores, ir por delante de la actividad criminal y una necesidad de especialización que exige una formación específica de los investigadores[40].

Se destaca por Policía como en el periodo de pandemia se ha incrementado de forma notable la publicidad online de las víctimas de trata y la gestión de citas a través de chats, redes sociales, plataformas, etc.

---

[40]   Agradezco al inspector jefe de Policía Nacional de enlace en la Unidad coordinadora de extranjería de la Fiscalía General del Estado la información dada para la elaboración de este epígrafe.

Policía Nacional, en línea con lo señalado por Europol y el Parlamento Europeo, pone el foco en el protagonismo de las redes sociales en el proceso de captación de la víctima. Tiempo atrás, la captación se realizaba mediante el boca a boca, anuncios de contactos o presencia de captadores que engañan. Actualmente, sin haber abandonado los métodos tradicionales, es muy frecuente que se realice a través de internet y redes sociales.

Asimismo, considera que internet juega un papel importante en el traslado de la víctima ya que en muchas ocasiones los documentos falsos que llevan las víctimas para poder cruzar la frontera son adquiridos en la *darkweb*. Asimismo, la compra de billetes para diversos medios de locomoción de la víctima se hace online.

Respecto a la explotación, Policía indica que el entorno online es percibido por delincuentes y clientes como mucho más seguro, ya que existen muchos dominios web dónde se puede encontrar encuentros y contactos con extraños que son usados frecuentemente por las organizaciones criminales para anunciar a sus víctimas (páginas web de contacto, acompañamiento, escorts, prostíbulos digitales, etc.).

Policía Nacional, en la línea apuntada por el Parlamento Europeo, concibe internet como un medio de desarrollar investigaciones proactivas. Las investigaciones tradicionales suelen partir del testimonio de una víctima al que acompañan vigilancias y seguimientos, escuchas telefónicas y otras herramientas investigadoras tangibles. Sin embargo, si los rastros electrónicos se investigan bien (anuncios de prostitución online o propuestas de encuentros sexuales), pueden proporcionar excelentes pruebas sobre el estado físico o emocional de las víctimas, sobre la identidad de los delincuentes y sobre el modus operandi de las estructuras criminales.

Policía tiene también presente el empleo de internet como herramienta para que los tratantes gestionen su economía. Así, las transacciones monetarias hechas por los delincuentes para mantener los anuncios online son otra fuente valiosa de información. Este tipo de huella digital, según Policía se puede rastrear perfectamente. Se destaca también el envío de moneda virtual tipo bitcoin a la parte de la organización que no se encuentra en España, al objeto de sufragar la actividad criminal y poder captar nuevas víctimas y como para evitar ser detectados, los tratantes usan cada vez más billeteras digitales, tarjetas de prepago, servicios o empresas de transferencia de dinero anónimos y a veces incluso criptomonedas.

La Policía reflexiona sobre la inteligencia artificial como mecanismo investigador. La misma es entendida como el campo científico de la informática que se centra en la creación de programas y mecanismos que mediante algoritmos pueden mostrar comportamientos considerados inteligentes. En otras palabras, se aspira a que las maquinas piensen como humanos y se prevé que las técnicas de reconocimiento facial y de voz que ayudan enormemente en la identificación de víctimas, de clientes de citas sexuales, de lugares a través de las fotos publicadas en anuncios, sean en el futuro importantes armas investigadoras.

Por último, la figura del agente encubierto informático resulta fundamental como medio investigador y único instrumento investigador para acceder a canales cerrados de comunicación que exijan invitaciones expresas para acceder a los mismos.

VII. CONCLUSIONES FINALES: PROPUESTAS «DE LEGE FERENDA»

Tras la exposición llevada a cabo, creo que es importante cristalizar legislativamente las siguientes conclusiones. Entiendo que desde la perspectiva penal sustantiva se debe:

a) Remodelar los tipos penales comprendidos bajo la rúbrica del Título XV del Libro II del Código Penal que sea más acorde no sólo con el concepto de explotación laboral vinculada a la trata de seres humanos, sino también para diferenciarla de los trabajos forzados, la servidumbre, la esclavitud o las prácticas similares a la esclavitud.

b) Introducir expresamente el fin de explotación laboral en la trata.

c) Tipificar los delitos de trabajo forzado, servidumbre y esclavitud o práctica similar a la esclavitud.

d) Castigar la trata con fines de gestación subrogada.

e) Sancionar toda forma de proxenetismo, coactivo o no.

Desde una perspectiva procesal, resulta de interés:

a) Regular expresamente la prueba preconstituida en la trata, generalizando su aplicación y configurándola como instrumento para evitar la victimización secundaria en casos de víctimas menores de edad, discapacitadas de especial protección o que tengan un miedo atroz a los esclavistas, de forma que en tales supuestos la regla general sea que la prueba preconstituida es suficiente y no se tenga que reiterar la declaración en juicio.

b) Reforma de la Ley de Testigos Protegidos de forma que sea posible dotar a la víctima de trata de una nueva vida de tranquilidad en plenas condiciones de seguridad.

c) Introducir nuevas técnicas investigadoras como las operaciones encubiertas (agente encubierto y confidente), informes policiales de inteligencia e investigaciones financieras.

En el ámbito de la protección de víctimas se debe:

a) Flexibilizar y eliminar zonas de incertidumbre en el acceso de las víctimas a un estatus de asilo o protección subsidiaria.

b) Desvincular la concesión de cualquier estatuto administrativo de residencia o beneficio administrativo de la colaboración con la Policía o la acusación, así como rechazar que se condicione la permanencia de la víctima en España al éxito en el ejercicio de la acción penal.

c) Dar voz a todos los agentes relevantes en el proceso de identificación de la víctima, si bien la decisión final debe centrarse en la unidad policial que investigue la trata. La decisión policial que se separe de la propuesta realizada por una ONG debe ser adecuadamente motivada.

d) Proyectar un sistema de determinación de edad de la víctima de trata que pondere el interés superior del menor como criterio fundamental, eludiendo teorías monopolísticas y generales que señale que siempre debe prevalecer una herramienta probatoria de la edad sobre la otra, debiendo ponderarse las circunstancias del caso concurrente y la fiabilidad de las concretas herramientas probatorias que se enfrenten en cada supuesto.

e) Recopilar toda la normativa y protocolos de atención de la víctima y profundizar en una protección especializada, dentro de las posibilidades financieras que existan, que diferencie factores como las categorías de víctimas de trata (potenciales, identificadas y en situación de grave riesgo), la salud física y psíquica y el género, debiendo perseguirse una protección global que incluya medidas de apoyo legal, psico-social y económico.

f) Proteger a las víctimas de trata en cualquiera de sus modalidades, incluyendo la trata laboral.

g) Especializar el sistema de protección de víctimas menores de edad y en su defecto especializar al personal que presta sus servicios en el sistema ordinario de protección de menores.

h) Evitar la separación automática del menor del adulto que le acompaña y afirma ser el progenitor sin acreditarlo. Tal separación debe ser el resultado de un proceso de evaluación del riesgo que pondere el resultado de la prueba de ADN, el comportamiento del adulto sobre el menor, la entrevista reservada de Policía especializada con la supuesta madre y la conclusión a la que llegue la Policía sobre riesgos objetivos que concurre en el niño y en la madre que en dicho momento pueden derivar de la acción de tratantes.

i) Facilitar a la Policía por parte de las entidades de protección y las ONGs a cargo de madres migrantes con niños pequeños, información sobre la intención de las madres de abandonar el centro con los niños o el abandono efectivo el mismo, así como comunicar el lugar al que se dirigen. No cabe anteponer y primar la protección de los datos personales o una afección leve de la intimidad consistente en que no se sepa dónde se encuentra al adulto frente al interés superior del menor que exige alejarlo de cualquier instrumentalización por estructuras criminales.

Por último, la creciente utilización de internet por las estructuras criminales, debiera reflejarse en:

a) La incorporación de las previsiones del Parlamento Europeo sobre la mayor capacidad que el empleo internet y las redes sociales ofrece a los tratantes en la captación de las víctimas al permitirles llegar a las mismas en condiciones de mayor anonimato. Asimismo, internet facilita el control y explotación de la víctima.

b) La sensibilización cibernética de la población en las campañas de prevención y alerta a la trata que se realicen.

c) La formalización de una alianza vertebrada en una cooperación eficaz entre las autoridades competentes, los proveedores de servicios de internet y las empresas de redes sociales.

d) Aportar soluciones tecnológicas que bloqueen la captación de víctimas.

e) Potenciar la capacidad analítica de las unidades policiales especializadas, fomentando la creación de unidades investigadoras especializadas o policías formados en trata y cibercrimen con capacidad de desplegar investigaciones proactivas en la red, seguir al dinero en internet, particularmente a las criptomonedas e introducir técnicas especiales de investigación como el agente encubierto informático.

VIII. BIBLIOGRAFÍA

GONZÁLEZ BEILFUSS, M.: «La trata de seres humanos: la visión desde la perspectiva del Estado y la visión victimocéntrica», *Cuadernos Digitales de Formación*, nº 19, Consejo General del Poder Judicial, Madrid, 2019.

HERNÁNDEZ RUEDA, M. D.: «Cuestiones generales sobre las víctimas en el enjuiciamiento de los delitos de trata de seres humanos», *Cuadernos Digitales de Formación*, nº23, Consejo General de Poder Judicial, Madrid, 2019.

LAFONT NICUESA, L.: «La prueba financiera en la jurisprudencia sobre el delito de trata de personas», *Revista de la Facultad de Derecho de ICADE*, nº 109, Universidad de Comillas, Madrid, 2020.

LAFONT NICUESA, L.: *La Determinación de la Edad del Presunto Menor Extranjero. Pasaporte Contra Pruebas Médicas*, Tirant Lo Blanch, Valencia, 2018.

MARTINEZ DE CAREAGA GARCÍA, C.: *Guía de criterios de actuación judicial frente a la trata de seres humanos*, Consejo General del Poder Judicial, Madrid, 2018, p.14.

MINISTERIO DE IGUALDAD: *Consulta Pública previa a la elaboración de un Proyecto normativo consistente en una Ley Integral contra la trata*, Madrid, 2021.

MONTALBAN HUERTAS, I.: «Guía judicial frente a la trata de seres humanos: análisis con perspectiva de género», en *Cuadernos Digitales de Formación*, nº14, Consejo General del Poder Judicial, Madrid, 2020.

MONTALBAN HUERTAS, I.: «La trata de seres humanos. El derecho y la esclavitud en el siglo XXI», *Cuadernos Digitales de Formación*, nº10, Consejo General del Poder Judicial, Madrid, 2016.

MONTALBAN HUERTAS, I.: «Trata sexual de mujeres. Nuevas claves del derecho de asilo», *Cuadernos Digitales de Formación*, nº56, Consejo General del Poder Judicial, Madrid, 2017.

PLASENCIA DOMINGUEZ, N.: *Protección de las víctimas de trata en tiempo de COVID. Mecanismos de coordinación entre Fiscalía, Fuerzas y Cuerpos de Seguridad del Estado y Organizaciones No Gubernamentales*, Ponencia presentada a las jornadas de Fiscales delegados de Extranjería, Madrid, 2021.

SÁNCHEZ-COVISA VILLA, J.: *Entrevista en el Diario de Sevilla*, 2021.

SÁNCHEZ-COVISA VILLA, J.: *Entrevista en infofiscalía en el día mundial contra la trata*, 2019.

VILLACAMPA ESTIARTE, C.: «¿Hacia una ley integral contra la trata de seres humanos?», *PostC: La PosRevista sobre crimen, ciencia y sociedad de la era PosCovid19* (Minipapers), 2021. Disponible en: https://postc.umh.es/minipapers/hacia-una-ley-integral-contra-la-trata-de-seres-humanos

VIVAS LARRUY, M. A.: «Respuesta judicial penal frente al delito de trata de seres humanos», *Cuadernos Digitales de Formación*, nº 21, Consejo General del Poder Judicial, Madrid, 2019.

Parte I
ANÁLISIS CRIMONOLÓGICO COMPARADO SOBRE TRATA Y EXPLOTACIÓN DE SERES HUMANOS

Capítulo III

SEX TRAFFICKING IN THE UK: PERSPECTIVES, POLICIES AND LAWS[1]

GEETANJALI GANGOLI

Associate Professor of Sociology
Durham University

Summary: I. INTRODUCTION; II. SEX TRAFFIKING AND GENDER BASED VIOLENCE AND ABUSE; 1. Sex Trafficking in the UK; 2. International contexts; 2.1 International law and conventions; III. UK CONTEXT; 1. Gender-based violence in the UK; 2. Structural inequalities; 3 UK policy and law; 4. Critiques of UK law and policy; 5. NRM; 6. Focus on border control; IV. CONCLUSIONS; V. REFERENCES.

I. INTRODUCTION

We understand human trafficking as the recruitment, transportation, transfer, harbouring, or receipt of persons, by means of the threat or use of force or other forms of coercion, of abduction, of fraud, of deception of the use of power or of a position of vulnerable or of the giving or receiving of payments of having control over another person, for the purpose of exploitation (Protocol to Prevent, suppress and Punish Trafficking in Persons – Article 3). This paper will focus on sex trafficking in the context of the UK, because it is one of the forms of human trafficking that reflects gender, class and immigration inequalities, and globally, it is the most common form of trafficking, up to 50% of all trafficking victims are trafficked in the sex trade (Kelly & Regan, 2000). It is also a gendered phenomenon with a staggering number of women exploited in a complex sex trade internationally (Suchland, 2015, Angathangelou, Agathangelou & Ling, L. 2003). Up to 72% of girls trafficked globally are trafficked into the sex trade. Most traffickers are male. Available research also testifies to the polyvictimisation of victims/survivors of sex traffickers, where they experience simultaneously or at different times, diverse forms of violence and abuse, that includes: domestic violence, sexual abuse, forced marriage, child marriage, and homicide (Kelly & Regan, 2000).

---

[1] I am grateful for the able research assistance provided to me by Rubén Espuny Cugat.

II. SEX TRAFFICKING AND GENDER BASED VIOLENCE AND ABUSE

Feminist debates on sex trafficking have famously been derived from the sex work/prostitution debates (c.f. Gangoli, 2006), where one group sees women's participation in the sex trade as a choice (see for e.g. Bell, 2009), and others focus on how the sex trade is in itself a gendered form of violence of women, and in practice, harms women profoundly, whether legalised or decriminalised (Anker and Doomrnik, 2006, Farley, 2004). Debates on sex trafficking focus therefore on the vexed issue of choice – do women choose freely to enter the sex trade, either within or outside national boundaries, or is it a form of gendered harm, manifested by exploitative gendered norms (Meshkovska, Siegel,, Stutterheim,, & Bos, 2015; Agustín 2007). Rather than focus on these debates, we choose to address the ways in social, political and cultural factors in the UK and internationally disadvantage women that create a conducive context (Kelly, 2016) within which sex trafficking takes place, flourishes and is embedded. As Liz Kelly points out:

Feminists have long noted that certain contexts are conducive to VAW: the family; institutions; conflict and transition; public space and more recently online environments. What is less common is exploration, at a theoretical level, of what connects them, what makes these spaces ones in which men are enabled to abuse women and girls (Kelly, 2016)

This chapter will start with exploring the available data on sex trafficking in the UK. We will then unpack the international contexts that push women and girls into sex trafficking, then moving on to an analysis of the UK contexts, particularly an analysis of law and policy, that further embed women and girls into the sex trade.

1.   Sex Trafficking in the UK

There is consensus that it is impossible to assess the true extent of international sex trafficking in the U.K (Gangoli and Bates, 2016, HM Government, 2015). Research conducted on refugee and asylum seeking women by the author (Gangoli and Bates, 2016) found that sex trafficking was the most common experience and route into the UK amongst the asylum seeking women group. This, however may reflect that there is a national mechanism for identifying and referring trafficked women to support services (the National Referral Mechanism, or NRM), and that trafficking is a legal basis for an asylum claims. In other words, it is difficult to rely on the authenticity of any available data and statistics on sex trafficking.

There have been some attempts to estimate the incidence of trafficking for sexual exploitation. For example, the Home Office in 2009 concluded that at any one time there are up to 4,000 victims of sex trafficking in the UK (cited in Home Office 2015). In 2010, the Association of Chief Police officers (ACPO 2010) estimated that 30,000 women were involved in off-street prostitution in England and Wales, and that 17,000 of these would be migrants. The ACPO report suggested that of these 17,000 migrant women, 2,600 were trafficked, while a further 9,600 were 'vulnerable migrants' who may have been trafficked (ibid). The ACPO report also suggests that the proportion of off-street prostitutes who are migrants is especially high in London. The United Nations Office on Drugs and Crime (UNODC, 2009) reported that within Europe the UK ranked high as a destination country for trafficked people.

Table 3: Number of referrals to the National Referral Mechanism, by sex, age at time of exploitation and type of exploitation, year ending December 2009 to year ending December 2018[1,2,3,4]

United Kingdom

	Apr '09 to Dec '09[5]	Jan '10 to Dec '10	Jan '11 to Dec '11	Jan '12 to Dec '12	Jan '13 to Dec '13	Jan '14 to Dec '14	Jan '15 to Dec '15	Jan '16 to Dec '16	Jan '17 to Dec '17	Jan '18 to Dec '18
All[6]					Number					
Minor[7]										
Domestic servitude	20	31	42	43	45	73	74	103	118	96
Labour exploitation	49	52	119	98	123	213	314	480	1,038	1,987
Sexual exploitation	50	53	100	102	147	161	233	366	563	637
Organ harvesting	0	0	0	1	0	1	3	0	0	4
Unknown exploitation	30	51	37	124	133	224	353	330	397	404
Total	**149**	**187**	**298**	**368**	**448**	**672**	**977**	**1,279**	**2,116**	**3,128**
Adult										
Domestic servitude	84	85	119	120	142	238	364	329	363	413
Labour exploitation	96	170	213	275	517	597	941	1,126	1,349	2,003
Sexual exploitation	200	235	297	378	585	679	880	958	1,178	1,289
Organ harvesting	0	0	2	0	0	1	2	1	3	2
Unknown exploitation	16	33	16	41	54	151	98	111	129	150
Total	**396**	**523**	**647**	**814**	**1,298**	**1,666**	**2,285**	**2,525**	**3,022**	**3,857**
Male										
Minor[7]										
Domestic servitude	7	8	13	10	8	26	27	37	46	52
Labour exploitation	34	37	85	75	91	164	287	409	924	1,805
Sexual exploitation	2	1	7	6	15	16	32	38	62	105
Organ harvesting	0	0	0	0	0	1	3	0	0	4
Unknown exploitation	16	23	19	70	68	118	246	256	272	282
Total	**59**	**69**	**124**	**161**	**182**	**325**	**595**	**740**	**1,304**	**2,248**
Adult										
Domestic servitude	7	6	8	8	16	35	65	67	89	96
Labour exploitation	70	107	168	217	391	465	761	943	1,164	1,730
Sexual exploitation	1	5	7	6	19	18	49	58	63	92
Organ harvesting	0	0	0	0	0	0	1	0	2	1
Unknown exploitation	4	6	4	7	16	64	45	55	62	90
Total	**82**	**124**	**187**	**238**	**442**	**582**	**921**	**1,123**	**1,380**	**2,009**
Female										
Minor[7]										
Domestic servitude	13	23	29	33	37	47	47	66	72	44
Labour exploitation	15	15	34	23	32	49	27	71	114	182
Sexual exploitation	48	52	93	96	132	145	201	328	501	532
Organ harvesting	0	0	0	1	0	0	0	0	0	0
Unknown exploitation	14	28	18	54	65	106	107	74	125	122
Total	**90**	**118**	**174**	**207**	**266**	**347**	**382**	**539**	**812**	**880**
Adult										
Domestic servitude	77	79	111	112	126	203	299	262	274	317
Labour exploitation	26	63	45	58	126	132	180	183	185	272
Sexual exploitation	199	229	290	372	566	659	829	895	1,112	1,194
Organ harvesting	0	0	2	0	0	1	1	1	1	1
Unknown exploitation	12	27	12	34	38	87	53	56	67	60
Total	**314**	**398**	**460**	**576**	**856**	**1,082**	**1,362**	**1,397**	**1,639**	**1,844**

Source: Home Office - National Referral Mechanism

1. National Referral Mechanism data are not classified as National Statistics.
2. These data refer to age at exploitation. This aligns with data published by the Home Office.
3. The data was taken from the National Referral Mechanism system on the 12th July 2019.
4. Recent changes in the categorisation of exploitation types mean that the exploitation types presented here will not align with categories in future publications.
5. The National Referral Mechanism was introduced on 1st April 2009 and therefore the year ending December 2009 does not contain a whole years' worth of data.

The most recent statistics on trafficking to the UK are available from the NRM. As Table 1 indicates, trafficking into different destinations to the UK has increased exponentially between 2008 and 2018, but the growth has been faster into areas other than sex trafficking. However, the most common destination for adults (across genders) trafficked to the UK continues to be into the sex trade. More than half of adult women and minor girls are trafficked into the sex trade in UK. The proportion of men and boys trafficked into sex work is comparably much lower (less than 10%).

Research from Sarkar (2016) indicates that a large number of adult sex trafficking victims to the UK are from Eastern Europe, with others from Asia, Africa and South America. However, as earlier studies (Goodey, 2008) indicate, what we know about trafficking routes is based on evidence from victims/survivors of trafficking, not from traffickers themselves. A number of broad routes to the UK used by trafficking gangs have been identified. One of these routes starts in Moscow, from where women are transported via Latvia, Lithuania and Estonia to Poland and the Czech Republic to the UK, using a variety of road, rail and sea routes, and in some cases, direct flights from Russia to the UK. Turkey is the start point for two routes used to bring trafficking victims into the UK. A number of key trafficking routes from outside Europe have also been highlighted. Italy and Greece are the first stops in Europe for victims trafficked via Libya, especially Tripoli, or from Somalia via the Suez Canal. Another route is to Spain via West Africa. The UK is regarded as a medium transit country within Europe. Sarkar (2016) also explains that the trafficking routes for children is different from the adults. Children may be trafficked through many transit countries on their journeys to the UK. Most unaccompanied minors are trafficked through long and complicated routes through Belgium, Greece, Italy and Turkey, and the majority of child migrants to the UK are from China.

2.   International contexts

In this section, I will explore the international contexts that make sex trafficking possible. As Kelly (2016) argues, conditions in the country of origin can create part of the conducive context within which sex trafficking takes place. The reality of gender based and other forms of violence and abuse, I argue creates a part of the context within which sex trafficking flourishes. Gender based violence not only is part of the context of the country of origin, but is also prevalent during the journey that trafficked victims/survivors take, and at the destination point.

Gender based violence: Gender based violence is a reality for women and girls at a global level, and at a global level, there is a strong correlation between gender norms – particularly seeing women and girls as inferior to men – and gender based violence and abuse. Over 35 population-based studies from Asia, Africa, Latin America and the Middle East have demonstrated that attitudes condoning gender based violence and abuse can predict high rates of perpetration and victimisation (for e.g. see Ackerson, & Subramanian, 2008; Dalal, Rahman & Jansson, 2009; Fikree, Razzak, & Durocher, 2005; Hindin, Kishor, & Ansara, 2008). Women and girls trafficked in the U.K. report different forms of violence and abuse in their country of origin. The most common form of gender based violence globally for adult women is domestic violence and abuse (WHO, 2013; Walby, 2009). Research conducted by the author (Gangoli and Bates, 2016) found that young women and girls trafficked into the U.K. had experienced in their country of origin: forced marriage, honour based violence and abuse, dowry based violence (especially, but not confined to South Asian countries); female genital mutilation (especially, but not confined to African countries), and forced prostitution, rape and sexual exploitation (Eastern European countries, esp Ukraine, Moldova, Albania; also Vietnam, Brazil and Nigeria). Many LGBTQ women and girls faced further abuse, for example rape as "sexual correction" (especially Africa, Syria/Jordan, and Sri Lanka). Women and girls were often subjected to ongoing sexual and domestic violence and abuse during the process of trafficking, and some of these experiences included intensification of domestic abuse and sexual abuse from partners (where partners were involved in, or complicit in trafficking); and sexual abuse from traffickers, staff in transit camps and others (Giles 1999). Women and girls in transit were also vulnerable to forced marriage, as a result of rape, or parental anxieties (Gangoli and Bates, 2016).

Poverty and inequality: Gender based violence and abuse need to be seen within the wider context of inequality. It is self-evident that all forms of trafficking take place in the context of economic inequality, that is, the supply of trafficked people is most commonly from impoverished parts of the world, to meet the demands of richer nations and people. This is also evident in sex tourism – which though outside the scope of this chapter – where economically precarious women and girls are trafficked within their home nations to meet the demands of tourists from richer nations (c.f. Suchland, 2015).

Poverty can contribute to supply in various ways: by reducing life choices, including access to education, legitimate and well-paying employment, lack of access to political participation, wider issues of basic human rights; including social and cultural inequalities linked to poverty (e.g. caste, religious /hereditary prostitution), and lack of safe and affordable migration practices for those in poverty (Human Rights Careers, nd). Research by the Poppy Project in the UK (cited in Hoyle *et al.* 2011) found that women often accepted offers from traffickers for primarily financial reasons, for example, in order to escape poverty or debts.

Other forms of social inequalities at a global level that contribute to sex trafficking include forced displacement due to war, conflict and development projects. Conflict situations can lead to the partial or full collapse of civil society, and of law and order, and can exacerbate existing gender and other inequalities, including poverty (Giles and Hyndman, 2004), and lead to an increase in sex trafficking.

2.1. International law and conventions

There are a number of international conventions and laws that address the issue of human trafficking, including sex trafficking. Many of these date back to the abolition of slavery, including provisions within the Slavery Convention (1926) and the Supplementary Convention on the Abolition of Slavery, the Slave Trade, and Institutions and Practices Similar to Slavery (1956). Other parts of international law that include segments against the trafficking of persons include: the Universal Declaration of Human Rights (1948), the International Covenants on Civil and Political Rights (1966), The United Nations Convention for the Suppression of the Traffic in Persons and of the Exploitation of the Prostitution of Others (1949), and the Convention on the Elimination of all Forms of Discrimination Against Women (1979).

More recent conventions include the United Nations Trafficking Protocol (2000), or the 'Palermo Protocol'. 'Palermo' condemns the exploitation of the prostitution of others but does not equate prostitution with exploitation per se, and distinguishes trafficking from prostitution. Trafficking refers to the "recruitment, transportation, transfer, harbouring or receipt of persons, by means of the threat or use of force or other forms of coercion", although this does not preclude that many instances of prostitution may be consistent with trafficking. In addition, there is the EU Framework on Combating Trafficking in Human Beings (July 2002), and the Council of Europe Convention on Action against Trafficking in Human Beings (May 2005).

Some of the limitations of international conventions owe from the reality that they are difficult to implement without the support of national actors. The conventions need to be signed and ratified at national levels, and then implemented legally within and between nation states. For example, South Asian nation states, including India, Nepal, Sri Lanka, Pakistan, Bangladesh, Maldives, and Bhutan signed the South Asian Association for Regional Cooperation (SAARC), but this has not been effectively implemented for several reasons. These include: porous borders, lack of training of border officials and personnel, widespread corruption and lack of political will (Kumar, 2015). Nation states may sign international conventions due to international political exigencies and pressures, but often lack internal support for passing, and implementing laws that can make these conventions effective. An example of this is the Istanbul Convention, that has been signed by the U.K, but not ratified (Hester and Lilley, 2016).

Anti-trafficking laws are difficult to enforce because victims of trafficking are often terrorised by traffickers. As trafficking is a crime that transcends borders, and therefore jurisdictions, it can be expensive and difficult to apply national law to a person who resides in another state from where the crime takes place. Additionally, human trafficking usually violates several laws, and sometimes many different jurisdictions, and the same gender and legal norms often do not apply in the same way across these different contexts. Therefore, building a case against traffickers can take a great deal of time, resources, and energy. Other issues in enforcing anti-trafficking laws is the lack of training of local enforcement officers within the state, even where the State may have implemented anti-trafficking laws. Victims of trafficking, particularly sex trafficking, are often treated as criminals or illegal immigrants, and either arrested or deported. There is often a language and cultural barrier between enforcement officers and the victims, making information-gathering problematic (King, nd). International conventions while an important aspect in prevention of sex trafficking do not succeed in preventing, or reducing sex trafficking, due to widespread stigma around sexual exploitation, unequal gender norms, poverty and lack of national and local political will.

III. UK CONTEXT

In this section, I will explore the UK context that make sex trafficking possible. As argued above, gender based abuse and violence is an international phenomenon, as is poverty and structural inequalities that create the conducive context within which sex trafficking can thrive. Women trafficked into the UK enter a country where these inequalities are rife, and it becomes difficult for them to escape the exploitative situation that they find themselves.

1. Gender-based violence in the UK

It is important to set sex trafficking within the UK in the context of wider gender and violence in the UK, as it creates the norms within which women and girls being trafficked for sex is acceptable. Statistics released by the Home Office in 2018 found that 1 in 4 in the UK women experience domestic abuse and 1 in 5 sexual assault during their lifetime. The Crime Survey of England and Wales further estimates that "20% of women and 4% of men have experienced some type of sexual assault since the age of 16, equivalent to an estimated 3.4 million female victims and 631,000 male victims. 5 in 6 victims (83%) did not report their experiences to the police. An estimated 3.1% of women

(510,000) and 0.8% of men (138,000) aged 16-59 experienced sexual assault in the last year" (Home Office, 2019).

Women who enter the sex trade in the UK either have been trafficked internationally, and in some cases within the UK. There is little reliable data on women and girls trafficked within the UK, but there is some evidence that a fourth of all trafficked women and girls are born in the UK (Unseen, 2021), and that most internally trafficked women and girls are likely to be engaged in street based, rather than brothel based prostitution. Some of the routes through which British women and girls enter the sex trade in the UK are directly linked to gender based violence and abuse. In addition, women can be trafficked by intimate partners (Matolsci, 2020).

In the case of women from outside the UK, the routes into the sex industry can be complex. Some women are directly trafficked into the sex trade at the point of entry in the country, and others enter the sex trade due to the social and political contexts that they find themselves. Internationally trafficked women are more likely to work indoors in brothels, flats, parlours and saunas (The Poppy Project, 2004). Trafficked women and girls are often subjected to ongoing abuse and violence from partners (who may also be their pimps), and clients on a regular basis, and this include physical and sexual abuse. In the UK, there is evidence that as many as 180 sex workers murdered in the United Kingdom between 1990 and 2016, of which 110 were classified as 'work related', 'because the sex worker was killed either by a client, in a sex working workplace, or last seen alive in a known street sex work area' (Cunningham *et al.*: 3). There is little evidence on whether women trafficked from outside the UK are more vulnerable to these forms of violence and abuse than UK born prostitutes, and this is an area that needs future investigation.

Research also indicates that many migrant women, particularly those on insecure working or marriage visas, or asylum seeking women, may be vulnerable to sex trafficking when they reach the UK. When they have reached their destination, many asylum seeking women and girls experience sexual exploitation and trafficking. These include sexual exploitation from landlords: for e,g, examples of homeless asylum seeking women 'sofa surfing', then finding they have to have sex to 'pay back the favour' of a place to stay (Gangoli and Bates, 2016). Domestic violence and abuse also continues in these contexts, and all these factors strengthen the conducive factors within which sex trafficking and exploitation can thrive.

2. *Structural inequalities*

Other inequalities that contribute to internal and international trafficking in the UK are poverty, immigration structures and policies, and racism. As we noted in the previous sections, women and girls trafficked into prostitution are most often economically, and socially marginalised. Internally trafficked women are often from disadvantaged backgrounds, and are likely to be vulnerable to criminal gangs and drug use and addiction, (Hester and Westmarland, 2004). A large number of UK born women and girls in prostitution have experience of poverty and homelessness prior to joining sex work. Further, research has revealed that many women escaping domestic violence and abuse are likely to suffer financially, and this can lead to entering the sex trade for survival (Fahmy, Williamson and Pantazis, 2016) including domestic violence induced poverty.

Migrant women have a high risk of living in poverty, which increases their chances of being vulnerable to sex trafficking. This affects all first generation migrant women. For example, women on spousal visas are subjected to a five year period after first entering the UK, which is often referred to a 'probationary period', during which period they are not eligible to a range of welfare benefits, including housing benefits. There has been much research on how women on these insecure visas are in a state of increased dependence on their husbands, as a breakdown of the marriage during this period can leave them destitute, and/or subject to deportation to their home country (see for e.g. Gangoli, et. al. 2020; Gill, 2011). What has been mostly unexplored is how this increased economical and emotional dependence on their husbands as new immigrants may lead to other forms of exploitation, including sex trafficking, though there is evidence of this in personal accounts (for e.g. Sanghera, 2009, Gupta, 2008). Refugee and asylum seeking women are also vulnerable to sexual exploitation while in the UK, due to poverty. As asylum seekers, they are not eligible to a host of welfare benefits, and at the time of writing, have to survive on £39.63 a week, and are not allowed to work while their claim is under review. Asylum seeking women are therefore in a state of penury and are often trafficked into sex work to meet ends meet. Discrimination against migrant women continues even if they are able to remain legally in the country, and this can take the form of structural racism. Research done by the author (Gangoli *et al.* 2020) has found that first generation migrant women often find it difficult to get jobs in the UK, even if they are fully qualified, due to inherent and unconscious bias against migrant women, which may include issues of body language, clothes, appearance, bias against particular communities, and language proficiency. This can lead to migrant women continuing to be economically vulnerable to traffickers, even after they may have reached their destination.

3. UK policy and law

Until 2013, UK law and policy used the terminology of "human trafficking" and to a lesser extent "forced labour" and "contemporary slavery". The UK is signatory to a number of international agreements on trafficking. The UK signed the UN Declaration on Trafficking in Persons in 2003, ratified the European Council Convention on Trafficking in 2008 and applied to opt in to the European Directive on Trafficking in 2011. The UK is signatory to a number of other more general conventions, including the Convention on the Elimination of Discrimination Against Women. The UK is also currently bound by the provisions of the European Court of Human Rights as it relates to cases of trafficking, but the repeal of the Human Rights Act in the UK (2020) might render ECHR decisions less effective than in the past. In addition, the UK will not be bound by future changes to EU law.

In part, of the requirements that accrue from these instruments, the UK has developed a legal and policy framework to respond to trafficking. Trafficking for sexual exploitation was made an offence in England, Wales and Northern Ireland through the Sexual Offences Act 2003. Section 53A of the Sexual Offences Act 2003 criminalised 'paying for sexual services of a prostitute subjected to force'. The offence includes both trafficking and pimping, all contexts within which prostitution takes place. It was highly debated before it came in. Some wanted the full purchase of sex to be criminalised but ended up supporting this offence as a compromise, while some did not feel that the purchase of sex should be criminalised in any way (Matolsci, 2017). Sections 52 and 53 of the Act criminalised causing or inciting or controlling prostitution for gain, and Section 54 explained the meaning of 'gain' in this context. Section 55 set out the penalties for keeping a brothel used for prostitution. Section 56 extended gender neutrality to all prostitution offences. Sections 57 – 60C set out new offences of trafficking into, within and out of the UK, for the purposes of sexual exploitation as well as powers to police and immigration officials to detain vehicles involved. These were in response to international obligations.

The Asylum and Immigration Act 2004 addressed the offence of 'trafficking for exploitation', which covers sexual and non-sexual types of exploitation. In Scotland, trafficking is prohibited through the Criminal Justice (Scotland) Act 2003. In addition, section 14 of the Policing and Crime Act 2009 criminalises sex with someone who has been coerced into prostitution (including via trafficking). Beyond legislation to criminalise trafficking, various initiatives have been developed by government and civil society to prevent trafficking, protect victims and facilitate the prosecution of offenders. These include proposals to increase sharing intelligence across borders, particularly within the E.U (HM Government, 2011).

Since 2013, the term "modern slavery" has become more prominent in government discourse and policy. From 2015, the UK Government uses it as an umbrella term that covers the offences of human trafficking, slavery, servitude and forced labour. The Modern Slavery Act, applicable in England and Wales, with a small number of provisions that have UK-wide application; has been in force since 2015. In addition, the Human Trafficking and Exploitation (Criminal Justice and Support for Victims) Act, applicable in Northern Ireland; and the Human Trafficking and Exploitation (Scotland) Act: applicable in Scotland were introduced. The Acts introduced a raft of provisions covering prosecution and, to a lesser extent, victim protection (Anti Trafficking Group, 2018). The new legislations increased the maximum penalties for offences relating to trafficking to life imprisonment, and introduced further protection and support for victims.

Some efforts at a national level to prevent all forms of exploitation under the category of modern slavery include: the Modern Slavery awareness raising drive in 2014, which included a dedicated media campaign on defining modern slavery, and awareness raising of how to seek help among people who may have been trafficked and communities that come into contact with them (Home Office, 2015); training to raise awareness of the issue among the public and frontline workers, such as police and social workers; and the implementation of a formal process of identification, the National Referral Mechanism (NRM), and funding for a package of accommodation-based support. The NRM, created in 2009, is a framework for identifying and referring potential victims of modern slavery, including all forms of human trafficking, and slavery, servitude, and forced or compulsory labour. Under the NRM, frontline staff from designated agencies and organisations can make a referral to the National Referral Mechanism if they suspect that a person is trafficked.

The UK developed specific work to respond to any increased threat of trafficking around particular flash points, most notably the London 2012 Olympics. The Mayor's Office for Policing and Crime set up and coordinated the Human Trafficking and London 2012 Network, which comprised of 60 organisations, including voluntary and statutory organisations. A 24 hour referral for street workers, and a telephone hotline was also set up during this time, as part of the prevention drive (Anti-Slavery Network, 2016). The UK Metropolitan Police Service's Human Exploitation and Organised Crime Command (SCD9) was established in 2010 to tackle vice and human trafficking crime in the five Olympic host boroughs of Newham, Hackney, Waltham Forest, Tower Hamlets, and Greenwich, and appointed a police commissioner to deal exclusively with trafficking (Jaffer, 2012). There is some understanding there was an increase on raids on brothels during this period in the specific bureaus, but the Metropolitan Police suggested that it was very much 'business as normal' (Anti-Slavery Network, 2016).

4. Critiques of UK law and policy

This section will explore what we know about implementation of anti-trafficking legislation and policy in the UK. Matolcsi (2017) explored the difficulties in accessing the effectiveness of Section 53A in particular, and anti-trafficking legislation in general; and suggested that there were major issues with shortcomings in criminal statistics, including contradictions, and errors.

Ultimately, based on available criminal statistics, she assesses that it impossible to obtain a reliably accurate picture of implementation. One of the factors that came up was practitioners' knowledge and awareness of the offence. She interviewed 21 participants which included representatives from voluntary and statutory organisations, and found that only a minority (five) of the 21 participants displayed both awareness and significant knowledge of section 53A.

This finding is perhaps most crucial in relation to police, who are at the frontline of implementing the offence, and of the ten police representatives she interviewed, only one had knowledge of using this law. Crucially, several police, and other stakeholders misunderstood a fundamental element of the offence. Because the offence is one of strict liability, it does not have to be proved that the buyer was aware of the exploited or coerced status of the person they were paying for sex with. However, several of her participants, both police and service providers, incorrectly talked about the need to prove this. Participants felt there is a general lack of awareness and incomplete or inaccurate knowledge of section 53A specifically, and/or of prostitution and trafficking generally among police and other practitioners. This lack of awareness and knowledge may be a reason, also according to some participants, for the offence not being used, whether it is because police are not aware of its existence in the first place, because they have an incorrect understanding of it (particularly regarding the strict liability element), or because they are not able to recognise victims.

Matolcsi also points out that it is not just an issue of training. In the areas examined in her research, having training did not necessarily result in police and other practitioners having adequate awareness and knowledge of section 53A. Three of the force areas or divisions within them examined included section 53A in local trainings, and some participants said they are pushing for its use (which should in theory increase awareness of the offence). However, these participants are not aware of the offence being used in their areas, and while it is not possible to know for certain due to the lack of reliability of police-recorded crime, these areas do seem to not be using the offence or have only used it very little. Thus, while not knowing about section 53A, or misunderstanding it, may certainly be a reason why some police do not use the offence, based on her interviews, this cannot be said to be the case for all police in the areas examined. As such, while it may be a significant reason for lack of use, particularly in some areas and for some individuals, it is not the only reason (Matolsci, 2017, 2020).

5. NRM

While the creation of the NRM has generally be lauded as a positive step in the identification, and should lead to theory to improved responses to trafficking, there are several critiques of the system. Work done by Cherti, Pennington and Galos (2012) points out that that there are significant differences between groups in the rates of identification as victims of trafficking. It is more likely that UK, and EU citizens are identified as being trafficking, than non-EU nationals, but it appears that the proportion of non EU citizens is higher in the case of sex trafficking (Grounds, 2020). As the data in Table 1 also indicates, the proportion of victims of sex trafficking has fallen since 2015, with the introduction of the discourse of modern slavery, and there is a greater focus now on internal trafficking (including trafficking across county lines), and trafficking into sites other than sex trafficking (including organ harvesting).

Citing earlier research, Cherti *et al.* (2012) concluded that there is a "hierarchy" of victims, and this was discriminating against victims from particular countries or regions. The research also indicated that in 2012, the NRM was taking a very narrow view of the definition of trafficking, which impeded victim identification. A review of the NRM in 2014 (Home Office, 2014) found similar issues, and they also pointed to a lack of consistency in the understanding of trafficking across different relevant agencies, including first responders. They also pointed to a lack of long-term support for victims identified through this process, and suggested that the system was fragmented, and lacked cohesion.

A recent critique of the NRM (Craig, 2018) points out that the NRM continues to be "cumbersome, inaccessible, structurally racist, slow and (presumably for staffing reasons) overloaded, and confusing potential immigration status (especially for those claiming asylum) with potential slavery status" (pp: 2-3). This is a clear impact of the shift in the discourse from trafficking to the broader term of modern slavery, which includes a wider range of offences, and the political shift from a focus on cross border trafficking to a range of different forms of exploitation under the modern slavery umbrella. This is borne out by the Independent Anti-Slavery Commissioner, who described the NRM for suspected victims of trafficking as 'not fit for purpose'.

6. Focus on border control

The government's largely immigration-led approach makes victim identification and protection less effective, and has tended to shift emphasis away from measures that could tackle the demand for exploitation that ultimately drives trafficking. A focus on border control and immigration also meant that internal trafficking was ignored, at least until 2015. This may seem ironic as the critique of the NRM above is that it fails to recognise, and undercounts non-British nationals, but speaks to the inconsistencies within the system. The focus on reducing all immigration contradicts the government's stated intention of combatting human trafficking, and demand and vulnerability leading to trafficking, at a global and national level would remain. There is a clear inconsistency in the UK government's long standing commitment to reducing all immigration, with the stated position on protecting victims of human trafficking.

This is manifested most obviously in the 'hostile environment' for 'illegal immigrants', first articulated by Theresa May, the then Home Secretary in 2012. The aim of the hostile environment was to cut off undocumented migrants from access to any public services, including healthcare services, and to make it difficult for all migrants to live or work in the UK without paperwork. In practice, it led to employers, universities, health care practitioners, landlords, the police, and other public and private bodies being held responsible, and liable for policing migrants, and increased hostility and lack of trust in these bodies. In addition, the 'hostile environment' extended the No Recourse to Public Funds to non EEA migrants in 2012 (and this is now possibly extended to EEA migrants post Brexit), who have not secured 'Indefinite Leave to Remain' to access most benefits, tax credits or housing assistance'. The NRPF affects a range of migrants, including all undocumented migrants, but also includes asylum seekers, international students, migrant workers, and those on spousal visas. Critics point out that these policies have "forced people into destitution, helped to facilitate racism and discrimination, and mistakenly affected people who have a legal immigration status….and may limit the 'deterrent effect' for many migrants in accessing services" (Qureshi, Morris and Mort, 2021, pp: 11).

While the 'hostile environment' has had serious impacts on all these groups of migrants, we are concerned here with victim/survivors of sex trafficking. It has been evidenced that women subjected to sex trafficking are less likely to seek protection from statutory bodies, such as the NHS and the police, due to legitimate fears that they would be reported to the Home Office, and deported (Qureshi, Morris and Mort, 2021). Further, a lack of understanding of the inherent abuse suffered by sex trafficking victims, and racist and inaccurate assumptions about other countries and cultures, have led to policies that refuse asylum to several women. For example, official government guidance in 2020 stated that 'a woman who returns having obtained 'wealth', regardless of how it is obtained, may not encounter negative social attitudes because she has fulfilled her family's and community's expectations' (cited in Grounds, 2020) and therefore could be refused asylum.

A further manifestation of the 'hostile environment' in the UK is the introduction of the points system in the UK in early 2021, when the UK left the EU. The UK Government postulates that this would enable equality between EU and non EU citizens, and would also help reduce overall levels of migration, and prioritise skilled workers, by awarding points to workers based on their qualifications and skills. While there is little available evidence on how this may impact sex trafficking, commentators have raised valid concerns that this will lead to an increase in all forms of human trafficking (Winchester, 2021).

IV. CONCLUSIONS

As this chapter has indicated, the UK has not been successful in effectively tackling the core causes that create conducive contexts for internal, or international sex trafficking. International factors include: the continuum of gender based violence and abuse, international poverty, civil unrest, discriminatory laws and policies, and lack of commitment at an international level to address these issues. Within the UK, the lack of investment, or political will in addressing the different aspects of gendered, economic and racist inequalities that exist in the country has further exacerbated sexual exploitation for women and girls. The shift in discourse from trafficking to modern slavery has to some extent has also contributed to sex trafficking across international borders being relegated to a less important position within the policy discourse. Further, the drive to reduce all forms of migration to the UK through the hostile environment, and the points system increases trafficked women's vulnerability to further exploitation, and prevent help seeking. Finally, there are indications that the UK's exit from the EU in early 2021 will only exacerbate, and further strengthen the conducive context within which sex trafficking thrives. If the U.K is serious about tackling sex trafficking, there are a number of possible steps it could take, and these are listed below.

Implications for further research, policy and practice:

- The lack of reliability of criminal statistics hinder what we can know about the simple implementation of criminal offences linked to trafficking. This can be addressed by creating a better system of recording all forms of sex trafficking, and the data linked to implementation of laws related to sex trafficking.
- More focus on victim care within the UK through shifting the discourse on sex trafficking away from immigration control.
- Taking a human rights approach globally and within the UK to prevent sex trafficking.

V. REFERENCES

ACKERSON, L. K. & SUBRAMANIAN, S. V. (2008): Domestic violence and chronic malnutrition among women and children in India. *American Journal of Epidemiology*, 167(10): 1188-1196.

AGUSTIN, L. M. (2007): *Sex at the Margins: Migration, Labour Markets and the Rescue Industry*. London: Zed Books.

ANGATHANGELOU, A., AGATHANGELOU, A. & LING, L. (2003): Desire Industries: Sex Trafficking, UN Peacekeeping, and the Neo-Liberal World Order. *The Brown Journal of World Affairs*, 10(1): 133-148. Available at: http://www.jstor.org/stable/24590599 (accessed 20 July 2021).

ANKER, CHRISTIEN L. VAN DEN & DOOMERNIK JEROEN (eds.) (2006): *Trafficking and Women's Rights*. Basingstoke: Palgrave Macmillan.

ANTI-SLAVERY NETWORK (2016): *Tackling Trafficking in Human Beings and Forced Labour: Lessons Learned from the London 2012 Olympic Games*. Available at: https://www.antislavery.org/wp-content/uploads/2016/12/olympics_project-evaluation.pdf (accessed 15 July 2021).

ANTI-TRAFFICKING GROUP (2018): *Before the Harm is Done. Examining the UK's response to the prevention of trafficking*. Available at: https://www.antislavery.org/wp-content/uploads/2018/09/Before-the-Harm-is-Done-report.pdf (accessed 14 July 2021).

BELL, K. J. (2009): A Feminist's Argument On How Sex Work Can Benefit Women. *Inquiries Journal/Student Pulse*, 1(11). Available at: http://www.inquiriesjournal.com/a?id=28

CHERTI, M., PENNINGTON, J., & GALOS, ELIZA (2012): *The UK's Response to Human Trafficking – Fit for Purpose?*. London: Institute for Public Policy Research.

CRAIG, G. (2018): *Britain's Modern Slavery Act: Flies in the Ointment*. Available at: https://www.e-ir.info/2018/06/13/britains-modern-slavery-act-flies-in-the-ointment/ (accessed on 19 July 2021).

CUNNINGHAM, S., SANDERS, T., PLATT, L., GRENFELL, P. & MACIOTI, P.G. (2018): Sex Work and Occupational Homicide: Analysis of a U.K. Murder Database. *Homicide Studies*, 1(18): 1-14.

DALAL K., RAHMAN F. & JANSSON, B. (2009): Wife abuse in rural Bangladesh. *Journal of Biosocial Sciences*, 41(5):561–573.

DICKSON, SANDRA & THE POPPY PROJECT (2004): *Sex in the City: Mapping Commercial Sex Across London*. London: Eaves Housing for Women.

FAHMY, E., WILLIAMSON, E. & PANTAZIS, C. (2016): *Evidence and policy review: Domestic violence and poverty*. Joseph Rowntree Foundation.

FARLEY, M. (2004): Bad for the body, bad for the heart: prostitution harms women even if legalised or decriminalised. *Violence Against Women* 10(10): 1087-125.

FIKREE, F. F., RAZZAK, J. A. & DUROCHER, J. (2005): Attitudes of Pakistani men to domestic violence: A study from Karachi, Pakistan. *Journal of Men's Health and Gender*, 2: 9–58.

FLOOD, M. G., PEASE, B., TAYLOR, N. & WEBSTER, K. (2010): Reshaping attitudes towards violence against women. In: E. STARK & E. BUZAWA (eds.), *Violence against Women in Families and Relationships: The Media and Cultural Attitudes*.

Praeger Perspectives: Santa Bárbara (California, USA), Denver (Colorado, USA) and Oxford (England).

GANGOLI, G. & BATES, L. (2016): *Addressing Sexual Violence Against Refugee Women* (ASVARW). Report for the Rights, Equality and Citizenship (REC)–Programme of the European Union. Available at: http://www.cattaneo.org/wp-content/uploads/2018/09/Italy_Summary-CM-Report.pdf

GANGOLI, G. (2006): Laws on Prostitution in India: Laws, debates and responses. In GANGOLI, G. & WESTMARLAND, N. (eds.), *International Approaches to Prostitution–Law and Policy in Europe and Asia*. Policy Press, pp. 115-139

GANGOLI, G., BATES, L. & HESTER, M. (2020): What does justice mean to black and minority ethnic (BME) victims/survivors of gender-based violence?. *Journal of Ethnic and Migration Studies*, 46(15): 3119-3135

GILES, W. & HYNDMAN, J. (eds.) (2004). *Sites of Violence: Gender and Conflict Zones*. Berkeley, Los Angeles and London: University of California Press.

GILES, W. (1999): Gendered Violence in War: Reflections on Transnationalist and Comparative Frameworks in Militarized Conflict Zones. In: INDRA D. M. (ed.), *Engendering forced migration: Theory and practice*. New York: Berghahn Books, pp. 83-93.

GILL, A.K. (2011): Intersecting inequalities: implications for addressing violence against BMER women in the UK. In: MCMILLAN, L. & LOMBARD, N. (eds.), *Research Highlights Volume on Violence Against Women*. London: Jessica Kingsley Publishers.

GOODEY, J. (2008): Human trafficking: Sketchy data and policy responses. *Criminology & Criminal Justice*, 8(4): 421–442.

GROUNDS, M. (2020): *Migrants and the global epidemic of human sex trafficking*. Available at: https://www.ein.org.uk/blog/migrants-and-global-epidemic-human-sex-trafficking (accessed 18 July 2021).

GUPTA, R. (2008): *Enslaved: The New British Slavery*. London: Granta Books.

HESTER, M. & LILLEY, S-J. (2016): *Preventing violence against women: Article 12 of the Istanbul Convention*. Available at: https://edoc.coe.int/en/violence-against-women/7140-preventing-violence-against-women-article-12-of-the-istanbul-convention.html (accessed 20 July 2021)

HESTER, M. AND WESTMARLAND, N. (2004): *Tackling street prostitution: towards a holistic approach*. London: Home Office Research Study 279.

HINDIN, M. J., KISHOR, S. & ANSARA, D. L. (2008): *Intimate partner violence among couples in 10 DHS countries: predictors and health outcomes*. Report for the United States Agency for International Development (USAID). DHS Analytical Studies No. 18. Calverton, Maryland: Macro International Inc.

HM GOVERNMENT (2011): *Human Trafficking: The Government's Strategy*. Available at: https://assets.publishing.service.gov.uk/government/uploads/system/uploads/attachment_data/file/97845/human-trafficking-strategy.pdf

HM GOVERNMENT (2015): *2015 Report of the Inter-Departmental Ministerial Group on Modern Slavery*. Available at: https://assets.publishing.service.gov.uk/government/uploads/system/uploads/attachment_data/file/469968/IDMG_Report_Final.pdf

HOME OFFICE (2015): *Modern Slavery Marketing Campaign. Evaluation Report*. Available at: https://assets.publishing.service.gov.uk/government/uploads/system/

uploads/attachment_data/file/451964/150806_Modern_Slavery_Evaluation_for_
publication_FINAL.pdf

HOME OFFICE (2019): *Fact sheet–Home Office in the media*. Available at: https://
homeofficemedia.blog.gov.uk/category/fact-sheet/

HOYLE, C., BOSWORTH, M. & DEMPSEY, M. (2011): Labelling the Victims of Sex
Trafficking: Exploring the Borderland between Rhetoric and Reality. *Social & Legal Studies*, 20(3): 313–329

HUMAN RIGHTS WATCH (n.d.): *10 Causes of Human Trafficking*. Available at:
https://www.humanrightscareers.com/issues/10-causes-of-human-trafficking/ (accessed 5 July 2021).

JACKSON, K., JEFFERY, J., & ADAMSON, G. (2010): *Setting the record: The trafficking of migrant women in the England and Wales*. Report for the Association of
Chief Police Officers (ACPO) and Regional Intelligence Unit for the South West.

JAFFER, M. (2012): *What Human trafficking has to do with the Olympics*. Available
at: https://www.huffingtonpost.ca/senator-mobina-jaffer/olympics-human-trafficking_b_1704321.html (accessed 20 July 2021).

KELLY, L. (2016): *Theorising Violence Against Women and Girls*. Available at:
https://archive.discoversociety.org/2016/03/01/theorising-violence-against-women-and-girls/ (accessed on 15 July 2021).

KELLY, L., & REGAN, L. (2000): *Stopping traffic: Exploring the extent of, and responses to, trafficking in women for sexual exploitation in the UK*. London: Home
Office, Police Research Series Paper 125.

KING, L. (n.d.): *International Law and Human Trafficking*. Available at: https://sherloc.unodc.org/cld/uploads/res/bibliography/international_law_and_human_trafficking_html/InternationalLaw.pdf

KUMAR, C. (2015): Human Trafficking in the South Asian Region: SAARC's Response
and Initiatives. *Journal of Social Sciences and Humanities* 1(1): 14-31.

MATOLCSI, A. (2017): *Section 53A of the Sexual Offences Act 2003 (inserted by section 14 of the Policing and Crime Act 2009) on 'paying for the sexual services of a
prostitute subject to coercion etc': Implementation and the views of practitioners*.
PhD Thesis, University of Bristol, United Kingdom.

MATOLCSI, A. (2020): Police Implementation of the Partial Sex Purchase Ban in England and Wales. *European Journal on Criminal Policy and Research*: 1-19.

MESHKOVSKA, B., SIEGEL, M., STUTTERHEIM, S. E., & BOS, A. E. R. (2015):
Female Sex Trafficking: Conceptual Issues, Current Debates, and Future Directions.
The Journal of Sex Research 52(4): 380–395.

QURESHI A., MORRIS M. & MORT L. (2020): *Beyond the hostile environment*.
Available at: http://www.ippr.org/research/publications/beyond-the-hostile-environment (accessed 19 July 2021).

SANGHERA, J. (2009). *Daughters of Shame*. London: Hodder Paperbacks.

SARKAR, S. (2014): Trans-border sex trafficking: identifying cases and victims in the
UK. *Migration and Development*, 3(1): 95-107.

SUCHLAND, J. (2015): *Economies of Violence: Transnational Feminism, Postsocialism, and the Politics of Sex Trafficking*. Durham and London: Duke University
Press.

UNITED NATIONS OFFICE ON DRUGS AND CRIME (UNODC) (2009): *Global Report on Trafficking in Humans*. Available at: https://www.unodc.org/documents/Global_Report_on_TIP.pdf

UNSEEN (n.d.): *Myths & facts about human in the UK*. Available at: https://www.unseenuk.org/modern-slavery/world-day-against-trafficking (accessed 7 July 2021).

WAGNER, B. & HASSEL, A. (2016): Move to Work, Move to Stay? Mapping Atypical Labour Migration into Germany. In: DØLVIK, J. E., ELDRING, L. (eds.), *Labour Mobility in the Enlarged Single European Market*. Published online: 125-158.

WALBY, S. (2009): *The Cost of Domestic Violence: Up-Dates 2009*. Lancaster: Lancaster University.

WINCHESTER, N. (2021): *Could the UK's new immigration system increase human trafficking and human smuggling?*. Available at: https://lordslibrary.parliament.uk/could-the-uks-new-immigration-system-increase-human-trafficking-and-human-smuggling/

WORLD HEALTH ORGANISATION/LONDON SCHOOL OF HYGIENE AND TROPICAL MEDICINE (2013): *Responding to intimate partner violence and sexual violence against women: WHO clinical and policy guidelines*. Geneva: World Health Organisation.

Capítulo IV
HUMAN TRAFFICKING IN ITALY: SIZE, TREND AND CRIMINAL PREVENTION

CLAUDIA PECORELLA
Full Professor in Criminal Law
Università degli Studi di Milano-Bicocca

MASSIMILIANO DOVA
Research Fellow in Criminal Law
Università degli Studi di Milano-Bicocca

Summary: I. SIZE AND CHARACTERISTICS OF TRAFFICKING IN ITALY; 1. Data from the anti-trafficking network; 2. Evaluation and caretaking activities carried out in 2020; 3. Law enforcement data; II. THE FIGHT AGAINST HUMAN TRAFFICKING AND FORMS OF SLAVERY OR SERVITUDE: THREE LEVELS OF PROTECTION IN THE ITALIAN PENAL SYSTEM; 1. The anticipation of criminal intervention (art. 601, §1, second part, criminal code); 2. The crime of harmful event (art. 600 criminal code); 3. The incrimination of ancillary conducts; III. CONCLUDING REMARKS; IV. REFERENCES.

I. SIZE AND CHARACTERISTICS OF TRAFFICKING IN ITALY

For more than twenty years, Italy has been dealing with the phenomenon of human trafficking, assuming a very important role as a country of destination or transit to other destinations for trafficked persons. In fact, the first legislative intervention specifically addressed to foreigner victims of violence or serious exploitation dates back to the end of the 90s. For these victims has been introduced a residence permit, which should allow them "to escape the violence and conditioning of the criminal organization and to participate in a program of assistance and social integration"[1]. In the course of the 2000s, that first intervention was accompanied by others aimed, on the one hand, at facilitating the identification of persons brought by force or deception into the territory, in order to ensure them the necessary protection and, on the other

---

[1]   The residence permit "for reasons of social protection", introduced by the Law 40/1998 and then included in art. 18 of the Immigration Act (Legislative Decree 286/1998) can be requested by organizations or associations that have become aware of the dangerous situation in which the foreigner finds himself following an assistance intervention, or as a consequence of police operations or criminal proceedings for crimes related to the exploitation of prostitution (art. 3 of Law 75/1958) as well as trafficking and enslavement.

hand, at assuring adequate tools to prosecute those who contributed to that result with the perspective of the most diverse forms of exploitation.

Even in Italy, however, the emergence of trafficking is extremely difficult–especially the one related to the exploitation of prostitution, increasingly confined to less visible places–and it is therefore difficult to size the phenomenon and find out its local peculiarities. However, the effort, even financial, made by the State especially since 2016[2], in order to assure a prompt identification of the victims, has led the European Commission to include Italy, for the years 2017-2018, among the five most virtuous European countries in the identification of trafficked persons and in the first place in the activity of arrest and otherwise identification of persons suspected of trafficking. A very appreciable result, if we consider the gaps in the management of migration flows arriving from the Mediterranean Sea, and the lack of competence in identifying victims of trafficking–especially among Nigerian women–which had been marked with concern in the reports of the Group of Experts on Action against Trafficking in Human Beings, dedicated to the Italian situation (GRETA 2014 and 2016).

However, this significant improvement was not matched by an equal effort in fighting trafficking with regard to prosecutions and convictions (European Commission 2020). It is therefore not surprising that the Country received a negative assessment in 2019 from the U.S. State Department, given the downsizing of investigations and therefore of the criminal response to traffickers compared to previous years (Degani, 2020: 38 footnote 50). Today's available data confirm a downward trend in the number of people arrested or otherwise identified for suspected involvement in trafficking activities, which does not seem to be due to a downsizing of the phenomenon, albeit desirable.

1. Data from the anti-trafficking network

The main source of information on trafficking is the Information System for the Collection of Information on Trafficking (SIRIT), which collects data from each local Anti-Trafficking Project (21 to the present day), as well as from many agencies and institutions that come into contact with victims (such as health professionals, Police Forces, Labour Inspectorate, Territorial Commissions for Recognition of International Protection) and data on calls received by the Anti-Trafficking Hotline, active 365 days a year for 24 consecutive hours[3].

---

[2]   Starting from 2016 – the year of the first National Anti-Trafficking Plan–the funds made available by the Department of Equal Opportunities for the local Assistance Projects have been increasing: from the initial 8 million euros to 15 million for the financing of 15 Projects to end up with the current 24 million for the 21 active Projects.

[3]   Competence and territorial organization of the Helpline (800-290-290), instituted by the Department for Equal Opportunities in 2000, have been changed over time: on the one hand, since 2006, the original purpose of helping victims of forced prostitution has been

Further data are collected by the new mobile number (342-7754946) activated in 2019, in order to enable the request for help by those victims (mostly Nigerian) who use a phone company (Lyca Mobile) that does not allow calls to toll-free numbers with an 800 prefix (Save the Children, 2021: 26).

Through the elaboration made by the Anti-Trafficking Helpline of a three-year period data (2017-2019) we can grasp the trend of the phenomenon over time and some of its main features.

First of all, it emerges that there has been a significant increase in the number of cases evaluated for possible taking in charge[4] in the last two years: 3550 and 3707 people respectively, compared to 1738 assessed in 2017. Nevertheless, the number of victims accepted into assistance and protection programs was almost steady the whole time (even if a slight decrease was recorded): 1058 persons were taken into care in 2017, 960 in 2018 and 925 in 2019.

The increasing gap between the number of assessed subjects and the number of those taken in charge may be due to the needed involvement of anti-trafficking network operators with the activities of the System of refugees and asylum seekers, engaged in the evaluation of thousands of people arrived from the Mediterranean Sea routes and waiting for examination by the Territorial Commission for recognition of international protection. At the same time, the low number of assessments in 2017–compared to the following years–may depend on the fact that the new data registration system was not yet fully implemented in that year. A similar trend indeed can be found in the same three-year period data concerning the assessments and the taking in charge of Nigerian victims, who have always been the main recipients of interventions of the anti-trafficking network: compared to an almost steady number of activated protection programs–although, also in this area, slightly decreasing (799 in the first year, 740 in the second and 592 in the third)–the assessments carried out

---

extended to include victims of all forms of exploitation, in line with the wider notion of trafficking introduced by art. 13 of Law 228/2003; on the other hand, the original 14 fixed telephone lines have been replaced by a single central location, entrusted to the Veneto Region, and the activity on the territory has been organised through local Anti-Trafficking Projects. Since 2016, the Helpline, which manages and processes the data collected by SIRIT, also connects with the Protection System for holders of international protection and unaccompanied children and Anti-Violence Centers. On the evolution of the service during its twenty years of activity and on the SIRIT System, established in 2010 but revised and strengthened several times according to the emerging needs, see Degani, 2020: 63 ff.

[4]   It should be noted that the taking in charge of the subject by the anti-trafficking network does not necessarily entail the actual carrying out of the Protection Program, as the victim may decide not to join it. In this regard, data show that in the years 2017-2019 the adherence to the Program has been decreasing: it was 58.1% of the total number of persons assessed in 2017 and decreased to 24.9% in 2018 and 21.5% in 2019. In the same time frame, there was an increase in the number of cases in which "sufficient reasons for accessing the Program" were not seen (from the initial 19% to 41.5% of cases in 2019).

in the first year are less than half of those of the following years (from 1338 in 2017 to 2868 in 2018 and 2719 in 2019).

The circumstance that among identified and taken into care victims of trafficking there is an absolute prevalence of Nigerians, mostly represented by women[5], confirms Italy as a country of destination mainly for the sexual exploitation of trafficked persons. This is also supported by the fact that, after *Nigeria*, in second place for number of victims taken in charge is Romania, with 45, 28 and 29 persons respectively: mostly very young women who–like Albanians[6] and Nigerians – are forced into prostitution once they arrive in Italy. Also Ivoirian women are potential victims of sexual exploitation and often already victims of trafficking in Tunisia or Libya, before being re-trafficked to Italy: the issue should not be underestimated because Ivory Coast ranked second (after Nigeria) in terms of number of people–mainly women – referred to the anti-trafficking network in the years 2018 and 2019 (92 and 130 people respectively, of which 80.8% women), resulting in an increasing number of them being put into protection (13 people for each of the first two years and 22 in 2019, most of them female).

The attention of the Italian State to the victims of trafficking for labour exploitation is more recent, on all fronts: this type of victims has been accepted in the Anti-Trafficking Protection System since 2006; a specific crime for the repression of the phenomenon was introduced in 2011 [art. 603-bis of Italian criminal code, v. *infra* § 2.2.]; in 2020 was developed the Three-year Plan to combat work exploitation.

According to the data of the years 2017-2019 already considered, victims of this phenomenon are mainly Bangladeshi and Moroccan citizens (almost all men), who have been assessed and taken into care in (relatively) significant numbers over the years[7]. However, the clear male prevalence among Moroccan citizens evaluated in 2017 has been disappearing in 2018, in which there was a greater proportion between women and men, to turn around in 2019, when referrals concerned above all Moroccan women (almost 2/3), some of them with a residence permit for domestic violence, under art. 18-bis of Immigration Law (Legislative Decree 286/1998, as amended by Law 119/2013).

---

[5]   Over the years, the male component has been increasing, although it still remains a small minority: in 2019 there were 28 men taken into care out of 616 people assisted overall; in this year two transgender people also appeared for the first time.

[6]   Albanian persons also appear to be recipients of protection programs in the number of 10 in 2017 and 19 in 2018 (thus placing them in fourth place, after Bangladesh).

[7]   Some of the Moroccan women were found to be trafficked for forced marriages (4 in the three-year period): it is worth noting that a specific crime of forced marriages (art. 558-bis c.p.) has been introduced with the Law 69/2019 (so-called Red Code). For an initial commentary on the new provision see Di Nicola Travaglini and Menditto, 2020: 101 ff.

Unlike cases of potential sexual exploitation, which are brought to the attention of the anti-trafficking network to a significant extent by the Territorial Commissions for recognition of international protection, suspected cases of trafficking for forced labour mostly are referred to by Labour Inspectorate and Police officers, following controls in the workplace or as consequence of occupational accidents. In this regard, it is alarming the drastic drop in the number of referrals received in 2019 from these two sources–as well as from social and health services, especially since the increase of self-reports (from 3.9% in 2017 to 5.2% in 2019).

Finally, considering the age of persons evaluated and taken in charge in the three-year period 2017-2019, there is an increase of the average age from 23 years in 2017 to almost 26 years in 2019. In the last two years of the survey, the number of minors taken into care decreased, from 8% to 2.5% of the total, although within them the number of minors under 15 years of age increased; most of the minors were subjected to sexual exploitation and almost in all cases they were girls[8]. On the other hand, there was a significant increase in the percentage of persons over 30 years of age (from 15.3% to 23.8%), thus recording an overall "ageing" of the persons assisted.

2. Evaluation and caretaking activities carried out in 2020

The years following 2019 have been characterised by COVID-19, which made people trafficking even more invisible and undeclared, despite the incessant intervention of low-threshold operators (Degani, 2020: 147 ff.): for example, street female sex-workers, who in Italy represent the (known) majority of trafficked persons, have almost disappeared; similarly, the general slowdown in economic and productive activities has made it more difficult to employ people in forced labour, creating widespread poverty and marginalisation, also because arrivals from countries at high risk of labour exploitation (such as Tunisia and Bangladesh) has not stopped (Blangiardo et al., 2020: 7-8). On this basis, we can take a look at the data related to the first year of the pandemic, which is now over.

Observing the situation through the calls to the Anti-Trafficking Hotline during 2020, we see that, although a significant increase compared to the previous year (5510 instead of 3711 in 2019), the majority of the 'relevant' ones

---

[8]   It should be noted that with the Law 47/2017 (so-called Zampa Law) Italy adopted a specific discipline for the protection of "unaccompanied foreign minors", who are often victims of trafficking, in order to ensure them uniform protection and inclusion on the national territory. The number of minors arriving 'alone' in Italy had been increasing considerably, having doubled during the three-year period 2014-2016 (in 2016 there were 25,856): see www.openmigration.org. To have an overview of the Italian situation of minors subjected to forced labour, see Policek, 2021: 195 ff.

(however decreased: 1226 instead of 1452 in 2019) concerned persons who had already been referred to the anti-trafficking network or for whom the protection program had already been started. Equally emblematic of this situation appears the increase of calls from potential victims (14% more than in 2019) and, overall, the fact that the number of help requests received during this year was 31% higher than in the previous year (Save the Children, 2021).

The SIRIT System's data confirm the expectation of a significant decrease in the number of evaluated persons, in contrast to the upward trend of the previous year (2054 persons compared to 3707 in 2019): in line with the past, the evaluation concerned especially people of Nigerian nationality (more than 65% of the evaluated) and therefore predominantly women (77.3%); however, it was a novelty the high number of transgender people (76, equal to 3.7%), which for the first time had appeared in 2019 (2 cases). Assessed persons were almost exclusively adults (97.9% of cases), thus further decreasing the component of minors.

With regard to the sources of referral to the anti-trafficking network, is confirmed the important role played by the Territorial Commissions for recognition of international protection, on which almost half of the referrals depend, as well as the almost nil contribution of the Police and the Labour Inspectorate; significant, however, appears the number of self-reports (220 persons, equal to 10.7% of the cases evaluated).

Finally, looking at the new cases taken into care as at 31 December 2020 (691 in total), given the overlapping with the persons evaluated with regard to citizenship, gender and age, it is interesting to consider the form of exploitation that has been identified: sexual exploitation was found–as expected–in 44.9% of cases and forced labour in 20.5% (Department for Equal Opportunities, 2020).

3. Law enforcement data

Information about the criminal justice response to traffickers is provided periodically by the Criminal Analysis Service of the Department of Public Security at the Ministry of the Interior: such information results from different data collected by the Interforce Database (SDI/SSD) (Ministry of the Interior, 2021).

Before giving an overview of the enforcement activity carried out in this field in the years 2016-2019, it is necessary to clarify that persons taken in charge by the anti-trafficking network are not obliged to file a complaint and co-operate with the judicial authority in order to dismantle the criminal organisation of which they have been victims. In this regard, it should be noted that, according to the SIRIT data related to the years 2017-2019, the number of people who filed a complaint has been decreasing, partly because of the lesser commitment of Police Forces in this field: the percentage of complaints filed by the recipients of the assistance program amounted to 25.1% in 2017 and fell to 14.7% in 2019 (Degani, 2020: 139).

Data on indicted or arrested between 2016 and 2019 confirm the feeling, already highlighted by data of the anti-trafficking network, of lower cooperation of the Police Forces in recent times: while in the years 2016 and 2017 the number of reports due to police investigations was increasing (350 in 2016 and 462 in 2017), in the following two years a downward trend turned out (409 reports in 2018 and 323 in 2019). The reports were mainly for the crime of reduction or maintenance in slavery or servitude (art. 600 of Italian criminal code) and to a slightly lesser extent for the crime of trafficking (art. 601 of Italian criminal code) (610 cases compared to 688 for enslavement); more limited (246) was the number of suspected for the crime of purchase and sale of slaves (art. 602 of Italian the criminal code).

Nigerian is the prevailing nationality among the indicted/arrested, mainly (but not exclusively) for human trafficking: 440 out of a total of 871 Nigerians were suspected of this crime against 97 victims, including 29 minors. Among the most numerous groups of suspected are Romanians (245 persons), Italians (208 persons) and Albanians (62 persons), all of whom for enslavement. Even for the offence of purchase and sale of slaves Nigerians are indicted/arrested in absolute prevalence (with 29 fellow countrymen victims, 11 of whom are minors); to a marginal extent there are also Italians and Romanians. If Nigerians are apparently the most numerous victims of all the three crimes, Romanians reduced to slavery are also a considerable number (66 of whom 5 are minors), especially when compared with those victims of the crime of trafficking (9 adults).

With regard to the form of exploitation, data show a progressive decrease in the number of suspected for forced prostitution (including child prostitution) and a significant increase in those related to forced labour: the number of persons indicted/arrested for the crime of unlawful intermediation and work exploitation (art. 603-bis of Italian criminal code) has increased from 142 in 2016 to 950 in 2019, although this is not the only crime enforceable in these cases (see *infra*, § 2). Trafficking of organs is instead almost absent (1 case reported in 2018).

What is striking in the Police reports is the fact that every time among Nigerians involved – most of them in prison awaiting trial–there are also women. After having been victims of trafficking and subjected to sexual exploitation for years, these women sometimes improve their desperate condition making themselves available to manage other (younger) trafficked compatriots. Having knowledge of this background of victimization, these women deserve a different treatment, compared with that of their tormentors; above all, they should be taken in charge as victims of gender-based violence, instead of been incarcerated (and later convicted) as it usually happens.

To turn now to judicial data, a warning must be given about the fact that it is difficult to have such data updated and even those made available by the National Institute of Statistics (ISTAT) do not always provide useful information, especially because crimes are in many cases grouped together and there is not a normative reference to clearly identify them.

Among the most recent data available (updated to 2017), we can find information about persons who have been convicted by a final sentence for the crimes of "trafficking in persons and slavery" as a whole: the reference is probably to the (already mentioned) crimes of reduction or maintenance in slavery or servitude, trafficking in persons and purchase and sale of slaves (art. 600-602 of Italian criminal code), on which we will focus later[9].

Compared to the high number of people arrested or suspected for these crimes (350 in 2016) the number of people convicted in the years between 2008 and 2017 turns out to be very low and progressively decreasing (from 80 persons in 2008 to 55 in 2017), with an exception–not easily explained–in 2015, when that number even touched 100 units. Considering the length of the processes[10]- all the more to reach a final sentence–we can assume that the numerous police reports received in the years 2016 and 2017 will lead in the coming years to a much higher number of convictions than in the past, even though the difficulties of law enforcement should not be underestimated.

On the other hand, it is also possible that many of the persons investigated for trafficking or enslavement are then brought to trial and sentenced for crimes committed in the exploitation of trafficked persons rather than for crimes related to trafficking. Since in Italy victims of trafficking are mainly subjected to forced prostitution, it is worth looking at data related to crimes of "instigation, exploitation and aiding and abetting of prostitution" as a whole.

In the period from 2008 to 2017 the number of people convicted for these crimes is indeed much higher and substantially uniform over time although, even in this case, there is a gradual downward trend: from 1087 people convicted in 2008 we arrived at 791 in 2017, with only a peak of 1440 in 2009. The number of foreigners sentenced for crimes related to the exploitation of prostitution is very high in absolute, but definitely a minority in percentage terms (about 1/3 of those sentenced each year). Conversely, foreigners are al-

---

[9]   A separate survey of convictions and acquittals relating to each of these crimes was published in September 2015 by the Ministry of Justice: these data relate to *first instance* proceedings, which took place in 2011-2013: see Ministry of Justice, 2015.

[10]   Data on proceedings concluded in first instance between 2009 and 2013 showed that the average time elapsed between the registration of the news of crime and the judgement was 792 days, considering the faster times (678 days on average) of the summary judgment–requested by the majority of defendants for the reduced sentence in case of conviction–and the particularly long times of the ordinary trial (1033 days, i.e. about 3 years): see Ministry of Justice, 2015.

most exclusively concerned by convictions for trafficking or enslavement: the ratio of citizens of other countries to the total number of convicted per year was, for example, 48 out of 55 in 2013, 51 out of 55 in 2014, 45 out of 48 in 2016 and 93 out of 100 in 2015. It is therefore confirmed a division of tasks in the context of trafficking, which sees foreigners engaged in transporting people to Italy, to satisfy a market–that of prostitution–managed by Italians and only to a small extent by compatriots of the victims.

Interesting, finally, for the previous considerations on the involvement of Nigerian women in criminal proceedings for trafficking, is the look at the female component of the foreign nationals convicted: the percentage of women appears regretfully very high, because it is around 1/3 of the total number of convicted per year (for example, 16 women out of 48 persons in 2013, 14 out of 45 in 2016), arriving in some cases close to half (21 out of 51 in 2014 and 41 out of 93 in 2015). A figure that calls for reflection on the secondary victimization suffered by women who come into contact with the Italian criminal justice system, which is unable to look beyond the fact that must be judged and therefore fails to recognize the situations of previous violence from which that fact can be determined[11].

II. THE FIGHT AGAINST HUMAN TRAFFICKING AND FORMS OF SLAVERY OR SERVITUDE: THREE LEVELS OF PROTECTION IN THE ITALIAN PENAL SYSTEM

As we have already seen, in the Italian criminal system, trafficking in human beings and the different forms of slavery or servitude are incriminated by art. 600, 601 and 602 of the criminal code. These crimes, which were already provided for by the 1930 Code, have been completely reformulated, in implementation of commitments undertaken by the country at the international level: firstly, Law 228/2003 implemented the Palermo Protocol on trafficking of 2000 and Framework Decision 2002/629/JHA; subsequently, Legislative Decree 24/2014 implemented Directive 2011/36/EU. Although the legislative amendments tried to describe with greater precision each of those crimes, there are still areas of overlap (not only between them, but also with other crimes); on the other hand their application is problematic, as emerges from empirical data because of the opaque wording used in their 'restyling' [Viganò, 2021: 1498; Mantovani, 2019: 297 ff.]

---

[11]   Italy was recently condemned by the European Court of Human Rights precisely because of the secondary victimization suffered by the victim of a gang rape trial: see EDU Court, Sec. I, 27 May 2021, J.L. v. Italy, no. 5671/16; for a commentary see Cardinale 2021. On secondary judicial victimization, see Di Nicola Travaglini (2021): 37.

A preliminary overall picture can be sketched through the reclassification of those provisions. In this way, three different levels of criminal protection seem to emerge:

1) The first level anticipates criminal law reaction at an earlier stage: at this stage the creation of a state of subjection and exploitation is exclusively the aim pursued;
2) The second level of intervention has as its object the creation of the state of subjection and exploitation, i.e. the realisation of the different forms of slavery or servitude;
3) The third level concerns, finally, the incrimination of ancillary conducts with respect to an already consolidated situation of slavery or servitude.

Before analyzing in more detail each of these three levels of criminal protection, it seems appropriate to highlight immediately an evident aspect of irrationality. Even though these crimes have different degrees of blameworthiness, the legislator has subjected them to the same (high) criminal sanction: imprisonment from 8 to 20 years. Doubts of reasonableness are not, however, shared by the Italian Supreme Court which, on the contrary, has recently considered manifestly not relevant the question with respect to the principles of reasonableness (art. 3 Cost.), of individual criminal responsibility (art. 27, first paragraph Cost.) and of rehabilitative purpose of punishment (art. 27, third paragraph, Cost.): the identical sanction provided for by these crimes would be reasonable because they would all have, as a common denominator, the protection of individual freedom against forms of exploitation of human beings [Cass, 5.3.2019, n. 35992].

1. *The anticipation of criminal intervention (art. 601, §1, second part, criminal code)*

Article 601, §1, second part, criminal code (Trafficking in persons) incriminates anyone who recruits, introduces into the territory of the State, transfers out of it, transports, gives authority over, or harbours one or more persons by means of deception, violence, threat, abuse of power or taking advantage of a situation of vulnerability, of mental or physical inferiority, or of necessity, or by promising or giving money or other benefits to the person who has authority over them, *in order to induce or force them to work, to begging or, in any case, to the performance of illegal activities involving their exploitation or to organs removal.*

In faithfully tracing the model of incrimination described by international sources, this article describes the first and most anticipated level of criminal intervention [Galluccio, 2021: 1591].

This model has three key features:

a) the commission of a broad catalogue of conducts which have a common denominator: they imply the transfer within the territory (typically, beyond the borders of the State of origin) of one or more persons. In this regard there are, on the one hand, three different conducts: introduction into the territory of the State; transfer outside of it; and transport within the State. On the other hand, three other conducts are foreseen, which are functional to the transfer: recruitment, transfer of authority over the person and harbouring;

b) such conducts must be carried out by a series of means which are able to prejudice the victim's will: means of actual coercion, such as violence and threats, or abuse of authority, alongside with forms of induction, such as deception, taking advantage of a situation of vulnerability, of physical or mental inferiority or of necessity. Finally, there are also forms of conditioning of the victim's will which derive from the influence exercised by a person who legitimately has power over her (e.g. a parent), such as the promise or giving of money or other benefits to the person who has authority over the person who will become a victim of trafficking;

c) the conduct must be aimed at achieving the purpose which constitutes the core of the harm that the offence of trafficking seeks to prevent: the creation of a situation of economic or sexual exploitation or organs removal. The exploitation is, however, a specific harmful intent, but it is not necessary that it is carried out for the commission of the offence.

This crime depicts a situation in which the victim is "in transit": from a situation of "freedom", albeit characterized by conditions of vulnerability, the victim is destined to be subjected to a condition (not yet occurred) of subjection and exploitation. The distinguishing feature of this crime (compared to the cases belonging to the other two levels of criminal protection) is, therefore, the condition of freedom of the victim [Cass., 24.09.2010, no. 40045].

The interest protected by this offence (like the others mentioned) is traditionally identified in the *status libertatis*, a prerequisite for the performance of all forms of individual freedom [Brasiello, 1965: 1093; Mantovani, 2019: 297 ff.]. More precisely, the conduct incriminated by this offence endangers individual autonomy and victim's freedom of choice, i.e. the possibility of autonomously governing one's own destiny and freely making the choices that concern one's own existence. Victim's freedom of choice is, on the contrary, subjugated by the will of others, from which the victim cannot escape because she has no acceptable and effective life alternatives [Mantovani, 2019, 297 ff.; Viganò, 2021, 1498]. Moreover, the purpose of exploitation expands the catalogue of protected interests, including property in case of labour exploitation, sexual freedom in case of sexual exploitation and physical integrity in the hypothesis of organ removal.

In relation to the means used to carry out the incriminated conduct, it is worth dwelling on a modification introduced by Legislative Decree 24/2014 – following the request of the Directive 2011/36/EU – which included among the inductive instruments the abuse of a situation of *vulnerability* alongside with the already provided hypothesis of a situation of *necessity*. In order to give meaning to the concept of abuse of a situation of necessity, the Supreme Court observed that it does not coincide with the state of necessity described by article 54 of the criminal code[12]. The situation of vulnerability must be interpreted in light of the concept of state of need indicated in the crime of aggravated usury (art. 644, §5, no. 3 criminal code)[13]. In this sense, the situation of need must be understood as any situation of weakness or material or moral deficiency of the victim. This situation of need is capable of conditioning the will of the victim and it does not allow her to make a different choice of life, other than to give in to the abuse [Cass. 11.1.2012, no. 10784]. This equalization between a situation of necessity and a condition of vulnerability, which in fact anticipated and made substantially superfluous the amendment suggested by Directive 2011/36/EU, has been reiterated by the most recent case law [Cass. 28.5.2019, no. 49148]. What has changed is exclusively the supranational normative reference: no longer the notion of "position of vulnerability" indicated in the European Union Framework Decision of 2002 on combating trafficking in human beings, but that described by Directive 2012/29/EU and Directive 2011/36/EU.

There is another aspect which deserves to be underlined. While in the past there was discussion on the organized and "entrepreneurial" character of the crime of trafficking in human beings, today this doubt seems to be overcome. On the one hand, indeed, Directive 2011/36/EU has changed its approach compared to the past: the fight against trafficking and modern forms of slavery is addressed in an autonomous way and no longer as a phenomenon necessarily connected with organized crime [Madeo, 2014: 1105 ff.; Scevi, 2014; Viganò, 2021: 1497]. On the other hand, having clearly explicated that the victim of trafficking can also be a single person seems to have strongly weakened the

---

[12]   This disposition, which some authors qualify as a justification and others as an excuse, establishes that "is not punishable who commit a crime being forced to do so by the need to save himself or others from the actual danger of serious damage to the person, a danger which he did not voluntarily cause and nor otherwise avoidable, provided that the fact is proportionate to the danger".

[13]   According to the Supreme Court, the state of need is a situation in which the will of the victim is limited to the point of inducing her to accept the usurious conditions of the loan: see Supreme Court, 10 December 2010, no. 45507.

theory of the existence of the an implicit requirement of entrepreneurship for the commission of the crime of trafficking [Galluccio, 2021: 1589].

The most delicate and fragile aspect of the crime is the core element of the offence, which permit to distinguish it from the different phenomenon of *smuggling of migrants*, which is incriminated as aiding and abetting illegal immigration by article 12 of Legislative Decree 286/1998. The law requires indeed a specific harmful intent of the trafficker: to subject the victim to a condition of slavery or servitude. It concerns a distinction which is only apparently clear. In reality, the two phenomena – trafficking in human beings and smuggling of migrants–are not easily distinguishable, due to the difficulties connected to the ascertainment of the further purpose of subjection and exploitation. It is not infrequent that those who transfer or move persons destined to be subjugated and exploited have no knowledge of their destiny or maybe are aware of it but certainly not animated by the purpose of subjecting them to conditions of slavery or servitude.

Moreover, a doubt was raised regarding the necessary coincidence between the person who exploits the victims and the trafficker: the law requires indeed that the trafficker acts/operates "in order to induce or coerce them to" [in this sense Galluccio, 2021: 1591]. Following this interpretation, the offence would be probably never applied, since normally traffickers and persons who subsequently subject victims to a condition of slavery or servitude are different subjects. In order to grant effectiveness to the criminal protection, the Supreme Court expressed a different orientation, according to which the subjection and exploitation of victims of trafficking may well be carried out by a different subject [Cass., 8.5.2008, no. 23368].

2.   The crime of harmful event (art. 600 criminal code)

The second level of criminal intervention is described by art. 600 of the Italian criminal code (Reduction or maintenance in slavery or servitude) which provides for two types of crime. The first one (reduction or maintenance in slavery) incriminates, in a scarcely precise way, the exercise on the victim of powers attaching to the right of ownership. The second one (reduction or maintenance in servitude) punishes instead "whoever reduces or maintains a person in a state of continuous subjection, forcing her to work or perform sexual activities or to beg or in any case to carry out illegal activities involving the exploitation or to organs removal"[14]. The second paragraph specifies that "the

---

[14]   It should be borne in mind that, apart from the cases of reduction or maintenance in servitude (art. 600 criminal code), the use of minors in begging is independently incriminated by art. 600-octies, §1, of the criminal code, which establishes: "unless the fact constitutes a more serious offence, anyone who uses a person under the age of fourteen years or, in any

reduction or maintenance in a state of subjection takes place when the conduct is carried out by means of violence, threats, deception, abuse of authority or taking advantage of a situation of vulnerability, physical or mental inferiority or a situation of need, or by promising or giving money or other benefits to the person who has authority over the person".

Although it does not emerge from the sanction, which is the same for all the different levels of criminal protection, this crime is the most serious, because it involves the harm to the protected interest and not only its endangerment, as in the case of the abovementioned crime of trafficking [see *supra* § 2.1.]

The first hypothesis, in recalling the definition of slavery contained in art. 1 of the Geneva Convention of 1926, is formulated so imprecisely as to raise doubts about its constitutionality in light of the principle of legality (art. 25, c. 2 Cost.). Moreover, this first crime does not seem to play an independent role in fighting enslavement, since it is difficult to imagine cases which are not already included in the second offence [Mantovani, 2019: 297 ff.; Viganò, 2021: 1500]. This consideration is reflected/confirmed in the case law: the Supreme Court several times excluded the crime of reduction into slavery at art. 600, §1, first part, criminal code, when a situation of exploitation is lacking. Even though it is not expressly required for this crime (but exclusively for the second offence), exploitation is a tacit element which contributes to characterize the harm of the offence, even in comparison with other crimes protecting personal liberty [Supreme Court, 10.9.2004, No. 39044; Supreme Court, 6.6.2008, No. 32986]. This interpretation made it possible to exclude from the scope of the crime the conduct of those who "purchase" abroad a child born through surrogacy in order to include him/her in their own family. The only person liable for the offence would be the seller who has economically exploited the child, using it as a bargaining chip [Cass. 24.9.2015, no. 43084].

The second crime described in art. 600 criminal code requires the causation of a double harmful event–identified in a state of continuous subjection and in a condition of exploitation–through different means to prejudice the victim's will (the same means already mentioned in the analysis of art. 601, §1, second part, criminal code).

To create a state of continuous subjection (the first event of the crime), however, it is not necessary that the victim completely loses any space of autonomy of movement, but it is sufficient that she is subjected to a significant

---

case, not under their control, for begging, or allows such a person, when subjected to their authority or assigned to their custody or supervision, to beg, or allows others to use such a person for begging, shall be punished by imprisonment of up to three years". The second paragraph, on the other hand, prohibits the organization of begging, i.e. the conduct of anyone who organizes the begging of others, takes advantage of it or in any case favors it for profit.

impairment of her ability to self-determination [Cass. 17.2.2020, no. 15662]. According to the Supreme Court, what matters is that such limited margins of autonomy do not affect the position of supremacy exercised over them by the perpetrator: it "may also be latent, in the sense that, once affirmed and materialized in specific acts of exploitation, it may be kept alive and then manifest itself even at a distance of time from its beginning, in further acts of exploitation" [Cass. 5.11.2013, no. 25408]. On the contrary, "the conduct consisting in the offer of a job with burdensome services in uncomfortable environmental conditions for an inadequate remuneration does not constitute a significant impairment of the capacity of self-determination, if the person freely determines to accept it and can escape from it once the concrete discomfort that follows is detected" [Cass. 10. 2.2011, no. 13532].

In other words, the threshold of criminal relevance would be marked by the inexistence for the victim of valid existential alternatives, which is the same requirement of the abuse of a situation of vulnerability. In this regard, the proof of the means used (the abuse of the situation of vulnerability or need) overlap with that of the harmful event (the state of continuous subjection), since the concept of abuse of a situation of vulnerability or need is calibrated on the same concept of lack of other possible choices of life. Moreover, the proof of the existence of actual existential alternatives might be extremely elusive: for example, according to the Supreme Court, the state of continuous subjection is not deemed proven, because it was possible to find better living conditions, in a case in which a circus operator obliged, by means of threats, including serious ones, his family members of Bulgarian origin, including a minor, to live inside the truck boxes infested with cockroaches and in precarious hygienic conditions and to perform gruesome shows (e.g. entering a transparent display case with snakes and tarantulas) and exhausting work without respecting normal working hours (shifts of up to 20 hours). It should also be borne in mind that, according to the public prosecutor's hypothesis confirmed in two levels of judgment, the family members would have been uprooted from their own country, forced to live in a foreign country, without independent possibilities of orientation, relationships and means of support [Cass. 24.9.2013, no. 44385].

According to case law, the state of subjection, in order to assume a continuous character, as required by the crime, must last over time in an appreciable manner: one day of limitation of freedom would not be sufficient, as stated in a case in which a Romanian woman asked for help after one day from the beginning of the sexual exploitation (regardless of the duration of the conduct carried out prior to arrival in Italy) [Cass. 27.9.2013, no. 8370]; instead, a few days of subjugation would be sufficient, as in the case of a Romanian girl forced to prostitute herself for five days [Cass. 7.6.2010, no. 35479].

As already mentioned, in order to commit the offence, a further event is required: the coercion of the victim to perform work or sexual services, or begging or, in any case, to carry out illegal activities involving exploitation, or to submit to organs removal. The characteristic feature of the second event of the crime is the coercive instrument used to exploit, regardless of the type (very varied) of activity through which the exploitation can be realized. It is the means employed (coercion) and not the type of activity carried out (whether lawful such as work and sexual acts or unlawful as illegal activities) that produces the exploitation. In this sense should be irrelevant the disproportion between the benefit obtained through the coercion and the compensation paid for the forced labour: this proportionality should be unimportant because of the violence (physical or psychological) used to force the person to work [in this sense, instead, Viganò, 2021: 1505].

Sexual exploitation is different from forced prostitution, which is expressly mentioned as aggravating circumstance of the crime by art. 602-ter, §1, letter b, criminal code. Instead, the coercion to perform even a single sexual act is to be intended as sexual exploitation and therefore sufficient to commit the (non-aggravated) offence at art. 600 criminal code.

The reference to illegal activities, which was inserted in art. 600 criminal code with the 2014 reform, corresponds, imprecisely, to *criminal activities* in the English version of the Directive 2011/36/UE (*activités criminelles* in the French version). This residual clause now draws the boundaries of the offence more sharply, as it expressly excludes the relevance of other forms of exploitation through activities which are not criminal.

There is, moreover, a defect in the wording that deserves to be mentioned: the crime describes only the hypothesis of coercion to perform work, sexual activities, etc., but it does not mention the alternative conduct of forcing to undergo. This is an amputation of the possible scope of criminal protection that is very relevant: a person could be forced *to perform* a sexual act or criminal activities, but also *to undergo* to any kind of sexual act or criminal activities [Madeo, 2014: 1106].

Finally, it should be pointed out that this crime overlaps problematically with other criminal offences. Two hypotheses in particular are highlighted here. The offence of unlawful intermediation and work exploitation (art. 603-bis criminal code) incriminates conducts (recruitment, use, hiring or employment of workers) which has two fundamental characteristics: abuse of the worker's state of need and exploitation of his work (only as a further purpose in the case of recruitment)[15]. Since the criminal offence referred to in art. 603-

---

[15]   The third paragraph of art. 603-bis of the criminal code specifies that the existence of one or more of the following conditions constitutes an indication of exploitation: 1) the repeated payment of wages in a manner that is clearly different from the national or territorial collective agreements stipulated by the most representative trade union organizations at national level, or in any case disproportionate to the quantity and quality of the work per-

bis criminal code contains the clause "unless the act constitutes a more serious offence", this offence will always end up being absorbed by the more serious offence of reduction or maintenance in servitude at art. 600 criminal code, which also requires the abuse of the state of need and exploitation.

Similar problems of overlapping arise with the crime of exploitation of prostitution at art. 3, §1, no. 8, Law 75/1958.

3. The incrimination of ancillary conducts

The third level of protection is described by art. 601, §1, first part, criminal code, which incriminates the same conduct laid down in §1, second part of the article: recruitment, introduction into the territory of the State, transfer outside of it, transport, transfer of authority over the person and giving hospitality [see *supra* § 2.1.] However, while in the crime already examined the victim comes from a condition of freedom, this offence assumes instead that the conduct is carried out against a person who is already in a situation of subjection to the will of others and exploitation, as victim of the crime referred to in art. 600 criminal code.

Next to this hypothesis there is the crime at art. 602 criminal code, which incriminates the purchase and sale of slaves: this crime completely overlaps with the previous one (art. 601, §1, first part, criminal code), although its application is expressly limited to cases in which this latter does not apply [Mantovani, 2019: 297 ff.; Galluccio, 2021: 1599]. In the past, the implicit requirement of entrepreneurship (or the organized character) of trafficking could be used to draw a line between the two offences; since this distinction is no more possible [see *supra*, § 2.1.], art. 602 criminal code became a useless provision compared with art. 601 criminal code which foresees the same sanction.

In both cases we are dealing with ancillary conduct which, in fueling trafficking in human beings, is carried out against persons whose freedom of self-determination has already been significantly compromised beforehand.

III. CONCLUDING REMARKS

The picture outlined, on the size of trafficking in Italy and the actions implemented to protect victims and combat criminal organizations behind it, shows how the Country is affected by the phenomenon to a truly significant

---

formed; 2) the repeated violation of the regulations on working hours, rest periods, weekly rest, compulsory leave, holidays; 3) the existence of violations of the regulations on safety and hygiene in the workplace; 4) the subjection of the worker to working conditions, surveillance methods or degrading housing situations.

extent–as a country of arrival, final or transitory, of trafficked persons – and must make a great effort to ensure a prompt intervention in order to identify and assist victims. As regards the criminal response to trafficking, the judicial activity seems insufficient, because up to now the large number of complaints or police reports has been followed by an all in all limited number of convictions, with the exception of those–however milder in punishment–for exploitation of prostitution. In addition, the high number of Nigerian women involved in criminal proceedings for trafficking or forced prostitution, even though it is highly probable that they themselves were previously victims of the same criminal behaviors, generates great concern. This is, after all, an aspect of the fight against trafficking that deserves more attention because, similarly to the intolerable sentences imposed on victims of trafficking for violation of immigration laws (GRETA, 2019), it denotes the malfunctioning of the criminal justice system, unable to recognize and distinguish victims and perpetrators.

In order to improve the fight against trafficking, however seriously undertaken by different Italian institutions and associations, it is perhaps appropriate to carefully consider some of the requests made by GRETA in 2019, in its last Report on Italy's implementation of the Council of Europe Convention on Trafficking.

In that Report, for example, a more constant and systematic commitment is required in training professionals who come into contact with (potential) victims of trafficking, in order to improve, among other things, the activity of timely identification and taking charge of them: a training that must be uniform throughout the country and periodically subject to evaluation and updating.

Equally important is considered a systematic collection of data on the phenomenon, because the knowledge of numbers and, even before, the collection of numbers marks–also in this case–a fundamental step in the prevention and enforcement activities. In this regard, it is worth mentioning that GRETA suggests that Italy should submit to an independent evaluation the activities undertaken with the first National Anti-Trafficking Plan before drafting the next one, in order to have a reliable *feedback* on which to work.

Specific training on the issue of trafficking–but also, it is worth remembering, on gender-based violence in all its forms–should be accompanied by more intense cooperation between institutions and professionals with whom victims come into contact; the same constant cooperation that should exist between those responsible for assistance and protection and those responsible for investigation and judicial intervention.

This kind of collaboration that, once perceived by the victims themselves, could stimulate their willingness to cooperate with the *enforcement* activity and, above all, could remove their resistance to ask for help to get out of the exploitation situation. From this point of view, GRETA would like to see more attention paid to the fight against labour exploitation, which is still not very evident in official data: in this field specific training and the strengthening of the investigative activities of labour inspectors, aimed at both companies and temporary employment agencies is urged. At the same time, it is necessary to facilitate complaints of workers, to whom should be guaranteed protection despite the irregularity of their presence in the territory.

With regard to criminal laws, it seems necessary to make an effort to rationalise and revise the crimes examined. There are two essential objectives to be achieved:

a) in relation to overlapping and vague and imprecise formulations, which hinder the law enforcement activity, a reformulation of offences at art. 600, 601 and 602 criminal code is urgent, in order to guarantee a more effective contrast to the traffic of human beings and to the modern forms of slavery;

b) on the other hand, it would be useful to draw more clearly the boundaries with crimes which deals with other criminal phenomena closely connected to the one examined here.

In relation to the first objective, has been suggested a new model offence, which is focused on the prejudice (and no longer on the endangering, as indicated in the supranational sources) of the freedom of self-determination. In this sense, the basic offence should be that of reduction to or maintenance in slavery or servitude under art. 600 criminal code [see *supra* § 2.2.]. This crime would be accompanied by an "ancillary" provision that would incriminate the same conduct of transfer and movement of one or more persons in the territory, provided for by the current crime of trafficking (art. 601, §1, first part, criminal code). However, it would differ from it because no longer the trafficker should be animated by the purpose of exploitation [reason of problematic ascertainment: see supra § 2.1]: it would be sufficient that he is aware of the destiny that awaits trafficked people [Viganò, 2019].

Different sanctions for each offence must be urgently provided for: the harm of the protected interest cannot be punished with the same sanction of its endangerment. This is not only a requirement connected to the principle of proportionality, but also to pursue the general-preventive aim of criminal sanctioning system.

There is also a further aspect related to the objective of a non-overlapping network of offences. The effort of the Italian legislator to meticulously describe the offences of enslavement and trafficking in artt. 600 and 601 of the criminal code has made the law enforcement very difficult. Instead of trying to prove the purpose of exploitation, the public prosecutor is encouraged to choose an easier way: to charge the aiding and abetting of illegal immigration (art.12 Legislative Decree 286/1998). The fight against smuggling of migrants, which nowadays represents a topic of great political and media importance, risks to disregard the need of protection of the victims of trafficking in human beings. The same risk occurs if prosecutors, in order to have a less onerous burden of proof, decide to use the less serious crimes of illicit intermediation and work exploitation (art. 603-bis criminal code) and exploitation of prostitution (Art. 3, §1, No. 8, Law No. 75/1958).

Faced with this uncoordinated network of legislative interventions, which reflect a lack of an overall vision, prostitution market, which is the fulcrum around which trafficking in human beings is managed, seems to prosper. Similar considerations can be extended to work exploitation, which is supposed to be equally widespread, although more circumscribed than sexual exploitation.

IV. REFERENCES

BLANGIARDO *et al.* (2020): *Beneficiari di protezione internazionale e integrazione in Italia–NIEM National Report 2020.* Available at: www.ismu.org

BRASIELLO, U. (1965): Personalità individuale (delitti contro la). In: AZARA, A. & EULA, E., *Novissimo Digesto Italiano,* vol. XII. Torino: UTET, p. 1092 ss.

CARDINALE, N. M. (2021): *Troppi stereotipi di genere nella motivazione di una sentenza assolutoria per violenza sessuale di gruppo: la Corte EDU condanna l'Italia per violazione dell'art. 8.* Available at: www.sistemapenale.it

DEGANI, P. (ed.) (2020): *Lotta alla tratta di persone e diritti umani. Un'analisi del sistema degli interventi a sostegno delle vittime alla luce dei fenomeni di grave sfruttamento in Italia.* Available at: www.osservatoriointerventitratta.it

DI NICOLA TRAVAGLINI, P. (2021): Il divieto di vittimizzazione secondaria. In: PECORELLA, C. (ed), *Donne e violenza. Stereotipi culturali e prassi giudiziarie.* Torino: Giappichelli, pp. 37-53.

DI NICOLA TRAVAGLINI, P. AND MENDITTO, F. (2020): *Codice Rosso. Il contrasto alla violenza di genere: dalle fonti sovranazionali agli strumenti applicativi.* Milano: Giuffrè Francis Lefebvre.

DIPARTIMENTO PER LE PARI OPPORTUNITÀ (2020): *Contrasto alla tratta degli esseri umani–Banca dati.* Available at: www.governo.it

EUROPEAN COMMISSION (2020): *Data Collection on Trafficking in Human Beings in the EU.* Available at: https://ec.europa.eu

GALLUCCIO, A. (2021): Commento all'art. 601 c.p. In: DOLCINI, E. & GATTA, G. L. (eds.), *Codice penale commentato.* Milano: Wolters Kluwer, pp. 1586-1594.

GRETA (2014): *Report concerning the implementation of the Council of Europe Convention on Action against Trafficking of Human Beings by Italy: First evaluation round.* Available at: http://www.coe.int/trafficking

GRETA (2016): *Report on Italy under Rule 7 of the Rules of Procedure for evaluating implementation of the Council of Europe Convention on Action against Trafficking of Human Beings.* Available at: https://ec.europa.eu

GRETA (2019): *Report concerning the implementation of the Council of Europe Convention on Action against Trafficking in Human Beings by Italy*. Available at: https://immigrazione.it

ISTAT (n.d): *Statistiche relative ai procedimenti penali*. Available at: http://dati.istat.it

MADEO A. (2014): *Il d. legisl. 4 marzo 2014, n. 24, di recepimento della direttiva 2011/36/UE, concernente la prevenzione e la repressione della tratta di esseri umani e la protezione delle vittime*. Sudium Iuris, p. 1105 ss.

MANTOVANI, F. (2019:) *Diritto penale. Parte speciale*, vol. I. Milano: Wolter Kluvers.

MINISTERO DELLA GIUSTIZIA (2015): *La tratta degli esseri umani. Indagine statistica su un campione rappresentativo di fascicoli definiti con sentenza relativamente ai reati ex art. 600, 601 e 602 del codice penale*. Available at: https://webstat.giustizia.it

MINISTERO, DELL'INTERNO (2021): *La tratta degli esseri umani in Italia – Focus*. Available at: www.interno.gov.it.

POLICEK, N. (2021): Foreign minors and forced labour in contemporary Italy. *Archives of Criminology*, 43 (1), pp. 195-222.

SAVE THE CHILDREN (2021): *Piccoli schiavi invisibili*, XI ed. Available at: www.savethechildren.it

SCEVI, P. (2014): *Nuove schiavitù e diritto penale*. Milano: Giuffré.

VIGANÒ, F. (2019): Rethinking the Model Offence: From 'Trafficking' to 'Modern Slavery'? In: HAVERKAMP R., HERLIN-KARNELL E., LERNESTEDT, K. (eds.), *What is wrong with human trafficking? Critical perspectives on the law*. Oxford: Hart, pp. 302-330.

VIGANÒ, F. (2021): Commento all'art. 601 c.p. In: DOLCINI E., GATTA G.L. (eds.), *Codice penale commentato*. Milano: Wolters Kluwer, pp. 1491-1513.

Capítulo V
TRAFFICKING IN HUMAN BEINGS IN PORTUGAL

MARLENE MATOS
Assistant Professor of Psychology
University of Minho

MARIANA GONÇALVES
Researcher in Psychology
University of Minho

Summary: I. INTRODUCTION; II. TRAFFICKING IN HUMAN BEINGS IN THE CONTEXT OF THE COVID-19 PAN-DEMIC; III. LEGAL FRAMEWORK IN PORTUGAL: THE CRIME OF TRAFFICKING IN PERSONS; IV. THE KNOWN NUMBERS: A NATIONAL AND INTERNATIONAL COMPARATIVE APPROACH; V. TRAFFICKING IN HUMAN BE-INGS: POLITICAL AND SCIENTIFIC AGENDA IN PORTUGAL; VI. THE NEEDS OF THE VICTIMS OF TRAFFICKING IN HUMAN BEINGS; VII. PUBLIC POLICIES, RESOURCES AND PREVENTION OF TRAFFICKING IN HUMAN BEINGS IN PORTUGAL; VIII. CONCLUSIONS; IX. REFERENCES.

I. INTRODUCTION

Trafficking in Human Beings (THB) has been the target of progressive attention by various entities at an international and national level. THB is a crime that involves victims' vulnerabilities and abuse by traffickers whose purpose is exploitation and/or economic benefit. There are multiple risk factors, related to social determinants (e.g., poverty, lack of formal education, limited support systems), marginalization (e.g., runaways or homelessness youth, persons with disabilities, migrant workers, ethnic/racial minorities, immigrants, foreign/national domestic workers, violence) and trauma (e.g., child and adult adverse experiences), and globalization (e.g., migration, refugee displacement, victims in conflict zones, digital technologies, social networking sites; Hachey & Philippi, 2017). THB is mostly a transnational crime, although it can occur in the internal context with victims being exploited in their own countries. In fact, we have been seen the growth of internal trafficking (Europol, 2016). International data show that the majority of offenders (60%) share the nationality with their victims (Siegel & De Blank, 2010); foreigners have a minimum participation (35%) and tend to be neighbor countries' nationals. In conjunction with this, recent statistics (UNODC, 2020) show that most persons investigated or arrested, prosecuted, and/or convicted of trafficking in persons continue to be male (60%), and similar to previous years (e.g., 2018), 36% of those prosecuted for trafficking were female. Although the asymmetry between developed and underdeveloped countries constitutes one of the facilitating factors of TSH (Europol, 2016), there are common characteristics and dynamics of THB throughout the world, regardless of geographic location or whether the country is considered industrialized or developing. The dynamics of THB involves the recruitment of victims (e.g., work proposals, proximity strategies); transport or transition of the victim (domestic or cross-border); exploitation and control (exploitation of work, the inspection of her behavior and control) and the victim's reintegration into society (support provided in reception centers and protection to victims). Although the characteristics and dynamics of THB are known, its recognition is not an easy task. Traffickers are careful to minimize the risk of being discovered, which makes the process of investigation long and complex (Alvim, 2013).

II. TRAFFICKING IN HUMAN BEINGS IN THE CONTEXT OF THE COVID -19 PANDEMIC

The Covid-19 pandemic has emerged as an unprecedented challenge for health systems around the world, with effects at the social and economic level, which can exacerbate inequalities, especially among the most vulnerable persons. The current global circumstances related to the Covid-19 pandemic represents an additional complexity in acting against Trafficking in Human Beings (THB), requiring a reinforced multisector and multilevel intervention, ensuring that the governments, justice, social and health institutions adapt their way of functioning to respond to the needs of victims and take an even more proactive role in detecting and protecting them. Governments across the world diverted resources toward the pandemic, often at the expense of anti-trafficking efforts, resulting in decreased protection measures and service provision for victims, reduction of preventative efforts, and hindrances to investigations and prosecutions of traffickers (US Department of State, 2021).

The work of identifying and assisting victims became even more demanding in periods of crisis, such as the one experienced during the Covid-19 Pandemic. This virus has not only revealed the inequalities; it has also exacerbated them. Already vulnerable populations are suffering the impact of the effects of COVID-19 on health, with educational and economic consequences as well. The expanded impact of COVID-19 on vulnerable populations has important implications for individuals at risk. Indeed, there are some factors that seem to increase the vulnerability/risk for TSH. Poverty and unemployment being TSH's primary drivers, loss of employment, income and/or other livelihoods may increase the likelihood that people in these circumstances will become victims of this crime. On the other hand, changes in family dynamics, greater pressure on the family unit, loss of social support due to the interruption of education, employment and other services and networks, may result in negative coping mechanisms, such as child labor and/or forced marriage. There may also be greater vulnerability as a consequence of limited availability or access to services, including health, welfare and social protection mechanisms (UNODC, 2020).

To contain the spread of the virus and save lives, countries declared a state of emergency or other restrictive measures, including mandatory quarantine, closure of non-essential activities, and border delimitation. While these measures are necessary, they also pose challenges for professionals who support and protect TSH victims. In many countries, law enforcement was mobilized through the implementation of a state of emergency or other restrictive measures that limit their ability to investigate TSH cases and identify potential victims. Likewise, other actors that can detect trafficking victims, such as labor inspectors, health professionals and Non-Governmental Organizations (NGOs) are limited in their anti-trafficking actions (GRETA, 2020). At the mercy of traffickers and exploiters, many victims are invisible and the risks that they will remain undetected and unprotected are heightened as attention and resources are turned to stem the spread of COVID-19. Without access to safe accommodation, specialized facilities, health care and psychological assistance, trafficking victims, even when identified, can be exposed to situations of revictimization as much as they are exposed to the virus (GRETA, 2020). Front-line civil society organizations that provide assistance, accommodation, support and reparation to victims face increased demands, particularly as a result of the need to reorganize teams and provide these services in telework, readjusting their dynamics of action and resorting to digital media for this purpose (GRETA, 2020).

Additionally, the Covid-19 pandemic may even represent an increased risk for TSH victims in the exploitation process, as this adds to the barriers that are already typical of these victimization processes (barriers in accessing health services and other services due to lack of identity documents and/or freedom of movement), lack or reduced access to COVID-19 preventive measures, including information and personal protective equipment; the greater likelihood of having pre-existing health needs and therefore greater risk of serious illness; the reduced capacity of front-line professionals to identify, refer, and provide support; the generalized blockades and closures increase the intensity of exploitation for those who are confined in an environment with "their" drug dealer (UNODC, 2020).

In this regard, responses to victims during the COVID-19 Pandemic must be continuously monitored for appropriate adjustments, to minimize harm and to ensure that the needs of these groups are adequately addressed. While public health is prioritized, a culture of the rule of law must always prevail. Anti-trafficking responses must continue to be guided by human rights, and access to health care and social support without discrimination must be guaranteed. Access to justice must also be guaranteed. Wherever possible, technology should be used to facilitate access to the court system and enable the collection and provision of evidence. Law enforcement officials must remain vigilant in dealing with new, ever-evolving crime patterns and adapt their responses to prevent traffickers from acting with impunity during the pandemic.

A state of emergency or other restrictive measures also have implications for the return of trafficking victims to their countries of origin, which can be delayed or, on the contrary, hurried, even if the persons concerned face serious health and protection risks in the countries of origin (GRETA, 2020).

Notwithstanding the anticipated downturn in economies due to COVID-19 and the resulting pressures on budgets, countries must continue to support work to combat TSH and adapt their assistance programs to respond to the extraordinary circumstances created by pandemic and its consequences. In this way, service providers must remain flexible and adapt to an evolving environment in order to meet the needs of victims, given that the COVID-19 pandemic does not affect all regions at the same time and the crime of TSH is dynamic and also presents different characteristics in different regions and countries (UNODC, 2020).

In Portugal, in addition to combating other forms of violence (e.g., domestic violence), some measures were developed arising from the declaration of a state of emergency on March 18, 2020, namely, guaranteeing exceptions to quarantine to facilitate the movement of victims and professionals to assist them, creating procedures for emergency reception in shelters, as well as children and young people at risk, through the application of a measure decreed by the judicial authority or the Commission for the Protection of Children and Young People (Decree no. 2-C / 2020 of April 17).

In the post-pandemic, expected to be characterized by an economic recession, there may be an increase in the demand for work and exploitation of sexual activities and, consequently, a potential increase in TSH victims. In addition to the traditional areas of exploitation (sexual, forced begging, textile and agricultural sectors), areas such as construction, tourism, food and domestic services are increasingly affected by human trafficking. In addition to the prolonged damage suffered by victims of trafficking TSH, business closures with lower profit margins due to the economic crisis make the market more permeable to illegal and cheap labor (Europol, 2020).

III. LEGAL FRAMEWORK IN PORTUGAL: THE CRIME OF TRAFFICKING IN PERSONS

Over the past decades, Portugal has ratified conventions and protocols that are directly or indirectly related to the prevention and combating of trafficking in human beings (THB) and, also, with the process of assistance to the victims (e.g., related Convention to Slavery; Conventions relating to Forced Labor, Geneva Convention on the Status of Refugees, Universal Declaration of Human Rights, Convention on the Elimination of All Forms of Discrimination against Women; Convention on the Rights of Children). Chronologically, very important steps were taken to answer to this crime in a more effective way, in regard to the victims and the traffickers.

The crime of trafficking in persons appeared, for the first time, in the Portuguese legal system in the Criminal Code of 1982 where, according to n. 1 of article 217, it could be read: "whoever carries out trafficking in persons, enticing, seducing or diverting anyone, even with their consent, to the practice, in another country, of prostitution or acts contrary to modesty or sexual morality, will be punished with imprisonment from 2 to 8 years and a fine of up to 200 days" (Decree-Law No. 400/82, of September 23). However, only sexual exploitation was criminalized.

With the amendment to the Penal Code by Decree-Law No. 48/95, of 15 March, trafficking in persons was considered a crime against people, included in the chapter on crimes against sexual freedom and self-determination, in article 169. In 2001, with the aim of applying the provisions of the Palermo Protocol, Law No. 99/2001, of 25 August, amended articles 169 and 170 of the Penal Code, relating to crimes of trafficking in people and pimping, adding new elements, namely the "use of violence, serious threat, ruse, fraudulent maneuver, abuse of authority resulting from a relationship of hierarchical, economic or work dependence, or taking advantage of the victim's psychological incapacity or any other situation of special vulnerability" (article 170), the law being applicable even if the crime was committed in a foreign country (article 169).

With the 2007 revision of the Portuguese Penal Code, the crime of trafficking in persons was autonomously contemplated in article 160, integrated in the chapter of crimes against personal freedom (Decree-Law no. 59/2007, of 4 of September), a chapter where article 159 is also included, which criminalizes all forms of slavery. Thus, the crime of trafficking in persons began to include a broader definition, no longer criminalizing only sexual exploitation.

Also in 2007, Law No. 23/2007, of July 4, specified the conditions and procedures for entry, stay, exit and removal of foreign citizens from Portuguese territory, as well as the status of long-term resident, which transposes to the Portuguese legal system several community directives, namely Directive

No. 2004/81/EC, of the Council, of 29 April, concerning the title of residence granted to third-country nationals who are victims of trafficking of persons or object of an action to aid illegal immigration and who cooperate with competent authorities. Thus, article 111 of this law provides for a period of reflection with the aim of providing victims with their physical and emotional recovery and making an informed decision about their options, namely regarding possible collaboration in the criminal investigation. This period may have as minimum duration of 30 days and maximum duration of 60 days. During this period, the authorities assured that the victim have sufficient resources, and the access to adequate medical treatment, psychological support and legal services as well as language translation services.

Also, under Directive No. 2004/81/EC, the victim has the right to remain in national territory, a residence permit may be granted to the victim, even if the victim is in a situation of migratory irregularity or do not fulfill the conditions legally required to access a residence permit.

Since 2008, other decree-laws have emerged based on the commitments assumed by Portugal, within the scope of the Council of Europe Convention on the Fight Against Trafficking in Human Beings, approved in 2005 in Warsaw. Accordingly, Decree-Law No. 229/2008, of 27 November, established and regulated the Observatory on Trafficking in Human Beings, aiming to characterizes the trafficking in human beings' phenomenon and, through a better understanding, contribute to improve intervention regarding prevention, protection and prosecution. The Observatory mission is to produce knowledge about the trafficking in human beings' phenomenon and other forms of gender violence. In the following year, Decree-Law no. 104/2009, of 14 September, approved the regime for granting compensation victims of violent crimes and domestic violence, which may apply to trafficking in persons.

In 2013, Decree-Law no. 60/2013, of 23 August, made the 30th amendment to the Penal Code and transposed the Directive 2011/36/EU of the European Parliament and of the Council into the domestic legal order, of April 5, on the prevention and fight against trafficking in human beings and the protection of victims. Following the directives and recommendations arising from the first Portuguese evaluation of the Group of Experts on Action against Trafficking in Human Beings (GRETA, 2013), the new Penal Code, in its article 160, includes all the forms that, by consensus, characterize human trafficking, adding to sexual exploitation, labor exploitation and the extraction of organs, begging, slavery and other activities for criminal purposes. After that, it is considered a crime of human trafficking: whoever offers, delivers, recruit, solicit, accept, transports, harbors or receives a person for the purpose of exploitation, including sexual exploitation, labor exploitation, begging, slavery, removal of organs or exploitation of other criminal activities: a) Through violence, kidnapping or serious threat; b) Through deceit or fraudulent misrepresentation;

c) With abuse of authority resulting from; d) An economic, work or family hierarchical relation of dependence; e) Taking advantage of mental incapacity or of the particularly vulnerable situation of the victim; or f) Upon obtaining the consent of the person who has control over the victim. The same article established that this crime is punished with imprisonment of three to ten years. Trafficking in persons is a public crime in Portugal, meaning that anyone can report it based on the investigation and the investigation process is conducted independently of the consent and wishes of the victim.

Regarding the concept of "Human Trafficking Victim", Portuguese legislation does not provide any specific definition, but according to law 368/2007, a victim of THB is someone to whom judicial authorities or the criminal police found evidence of the offense regarding Trafficking in Persons. According to Portuguese Legislation, the application of a criminal penalty is absent in the principle of free will. With this idea in mind, THB victims can be exonerated from crimes committed under exploitation based that idea on the lack of free will and exempting the victim from criminal responsibility based on a state of necessity (Matos *et al.*, 2018).

It should also be noted that the crime of trafficking in persons is, not infrequently, interconnected with other related crimes, namely slavery, pimping simple, aggravated and minors, and aid to illegal immigration (provided for in the articles 159, 169, no. 1 and no. 2, 175 and 183 of the Penal Code, respectively), which makes the criminal investigation very demanding.

In 2015, Portugal adopted the Directive 2012/29/EU, transposing it into the law no. 130/2015, of 4 September. Children, due to their young age, are considered especially vulnerable victims, with regard to access to justice and the exercise of their rights. These, including victims of trafficking in human beings, according to paragraph 2 of article 21 of that law, have access to the following special protection measures: inquiries of the victim must be carried out by the same person, if the victim so wishes and without prejudice to the criminal proceedings; the inquiry of victims of sexual violence, gender-based violence or violence in intimate relationships, unless carried out by a prosecutor or a judge, must be carried out by a person of the same sex as the victim; measures to avoid visual contact between victims and defendants when giving testimony (use of appropriate technological means); provision of statements for future memory (article 24); exclusion of publicity from hearings (art. 87 of the Code of Criminal Procedure).

With specific regard to children, article 22 of law no. 130/2015, of 4 September, describes the following rights: to be heard in criminal proceedings, taking into account their age and maturity; in case there is no conflict of interest, the child may be accompanied by his/her parents, legal representative or by whoever has custody during the statement; appointment of a patron for the child when the interests of the child and his or her parents, legal representative or guardian are in conflict and even when the child with adequate maturity requests it to the court; the appointment of the patron is carried out in accordance with the law of the legal aid; information that could lead to the identification of the victim should not be disseminated to the public; and if the age of the victim is uncertain and there are reasons to believe that it is a child, it is assumed, in this case, that the victim is a child (Law no. 130/2015, of 4 September). Portugal, a country that has a national referral system for victims of trafficking in human beings since 2014, which provides clear guidelines for the signaling of victims of trafficking in human beings in the country, developed in 2020 an identical but specific system for the case of child victims (OTSH, 2021).

Portugal has also been capable to introduce the legislative amendments to the criminal law provisions on trafficking in human beings recommended by international entities. Nevertheless, related to the article 160 of the Penal Code, GRETA considers that should be explicitly included "servitude" and "practices similar to slavery" in the list of forms of exploitation. This could contribute to the practical and effective protection of all the victims, as suggested by the Council of Europe Convention on Action against Trafficking in Human Beings (GRETA, 2017).

Additionally, related to the Portuguese legal context about trafficking in persons crime, GRETA (2017) made a set of other recommendations regarding the need to take additional measures to ensure compliance with the principle of non-punishment of victims of THB for their involvement in unlawful activities, to the extent that they were compelled to do so, as contained in Article 26 of the Convention. Such measures should include the adoption of a specific legal provision and/or the development of guidance for police officers and prosecutors on the scope of the non-punishment provision. Also, GRETA urges the Portuguese authorities to take measures to ensure that THB cases are investigated proactively, including financial investigations, prosecuted successfully and lead to effective, proportionate and dissuasive sanctions, including by: issuing sentencing guidelines for THB cases; encouraging the development of specialization among prosecutors and judges to deal with THB cases; addressing gaps in the legislation, the investigation/prosecution procedure, the protection of victims/witnesses and the presentation of cases in court. Also, GRETA (2017) has invited the Portuguese authorities to continue to make full use of the available measures to protect victims and witnesses of THB, including children, and to prevent intimidation during the investigation and during and after the court proceedings.

IV. THE KNOWN NUMBERS: A NATIONAL AND INTERNATIONAL COMPARATIVE APPROACH

According to UNODC (2020), by 2018, 49,032 THB victims were identified worldwide. Female victims continue to be particularly affected by trafficking in persons. In 2018, for every 10 victims detected globally, about five were adult women and two were girls. About one third of the overall detected victims were children, both girls and boys, while 20 per cent were adult men. The 2018 findings confirm the 15-year trend of changing age and sex composition of detected victims. Adult women are becoming, in proportion, less commonly detected, and the rate of children has increased to over 30 per cent of detected victims. The rate of boys detected has risen significantly when compared to girls.

Over the last five years, the rate of men among total detected victims remained broadly stable around 20 per cent. However, some regions, including Central and South-Eastern Europe, Central America and the Caribbean and South America, have detected increased rates of this profile compared to 2016. Different victim profiles are trafficked for different purposes. In 2018, most women detected were trafficked for sexual exploitation, whereas the men detected were mainly trafficked for forced labor. However, a significant portion of detected men was trafficked for sexual exploitation or for other forms of exploitation. Similarly, approximately 14% of women were trafficked for forced labor.

In Portugal, there is a different trend with regard to the identification of victims of THB worldwide, as the largest number of confirmed victims, between 2008 and 2018, were male (64%). The main form of confirmed trafficking is for labor exploitation, totaling 71% of confirmed victims. Of those, 84% were male and 16% female. The second form with more confirmed victims is trafficking for sexual exploitation with 18%. In this form, 98% of victims are female and 2% male. Regardless of gender, the victims are mostly adults and, in both sexes, are aged 25 and over.

With regard to minor victims, the percentage of minors is higher in the group of female victims (especially sexually exploited) compared to male victims. Of the 26 nationalities confirmed, there is a higher percentage of victims who are nationals of Romania and Portugal. Among the nationalities with a more expressive representation of male victims are Nepalese, Portuguese, Moldovan and Romanian. On the other hand, among the nationalities with a greater expression of victims of the females, are nationals of Nigeria and Brazil. Most victims from the African continent are female. In the case of the European continent, as well as Asia, the majority of victims are male. Among the victims confirmed in situations of trafficking for the purpose of labor exploitation, the majority are male. Among the confirmed victims in situations of trafficking for the purposes of sexual exploitation, almost all are female (OTSH, 2020).

V. TRAFFICKING IN HUMAN BEINGS: POLITICAL AND SCIENTIFIC AGENDA IN PORTUGAL

In Portugal, there are few scientific studies that characterize the phenomenon in a systematic way. Also, there are no studies that assess the effectiveness of policies to combat THB, namely in terms of the criminalization of traffickers and the protection of victims.

The first project on THB known in Portugal dates back to 2004 and was called Cooperation, Action, Research, Worldwide project (CAIM project), funded by the EQUAL community initiative and developed in close articulation with several Portuguese governmental and non-governmental entities. That pilot project in the area of trafficking in women for sexual exploitation played a very important role in typifying the crime of trafficking in 2007, having also contributed to the design of the first national plan to combat trafficking in human beings. As a result of that project, the first study known in Portugal on this phenomenon was published in 2008 (Santos *et al.*, 2008), which aimed to understand the dynamics and trends of trafficking in women for sexual exploitation, as well as the signaling of areas, instruments and agents that can contribute to better prevention, protection of victims and repression of crime.

A more recent set of empirical studies tried to understand the knowledge and perceptions about THB in Portugal, in different populations. For example, a study carried out with secondary and higher education students concluded that the knowledge about the phenomenon was relatively low and influenced by a set of preconceived ideas, especially considering the characteristics of the crime itself and its victims. It also reiterated the common misunderstanding between prostitution and trafficking, and the perceived severity of trafficking appears to differ essentially as a result of the presence or absence of prior consent for involvement in the sexual market (Couto, 2012). A more recent study with 223 students from different Portuguese universities revealed that college students presented high levels of knowledge about the phenomena's dynamics, trafficker profile and criminal dynamics and trafficking in human beings' trajectories. Conversely, the students revealed lower levels of knowledge concerning trafficking in human beings' purposes, the victims' characteristics, and the victimization dynamics, and also trafficking in human beings' specificities in Portugal. This knowledge is influenced by age, studying area and through contact with various sources other than academic institutions, which suggests a low compliance by the academic institutions with the public policies in Portugal (Gonçalves *et al.*, 2019). Another study with 199 college students, with the objective of analyze Portuguese university students' portrayals of victims and traffickers, concluded that the participants reported, commonly, the socioeconomic status of the victim as an important reason to be trafficked. In the student's perception, this enables the traffickers to be aware of the victim's life conditions and, therefore, they are lured with false promises of a better life. Despite that, 17% of the participants sustained an undifferentiated victim and trafficker portrayal. More worryingly, 6% of them revealed that they had no knowledge of human trafficking and underlying causes (Fernandes et al., 2020).

About the recognition of this crime by different professionals, a set of studies were performed about the knowledge and perceptions about THB. Research with 446 social service and justice professionals were performed, in order to examine the knowledge of regarding the characterization of THB and anti-trafficking policies in Portugal. The results revealed that Portuguese professionals have, in general, a good level of knowledge about trafficking in human beings, revealing higher-level scores for issues, such as trafficking in human beings' idiosyncrasies and purposes in Portugal, trafficker profiles, criminal behavior, victim profiles and victimization dynamics. On the other hand, participants scored lower in trafficking in human being's trajectories and specificities within Portugal. This knowledge appeared to be influenced by professional experience, previous contact with trafficking and training in the subject (Cunha et al., 2018). Also with social professionals, a qualitative study with 48 professionals concluded that they presented a narrative congruent with the European image of the 'iconic' victim and trafficker. Those stereotypical narratives may narrow the interventions of these professionals in Portugal, not enabling accurate decisions regarding the trafficking condition. Nevertheless, this study suggests a similarity between the official data reported about the forms of recruitment, exploitation, and control and the scientific knowledge available about this phenomenon (Cunha et al., 2021a).

The justice professionals were also a target of this set of studies, once they play an important role in the THB combat. A quantitative study with 167 magistrates practicing in Portugal accessed the perceptions of the magistrates regarding the phenomenon, in general, and the legislation and the Portuguese situation, more specifically, including the perceptions about the victims and the traffickers. The results revealed that, on average, the magistrates supported adequate perceptions about this phenomenon. In addition, it was concluded that the magistrates who presented more adequate perceptions were those who consolidated their professional practice with information obtained through formal and informal contacts and experiences with those involved in or victims of human trafficking. Nonetheless, there were gaps regarding their perceptions about human trafficking that could be filled with the development of sensitization and training adjusted to the target populations (Lourenço et al.,

2018). Additional qualitative study with 325 participants explored how Portuguese police perceive human trafficking and the individuals involved. The data suggest that Portuguese police have also a narrative congruent with the European image of the "iconic" victim and trafficker, which is usually framed by the mass media. In a country such as Portugal, where there are a significant number of labor trafficking cases, those stereotyped narratives may narrow the efforts and the interventions of police officers. However, this study also suggests a similarity between the official data reported about the forms of recruitment, exploitation, and control recognized by the Portuguese police and the literature available (Cunha *et al.*, 2021b).

Health professionals have also been the subject of studies in Portugal, namely related to health professionals' knowledge and perceptions about their practice towards human trafficking. With a sample of 147 health professionals, results showed higher knowledge on child trafficking and lower knowledge in dynamics and impact of human trafficking in general. Greater knowledge was associated with higher academic degree and previous contact with this phenomenon (informal and formal sources). Health professionals affirmed that it is unlikely to contact with human trafficking victims in their workplace. Nevertheless, the participants sustain negative perceptions about their competences to identify and signal a human trafficking victim. More knowledge about the policies and measures about the combat against human trafficking in Portugal was positively associated with more positive perceptions about their practices. These results evidence that there are still gaps in health professionals' awareness and knowledge about human trafficking. As a consequence, they seem not to be aware of the signs to identify these victims in health system and we need to promote more collaboration on training to foster professionals' development (Figueiredo, 2018). To complement this last study, another, of qualitative study was performed, with 134 health professionals (e.g., nurses, psychologists, physicians). The aim of this study was to know the discourses and analyze the practices of health professionals in Portugal regarding the process of identification, signaling, and referral of Human Trafficking victims. The results were encouraging regarding the level of knowledge about Human Trafficking, and professionals were aware of this crime. Several red flags (e.g., behavioral, psychological, physical) and procedures to be adopted in the face of a potential human trafficking situation have been advanced. However, several needs have been reported and it is essential to ensure that information and training reach all health professionals, as well as to improve training programs, in order to increase their effectiveness in this crucial process for combating Human Trafficking in our country (Silva, 2019).

The criminal proceedings have been also a concern of scientific agenda, namely regarding the main obstacles related to the identification, investigation and conviction of the crime. A qualitative study with 18 justice professionals analyzed their discourses about the investigation and prosecution of human trafficking. It examines and identifies the factors that, in their perspective, block the recognition of the typifying elements of the crime of human trafficking and create obstacles to the prosecution and conviction of those crimes. The findings suggested that legislative advances recognized by the participants need to be accompanied by other changes, some of a more systemic nature and others that are more specific. An efficient criminal procedure should include better legal phrasing of the means of evidence of human trafficking that is supported by objective instruments for this to be considered valid; the centralization of proof that the testimony of the victim has to be overcome; specialized professional training has to have an ongoing nature; we need an efficient cooperation between the various law enforcement agencies at the national and international levels, with public prosecution services and magistrates; it is required a greater clarification of the condition of the special vulnerability of victims and an informed perspective regarding the global nature of the phenomenon of human trafficking, one that is also sensitive towards the victim (e.g., in relation to the victims' vulnerability, illegal status, and their difficulties in terms of social and cultural integration; Matos *et al.*, 2018). Another study aimed to respond to that gap by identifying the cases that initiated criminal justice procedure for the crime of human trafficking in Portugal, through the analysis of 30 records of criminal cases for human trafficking elapsed in Portugal between 2007 and 2015. The results showed that the majority of cases (71%) were filled after the criminal investigation phase, and only 2% of all cases were convicted for human trafficking. The analysis allowed to identify the factors of effectiveness and ineffectiveness shaping legal outcomes and also the relevance of the victim cooperation in the different stages of criminal justice processes (e.g., police investigation, trial; Matos *et al.*, 2019).

A recent study aimed to give voice to nine sheltered THB victims, regarding their own exploitation and the post-victimization experience (Fernandes *et al.*, 2021). The study's results reinforce, through victim's voices, the dynamics of trafficking in human beings, concerning victims and traffickers and exploitation circumstances. The victims trust the police and the governmental institutions and were able to collaborate with the judicial system (providing testimony) but they are not aware of their own judicial situations and rights. Despite the significant progress made in Portugal towards victims' support, there is a need to carry out a more in-depth studies on the formal support provided to ensure adequate assistance responses in the whole network (whether in the psychosocial, educational, medical or even the judicial arena).

Finally, there are recent studies about child trafficking in Portugal (Martinho, 2021). The first empirical study, through a quantitative design, analyzed the knowledge of the Portuguese community ($n = 492$) about the phenomenon of child trafficking. The results showed that, although most participants had already come into contact with the topic of child trafficking (informally and/or formally), their global knowledge about it requires a greater dissemination of information. A complementary empirical study with 614 professionals (justice, health, social, education), sought to explore their current knowledge about child trafficking, as well as perceptions about their practices and competences to act in this domain. The results confirmed the importance of rigorous knowledge and adequate perceptions for an effective professional response, meeting the needs of children, once, although all professional groups reported having contacted victims of trafficking, they expressed the need to strengthen their knowledge on the subject and, consequently, a more positive perception of their skills to act in this domain. A last study, based on 20 interviews with professionals (Portugal and USA), analyzed how they perceived the victims' needs and the importance given to trauma-informed care. The results reinforced the need for collaborative work across different disciplines, with a culturally sensitive, trauma-informed and victim-centered approach in the intervention with children. This practice is widely recognized by US participants, but in Portugal it is not yet structured (Martinho, 2021).

VI. THE NEEDS OF THE VICTIMS OF TRAFFICKING IN HUMAN BEINGS

There are several manifestations of the high impact the crime of trafficking in persons has on victims, namely on physical, sexual and reproductive health, on mental, emotional health and cognitive functioning but also on their psychosocial and interpersonal functioning (Hemmings *et al.*, 2016).

Given that impact the crime of trafficking in persons has on victims, the needs are diverse in each identified case. In a general way, the inter-institutional response involves multiple ways of the protection and assistance measures, starting from the need of accommodation in specific structures that ensure their protection and subsistence and the access to basic living conditions (e.g., food, hygiene, clothing). Also, health and medical care are priorities, managed through treatment of physical and psychiatric health problems and through psychological support. These strategies aim emotional recovery and cognitive, behavioural and interpersonal functioning. The legal support is achieved mainly by counselling in the process of regularizing the migratory situation and/or in the context of criminal proceedings, in the stabilised framework of victim rights (e.g., request for a reflection period, a special residence permit, witness protection). The support can also involve the access to assisted return programs, with support in the process of (re)integration in the community of origin or in another one that intends to integrate. In terms of economic support, it can involve the access to essential goods, support in terms of educational, training and/or employment (re)integration and also in housing demand. Access to language translation services and the practice of religious services can be additional needs.

In order to respond to the diverse needs of the victim, and from a victim centred approach, the intervention integrates multiple dimensions. It has to be able to restore normalcy, victims' sense of control over their lives and autonomy (Collins & Collins, 2005; Machado, 2004). They need support to prepare for the future, giving the victim control over his life. That change requires intervening in order to promote the perception of self-efficacy and empowerment, in which the victim assumes the role of protagonist in the recovery process and becomes confident in the definition and implementation of an alternative project for their life. This goes first through ensuring the basic conditions of subsistence and safety/protection of the victim. That involves also to assist the victim in the processing of memories and emotions associated with the trauma, facilitating their affective expression and validating emotions, in the analysis and reformulation of their belief system and personal meanings affected by the traumatic event. To encourage involvement in broader support systems (e.g., membership in community support groups) is also very important.

VII. PUBLIC POLICIES, RESOURCES AND PREVENTION OF TRAFFICKING IN HUMAN BEINGS IN PORTUGAL

In Portugal, the Citizenship and Gender Equality Commission (CIG), which is placed under the Bureau of the Presidency of the Council of Ministers and the State Secretariat for Citizenship and Equality, is responsible for coordinating the implementation of the activities included in the National Action Plans against THB. The Observatory of Trafficking in Human Beings (OTSH), under the Ministry of the Interior, is the central data collection point. Framed in the 1st National Plan against Trafficking in Human Beings (2007-2010) and with active participation in the following Plans, the Observatory is the corollary of a history of broader intervention, nationally and internationally, in which the Ministry of Internal Administration it has always been active, working in partnership and demonstrating its commitment at various levels, namely in the national anti-trafficking Strategies, designed, constructed and implemented under the primacy of the defense of Human Rights and taking into account gender issues.

At the national level, we must highlight the four major National Plans against THB, created with different but complementary purposes by the Commission for Citizenship and Gender Equality and whose implementation started in 2007 (1st National Plan Against THB, 2007–2010; 2nd NPTHB, 2011–2013; 3rd NPTHB, 2014–2017; 4rd PAPCTSH, 2018-2021). These were assumed to be important milestones in the fight against trafficking as, due to the scope of their actions, they allowed the coordination of a set of efforts from different Ministries, public entities and Non-Governmental Organizations (NGOs), in different strategic areas of action: knowledge and dissemination of information about THB; prevention, awareness and training of professionals working in this area; protection, support and integration of victims; criminal investigation and prosecution of crime, institutional cooperation.

The 4rd Action Plan for the Prevention and Combat of Trafficking in Human Beings 2018 -2021 (IV PAPCTSH 2018-2021) aims to strengthen knowledge on the topic of THB, ensure victims better access to their rights, as well how to qualify the intervention, and promote the fight against organized crime networks, namely dismantling the business model and dismantling the trafficking chain. This plan presents the following strategic objectives: a) Strengthen knowledge, and inform and raise awareness on the topic of trafficking in human beings (TSH); b) Ensuring victims of trafficking better access to their rights, as well as consolidating, strengthening and qualifying intervention; c) Strengthen the fight against organized crime networks, namely dismantle the business model and dismantle the trafficking chain.

The co-ordination of the activities of the National Action Plans is supported by a Working Group involving all competent ministries. Since GRETA's first evaluation, the Working Group has been enlarged by involving the Superior Council of Magistracy, the Prosecutor General's Office and the National Association of Portuguese Municipalities, as well as three NGOs selected from the Network for Assistance and Protection to THB victims. As foreseen in the 2nd National Action Plan to Prevent and Combat Trafficking in Human Beings, a Network for Support and Protection of Victims of Trafficking (RAPVT) was created in 2013. This network brings together governmental and non-governmental organizations working on issues relating to combating trafficking in human beings and serves as a mechanism of enhanced co-ordination and information-sharing. In 2014, the network met three times and adopted an annual activity plan. In 2015 and 2016, it continued to hold periodic meetings, produce activity plans and consider interim reports (GRETA, 2017).

Related to the support and protection of the victims, there are also five multi-disciplinary team for the support and protection of victims of THB, that covers all national territory, under the responsibility of Association for the Family Plan (APF). At present Portugal has also five shelters for THB victims (two for women and their children, two for men and one for children).

VIII. CONCLUSIONS

In the case of Portugal, despite notable advances, Greta recommendations (2017) highlight that much remains to be done. Further efforts are still need in several areas: a) to prevent, raise awareness, develop knowledge and more investigation, for example, through bet on campaigns focused on specific forms of exploitation; to evaluate the impact of the campaigns and aware-ness-raising measures carried out; to develop a comprehensive and consistent statistical data collection system; to finance studies that allow the develop-ment of measures aimed at combating trafficking in children and for the pur-poses of labor exploitation; b) to educate, train, qualify, through evaluation of the cost and effectiveness of the actions developed; to expand training to a higher number of professionals to guarantee a greater number of cases convicted of the crime; to expand the training of health professionals, specifi-cally increasing their knowledge about organ trafficking; to promote training on trafficking in children; to include the compensation for victims in train-ing programs for legal professionals, magistrates, and judges; c) to protect, intervene and empower, for example, financing and increasing the capacity of the multidisciplinary emergency teams to act, promote the identification and assistance to child victims of TSH; to ensure that all victims receive as-sistance and support tailored to their needs: provide a sufficient number of places to receive them; to facilitate and guarantee access to compensation for victims; to ensure that the return of the victims to their country is voluntary and is carried out guaranteeing their rights, security and dignity; d) to inves-tigate criminally, for example, to increase witness protection measures for victims, including children, and prevent intimidation during the investigation process and during the trial; Increase the number of cases investigated and sanctioned; e) to cooperate through strengthening cooperation with criminal police forces in the countries of origin of the victims; promoting strategic alliances with civil society institutions, expanding the RAPVT to include im-portant representatives.

Several questions concern us as a researchers and professionals. We have to seek answers through future studies: how to care for trafficking victims in a pandemic context? Are we being able to realize how the digital world becomes a facilitator of human trafficking? Are we achieving intersectoral communica-tion and concerted intervention?

The actual Covid-19 crisis can have significant effects on human traffick-ing. May be more than ever, this combat deserves a coordinated action from the countries. In this fight it is fundamental a human rights-based perspective, through victim-centered approach, and with a gender lens as women are more affected (for example, feminization of poverty, women are a central in the provision of medical and social care to the communities) but also a necessarily inclusive approach. To address intersectional vulnerabilities', we also need an intersectional view: there is a series of characteristics and power dynamics (e.g., being a woman, young, poor, an immigrant, unemployed) that overlap with being a victim. We also need regular and trustworthy data tracking. By putting trafficking in the scientific agenda, in a committed way we can make a decisive contribution public policies and civil society.

IX. REFERENCES

ALVIM, F. (2013): *"Só Muda a Moeda": Representações sobre tráfico de seres humanos e trabalho sexual em Portugal.* [Human Trafficking ans sex work representations in Portugal]. Doctoral Dissertation, ISCTE-IUL, Lisboa, Portugal. Retrieved from: http://hdl.handle.net/10071/7128.

COLLINS, B. G., & COLLINS, T. M. (2005): *Crisis and trauma: Developmental-ecological intervention.* Boston: Lahaska Press.

COUTO, D. (2012): *Tráfico de seres humanos: Perceções sociais, percursos de vitimação e de sobrevivência* [Social perceptions, victimization pathways and survival]. Doctoral Dissertation, Universidade do Minho, Braga, Portugal. Retrieved from http://hdl.handle.net/1822/25365

CUNHA, A., GONÇALVES, M., & MATOS, M. (2019): Knowledge of trafficking in human beings among Portuguese social services and justice professionals. *European Journal on Criminal Policy and Research*, 25, 469–488. DOI 10.1007/s10610-018-9394-1

CUNHA, A., GONÇALVES, M., & MATOS, M. (2021a): An assessment of Portuguese social professionals awareness of human trafficking. *European Journal of Social Work.* https://doi.org/10.1080/13691457.2021.1934413

CUNHA, A., GONÇALVES, M., & MATOS, M. (2021b): Exploring Perceptions of Portuguese Police about Human Trafficking Victims and Perpetrators. *Crime, Law and Social Change.* https://doi.org/10.1007/s10611-021-09991-w

EUROPOL (2016): *Situation report, trafficking in human beings in the EU.* Europol Public Information. Retrieved from https://www.europol.europa.eu/publications-documents/trafficking-inhuman-beings-in-eu

EUROPOL (2020): *Pandemic profiteering: how criminals exploit the covid-19 crisis. European Union Agency for Law Enforcement Cooperation.* Retrieved from file:///C:/Users/epsi/Downloads/pandemic_profiteering-how_criminals_exploit_the_covid-19_crisis.pdf

FERNANDES, A., GONÇALVES, M., & MATOS, M. (2021): Exploring human trafficking victimization experiences in Portugal. *Victims & Offenders.* https://doi.org/10.1080/15564886.2021.1880509

FERNANDES, A., GONÇALVES, M., MATOS, M. (2020): Who are the victims, who are the traffickers?" University students' portrayals on Human Trafficking". *Victims & Offenders*, 15(2), 243-266. http://dx.doi.org/10.1080/15564886.2019.1711276.10.1080/

FIGUEIREDO, S. (2018): *Human trafficking: Portuguese health professionals' knowledge and perceptions.* Master Dissertation, Universidade do Minho, Braga, Portugal

GONÇALVES, M., MONTEIRO, I. & MATOS, M. (2019): Trafficking in Human Beings: Knowledge of Portuguese college students. *Journal of Human Trafficking*, 6(4), 467-479. https://doi.org/10.1080/23322705.2019.1631622.

GRETA (2013): *Report concerning the implementation of the Council of Europe Convention on Action against Trafficking in Human Beings by Portugal. Strasbourg: Council of Europe.* Retrieved from https://www.coe.int/

GRETA (2017): *Report concerning the implementation of the Council of Europe Convention on Action against Trafficking in Human Beings by Portugal.* Strasbourg: Council of Europe. Retrieved from https://www.coe.int/

GRETA (2020): *In time of emergency the rights and safety of trafficking victims must be respected and protected.* Retrieved from https://rm.coe.int/greta-statement-covid19-en/16809e126a

HACHEY, L. M., & PHILLIPPI, J. C. (2017): Identification and management of human trafficking victims in the emergency department. *Advanced Emergency Nursing Journal*, 39(1), 31–51. doi:10.1097/TME.0000000000000138

HEMMINGS, S., JAKOBOWITZ, S., ABAS, M.A., BICK, D., HOWARD, L.M., STANLEY, N., ZIMMERMAN, C., & ORAM, S. (2016): Responding to the health needs of survivors of human trafficking: a systematic review. *BMC Health Services Research*, 16. https://doi.org/10.1186/s12913-016-1538-8

LOURENÇO, E., GONÇALVES, M., & MATOS, M. (2019): Trafficking in human beings: Portuguese magistrates' perceptions. *Journal of Human Trafficking*, 5(3), 238-254. https://doi.org/10.1080/23322705.2018.1468160

MACHADO, C. (2004): Intervenção, psicológica com vítimas de crimes: Dilemas teóricos, técnicos e emocionais [Psychological intervention with crime victims: Theoretical, technical, and emotional dilemmas]. *International Journal of Clinical and Health Psychology*, 4(2), 399–411.

MARTINHO, G. (2021): *Tráfico de Crianças e o Sistema de Proteção: Conhecimentos, Perceções e Práticas* [Child Trafficking and the Protection System: Knowledge, Perceptions and Practices]. Doctoral Dissertation, Universidade do Minho, Braga, Portugal.

MATOS, M, GONÇALVES, M., & MAIA, A. (2018): Human trafficking and criminal proceedings in Portugal: Discourses of professionals in the justice system. *Trends in Organized Crime*, 21(4), 370–400. doi.org/10.1007/s12117-017-9317-4

MATOS, M., GONÇALVES, M., MAIA, A. (2019): Understanding the criminal justice process in human trafficking cases in Portugal: factors associated with successful prosecutions. *Crime, Law and Social Change*, 72, 501-525. https://doi.org/10.1007/s10611-019-09834-9

OBSERVATÓRIO DO TRÁFICO DE SERES HUMANO [OTSH] (2021): *Protocolo para a definição de procedimentos de atuação destinado à prevenção, deteção e proteção de crianças (presumíveis) vítimas de tráfico de seres humanos–Sistema de Referenciação Nacional. Ministério da Administração Interna.* Retrieved from https://www.otsh.mai.gov.pt/wp-content/uploads/REC-TSH_Book_M06.pdf

OBSERVATÓRIO DO TRÁFICO DE SERES HUMANOS [OTSH] (2020): *Relatório anual sobre Tráfico de Seres Humanos 2010.* Retrieved from http://www.OTSH.mai.gov.pt

SANTOS, B. S., GOMES, C., DUARTE, M., & BAGANHA, M. I. (2008): *Tráfico de mulheres em Portugal para fins de exploração sexual.* Lisboa: CIG.

SIEGEL, D., & DE BLANK, S. (2010): Women who traffic women: The role of women in human trafficking networks–Dutch cases. *Global Crime*, 11(4), 436–447. doi:10.1080/17440572.2010.519528

SILVA, D. (2019): *How are Portuguese Health Professionals Identifying Warning Signs in Human Trafficking Victims?*. Master Dissertation, Universidade do Minho, Braga, Portugal.

UNODC (2020): *Impact of the Covid-19 pandemic on trafficking in persons*. Retrieved from https://www.un.org/ruleoflaw/wp-content/uploads/2020/05/Thematic-Brief-on-COVID-19-EN-ver.21.pdf

US DEPARTMENT OF STATE (2021): *Trafficking in persons' report*. Retrieved from https://www.state.gov/wp-content/uploads/2021/09/TIPR-GPA-upload-07222021.pdf

Capítulo VI

EVALUATING THE DUTCH APPROACH TO LABOUR EXPLOITATION: PROMISES AND BOTTLENECKS

MASJA VAN MEETEREN
Associate Professor of Criminology
Leiden University

Summary: I. INTRODUCTION; II. BOTTLENECKS IN THE CRIMINAL PROSECUTION OF LABOUR TRAFFICKING; III. THE INTEGRATED APPROACH TO LABOUR EXPLOITATION; IV. THE PROMISES OF THE INTEGRATED AP-PROACH AND POSSIBLE PITFALLS; V. THE INTEGRATED APPROACH TO LABOUR EXPLOITATION IN PRAC-TICE; VI. CONCLUSION; VII. LITERATURE.

I. INTRODUCTION

The Netherlands is a country that is known for its approach to human trafficking. It was for example one of the first countries to have a National Rapporteur dedicated to independent reporting on the problem of human trafficking. In 2018, the Council of Europe's Group of Experts on Action against Trafficking in Human Beings (GRETA) indicated in their report that the Netherlands continues to make progress in its approach to human trafficking, whilst also calling on the Dutch authorities to take further action. Some positive steps taken by the Netherlands include the setting up of a national network of regional co-ordinators of assistance provided to victims of trafficking and the increased funding for police and prosecution services dealing with trafficking cases. In addition, the labour inspectorate SZW, which is responsible for the detection and investigation of cases of human trafficking for the purpose of labour exploitation (hereafter: labour trafficking) has also received additional funding. Although the Netherlands receives praise for its approach, GRETA also expresses concerns about the decreasing number of prosecutions and convictions for human trafficking offences in recent years. It calls on the Dutch authorities to more proactively investigate such offences and ensure that they are prosecuted and result in proportionate and dissuasive sanctions. It is especially the declining number of labour trafficking cases that seems very concerning (Van Meeteren and Heideman 2021).

Every now and then, the Dutch National Rapporteur on Human Trafficking cries out for more attention for labour trafficking. While the number of signals reported to the authorities increased by 70% in 2020, the number of criminal prosecutions of labour trafficking has been decreasing for years. In addition, in 2020, a critical report on the Dutch approach to labour trafficking appeared compiled by the Netherlands Court of Audit (hereafter NCA). This report concludes that the current approach to labour trafficking is not effective (NCA 2021). For years, it has proven to be extremely complicated to tackle labour trafficking effectively. Although there are specific obstacles that only play a role in prosecuting labour trafficking, the combat of other forms of human trafficking – such as criminal or sexual exploitation – also has its problems (Farell *et al.* 2019; Villacampa and Torres 2017; 2019). Some of these problems are inherent in human trafficking, such as the difficulty of obtaining witness or victim statements as those involved are often fearful of revenge from their trafficker. Another difficulty in human trafficking cases is that there is a duty to act, while in some cases it would be better for the criminal prosecution not to intervene straight away and to collect more evidence first. Due to the difficulties with the traditional criminal law approach to human trafficking, the government developed a so-called 'integrated approach' to combat human trafficking. In 2008, a special Task Force on Tackling Human Trafficking was set up to achieve this. Central to the integrated approach is that solutions are also found in administrative law, and that the approach also incorporates actors outside the traditional criminal justice system. In the prostitution sector, the integral approach was quickly developed and implemented (Van der Leun and Van der Meij 2010; Van Gestel and Verhoeven 2014). For Labour trafficking, this took a little longer. After all, labour trafficking was only added to Article 273f of the Dutch Criminal Code in 2005, and as such criminalized as human trafficking. And it was not until 2007 that the first criminal investigations into labour trafficking commenced. Ten years later, in 2017, the integrated approach to labour trafficking was started.

Until 2017, severe forms of labour exploitation were only dealt with under criminal law as human trafficking – as labour trafficking. In 2017, the integrated approach to labour exploitation started that marked the beginning of a new perspective on serious infringements of worker rights. The integrated approach outlines an approach combining on the one hand labour trafficking, and what is called 'severe labour market abuse' on the other, both under the broader umbrella of 'labour exploitation'. In 2021, the Centre for Crime Prevention and Security (hereinafter: CCV) published a Guide to an integrated approach to labour exploitation in which the integrated approach is explained. The core of the approach is that suspects are not only dealt with as potential human traffickers, but that administrative sanctions or other criminal sanctions than Article 273f DCC are also used against suspects. In addition, cooperation with various partners, such as municipalities or the tax authorities, is an important pillar of the integrated approach to labour exploitation (CCV

2021). As this is all still relatively new, it is not yet clear what exactly the integrated approach to labour exploitation entails, which parties are involved, and how this approach works out in the practice. That is why this contribution focuses on the integral approach to labour exploitation. Section 3 describes how this approach is organized. We then zoom in on the possible benefits that can be achieved with the integrated approach in section 4, and then go into the dilemmas and bottlenecks in practice in section 5. But before we discuss these themes, the bottlenecks in the criminal prosecution of labour trafficking are examined first in section 2. After all, these constitute the main reasons to switch to an integrated approach to labour exploitation in the first place.

II. BOTTLENECKS IN THE CRIMINAL PROSECUTION OF LABOUR TRAFFICKING

Although there has been increasing attention for labour trafficking in recent years, as evidenced by the increased number of reports, many victims still go unnoticed. This is partly because both the wider public and professionals believe that labour trafficking is less serious than sex trafficking (Farell *et al.* 2020). Moreover, the idea that victimization of labour trafficking is perhaps not as harmful as other forms of human trafficking are, is reinforced by a low degree of self-identification of victimization among those who could legally be classified as victims of labour trafficking (Van Meeteren and Hiah 2020). That level of self-identification is low across the spectrum of experiences, even for those who have experienced extreme forms of violence, fraud and coercion (Petrunov 2014). Moreover, many victims experience repeat victimization (De Vries and Farell 2018). Self-identification of victimhood is essential for combating labour exploitation. For example, alleged victims can play a crucial role in prosecuting labour exploitation by issuing a statement or making a report. But if there is no self-identification, they are often less willing to cooperate in criminal investigations (Van Meeteren and Hiah 2020).

Another difficulty is that Dutch criminal law requires supporting evidence to be present in addition to a victim's testimony. Cases of labour trafficking usually concern only a small number of victims. For example, Van Meeteren and Heideman (2021) write that in more than half of the cases there were only one or two victims. This inevitably leads to problems with obtaining sufficient supporting evidence. This was also apparent in the ruling on a large and famous case of labour trafficking in the Netherlands, the Cornwall case. This case involved a large number of Filipino sailors who worked in inland shipping. Their employment contracts had been forged by the employment agency and those contracts were used to apply for residence and work permits. Victims were also underpaid. The suspects had put the Filipino sailors in a vulnerable position due to the many uncertainties surrounding the rules and rights of the employees, so that in the eyes of the Court of Appeal in The Hague there were indeed bad employment practices. But the court did not consider it proven that there had been systematic overtime, that the working conditions were unsafe and that their housing conditions were substandard. It turned out to be difficult to demonstrate this, because all the sailors were employed individually on different ships, so that there was insufficient supporting evidence because the sailors had not been able to see each other's the working conditions.

Labour trafficking is also a difficult concept that different people give different meanings to. This is partly due to the complex criminalization. Article 273f DCC is largely a translation of the human trafficking definition in the Palermo protocol, to which Labour trafficking and later human trafficking for criminal exploitation have been added, making it complicated to read and very lengthy. Over the years, case law, especially of the Supreme Court has also given rise to different and additional interpretations (Esser 2019). It has therefore become impossible for regular citizens to understand what human trafficking is by just reading what is in the law. A special course on recent case law is necessary to be able to grasp what type of behaviour can qualify as human trafficking and what does not. But this diversity in interpretations and perspectives on labour trafficking is also due to the different, more everyday connotations that the term labour exploitation carries. Labour exploitation is a literal translation of the term that is generally used in Dutch to talk about labour trafficking. Most citizens therefore do not associate labour exploitation to human trafficking. And in everyday language, many people consider far more circumstances to be labour exploitation than judges qualify as human trafficking. As a result, organizations such as trade unions often come up short when they report a case in which, in their view, there is clear evidence of labour exploitation, but that no criminal investigation is subsequently launched because the case does not meet the conditions of labour trafficking. All in all, because it is so unclear what labour exploitation is, a lot of confusion exists in practice.

Finally, a recent analysis of case law by Van Meeteren and Heideman shows that the threshold for the criminal determination of labour trafficking is high, as a result of which the large bulk of serious abuses in the labour market do not reach that threshold. In the Dutch criminal code, the criminalization of human trafficking is placed under the heading 'Crimes against personal freedom'. The Public Prosecution Service must therefore demonstrate that victims are deprived of their freedom. In addition, they have to prove that the personal integrity of the victim is violated and that his or her human rights are at stake. Where in the case of sexual exploitation a violation of personal integrity is almost automatically assumed because the exploitation involves sex and the body, in the case of labour exploitation it is up to the Public Prosecution Service to show that human rights have been violated. In other words, the judge must rule on 'how bad' the exploitation actually is. If it is so bad that you can consider it a human rights violation. And in many cases the judge then concludes that, although the situation is very undesirable, it is not a violation of human rights (Van Meeteren and Heideman 2021). And concern the few cases that actually reach a courtroom. Research by the Netherlands Court of Audit shows that approximately 85% of reports containing signs of labour trafficking are not dealt with under criminal law.

III. THE INTEGRATED APPROACH TO LABOUR EXPLOITATION

The Dutch labour Inspectorate has a coordinating role in combating labour trafficking in the Netherlands. The Inspectorate has two branches. The first is responsible for tackling violations of administrative law, and the second is a special investigative branch charged with the combat of crimes in the domain of work and income. This unit has investigative powers similar to those of the police. The combat of labour trafficking is therefore the responsibility of the investigative unit of the labour Inspectorate. Their investigations take place under the authority of the Public Prosecutor's Office of the Public Prosecution Service. The administrative unit is responsible for labour law violations and carry out inspections at workplaces on a daily basis. The labour market exploitation program runs through this division and is operational in both branches of the organisation.

The labour Inspectorate assumes that different degrees of bad employer ship exist. At the bottom of the pyramid there are employers who occasionally violate a labour law. One step higher are the employers who do this more often. At the very top are the labour traffickers. And in between is what the labour Inspectorate calls the category of 'severe labour market abuse'. This concerns the huge grey area between violations of labour laws on the one hand and labour trafficking on the other. As indicated, the integrated approach to labour exploitation concerns both labour trafficking and severe labour market abuse. The aim of the integrated approach to labour exploitation is to improve the approach to labour trafficking and severe labour market abuse, and to support its victims. This involves stopping the employer or perpetrator and removing the victim from the work situation, offering appropriate help and referring to organizations who can provide assistance if necessary (NCA 2021).

Figure 1: Enforcement perspective of the labour Inspectorate

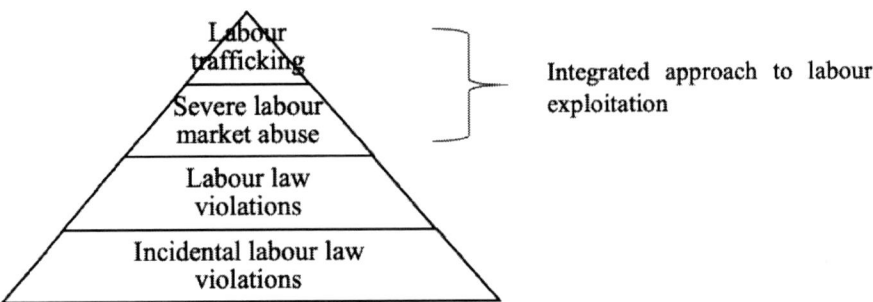

According to the guidelines of the CCV, there is severe labour market abuse if "a violator gains an inappropriate (economic) advantage by having workers perform work or services in such a way that there is a serious violation of labour laws and an infringement of the legal employment position of those workers." There is no specific legislation for severe labour market abuse. In other words, severe labour market abuse is not punishable by law in itself. In situations where there is severe labour market abuse, or labour trafficking that is difficult to prove, attempts are therefore made to tackle this by making creative use in various possibilities offered by the law to act against these employers. The guideline for an integrated approach to labour exploitation offers tools for tackling labour exploitation effectively in an integrated manner with existing legal instruments (CCV 2021). This could include a (combined) use of criminal, administrative or fiscal instruments. The idea is that various actors – the labour Inspectorate, the Public Prosecution Service, the police, the municipalities, the Tax and Customs Administration – all make a contribution.

All signals of labour trafficking or severe labour market abuse are discussed every two weeks in a special case meeting. A tailor-made intervention mix is then developed for each case. For example, offenders can sometimes be criminally prosecuted for one or more 'minor' offences, including:

- Human smuggling (article 197a DCC);
- Employment of illegal immigrants (article 197b, c and d DCC);
- Money laundering (article 420bis DCC);
- Fraud (article 326 DCC);
- Forgery (Article 225 DCC);
- Taking passport/travel document (article 447b DCC).

In addition, in some situations it is possible to temporarily shut down a company on the basis of the Economic Offenses Act (hereinafter: WED). Not only through criminal law, but also through administrative law, there are various options for dealing with abusive employers by imposing administrative sanctions. The labour Inspectorate can impose administrative fines for violations of the:

- Working Hours Act (Article 10:1; 10:5 and 10:7);
- Working Conditions Act (Article 33 and 34);
- Minimum Wage and Minimum Holiday Allowance Act (Article 18b, 18f and 18i);
- Allocation of Workers by Intermediaries Act (Articles 16 and 19) (hereinafter: Waadi);
- Foreign Nationals Employment Act (Article 18) (hereinafter: WAV).

Not only the Labour Inspectorate can act, municipalities can also act administratively, for example through the Building Decree or the Housing Act. There are also tax options for tackling a dishonest employer. For example, the Wages and Salaries Tax Act and the General State Taxes Act offer possibilities to act and to screen the employer's administration for irregularities.

It is considered of utmost importance that all kinds of actors do not all impose sanctions independently of each other, but that they work together in a coordinated approach. So that they take each other into account and in this way try to dismantle malicious employers quickly and effectively. This is why we speak of a 'coordinated integral approach'. There are so many opportunities to act that there always seems to be something that can be done to address inappropriate behaviour from employers. Much more than would be the case if all these issues were dealt with as human trafficking.

Finally, it is striking that the guide to the approach of labour exploitation mainly talks about the imposition of sanctions and criminal prosecution (CCV 2021). These are all forms of reactive policing. Much less attention is paid to taking more proactive measures, erecting barriers to prevent labour exploitation. In the guide it is stated that work is being done on structural improvement of the approach to labour exploitation in consultation with the investigative services and the labour exploitation programme. We assume that this also includes improvements in the area of prevention, although it is not very clear what this entails.

IV. THE PROMISES OF THE INTEGRATED APPROACH AND POSSIBLE PITFALLS

For some time now, the idea has been popular in policy circles that organized crime can best be tackled with an integrated approach instead of with a purely repressive approach. By erecting barriers and disrupting opportunities with various parties, it is made difficult for criminals to continue their business, and some of them might be deterred from committing crime in the future. This approach is based on the ideas of situational crime prevention. Police and law enforcement could be much more effective if they not only act with repression, but also proactively disrupt opportunities. Moreover, there are various parties in society who can contribute to this, and not just the traditional criminal justice actors. Although there is no scientific evidence for the effectiveness of the integrated approach to human trafficking, let alone labour exploitation, many experts are enthusiastic about the possibilities that the integrated approach seems to offer (Von Lampe 2011).

In the specific case of labour exploitation, it could also be a major advantage that both the administrative law and the criminal law approach to labour exploitation are accommodated in one organization. After all, there is no need to constantly switch between different organizations and the lines are short. This makes it relatively easy for the labour Inspectorate to assume a coordinating role and social partners should be able to easily contact the labour Inspectorate. The idea of a combined use of criminal and administrative law instruments is that labour exploitation can be spotted through the administrative inspections that the labour Inspectorate exercised on a daily basis. Inspectors who enter the workplace can spot signals of labour exploitation, and the labour Inspectorate can try to regulate the problem. In theory, the inspections carried out by the labour Inspectorate can have a strong preventive and also signalling function. But the enforcement branch of the labour Inspectorate can also do more than monitor compliance with labour laws and pass on signals of labour exploitation. Every day, the inspectors enter in the workplaces that the criminal investigators are interested in, and can come into direct contact with victims and perpetrators in those workplaces. Their eyes and ears are also a potentially rich sources of information that can feed into an evidence based approach to labour exploitation.

Although the integrated approach is praised by many for its potential, there are also scholars who have expressed critique on the integrated approach to human trafficking. Firstly, Holvast and Van der Meij (2011) point to the problem of the blurring boundaries between administrative enforcement and criminal investigation. The mixing of the criminal and administrative spheres can lead to fundamental problems with regard to the legitimacy of the action. According to these authors, the merger of the legal spheres is increasingly manifesting itself and they therefore call for more research into the consequences of such processes. Since the administrative enforcement and criminal investigation of labour exploitation are concentrated in a single organization, the potential problem of legal sphere blurring might be greater than is the case with sexual exploitation, where administrative controls are carries out by the local municipalities.

A second point of criticism of situational crime control is that criminal behaviour might not necessarily disappear, but will mainly displace. Criminals seek other opportunities and try to avoid the barriers raised by the situational crime controls. In the case of labour exploitation, this appears to be a real danger, because the root causes of labour exploitation are not necessarily addressed. In this way, workers continue to struggle with the same vulnerabilities that make them susceptible to exploitation.

A third criticism with regard to the integrated approach to labour exploitation relates to the renunciation of criminal proceedings. It may happen that there is indeed a serious suspicion of human trafficking, but that criminal prosecution is not started but instead an administrative sanction is applied. However, the Netherlands has an international obligation to act at the slightest indication of human trafficking, in order to protect the victims in such cases. So it is not as easy to switch between different instruments as is sometimes thought (Holvast and Van der Meij 2011).

V. THE INTEGRATED APPROACH TO LABOUR EXPLOITATION IN PRACTICE

Since the labour Inspectorate has been working with the integrated approach to labour exploitation, we have seen that the number of criminal prosecutions of labour trafficking has fallen sharply. In the period between 2012 and 2016 we witnessed an initial increase with an average of about fifteen criminal investigations per year, and a peak of nineteen cases in 2016. However, the report by the Netherlands Court of Audit shows that it has steadily declined since then, with only four investigations into labour exploitation being launched in 2019. The decline started approximately at the same time as the start of the integrated approach to labour exploitation in 2017. This does not necessarily mean that there is a causal relationship here. The total number of human trafficking cases has also fallen over this period, so the decline may be part of a broader trend. At the same time, a decline in labour trafficking prosecutions would also constitute a logical consequence of the introduction of the integrated approach if it were accompanied by a rise in other types of sanctions.

If there is a connection between the decrease in the number of investigations into labour trafficking and the new approach, this would therefore be reflected in an increase in the number of administrative sanctions. In addition, the labour Inspectorate expanded the existing capacity for the severe labour market abuse project in 2019 from four to ten inspectors. It could therefore be that cases that were previously picked up as labour exploitation are now being picked up by the team at severe labour market abuse. An investigation by the

Netherlands Court of Audit has shown that more investigations into severe labour market abuse have indeed been launched, but that there has been no increase in the sanctions imposed by the Inspectorate. Moreover, hardly any multiple fines have been imposed: in 2019 only in one case. The somewhat heavier enforcement instruments that the Labour Inspectorate has are shutting down a company or imposing a cease and desist order. The cease and desist order was used once in the period 2017-2019, and no company was shut down because of serious abuse inflicted on its employees (NCA 2021).

It could of course also be the case that cases that were previously dealt with as labour trafficking are still prosecuted under criminal law, but for other crimes than human trafficking. The Netherlands Court of Audit did not investigate this, they only looked at administrative sanctions. In some cases, for example, an investigation into human smuggling is a seemingly good alternative to human trafficking prosecution if the threshold of labour trafficking is not reached. When an employer employs an employee who is not legally resident in the Netherlands, there is a violation of the prohibition on the employment of foreign nationals (Article 2 WAV). In addition, a criminal case can also be started for people smuggling (Article 197a DCC), because in such cases the employer facilitates illegal residence in the Netherlands by offering the migrant in question employment. These criminal cases are much less complex from a legal point of view than the prosecution of labour trafficking cases, and also much easier to prove. Moreover, the sanctions that can be imposed are much higher than in administrative law. For example, a suspect of human smuggling can be sentenced to prison. In 2019, the labour Inspectorate submitted four completed investigations into human smuggling to the Public Prosecution Service (SZW 2020), and in 2020 there were fourteen (SZW 2021). Whereas only one case of labour exploitation was submitted to the Public Prosecution Service in 2020, the number of people smuggling cases appears to be increasing sharply.

The annual reports of the Labour Inspectorate provide little information about and insight into the types of criminal investigations that are conducted every year. For example, according to the annual report, they completed a total of 41 criminal investigations in 2020, compared to 45 in 2019. These are then divided into seemingly arbitrary categories that vary over the years. For example, the Labour Inspectorate reported four cases in the category of 'working conditions' in 2019. It is possible that this included cases that would previously have been prosecuted as labour trafficking, but that is of course not clear. Eighteen cases were also reported in the category of 'other labour market fraud'. In 2020, the Inspectorate introduced the category 'temporary employment agencies' and indicated that in included six criminal investigations. Moreover, this category was previously not distinguished and it is completely unclear what the underlying criminal offense is.

It is difficult to draw conclusions about the effectiveness of the integrated approach to labour exploitation on the basis of these data. The Netherlands Court of Audit's investigation also shows that the Labour Inspectorate does not have the data available for them to draw any conclusions on, because their registrations are not in order. As a result, thorough research into the effectiveness of the integrated approach to labour exploitation is still likely to be years away.

Nevertheless, it is possible to point out some bottlenecks in the current approach. Firstly, as mentioned, it could be a major advantage that both administrative and criminal law approaches to violations in the domain of work and income are accommodated in one organization. The inspections carried out by the enforcement branch also collect data that could be important for criminal investigations. The inspectors do not have the power to take criminal action. However, they may be able to pass on relevant information about labour exploitation to the investigative unit. For example, if they saw during a check in a restaurant that the cooks are housed in small rooms above the restaurant in very poor conditions, they could report this to their colleagues at the criminal investigation unit. However, experience shows that it often does not get that far, because the inspectors do not have the authority to inspect housing conditions. This is often a task of the municipality. Moreover, in practice there appears to be a strict separation within the Labour Inspectorate between the investigative branch and the enforcement branch of the organization, and information is often not exchanged. For example, research by the Netherlands Court of Audit – in which 216 inspectors were questioned – shows that 60% had seen one or more signs of labour exploitation, but did not report this to the Criminal Investigation unit. So for the time being, the potential problems surrounding the blurring of legal boundaries seem not to be that grave. The CCV guide does, however, state that authorities can 'shop around between the various measures that can be used', so it is important to stay alert regarding this point (CCV 2021).

Secondly, it is almost self-evident that bottlenecks can be identified with regard to collaboration and exchange of sensitive information. A lot of improvements have been made in this area, and a guide has also been made that specifies under which conditions information can be exchanged. This makes it clearer for those involved what exactly is and isn't possible in the field of data sharing. However, the Netherlands Court of Audit's investigation shows that many chain partners have doubts as to whether reporting signs of labour exploitation to the Labour Inspectorate is worthwhile. They indicate that it is not clear what happens to the signals they report and that due to the lack of feedback they experience a barrier in cooperation with the Labour Inspectorate.

Thirdly, there is the question of which preventive objectives underlie the current approach. The objectives of the integrated approach to labour exploitation are to stop the employer or perpetrator and to remove the victim from a harmful situation, to offer appropriate help and to refer victims to other organisations if necessary. In other words, no objectives in the sphere of prevention seem to have been formulated. As a result, it is difficult to evaluate if the approach is effective. In addition, there is a risk that prevention will receive insufficient attention in the approach. Of course, sanctioning criminal employers through administrative law means that they are punished or hindered which may make it difficult to continue their operations. In a way, such sanctions could be perceived of as having a preventative effect. However, since the number of administrative sanctions has not increased in recent years, it cannot be concluded that the Labour Inspectorate has done more in terms of prevention than before. At the same time, it cannot be concluded that the Labour Inspectorate did nothing. Special barrier models have been developed in collaboration with the CCV to indicate where organizations can intervene and erect barriers to prevent offenders from committing labour exploitation. In addition, the Labour Inspectorate has organized information campaigns and presentations for stakeholders explaining about the issue of labour exploitation.

In order to be able to prevent labour exploitation, it is also important to do something about the underlying problem, the so called 'root causes'. For example, work could be done on identifying and subsequently removing vulnerabilities on the labour market that easily lead to abuse. The Labour Inspectorate has made a start with such work in their report 'The State of Fair Work'. The Inspectorate has also insisted on special regulations to avoid creating vulnerabilities. For example, it is no longer possible to automatically deduct the rent from a minimum wage. However, a solution rogue employers found to such a barrier is that they now ensure that the practice is maintained with a PIN machine on the work floor. In addition, the Inspectorate may not have many options in terms of prevention as many solutions lie outside their direct sphere of influence in the field of national politics.

The greatest dilemma with the integrated approach to labour trafficking, however, is situated with the victims. Victims of human trafficking have a wide range of rights, provided they are identified as victims. This ensures protected shelter and victims are also offered a three-month reflection period, during which they can think in peace and in protection about whether they want to report the crime. There are also residence schemes for victims of human trafficking without legal residence in the Netherlands. And a victim can join the criminal proceedings as an injured party in order to reclaim wages and/or claim compensation (Cleiren *et al.* 2015). Although it can be read in the guideline that the integrated approach considers it 'essential to include the victim's position in the considerations that lead to a particular approach', the possibilities for this are limited outside of the scope of human trafficking. Administrative law offers few possibilities for this. Only when an order subject to a penalty is imposed can an injured party reclaim his or her wages. Criminal remedies other than Article 273f DCC that are available to tackle labour exploitation do not always involve a victim. Where human trafficking is a crime against a victim, human smuggling is essentially a crime against the State. 'Victims' of human smuggling can therefore not invoke victim rights. However, as with human trafficking, they can add an injured party's claim to the criminal proceedings.

VI. CONCLUSION

The analysis presented above points to problems that lie at the heart of the approach to labour exploitation. A large number of labour trafficking prosecutions appear to be replaced by other law enforcement instruments that target severe labour market abuse, and there are no legal grounds for punishing serious labour market abuse in the current legal system. Law enforcement is now forced to put legal labels on situations that do not necessarily do justice to the situation. With a tailor-made intervention mix consisting of relatively minor offenses, an attempt is made to 'approach' the severe offense of human trafficking that is so difficult to prove. One is either forced to interpret the situation in terms of human rights violations and violation of personal integrity, which often does not work, or one has to put any label or combination of labels on it to make a case out of it.

On paper, the integrated approach to labour exploitation represents a shared responsibility. After all, it is a coordinated approach in which various law enforcement actors have responsibilities. The actual practice seems to that of a shifted responsibility, whereby the focus is no longer on the approach to labour trafficking, but on tackling severe labour market abuse. Moreover, the responsibility for this seems to lie primarily with the Labour Inspectorate because other actors are involved in tackling human trafficking, but they have no responsibility in combating severe labour market abuse. Municipalities have a clear mandate with regard to tackling human trafficking. In the national action program *Together against Human Trafficking*, municipalities are called upon to develop local policies to combat human trafficking. But there is no such policy prioritization for tackling severe labour market abuse and there is much less sense of urgency. Many municipalities are therefore rudderless in their efforts tackle labour exploitation. They want to deal with it as human trafficking but have often found that this does not lead them anywhere.

The government has realized that the approach to labour exploitation is not yet going well. Some explorations have also been started. The Ministry of Justice and Security has for example investigated the Belgian criminalization of human trafficking, to see what can be learned from that. In Belgium, the element of coercion does not have to be proven in human trafficking cases. However, since proving coercion is not the main problem, but proving the intent of exploitation is, this is not a solution (Van Meeteren and Heideman 2021). Moreover, it appears that Belgium does not substantially prosecute more suspects than the Netherlands does. In addition, together with a group of scientists, it was examined whether the criminalization of human trafficking could be altered. Hopefully a newly elected government, once installed, will take further steps in this direction. It is also promising that many, especially large municipalities such as Rotterdam, and The Hague, Utrecht and Ede, are taking their administrative approach to labour exploitation seriously and are exploring their local problems to find suitable solutions.

The National Rapporteur on Human Trafficking, Herman Bolhaar, has been raising the alarm for years when it comes to labour exploitation. In an interview with a well-read national newspaper, *de Volkskrant*, the current rapporteur, Herman Bolhaar, indicates that it is problematic that so few cases of labour exploitation are brought to court, because "if more cases were brought to court, it could lead to new case law on labour trafficking which makes it easier to convict future offenders."[1] In other words, more case law in the courts should then lead to a clearer definition of the concept of labour trafficking, resulting in more perpetrators behind bars. For several reasons, this appears to be wishful thinking. First, all the numbers presented here seem to indicate that the number of cases of labour trafficking before court is more likely to go down than up. Secondly, there is now quite a lot of case law already from which a fairly unambiguous picture emerges. The human rights bar against which labour exploitation is tested is simply too high for the majority of serious abuses in the labour market (Van Meeteren and Heideman 2021). Without a change in the law, judges will not suddenly remove or lower this threshold, no matter how many cases they are presented with.

The current integrated approach to labour exploitation does not seem to offer ready-made solutions for the time being. The only way out of the current impasse seems to be to increase our insight into the nature and extent of the various manifestations of labour exploitation on the one hand, and on the other to develop a set of instruments that are in line with and actually do justice to the underlying problem. In this way, victims can be done justice and they can actually be helped in a way that makes sense to them. On the one hand, if law enforcement has something to offer to victims, these will be more inclined to cooperate in (criminal) cases against their employers. On the other hand,

---

[1]   https://www.volkskrant.nl/economie/weer-slaat-de-rapporteur-alarm-over-arbeidsuitbuit-ing-waarom-is-het-zo-moeilijk-op-te-lossen~bd0de39d/

criminal employers can be prosecuted for a fact that actually touches the core of the criminal behaviour and be punished accordingly.

Moreover, the integrated approach to crime is particularly promising in the area of prevention. However, the current approach to labour trafficking does not focus as yet on seeking solutions to the underlying problem of vulnerabilities on the Dutch labour market. More insight into the underlying vulnerabilities and the functioning of the criminal markets in which labour exploitation arises and occurs is therefore important. Labour exploitation does not take place in a vacuum between an employee on the one hand and an employer on the other. Labour exploitation takes place in the broader context of the regulation and functioning of labour markets (De Vries 2018). In addition, there are various conscious and unconscious facilitators, including employment intermediaries, transporters, people smugglers, and (rogue) landlords. It is important to understand the nature and consequences of labour exploitation in the context in which it takes place (Van Meeteren and Bannink 2020). Only in this way can vulnerabilities be removed and barriers erected in the appropriate places.

There are serious abuses in the labour market that people without knowledge of the Dutch legal system refer to as labour exploitation. The integrated approach has taken an important first step in a more effective approach by no longer relying solely on criminal prosecution of labour exploitation via Article 273f DCC. However, this has exposed a deeper problem. The current set of instruments to tackle these criminal employers is inadequate and has little to offer to victims. Thorough evidence-based reflection on the integrated approach to labour exploitation seems highly warranted. In the first place, it is important to establish clear criteria for the evaluation of the approach to labour exploitation, both in terms of repression and in terms of prevention. In addition, it is crucial to register the information required for evaluation research in such a way that it is accessible to independent research.

VII. LITERATURE

BARRICK, K., LATTIMORE, P., PITTS, W. & ZHANG, S. Z. (2014): When farmworkers and advocates see trafficking, but law enforcement does not: challenges in identifying labour trafficking in North Carolina. *Crime, Law and Social Change*, 61(2): 205-214.

CCV (2021): *Handreiking integrale aanpak arbeidsuitbuiting. Samenwerken in de praktijk*. Utrecht: Centrum voor Criminaliteitspreventie en Veiligheid.

CLEIREN, C. P. M., LEUN, J. P. VAN DER & MEETEREN, M. J. VAN (2015): Beperkingen aan en dilemma's van de slachtoffergerichte aanpak van mensenhandel; een blik op arbeidsuitbuiting. *Proces, Tijdschrift voor strafrechtspleging*, 94(2): 82-97.

DE VRIES, I. (2018): Connected to Crime: An Exploration of the Nesting of Labour Trafficking and Exploitation in Legitimate Markets. *The British Journal of Criminology*, 59(1): 209–230.

ESSER, L. (2019): *De strafbaarstelling van mensenhandel ontrafeld. Een analyse en heroriëntatie in het licht van rechtsbelangen.* Den Haag: Boom juridisch.

FARRELL A., DANK, M., DE VRIES, I., KAFAFIAN, M., HUGHES, A. & LOCKWOOD, S. (2019): Failing victims? Challenges of the police response to human trafficking. *Criminology & Public Policy* 18(3): 649-673.

FARRELL, A., BRIGHT, K. & DE VRIES, I. (2020): Policing labor trafficking in the United States. *Trends Organ Crim* 23: 36–56.

HOLVAST, N. & VAN DER MEIJ, P. (2011): De problematiek van sfeervervaging bij de bestuurlijk-strafrechtelijke aanpak van mensenhandel in de legale prostitutiesector'. *Tijdschrift voor Veiligheid*, 10(3): 3-16.

INSPECTIE SZW (2019): *De staat van eerlijk werk 2019. Risico's aan de onderkant van de arbeidsmarkt.* Den Haag: Inspectie SZW.

INSPECTIE SZW (2020): *Jaarverslag 2019.* Available at: https://www.inspectieLabour.nl/jaarverslag-2019

INSPECTIE SZW (2021): *Jaarverslag 2020.* Available at: https://www.inspectieLabour.nl/jaarverslag-2020

LESTRADE, S. M. A. (2018): *De strafbaarstelling van arbeidsuitbuiting in Nederland. Een toetsing op basis van internationale en Europese mensenrechten, anti-mensenhandelregelgeving en de grondslagen van het strafrecht.* Deventer: Wolters Kluwer.

NCA, NETHERLANDS COURT OF AUDIT (2021): *Daders vrijuit, slachtoffers niet geholpen. Knelpunten aanpak arbeidsuitbuiting.* Den Haag: Algemene Rekenkamer.

PETRUNOV, G. (2014): Human Trafficking in Eastern Europe: The case of Bulgaria'. *The Annals of the American Academy of Political and Social Science*, 653(1): 162-182.

VAN DER MEIJ, P. P. J. & VAN DER LEUN, J. P. (2010): Beleid, barrières en begrenzingen. Een domeinoverschrijdende aanpak van het fenomeen mensenhandel'. In: SCHOEP G. K., CLEIREN C. P. M., LEUN J. P. VAN DER & SCHUYT P. M. (red.), *Vervlechting van domeinen.* Deventer: Kluwer 2010, pp. 67-83.

VAN GESTEL, B. & VERHOEVEN, M. (2014): Autonomie, ambtelijke organisaties en criminaliteitsbestrijding. Over samenwerking tussen overheidsinstanties bij de aanpak van mensenhandel'. *Tijdschrift voor Criminologie*, 56(1): 24-41.

VAN MEETEREN, M. & BANNINK, S. (2020): A Transnational Field Approach to the Study of Labor Trafficking. In: WINTERDYK J. A. & JONES, J. (red.), *The Palgrave International Handbook of Human Trafficking.* Cham: Palgrave MacMillan.

VAN MEETEREN, M. & HEIDEMAN, N. (2021): Taking stock of Labour trafficking in the Netherlands. *Archives of Criminology*, 41(1): 575-585.

VAN MEETEREN, M. & HIAH, J. (2020): Self-Identification of Victimization of Labor Trafficking. In: WINTERDYK J.A., JONES J. (eds.), *The Palgrave International Handbook of Human Trafficking.* Cham: Palgrave MacMillan, pp. 1605-1618.

VILLACAMPA, C. & TORRES, N. (2017): Human Trafficking for Criminal Exploitation: The Failure to Identify Victims. *European Journal on Criminal Policy and Research*, 23: 393–408.

VILLACAMPA, C. & TORRES, N. (2019): Human trafficking for criminal exploitation: Effects suffered by victims in their passage through the criminal justice system. *International Review of Victimology*, 25(1): 3-18.

VON LAMPE, K. (2011): The application of the framework of situational crime prevention to 'Organized Crime'. *Criminology & Criminal Justice*, 11(2): 145-163.

VRIES, I. & FARRELL, A. (2018): Labor trafficking victimizations: repeat victimization and polyvictimization. *Psychology of Violence* 8(5): 630-638.

Capítulo VII

FORCED LABOUR IN THE INSTITUTIONS OF THE SISTERS OF THE GOOD SHEPERD: THE CASE OF THE NETHERLANDS

JAN VAN DIJK[1]

Professor Emeritus of Victimology
University of Tilburg

I. ABSTRACT

This paper describes the quest for justice of former pupils of five institutions of the Congregation of the Sisters of the Good Sheperd/Bon Pasteur in the Netherlands. It first documents how the pupils have in the period from 1945 till 1978 been subjected to a regime which amounts to forced labour as defined in international law such as Convention Nr. 29 of the International Labour Organization of 1930 and the European Convention on Human Rights of 1950. The paper then discusses the political and legal arguments for the claim of the survivors for compensation from the Order and the Dutch government and the counter-arguments raised against it. After a presentation of the outcomes of the legal debate, the paper discusses the extent to which process and results meet the standard for the settling of disputes about historical institutional abuse including participation, voice, validation and vindication for the survivors and accountability of offenders. In the view of the author the partially successful Dutch case can inform the formulation of similar claims from former pupils of the Order elsewhere in Europe.

---

[1]   Professor emeritus of victimology at the University of Tilburg, The Netherlands. From 2018 onwards he served as legal adviser of the Association 'Forced Child Labour Pupils of the Good Sheperd' (Stichting Kinderdwangarbeid Meisjes Goede Herder/KMGH).

II. INTRODUCTION

In the Netherlands at least 15,000 young girls and women were forced to work in the laundries and sewing rooms of the Catholic order of the Sisters of the Good Shepherd / Bon Pasteur between 1860 and 1979. The order maintained residential homes all over Europe, Canada and Australia where girls were forced to work without remuneration or education. As reported in the international media, some of the most notorious abuse has taken place in the Magdalene laundries in Ireland. For this the Irish State has, after a damning report by, inter alia, the United Nations Committee against Torture of 2011, paid compensation to survivors in 2013.[2]

Pupils of the Good Sheperd in Europe were mainly placed in these institutions by state-run child protection agencies because of problems in their home situation. Since 2017 groups of former pupils in the Netherlands have sought to hold both the congregation and the State of the Netherlands accountable for the exploitative practices to which they have been subjected.

At this juncture the former pupils have received an official apology from the congregation's central management in France, apologies from the Dutch Minster of Justice and a lump sum of compensation of 5.000 euro for each of them. In this paper we will discuss the trajectory of this prolonged legal battle, the obstacles met and key legal issues addressed with a view of informing former pupils of the Good Sheperd in other countries about their chances of seeking justice from the Order and/or the State and the counter arguments they may have to address [3]

III. BRIEF HISTORY OF THE INSTITUTIONAL ABUSE

The order of the Good Sheperd is legally a French institution with headquarters in Angers, France. It was (re-) established, after a suspension during the revolutionary period, in 1829 under the name Sisters of the Good Sheperd (Bon Pasteur). Its main mission was the provision of assistance to women and girls in difficulty, especially so called 'fallen women', meaning women engaged in prostitution. In the course of the 19th century the order established 'provinces' across Western Europe and elsewhere, running hundreds of similar in-

---

[2]   Committee against Torture Forty-sixth session, 9 May -3 June 2011, point 21. The practices have been judged to be also in violation of the Optional Protocol on the Sale of Children, Child Prostitution and Child Pornography to the United Nations Convention on the Rights of the Child (Human Rights Council, 2019/ A/HRC/40/51/Add.2). For an overview of the Irish case see Mc Gettrick *et al.*, 2021.

[3]   In France an Association of former pupils of the Order seeking justice has been established in 2021 (Les Filles du Bon Pasteur).

stitutions in Austria, Belgium, Germany, Ireland, Italy, Portugal and Spain. A dominant feature of the pedagogics of these institutions was the obligation of pupils to carry out physical labour for many hours per day by way of penance for 'past sins'. Illustrative for this tradition is that older pupils were called 'penitents'.

In the 20th century the order underwent 'mission creep' by reaching out to the much larger recruitment group of girls or young women in need of protection or foster care for whatever reason. The intake of this new category of pupils did not go accompanied with a change in the basic pedagogics of the institutions, namely the imposition of hard labour without pay. Although pupils were now mainly children from broken homes, they continued to be labelled as 'bad girls' by the institutions. The label 'Girl of the Good Sheperd' was a stigma in wider society which later in life hindered the social integration, self-esteem and well-being of former pupils.

As has been well-documented in Ireland and The Netherlands, the pedagogics of penance through physical work gradually transformed into a business model for large scale, profitable industrial operations such as laundries or 'textile shops' in the course of the 20th century. Parallel to this development the arrangements concerning child protection in Western countries became increasingly a responsibility of the modern welfare state. For this reason, placement of girls in the institutions of the Good Sheperd was normally decided upon by official child protection agencies in the framework of child protection orders from courts.

In the Netherlands the order has been active since 1860, and has run five residential homes in the cities of Zoeterwoude, Almelo, Velp, Bloemendaal and Tilburg respectively until well into the 1970s. An analysis of personal files on pupils from after 1945 confirmed that most of them had been orphans, children from broken homes or victims of abuse or neglect placed in the institution at the order of official child protection organizations. In those years care homes for children in the Netherlands were predominantly run by religious denominations, such as Roman Catholic Orders in the Catholic South of country.[4]

Once in the home the pupils were derived of their names and forbidden to socialize with each other. The pupils were detained in closed and fenced off premises, systematically subjected to harsh punishments for minor contraventions and generally suffering from a lack of loving care, basic education and adequate medical facilities. Their daily chores, presented as 'work therapy', amounted to forced labour in a laundry or textile factory with clients including

---

[4]   In the Netherlands also schools, hospitals and youth clubs were largely run by religious denominations up till the mid 1970s (as part of the so-called pillarized society).

hospitals, hotels, cloisters, and the Dutch army. Between 1860 and 1978, when the last institution in the Netherlands was abolished, an estimated 15.000 pupils have been subjected to these practices.

IV. THE CAMPAIGN FOR JUSTICE

The campaign for justice of the former pupils started when in the summer of 2017 two of them rang the bell at the entrance of the last remaining establishment of the Order in the city of Bloemendaal and asked for an interview with the director. They asked for compensation for unpaid wages, missed years of education and pain and suffering. The director duly received them but denied any wrongdoing. According to him, the practice of physical labour to which they had been subjected during their stay at the institution had been 'occupational therapy' deemed appropriate at the time. Thoroughly dissatisfied with this answer the women opened a Facebook page to reach out to other former pupils to share experiences and discuss legal action against the order of the Good Sheperd (GS). In the first instance the women were assisted in this by an existing foundation lobbying for compensation from the Catholic Church for victims of sexual abuse by clergy, the Women's Platform Institutional Abuse by Clergy (Vrouwenplatform Kerkelijk Kindermisbruik or VPKK).

In the Netherlands, the Catholic Church commissioned in 2010 a study into allegations of sexual abuse within the church. This resulted in a report in 2012 by the Committee Deetman advising the establishment of a Compensation Fund by the Church. In 2013 the Committee also reported on acts of violence against minors, other than sexual abuse, in institutions run by the Catholic Church (Deetman 2). In line with the Committee's advice the Church offered compensation to victims of such non-sexual abuse as well. In 2017 the Compensation Fund of the Catholic Church was terminated.

In response to the new claims for compensation for forced labour within the institutions of the order of the Good Sheperd, the Catholic Church argued that such claims had already been dealt with by the Committee Deetman 2, and that claims to the Compensation Fund were therefore no longer admissible. Since the Dutch government referred to the responsibility of the Order, the requests of the Foundation for receiving compensation for forced labour were effectively stonewalled. The Foundation approached the main NGO in The Netherlands assisting victims of Human Trafficking, CoMensha, for advice. One of members of the Board of this NGO, Jan Van Dijk, the present author, wrote a legal opinion arguing that the internationally well-defined phenomenon of forced labour fell outside the scope of violent child abuse. In his opinion forced labour had not in any way been covered by either the Committee

Deetman's study or the Church's compensation scheme (Van Dijk, 8 September 2018/www.VVPK.nl).

Around the same time, the Foundation had contacted a reputed litigator, Liesbeth Zegveld, who has previously successfully sued the Dutch state for its involvement in human rights violations in the former Dutch colonies. She agreed to start preparatory work for a lawsuit against the Order and asked a group of 50 former pupils to complete a written questionnaire on their experiences during their stay in the institutions (covering inter alia the legal basis of their placement, nature and duration of their daily chores, education, health care, punishments, freedom to leave etcetera).

In a joint meeting with Mrs Zegveld, Van Dijk expressed scepticism about the chances of successfully suing the Order considering the statute of limitations under Dutch civil law. He advised negotiations with the Minister of Justice and Security instead. More specifically, he advised to demand the establishment of a special State Compensation Scheme for victims of forced labour in youth institutions[5]. As follow up to this advice, he analysed a sample of the completed questionnaires just mentioned. On this basis he wrote a second legal opinion arguing two fundamental issues. First, that the practices of hard work in a closed setting to which the pupils had been subjected amounted to forced labour under the Convention against Forced Labour of the International Labour Organization (ILO -Convention, nr. 29), ratified by the Netherlands in 1933 as well as under the European Convention of Human Rights of 1950. And, second, that the Dutch State was co-responsible for these illegal practices because of its involvement in the placement of child protection pupils in these institutions, and lack of due diligence and adequate supervision. He finally concluded that the establishment of a state-funded state compensation scheme analogous to the one concerning sexual abuse in youth institutions was morally and politically warranted considering the gravity of the offence of imposing forced labour on minor girls for a duration of, on average, two years.[6]

V. RESPONSE FROM THE DUTCH GOVERNMENT

On May 25 2019 the former pupils established their own foundation to better advance their legal interests, the Foundation 'Forced Child Labour Pupils of the Good Sheperd '(Stichting Kinderdwangarbeid Meisjes Goede Herder). The

---

5   Van Dijk had acted as Chair of the special Chamber of the State Compensation Fund handling claims for compensation for sexual abuse in youth institutions.

6   J.J.M. van Dijk, Force Labour in residential youth institutions: advise on a possible compensation scheme analogous to the ones concerning sexual abuse (in Dutch: Dwangarbeid in de residentiële jeugdzorg: advies m.b.t. een mogelijke tegemoetkomingsregeling zoals die betreffende seksueel misbruik in instellingen), February 12, 2019.

former pupils Anita Suuroverste (President) and Joke Vermeulen, one of the two women who visited the director of the Order in 2017, acted as Board Members. Van Dijk agreed to serve as chief legal adviser. The foundation received financial support from the Fund for Victim Support, founded in 1985 by Prof Pieter van Vollenhoven, brother in-law of former Queen Beatrix. With this financial support a series of local meetings was organised for former pupils to share experiences and plan next steps.

Upon receiving Van Dijk's legal opinion, the acting Minister of Justice, Sander Dekker, publicly expressed his concern about the forced labour imposed on child protection pupils in the institutions as alleged by Van Dijk. He asked the already functioning Committee on Violent Abuse of Pupils in Youth Institutions, the Committee De Winter, to look specifically into the matter of forced labour, and report to him on this issue.

This Committee reported on June 12, 2019 that the pupils had indeed been subjected to heavy physical labour on a daily basis and received no certified education. However, according to the two historians commissioned to investigate the practices in the Good Sheperd, the daily work routine was to be understood as 'work therapy' in line with the pedagogical insights prevailing at the time. In addition, in the view of the researchers, the practices had not produced excessive profits for the Order, at least not according to the official accounts of one of the institutions under scrutiny. On this basis they concluded that the practices had presumably not been implemented for profit but for pedagogic reasons[7].

In a furious rebuttal of the Committee's report Van Dijk argued that possible, well-meaning 'pedagogical aims' of the work practices were highly dubious considering the nuns' disregard for possible educational benefits of the work, or, in fact, for any educational needs of the girls at all[8]. And that, even if such aims had been sincerely pursued, this fact was irrelevant for the question whether the practices amounted to forced labour or not since the definition under international law focusses on the 'involuntariness' of the work and the 'existing menace of penalty', and not on the aims.[9] Tellingly, in a supplementary ILO Convention of 1956, which targeted communist labour camps for political prisoners, forced labour for pedagogical purposes was explicitly pro-

---

7   Exalto & Van Rensen, 2019/June 12.

8   J.J.M. van Dijk, Amounted the work of the pupils in the institutions of the Good Sheperd between 1955 and 1975 to the then prevailing definitions in international law of forced labour?, (in Dutch: Valt de bij de instellingen van de Goede Herder in de periode van 1955 tot 1975 door de pupillen verrichte arbeid onder de toen geldende nationale en internationale definities van verboden gedwongen arbeid?), June , 18, 2019

9   Article 2, section 1 reads: "For the purposes of this Convention the term *forced or compulsory labour* shall mean all work or service which is exacted from any person under the menace of any penalty and for which the said person has not offered himself voluntarily".

hibited (ILO, nr.105). Regarding the defining elements of involuntariness and menace of penalty, Van Dijk argued that practically none of the pupils had ever entered GS institutions voluntarily and that they were systematically punished for alleged 'laziness' or for attempted escapes. In the rare cases that they managed to escape from the fenced off premises, they were, upon their return to the institution by the police, punished with days-long detention in isolation cells.

Subsequently, the Minister of Justice decided to ask a second opinion from two professors of Labour Law, Mijke Houwerzijl of Tilburg University and Guus Heerma van Voss of Leiden University about the two key issues whether a) the practices amounted to forced labour according to international and national law prevailing between 1945 and 1978 and b), if this was indeed the case, what role had been played by the Dutch state in these practices. In their 150 pages long report, released on 18 December 2020, the two labour law experts unconditionally endorsed the opinion that the practices in the institutions amounted to forced labour under the ILO convention of 1930 and subsequent international legal instruments, including the European Convention on Human Rights of 1950. The practices also contravened a host of national laws and regulations concerning labour, education and health. They also confirmed that these practices were executed by the Congregation in the framework of the Child Protection system for which the Minister of Justice was politically and legally responsible in many respects.[10] In their opinion the Ministries of Justice, Labour and Social Work and of Education had all failed to adequately monitor the compliance of the institutions with relevant national and international law, despite recurrent criticism by external experts of the Order's premodern ways of running its child care institutions.

Soon after the publication of the report, the Minister publicly offered his apologies for the exploitation of the pupils under responsibility of the child protection system. Some months later he announced that each former pupil was eligible for a lump sum of symbolic compensation of 5.000 euro to be paid by the State Compensation Fund for Victims of Violent Crime under a general scheme for victims of violent abuse. The Foundation expressed disappointment about the size of the sum in a public letter to the Minister. In this letter reference was made to the awarding to pupils of the notorious Magdalene Laundries in Ireland of sums of 20.000 euro or more and similar sums in Northern Ireland. After consultations with committed Members of Parliament, notably from the Socialist Party, it was nevertheless decided to refrain from campaigning for a larger sum in view of the ongoing COVID crisis and the pertinent wish of the majority of former pupils–most of them at a highly advanced age- to reach closure and go on with the remaining part of their lives.

---

[10]   Heerma van Voss , G. & M Houwerzijl, 12 December 2020.

The claims of the former pupils of the GS were processed with the highest priority by the State Compensation Fund executing the scheme. The only evidence required for awarding the lumpsum was proof with official documents that they had been placed in one of the institutions of GS in the post war period up to 1978. Evidence of their subjection to forced labour was deemed to have been documented sufficiently in the second chapter of the report Heerma van Voss/Houwerzijl detailing the practices of forced labour. By the Summer of 2021 all 200 or more women who had sent in claims had duly received 5.000 from the State Compensation Fund on their accounts. Assurances were received that this sum would not be deducted from social allowances or loans by (municipal) state agencies.

On August 25 2020 the Minister of Justice attended a meeting in Utrecht, organized jointly by the Foundation and the Ministry, which was attended by some 150 former pupils and their partners. Minister Sander Dekker once again offered the government's sincere apologies for what had happened, in particular also for the totally unfounded and harmful labelling of minors in need of care and protection as 'sinful girls' by the Order. In the ensuing discussion some critical questions were raised from the audience about the amount of compensation which was considered to be too low by many. The Minister answered that the sum was not to be seen as compensation for the immense damages incurred but as a symbolic payment. Apart from this moot point, most speakers expressed appreciation for the actions belatedly taken by the government in their case. The minister and his staff stayed for two full hours to converse personally with the women in person to hear their life histories.

VI. RESPONSE FROM THE CONGREGATION

On February 12 2020 the Foundation received a letter from the international director of the Order, SR Patricia Diët, in which she referred to the report Heerma van Voss/ Houwerzijl. In this letter, written in Dutch, she admitted that the practices in the institutions at the time had been 'inappropriate' (in Dutch 'niet passend', or, in French, 'pas correct'). In the end of the letter she expresses her regret for the suffering caused and offered her apologies (in Dutch: excuses). The last lines of this letter read as: "*I sincerely regret this has happened and offer my apologies to each of you*".

Last lines of letter from Sr Patricia Piët, Superior General Province Europe of the Sisters of Our Lady of Charity Good Sheperd:

Ik betreur dit oprecht en bied aan ieder van u mijn excuses aan."

Ik hoop u met het vorenstaande voldoende te hebben geïnformeerd en verblijf inmiddels met verschuldigde hoogachting,

Diet

Sr Patricia DIET
Overste voor de Provincie Europa BFMN
Zusters van Onze Lieve Vrouw van Liefde van de Goede Herder

The letter elicited mixed responses from the former pupils. Though it was seen as an important step into the right direction, many found it still did not constitute a clear and unequivocal admission of guilt, leave alone an offer to pay full compensation for all damages incurred. Among the women, opinions differed about the further course of action. Most women behind the Foundation preferred to abstain from further legal action and to enter into negotiations with the Order about recognition of the wrongs committed against them and deceased peers in the form of a Memorial to be established at the cemetery of the remaining premises of the Order in Velp.

In March 2020 Mrs Zegveld representing 19 former pupils of the Good Sheperd, held the order accountable for the damages incurred, including missed payment for work, in court. In August 2020 the Order was officially summoned before the Civil Court in the city of Haarlem on this account. In a first session the lawyers representing the Order denied that the Province Europe of the international Order located in Angers, France had been in control of the management of the institutions in The Netherlands. In addition, they argued that the lawsuit was inadmissible because of the Statute of Limitations. [11] The Court instructed the Order to make available to the claimants several official documents pertaining to the management of the institutions during the period under scrutiny. A verdict is expected in the Spring of 2022.

---

[11]   Under Dutch civil law, civil lawsuits can normally not be initiated beyond a maximum of five years upon detection of the damages and under no circumstance longer than twenty years. In recent rulings the High Court has decided that in highly extraordinary circumstances this rule can be relaxed, for example if grave historical injustices have occurred for which the actors can clearly and strongly be blamed (e.g. war crimes).

In the meantime, the Foundation received from the Dutch representative of the Congregation, Mr Hubert Janssen, a positive answer to its request that a Memorial be established at the cemetery of the remaining institution of the Congregation in Velp to commemorate all former pupils of the Good Sheperd in The Netherlands. This Monument, a sculpture of an Incarcerated Flower, carries the text, Name me, Recognize me (in Dutch Noem mij, Erken mij). The text refers specifically to the many pupils who have been buried in the old cemetery in nameless graves. The sculpture will be financed by the Congregation which duly paid an advance to the sculptor. The monument is planned to form the centrepiece of a refurbished, Memorial Cemetery of the GS pupils, to be opened in the Spring of 2022. The maintenance of the cemetery will be in the hands of students of the nearby Polytechnic.

VII. A CELEBRATORY MEETING

On October 1 2021 the foundation convened a plenary meeting in Amsterdam to 'celebrate' or at least 'mark' the accomplishments attained so far in the common quest for recognition and redress. The meeting was attended by around 100 former pupils and their partners or children. A maquette of the Monument was on display. One of the women, Rieke Sterkeboer, signed copies of her published memoires describing her travails in an institution of the GS[12]. After the formal part with a speech by the president Anna Suuroverste, a lunch was served followed by a party with song and dance. The shared feeling among the women was that with their common sustained efforts, led by two of their fellow pupils, quite a bit was achieved. It was decided that the foundation would be abolished as soon as all claims to the Fund have been settled. The foundation as such will not take part in the ongoing lawsuit against the Order or in a future lawsuit against the State for full compensation announced by Mrs. Zegveld.

VIII. SUMMING UP AND ASSESSING THE CASE OF THE NETHERLANDS

The quest for justice by former pupils of the GS must be understood against the background of a wider movement of survivors of institutional abuse to obtain redress. In the first instance the Catholic Church of the Netherlands commissioned an independent Committee to investigate allegations of sexual abuse in the Church (2010-2012). Upon the advice of this Committee a private compensation scheme was established by the Church for victims of sexual

---

12   Hart en Sterkeboer, 2021.

abuse in 2013. During the implementation of this scheme new allegations were raised concerning acts of violence against minors within the Catholic Church. This induced the Church to extend eligibility for compensation to this new category of victims. The scheme finally expired in 2017.

Parallel to these actions by the Catholic Church, the Dutch state had set up in 2010 its own Committee to investigate sexual abuse in youth institutions (the Committee Samsom). At their advice, the Dutch government established a scheme for the compensation of victims of sexual abuse in youth institutions falling under the responsibility of the state. This scheme was operated by the State Fund for the Compensation of Victims of Violent Crime and expired in 2016.

In 2017 former pupils of GS who had been subjected to forced labour started a campaign for redress, addressing both the Catholic Church, or more specifically the Order of the Good Sheperd, and the Dutch government. After denials of the legitimacy of their claims by both the Church (by the Committee Deetman 2) and the government (by the Committee de Winter), a breakthrough occurred in 2020 when two labour law experts commissioned by the Minister of Justice, concluded that the work practices in the institutions of the GS amounted to forced labour under international law and that the Dutch state carried responsibility for these illegal practices on account of its formalized child protection functions. This report persuaded the Minister of Justice to offer formal apologies on behalf of the Dutch government to the former pupils and to offer a lumpsum of 5.000 euro to victims of non-sexual abuse in youth institutions, including victims of forced labour, regardless of the types of coercion used. Soon thereafter the international director of the Order of the Good Sheperd offered apologies in writing for the past practices in its institutions. The Dutch representative of the Order promised the establishment of a permanent Memorial for the former pupils at the cemetery of the last of its premises in the Netherlands.

In her book *Redressing Institutional Abuse of Children* Kathleen Daly (2014) distinguishes a set of partly overlapping criteria to assess outcomes and processes of redress for victims of institutional abuse: *participation, voice, validation, vindication* and *offender accountability*. I will briefly discuss whether and to what extent the handling of the claims of the GS survivors by the Dutch State and the Order meets this victimological 'gold standard'.

In the Dutch case against the GS and the State, *participation* of the survivors seems to have been achieved to a considerable extent. The campaign was initiated by two former pupils by contacting directly the director of the Order in the Netherlands and holding him to account. During later stages one of them, Joke Vermeulen, joined by another former pupil, Anita Suuroverste, sustained the campaign through a purpose-built Foundation representing around 100 pupils who had come into contact with each other via a special Facebook page. Interested women were consulted on each step in the campaign through newsletters and a series of meetings in geographically well spread cities in the country where the Board and its legal adviser explained strategic options. The same core group also engaged personally in communications with the Minister of Justice, the committee of Justice Affairs of the Dutch Parliament and the media. Importantly, the Foundation's Board was also heard by staff of the Ministry about the implementation of the Compensation scheme, though not about its contents. By and large all actions can be characterised as having been orchestrated 'for and by the women themselves'. This feature has been instrumental not just to its success but also to a shared feeling of victory in the end ('we did it'!), in spite of lingering disappointment about the size of the compensation[13].

The aspect of '*voice*', defined by Daly as opportunity 'to tell the story of what happened in a significant setting where the survivor can get public recognition and acknowledgement' was perhaps not achieved to the full. Some measure of voice was received by the completion of the questionnaires designed by Mrs Zegveld. It was experienced positively by the women that the two legal experts commissioned by the Minister agreed to use the completed questionnaires as part of their documentation. However, there has not been an official, public 'truth telling' session. Instead, a dozen or so of the women were once or more interviewed on TV or radio or by newspaper journalists. Others took part in an oral history project, implemented by ATRIA, or published their personal narratives in books.[14] At the request of the foundation the claim procedure processed by the Compensation Fund was succinct, not involving a personal interview of the claimants. The Foundation itself has decided against this since it seemed to be unduly burdening for the survivors and not to have much added value in terms of truth finding. The participation in personal talks with the Minister during a general meeting was highly appreciated and could also be seen as offering 'voice'.

Validation, meaning affirming that the victim is believed, through acknowledging that offending occurred and that the victim was harmed, and not blamed, was, it seems, largely achieved. This was achieved through the report Heerma van Voss/Houwerzijl and, in the final instance, by the public apologies of both State and Order, especially the more detailed apologies of the minister stressing the wrongfulness of the negative labelling.

Vindication according to Daly has two aspects, vindication of the law (affirming the act was wrong morally and legally), and vindication of the victim (affirming that the actions against him were wrong by offering symbolic or

---

13   In an interview with former pupil Joke Vermeulen: 'We are victims of the Good Sheperd no more; we are victors' (in Dutch: 'wij zijn overwinnaars')(De Stem, 15 October 2020).

14   www. KPMG.nl/oral history

material reparation, for example by apologies, memoralization or financial assistance). In my opinion, the apologies have provided vindication, reinforced by the payment of a symbolic sum by the State and the establishment of a Memorial by the Order.

Finally, *offender accountability*, implying expressions of regret and remorse from the offender and the imposition of censure or sanctions. Apart from the apologies from the international director of the Order, offender accountability has, arguably, not been really achieved. One of the complications faced in achieving this was that only two or three of the nuns personally involved in the practices were still alive and that they were all of very advanced age. Although the opinion of the women about the nuns was almost without exception very negative, it was generally felt that a personal confrontation of these centennials served no legitimate purpose.

IX. LESSONS FOR EUROPE?

In my view, the case of former pupils in The Netherlands against the Order of GS regarding the practices of forced labour in its institutions has by and large been moderately successful. This Dutch experience has direct relevance for the chances of legal and political claims coming from former pupils from the hundreds of other institutions of the Good Sheperd elsewhere in Europe. The treatment of pupils by the worldwide institutions of GS were grounded in the same philosophy of penance -for-alleged-sins- through physical labour, as described in detail in the report of Heerma/Houwerzijl. The practices in Ireland decribed in McGettrick *et al.* (2021) and in French institutions, described in the personal testimony *Stolen Childhoods /Enfances Volées* of Michelle Marie Bodin-Bougelot (2018), bear a striking resemblance to the experiences of Dutch pupils.

Without doubt the international conventions such as the ILO conventions nrs. 29 and 105 and the European Convention of Human Rights, deemed applicable to the Dutch case by Heerma van Voss and Houwerzijl, also apply to the situation in the GS institutions maintained elsewhere in Europe during the same period. In all countries, pupils were placed in institutions of the Good Sheperd by child protection agencies which must have been aware that they would be systematically subjected to practices amounting to forced labour under international law.

X. LITERATURE

BODIN-BOUGELOT, M. M. (2018): *Enfancéés Volées, "Le Bon Pasteur" Nous y étions*. Privately published, Stolen Lives "The Good Shepherd"; We were there.

DALY, K. (2014): *Redressing Institutional Abuse of Children*. New York: Palgrave Mc-Millan.

EXALTO, J. & VAN RENSEN, A. (2019): Bronstudie nr 4: Zusters van de Goede Herder (1945-1975. In: COMMISSIE ONDERZOEK NAAR GEWELD IN DE JEUGDZORG (COMMISSIE DE WINTER), *Eindrapport Deel 3: Bronstudies bij het sectorrapport geweld in de residentiële jeugdzorg 1945 heden, Underlying study report nr 4: Sisters of the Good Sheperd*, pp. 115-2016.

HART, R. & STERKEBOER, R. (2021): *Lief Wezen* (Be Sweet). Just Publishers BV.

HEERMA VAN VOSS & HOUWERZIJL, M. (2020): *Gedwongen arbeid bij De Goede Herder: De werkwijze in de instellingen van de kloosterorde De Goede Herder in de periode 1945-1975 en de rol van de overheid daarbij.*

MCGETTRICK, C., O'DONNELL, K., O'ROURKE, M., SMITH, J.M. & STEED, M. (2021): *Ireland and the Magdalene Laundries: A Campaign for Justice*. London: IB Tauris/Bloomsbury.

Parte II

ESTUDIO FENOMENOLÓGICO Y JURISPRUDENCIAL SOBRE TRATA Y EXPLOTACIÓN DE SERES HUMANOS EN ESPAÑA

Capítulo VIII
DIMENSIÓN DE LA TRATA DE SERES HUMANOS EN ESPAÑA[1]

CAROLINA VILLACAMPA ESTIARTE
Catedrática de Derecho Penal
Universitat de Lleida

MARÍA JESÚS GÓMEZ ADILLÓN
Profesora Titular de Economía Aplicada
Universitat de Lleida

CLÀUDIA TORRES FERRER
Investigadora predoctoral FPU de Derecho Penal
Universitat de Lleida

XAVIER MIRANDA RUCHE
Investigador Postdoctoral del Departamento de Geografía y Sociología
Universitat de Lleida

I. LA TRATA DE SERES HUMANOS Y SU CUANTIFICACIÓN

La trata de seres humanos (en adelante, TSH) constituye un fenómeno criminal global que ha sido caracterizado a nivel internacional gracias, primero, al Protocolo para prevenir, reprimir y sancionar la trata de personas, especial-

---

[1] La publicación original, en versión íntegra y no actualizada, de este trabajo puede consultarse en VILLACAMPA, C., GÓMEZ, M.J., TORRES, C. y MIRANDA, X.: "Trata de seres humanos: dimensión y características en España", *Revista General de Derecho Penal*, núm. 35, 2021.

mente de mujeres y niños, que complementa la Convención de las Naciones Unidas contra la Delincuencia Organizada Transnacional de 2000 -Protocolo de Palermo- y después, en el ámbito regional europeo, por obra del Convenio del Consejo de Europa sobre la lucha contra la trata de seres humanos de 2005 y la Directiva 2011/36/UE relativa a la prevención y lucha contra la trata de seres humanos y a la protección de las víctimas. Pese a que el proceso de incriminación de la TSH en Códigos Penales occidentales comenzó hace ya aproximadamente dos décadas, desde que se aprobara el primero de los documentos normativos internacionales referidos, contar con datos cuantitativos fiables sobre este fenómeno resulta todavía complejo. La dificultad en su medición y cuantificación fue bien pronto puesta de manifiesto por la academia[2]. Todavía hoy denuncian la ausencia de mecanismos estandarizados de recogida de datos sobre TSH múltiples voces en la literatura especializada[3] y, sobre todo, distintos entes que periódicamente emiten informes sobre esta realidad[4]. La

---

[2]   *Vid.* WINTERDYCK, J. y REICHEL, P.: "Introduction to Special Issue: Human Trafficking: Issues and Perspectives", *European Journal of Criminology*, 7 (1), 2010, p. 6; WEINER, N. A. y HALA, N.: *Measuring Human Trafficking: Lessons from New York City*, Vera Institute of Justice, New York, 2008, pp. 4-5; AROMAA, K.: "Trafficking in Human Beings. Uniform definitions for Better Measuring and for Effective Counter-Measures", en SAVONA, E. U. y STEFANIZZI, S. (coords.), *Measuring Human Trafficking. Complexities and Pitfalls*, Sage/Ispac, New York, 2007, pp. 13 y ss.; DI NICOLA, A.: "Research into human trafficking: Issues and problems", en LEE, M. (coord.), *Human Trafficking*, Routledge, London and New York, 2007, pp. 49 y ss.; KANGASPUNTA, K.: "Collecting Data on Human Trafficking. Availability, Reliability and Comparability of Trafficking Data", en SAVONA, E. U. y STEFANIZZI, S. (coords.), *Measuring Human Trafficking. Complexities and Pitfalls*, op. cit., pp. 27 y ss.; ZHANG, S. X.: *Smuggling and Trafficking in Human Beings: All Roads Lead to America*, Praeger, Westport, Connecticut, London, 2007; LACZKO, F.: "Introduction", en LACZKO, F. y GOZDZIAK, E. (coords.), *Data and research on human trafficking: A global survey*, International Organization for Migratio, Geneva, 2005, pp. 5 y ss.; TYLDUM, G. y BRUNOVSKIS, A.: "Describing the Unobserved: Methodological Challenges in Empirical Studies on Human Trafficking", en LACZKO, F. y GOZDZIAK, E. (coords.), *Data and research on human trafficking: A global survey*, International Organization for Migration, Geneva, 2005, pp. 17 y ss.

[3]   *Vid.* FARRELL, A. y DE VRIES, I.: "Measuring the Nature and Prevalence of Human Trafficking", en WINTERDYK, J. y JONES, J. (coords.), *The Palgrave International Handbook of Human Trafficking*, Palgrave Macmillan, London, 2020, pp. 147 y ss.; VAN DIJK, J. y CAMPISTOL, C.: "Work in progress: international statistics on human trafficking", en PIOTROWICZ, R., RIJKEN, C. y UHL, B. H. (eds.), *Routledge Handbook of Human Trafficking*, Routledge, London and New York, 2018, pp. 381-394.

[4]   *Vid.* GRETA: *8th General report on GRETA'S Activities. Covering the period from 1 January to 31 December 2018*, Council of Europe, Strasbourg, 2019; GRETA: *9th General Report on GRETA's Activities covering the period from 1 January to 31 December 2019*, Council of Europe, Strasbourg, 2020; UNODC: *Global Report on Trafficking in Persons 2018*, United Nations, New York, 2018; UNODC: *Global Report on Trafficking in Persons 2020*, United Nations, New York, 2020; EUROPEAN COMMISSION-MIGRATION AND HOME AFFAIRS: *Data collection on trafficking in human beings in the EU*, Publications of the European Union, Luxembourg, 2018; EUROPEAN COMMISSION-MIGRATION

insuficiencia de los datos se explica en parte por las dificultades a las que todo investigador se enfrenta cuando aborda esta realidad, entre ellas los mismos obstáculos para delimitar el concepto de TSH de otros con los que se la ha relacionado, como la prostitución, el tráfico de migrantes o la esclavitud misma[5]. Radica también en el carácter oculto del problema, en tanto que fenómeno criminal con una posible elevada cifra negra[6], lo mismo que otros procesos criminales, aun cuando con particularidades que acentúan aquí ese carácter oculto. Así, la ausencia de formación de los profesionales que los capacite para identificar a las víctimas[7] o las dificultades que afrontan las víctimas mismas para reconocerse como tales y para buscar ayuda[8].

AND HOME AFFAIRS: *Data collection on trafficking in human beings in the EU. 2020*, Publications Office of the European Union, Luxembourg, 2020; EUROSTAT: *Trafficking in human beings. 2013 edition*, Publications Office of the European Union, Luxembourg, 2013; EUROSTAT: *Trafficking in human beings. 2014 edition*, Publications Office of the European Union, Luxembourg, 2014; EUROSTAT: *Trafficking in human beings. 2015 edition*, Publications Office of the European Union, Luxembourg, 2015.

[5]   *Vid*. FARRELL, A. y DE VRIES, I.: "Measuring the Nature and Prevalence of Human Trafficking", *op. cit.*, p. 148; VILLANUEVA, A. y FERNÁNDEZ-LLÉBREZ, F.: "La importancia de los datos de trata de seres humanos. Una aproximación al sistema de recolección de datos de víctimas de trata en España", *Deusto Journal of Human Rights*, núm. 4, 2019, pp. 120 y ss.; BALES, K.: "Unlocking the Statistics of Slavery", *Chance*, 30 (3), 2017, pp. 6 y ss.; SCARPA, S.: *Trafficking in Human Beings*, Oxford University Press, New York, 2008; TYLDUM, G., TVEIT, M. y BRUNOVSKIS, A.: *Taking Stock. A Review of the Existing Research on Trafficking for Sexual Exploitation*, Fafo, Oslo, 2005.

[6]   *Vid*. VILLANUEVA, A. y FERNÁNDEZ-LLÉBREZ, F.: "La importancia de los datos de trata de seres humanos. Una aproximación al sistema de recolección de datos de víctimas de trata en España", *op. cit.*, pp. 122-123; CHO, S.: "Modelling for determinants of human trafficking: An empirical analysis", *Social Inclusion*, 3 (1), 2015, p. 5; BALES, K., HESKETH, O. y SILVERMAN, B.: "Modern Slavery in the UK: How many victims?", *Significance*, 12 (3), 2015, p. 19; VILLACAMPA, C.: *El delito de trata de seres humanos. Una Incriminación Dictada desde el Derecho Internacional*, Aranzadi-Thomson Reuters, Cizur Menor, 2011, pp. 95 y ss.

[7]   *Vid*. VILLACAMPA, C. y TORRES, N.: "Human Trafficking for Criminal Exploitation: the Failure to Identify Victims", *European Journal of Criminal Policy and Research*, 23 (3), 2017, pp. 397-401; FARELL, A., OWENS, C. y MCDEVITT, J.: "New laws but few cases: understanding the challenges to the investigation and prosecution of human trafficking cases", *Crime, Law and Social Change*, 61 (2), 2014, p. 154; MACY, R. J. y GRAHAM, L. M.: "Identifying domestic and international sex trafficking victims during human service provision", *Trauma, Violence and Abuse*, 13 (2), 2012, pp. 59-76; FARRELL, A., MCDEVITT, J. y FAHRY, S.: "Where are all the victims? Understanding the determinants of official identification of human trafficking incidents", *Criminology and Public Policy*, 9 (2), 2010, pp. 222 y ss.; WILSON, D. G., WALSH, W. F. y KLEUBER, S.: "Trafficking in human beings: Training and services among U.S. law enforcement agencies", *Police Practices and Research*, 7 (2), 2006, pp. 155 y ss.

[8]   *Vid*. FARRELL, A. y DE VRIES, I.: "Measuring the Nature and Prevalence of Human Trafficking", *op. cit.*, p. 150; VILLACAMPA, C. y TORRES, N.: "Trafficked Women in Prison: The Problem of Double Victimisation", *European Journal of Criminal Policy and Research*,

A la escasez de datos cuantitativos fiables con que se cuenta, se añade que los obtenidos están muy orientados a medir la trata para explotación sexual, que a menudo se identifica con la prostitución, dejando de lado otras formas de TSH, como la laboral, que puede ser incluso más prevalente[9]. Además, en los recopilados hasta el momento se presta más atención a las víctimas muje-res, pretiriendo a menudo el análisis empírico de procesos de TSH afectantes a hombres y menores de edad[10]. Los déficits en la información cuantitativa existente sobre esta realidad conducen a que se haya indicado que los datos con que se cuenta son poco robustos, adquiridos de forma metodológica-mente opaca y centrados mayoritariamente en la explotación sexual de las víctimas[11].

No puede negarse que se va avanzando en la obtención de datos fiables, sobre todo a nivel europeo. Esto puede constatarse atendiendo a la emisión de cinco informes estadísticos completos a este nivel, los tres primeros elaborados por la oficina estadística de la Unión Europea[12], el cuarto, que cuenta con da-

21 (1), 2015, pp. 110 y ss.; VILLACAMPA, C. y TORRES, N.: "Human Trafficking for Criminal Exploitation: the Failure to Identify Victims", *op. cit.*, p. 405.

9   *Vid.* KAYE, J., WINTERDYK, J. y QUARTERMAN, L.: "Beyond criminal justice. A case study of responding to human trafficking in Canada", *Canadian Journal of Criminolo-gy and Criminal Justice*, 56 (1), 2014, pp. 26 y ss.; WEITZER, R.: "New Directions in Research on Human Trafficking", *The Annals of the American Academy of Political and Social Science*, 653 (6), 2014, p. 7; DEFENSOR DEL PUEBLO: *La trata de seres humanos en España: Víctimas Invisibles*, 2012; VILLACAMPA, C.: *El delito de trata de seres hu-manos. Una Incriminación Dictada desde el Derecho Internacional*, *op. cit.*, pp. 551 y ss; VILLACAMPA, C.: "Víctimas de trata de seres humanos: su tutela a la luz de las últimas reformas penales sustantivas y procesales proyectadas", *Indret*, núm. 2/2014, 2014, p. 27; HOME OFFICE: *Trafficking for the purposes of labour exploitation: A literature review*, Home Office, London, 2007, p. 1; KELLY, L.: "You can find anything you want": A critical reflection on research on trafficking in persons within and into Europe", *International Mi-gration*, núm. 43, 2005, p. 235; LACZKO, F.: "Introduction", *op. cit.*, p. 9; TYLDUM, G. y BRUNOVSKIS, A.: "Describing the Unobserved: Methodological Challenges in Empirical Studies on Human Trafficking", *op. cit.*, pp. 17 y ss.

10   En este sentido, *vid.* WEITZER, R.: "Sex trafficking and the sex industry: The need for evidence-based theory and legislation", *Journal of Criminal Law and Criminology*, 101 (4), 2012, pp. 1337-1370.

11   *Vid.* COCKBAIN, E. y BOWERS, K.: "Human trafficking for sex, labour and domestic ser-vitude: how do key trafficking types compare and what are their predictors?", *Crime, Law and Social Change*, 72 (1), 2019, p. 11; COCKBAIN, E., BOWERS, K. y DIMITROVA, G.: "Human trafficking for labour exploitation: the results of a two-phase systematic review mapping the European evidence base and synthesizing key scientific research evidence", *Journal of Experimental Criminology*, 14 (3), 2018, pp. 320-322; GOZDZIAK, E. M. y BUMP, M. N.: *Data and Research on Human Trafficking: Bibliography of Research Based Literature*, Georgetown University, Washington D.C., 2008, pp. 1-56; ANDREES, B. y VAN DER LINDEN, MARISKA N. J.: "Designing Trafficking Research from a Labour Market Perspective: The ILO Experience", *International Migration*, 43 (1-2), 2005, pp. 55-56.

12   *Vid.* EUROSTAT: *Trafficking in human beings. 2013 edition*, *op. cit.*, pp. 1-86; EUROS-TAT: *Trafficking in human beings. 2014 edition*, *op. cit.*, pp. 1-135; EUROSTAT: *Trafficking*

tos ofrecidos por los países informantes relativos al período 2015-2016, por la Comisión Europea y la Universidad de Lancaster[13], y el quinto y último, relativo al período 2017-2018, también confeccionado por la Comisión Europea[14]. Con todo, diversos analistas de este fenómeno siguen insistiendo en que una de las asignaturas pendientes para afrontarlo debidamente es precisamente el de la recogida de datos cuantitativos comparables que, respecto de las víctimas, aborden cuestiones que trasciendan a su edad, sexo o nacionalidad[15].

Además de la opacidad y parcialidad de los datos oficiales, debe tenerse en cuenta que una cosa son las cifras de victimización por esclavitud y trabajo forzoso –destinaciones comunes de los procesos de TSH- que ofrecen estimaciones efectuadas empleando metodologías contrastadas como las de la Organización Internacional del Trabajo[16], que divergen de las realizadas sin apoyatura metodológica[17], y otra el número de personas que aflora, sobre todo a través del sistema de justicia penal, como víctimas de TSH. Al respecto, si bien la última estimación de la ILO[18] indica que alrededor de 40 millones de personas en el mundo están en situación de esclavitud -25 para trabajo forzado y 15 para matrimonios forzados-, el montante de quienes constan en el sistema como víctimas de TSH identificadas es sustancialmente inferior. El informe global sobre TSH emitido por la Oficina contra la Droga y el Delito de Naciones Unidas en 2018[19] situaba el promedio de víctimas detectadas por año en cada uno de los 45 países informantes en 254, lo que representa un total aproximado de 11.500 víctimas anualmente identificadas. En su último informe de 2020[20], eleva el número de víctimas detectadas en 2018 por los 148 países informantes –representativos del 95% de la población mundial- en 49.032, cifras que siguen hallándose claramente alejadas de la estimación global de esclavos contemporáneos.

---

in human beings. 2015 edition, op. cit., pp. 1-135.

[13] *Vid.* EUROPEAN COMMISSION-MIGRATION AND HOME AFFAIRS: *Data collection on trafficking in human beings in the EU. 2018, op. cit.*, pp. 1-267.

[14] *Vid.* EUROPEAN COMMISSION-MIGRATION AND HOME AFFAIRS: *Data collection on trafficking in human beings in the EU. 2020, op. cit*, pp. 1-243.

[15] *Vid.* GRETA: *9th General Report on GRETA's Activities covering the period from 1 January to 31 December 2019, op. cit.*, p. 43; EUROPEAN COMMISSION-MIGRATION AND HOME AFFAIRS: *Data collection on trafficking in human beings in the EU. 2018, op. cit.*, pp. 33, 136-137.

[16] *Vid.* ILO: *Global Estimates of Modern Slavery: Forced Labour and Forced Marriage*, International Labour Office, Geneva, 2017, pp. 11, 12, 57 y ss.

[17] *Vid.* BALES, K., TRODD, Z. y WILLIAMSON, A. K.: *Modern Slavery. The Secret World of 27 million people*, Oneworld, Oxford, 2009, *passim*.

[18] *Vid.* ILO: *Global Estimates of Modern Slavery: Forced Labour and Forced Marriage, op. cit.*, pp. 5, 9.

[19] *Vid.* UNODC: *Global Report on Trafficking in Persons 2018, op. cit*, p. 21.

[20] *Vid.* UNODC: *Global Report on Trafficking in Persons 2020, op. cit*, p. 25.

Si la situación en lo que a obtención de datos cuantitativos fiables no puede valorarse de forma demasiado positiva a nivel internacional, tampoco permite una apreciación satisfactoria en nuestro país. En España, los datos con que se cuenta están centrados casi en exclusiva en la TSH para explotación sexual[21] aun cuando tal déficit se va soslayando en los últimos tiempos. El organismo que cuantifica las víctimas de TSH y que traslada la información a la Unión Europea para elaborar las estadísticas hasta el momento publicadas es el Centro de Inteligencia contra el Terrorismo y el Crimen Organizado (en adelante, CITCO) desde su creación en 2014, al que se integró el anterior Centro de Inteligencia contra el Crimen Organizado. Junto a los datos recogidos anualmente por la Fiscalía de Extranjería reflejados en la Memoria Anual de la Fiscalía General del Estado (en adelante, FGE) sobre diligencias de investigación instruidas por este delito desde 2012[22], el CITCO es el organismo dependiente del Ministerio del Interior que centraliza la recogida de datos policiales referidos a víctimas identificadas.

El CITCO recoge desde 2012 datos cuantitativos sobre TSH para explotación sexual, aun cuando para los relativos a otras formas de trata hay que esperar a 2015 y 2016. Sin embargo, los recopilados por este organismo, según se deduce de sus balances agrupados referidos a los períodos 2013-17, 2014-18, 2015-2019 y 2016-2020[23], son únicamente datos de víctimas formalmente identificadas por la policía, que incluyen exclusivamente el sexo de las mismas, su edad –adulto/a o niño/a-, su nacionalidad y la del ofensor, así como la zona

---

21   *Vid.* VILLANUEVA, A. y FERNÁNDEZ-LLÉBREZ, F.: "La importancia de los datos de trata de seres humanos. Una aproximación al sistema de recolección de datos de víctimas de trata en España", *op. cit.*, p. 131; GRETA: *Report concerning the implementation of the Council of Europe Convention on Action against Trafficking in Human Beings by Spain. First evaluation round*, Council of Europe, Strasbourg, 2013; GRETA: *Report concerning the implementation of the Council of Europe Convention on Action against Trafficking in Human Beings by Spain. Second evaluation round*, Council of Europe, Strasbourg, 2018, pp. 17-18; DEFENSOR DEL PUEBLO: *La trata de seres humanos en España: Víctimas Invisibles, op. cit.*, pp. 89 y ss.; VILLACAMPA, C.: *El delito de trata de seres humanos. Una Incriminación Dictada desde el Derecho Internacional, op. cit.*, pp. 110-117; GIMÉNEZ-SALINAS FRAMIS, A., SUSAJ, G. y REQUENA ESPADA, L.: "La dimensión laboral de la trata de seres humanos en España", *Revista Electrónica de Ciencia Penal y Criminología*, 11 (4), 2009, p. 9.

22   *Vid.* FGE: *Memoria elevada al Gobierno de S.M*, 2019, pp. 1221 y ss.; FGE: *Memoria elevada al Gobierno de S.M*, 2021, pp. 839 y ss.

23   *Vid.* CITCO: *Trata de seres humanos en España. Balance estadístico 2013-17*, Ministerio del Interior, Secretaría de Estado de Seguridad, Madrid, 2018, pp. 1-13; CITCO: *Trata de seres humanos en España. Balance estadístico 2014-18*, Ministerio del Interior, Secretaría de Estado de Seguridad, Madrid, 2019, pp. 1-13; CITCO: *Trata de seres humanos en España. Balance estadístico 2015-19*, Ministerio del Interior, Secretaría de Estado de Seguridad, Madrid, 2020, pp. 1-15; CITCO: *Trata de seres humanos en España. Balance estadístico 2016-20*, Ministerio del Interior, Secretaría de Estado de Seguridad, Madrid, 2021, pp. 1-19.

del territorio español (Comunidad Autónoma) donde se las ha identificado, disgregando esa información por el tipo de trata a que se las ha sometido (sexual, laboral y otras finalidades: criminalidad forzada, mendicidad y matrimonio forzado). Nos encontramos frente a datos claramente incompletos en aras a obtener un conocimiento profundo de esta realidad, no solo porque provienen exclusivamente de fuentes policiales, sino porque además no informan acerca de otras variables personales de las víctimas, las formas en que son captadas, las dinámicas comisivas en función del tipo de trata a que se somete a las víctimas o las diferentes actividades en que son explotadas. Son precisamente datos sobre tales aspectos los que se indica que es preciso recabar para tener más información cuantitativa referida a víctimas[24].

Ante la ausencia de datos cuantitativos sobre TSH en España al margen de los referidos a víctimas oficialmente identificadas, decidimos iniciar una investigación que permitiese incrementar el conocimiento cuantitativo que se tiene sobre este proceso en este país. Esto mediante la aproximación a todas las víctimas detectadas por profesionales que eventualmente pueden haber entrado en contacto con estas –entre ellos, personal de comisarías de policía, policía de fronteras, personal de la inspección laboral, de sindicatos, personal sanitario, entidades que prestan asistencia a víctimas del delito y migrantes, entre otros– durante los dos años anteriores a la realización de la investigación, es decir, 2017 y 2018. El objetivo de esta investigación se orientó en exclusiva a obtener ese tipo de conocimiento respecto del proceso de TSH, esto es, del *iter* que conduce a la esclavitud o a situaciones asimilables en su última fase, no en relación con la situación de explotación misma. Dado que desde un punto de vista fenomenológico el destino final de la trata es la explotación de las víctimas, es por lo que se preguntó también a los encuestados acerca de las actividades y las formas en que las víctimas fueron explotadas, puesto que esa era la forma en que podía identificarse frente a qué tipo de TSH nos encontrábamos. Sin embargo, no se persiguió con esto obtener un conocimiento exhaustivo de esta última parte del proceso ni prejuzgar si en los concretos supuestos nos hallábamos frente a una efectiva situación de esclavitud o equiparable a la misma.

Se pretendía que dicha aproximación fuese más completa que las hasta ahora realizadas en España, tanto porque no se limitaba a víctimas formalmente identificadas como porque se trataba de la obtención de datos de tipo cuantitativo con los que se esperaba operar a un nivel estadístico más avanzado que el meramente descriptivo empleado en la mayor parte de estudios sobre TSH

---

[24]   Vid. GRETA: *9th General Report on GRETA's Activities covering the period from 1 January to 31 December 2019, op. cit.,* p. 43; EUROPEAN COMMISSION-MIGRATION AND HOME AFFAIRS: *Data collection on trafficking in human beings in the EU. 2018, op. cit.,* p. 33.

efectuados hasta el momento[25]. Se decidió recoger datos del bienio 2017-2018 porque hasta el año 2016 el Estado español había ya facilitado aquellos con los que contaba a la Comisión Europea a efectos de la realización del más reciente informe estadístico europeo antes mencionado. La aproximación genérica a todas las víctimas detectadas por el sistema durante los años 2017 y 2018 a través de la que incrementar el conocimiento de la TSH en términos cuantitativos tenía por finalidad la consecución de los siguientes cuatro objetivos específicos: 1. Cuantificar las víctimas de TSH detectadas en dicho período y establecer su grado de coincidencia con las formalmente identificadas; 2. Determinar las características personales de las víctimas en función del tipo de TSH a que se han visto sometidas; 3. Establecer las diferentes dinámicas comisivas según el tipo de TSH sufrido; y, por último, 4. Conocer cómo se explota a las víctimas en cada tipo de TSH.

II. METODOLOGÍA DE LA INVESTIGACIÓN

1. *Instrumento para la recogida de datos*

Con la finalidad de recoger información de tipo cuantitativo, dada la dificultad de acceder directamente a víctimas de TSH, se elaboró una base de datos que contenía 757 entidades, unidades u organismos (en adelante, EUO) profesionales que eventualmente podían haber entrado en contacto con estas. Esta se confeccionó empleando un sistema de muestreo intencional con fundamento en bases de EUO con que ya se contaba por haberlas empleado en anteriores investigaciones que miembros del grupo habían efectuado sobre temas relacionados[26]. El listado original se completó con un rastreo web que permitió incluir entidades inicialmente no incorporadas a estas bases de datos, añadiendo a aquellas con las que ya se contaba algunos prestadores de servicios a víctimas, determinadas agencias pertenecientes a las fuerzas y cuerpos de seguridad del Estado, así como sindicatos, actores de la inspección laboral y personal sanitario.

---

[25]   *Vid.* COCKBAIN, E. y BOWERS, K.: "Human trafficking for sex, labour and domestic servitude: how do key trafficking types compare and what are their predictors?", *op. cit.*, pp. 9-34; COCKBAIN, E., BOWERS, K. y DIMITROVA, G.: "Human trafficking for labour exploitation: the results of a two-phase systematic review mapping the European evidence base and synthesizing key scientific research evidence", *op. cit.*, pp. 319-360; LACZKO, F.: "Introduction", *op. cit.*, pp. 14-15.

[26]   Al respecto, *vid.* VILLACAMPA, C. y TORRES, N.: "Human Trafficking for Criminal Exploitation: the Failure to Identify Victims", *op. cit.*, p. 395; VILLACAMPA, C. y TORRES, N.: "Prevalence, dynamics and characteristics of forced marriage in Spain", *Crime, Law and Social Change*, December, 2019, pp. 511-512.

Seguidamente, se elaboró un cuestionario online que se remitió a los 757 integrantes de la muestra invitada, después de haberlos contactado telefónicamente y por correo electrónico para explicarles el contenido de la investigación. El instrumento para la recogida de datos, que obtuvo la aprobación del Comité de Ética de Investigación de la Universitat de Lleida, consistió en un cuestionario elaborado empleando la herramienta *google forms*. Para su diseño se tuvo sobre todo en cuenta la información reflejada sobre víctimas referidas a cada tipo de trata contenida en los informes estadísticos realizados en Europa[27], completándolos con cuestiones relacionadas con la EUO a la que se demandaba la información y con la dinámica de los distintos tipos de trata.

El cuestionario empleado se estructuraba en tres partes. En la primera, se contenían preguntas generales sobre las características de la entidad, referidas a su ámbito de actuación, a si se consideraban entidades especializadas en TSH, a si habían recibido formación y en qué aspectos en relación con la TSH, además de a si habían detectado víctimas de TSH en el período analizado. En la segunda parte del cuestionario, que rellenaban únicamente las entidades que sí habían detectado víctimas, se les preguntaba por las características personales de las mismas –sexo y edad- así como sobre las formas de TSH a que habían sido destinadas. Finalmente, en la tercera parte del cuestionario, se pedía a estas entidades que rellenasen hasta 4 secciones específicas en función de que hubiesen detectado víctimas de TSH para explotación sexual[28], laboral[29], criminal[30] u otras formas de explotación[31]. En esta última parte del cuestionario se preguntaba, para cada uno de los tipos de TSH indicados, acerca de las actividades para las que habían sido explotadas las víctimas, su nacionalidad, así como cuestiones relacionadas con la dinámica de comisión de la TSH –lugar de reclutamiento y destino de las víctimas, mecanismos de reclutamiento

---

[27]   *Vid.* EUROPEAN COMMISSION-MIGRATION AND HOME AFFAIRS: *Data collection on trafficking in human beings in the EU, op. cit.*, pp. 21 y ss.; EUROSTAT: *Trafficking in human beings. 2013 edition, op. cit.*, pp. 23-25; EUROSTAT: *Trafficking in human beings. 2014 edition, op. cit.*, pp. 20-46; EUROSTAT: *Trafficking in human beings. 2015 edition, op. cit.*, pp. 20-46.

[28]   Entendida como la que incluye la prostitución y otras formas de explotación sexual, como la prestación de servicios en la industria pornográfica, clubes de strippers, servicios de escorts/acompañantes, salas de masaje, etc.

[29]   Caracterizada como la que incluye actividades como los trabajos o servicios forzados, la esclavitud o las prácticas análogas a la esclavitud y la servidumbre, en ámbitos como plantaciones agrícolas o explotaciones ganaderas, la construcción, la industria textil, el sector servicios de cuidado, servidumbre doméstica, etc.

[30]   Identificada con la que comprende la explotación para la realización de actividades ilegales, como la mendicidad, o directamente criminales, como la producción de drogas, el tráfico de drogas, la venta de drogas por personas prostituidas a los clientes o el fraude de pensiones, prestaciones, etc.

[31]   Las no incluidas en las anteriores categorías, como forzar a las víctimas a contraer matrimonio, donar órganos, donar sangre, obligarlas a llevar a cabo una gestación, etc.

y medios empleados-. Para cada tipo de trata detectado, se les preguntaba por el grado de habitualidad con que se reconoce a sus víctimas el período de restablecimiento y reflexión, el permiso de residencia extraordinario por razones humanitarias y la habitualidad con que solicitan y se les reconoce la condición de refugiados o la protección internacional subsidiaria.

En relación con el instrumento de recogida de datos deben clarificarse dos aspectos. El primero tiene que ver con que las cuestiones relacionadas con las actividades en las que se explotó a las víctimas se efectuaron con la finalidad de poder identificar el tipo de TSH frente al que nos hallábamos, no a efectos de conocer la forma y las condiciones en que la explotación se produce. El segundo se refiere al concepto de TSH para explotación criminal del que se parte, que puede considerarse amplio puesto que no comprende solamente los casos en que las víctimas son destinadas a su empleo en la comisión de hechos con relevancia penal, sino también aquellos otros en que pueden tener como destino su empleo en actividades que constituyen ilícitos administrativos. Esto porque las fronteras entre el ilícito penal y administrativo son a menudo porosas, hasta el punto de que en algunos sistemas jurídicos comparados ni siquiera se reconoce la existencia de una frontera entre uno y otro tipo de ilícitos. También porque incluso en aquellos ordenamientos que, como el nuestro, sí reconocen la diferencia entre ambos tipos de ilícitos, la implementación de procesos de incriminación y desincriminación puede fácilmente generar el transvase de conductas de un sector a otro del ordenamiento sancionador. Ello explica que conductas como la práctica de la mendicidad, que constituye un comportamiento antinormativo pero sin relevancia penal salvo que se empleen menores, se haya incluido en esta categoría.

La base de datos y el cuestionario fueron elaborados durante el primer semestre de 2019. La fase de recogida de datos –que consistió en contactar a todas las entidades de la muestra invitada, obtener su consentimiento para intervenir en la investigación, y recabar los cuestionarios cumplimentados– tuvo lugar durante el segundo semestre de 2019. Finamente, el primer trimestre de 2020 se dedicó al tratamiento de los datos, realizado mediante el programa de tratamiento estadístico SPSS (versión 26, 2019).

2. Características de la muestra

Si bien la muestra invitada estuvo compuesta por las 757 EUO, se ha trabajado con una muestra real de 150 EUO, compuesta por las entidades que finalmente respondieron el cuestionario.

Por ámbito geográfico, la mayor parte de EUO integrantes de la muestra operaban en Cataluña (n=84), seguidas de Andalucía (n=15), las de ámbito estatal (n=11), Madrid, Islas Baleares y Navarra (con n=5 cada una), Aragón y Comunidad Valenciana (con n=4 cada una) (*vid.* gráfico 1).

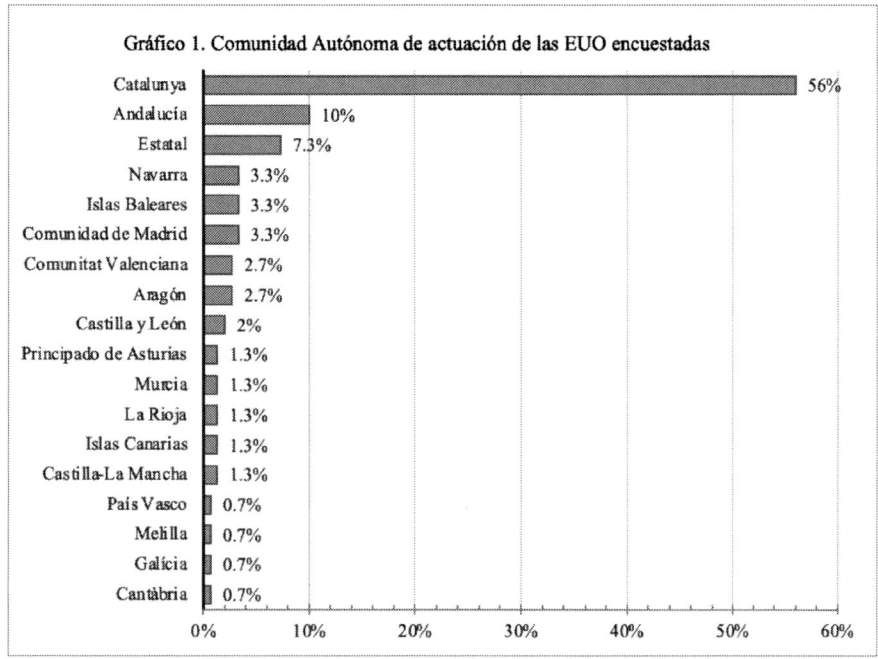

Gráfico 1. Comunidad Autónoma de actuación de las EUO encuestadas

Por ámbitos de actuación, la mayor parte de entidades encuestadas se dedicaban a la asistencia a víctimas de la TSH (n=52), a las de violencia de género y familiar (n=41), de víctimas en general (n=37), o bien se trataba de EUO policiales (n=36) y entidades de asistencia a inmigrantes (n=27) (*vid*. gráfico 2).

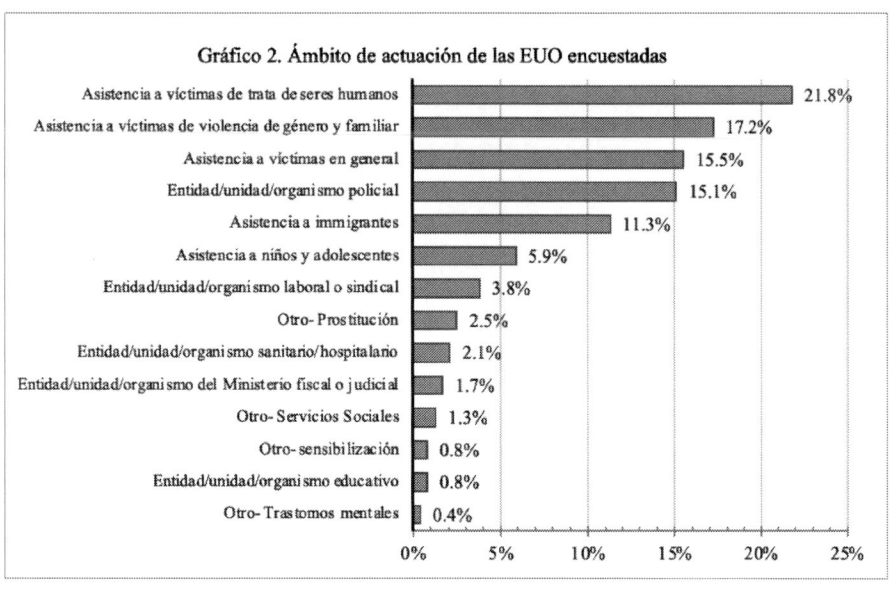

Gráfico 2. Ámbito de actuación de las EUO encuestadas

De los 150 cuestionarios cumplimentados, el 44% (n=66) se corresponden con entidades que habían detectado víctimas y que rellenaron todo el instrumento, incluyendo todas o algunas de las 4 secciones que integraban su tercera parte. Por contra, el 51% (n=77) de las entidades de la muestra indicaron que no habían detectado víctimas, mientras que en un 5% (n=7) de los casos la persona que rellenó el cuestionario en nombre de la entidad indicó que desconocía si se habían detectado víctimas, por lo que en ambos casos tales entidades rellenaron solo la primera parte del formulario online.

La muestra de EUO que ofreció información sobre victimización por TSH fue, por tanto, de 66 entidades. Por zona geográfica de actuación, cuando no estatal (n=9), la mayor parte de estas EUO procedían de Catalunya (n=21), Andalucía (n=11), Navarra (n=5), Comunidad de Madrid y Valenciana (n=4 en cada una de ellas), Castilla y León (n=3), Aragón (n=2) y, en último término Galicia, Islas Baleares, Islas Canarias, Melilla, Murcia, País Vasco y Asturias (n=1 en cada una). Por ámbito de actividad, la mayoría se dedicaban a actividades asistenciales a víctimas de TSH (n=43), a víctimas de violencia de género y familiar (n=22), a víctimas en general (n=18), a migrantes (n=16) y a niños y adolescentes (n=6). No obstante, no fue desdeñable el papel que desarrollaron en la detección las EUO policiales (n=12), siendo más testimonial el desempeñado por el Ministerio Fiscal o el ámbito judicial (n=2). La mayor parte de EUO rellenaron la sección del cuestionario correspondiente a la detección de víctimas de TSH para explotación sexual, seguido por las detectadas para explotación laboral, criminal y otras formas de explotación, en las cantidades expresadas en el gráfico 3.

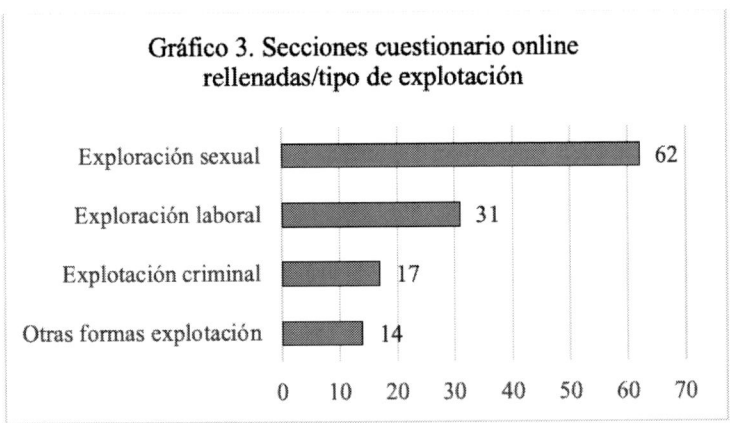

No se trata de una muestra amplia desde un punto de vista cuantitativo. Sin embargo, debe tenerse en cuenta que cada una de las EUO encuestadas ofrecía información respecto del total de víctimas que había identificado, por lo que la información revelada se refiere a un número muy superior de personas que el representado por el montante de cuestionarios cumplimentados.

III. RESULTADOS MÁS RELEVANTES DE LA INVESTIGACIÓN

Los hallazgos más importantes de este estudio se expondrán siguiendo el orden en que se han formulado los cuatro objetivos específicos en que se descomponía el genérico de abundar en el conocimiento cuantitativo del fenómeno de la TSH en España mediante la aproximación a las víctimas detectadas en el bienio 2017-2018.

1. *Víctimas detectadas frente víctimas oficialmente identificadas*

El primero de estos objetivos específicos consistía en cuantificar el número de víctimas de TSH detectadas en España en el bienio analizado, comparándolo con el de víctimas oficialmente identificadas por la policía en el mismo período.

El número de víctimas detectadas por todas las entidades que conforman la muestra fue de 7.448 (3.126 en 2017 y 4.322 en 2018). De estas, el 95,96% están clasificadas en función del tipo de TSH al que se han visto sometidas (sexual, laboral, criminal y otras formas de explotación), mientras el 4,05%, pese a haber sido detectadas, no se hallan clasificadas en función del tipo de explotación padecido (tabla 1).

Tabla 1. Víctimas TSH detectadas en España en 2017 y 2018

Víctimas detectadas en 2017 y 2018		
Víctimas clasificadas según forma de explotación	7.146	95,96%
Víctimas no clasificadas	302	4,05%
Total	**7.448**	**100%**

El número de víctimas detectadas por las EUO encuestados es sustancialmente más elevado en 2018 que en 2017. Esto se debe a que diversos entes encuestados que no rellenaron las cifras correspondientes al año 2017 sí lo hicieron respecto del 2018, probablemente porque la confección de las memorias de actividad del año 2018 era reciente en el momento de responder a la encuesta, lo que facilitó que pudiesen ofrecer datos cuantitativos más ajustados de ese año.

Cabía el riesgo de que las víctimas detectadas que habían sido reportadas por las EUO que respondieron a la encuesta fuesen doblemente computadas, puesto que no fueron identificadas individualmente. Para minimizar ese riesgo, se envió solo un cuestionario por EUO y, a su recepción, se confirmó que un solo cuestionario había sido remitido por cada entidad. Se pidió a las EUO encuestadas que, en los casos en que la misma víctima pudiese considerarse como detectada durante los dos años objeto de análisis, fuese computada únicamente en el primero de ellos. Además, en caso de que la entidad entendiese que la misma víctima había sido explotada de diversas formas, se le pedía que la computase en una sola ocasión, clasificándola en la forma de explotación que considerase más relevante para esa persona. Sin embargo, no puede descartarse que una parte del montante de víctimas haya sido computado doblemente, aspecto que debe hacerse constar como una de las limitaciones de esta estimación.

Con todo, el número de víctimas detectadas por las EUO encuestadas es muy superior al de las que constan como formalmente identificadas en los mismos dos años. Comparando los datos sobre identificaciones reportadas por el CITCO desde 2013 (tabla 2) con el número de víctimas detectadas en este estudio, se observa que frente a 458 víctimas formalmente identificadas 2017 y 2018 aquí se informa que se han detectado 7.448 víctimas en el mismo período. El número de víctimas detectadas se aproxima más al de personas que están en situación de riesgo de trata, que el CITCO cuantifica solo respecto de la trata sexual (10.111 en 2017 y 9.315 en 2018).

Tabla 2. Víctimas formalmente identificadas por CITCO por tipo de TSH

Año	Tipo de TSH					Total
	Explotación sexual	Explotación laboral	Explotación criminal	Matrimonio forzado	Mendicidad forzada	
2013	264	0	0	0	0	264
2014	153	0	0	0	0	153
2015	133	134	0	0	0	267
2016	148	25	15	4	1	193
2017	155	58	1	3	3	220
2018	128	94	3	1	12	238
2019	294	192	31	3	22	542
2020	160	99	7	3	0	269
Total	1.435	602	57	14	38	2.146

Fuente: elaboración propia a partir de los datos del CITCO

La enorme distancia objetivada en España entre el montante de víctimas reportadas como detectadas por las entidades encuestadas y las oficialmente identificadas por los cuerpos policiales, que tienen atribuida en exclusiva la competencia para identificarlas, resulta coherente con lo que muestran los datos a nivel internacional, al comparar el número de personas en situación de esclavitud[32] con el de víctimas que acceden al sistema[33]. Dicha competencia exclusiva policial la establecen tanto el art. 141 del Real Decreto 557/2011, de

---

[32]   *Vid.* ILO: *Global Estimates of Modern Slavery: Forced Labour and Forced Marriage, op. cit.,* pp. 9 y ss.

[33]   *Vid.* UNODC: *Global Report on Trafficking in Persons 2018, op. cit,* pp. 13 y ss.; UNODC: *Global Report on Trafficking in Persons 2020, op. cit,* p. 25.

20 de abril, por el que se aprueba el reglamento de la Ley Orgánica 4/2000, sobre derechos y libertades de los extranjeros en España y su integración social, como el Protocolo Marco de protección de las víctimas de trata de seres humanos de 2011. Tales resultados son también compatibles con los arrojados por una estimación reciente empleando un sistema de estimación múltiple llevada a cabo por UNODC y la Relatoría Nacional de TSH neerlandesa, que indica que el número de víctimas existentes puede multiplicar en cuatro o cinco el de las identificadas[34]. Además, esta diferencia permite apuntalar lo que ya se ha indicado por parte de los expertos, en el sentido de que la TSH que aflora al sistema puede no ser más que la punta del iceberg[35].

No obstante, aun contando con que el montante de victimización real e identificada por TSH está generalmente alejado, también es cierto que en los países que implementan sistemas de identificación que permiten a una multiplicidad de actores reportar a víctimas la distancia entre víctimas detectadas y registradas se acorta. Esto se observa atendiendo a que el número de víctimas aquí detectado no se aleja en exceso del de las registradas en el mismo bienio 2017-2018 en países más efectivos que el nuestro a la hora de detectar a víctimas precisamente por reconocérseles esa potestad a otros profesionales al margen de las agencias policiales. Así sucede con las 12.123 víctimas registradas en 2017-18 en el Reino Unido, las 1.988 en Italia o las 1.624 en Países Bajos, dado que se reconoce que la cifra de víctimas registradas puede estar todavía alejada de la cifra real de victimización[36]. De ahí puede deducirse que un cambio en la regulación del sistema español de identificación de víctimas de TSH que permitiese a otros profesionales que pueden entrar en contacto con ellas, más allá de unidades policiales especializadas, identificarlas, podría hacer que también aquí se acortase, por lo menos, la distancia entre víctimas detectadas y registradas.

---

[34]   *Vid.* UNODC y DUTCH NATIONAL RAPPORTEUR: *Monitoring target 16.2 of the United Nations Sustainable Development Goals. A multiple systems estimation of the numbers of presumed human trafficking victims in the Netherlands in 2010-2015 by year, age, gender form of exploitation and nationality. Research Brief*, 2017.

[35]   En este sentido, *vid.* ARONOWITZ, A. A.: *Human trafficking, human misery. The global trade in human beings*, Praeger, Westport-Connecticut, London, 2009, p. 20; KANGAS-PUNTA, K.: "Collecting Data on Human Trafficking. Availability, Reliability and Comparability of Trafficking Data", *op. cit.*, pp. 27-36.

[36]   *Vid.* EUROPEAN COMMISSION-MIGRATION AND HOME AFFAIRS: *Data collection on trafficking in human beings in the EU. 2020, op. cit.*, p. 10.

2. Variables socio-demográficas de las víctimas detectadas en función del tipo de TSH padecido

El segundo de los objetivos de esta investigación consistía en determinar las características de las víctimas de TSH detectadas según la forma de explotación padecida, lo que nos condujo a analizar variables como el sexo, la edad y la procedencia de las mismas relacionándolas con el tipo de explotación.

A las 7.146 víctimas detectadas y clasificadas en esta investigación se refiere la tabla 3, indicándose el tipo de explotación sufrido y estableciendo, respecto de las víctimas de las que se tiene esa información (6.942 en total, 6.672 mujeres y 270 hombres), su sexo y edad, además de indicarse el porcentaje que cada grupo de víctimas por sexo y edad representa en relación con el total de personas victimizadas por ese concreto tipo de TSH.

Tabla 3. Víctimas TSH detectadas y clasificadas en España en 2017 y 2018

Formas de trata	Número de víctimas		Edad	Mujeres		Hombres	
TSH explotación sexual	6.610	92,50%	Mayores de edad	6.054	94,24%	51	0,79%
			Menores de edad	288	4,48%	31	0,48%
TSH explotación laboral	373	5,22%	Mayores de edad	157	44,10%	150	42,13%
			Menores de edad	40	11,24%	9	2,53%
TSH explotación criminal	54	0,76%	Mayores de edad	24	45,28%	19	35,85%
			Menores de edad	3	5,66%	7	13,21%
TSH otras formas explotación	109	1,53%	Mayores de edad	91	83,49%	3	2,75%
			Menores de edad	15	13,76%	0	0,00%
Total	7.146	100%	Total	6.672	96,11%	270	3,89%

Respeto de la forma de explotación a que se las destina, la mayor parte de víctimas detectadas en esta investigación lo son de TSH para explotación sexual (92,50%) comparando con las destinadas a la explotación laboral (5,22%). Menor aún es el porcentaje de otras formas de trata con víctimas identificadas (0,76% víctimas para explotación criminal y 1,53% para otras formas de explotación) (tabla 3). Estos porcentajes tan desiguales en el número de víctimas detectadas en función de la forma de explotación constituyen un reflejo de la aproximación institucional a la trata en España, muy focalizada en la sexual, sin prestar atención hasta épocas recientes a otras formas de explotación, como se ha denunciado reiteradamente desde la academia[37], han

---

[37] Vid. VILLANUEVA, A. y FERNÁNDEZ-LLÉBREZ, F.: "La importancia de los datos de trata de seres humanos. Una aproximación al sistema de recolección de datos de víctimas de trata en España", *op. cit.*, pp. 138-139; VILLACAMPA, C. y TORRES, N.: "Trafficked Women in Prison: The Problem of Double Victimisation", *op. cit.*, p. 113; VILLACAMPA,

puesto de manifiesto entes que informan acerca de su abordaje en España[38] y muestran los propios datos del CITCO[39], aunque en su último balance estadístico presta más atención a la trata laboral de lo que lo había hecho hasta el momento.

Esta orientación tan marcada hacia un tipo de TSH no constituye una manifestación exclusiva de la aproximación española, como se deduce de algunos informes internacionales, que reconocen que se puede estar sobredimensionando este tipo de trata en demérito de otras manifestaciones que pueden ser más prevalentes[40]. Sin embargo, en España la focalización preferente en la victimización por TSH para explotación sexual es todavía más acusada que en otros países europeos, puesto que no solo el porcentaje de víctimas formalmente identificadas, sino ya el de las detectadas está sobredimensionado si se compara con los más recientes datos a nivel de la UE. Estos sitúan en el 46% en promedio el porcentaje de las personas traficadas para explotarlas sexualmente –que escalaría al 60% de no incluir los datos del Reino Unido-, frente al 22% para explotarlas laboralmente[41]. Tal constatación conduce a plantear la necesidad de dotar a los profesionales que eventualmente pueden entrar en contacto con víctimas de formación que, ampliando su foco de atención, les

---

C. y TORRES, N.: "Human Trafficking for Criminal Exploitation: the Failure to Identify Victims", *op. cit.*, p. 405; VILLACAMPA, C. y TORRES, N.: "Prevalence, dynamics and characteristics of forced marriage in Spain", *op. cit.*, p. 510; VILLACAMPA, C.: *El delito de trata de seres humanos. Una Incriminación Dictada desde el Derecho Internacional, op. cit.*, pp. 108 y ss.; VILLACAMPA, C.: "Víctimas de trata de seres humanos: su tutela a la luz de las últimas reformas penales sustantivas y procesales proyectadas", *op. cit.*, p. 27; GIMÉNEZ-SALINAS FRAMIS, A., SUSAJ, G. y REQUENA ESPADA, L.: "La dimensión laboral de la trata de seres humanos en España", *op. cit*, pp. 9, 22; MAQUEDA, M. L.: *Prostitución, feminismos y derecho penal*, Comares, Granada, 2009, pp. 49 y ss.

[38] *Vid.* GRETA: *Report concerning the implementation of the Council of Europe Convention on Action against Trafficking in Human Beings by Spain. First evaluation round, op. cit.*, p. 62; GRETA: *Report concerning the implementation of the Council of Europe Convention on Action against Trafficking in Human Beings by Spain. Second evaluation round, op. cit.*, p. 65; DEFENSOR DEL PUEBLO: *La trata de seres humanos en España: Víctimas Invisibles, op. cit.*, pp. 89 y ss.;

[39] *Vid.* CITCO: *Trata de seres humanos en España. Balance estadístico 2013-17, op. cit.*, pp. 4 y ss.; CITCO: *Trata de seres humanos en España. Balance estadístico 2014-18, op. cit.*, pp. 4 y ss.

[40] *Vid.* EUROPEAN COMMISSION-MIGRATION AND HOME AFFAIRS: *Data collection on trafficking in human beings in the EU, op. cit.*, p. 14; UNODC: *Global Report on Trafficking in Persons 2018, op. cit*, p. 10.

[41] *Vid.* EUROPEAN COMMISSION-MIGRATION AND HOME AFFAIRS: *Data collection on trafficking in human beings in the EU. 2020, op. cit.*, pp. 15-16. Igualmente, en el bienio 2015-2016, se situaban en el 56% en promedio el porcentaje de las personas traficadas para explotarlas sexualmente –ascendiendo al 65% de no incluir los datos del Reino Unido-, frente al 26% para explotarlas laboralmente. En este sentido, *vid.* EUROPEAN COMMISSION-MIGRATION AND HOME AFFAIRS: *Data collection on trafficking in human beings in the EU. 2018, op. cit.*, p. 55.

facilite la detección de víctimas de TSH más allá de las que lo son para explotación sexual.

En relación con las variables personales analizadas según el tipo de TSH, comenzando por el sexo, se observa (tabla 3) que el número de mujeres es claramente prevalente en el caso de la TSH para explotación sexual (94,24% mujeres vs. 0,79% hombres) comparándola con la TSH para explotación laboral (44,10% mujeres vs. 42,13%). En términos absolutos, el porcentaje de mujeres detectadas aquí como víctimas de TSH (96,11%) resulta desproporcionadamente superior al de hombres (3,89%), incluso comparándolo con datos a nivel europeo para el mismo bienio 2017-18, que informan de un 58% (72% sin incluir el Reino Unido) de víctimas mujeres frente a un 39% (23% sin contar el Reino Unido) de hombres, desconociéndose en un 3% de los casos el sexo de la víctima[42]. Aquí una abrumadora mayoría son mujeres adultas traficadas para explotarlas sexualmente (87,21% sobre el total de víctimas clasificadas), aunque el porcentaje de mujeres víctimas de TSH para explotación laboral no es para nada desdeñable. De hecho, en lo que a la variable sexo se refiere en relación con la TSH para explotación laboral, la literatura mayoritaria indica que el porcentaje de hombres se incrementa claramente en relación con el de mujeres[43], lo que también puede observarse en los últimos datos estadísticos publicados a nivel internacional[44] e incluso

---

[42]   *Vid.* EUROPEAN COMMISSION-MIGRATION AND HOME AFFAIRS: *Data collection on trafficking in human beings in the EU. 2020, op. cit.*, pp. 17-18. Vemos, por tanto, como en el último informe de la Comisión Europea los hombres víctimas de trata van ganando mayor protagonismo. Pues, en el bienio 2015-16, se cifró en un 68% (77% sin incluir el Reino Unido) las víctimas mujeres frente a un 32% (23% sin contar el Reino Unido) de hombres. *Vid.* EUROPEAN COMMISSION-MIGRATION AND HOME AFFAIRS: *Data collection on trafficking in human beings in the EU. 2018, op. cit.*, p. 57.

[43]   *Vid.* COCKBAIN, E. y BOWERS, K.: "Human trafficking for sex, labour and domestic servitude: how do key trafficking types compare and what are their predictors?", *op. cit.*, p. 16; VAN MEETEREN, M. y WIERING, E.: "Labour trafficking in Chinese restaurants in the Netherlands and the role of Dutch immigration policies. A qualitative analysis of investigative case files", *Crime, Law and Social Change*, núm. 72, 2019, pp. 107-124; COCKBAIN, E., BOWERS, K. y DIMITROVA, G.: "Human trafficking for labour exploitation: the results of a two-phase systematic review mapping the European evidence base and synthesizing key scientific research evidence", *op. cit.*, p. 336; TURNER-MOSS, E., ZIMMERMAN, C., HOWARD, L. M. y ORAM, S.: "Labour Exploitation and Health: A Case Series of Men and Women Seeking Post-Trafficking Services", *Journal of Immigrant and Minority Health*, 16 (3), 2014, pp. 475; JOKINEN, A., OLLUS, N. y AROMAA, K.: *Trafficking for forced labour and labour exploitation in Finland, Poland and Estonia*, 2011; RIJKEN, C.: "Challenges and Pitfalls in Combating Trafficking in Human Beings for Labour Exploitation", en RIJKEN, C. (coord.), *Combatting trafficking in human beings for labour exploitation*, Wolf Legal Publishers, Nijmegen, 2011, pp. 393-424.

[44]   *Vid.* UNODC: *Global Report on Trafficking in Persons 2018, op. cit*, pp. 28, 32; UNODC: *Global Report on Trafficking in Persons 2020, op. cit*, pp. 33, 36; EUROPEAN COMMISSION-MIGRATION AND HOME AFFAIRS: *Data collection on trafficking in human beings in the EU. 2018, op. cit.*, pp. 64-65; EUROPEAN COMMISSION-MIGRATION

estatal[45], si bien invirtiéndose la proporción en 2018 según el CITCO[46]. La excepción a esta conformación de víctima por sexo en la trata laboral se observa en la que tiene por fin la servidumbre doméstica, donde nuevamente el porcentaje de mujeres escala[47], por lo que su inclusión entre las formas de explotación laboral en esta investigación puede explicar que aquí haya un mayor equilibrio de la variable sexo entre la TSH para explotación sexual y laboral.

Lo mismo que en la TSH para explotación laboral, en la que tiene por objeto la explotación criminal de las víctimas la distribución por sexos está bastante equilibrada (45,28% mujeres frente a 35,85% hombres). En esta forma de TSH todavía poco estudiada, la investigación existente no ha analizado la incidencia del sexo como variable explicativa, aunque algunos análisis se hayan focalizado en mujeres víctimas[48]. Nuevamente, un claro desequilibrio por sexos muestran los resultados en lo que se refiere a la TSH para otras formas de explotación, entre las que se incluyen los matrimonios forzados. También aquí el porcentaje de mujeres (83,4%) y niñas (13,76%) está muy descompensado respecto del de hombres (2,75%), en coherencia con lo revelado por anteriores investigaciones[49].

Respecto a si el sexo de la víctima tiene significancia para explicar el tipo de TSH padecido, pese a que en esta investigación el hecho de haber incluido la

---

AND HOME AFFAIRS: *Data collection on trafficking in human beings in the EU. 2020*, *op. cit.*, p. 22.

[45]   *Vid.* FISCALÍA GENERAL DEL ESTADO: *Memoria elevada al Gobierno de S.M*, *op. cit.*, p. 1268.

[46]   *Vid.* CITCO: *Trata de seres humanos en España. Balance estadístico 2014-18*, *op. cit.*, pp. 8 y ss.

[47]   *Vid.* COCKBAIN, E. y BOWERS, K.: "Human trafficking for sex, labour and domestic servitude: how do key trafficking types compare and what are their predictors?", *op. cit.*, p. 16.

[48]   *Vid.* VILLACAMPA, C. y FLÓREZ, K.: "Human trafficking for criminal exploitation and participation in armed conflicts: the Colombian case", *Crime, Law and Social Change*, 69 (3), 2018, pp. 425-427; VILLACAMPA, C. y TORRES, N.: "Trafficked Women in Prison: The Problem of Double Victimisation", *op. cit.*, pp. 103-104; VILLACAMPA, C. y TORRES, N.: "Human Trafficking for Criminal Exploitation: the Failure to Identify Victims", *op. cit.*, *passim*; RACE: *Trafficking for Forced Criminal Activities and Begging in Europe. Exploratory Study and Good Practice Example*, 2015.

[49]   *Vid.* CHANTLER, K. y MCCARRY. M.: "Forced marriage, coercive control, and conducive contexts: The experiences of women in Scotland", *Violence Against Women*, 26 (1), 2019, pp. 89–109; VILLACAMPA, C.: "Forced marriage as a lived experience: Victims' voices", *International Review of Victimology*, December, 2019, p. 346; VILLACAMPA, C. y TORRES, N.: "Prevalence, dynamics and characteristics of forced marriage in Spain", *op. cit.*, p. 514; GILL, A. y ANITHA, S.: *Forced marriage. Introducing a Social Justice and Human Rights Perspective*, Zed Books, London and New York, 2011, pp. 1-24; GANGOLI, G. y CHANTLER, K.: "Protecting victims of forced marriage: Is age a protective factor?", *Feminist Legal Studies*, 17 (3), 2009, p. 269.

servidumbre doméstica entre las formas de TSH para explotación laboral pueda haber conducido a neutralizar el valor explicativo de esta variable, aún se puede observar su relevancia tanto para explicar el tipo de TSH sufrido como el que podría llegar a experimentarse.

Ciertamente, la tabla de contingencia entre la variable tipo de TSH –limitando el análisis a la trata sexual y laboral- y el sexo de la víctima por edad -variable obtenida recodificando la variable sexo, dividiéndola en función de que las víctimas fuesen menores o mayores de edad- no arrojó significación estadística [en relación con víctimas detectadas en 2017: $\chi2$ (3, $N=13$) = 0,929; $\rho=0,819$; respecto a víctimas detectadas en 2018: $\chi2(2, N=13)=0,453$; $\rho=0,797$]. No obstante, a partir de la tabla del total de víctimas de TSH detectadas y clasificadas agrupando los dos años e incluyendo las cuatro formas de trata analizadas, la variable sexo sí observa diferencias porcentuales según el tipo de TSH padecido que resultan ser estadísticamente relevantes [$\chi2$ (3) $=4,563$; $\rho=0,005$], aunque el valor V de Cramer de 0,10 indica una relación débil. Siguiendo con el análisis inferencial de la variable sexo, se realizó una ANOVA para determinar dónde se encontraban las diferencias significativas entre las cuatro formas de trata detectadas que permite concluir que la variable "víctimas mujeres mayores" está relacionada con el tipo de TSH sufrido de manera estadísticamente significativa [F (3,100)$=2,673$; $\rho=0,05$], no así el resto de variables, esto es, víctimas mujeres menores o víctimas hombres, sean menores o mayores.

Junto a este valor explicativo, se constata que el sexo también puede tener un valor predictivo del tipo de TSH padecido. Efectuada una regresión logística multinominal, considerando como variable dependiente el tipo de TSH, teniendo en cuenta factores como el mecanismo empleado para reclutar a las víctimas o el medio usado, y como covariable el sexo por edad de las víctimas y permitiendo los estadísticos del modelo afirmar que tiene una buena capacidad para discriminar entre tipos de TSH [-2 Log Likelihood = 109,5; $\chi2(36)$ = 78,59; $p < 0.000$; Nagelkerke $R2 = 0,876$], se demostró que la probabilidad de devenir víctima de TSH para explotación laboral en relación a serlo de TSH para explotación sexual es 1,133 mayor en el caso de los hombres adultos.

Menos relevante es la edad de la víctima como variable explicativa del tipo de TSH padecida. Aquí, la asociación bivariada tipo de TSH con la variable edad no arrojó resultados estadísticamente significativos [$\chi2(3)=5,488$; $\rho=0,266$], de la misma forma que tampoco lo hizo la asociación del tipo de TSH con la variable sexo por edad de la víctima, como ya se ha indicado. Tampoco la regresión logística efectuada produjo resultados de interés en relación con la edad. Con todo, la tabla 3 muestra que el porcentaje de víctimas menores de edad –solo el 22% de los cuales son menores no acompañados- es sustancialmente inferior al de adultos en todas las formas de TSH, como revelan los datos del CITCO[50] o los europeos para los bienios 2015-16[51] y 2017-2018[52]. En la TSH para explotación sexual es donde ambos grupos de víctimas se hallan más descompensados (94,6% adultos frente a 4,96% menores). El porcentaje de víctimas menores ronda el 13% en los demás casos (86,23% adultos vs. 13,77% menores en trata laboral y 86,24% adultos frente a 13,75% menores en otras formas de explotación). El único supuesto en que el porcentaje de menores escala al 18,87% frente al 81,13% de adultos es en el de TSH para explotación criminal.

Finalmente, el lugar de procedencia de las víctimas se revela también como una variable con relevancia estadística para explicar el tipo de TSH padecido [$\chi2$ (21, N=348) =38,76; ρ=0,010], aun cuando nuevamente el valor V de Cramer de 0,193 indica una relación débil. El gráfico 4 muestra las áreas de procedencia de las víctimas en función del tipo de TSH padecido. Se observa que las de trata laboral provienen en mucha mayor medida de Asia y África (en concreto, del Magreb) que las de trata para explotación sexual, que mayoritariamente proceden de América del Sur, África (Subsahariana) y Europa (del Este). En relación con las primeras, los resultados de esta investigación no coinciden con los datos oficiales en España, que apuntan a que estas víctimas proceden sobre todo de Rumanía y Portugal[53], y que apenas reportan victimización por parte de norteafricanos o asiáticos, aun cuando anteriores investigaciones sí habían apuntado a la victimización de marroquíes[54], como también reconoce la FGE[55]. En las procedencias de víctimas de TSH para explotación sexual, los resultados de esta investigación sí son más coincidentes con los de las diligencias abiertas en Fiscalía[56] y con los datos policiales[57], en que destaca la nacionalidad rumana de las víctimas, seguida por la nigeriana. En tercer término, la mayoría de las víctimas de TSH para explotación criminal son originarias de la Europa del Este, coincidiendo con lo que indican los datos policiales[58], no así anteriores investigaciones efectuadas sobre este tipo

---

[50]   Vid. CITCO: *Trata de seres humanos en España. Balance estadístico 2014-18*, op. cit., pp. 4, 8, 10 y 11.

[51]   Vid. EUROPEAN COMMISSION-MIGRATION AND HOME AFFAIRS: *Data collection on trafficking in human beings in the EU. 2018*, op. cit., pp. 58-59.

[52]   EUROPEAN COMMISSION-MIGRATION AND HOME AFFAIRS: *Data collection on trafficking in human beings in the EU. 2020*, op. cit., pp. 21-22.

[53]   Vid. CITCO: *Trata de seres humanos en España. Balance estadístico 2014-18*, op. cit., p. 9.

[54]   Vid. GIMÉNEZ-SALINAS FRAMIS, A., SUSAJ, G. y REQUENA ESPADA, L.: "La dimensión laboral de la trata de seres humanos en España", *op. cit*, pp. 13-15;

[55]   Vid. FISCALÍA GENERAL DEL ESTADO: *Memoria elevada al Gobierno de S.M*, op. cit., pp. 1268-1269.

[56]   Vid. FISCALÍA GENERAL DEL ESTADO: *Ibidem*, p. 1240.

[57]   Vid. CITCO: *Trata de seres humanos en España. Balance estadístico 2014-18*, op. cit., p. 4.

[58]   Vid. CITCO: *Ibidem*, p. 11.

de TSH en España[59], que apuntan más a África y América del Sur. Finalmente, las víctimas de otras formas de explotación proceden generalmente de África o Europa del Este, lo que coincide con los resultados arrojados por anteriores investigaciones[60].

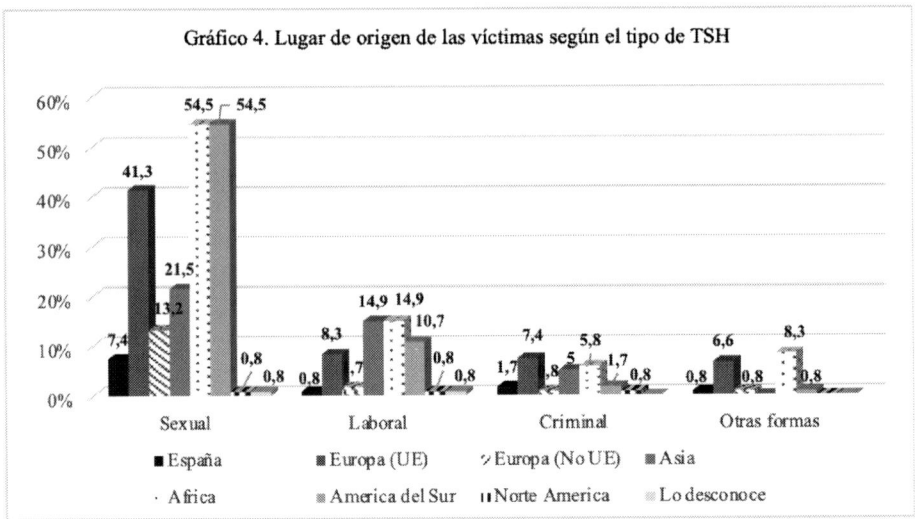

Gráfico 4. Lugar de origen de las víctimas según el tipo de TSH

En conclusión, en relación con las características personales de las víctimas y su incidencia en la forma de TSH padecida, los resultados de esta investigación confirman los de inferencias anteriores, en el sentido de que el sexo y el lugar de procedencia de las mismas, no su edad, tienen valor explicativo de la forma de TSH a que se las somete[61].

3. Diversas dinámicas comisivas para los diferentes tipos de trata

El tercer objetivo de esta investigación consistía en conocer la dinámica comisiva propia de la TSH nuevamente en función de la forma de explotación. Con dicha finalidad se preguntó para cada tipo de trata el lugar de recluta de las víctimas y el de destino, así como los mecanismos empleados para reclutarlas y los medios usados para traficar con ellas.

---

[59]   Vid. VILLACAMPA, C. y TORRES, N.: "Trafficked Women in Prison: The Problem of Double Victimisation", op. cit. pp. 104-105.

[60]   Vid. VILLACAMPA, C. y TORRES, N.: "Prevalence, dynamics and characteristics of forced marriage in Spain", op. cit., pp. 515-516.

[61]   Vid. COCKBAIN, E. y BOWERS, K.: "Human trafficking for sex, labour and domestic servitude: how do key trafficking types compare and what are their predictors?", op. cit., pp. 16-17.

El lugar de recluta de las víctimas resulta bastante coincidente con el de su origen, como se observa comparando el gráfico 5 con el 4, y difiere en función del tipo de TSH analizado de manera estadísticamente significativa [$\chi2$ (21, N=295)= 44,5 ; ρ= 0,002], aunque el valor V de Cramer de 0,224 indica de nuevo que la relación es débil. En esto, los resultados de esta investigación no coinciden con los últimos datos con que se cuenta en Europa, de los que parece desprenderse que un no desdeñable porcentaje de víctimas son captadas en este mismo continente[62]. En nuestro caso, se sigue el patrón de que las víctimas de trata laboral son mayoritariamente reclutadas en África (Magreb), aquí todavía de forma más clara que por origen, y Asia, mientras las de explotación sexual lo son sobre todo en América del Sur, África (Subsahariana) y Europa (del Este). Las de TSH para explotación criminal y otras formas de explotación son reclutadas, sobre todo, en Europa (del Este), junto a también África las que son captadas para otras formas de explotación.

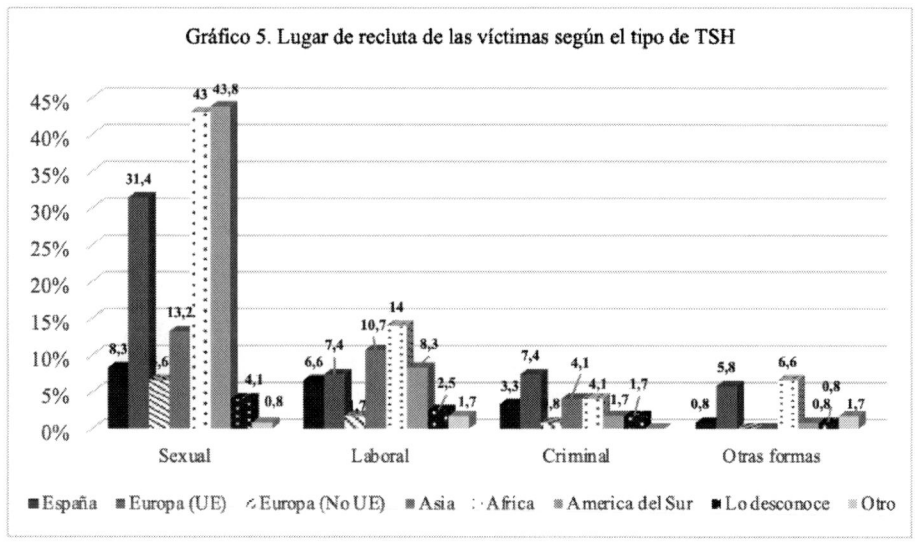

Gráfico 5. Lugar de recluta de las víctimas según el tipo de TSH

En definitiva, la coincidencia de los gráficos 4 y 5 muestra que la recluta se produce generalmente en las zonas de procedencia de las víctimas, no en los lugares en los que estas son explotadas. Esto lo confirma también otro hallazgo de esta investigación, que muestra como el lugar de destino de los tratados es mayoritariamente España, seguido de otros países de la Unión Europea (gráfico 6).

---

62   *Vid.* EUROPEAN COMMISSION-MIGRATION AND HOME AFFAIRS: *Data collection on trafficking in human beings in the EU. 2018, op. cit.,* pp. 75-76.

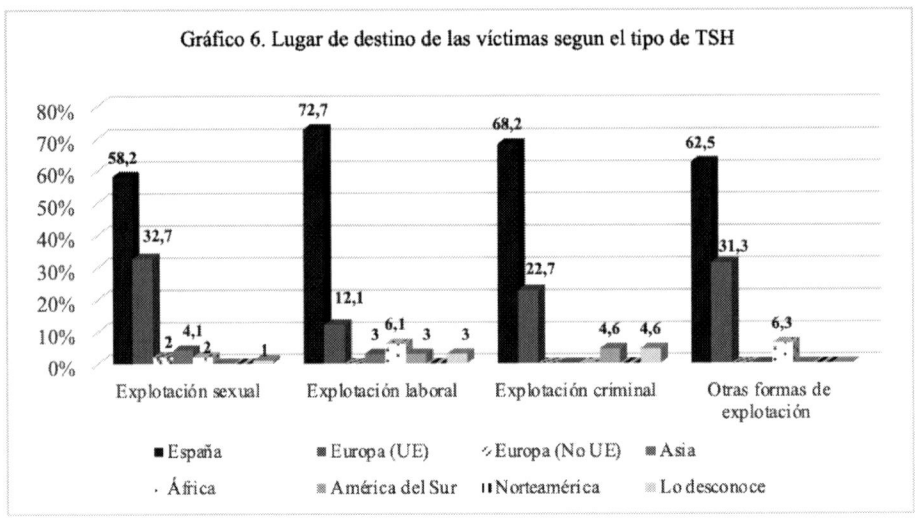

Gráfico 6. Lugar de destino de las víctimas segun el tipo de TSH

En segundo lugar, también es relevante el tipo de TSH analizado para explicar los mecanismos que se emplean por parte de los traficantes para reclutar a las víctimas. Aquí, si bien no resulta estadísticamente significativa la asociación bivariante del tipo TSH padecido –incluyendo las 4 formas analizadas- con el mecanismo empleado para reclutar a las víctimas [$\chi2$ (15, N=120) = 15,44; ρ=0,42], sí lo es cuando se compara la trata laboral con la sexual [$\chi2$ (9, N=28) = 26,046; ρ=0,002; V=0,421]. Como se observa en el gráfico 7, la forma oral de recluta por parte de familiares, amigos, conocidos es la más relevante en todas las formas de TSH, en coherencia con lo revelado por la última estadística europea[63]. Sin embargo, internet es un mecanismo de recluta empleado en la trata sexual y la criminal, no así en la laboral. Por el contrario, las agencias de colocación/trabajo temporal son una forma de recluta a la que se recurre, sobre todo, en la trata laboral, aunque también en la sexual, pero no en otras formas de TSH. De hecho, en la regresión logística efectuada se observa como, comparando la TSH para explotación laboral con sexual, la víctima de trata laboral tiene 242 veces más de probabilidad de ser reclutada mediante agencia que la de la sexual (Wald=3,763; ρ=0,05).

---

[63]   *Vid.* EUROPEAN COMMISSION-MIGRATION AND HOME AFFAIRS: *Ibidem*, p. 71.

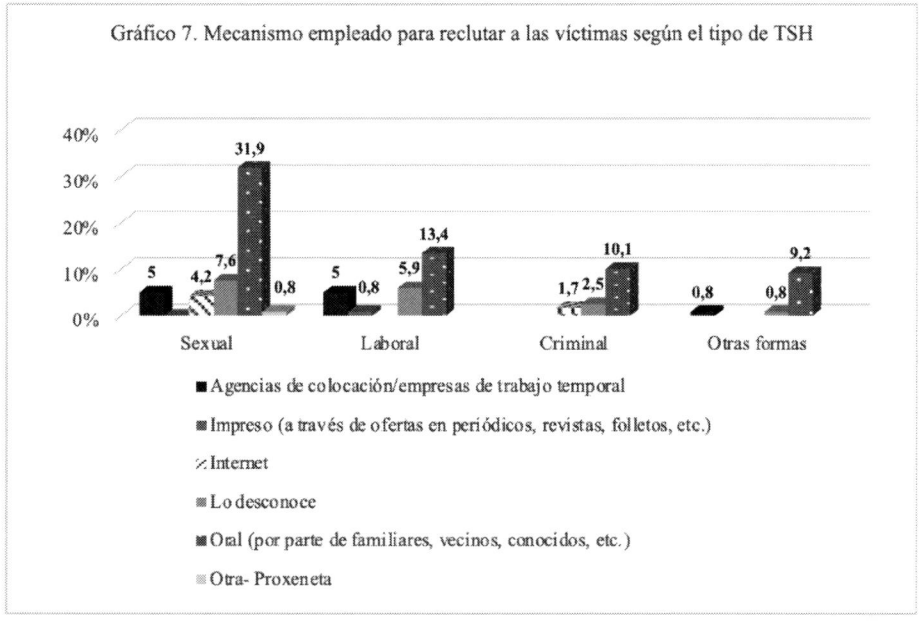

Gráfico 7. Mecanismo empleado para reclutar a las víctimas según el tipo de TSH

En último lugar, respecto del medio empleado para traficar con las víctimas, se observan también diferencias en función del tipo de TSH frente al que nos hallamos, aunque sin que la asociación bivariante resulte ser estadísticamente significativa, en este caso ni cuando se comparan las 4 formas de TSH entre sí $[(\chi2\ (12,\ N=120) = 16,043;\ \rho=0,189]$ ni cuando se comparan trata laboral y sexual $[\chi2\ (20,\ N=61) = 25,273;\ \rho=0,191]$. Pese a ello, se observa (gráfico 8) como el abuso de poder o de una situación de vulnerabilidad/necesidad de la víctima es mucho más prevalente en la TSH para explotación sexual que en el resto, adoptando la misma una naturaleza prevalente de trata abusiva. Comparativamente, en la TSH para explotación laboral se recurre mucho más al fraude o al engaño[64], con lo que constituye una forma de trata fundamentalmente fraudulenta. Finalmente, en la TSH para explotación criminal, el fraude y el engaño e incluso la amenaza son medios más usados que el abuso de poder, y en las otras formas de explotación se considera tan prevalente como el abuso de poder el recurso a la amenaza o la coacción.

---

[64]   En este sentido, *vid.* ACCEM: *La Trata de Personas con Fines de Explotación Laboral. Un estudio de aproximación a la realidad en España*, 2006, pp. 78-79; GIMÉNEZ-SALINAS FRAMIS, A., SUSAJ, G. y REQUENA ESPADA, L.: "La dimensión laboral de la trata de seres humanos en España", *op. cit*, pp. 16-17.

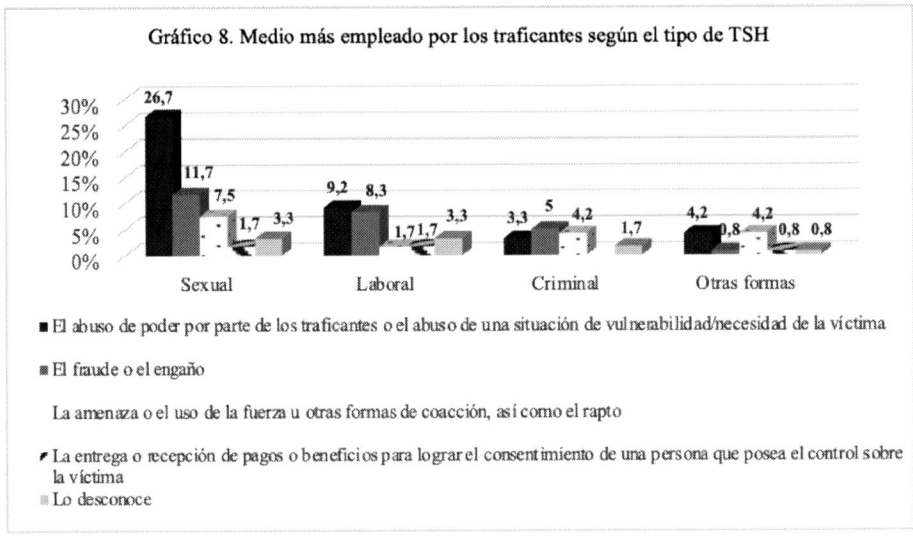

Gráfico 8. Medio más empleado por los traficantes según el tipo de TSH

4. ¿Cómo se explota a las víctimas en las formas de TSH analizadas?

El último de los objetivos de la investigación consistía en conocer cómo finaliza el proceso, cómo se explota a las víctimas en cada una de las modalidades de TSH analizadas. Tal extremo se ha analizado con la principal finalidad de identificar frente a qué tipo de TSH nos hallábamos, sin que el análisis de estos casos haya sido lo suficientemente detallado como para permitir discriminar en cuáles de ellos la explotación se ha producido en condiciones de esclavitud o asimilables a ella y en cuáles nos hallamos frente a supuestos menos severos de explotación de las víctimas.

Comenzando por la TSH para explotación sexual, se constata que las víctimas detectadas son sobre todo explotadas para prostitución en clubes o pisos (40%), seguida de prostitución callejera (34%) y de explotación en clubes y bares de strippers (13%) (gráfico 9). Apenas se detectan víctimas en la industria de la pornografía, incluida entre las otras posibles formas de explotación sexual. No resulta sorprendente que la forma de explotación sexual percibida como más prevalente por los profesionales sea la prostitución en sus diversas formas, puesto que ha sido precisamente la voluntad de criminalizar su ejercicio lo que ha impulsado políticamente en España la incriminación de la TSH[65]. No obstante, dado que se considera que la pornografía puede estarse convir-

---

[65]   Vid. MAQUEDA, M. L.: *Prostitución, feminismos y derecho penal, op. cit.*, pp. 49 y ss.; VILLACAMPA, C.: *El delito de trata de seres humanos. Una Incriminación Dictada desde el Derecho Internacional, op. cit.*, p. 367.

tiendo en una industria globalmente muy relevante para explicar la explotación sexual de las personas[66], que en España se continúe identificando la trata sexual prácticamente solo con prostitución puede conducir a que otras formas de explotación sexual de adultos y menores permanezcan ocultas.

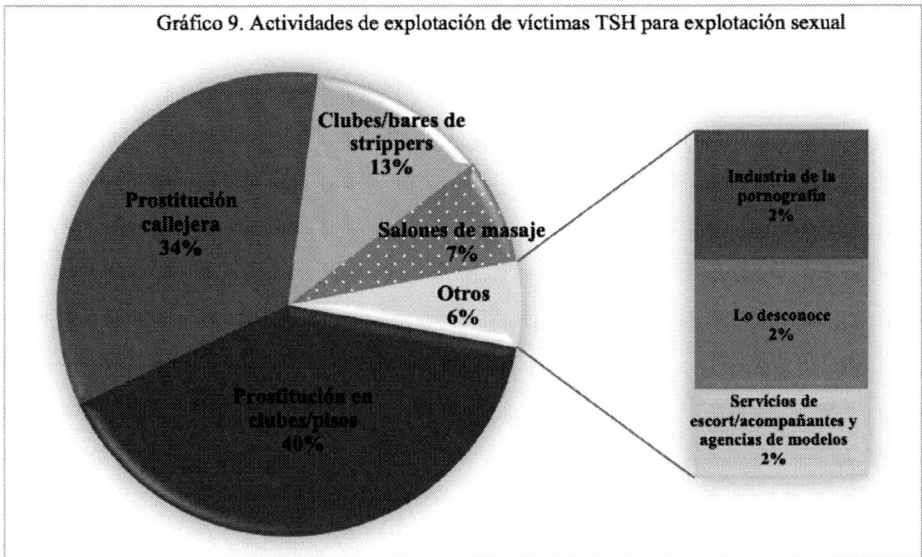

Gráfico 9. Actividades de explotación de víctimas TSH para explotación sexual

En segundo término, las víctimas de trata para explotación laboral detectadas (gráfico 10) son sobre todo explotadas en la agricultura/ganadería (28%) y en el servicio doméstico (28%), como actividades de explotación laboral más relevantes seguidas muy de lejos por la explotación en la construcción, industria textil, restauración y comercios/venta al por menor. Estos resultados coinciden con lo apuntado por la FGE[67], no así con investigaciones anteriores efectuadas en España, que apenas dotaban de relevancia a efectos de explotación laboral al sector agrícola[68].

66   *Vid.* HUMPHREYS, K., LE CLAIR, B. y HICKS, J.: "Intersections between Pornography and Human Trafficking: Training Ideas and Implications", *Journal of Counselor Practice*, 10 (1), 2019, pp. 19, 24 y ss.

67   *Vid.* FISCALÍA GENERAL DEL ESTADO: *Memoria elevada al Gobierno de S.M*, op. cit., p. 1269.

68   *Vid.* ACCEM: *La Trata de Personas con Fines de Explotación Laboral. Un estudio de aproximación a la realidad en España*, op. cit., p. 96; GIMÉNEZ-SALINAS FRAMIS, A., SUSAJ, G. y REQUENA ESPADA, L.: "La dimensión laboral de la trata de seres humanos en España", *op. cit*, pp. 17-19.

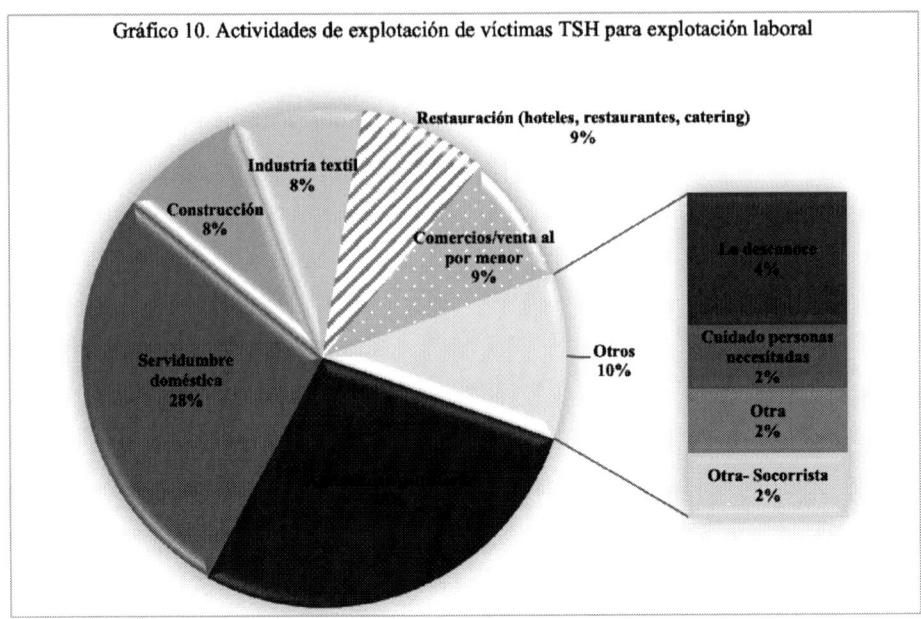

Gráfico 10. Actividades de explotación de víctimas TSH para explotación laboral

Para abundar en el conocimiento de la trata laboral, se preguntó a los profesionales encuestados cuál fue la forma más habitual en que concretamente se articuló la explotación laboral de las víctimas. Generalmente (gráfico 11) se hizo pagando a los explotados un salario muy por debajo de lo normal (33%) y mediante su aislamiento social (33%). Cabe destacar como la siguiente respuesta más escogida fue que se desconocía cómo se produce este tipo de explotación (22%), lo que demuestra que, efectivamente, nos hallamos ante una forma de TSH y de explotación respecto de la que ni siquiera los profesionales más próximos tienen un conocimiento profundo.

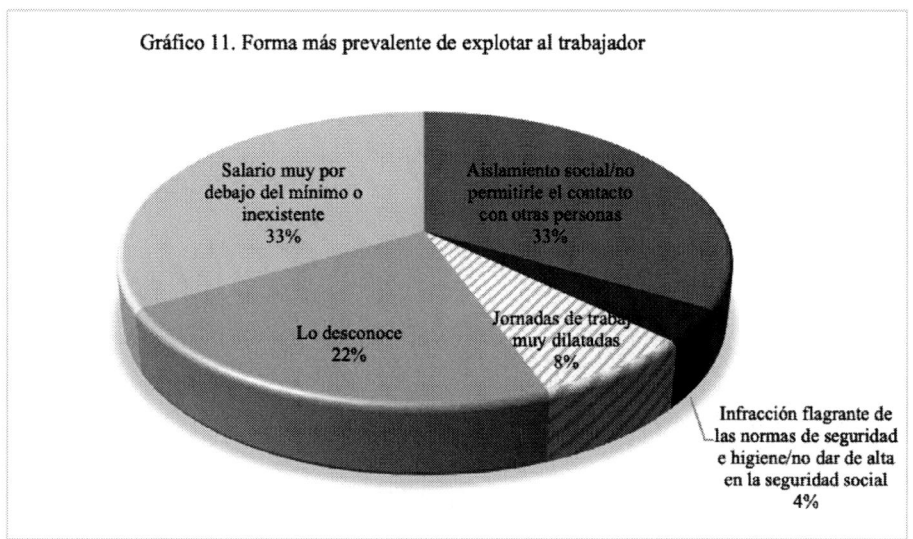

Gráfico 11. Forma más prevalente de explotar al trabajador

Salario muy por debajo del mínimo o inexistente 33%

Aislamiento social/no permitirle el contacto con otras personas 33%

Lo desconoce 22%

Jornadas de trabajo muy dilatadas 8%

Infracción flagrante de las normas de seguridad e higiene/no dar de alta en la seguridad social 4%

En tercer lugar, las víctimas de trata para explotación criminal detectadas normalmente son explotadas haciéndolas intervenir en delincuencia patrimonial callejera (31,4%) y mendicidad forzada (31,4%) (gráfico 12). Intervienen en menor medida en conductas relacionas con el tráfico de drogas en general, tanto en las de producción o cultivo como adoptando el rol de correos o mulas, lo que contrasta con los hallazgos de anteriores investigaciones, que apuntan en sentido contrario[69].

---

[69]   *Vid.* VILLACAMPA, C. y TORRES, N.: "Trafficked Women in Prison: The Problem of Double Victimisation", *op. cit.*, pp. 109-110; RACE: *Trafficking for Forced Criminal Activities and Begging in Europe. Exploratory Study and Good Practice Example, op. cit.*, pp. 5 y ss.

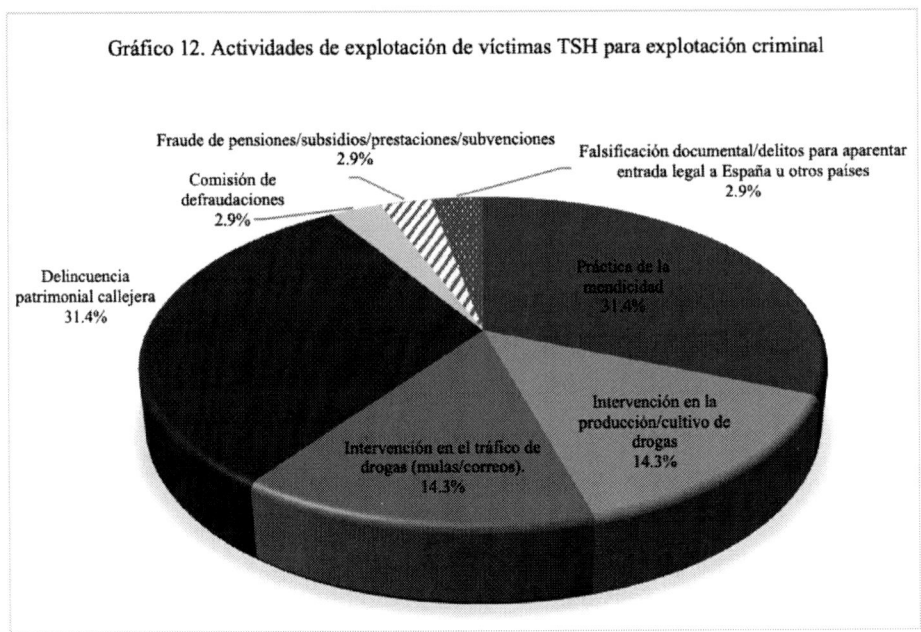

Gráfico 12. Actividades de explotación de víctimas TSH para explotación criminal

En último lugar, las otras formas de explotación detectadas agrupadas en la cuarta forma de TSH analizada hacen fundamentalmente referencia al matrimonio forzado (78,6%). De forma mucho más testimonial incluyen supuestos de donación forzada de órganos (14,3%) o gestación forzada (7,1%).

IV. REFLEXIONES CONCLUSIVAS Y PROPUESTAS DE FUTURO

Mucho se necesita hacer todavía en España, pero también en otros países de nuestro entorno, en términos de recopilación y tratamiento estadístico de datos cuantitativos para mejorar el conocimiento que tenemos de la TSH. Debe caminarse hacia la implementación de metodologías que conduzcan no solo a la recogida unificada de datos que haga posible su comparabilidad al menos a nivel europeo, sino que además permita obtener información acerca de características personales de las víctimas más allá de su sexo, edad u origen, y de las formas en que se opera este proceso de victimización[70]. En definitiva, con carácter general debemos ser capaces de contar con datos que puedan conducir a obtener un conocimiento estadístico robusto de esta realidad[71]. A esto se

---

[70]   *Vid.* EUROPEAN COMMISSION-MIGRATION AND HOME AFFAIRS: *Data collection on trafficking in human beings in the EU, op. cit.,* p. 33.

[71]   *Vid.* COCKBAIN, E. y BOWERS, K.: "Human trafficking for sex, labour and domestic servitude: how do key trafficking types compare and what are their predictors?", *op. cit.,* p. 11.

añade en España la necesidad de que la información se obtenga centralizadamente, que se nutra a través de canales que trasciendan los de la identificación formal de las víctimas por parte de determinadas agencias policiales y, sobre todo, que los datos obtenidos puedan explotarse estadísticamente para sacarles mayor rendimiento, sobre todo en términos del diseño de herramientas de prevención e intervención adecuadas frente a la trata. En este sentido, en una eventual futura ley integral contra la trata de seres humanos y la esclavitud deberían establecerse los mecanismos y dotar las estructuras que permitiesen la obtención de dichos datos. Parece que precisamente en esa dirección apuntan las líneas de actuación incluidas en la prioridad 5 del Plan Estratégico Nacional contra la Trata y la Explotación de Seres Humanos 2021-2023 (PENTRA), presentado públicamente el 12 de enero de 2022.

Mientras eso no suceda, el estudio aquí presentado ha pretendido ofrecer una aproximación más completa a esta realidad que la proporcionada por los datos de victimización oficial. En relación con los objetivos que perseguía la investigación, en primer término, se ha demostrado que el número de víctimas detectadas en el período temporal analizado es muy superior al de las formalmente identificadas, acercándose más al de las registradas en otros países de nuestro entorno. Esto, además de reforzar la idea de que las víctimas identificadas pueden constituir solo la punta del iceberg, apoya la necesidad de operar una transformación en los mecanismos de identificación victimal en España, o cuanto menos de registro o detección formal de víctimas, cuya atribución debería dejar de hacerse en exclusiva a determinados cuerpos policiales, como indican el mencionado Real Decreto 557/2011 y el actual Protocolo marco de protección de víctimas de trata de seres humanos de 2011. También profesionales de los ámbitos asistencial, sanitario o educativo, así como otros grupos profesionales que pueden entrar en contacto con víctimas de TSH, deberían poder convertirse en entes a los que se reconociese la posibilidad de registrar víctimas y, eventualmente, de recopilar sus datos. Tal sistema de identificación más abierto a las aportaciones de otros profesionales que se hallan en tanta o mejor posición que agentes policiales para detectar a las víctimas de trata –profesionales de servicios sociales, de atención a la salud, inspectores de trabajo, entre otros- debería contemplarse en una futura ley integral contra la trata de seres humanos y la esclavitud en caso de que esta fuese aprobada. Desgraciadamente, no parece que entre las líneas de actuación contempladas en el mencionado PENTRA se prevea una modificación sustancial del sistema policial de identificación de víctimas actualmente vigente en España.

En segundo término, en relación con las variables personales de las víctimas medidas, ha podido observase que en España se sigue sobredimensionando, no solo a nivel de las víctimas formalmente identificadas -aspecto que afortunadamente va superándose paulatinamente-, sino ya de las informalmente detectadas, la victimización de mujeres por TSH para explotación sexual. Tal constatación debería conducir a la implementación de programas formativos para profesionales que les permitiesen ampliar la perspectiva, abrir el foco de atención que les capacitase para identificar también a víctimas de otros tipos de TSH y no solo a mujeres. Esto debería también tener traslación legislativa, de manera que una futura ley integral contra la trata de seres humanos, de formularse, dejase de una vez por todas de hallarse fundamentalmente centrada en la trata sexual, abordando este fenómeno en su integridad, y no solamente en lo que al proceso que conduce a la esclavitud se refiere, sino también en relación con la esclavización misma. Parece que este camino puede haber comenzado a transitarse definitivamente mediante la adopción del PENTRA, que incide en la necesidad de formar a los profesionales en esta realidad, además de demandar que se incrimine esta severa manifestación de la explotación humana. Lo que resulta todavía más evidente mediante la aprobación, el pasado 10 de diciembre de 2021, del Plan de Acción Nacional contra el Trabajo Forzoso: Relaciones laborales obligatorias y otras actividades humanas forzadas, supuestamente derivado de dicho Plan Estratégico.

Finalmente, pese al sesgo que presenta la información sobre víctimas reportada por profesionales con su personal visión sobre la cuestión, se ha confirmado que las características personales de las mismas, sobre todo el sexo y el lugar de procedencia –no así la edad- son relevantes para explicar el tipo de TSH sufrida. Además, se ha evidenciado que las dinámicas comisivas empleadas varían en función del tipo de TSH frente al que nos hallamos, de manera que la trata laboral es más fraudulenta que la sexual –de carácter preferentemente abusivo-, mientras que en otras formas de explotación se recurre en mayor medida a medios coactivos, así como que los mecanismos empleados para reclutar a las víctimas y las áreas geográficas de recluta –que coinciden con las de origen- varían también en función del tipo de TSH. Por último, se han identificado como actividades de explotación más relevantes de las víctimas la prostitución en sus diversas manifestaciones en la TSH para explotación sexual, la actividad agropecuaria y la servidumbre doméstica en la trata laboral o la delincuencia patrimonial callejera en la trata para explotación criminal. Las referidas diferencias en los perfiles victimales y en las dinámicas de comisión en función del tipo de TSH, lo mismo que las actividades en que principalmente se explota a las víctimas, deberían ser tenidas en cuenta, además de continuarse abundado en su conocimiento, para diseñar programas de prevención e intervención adecuados a cada uno de los tipos de TSH analizados, aspecto del que parece también haberse hecho eco el Plan Estratégico Nacional contra la Trata y la Explotación de Seres Humanos.

V. BIBLIOGRAFÍA

ACCEM: *La Trata de Personas con Fines de Explotación Laboral. Un estudio de aproximación a la realidad en España*, 2006. Disponible en: https://www.accem.es/wp-content/uploads/2017/07/trata.pdf. (últ. consulta 4 de octubre de 2021).

ANDREES, B. y VAN DER LINDEN, MARISKA N. J.: "Designing Trafficking Research from a Labour Market Perspective: The ILO Experience", *International Migration,* 43 (1-2), 2005, pp. 55-73. https://doi.org/10.1111/j.0020-7985.2005.00312.x

AROMAA, K.: "Trafficking in Human Beings. Uniform definitions for Better Measuring and for Effective Counter-Measures", en SAVONA, E. U. y STEFANIZZI, S. (coords.), *Measuring Human Trafficking. Complexities and Pitfalls,* Sage/Ispac, New York, 2007.

ARONOWITZ, A. A.: *Human trafficking, human misery. The global trade in human beings*, Praeger, Westport-Connecticut, London, 2009.

BALES, K., HESKETH, O. y SILVERMAN, B.: "Modern Slavery in the UK: How many victims?", *Significance,* 12 (3), 2015. https://doi.org/10.1111/j.1740-9713.2015.00824.x.

BALES, K., TRODD, Z. y WILLIAMSON, A. K.: *Modern Slavery. The Secret World of 27 million people*, Oneworld, Oxford, 2009.

BALES, K.: "Unlocking the Statistics of Slavery", *Chance,* 30 (3), 2017, pp. 5-12. https://doi.org/10.1080/09332480.2017.1383105.

CHANTLER, K. y MCCARRY. M.: "Forced marriage, coercive control, and conducive contexts: The experiences of women in Scotland", *Violence Against Women,* 26 (1), 2019, pp. 89–109. https://doi.org/10.1177/1077801219830234.

CHO, S.: "Modelling for determinants of human trafficking: An empirical analysis", *Social Inclusion,* 3 (1), 2015, pp. 2-21. http://dx.doi.org/10.17645/si.v3i1.125.

CITCO: *Trata de seres humanos en España. Balance estadístico 2013-17*, Ministerio del Interior, Secretaría de Estado de Seguridad, Madrid, 2018.

CITCO: *Trata de seres humanos en España. Balance estadístico 2014-18*, Ministerio del Interior, Secretaría de Estado de Seguridad, Madrid, 2019.

CITCO: *Trata de seres humanos en España. Balance estadístico 2015-19*, Ministerio del Interior, Secretaría de Estado de Seguridad, Madrid, 2020.

CITCO: *Trata de seres humanos en España. Balance estadístico 2016-20*, Ministerio del Interior, Secretaría de Estado de Seguridad, Madrid, 2021.

COCKBAIN, E. y BOWERS, K.: "Human trafficking for sex, labour and domestic servitude: how do key trafficking types compare and what are their predictors?", *Crime, Law and Social Change,* 72 (1), 2019, pp. 9-34. https://doi.org/10.1007/s10611-019-09836-7.

COCKBAIN, E., BOWERS, K. y DIMITROVA, G.: "Human trafficking for labour exploitation: the results of a two-phase systematic review mapping the European evidence base and synthesizing key scientific research evidence", *Journal of Experimental Criminology,* 14 (3), 2018, pp. 319-360. https://doi.org/10.1007/s11292-017-9321-3.

DEFENSOR DEL PUEBLO: *La trata de seres humanos en España: Víctimas Invisibles*, 2012. Disponible en: https://www.defensordelpueblo.es/wp-content/uploads/2015/05/2012-09-Trata-de-seres-humanos-en-

Espa%C3%B1a-v%C3%ADctimas-invisibles-ESP.PDF. (últ. consulta 4 de octubre de 2021)

DI NICOLA, A.: "Research into human trafficking: Issues and problems", en LEE, M. (coord.), *Human Trafficking,* Routledge, London and New York, 2007, pp. 49-72.

EUROPEAN COMMISSION-MIGRATION AND HOME AFFAIRS: *Data collection on trafficking in human beings in the EU. 2018,* Publications Office of the European Union, Luxembourg, 2018. Disponible en: https://ec.europa.eu/home-affairs/sites/homeaffairs/files/what-we-do/policies/european-agenda-security/20181204_data-collection-study.pdf. (últ. consulta 4 de octubre de 2021)

EUROPEAN COMMISSION-MIGRATION AND HOME AFFAIRS: *Data collection on trafficking in human beings in the EU. 2020,* Publications Office of the European Union, Luxembourg, 2020. Disponible en: https://ec.europa.eu/anti-trafficking/sites/default/files/study_on_data_collection_on_trafficking_in_human_beings_in_the_eu.pdf. (últ. consulta 4 de octubre de 2021)

EUROSTAT: *Trafficking in human beings. 2013 edition*, Publications Office of the European Union, Luxembourg, 2013. Disponible en: https://ec.europa.eu/eurostat/documents/3888793/5856833/KS-RA-13-005-EN.PDF/a6ba08bb-c80d-47d9-a043-ce538f71fa65. (últ. consulta 4 de octubre de 2021)

EUROSTAT: *Trafficking in human beings. 2014 edition*, Publications Office of the European Union, Luxembourg, 2014. Disponible en: https://ec.europa.eu/eurostat/documents/3888793/5858781/KS-TC-14-008-EN.PDF/3c9da893-54a6-41c7-b3b8-8aba03ef2595. (últ. consulta 4 de octubre de 2021)

EUROSTAT: *Trafficking in human beings. 2015 edition*, Publications Office of the European Union, Luxembourg, 2015. Disponible en: https://ec.europa.eu/eurostat/documents/3888793/6648090/KS-TC-14-008-EN-1.pdf/b0315d39-e7bd-4da5-8285-854f37bb8801. (últ. consulta 4 de octubre de 2021)

FARELL, A., OWENS, C. y MCDEVITT, J.: "New laws but few cases: understanding the challenges to the investigation and prosecution of human trafficking cases", *Crime, Law and Social Change,* 61 (2), 2014, pp. 139-168. https://doi.org/10.1007/s10611-013-9442-1.

FARRELL, A. y DE VRIES, I.: "Measuring the Nature and Prevalence of Human Trafficking", en WINTERDYK, J. y JONES, J. (coords.), *The Palgrave International Handbook of Human Trafficking,* Palgrave Macmillan, London, 2020, pp. 147-162.

FARRELL, A., MCDEVITT, J. y FAHRY, S.: "Where are all the victims? Understanding the determinants of official identification of human trafficking incidents", *Criminology and Public Policy,* 9 (2), 2010, pp. 201-233. https://doi.org/10.1111/j.1745-9133.2010.00621.x.

FGE: *Memoria elevada al Gobierno de S.M,* 2019. Disponible en: https://www.fiscal.es/memorias/memoria2019/FISCALIA_SITE/index.html. (últ. consulta 4 de octubre de 2021).

FGE: *Memoria elevada al Gobierno de S.M,* 2021. Disponible en: https://www.fiscal.es/memorias/memoria2021/Inicio.html. (ult. consulta 4 de octubre de 2021).

GANGOLI, G. y CHANTLER, K.: "Protecting victims of forced marriage: Is age a protective factor?", *Feminist Legal Studies,* 17 (3), 2009, pp. 267–288. https://doi.org/10.1007/s10691-009-9132-7.

GILL, A. y ANITHA, S.: *Forced marriage. Introducing a Social Justice and Human Rights Perspective*, Zed Books, London and New York, 2011.

GIMÉNEZ-SALINAS FRAMIS, A., SUSAJ, G. y REQUENA ESPADA, L.: "La dimensión laboral de la trata de seres humanos en España", *Revista Electrónica de Ciencia Penal y Criminología*, 11 (4), 2009, pp. 1-25.

GOZDZIAK, E. M. y BUMP, M. N.: *Data and Research on Human Trafficking: Bibliography of Research Based Literature*, Georgetown University, Washington D.C., 2008.

GRETA: *9th General Report on GRETA's Activities covering the period from 1 January to 31 December 2019*, Council of Europe, Strasbourg, 2020. Disponible en: https://rm.coe.int/9th-general-report-on-the-activities-of-greta-covering-the-period-from/16809e169e. (últ. consulta 4 de octubre de 2021)

GRETA: *8th General report on GRETA'S Activities. Covering the period from 1 January to 31 December 2018*, Council of Europe, Strasbourg, 2019. Disponible en: https://rm.coe.int/8th-/168094b073. (últ. consulta 4 de octubre de 2021)

GRETA: *Report concerning the implementation of the Council of Europe Convention on Action against Trafficking in Human Beings by Spain. First evaluation round*, Council of Europe, Strasbourg, 2013. Disponible en: https://rm.coe.int/greta-2013-16-fgr-esp-public-en/168071c836. (últ. consulta 4 de octubre de 2021)

GRETA: *Report concerning the implementation of the Council of Europe Convention on Action against Trafficking in Human Beings by Spain. Second evaluation round*, Council of Europe, Strasbourg, 2018. Disponible en: https://rm.coe.int/greta-2018-7-frg-esp-en/16808b51e0. (últ. consulta 4 de octubre de 2021)

HOME OFFICE: *Trafficking for the purposes of labour exploitation: A literature review*, Home Office, London, 2007.

HUMPHREYS, K., LE CLAIR, B. y HICKS, J.: "Intersections between Pornography and Human Trafficking: Training Ideas and Implications", *Journal of Counselor Practice*, 10 (1), 2019, pp. 19–39. https://doi.org/10.22229/ibp1012019.

ILO: *Global Estimates of Modern Slavery: Forced Labour and Forced Marriage*, International Labour Office, Geneva, 2017. Disponible en: https://www.ilo.org/wcmsp5/groups/public/—-dgreports/—-dcomm/documents/publication/wcms_575479.pdf. (últ. consulta 4 de octubre de 2021)

JOKINEN, A., OLLUS, N. y AROMAA, K.: *Trafficking for forced labour and labour exploitation in Finland, Poland and Estonia*, 2011. Disponible en: https://www.heuni.fi/en/index/publications/heunireports/reportseries68.traffickingforforcedlabourandlabourexploitationinfinlandpolandandestonia.html. (últ. consulta 4 de octubre de 2021)

KANGASPUNTA, K.: "Collecting Data on Human Trafficking. Availability, Reliability and Comparability of Trafficking Data", en SAVONA, E. U. y STEFANIZZI, S. (coords.), *Measuring Human Trafficking. Complexities and Pitfalls*, Sage/Ispac, New York, 2007, pp. 27-36.

KAYE, J., WINTERDYK, J. y QUARTERMAN, L.: "Beyond criminal justice. A case study of responding to human trafficking in Canada", *Canadian Journal of Criminology and Criminal Justice*, 56 (1), 2014, pp. 23-48. https://doi.org/10.3138/cjccj.2012.E33.

KELLY, L.: "You can find anything you want": A critical reflection on research on trafficking in persons within and into Europe", *International Migration,* núm. 43, 2005, pp. 235-265. https://doi.org/10.1111/j.0020-7985.2005.00319.x.

LACZKO, F.: "Introduction", en LACZKO, F. Y GOZDZIAK, E. (coords.), *Data and research on human trafficking: A global survey,* International Organization for Migratio, Geneva, 2005, pp. 5-16.

MACY, R. J. y GRAHAM, L. M.: "Identifying domestic and international sex trafficking victims during human service provision", *Trauma, Violence and Abuse,* 13 (2), 2012, pp. 59-76. https://doi.org/10.1177/1524838012440340.

MAQUEDA, M. L.: *Prostitución, feminismos y derecho penal,* Comares, Granada, 2009.

RACE: *Trafficking for Forced Criminal Activities and Begging in Europe. Exploratory Study and Good Practice Example,* 2015. Disponible en: http://www.antislavery. org/wp-content/uploads/2017/01/trafficking_for_forced_criminal_activities_and_ begging_in_europe.pdf. (últ. consulta 4 de octubre de 2021)

RIJKEN, C.: "Challenges and Pitfalls in Combating Trafficking in Human Beings for Labour Exploitation", en RIJKEN, C. (coord.), *Combatting trafficking in human beings for labour exploitation,* Wolf Legal Publishers, Nijmegen, 2011, pp. 393-424.

SCARPA, S.: *Trafficking in Human Beings,* Oxford University Press, New York, 2008. https://doi.org/10.1093/acprof:oso/9780199541904.001.0001.

TURNER-MOSS, E., ZIMMERMAN, C., HOWARD, L. M. y ORAM, S.: "Labour Exploitation and Health: A Case Series of Men and Women Seeking Post-Trafficking Services", *Journal of Immigrant and Minority Health,* 16 (3), 2014, pp. 473-480. https://doi.org/10.1007/s10903-013-9832-6.

TYLDUM, G. y BRUNOVSKIS, A.: "Describing the Unobserved: Methodological Challenges in Empirical Studies on Human Trafficking", en LACZKO, F. y GOZDZIAK, E. (coords.), *Data and research on human trafficking: A global survey,* International Organization for Migration, Geneva, 2005, pp. 17-34.

TYLDUM, G., TVEIT, M. y BRUNOVSKIS, A.: *Taking Stock. A Review of the Existing Research on Trafficking for Sexual Exploitation,* Fafo, Oslo, 2005. Disponible en: https://fafo.no/en/publications/fafo-reports/item/taking-stock. (últ. consulta 4 de octubre de 2021)

UNODC y DUTCH NATIONAL RAPPORTEUR: *Monitoring target 16.2 of the United Nations Sustainable Development Goals. A multiple systems estimation of the numbers of presumed human trafficking victims in the Netherlands in 2010-2015 by year, age, gender form of exploitation and nationality. Research Brief,* 2017. Disponible en: https://www.unodc.org/documents/research/UNODC-DNR_research_brief.pdf. (últ. consulta 4 de octubre de 2021)

UNODC: *Global Report on Trafficking in Persons 2018,* United Nations, New York, 2018. Disponible en: https://www.unodc.org/documents/data-and-analysis/glotip/2018/GLOTiP_2018_BOOK_web_small.pdf. (últ. consulta 4 de octubre de 2021)

UNODC: *Global Report on Trafficking in Persons 2020,* United Nations, New York, 2020. Disponible en: https://www.unodc.org/documents/data-and-analysis/tip/2021/GLOTiP_2020_15jan_web.pdf. (últ. consulta 4 de octubre de 2021)

VAN DIJK, J. y CAMPISTOL, C.: "Work in progress: international statistics on human trafficking", en PIOTROWICZ, R., RIJKEN, C. y UHL, B. H. (eds.), *Routledge Handbook of Human Trafficking*, Routledge, London and New York, 2018, pp. 381-394.

VAN MEETEREN, M. y WIERING, E.: "Labour trafficking in Chinese restaurants in the Netherlands and the role of Dutch immigration policies. A qualitative analysis of investigative case files", *Crime, Law and Social Change*, núm. 72, 2019, pp. 107-124. https://doi.org/10.1007/s10611-019-09853-6.

VILLACAMPA, C. y FLÓREZ, K.: "Human trafficking for criminal exploitation and participation in armed conflicts: the Colombian case", *Crime, Law and Social Change,* 69 (3), 2018, pp. 421-445. https://doi.org/10.1007/s10611-017-9765-4.

VILLACAMPA, C. y TORRES, N.: "Prevalence, dynamics and characteristics of forced marriage in Spain", *Crime, Law and Social Change*, December, 2019, pp. 509-529. https://doi.org/10.1007/s10611-019-09881-2.

VILLACAMPA, C. y TORRES, N.: "Human Trafficking for Criminal Exploitation: the Failure to Identify Victims", *European Journal of Criminal Policy and Research*, 23 (3), 2017, pp. 393-408. https://doi.org/10.1007/s10610-017-9343-4.

VILLACAMPA, C. y TORRES, N.: "Trafficked Women in Prison: The Problem of Double Victimisation", *European Journal of Criminal Policy and Research*, 21 (1), 2015, pp. 99-115. https://doi.org/10.1007/s10610-014-9240-z.

VILLACAMPA, C., GÓMEZ, M.J., TORRES, C. y MIRANDA, X.: "Trata de seres humanos: dimensión y características en España", *Revista General de Derecho Penal*, núm. 35, 2021.

VILLACAMPA, C.: "Forced marriage as a lived experience: Victims' voices", *International Review of Victimology*, December, 2019, pp. 344-367. https://doi.org/10.1177/0269758019897145.

VILLACAMPA, C.: "Víctimas de trata de seres humanos: su tutela a la luz de las últimas reformas penales sustantivas y procesales proyectadas", *Indret,* núm. 2/2014, 2014, pp. 1-31.

VILLACAMPA, C.: *El delito de trata de seres humanos. Una Incriminación Dictada desde el Derecho Internacional*, Aranzadi-Thomson Reuters, Cizur Menor, 2011.

VILLANUEVA, A. y FERNÁNDEZ-LLÉBREZ, F.: "La importancia de los datos de trata de seres humanos. Una aproximación al sistema de recolección de datos de víctimas de trata en España", *Deusto Journal of Human Rights,* núm. 4, 2019, pp. 115-143. http://dx.doi.org/10.18543/djhr-4-2019pp115-143.

WEINER, N. A. y HALA, N.: *Measuring Human Trafficking: Lessons from New York City*, Vera Institute of Justice, New York, 2008. Disponible en: https://www.ncjrs.gov/pdffiles1/nij/grants/224391.pdf. (últ. consulta 4 de octubre de 2021)

WEITZER, R.: "New Directions in Research on Human Trafficking", *The Annals of the American Academy of Political and Social Science*, 653 (6), 2014, pp. 6-24. https://doi.org/10.1177/0002716214521562.

WEITZER, R.: "Sex trafficking and the sex industry: The need for evidence-based theory and legislation", *Journal of Criminal Law and Criminology,* 101 (4), 2012, pp. 1337-1370.

WILSON, D. G., WALSH, W. F. y KLEUBER, S.: "Trafficking in human beings: Training and services among U.S. law enforcement agencies", *Police Practices and Research,* 7 (2), 2006, pp. 149-160. https://doi.org/10.1080/15614260600676833.

WINTERDYCK, J. y REICHEL, P.: "Introduction to Special Issue: Human Trafficking: Issues and Perspectives", *European Journal of Criminology*, 7 (1), 2010, pp. 5-10. https://doi.org/10.1177/1477370809347894.

ZHANG, S. X.: *Smuggling and Trafficking in Human Beings: All Roads Lead to America*, Praeger, Westport, Connecticut, London, 2007.

Capítulo IX

EL MATRIMONIO FORZADO COMO MODALIDAD DE LA TRATA DE SERES HUMANOS: UN ESTUDIO FENOMENOLÓGICO

NÚRIA TORRES ROSELL
Profesora Agregada Serra Húnter de Derecho Penal
Universitat Rovira i Virgili

CAROLINA VILLACAMPA ESTIARTE
Catedrática de Derecho Penal
Universitat de Lleida

Sumario: I. PLANTEAMIENTO: II. OBJETIVOS Y METODOLOGÍA; III. RESULTADOS DE LA INVESTIGACIÓN CON VÍCTIMAS Y PROFESIONALES; 1. Concepto de matrimonio forzado; 2. Dinámica del matrimonio forzado; 2.1 El matrimonio forzado y la trata de seres humanos; 2.2 El matrimonio forzado en el contexto familiar; 3. Efectos sobre las víctimas; 4. Programa de intervención con las víctimas; 4.1 Forma en la que los profesionales entran en contacto con las víctimas; 4.2. Método de intervención con las víctimas; 4.2.1 Programa y recursos empleados por los profesionales del sistema de justicia penal; 4.2.2. Derivación entre sistemas asistencial y de justicia penal; 4.2.3. Aplicabilidad de los programas de asistencia fuera de España; 5. Recursos y formación; 5.1 Necesidades en términos de recursos; 5.2 Requerimientos en términos de formación; IV. CONCLUSIONES. V. BIBLIOGRAFÍA.

I. PLANTEAMIENTO

En estos últimos años un creciente número de investigaciones y publicaciones han puesto de relieve la complejidad que acompaña el fenómeno del matrimonio forzado y su posible interacción con procesos de trata de seres humanos y formas contemporáneas de esclavitud. A un conocimiento todavía muy limitado sobre las causas y las dinámicas del matrimonio forzado que se perpetra en países occidentales, se añade ahora la posibilidad de analizar en qué supuestos la operativa reúne los caracteres propios de un proceso de trata de seres humanos.

En este capítulo nos proponemos precisamente revisar los ámbitos en los que la literatura ha identificado cierta vinculación entre el fenómeno de la trata y el del matrimonio forzado, así como presentar los resultados de una investigación empírica en la que se ha indagado sobre esta compleja realidad mediante la realización de un estudio de carácter cualitativo. En el estudio han participado profesionales que, por razón de su actividad profesional en el ámbito asistencial o en el del sistema de justicia penal, han entrado en contacto con víctimas de matrimonio forzado. Asimismo, se cuenta con el testimonio de víctimas de matrimonio forzado.

Probablemente, la principal característica del marco teórico que analiza la interacción entre los procesos de trata de personas y el matrimonio forzado sea la diversidad y la heterogeneidad de las constelaciones de casos a los que remite. La complejidad que acompaña ambos fenómenos, el de la trata y el del matrimonio forzado, genera una diversidad de supuestos en los que puede intuirse o constatarse la convergencia entre ellos. Si bien la mayor parte de estudios que analizan los matrimonios forzados en sociedades occidentales suelen poner el acento en el precipitado familiar que enmarca este fenómeno, configurándolo como una manifestación más de la violencia doméstica o de la violencia de género y también con prácticas tradicionales perjudiciales, la literatura científica se ha referido también a contextos en los que el matrimonio forzado reúne los elementos propios de la trata de seres humanos en la definición dada por el Protocolo de Palermo[1] identificándose en tales casos el matrimonio con la acción propia de la trata, con el medio comisivo o con la finalidad propia del proceso. Se trata de casos en los que las víctimas experimentan la cosificación propia de los procesos de trata y son sometidas a formas de abuso y explotación sexual, servidumbre doméstica, explotación laboral o son empleadas para la comisión de infracciones o para el ejercicio de la mendicidad a la par que forzadas a contraer matrimonio o a mantenerse en una relación análoga a la matrimonial.

Uno de los fenómenos en los que se ha focalizado el análisis de la posible interacción entre la trata de personas y el matrimonio forzado es el que se refiere a la compraventa de esposas[2]. Especialmente relevantes en este ámbito son los supuestos que involucran estructuras organizativas más o menos complejas, a modo de agencias matrimoniales o facilitadores, que cobran sumas económicas por la oferta de esposas, contribuyendo a generar un comercio de mujeres y niñas, a menudo operado por medio de Internet, y que puede implicar también el traslado transfronterizo de personas[3]. Algunas investigaciones se han centrado en las transacciones operadas en Estados Unidos y en Europa, con mujeres

---

[1]   Protocolo para prevenir, reprimir y sancionar la trata de personas, especialmente mujeres y niños, que complementa la Convención de las Naciones Unidas contra la Delincuencia Organizada Transnacional. El instrumento de Ratificación del Protocolo está disponible en https://www.boe.es/eli/es/ai/2000/11/15/(2)

[2]   VILLACAMPA, C: *El delito de trata de seres humanos. Una incriminación dictada desde el derecho internacional*, Aranzadi-Thomson Reuters, Cizur Menor, 2011, p. 71.

[3]   LLOYD, K.A.: "Wives for Sale: The Modern International Mail-Order Bride Industry", *Northwestern Journal of International Law and Business*, vol. 20, 2, 2000; HUGHES, D. M.: "The role of 'marriage agencies' in the sexual exploitation and trafficking of women

procedentes de Filipinas y del Este de Europa[4], aun cuando en estos últimos años se ha dirigido creciente atención hacia algunos países asiáticos. En concreto, China parece haberse convertido en un exponente de estas prácticas, en que mujeres de países vecinos, o incluso dentro del propio país, son captadas mediante engaño -aunque se han detectado también prácticas de secuestro- y posteriormente vendidas a individuos que contraen matrimonio con ellas. Las mujeres sufren entonces la completa pérdida de su autonomía física y sexual y quedan sometidas al cónyuge[5].

Otro de los supuestos en los que la trata de seres humanos enlaza con el fenómeno del matrimonio es aquel en que el proceso de captación de la víctima se efectúa por parte de un individuo que entabla una relación sentimental con aquella. La modalidad denominada como de *loverboy* alude a la consolidación de una relación sentimental fraudulenta, que puede incluir la celebración de un matrimonio, y que constituye la estrategia adoptada por el o los tratantes para lograr la captación de la víctima que accede al traslado geográfico y que será destinada a ulterior explotación[6]. La particularidad de estos supuestos no es tanto que la finalidad de la trata sea el matrimonio, sino que el matrimonio o la relación de pareja constituyen el medio que permite la captación y el eventual traslado de la víctima. La relación de pareja a la que accede la víctima constituye la antesala a una situación de abuso y explotación en la que, junto a la imposición de cargas domésticas, sexuales y/o reproductivas en el marco de la relación sentimental fraudulenta, pueden sumársele otras formas de explotación con las que el tratante -cónyuge, pareja o un tercero- obtiene un rédito económico (explotación laboral, explotación sexual, comisión de actividades ilícitas, etc.).

Un tercer ámbito de confluencia de ambos fenómenos es aquel que apunta a la posible interacción entre la trata de seres humanos y el matrimonio de conveniencia. La conceptualización del matrimonio de conveniencia como

---

from the former Soviet Union", *International Review of Victimology*, vol. II, 2004, pp. 49-71.

4   LLOYD, K.A.: "Wives for Sale: The Modern International Mail-Order Bride Industry", *op. cit.*; WIJERS, M. y LAP-CHEW, L.: *Trafficking in Women. Forced labour and slavery-like practices in marriage, domestic labour and prostitution*, Foundation against trafficking in Women. Global Alliance Against Traffic in Women (GAATW), 1999, pp. 81 y ss.

5   WIJERS, M. y LAP-CHEW, L.: *Trafficking in Women. Forced labour and slavery-like practices in marriage, domestic labour and prostitution, op. cit.*, pp. 77 y ss.; STÖCKL, H., KISS, L., KOEHLER, J., DONG, D. T. y ZIMMERMAN, C.: "Trafficking of Vietnamese women and girls for marriage in China", *Global Health Research and Policy*, 2:28, 2017, pp. 1-9; LIU, W., QIU, G. y ZHANG, S.: "Easy prey: Illicit enterprising activities and the trafficking of Vietnameses Women in China", *Asian Journal of Criminology*, 2020, pp. 1-18.

6   Se refieren a la figura del *lover boy* como método de captación VILLACAMPA, C: *El delito de trata de seres humanos. Una incriminación dictada desde el derecho internacional, op. cit.*, pp. 59 y ss.; LLORIA GARCÍA, P.: "El delito de trata de seres humanos y la necesidad de creación de una ley integral", *Estudios penales y criminológicos*, 39, 2019, pp. 353-402.

aquel de carácter fraudulento que tiene como principal objetivo la obtención del derecho a la libre circulación y residencia para uno de los contrayentes, vulnerando de esta forma la regulación estatal en materia de nacionalidad y extranjería[7], podría llevar a excluir cualquier relación con el fenómeno de la trata de personas. Y ello por cuanto que el matrimonio de conveniencia no implica, en principio, un atentado a la persona, a su libertad y su dignidad, sino más bien al Estado y a los mecanismos normativos para el control de los flujos migratorios. Sin embargo, algunas investigaciones recientes han revelado la existencia de casos de matrimonios de conveniencia que incluyen elementos de explotación y en los que parece poder identificarse los elementos propios de la trata de seres humanos[8]. Ello ocurre cuando uno de los contrayentes, generalmente mujeres que disponen de la nacionalidad de un estado miembro de la Unión europea, son captadas y trasladadas en situación de abuso, engaño o violencia, con el fin de ser destinadas a la imposición de un matrimonio de conveniencia que se convierte, para ellas, en un matrimonio forzado del que pueden derivar ulteriores formas de abuso y explotación por parte de los tratantes así como del cónyuge.

Finalmente, uno de los principales focos de estudio de la interacción entre la trata y el matrimonio forzado es la que afecta a menores de edad víctimas de la práctica del matrimonio infantil. Desde organizaciones internacionales[9], ONGS[10] y el ámbito académico[11] se han denunciado casos en que uno de los contrayentes es todavía un niño o una niña que es trasladada por familiares o tratantes a un tercer estado donde se ve forzada a contraer matrimonio. El grave atentado a los derechos fundamentales de las víctimas, que ven truncada su etapa formativa y relegada cualquier posibilidad de agencia y autodeterminación[12], se incrementa más si cabe cuando existe una diferencia de edad relevante entre los contrayentes. La interacción entre la trata y el matrimonio infantil se observa también en contextos de inestabilidad política o social,

---

[7]   EUROJUST: *Report on national legislation and Eurojust Caselaw análisis on sham marriages*, 2020, da cuenta de diversas investigaciones desarrolladas en supuestos de organizaciones dedicadas a facilitar matrimonios fraudulentos entre nacionales de diversos estados.

[8]   Véase, en este sentido, el trabajo de VIUHKO, M., LIETONEN, A., JOKINEN, A. y JOUTSEN, M. (eds.): "Exploitative sham marriages: exploring the links between human trafficking and sham marriages in Estonia, Ireland, Latvia, Lithuania and Slovakia", *European Institute for Crime Prevention and Control, Publication Series*, no. 82, 2016.

[9]   UNICEF: *Ending Child marriage. Progress and prospects*, New York, 2014.

[10]   Véase la labor de denuncia y sensibilización emprendida por la organización "Girls not Brides" https://www.girlsnotbrides.org/

[11]   WARRIA, A.: "Forced child marriages as a form of child trafficking", *Children and Youth Services Review*, 79, 2017, pp. 274-279.

[12]   OUTTARA, M., SEN, P. y THOMSON, M.: "Forced marriage, forced sex: the perils of childhood for girls", *Gender and development*, vol. 6, no. 3, 1998; RAJ, A.: "When the mother is a child: the impact of child marriage on the health and human rights of girls", *Archives of Disease in Childhood*, 2010, p. 95.

en que las víctimas parten de una situación de especial vulnerabilidad que es aprovechada por los tratantes para la obtención de un rédito económico con la comercialización de los menores que se verán sometidos a formas de explotación sexual y en servidumbre doméstica[13].

II. OBJETIVOS Y METODOLOGÍA

Puesto que la literatura científica ha dado cuenta de cierta interacción entre la trata de seres humanos y el fenómeno del matrimonio infantil y forzado se proyectó la realización de una investigación empírica destinada a comprobar si existen también en España supuestos de matrimonio forzado vinculados a procesos de trata de seres humanos y en qué medida los profesionales que intervienen en casos de matrimonio forzado valoran la posibilidad que la víctima lo sea por un proceso de trata.

La investigación cualitativa se efectuó siguiendo un sistema de muestreo intencional que condujo a seleccionar un conjunto de profesionales, procedentes del ámbito jurídico y del ámbito asistencial, así como algunas víctimas de matrimonio forzado, con los que se realizó una entrevista semiestructurada en profundidad.

En lo que se refiere a los profesionales del ámbito asistencial, se contactó con aquellos que habían respondido previamente un cuestionario, confirmando que estaban familiarizados con el fenómeno del matrimonio forzado y que recordaban haber asistido al menos a 2 víctimas. En lo que a los profesionales del ámbito del sistema de justicia penal concierne, los conocimientos adquiridos a través de la realización de previas investigaciones cualitativas con profesionales sobre trata de seres humanos[14], así como la información derivada de las entrevistas con profesionales del ámbito asistencial, permitió la selección de diversos profesionales que eventualmente hubiesen entrado en contacto o fuese posible que entrasen en contacto con víctimas de matrimonio forzado. En lo concerniente a las víctimas, la selección de las que intervinieron se obtuvo a través de las fichas sobre víctimas cumplimentadas por las entidades asistenciales, siendo el contacto y el encuentro con las mismas facilitado por dichas entidades asistenciales.

---

[13]   WARRIA, A.: "Forced child marriages as a form of child trafficking", *op. cit.*, p. 276; WOOD, L.: "Child modern slavery, trafficking and health: a practical review of factors contributing to children's vulnerability and the potential impacts of severe exploitation on health", *BMJ Paediatrics Open*, 4, 2020, p. 3. También en WARRIA, A.: "Forced child marriages as a form of child trafficking", *op. cit.*, p. 276.

[14]   VILLACAMPA, C. y TORRES, N.: "Trata de seres humanos para explotación criminal: ausencia de identificación de las víctimas y sus efectos", *Estudios Penales y Criminológicos*, 36, 2016, pp.771-829.

La muestra estuvo finalmente integrada por 34 profesionales, de los cuales 14 actuaban única o preferentemente en el ámbito del sistema de justicia penal y 20 en el ámbito asistencial. Junto a estos, la muestra de víctimas estuvo integrada por 5 mujeres.

Tabla 1. Relación de entrevistas realizadas a profesionales del sistema de justicia penal

Número entrevista	Ocupación	Destino (provincia)	Años experiencia	Experto/a en THB*, VG** MMFF***
1 SJP	Juez	Lleida	17	No experto
2 SJP	Magistrado	Girona	27	VG
3 SJP	Letrada en ONG	Madrid	20	VG, MMFF
4 SJP	Letrada en ONG	Barcelona	15	THB
5 SJP	Letrado	Madrid	19	THB
6 SJP	Fiscal	Madrid	15	THB, MMFF
7 SJP	Fiscal	Madrid	25	THB, MMFF
8 SJP	Fiscal	Barcelona	14	THB
9 SJP	Agente Cuerpo Nacional de Policía	Madrid	19	THB, MMFF
10 SJP	Agente Cuerpo Nacional de Policía	Madrid	23	THB, MMFF
11 SJP	Agente Cuerpo Nacional de Policía	Madrid	No consta	THB, MMFF
12 SJP	Agente Guardia Civil	Madrid	16	THB, MMFF
13 SJP	Agente Mossos Esquadra	Barcelona	11	VG, MMFF
14 SJP	Agente Mossos Esquadra	Girona	22	MMFF

* THB: trata de seres humanos; **VG: violencia de género; ***MMFF: matrimonios forzados[15].

Tabla 2. Relación de entrevistas realizadas a profesionales del ámbito asistencial

Número entrevista	Ocupación	Destino (provincia)	Años experiencia	Experto/a en THB*, VG** o THB***
1 AA	Coordinadora ONG	Madrid	18	THB, MMFF
2 AA	Educadora ONG	Girona	25	MMFF
3 AA	Trabajadora social ONG	Zaragoza	20	MMFF
4 AA	Coordinadora unidad ONG	Madrid	18	THB
5 AA	Comadrona centro de salud	Girona	36	MMFF

---

[15]   Se indica que los profesionales son expertos en trata de seres humanos o violencia de género en función del destino en el que desarrollan sus actividades. Puesto que no hay unidades especializadas en matrimonio forzado, se ha determinado que los entrevistados son expertos en matrimonios forzados cuando han atendido casos y además consideran que han recibido formación o se han formado de manera autodidacta sobre esta cuestión.

6 AA	Trabajadora social. Servicio de Información y Atención a mujeres	Lleida	15	VG, MMFF
7 AA	Personal centro orientación familiar. Educadora social	Lleida	7	No experto
8 AA	Coordinadora técnica de servicios sociales básicos. Educadora Social	Barcelona	23	VG, MMFF
9 AA	Psicóloga. Coordinadora Punto de Información y Atención a mujeres	Barcelona	6	VG
10 AA	Educadora Social. Técnica Punto de Información y Atención a mujeres	Barcelona	14	VG
11 AA	Técnica Igualdad Consejo Comarcal y mediadora intercultural	Barcelona	13	VG
12 AA	Técnica Servicio de Información y Atención a mujeres	Girona	10	VG, MMFF
13 AA	Psicopedagoga Centro de Enseñanza Secundaria	Barcelona	21	No experto
14 AA	Educadora social. Servicio de Intervención Especializada	Tarragona	9	VG
15 AA	Técnica políticas migratorias	Girona	20	VG, MMFF
16 AA	Jefe de la unidad de violencia contra la mujer. Subdelegación Gobierno Generalitat Catalunya	Girona	4	VG, MMFF
17 AA	Técnico de inclusión social y ciudadanía	Girona	14	VG, MMFF
18 AA	Mediadora comunitaria	Gerona	10	VG, MMFF
19 AA	Trabajadora social. Departamento Enseñanza Generalitat Catalunya	Gerona	5	MMFF
20 AA	Oficina Asistencia a la Víctima	Zaragoza	18	VG

* THB: trata de seres humanos; **VG: violencia de género; ***MMFF: matrimonios forzados.

Tabla 3. Relación entrevistas realizadas a víctimas

Número de entrevista	País de nacimiento de la entrevistada	Edad de la entrevistada	¿llegó a contraer?
1 V	España	28 años	SÍ
2 V	España	29 años	SÍ
3 V	Senegal	27 años	SÍ
4 V	España	29 años	NO
5 V	Gambia	27 años	NO

La metodología para recoger datos consistió en la realización de entrevistas semiestructuradas en profundidad presenciales con una duración de entre 30 y 90 minutos. Se elaboraron dos modelos de entrevistas, la empleada con los profesionales y la correspondiente a las víctimas. En relación con los profesionales, los modelos de entrevista aplicados a los activos en el ámbito asistencial y en el sistema de justicia penal coincidían en gran medida. En la entrevista de profesionales se comenzaba preguntando al entrevistado sobre los casos de matrimonios forzados que recordaba, la dinámica conforme a la cual se produjeron las victimizaciones, el perfil de las víctimas asistidas, los efectos que la vivencia les producía y el concepto de matrimonio forzado que infería de su experiencia profesional. En segundo término, el siguiente grupo de cuestiones se destinaban a conocer el proceder de la entidad o institución en la que prestaba servicios el profesional al detectar a una de estas víctimas. Finalmente, el tercer grupo de cuestiones se referían a la valoración que los profesionales efectuaban de su intervención con estas víctimas, pidiéndoles además que valorasen los recursos con que se contaba en la respectiva unidad para dar respuesta a las mismas.

El modelo de entrevista empleado con las víctimas indagaba en cuestiones referidas a la experiencia personal padecida, la ayuda que la entrevistada había obtenido para salir de la situación, así como una valoración sobre cómo sería deseable que se las protegiese, indicando qué medidas asistenciales deberían implementarse a su juicio y cuál debería ser el papel del sistema de justicia penal en la resolución de tales conflictos.

Los modelos de entrevista elaborados constituyeron una guía, sin dictar la dinámica de la conversación con el entrevistado. La intervención en la investigación fue voluntaria y expresamente consentida tanto por parte de los profesionales como de las víctimas. Las entrevistas fueron realizadas entre los meses de julio de 2017 y julio de 2018 en las provincias de Madrid, Barcelona, Zaragoza, Tarragona, Girona y Lleida; fueron grabadas y después completamente transcritas.

Los datos se analizaron empleando la metodología del análisis temático[16] y siguiendo las fases de que ésta se compone: familiarización con los datos, generación de códigos iniciales, búsqueda y revisión de los temas, definición y asignación de nombres a los temas[17].

---

[16]   GUEST, G., MCQUEEN, K. M. y NAMEY, E. E.: *Applied Thematic Analysis*, Sage Publications, Los Angeles, London, New Delhi, Singapore, 2012.

[17]   BRAUN, V. y CLARKE, V.: "Using Thematic analysis in Psychology". *Qualitative Research in Psychology*, 3 (2), 2006, pp. 77-101.

III. RESULTADOS DE LA INVESTIGACIÓN CON VÍCTIMAS Y PROFESIONALES

1. Concepto de matrimonio forzado

Los profesionales entrevistados conceptúan el matrimonio forzado con diferente amplitud en función de que desarrollen su actividad en el ámbito de la asistencia victimal o en el del sistema de justicia penal, aunque recurren a términos semejantes a los empleados en literatura científica e informes sobre el particular[18]. A este respecto, la referencia expresa al término "obligación" a contraer para ilustrar el forzamiento de alguno de los contrayentes se identifica hasta en 13 de las entrevistas realizadas a los profesionales activos en el ámbito asistencial.

3 AA: "Obligarte a casarte con alguien que no quieres".

6 AA: "La obligación de hacer algo que no quieres. La obligación de estar con una persona que tú ni la conoces, ni sabes si te llevarás bien con ella… Una obligación sin opción a nada, o sea, que no te piden tu opinión. Es una imposición…".

15 AA: "La esencia es de como mínimo uno de los dos contrae un matrimonio que no es por su propia voluntad. Y este hecho te tengo que decir que lo viven como una imposición y su voluntad ha sido doblegada. Por tanto, lo viven como una obligación frente a la familia y frente a la comunidad, pero no por su propia y libre elección".

En el caso de los profesionales activos en el ámbito del sistema de justicia penal esta idea se expresa más habitualmente con la referencia directa a la falta de consentimiento o de voluntad de la persona, lo que se objetiva hasta en 9 de las entrevistas efectuadas.

3 SJP: "Para mí un matrimonio forzado es un matrimonio no consentido, pero dentro de este no consentimiento caben muchísimas cosas: cabe desde

---

[18] ANITHA, S. y GILL, A. K.: "Reconceptualising consent and coercion within an intersectional understanding of forced marriage", en GILL, A. K. y ANITHA, S. (eds.), *Forced Marriage. Introducing a social justice and human rights perspective*, Zed Books, London and New York, 2011, pp. 46-66; FRA (EUROPEAN AGENCY FOR FUNDAMENTAL RIGHTS): *Addressing forced marriage in the EU: Legal provisions and promising practices*, 2014; HOME OFFICE: *A Choyce by right. The report of the working group on forced marriage*, 2000; HM GOVERNMENT: *The right to Choose: Multi-agency statutory guidance for dealing with forced marriage*, second (revisited) edition, 2010; UNITED NATIONS CHILDREN'S FUND: *Innocenti Digest no.7: Matrimonios prematuros*, UNICEF, New York, 2001; UNICEF: *Child marriage and the Law, Legislative Reform Initiative Paper Series*, Division of policy and planning, New York, 2008; UNICEF: *Ending Child marriage. Progress and prospects*, New York, 2014.

que una persona rechace casarse con otra, o ambas lo rechacen, hasta que una persona tenga un consentimiento que se adquiere de una manera fraudulenta, a través de la intimidación, a través de la fuerza...".

4 SJP: "La esencia es la falta de consentimiento. La falta de consentimiento y el uso de medios abusivos o coactivos, como amenazas, agresiones...".

9 SJP: "Para mí lo esencial es que son obligados y, por tanto, no hay consentimiento para el matrimonio de uno de los contrayentes, en este caso normalmente suelen ser las mujeres".

En semejantes términos, existen conceptuaciones que identifican el matrimonio forzado con la pérdida de libertad, fundamentalmente de las mujeres, que se considera que no tienen opción por razones de carácter más estructural. Se trata de concepciones que pivotan sobre la misma idea mayoritaria de forzamiento, situándolo precisamente en la ausencia de alternativa de la mujer obligada a contraer, en atención a razones de carácter más estructural no concretadas en el forzamiento a una acción concreta.

4 AA: "Para mí ya la privación de libertad es una vulneración de derechos. Ya estamos viendo también que son relaciones desiguales en las que la mujer no tiene ninguna opinión, como te he dicho es menos cero, e igualmente que en otras formas de trata, prevalece esa vulneración".

13 SJP: "Es la pérdida absoluta de libertad de la persona. No poder decidir sobre tu vida y sobre tu futuro".

Entre estas concepciones que atienden a razones de tipo más estructural para caracterizar el matrimonio forzado, se sitúan las de quienes apelan a la idea de la sumisión de las mujeres con dicho fin (idea que surge hasta en 3 de las entrevistas realizadas a profesionales del ámbito asistencial) e incluso las de quienes identifican el matrimonio forzado con ideas como la necesidad de seguir con la tradición, vinculada a motivaciones de carácter económico (aspecto que ha aflorado en el concepto ofrecido por 2 profesionales del ámbito asistencial) o a la obediencia debida a la familia o la comunidad (lo que se objetiva sucede en 1 entrevista en dicho ámbito).

2 AA: "Es la violencia absoluta; la violencia absoluta para someter a la mujer. Es una forma de sumisión, para mí no hay otra palabra para definirlo".

10 A: "Creo que consiste en la obediencia a sus padres y a su madre para no generar conflictos: se trata un poco del rol ese de sumisa, de ser complaciente con lo que se espera de ella".

13 AA: "Creo que, si en nuestra cultura echamos uno años atrás, es un poco lo mismo. Quiero decir, a ver, todos los patrimonios estos, los herederos, en todo esto creo que el amor también quedaba en otra dimensión. Quiero decir que son transacciones económicas. El señor este que tenía una tienda, era viejo, pero daba igual....Te daba una seguridad económica y tu podías dedicarte a criar a los hijos...".

20 AA: "El seguir con la tradición y la falta de medios económicos de la familia, de la mujer…".

Precisamente son estas concepciones más relacionadas con la concurrencia de elementos estructurales que conducen a las mujeres a contraer de forma altamente condicionada las que se identifican en mayor medida con un más contemporáneo entendimiento de los matrimonios forzados integrado en el marco de una aproximación interseccional a la violencia de género[19] y conducente a aceptar medios de forzamiento que no solo consistan en el recurso a la violencia y la amenaza, sino también en lo que se ha identificado con el control coercitivo[20]. Para esta concepción más amplia del matrimonio las fronteras entre los conceptos de matrimonio forzado y pactado o concertado se desdibujan, puesto que los medios empleados para el forzamiento dejan de ser relevantes.

14 AA: "Sé que me hacían diferenciar entre el pactado y el forzado. Pero para mí todos son forzados, porque en el pacto…claro, depende de cómo ha sido el pacto. Si eres una niña y pactan casarte entiendo que ya es forzado, aunque sea pactado a nivel cultural. Bueno, es difícil poder establecer si es pactado o no".

15 AA: "La frontera entre uno y otro (matrimonio pactado y forzado) es difusa, no está clara, porque hasta qué punto una chica que acepta un matrimonio pactado, que no sería de su voluntad, pero que al final por tradición familiar, por cultura, etc., acaba aceptando ¿hasta qué punto se puede considerar que no es un matrimonio forzado? Es evidente que un matrimonio es forzado cuando una de las partes no quiere el matrimonio, no está de acuerdo y, por tanto, se opone de alguna manera a la voluntad de la familia y aquí ya podríamos hablar de matrimonio forzado".

Finalmente, manteniéndonos en el referido contexto de mayor estructuralidad, se sitúan aquellas concepciones que identifican el matrimonio forzado con una manifestación concreta de la trata de seres humanos o con una vulneración de base a los derechos humanos, más propias de profesionales del ámbito forense, como nos indicaban 4 de los profesionales entrevistado.

---

[19]   BUNTING, A., LAWRANCE, B. N. y ROBERTS, R. I.: "Something Old, Something New?. Conceptualising Forced Marriage in Africa", en BUNTING, A., LAWRANCE, B. N. y ROBERTS, R. I. (eds.), *Marriage by Force? Contestation Over Consent and Coercion in Africa*, Ohio University Press, Athens (Ohio), 2016, pp. 1-42; GILL, A. K. y ANITHA, S.: "Introduction: framing forced marriage as a form of violence against women", en GILL, A. K. y ANITHA, S. (eds.), *Forced Marriage. Introducing a social justice and human rights perspective*, Zed Books, London and New York, 2011, pp. 1-24.

[20]   ANITHA, S. y GILL, A.K.: "Reconceptualising consent and coercion within an intersectional understanding of forced marriage", *op. cit.*, pp. 46-66.

12 SJP: "Yo lo definiría como esclavizar a una persona de por vida y romperle todas las esperanzas, todos los sueños (...). Pero es que esto ¡es una muerte en vida!; la víctima no tiene ninguna capacidad de respuesta".

Caracterizaciones más contemporáneas del matrimonio forzado incluyen también aquellos en los que la mujer no goza de libertad para decidir continuar o finalizar con el matrimonio[21], esto es, lo que podría identificarse con el matrimonio forzado sobrevenido. Sin embargo, aquí se ha objetivado como mayoritariamente el matrimonio se conceptúa como forzado en atención exclusiva a las condiciones que concurren hasta su celebración. Únicamente en 3 entrevistas de profesionales del ámbito asistencial aparecieron referencias al matrimonio forzado sobrevenido y lo fueron de manera implícita e incluso sin tomar consciencia de ello.

14 AA: "Incluso cuando es la propia familia la que le dice "no, no, si es que esto ya está...ya te has casado, no te puedes separar". Por el hecho de que no pueda salir de aquí podría ser entonces forzado (....). Sí claro, se establece un pacto a nivel cultural, pero cuando no puedes salir de este pacto, entonces ya es forzado".

Finalmente, se pidió a los profesionales que determinaran si a su juicio podía establecerse algún tipo de gradación en la gravedad de estas conductas. Al respecto, algunos profesionales (8) mayoritariamente pertenecientes al ámbito asistencial declinaron efectuar tal gradación, aduciendo que todos los casos eran igualmente graves. En los casos en los que los profesionales se avinieron a determinar posibles causas de agravación, los medios empleados para forzar a contraer, sobre todo la referencia al empleo de violencia física, psicológica o sexual (n=12), junto a la corta edad de la víctima (n=13)), e incluso la diferencia de edad entre los contrayentes, fueron las causas más habitualmente referidas, sobre todo, en el primer caso, por parte de los profesionales del sistema de justicia penal. Junto a estos, no faltaron referencias a las consecuencias que estas imposiciones tenían para las víctimas, puesto que algunos de los entrevistados hicieron referencia a que la gravedad del matrimonio forzado dependía de si finalmente la víctima aceptaba la situación o se oponía a la misma (n=6), o a que tras el matrimonio se produjeran secuencias de explotación en algún sentido (n=2), o al aislamiento y la soledad que tal situación podía comportarles (n=1), sin que faltase quien hiciese referencia a que la gravedad debía medirse en función de que fueran mujeres nacidas o criadas en la sociedad occidental que eran conducidas a los países de procedencia de la familia a casarse (n=2) o a que la víctima se hallase en riesgo más o menos inminente de contraer (n=19).

---

[21]   GANGOLI, G., CHANTLER, K., HESTER, M. y SINGLETON, A.: "Understanding forced marriage: definitions and realities", en GILL, A. K. y ANITHA, S. (eds.), *Forced Marriage. Introducing a social justice and human rights perspective*, Zed Books, London and New York, 2011, pp. 25-45.

2. Dinámica del matrimonio forzado

En lo que respecta a la dinámica del matrimonio forzado relatada por las entrevistas, se evidencia una clara diferencia entre los procesos de victimización descritos por los profesionales del sistema de justicia penal y los del ámbito asistencial. En efecto, mientras los primeros, salvo algunas excepciones, tienden a identificar los matrimonios forzados con una concreta manifestación de la trata de seres humanos o con una realidad intrínsecamente ligada con estos procesos de esclavización, los segundos describen procesos de envolvimiento más o menos intenso de la familia de origen de la víctima.

2.1. El matrimonio forzado y la trata de seres humanos

En efecto, la mayor parte de profesionales del sistema de justicia penal entrevistados establecieron una estrecha relación entre estos procesos y la trata de seres humanos. Y es que, efectivamente, 9 de los 14 entrevistados actuantes en el sistema de justicia penal describieron como casos de matrimonios forzados única o preferentemente supuestos en que jóvenes normalmente rumanas de etnia gitana eran vendidas por sus familiares, padres o abuelos, generalmente en el país de origen, a otra familia de la misma nacionalidad que las trasladaba a España y en la que estas mujeres eran desposadas, como evidencia el siguiente extracto de entrevista.

6 SJP: "Este es el modus operandi habitual: niñas en Rumanía, captación, venta por parte de la madre de esa niña alegando, pues, una precariedad económica y traslado de la niña desde Rumanía a España, y los compradores son los padres del marido. En este caso, el marido era adulto, que es lo que te he comentado de la niña que es vendida por 50 euros".

El caso expuesto admite variaciones, tales como que la víctima no fuera vendida en el país de origen, sino en España, porque su familia se hubiese trasladado ya aquí en el momento de la compraventa -como sucedió en el caso de una niña rumana vendida por sus padres en Sevilla-, o que no se produjese un traslado transfronterizo de la víctima, en función de donde se encontrasen la misma y el futuro marido. Incluso en otro de los supuestos la chica no era de nacionalidad rumana, sino nepalí, y en ese caso había sido comprada por un español que se había trasladado a Nepal a "comprar una esclava" (3 SJP).

Sin embargo, todos los casos expuestos tenían en común que la mujer era completamente cosificada, tratada abiertamente como una propiedad por la que se pagaba un precio, hasta el punto de que había supuestos que habían aflorado precisamente porque los padres de la menor vendida denunciaban los hechos al no haber recibido de los compradores el precio pactado. El contenido abiertamente económico de estas transacciones con mujeres se evidenciaba en que habitualmente, además de desposarlas, podían ser explotadas en la realización de algún otro tipo de actividad lucrativa para el reclutador, como cometer pequeños hurtos callejeros u ofrecer servicios sexuales.

A la consideración de las mujeres como una propiedad y al contenido abiertamente económico de estas transacciones se refiere la siguiente entrevista.

7 SJP: "En los casos de rumanos siempre media dinero de por medio para vender a las chicas, y en los de musulmanes no existe ese componente. (…). Estos clanes familiares se aprovechan de la situación de vulnerabilidad de las chicas. Viven en sociedades patriarcales donde las mujeres son propiedad, primero de la familia y luego del marido".

Junto a las 9 entrevistas en que se describía la dinámica del matrimonio forzado cual una manifestación de la trata de seres humanos al identificarse con supuestos de compraventa de esposas, esto es, en que el matrimonio forzado constituía la finalidad principal del proceso de trata, en otras 2 entrevistas se estableció una estrecha relación entre el padecimiento de un proceso de trata y el propio del matrimonio forzado, si bien no se produjo una absoluta identificación entre ambos fenómenos, que discurrían en paralelo de manera más o menos simultánea e interrelacionada. Así, una de las entrevistadas hizo referencia a desposamientos más o menos forzados de mujeres que están en tránsito hacia España, por tanto, pudiendo ser víctimas de un eventual proceso de trata cuando no de tráfico ilegal de migrantes, para evitar ser forzadas sexualmente por diversos sujetos durante el trayecto. Se apeló así al matrimonio forzado como mecanismo para disminuir los efectos nocivos de un proceso de trata ya iniciado. Por el contrario, en el otro supuesto en que se estableció una estrecha relación entre ambos fenómenos fue para exponer cómo evitar un matrimonio forzado podía constituir el detonante que condujese a la víctima a padecer un proceso de trata, puesto que huir precisamente de posibles matrimonios forzados, abandonando a sus familias, puede situar a mujeres jóvenes en determinadas latitudes en una situación de vulnerabilidad que las haga fácilmente accesibles para las redes de trata de personas. En estos casos, pues, nos hallaríamos ante ejemplos de matrimonios forzados inmediatamente precedentes y co-causantes de una situación de trata.

En lo que respecta al perfil de las víctimas identificadas por los profesionales del sistema de justicia penal, estos pusieron especial acento en las comunidades de procedencia de las víctimas.

11 SJP: "Nosotros de Asia, de chinos, tenemos matrimonios de conveniencia, pero forzados nada, eso es más de rumanos, gitanos, cosas así…".

En efecto, la comunidad de procedencia que se identifica mayoritariamente con el perfil de víctima de matrimonio forzado entre los profesionales del ámbito forense es sobre todo la de nacionalidad rumana–o de otros países de Europa del este, como Bosnia- y de etnia gitana. Solo testimonialmente se alude a víctimas de otras procedencias, del Magreb o del África Subsahariana.

Por contra, entre los profesionales del ámbito asistencial, se observa cómo las víctimas asistidas tienen procedencias más variadas, que pueden ir desde determinados países del Magreb (Marruecos, sobre todo) a países del África Subsahariana (sobre todo Gambia y Senegal) o del Sur de Asia (India, Pakistán o Bangladesh), pasando también por determinados países de la Europa del este.

2.2. El matrimonio forzado en el contexto familiar

A diferencia de lo expuesto por los profesionales del ámbito forense, los procesos descritos por los profesionales del ámbito asistencial, que a grandes rasgos coinciden con los expuestos por las víctimas[22], los caracterizan como supuestos que se fraguan en el contexto familiar. En estos relatos las mujeres son conducidas al matrimonio fundamentalmente a través de la presión familiar a la que no resulta ajena la comunidad de procedencia de los padres de la víctima, en ocasiones como mecanismo que permite mantener la identidad cultural del grupo tras el proceso migratorio, que posibilita que ese modelo familiar perdure y que a menudo conduce a las mujeres forzadas a una situación de tensión insostenible.

15 AA: "Por tanto, ves como este funcionamiento clásico de las diásporas para reforzar estos enlaces familiares, aunque sean transnacionales o incluso transcontinentales…es un funcionamiento típico de diáspora para proteger el clan, en definitiva, y se pasa por encima de las preferencias personales e individuales".

Precisamente el intento de preservar los orígenes frente a la influencia de la sociedad de acogida explica que normalmente las personas escogidas para contraer son o bien familiares integrados en lo que podría identificarse con la familia extensa de la víctima, como primos, o bien personas conocidas de la familia o integrados en el círculo de amistades de esta o procedentes de los mismos lugares que la familia de la víctima, aun cuando no necesariamente ligados por una relación de amistad con la misma.

Casi con total unanimidad, las entrevistas realizadas con profesionales del ámbito asistencial se han referido a la presión familiar como el mecanismo que ha conducido a las mujeres a prometerse o contraer, aunque tampoco son ajenas a esta visión del proceso 4 de las entrevistas llevadas a cabo con profesionales del ámbito forense. Conforme a esta forma más envolvente o sutil de presión conducente al matrimonio, se apela a procesos como que "las envuelven las familias" (2 AA), a que "es algo que se va haciendo día a día en casa, poco a poco, en ocasiones mediante conversaciones" (5 AA), que los

---

[22]   VILLACAMPA, C.: "Aproximación al matrimonio forzado desde la óptica de las víctimas", *e-Eguzkilore: Revista Electrónica de Ciencias Criminológicas*, 4, 2019, pp. 9 y ss., sobre los relatos de las víctimas.

matrimonios forzados están ahí como una sombra y que tarde o temprano aparece (3 AA). Las mujeres crecen así en contextos en los que a determinada edad se entiende que ya toca casarse y que ese es su destino natural. El proceso es tan claramente conducido por las familias que incluso una de las víctimas entrevistadas ni siquiera fue consciente del momento exacto en que se produjo la ceremonia matrimonial entre ella y el hombre al que la habían prometido, porque aparentemente fue en el contexto de una fiesta familiar y la otra ni siquiera supo el momento exacto en que el matrimonio se había producido en el país de origen de sus padres.

Conforme a esas raíces y tradiciones que intentan preservarse tras el proceso migratorio, el honor familiar descansa en gran medida en el código de conducta que observan las mujeres, de ahí que a menudo se recurra al chantaje emocional, a la idea de que las mujeres deben ser buenas hijas, obedientes, defender el honor de sus progenitores y no discutir sus decisiones en lo que al matrimonio se refiere, para inducir al matrimonio. De hecho, el peso de la comunidad en esta forma de forzar a contraer se evidenció ya en las entrevistas con las víctimas, en las que se vio que la ruptura del código de conducta conforme al cual las mujeres tienen que ser sumisas, obedientes, buenas esposas y mujeres de su casa, coloca a la familia frente a una situación de deshonra, de debilidad frente al qué dirán, puesto que el peligro inherente a que la hija no haga caso a los padres, como en una entrevista afirmó, es acabar siendo un "proscrito en la comunidad" (16 AA), acabar expulsado de la misma.

6 AA: "Nosotros tenemos un compromiso con otra familia y hay que cumplirlo (nos decía la entrevistada poniéndose en el lugar de los progenitores), porque si no quedamos mal nosotros, padres, como familia, porque con la otra familia se ha adquirido este compromiso desde hace no sé cuánto tiempo y ya está".

10 AA: "Yo creo que, por un lado, está el tema este ser buena hija, de no rebelarse o de que sus padres no se sientan mal. Además, apelan muchas veces a que todo esto lo han hecho por ellas, que están aquí por ellas, para darles una vida mejor…".

13 SJP: "Normalmente son culturas muy patriarcales donde las mujeres se ven obligadas a no decepcionar o no faltar a la familia".

Puesto que la fidelidad a este patrón de comportamiento femenino esperado es tan importante para mantener el respeto a la familia por parte de la comunidad, las formas de presión familiar pueden evolucionar, tornándose más intensas, colindando con el empleo de la intimidación cuando no de la fuerza directamente, si los deseos de las hijas contrarían abiertamente lo que las familias tienen dispuesto para ellas. En este sentido, una de las entrevistadas (15 AA) indicaba como la presión familiar se desenvolvía por fases, de manera que inicialmente era más fuerte, después aflojaba, y después volvía a reforzarse, procediendo ya no sólo de la familia más próxima, sino también de la menos próxima, pudiendo escalar a la presión psicológica, a la amenaza de castigo físico, al maltrato psicológico, al chantaje emocional -apelando a que deben ser buenas hijas- e incluso a la amenaza directa.

Así, no ha resultado extraño que incluso en las entrevistas efectuadas con profesionales que identifican el proceso con un precipitado de la tradición familiar, se haya hecho referencia a episodios de intimidación más o menos directa o de fuerza, lo que ha sido así al menos en 7 de las entrevistas con dichos profesionales, que se han referido al encierro de las chicas que se niegan a contraer por parte de sus familiares. Menos evidente se ha mostrado el recurso a la amenaza y la violencia en las entrevistas con víctimas, cuanto menos en estadios iniciales, si bien de ellas también se deduce que la familia y la comunidad intensifican los medios empleados para mantenerlas en el matrimonio no deseado cuando las mujeres intentan ponerle fin.

Tampoco resulta extraña la referencia al uso del engaño como medio comisivo, como se ha evidenciado en al menos 6 de las entrevistas con profesionales. Sobre todo, se recurre al mismo para hacer viajar a las mujeres al país de procedencia de las propias familias, que es donde además acostumbra a celebrarse el matrimonio, tal como ya se objetivó en el estudio cuantitativo previamente efectuado[23] y han corroborado las entrevistas con profesionales y víctimas. Con dicho fin, los mecanismos empleados para convencer a las víctimas de que emprendan el viaje se han revelado variados, yendo desde emplear tretas como decirles que sus abuelas estaban muy enfermas en el país de procedencia de los padres y había que ir a visitarlas (14 SJP) hasta que la familia se trasladaba al país de origen para asistir a la boda del hermano de la víctima para acabar casando allí a la chica (13 AA).

En coherencia con lo expuesto, el perfil de víctimas ofrecido por los profesionales del ámbito asistencial es doméstico o cotidiano, en el sentido de entender que el matrimonio forzado constituye una realidad que afecta a mujeres jóvenes que generalmente están plenamente integradas en nuestra sociedad, aunque quizá no lo estén sus familias. La mayoría de los entrevistados se refirieron al describir las características de las víctimas únicamente a mujeres En lo que a edad se refiere, pues, el perfil de víctima para la mayor parte de los entrevistados se identifica únicamente con el de mujeres menores de edad o que apenas han superado la mayoría de edad (n=23, 14 del ámbito asistencial y 9 ámbito forense). Sin embargo, algunos profesionales del ámbito asistencial se refirieron a mujeres mayores que habían arribado a España para reunirse con los maridos con quienes en su día se habían visto forzadas a casarse por cuestiones relacionadas con la reagrupación familiar (n=3). En cuanto a eda-

---

[23]   VILLACAMPA, C. y TORRES, N.: "El matrimonio forzado en España. Una aproximación empírica", *Revista Española de Investigación Criminológica*, 17, 2019, pp. 1-32.

des, pues, puede hablarse de dos grupos de víctimas, según puede deducirse claramente de la entrevista 18 AA: de un lado chicas jóvenes nacidas o criadas aquí, a las que por razones relacionadas con la tradición en sus países de origen obligan a casarse y, de otro, mujeres más mayores que contrajeron hace años en su país de origen y que han acabado en territorio español por reagrupación familiar. Partiendo de que el de las mujeres púberes o menores de edad constituye el grupo mayoritario de las víctimas que afloran, la mayor parte de entrevistados del ámbito asistencial indicó que o bien habían nacido en España o se habían criado aquí (n=15),

3. *Efectos sobre las víctimas*

En relación con los efectos que el paso por la experiencia del matrimonio forzado produjo en las víctimas, la visión expuesta por los profesionales del ámbito asistencial y del sistema de justicia penal fue de nuevo diversa.

Los profesionales cuya actividad estaba de algún modo relacionada con la asistencia a las víctimas mostraron mayor conocimiento y sensibilidad respecto de los efectos que el padecimiento de estas situaciones produjo en ellas. Ciertamente, esta diversidad en la aproximación resulta comprensible atendiendo al conjunto de competencias que uno y otro grupo de profesionales desarrollan. Sin embargo, la ausencia de abordaje de tal cuestión en las entrevistas conducidas con profesionales del sistema de justicia penal -hasta el punto de que en 6 de las 14 entrevistas en este ámbito el tema siquiera afloró- pone de manifiesto que, en general, nos hallamos frente a un grupo de profesionales que, difícilmente podrá proveer a las víctimas de esta realidad de un trato que palíe los efectos que las mismas padecen, algo que no deja de llamar la atención siendo que habían mayormente identificado a las víctimas como víctimas de trata de seres humanos.

Con todo, entre los agentes de policía, sí pudo objetivarse cierta diferencia respecto de la actitud que sobre esta cuestión adoptaban los integrados en distintas agencias policiales, en el sentido de que los del Cuerpo Nacional de Policía tendieron a minimizar los efectos perjudiciales padecidos por las víctimas, cuando no negaron que los hubieran experimentado, mientras que los integrantes de los Mossos d'Esquadra sí se mostraron conscientes de los mismos, pese a reconocer que no los abordaban. Los siguientes extractos de entrevista muestran cómo hubo agentes que consideraron que las víctimas no padecieron efectos negativos remarcables.

9 SJP: "Y alguna hasta lo asume. Lo interioriza y ya quiere estar con su pareja. Lo interioriza, lo tiene tan asumido que es así y hasta le sienta mal que le retire a su pareja. En el último caso, cuando fue retornada a Rumanía, dijo que no quería retornar a Rumanía con su padre, sino que quería quedarse con

su pareja. Lo tienen tan asumido y tan interiorizado que yo creo que tienen síndrome de Estocolmo".

10 SJP: "Al menos en las víctimas que yo he visto no he observado ninguna secuela aparentemente. Que yo no soy psicólogo ni nada, pero aparentemente no he observado ninguna secuela. Lo que sí he observado es la sumisión que tienen al decirles "que te ha vendido tu padre y tal" y ella "sí, sí". Es consciente de que la han vendido y si eso es como secuela, pues vale".

Entre los profesionales que se refirieron a los efectos que padecían las mujeres que se mantenían en una situación de matrimonio forzado, fuera en un contexto de trata o propiciado en el ámbito familiar, se aludía al padecimiento de situaciones de violencia física o sexual por parte del marido.

1 AA: "Todo el impacto que puede tener la situación de violencia y de esclavitud a la que estaba sometida la chica, sobre todo pues también en términos de su autoestima, en términos de haber sido muy maltratada psicológicamente, sobre todo, y en ocasiones físicamente".

12 AA: "Tarde o temprano, por lo que yo he visto, llegan episodios de violencia de género: física, psicológica, económica…".

15 AA: "Todo este período que han pasado con las familias de mala convivencia, de presiones, de vejaciones, de coacciones, de insultos que tenían que aguantar (…). Y esas son solo las de primera instancia. Y después toda la angustia cuando piensas que tienes que pasar tu vida al lado de una persona que no conoces y con la que quizá no tienes nada en común".

20 AA: "Más que nada porque siempre en todos los casos que yo he visto ese matrimonio no les ha reportado más que un maltrato, una violencia. Y todo eso genera ansiedad, estrés".

3 SJP: "Enormes (los efectos). Súmale a todo lo que pueda tener una mujer víctima de violencia de género -te hablo en el caso de la chica de Nepal- la intensa violencia sexual que sufría, el hecho de que estaba completamente aislada y desconocía hasta la lengua -no podía comunicarse, no hablaba español-, las costumbres -no sabía nada de nuestro país-, y además el hecho de entender que ni siquiera tu familia va a apoyarte si das el paso en contra de lo que han sido sus deseos".

A menudo este tipo de efectos van acompañados, cuanto menos antes de que la situación se torne violenta, del miedo a la persona desconocida (6 AA). Psicológicamente, tales situaciones provocan estrés, inseguridad, baja autoestima de las víctimas y pérdida de confianza en ellas mismas.

2 AA: "A nivel psíquico, hemos detectado muchos efectos. Estudiantes brillantes que de golpe y porrazo fracasan absolutamente, temas de autoestima muy pero que muy baja, muy poca autoestima; de inseguridad, de mucha inseguridad; de depresiones (….). Chicas que te dicen que se quieren suicidar, o que incluso lo han intentado. Chicas que han sufrido enfermedades psíquicas

también, chicas que han desencadenado una psicosis. O sea que graves, las consecuencias son muy graves".

4 AA: "La ansiedad, todas ellas. La sumisión, la baja autoestima. Porque dentro de ellas siempre hay una batalla. (…) Todo ello conlleva a patologías depresivas, estados de ansiedad…".

8 SJP: "Si son mujeres muy jóvenes y están ligadas a ese vínculo ajeno a su voluntad, hay una subordinación constante para ellas con cargas familiares, cargas de hijos y un rol que puede ser de subordinación. Y, por supuesto, las consecuencias que puede tener a nivel psicológico…, aunque no haya violencia o intimidación, las consecuencias psicológicas que pueda tener alguien a la que se le merma la libertad".

Lo devastador de los efectos psicológicos que produce a las víctimas vivir en esta situación, se evidencia en las siguientes palabras de una de las víctimas entrevistadas[24]:

1 V: "Me sentí como otra vez violada, me sentí…como si no valiera nada, como si simplemente fuera un trapo que podían usar y tirar cuando les diera la gana. No sé… me sentí ultrajada, menospreciada, como si no fuera nada… ya te digo que llegó un punto en mi vida que desde los 16 hasta los 25 años me sentí como si fuera, hablando mal, una mierda, que podían hacer conmigo lo que quisieran y, pues, prácticamente es lo que hicieron, hacer conmigo lo que quisieron…".

En cuanto a que las situaciones de matrimonio forzado acaban tornándose violentas cuando las mujeres no aceptan esa realidad que les viene impuesta, se trata de un efecto que se ha objetivado igualmente en las entrevistas conducidas con las víctimas. En 2 de los 3 supuestos en que el matrimonio llegó a contraerse, la convivencia acabó desembocando en una situación de violencia ejercida por el marido con el objetivo de controlar a la víctima.

3 V: "Me fui de casa porque siempre tenía problemas con él, me pegaba… Sí, hemos tenido bastantes problemas. Y al final él me decía que no podía y yo también le decía que no podía, y luego me trajo para aquí a ver si recapacitaba, para portarme bien y estar con él (…). Y desde que me trajo que igualmente venía gente para pedirme que volviera con él y yo no quise porque me ha hecho mucho daño, me maltrataba, me pegaba y todo esto, y sobre todo que no le quería y me dijo que nunca se iba a separar de mí".

Los efectos padecidos por las mujeres que deciden directamente evitar o escapar de una situación de matrimonio forzado son distintos, en el sentido que a menudo se enfrentan con la necesidad de romper con la familia de origen,

---

24   VILLACAMPA, C.: "Aproximación al matrimonio forzado desde la óptica de las víctimas", *op. cit.*, pp. 13 y ss., sobre los efectos descritos por las víctimas.

como de manera claramente prevalente ha aflorado en las entrevistas conducidas con profesionales del ámbito asistencial.

1 AA: "Yo creo que un impacto desde luego a nivel psicológico muy fuerte es tener que romper con tus raíces, con tu entorno familiar…bueno, un conflicto familiar en este sentido muy fuerte con todo lo que eso significa, de pérdida de referentes, de soledad, de romper con patrones culturales que te quieren imponer…todo lo que eso significa a nivel psicológico y emocional sobre todo. Muchísima angustia; mucho miedo, también".

14 SJP: "Un adolescente que está en su espacio de confort detecta que en su entorno más inmediato hay unas amenazas. Esto tiene que crear una situación de estrés emocional muy fuerte y si en el caso de estas niñas no puede resolverse la situación para continuar quedándose en el núcleo familiar y tiene que ir a un centro de protección o se tiene que ir del núcleo familiar, ¿qué se le puede ofrecer a esta niña? (…). Esto es un impacto emocional negativo muy grande…, a ver, lloran muchísimo…".

De hecho, la relevancia que se confiere por parte de los profesionales del ámbito asistencial a la ruptura con la familia de origen se puso claramente de manifiesto en las entrevistas con las víctimas. De las entrevistas con ellas se deduce que, mientras la finalización de la convivencia impuesta con un hombre al que no querían fue invariablemente experimentada como una liberación, la ruptura con la familia de origen fue vivida como una pérdida que les generó intenso dolor.

3 V: "Para mí ha ido bastante mal porque he perdido gente que realmente he querido toda la vida, que me han tratado bien también, que no quisiera perderlos; pero bueno, ya es tarde, porque lo que ha pasado, ha pasado…. Es que ya sabes que cuando la relación se rompe por un tiempo, por rencores, con dolor, si lleva mucho tiempo rota, ya recuperarla cuesta mucho".

Pero es que, además, la ruptura con la familia de origen acarrea otras consecuencias como el padecimiento y culpa por haber abandonado a los padres, incluso por haberlos decepcionado. En ocasiones estos se manifiestan junto a sentimientos de rabia, de indefensión y de frustración, al no serles reconocida la capacidad para tomar decisiones importantes en su vida y al no permitírseles seguir con un esquema vital como el que pueden emprender la mayor parte de mujeres en el país en el que han nacido, se han criado o residen habitualmente.

2 V: "Me enfadé primero con mi madre, porque le dije "mamá, tú eres una mujer como yo ¿cómo has dejado que me hagan esto?

De otra parte, también se han identificado como muy relacionadas con esta situación de ruptura el sufrimiento de situaciones de extrema soledad y de rechazo por parte de la familia o de la comunidad de origen, como ponen de manifiesto las siguientes entrevistas con profesionales:

10 AA: "Y después también todo lo que supone si la chica finalmente decide no casarse, que es un rompimiento directamente con la comunidad y este sentimiento de soledad y de quedarse sola".

17 AA: "No llegan al extremo de crímenes de honor y todo eso que a veces se puede dar con otro tipo de comunidad, que incluso pueden llegar al extremo de agredir o matar en el peor de los casos a la hija por haber rechazado el matrimonio, no estamos hablando de este extremo ni mucho menos, pero sí que pueden echar de casa a la hija, esto se podría dar, tampoco creo que en todos los casos, porque la comunidad gambiana tampoco tiene esta manera de actuar en general, por lo que conozco. Pero sí tienen miedo de que de alguna manera están rompiendo con la tradición familiar y, por tanto, la comunidad lo puede ver con malos ojos, y pueden quedarse fuera y sin nada".

3 SJP: "Ella nunca ha pensado que la familia entendiera eso (su difícil situación estando casada), pero sí que era importante que ella obedeciera el imperativo. Entonces, la soledad, el desconocimiento, el desarraigo...y todos los efectos psicológicos y físicos de todas las violencias que padecía".

El aislamiento social que padecen las mujeres que se niegan a aceptar o mantenerse en estas situaciones de convivencia matrimonial forzada se evidencia también en los siguientes relatos de las víctimas:

2 V: "Cuando pasó todo esto, yo tenía amigas negras y sus maridos les decían que no fuesen conmigo porque era una divorciada. Me apartaban. Dejaron de llamarme y de venir conmigo (…). Sí es muy fuerte, porque tengo un carácter muy fuerte y muy luchador y todo eso, pero a mí la comunidad me derrumbaba".

5 V: "Cuando me encontraba a gente por la calle me decían "tu padre está ingresado por tu culpa". Amigos suyos que me giraban la cara simplemente porque había denunciado a mi padre. ¡Y yo no lo había denunciado, simplemente le había dicho al juez que no me quería ir (a Gambia)"!

4. Programa de intervención con las víctimas

La investigación se proponía también conocer cómo se está abordando institucionalmente el matrimonio forzado en España y qué opinión merece a profesionales y víctimas dicho tratamiento.

4.1. Forma en la que los profesionales entran en contacto con las víctimas

De la existencia de víctimas de matrimonio forzado conocen los profesionales entrevistados por vías diversas, que comprenden desde la mera referencia a sentencias o informes técnicos elaborados por otros profesionales hasta el contacto directo con las víctimas.

Se observa que entre los profesionales del ámbito asistencial es más frecuente que el conocimiento se obtenga directamente de la propia víctima, tanto en casos en que se plantea una situación de riesgo más o menos inminente de celebración de un matrimonio, como en los supuestos en los que éste ya tuvo lugar en el pasado. Puede así suceder que sea la propia víctima quien alerte al profesional tras ser testigo de conversaciones entre familiares sobre las expectativas que le deparan -sea propiamente el enlace matrimonial o un viaje al país de origen de la familia sin tener claro el motivo del desplazamiento-, o bien tras haber sido directamente informada sobre sus opciones de futuro e incluso haberse iniciado maniobras para presentarle a los candidatos. A tenor de lo expuesto por los profesionales, quienes reciben este tipo de revelaciones son fundamentalmente los maestros y tutores del colegio o del instituto en que la víctima, habitualmente menor de edad, cursa el ciclo educativo, si bien es posible que la situación se desvele por la propia comunicación de compañeros o amigos que están al corriente del riesgo en que se halla la menor, o incluso por la detección por parte de los docentes de una situación de absentismo a clases.

1 AA: "A ver, en uno de los casos que recuerdo con detalle, la chica que era menor de edad pide ayuda cuando ella conoce, porque escucha fortuitamente una conversación de la señora que estaba organizando su matrimonio, y cuando ella se da cuenta de que todo esto va con ella y que la van a casar en contra de su voluntad, ella pide ayuda a una de las profesoras del instituto al que ella está acudiendo. Es esta profesora la que se moviliza".

También resulta habitual que la revelación surja sea a raíz de actividades de sensibilización de carácter preventivo llevadas a cabo por trabajadores sociales, mediadoras culturales u otros colectivos que establecen contacto con las jóvenes y ofrecen un vínculo de confianza que, llegado el caso, facilita un referente donde acudir en busca de asesoramiento y ayuda.

3 AA: "Nosotras aquí tenemos cursos dirigidos a mujer subsahariana en tema de salud porque nuestra finalidad es trabajar la prevención de la mutilación genital femenina. (…). En un grupo concreto de adolescentes, una de las chicas que tenía 18 años comentó que desde muy pequeña sus padres le habían dicho con quien se iba a casar, un primo, y que creía que ese matrimonio iba a ser así. (…) Entonces, nosotras hicimos el curso ese mismo invierno, y en verano, llamó ella pidiendo ayuda".

En los supuestos en los que el matrimonio forzado constituye una realidad que se consumó en un tiempo pasado resulta frecuente que el episodio aflore por el relato de las propias víctimas que acuden al profesional en busca de ayuda por las situaciones de violencia de género o doméstica en las que ha desembocado la relación de pareja o con los familiares. La existencia de un matrimonio forzado se manifiesta cuando el profesional profundiza en los antecedentes de la situación de violencia que padece la mujer. También, en el transcurso de una labor de asesoramiento sobre el procedimiento de separación y divorcio cuando la mujer decide poner fin al matrimonio.

Por su parte, los profesionales adscritos al ámbito de sistema de justicia penal conocen mayoritariamente de supuestos de matrimonio forzado por referencia de otros profesionales que les derivan a las víctimas tras haberlas detectado en sus respectivos ámbitos de intervención o bien a raíz de su participación como expertos en comisiones de protocolos de violencia de género.

Los miembros de cuerpos policiales, tanto de Policía Nacional y Guardia Civil como de Mossos d'Esquadra, conocen de los matrimonios forzados cuando se recaba su intervención tanto con fines preventivos cuando desde el ámbito educativo o desde servicios sociales o por parte de la propia víctima o allegados se alerta del riesgo de que esté preparándose el enlace, como a raíz de una denuncia cuando el matrimonio ya se ha celebrado.

13 SJP: "Normalmente nos entran o bien por educación porque alguna víctima lo manifiesta en la escuela -porque muchas de ellas son menores y, por tanto, es el lugar que tienen para decirlo-; servicios sociales también es una vía de conocimiento; y una tercera vía mayoritaria de conocimiento es mediante la propia víctima que viene a las dependencias a pedir ayuda, o familiares o amigos de la víctima".

También se han relatado episodios de matrimonio forzado que afloran a raíz de una actuación de asistencia jurídica en el marco de una solicitud de asilo, como los mencionados por la letrada de una entidad que nos decía:

4 SJP: "Mira, nos han llegado algunos casos de asilo donde se pide protección internacional por temas de matrimonio forzado. Son mujeres que piden protección internacional y que huyen de su país por algún motivo de persecución. Y alegan que estaban pactando su matrimonio: que su padre, madre o algún familiar estaba pactando un matrimonio y que por esto huyeron".

Finalmente, no puede obviarse que existen casos de los que llegan a conocer los profesionales por motivos que pueden resultar un tanto rocambolescos, como la reclamación por incumplimientos contractuales efectuada de los padres que vendieron a su hija o el comprador de una esposa que no llegó a recibir a la joven.

12 SJP: "Tenemos denuncias por parte de los padres, otras que es por la propia víctima, otras que son profesores que se dan cuenta de que la niña no está bien en el colegio, asistentes sociales y -¡gravísimo!- al que le habían concertado o negociado los padres para que tomara matrimonio con la niña cuando cumpliera 18 años, entonces viendo que se va con otro, que los padres

además de hacer la venta con este hombre se la han vendido a otro y se va con el otro, éste dice "eh, que yo reclamo lo mío". O sea, impresionante".

En definitiva, estamos ante un fenómeno que no siempre sale a la luz y es conocido por los profesionales por la revelación o la denuncia efectuada por la víctima. La propia idiosincrasia de esta práctica, cuando se produce en el entorno familiar y de confianza de las víctimas, favorece que las afectadas no siempre se identifiquen a sí mismas como víctimas, o por lo menos no hasta un momento posterior a la celebración del matrimonio, cuando los efectos de la convivencia impuesta resultan impracticables. Incluso en aquellos casos en que la víctima advierte el peligro ya antes de la celebración del matrimonio resulta complejo que tal riesgo aflore y llegue a ser conocido por los profesionales que pueden intervenir para evitar su perpetración, lo que alguno de los entrevistados refiere como una especial necesidad de capacitación y sensibilidad de los profesionales actuantes:

14 SJP: "Pero bueno de lo que se trata es de ser conscientes que hay casos y que las mujeres y niñas no vendrán a decirte que están siendo amenazadas porque muchas no son conscientes de que están siendo victimizadas. Tenemos que entender que el matrimonio forzado se produce en un entorno de máxima confianza: una niña, un niño crece en el núcleo familiar y ese es su espacio de confort y por lo tanto no están puestas las alertas, porque no son enemigos, al contrario, son tus padres que quieren lo mejor para ti (…). Pero claro debe establecerse la forma para que puedan identificar estas situaciones de riesgo y que en su entorno -si no puede ser la familia, pues por lo menos la escuela o el ámbito sanitario o social- pueda recibir información y solicitar ayuda".

4.2. Método de intervención con las víctimas

4.2.1. *Programa y recursos empleados por los profesionales del sistema de justicia penal*

El programa de intervención con las víctimas se orienta primordialmente, a tenor de lo expuesto por los profesionales del sistema de justicia penal, a implementar medidas de protección y a garantizar que, llegado el caso, pueda procederse al enjuiciamiento de los responsables. Dos cuestiones resultan especialmente relevantes en lo que a las medidas de protección atañe: la identificación de las víctimas destinatarias de las mismas y el programa para el despliegue de las concretas medidas de protección.

En cuanto a la identificación de las víctimas, la práctica difiere según el matrimonio se vincule a un proceso de trata de seres humanos o cuando se proyecta en la más estricta intimidad familiar. En el primer caso, de ubicarse en una trama de trata de personas con fines de matrimonio forzado, la competencia de identificación se encomienda en exclusiva a los cuerpos policiales, si bien alguno de los entrevistados apuntaba que:

5 SJP: "A mí me parece que el sistema de identificación de víctimas de trata no es el correcto: que sea solo la policía la que puede identificar; me parece que ahí tendrían que haber muchos más expertos: tendrían que estar la fiscalía, las ONG, trabajadores sociales, abogados...para poder hacer un dictamen en común".

Paradójicamente, cuando el matrimonio forzado no responde a un proceso de trata o, por lo menos, no se ha vinculado a este fenómeno, la identificación de la víctima recae generalmente en los propios servicios sociales. A ellos se acude en primera instancia en casos de alerta desde el ámbito educativo y por parte de las mediadoras interculturales para que valoren sobre la necesidad de dar cuenta a la autoridad judicial. Cuando desde el ámbito escolar o sanitario o por revelación de la propia víctima menor de edad se conoce de un matrimonio forzado ya consumado, los profesionales optan por acudir directamente a policía o fiscalía. De tratarse de una víctima adulta, esta opción parece plantearse únicamente cuando, junto al matrimonio forzado, aparecen otras manifestaciones delictivas propias de la violencia de género o de la trata.

En segundo lugar, en lo concerniente a las medidas de protección para las víctimas, los profesionales del ámbito forense entrevistados hicieron referencia a las de carácter penal previstas en la LECrim, como las prohibiciones de aproximación y comunicación con la víctima, así como las medidas de carácter procesal que se contemplan en el propio estatuto jurídico de la víctima, entre las que se cuentan la notificación de todas las actuaciones a la víctima y el nombramiento de abogado y procurador. El asesoramiento legal a las víctimas es también una de las medidas que ofrecen los profesionales de este ámbito y algunas entidades disponen de abogados que pueden hacer representación letrada si la víctima decide denunciar. En este sentido, se percibe entre los entrevistados cierta tónica a respetar la voluntad de la víctima adulta en relación con la denuncia o no de los hechos. Cuando, sin embargo, la víctima es menor de edad y el matrimonio se ha consumado se detecta una práctica extendida de informar a Fiscalía y a los servicios sociales.

En lo que a la intervención policial respecta, se constata una diferencia relevante en el proceder de los diversos cuerpos a este respecto. A nivel nacional, los agentes de Policía Nacional entrevistados afirmaron no contar con un protocolo de actuación concreto para los casos de matrimonio forzado. En el caso de la Guardia Civil se hace ofrecimiento de derechos a la víctima y, si es menor, se garantiza su seguridad a través de Fiscalía de menores. Cuando se considera un caso de trata, interviene también Fiscalía de extranjería, que lo pone en conocimiento del juez, y la entidad de protección de menores. Contrasta la exposición de los agentes policiales afirmando la falta de un protocolo de intervención y la remisión a Fiscalía para que sea allí desde donde se adopten las medidas necesarias, con la absoluta confianza que miembros del Ministerio fiscal entrevistados reconocieron en la labor policial, tanto en la identificación de víctimas como en la activación de un supuesto protocolo específico para la protección de aquellas.

Por su parte, los agentes de Mossos d'Esquadra hicieron mención expresa al procedimiento de prevención y atención policial de los matrimonios forzados, refiriendo un contexto de comisión del matrimonio forzado menos vinculado a la trata de seres humanos que lo que se percibía en las declaraciones de Policía Nacional y de Fiscalía de extranjería, y mucho más apegado a prácticas intrafamiliares vinculadas a determinadas comunidades étnicas o culturales. Los agentes entrevistados en este cuerpo policial describieron un programa de actuación conjunto con servicios sociales, especialmente relevante en supuestos de riesgo no inminente, en que se prioriza una primera intervención por parte de los trabajadores sociales con el fin de que contacten con la familia de la víctima, medien en el supuesto e intenten convencer de retirar los planes matrimoniales. Cuando tal intervención no resulta efectiva y la familia no colabora, los agentes informan al juzgado y a Fiscalía para que valore la adopción de medidas de protección, también cuando la víctima es mayor de edad y rechaza denunciar, e incluso cuando, a pesar de los indicios obtenidos por la labor policial y de servicios sociales, la víctima sostiene que el matrimonio es consentido. En caso de derivar a la víctima adulta a una casa de acogida, se valora dejar constancia de ello en las actuaciones para evitar que las jóvenes puedan ser localizadas por las familias si acuden a denunciar su desaparición.

13 SJP: "En estos casos lo más habitual, dado que la mayoría son víctimas menores de edad o si son mayores son relativamente recientes los 18 años, es que o bien pasan a ser tuteladas por la DGAIA y entonces pasan a centros de protección de menores, o si son mayores de edad, se busca una casa de acogida. Porque el problema es que con la familia extensa difícilmente protegerás esa persona, porque toda la familia está implicada o tienen la misma idea en cuanto al tema del matrimonio. Hay que sacar a la niña del domicilio".

4.2.2.   *Derivación entre sistemas asistencial y de justicia penal*

De las entrevistas efectuadas se extrajo un sistema de derivación y coordinación entre los profesionales del ámbito asistencial y de justicia penal.

Los fiscales de extranjería entrevistados coincidieron en la necesidad de derivar a las víctimas a las entidades de la red de protección de víctimas de trata de seres humanos. También los agentes policiales valoraron adecuado derivar a aquellas a una ONG especializada en trata o en violencia de género y consideraron necesario derivar de forma inmediata al menor víctima a ONGs especializadas con el fin de evitar su revictimización.

Desde el ámbito de justicia penal se deriva a las entidades asistenciales para atender a las víctimas, en particular en lo que atañe a posibilitar su recuperación psicológica y acceder a los recursos de carácter residencial cuando se requieran. Tales recursos residenciales consisten en casas de acogida si se trata de una víctima adulta, generalmente coincidentes con las destinadas a acoger víctimas de violencia de género o doméstica, así como las de trata de seres humanos, o bien en centros para menores, generalmente gestionados por la propia administración

Del mismo modo, los profesionales del ámbito asistencial relataron la derivación hacia el sistema de justicia penal, poniendo los hechos en conocimiento de Fiscalía para que se inicie el proceso penal y para que se decreten las medidas necesarias para la protección de la víctima. Algunas entidades señalaron que uno de los puntos en los que más estrecha colaboración debería poder desarrollarse es entre el ámbito educativo y los servicios sociales, puesto que, si bien los primeros están en condiciones de detectar y alertar en caso de riesgo, son los segundos los que disponen de los recursos para atender a las víctimas.

4.2.3. *Aplicabilidad de los programas de asistencia fuera de España*

Coincidieron los profesionales entrevistados, tanto del ámbito asistencial como forense, en afirmar que la intervención resulta especialmente compleja cuando la víctima del matrimonio forzado ha sido trasladada al extranjero. En este contexto la posibilidad de implementar medidas de protección disminuye drásticamente y resulta difícil garantizar su retorno a territorio español.

Una imagen menos negativa vertieron los agentes de la Policía Nacional y de la Guardia Civil a este respecto, que sí detallaron una posible intervención a través de organizaciones de cooperación policial internacional, fundamentalmente recurriendo a Europol y a los agregados del Ministerio del Interior.

10 SJP: "Estamos en la Unión Europea. Existe una cosa que se llama Europol y Cooperación Policial que es a través de los agregados de Interior de España en los países donde esté la víctima. A parte, luego informamos a Europol que se encarga de avisar también a la policía del país".

12 SJP: "Si la víctima es española, sí se puede hacer, por supuesto. Y tenemos una cooperación internacional muy grande. Lo primero que tienes que dar es cuenta al país para que liberen a esa niña, y a partir de ahí ya se va haciendo la investigación, la repatriación. Mira, en el tema en este caso, este con el que comenzábamos la entrevista, esta niña que se la llevan de Sevilla y en Eslovenia es donde la logramos controlar, pues las autoridades de Eslovenia, los servicios allí sociales, nos la mandan para acá. (…) Ahora, la mejor cooperación que tenemos es a nivel Europeo y a través de Europol. Nosotros tenemos una agencia para comunicar señalamientos y demás -se llama SIRENE, que está dentro

del espacio Schengen- ahí te comunicas de una forma rápida y lo pones todo en conocimiento de todos los países o donde tu focalices que crees que está".

Sin embargo, las opciones de intervención se reducen cuando la víctima ha sido trasladada fuera de Europa a un territorio en que la operatividad de Interpol es limitada o inexistente, pues en tales casos la actuación queda sujeta a la existencia de denuncia de la víctima en el país de traslado y a una adecuada relación bilateral con las autoridades del mismo.

10 SJP: "Si es fuera de la Unión Europea, intentamos abarcar Interpol. Lo que pasa, también te digo, es que Interpol no llega a todos los países. Normalmente, si tenemos embajada, se lo damos al delegado de la embajada de España donde esté para que él lo traslade a las autoridades. Es una comunicación bilateral, porque el país también donde a lo mejor hay una víctima que no se atreve a denunciar, pero ha denunciado en otros lugares, lo que es el agregado de ese país viene aquí a las autoridades españolas y lo comunica. Es así la cooperación. Y es una buena cooperación. O sea, si nos enteramos".

12 SJP: "Si sale del ámbito de Europa, (acudimos a) Interpol. Y si hay también oficiales de enlace, pues a través de oficiales de enlace. La cooperación internacional es muy buena actualmente; aunque con ciertos países, no".

También desde el sistema de justicia penal uno de los entrevistados apuntó el interés por la adopción de medidas de carácter procesal en los supuestos de riesgo de traslado de la víctima al extranjero, y en particular, la preconstitución de prueba antes del traslado. Esta actuación podría resultar de interés tanto en el momento en que se detectara tal riesgo como cuando la víctima proyectara su huida a otro país. Una vez ubicada en otro tercer estado, se apuntó la posibilidad de tomar declaración a la víctima por videoconferencia.

1 SJP: "Ahora (cuando la víctima está fuera de España) se podría hacer por videoconferencia, pero claro si los hechos han ocurrido en España lo que hay que hacer es lo de la prueba preconstituida antes que se marche fuera. (…) Cuando esté aquí la víctima lo que hay que hacer sobre todo es la prueba preconstituida; sucede que se marche, que después no se la localice, incluso que después renuncie o algo, pues constituimos una prueba preconstituida y a partir de aquí serviría en principio como elemento indiciario de culpabilidad."

5. Recursos y formación

5.1. Necesidades en términos de recursos

Las entidades del ámbito asistencial expresaron la absoluta insuficiencia de los recursos existentes. Así, las entidades orientadas a la asistencia de víctimas de trata aplaudieron que el matrimonio forzado se contemplara tras la reforma penal como una modalidad de trata confiando que ello facilite el acceso de las víctimas a los recursos previstos para las de trata, aun cuando admitieron que la mayor parte de los existentes se reservan a víctimas de trata para explotación sexual, un déficit que también es expuesto por profesionales del sistema de justicia.

En similar sentido, se planteó la posibilidad de acudir a los recursos especialmente previstos para víctimas de violencia de género, si bien algunas entidades aludieron a cierta dificultad para lograr el reconocimiento de las afectadas por matrimonio forzado como víctimas de tal violencia debido al apego a un concepto de violencia de género demasiado circunscrito a la relación de pareja.

Las reclamaciones de las entidades se centraron en recursos humanos y en recursos económicos y residenciales. A nivel de recursos humanos se apuntó a la falta de profesionales para el acompañamiento a las víctimas, pero también desde una perspectiva de intervención preventiva para mejorar la mediación familiar y para crear espacios de apoyo para madres que quieren romper tradiciones familiares pero que reciben mucha presión. A nivel de recursos económicos la petición más repetida fue la referente a recursos residenciales, fundamentalmente las casas de acogida y pisos de apoyo. Diversos entrevistados pusieron de manifiesto la falta de recursos residenciales adecuados cuando las víctimas son menores de edad, así como la dificultad para activar estos recursos desde el sector público con la celeridad necesaria, por lo que en ocasiones las entidades se ven obligadas a costear un recurso residencial privado hasta que la administración puede facilitar uno.

5 AA: "A estas chicas lo que les hace falta es un recurso físico donde poder ir. Si marchan de casa porque no pueden aguantarlo, pues que tengan un espacio de acogida, que no tienen por qué estar en el mismo territorio, en la misma población, pero como para las de violencia de género".

También entre los profesionales del ámbito del sistema de justicia penal existen muchas voces críticas con los recursos disponibles, apuntando que el acceso a los mismos debería ser más rápido, así como que son escasos e insuficientes para dar una respuesta integral a las necesidades de las víctimas (4 SJP). Algunos de los profesionales más críticos en este ámbito fueron los propios fiscales de extranjería, que incidieron en la falta de recursos residenciales específicos para menores víctimas de trata de seres humanos y centros específicos con personal especializado para víctimas de trata menores de edad o bien que el personal de centros de menores tuviera formación específica para comunicarse y convivir con víctimas de trata.

5.2. Requerimientos en términos de formación

La mayoría de los profesionales entrevistados admitieron la escasa formación disponible o recibida en materia de matrimonios forzados, siendo algunos especialmente críticos con esta falta de formación y mostrándose en general muy conscientes de su necesidad

3 SJP: "Personalmente, yo es que me he formado muchísimo para trabajar con mujeres. Entonces, yo sí, pero entiendo como jurista que más allá de la violencia de género y ahora los turnos de trata…pregúntale a un jurista qué es una servidumbre, o qué es un matrimonio forzado en sí, es decir, no sería capaz a lo mejor tampoco de encontrar ni siquiera dónde se encuentra la definición de matrimonio forzado".

Admitieron que aun haber recibido formación en materia de violencia de género o en mutilación genital, les faltaba conocer las particularidades del matrimonio forzado y algunas entidades señalaron tener planes de formación agendados en esta temática.

Desde el ámbito forense, diversos profesionales reconocieron haber recibido formación sobre las reformas penales o sobre violencia de género, pero, en general apuntaban a su falta en relación con el matrimonio forzado. Los pocos profesionales que reconocieron contar con algo de formación en este ámbito afirmaban que haber acudido a recibirla fuera de España, o bien ser autodidactas y haber aprendido de los que se hace en el extranjero.

IV. CONCLUSIONES

La investigación expuesta ha permitido confirmar que en España existen casos de matrimonio forzado vinculados con procesos de trata de seres humanos. Los profesionales entrevistados en el marco de la investigación cualitativa emprendida han afirmado haber entrado en contacto con víctimas de este fenómeno sometidas a un proceso de trata de personas. Las situaciones detectadas encajan en supuestos de compraventa de mujeres que no responden, sin embargo, a operaciones orquestadas por organizaciones dotadas de una potente infraestructura, sino más bien a supuestos de venta de las propias hijas por parte de los progenitores. Puesto que la investigación se ha realizado contando con la participación de profesionales activos en el ámbito asistencial y en el ámbito del sistema de justicia penal, se ha podido constatar la diversa concepción y aproximación profesional que unos y otros vierten en estos supuestos, lo que ha podido observarse en cada uno de los objetivos conferidos a la investigación. Así, por un lado, conocer el fenómeno del matrimonio forzado, incluyendo las dinámicas de victimización y los efectos que produce y, por otro lado, determinar la forma en que se está abordando institucionalmente, contraponiendo la visión de víctimas y profesionales implicados en su tratamiento forense y asistencial.

En lo que al primero de los objetivos se refiere, los resultados de la investigación muestran como la descripción de las dinámicas de victimización depende del punto de vista de los sujetos que las realizan. Con coincidir los relatos en que este tipo de conductas afectan a mujeres muy jóvenes, la uniformidad en la descripción se rompe cuando se atiende al perfil de quién describe el proceso. En tal sentido, los profesionales del sistema de justicia penal consideran mayoritariamente el matrimonio forzado como un fenómeno intrínsecamente relacionado con la trata de seres humanos, casi en exclusiva victimizante de jóvenes rumanas, normalmente de etnia gitana, que son vendidas por sus padres o familiares próximos, en que los medios comisivos para forzar a contraer son más drásticos y la mujer es tratada como una pura mercancía. Por su parte, los profesionales del ámbito asistencial, lo mismo que las víctimas, describen dinámicas de matrimonio forzado que han conducido a la identificación de este fenómeno con un precipitado familiar, en el sentido de que las mujeres son forzadas a desposarse por la presión familiar, a la que a menudo no resulta ajena la comunidad de procedencia de los padres de la víctima, empleando mecanismos de forzamiento sutiles y envolventes, que podrían identificarse con el control coercitivo y que por lo general afectan a mujeres plenamente socializadas en nuestro país, que han nacido o se han criado en él.

Estas diversas descripciones de las dinámicas de victimización resultan coherentes con la conceptuación del fenómeno de los matrimonios forzados que uno y otro colectivo sostienen. En el caso de los profesionales del ámbito asistencial, identifican el matrimonio forzado con el que se produce contra la voluntad de uno o ambos contrayentes, pero también con aquel que se gesta por razones que tienen que ver con la subordinación estructural de las mujeres, que comprende supuestos de control coercitivo y que resulta difícil de delimitar del matrimonio pactado, admitiendo como forzado también el que lo deviene tras la celebración del matrimonio. En el caso de los profesionales del sistema de justicia penal, identifican este tipo de matrimonios con los supuestos de ausencia absoluta de libertad expresada en la falta de consentimiento o voluntad del contrayente.

Esta distinta visión se traslada a la forma de describir los efectos que uno y otro grupo de profesionales atribuyen a las víctimas, que varían en función de que éstas se sometan a la situación -conduciendo a menudo al padecimiento de situaciones de violencia física o sexual mientras dura la convivencia impuesta con la pareja- o decidan rebelarse frente a la misma -con la consiguiente ruptura al menos temporal con la familia de origen, el aislamiento social o comunitario y la permanente situación de encrucijada a que las conduce el hecho de vivir entre dos mundos-.

En lo que al segundo de los objetivos se refiere, relativo a conocer la forma en que el matrimonio forzado se está abordando institucionalmente y las visiones que al respecto tienen tanto profesionales como víctimas, los resultados muestran que la intervención de los profesionales en una fase inicial del conflicto, ya sea mediante actuaciones de carácter preventivo a modo de información a las jóvenes en riesgo y a sus familias, ya sea desarrollando acciones de mediación con los familias en las que se advierte que se fragua la celebración del matrimonio, resulta menos traumática que cualquier intervención que se efectúe cuando el enlace es inminente o ya se ha consumado. Que esta práctica afecte en muchas ocasiones a adolescentes en el último tramo de su etapa escolar convierte a los profesionales del ámbito educativo en piezas clave para detectar cualquier alerta procedente de la propia víctima o de sus compañeros de clase. Junto a estos, los mediadores profesionales o voluntarios en entidades asistenciales específicamente orientadas al matrimonio forzado, trata de seres humanos, violencia de género o doméstica devienen también puntales en la detección de situaciones de riesgo.

Siendo especialmente importante la detección inicial del riesgo, la investigación pone también de relieve que el tratamiento institucional que se ofrece a las víctimas en peligro de contraer o que ya han contraído no está suficientemente clarificado y no siempre consigue dar respuesta adecuada a las necesidades de aquellas. Así, aun cuando prácticamente todos los profesionales coinciden en apuntar que el anhelo de las víctimas es salir de la situación de extrema tensión en que se hallan, el modelo de intervención para lograr este fin difiere. Entre los profesionales del ámbito forense prima una intervención de tipo quirúrgico proclive a separar a la víctima de su entorno familiar y comunitario, mientras que entre los del ámbito asistencial, y a pesar de los distintos procederes que se observa entre las entidades, es mayoritaria la posición favorable a una intervención de mediación con las familias y de acompañamiento prolongado en el tiempo a las víctimas.

De entre los recursos que se perciben como más deficientes por parte de los profesionales, destacan los de carácter residencial para las víctimas, en particular, los específicamente destinados a acoger a menores de edad. Asimismo, el trabajo pone de manifiesto las limitaciones en la intervención de los profesionales policiales, judiciales y asistenciales cuando la víctima desaparece de territorio español y es trasladada a un país extracomunitario donde contrae matrimonio.

Mucho queda por investigar sobre esta realidad todavía poco conocida en nuestro país al objeto de determinar cuáles deberían ser las líneas de una adecuada política legislativa e institucional para abordarla interseccional y holísticamente. Sin embargo, de lo que aquí se ha analizado, se deduce la necesidad de formar a los profesionales que eventualmente pueden entrar en contacto con víctimas de este fenómeno a efectos de que sean capaces de detectarlas, tanto en los casos en que el matrimonio forzado se identifique total o parcialmente con un supuesto de trata de seres humanos, como en aquellos otros en que constituya un precipitado de determinadas tradiciones familiares. Todas las víctimas -ya desposadas o en riesgo de serlo- deben ser identificadas si se pretende evitar en un temprano estadio los nocivos efectos físicos y psicológicos que la vivencia de estos procesos produce en mujeres muy jóvenes. Para ello debe ampliarse el foco de atención mostrado hacia esta realidad, de manera que se considere que la misma también cubre los supuestos de forzamiento por obra del control coercitivo o de forma sobrevenida. Sin embargo, que sea deseable que todas las víctimas se identifiquen para asistirlas de forma conveniente, no significa necesariamente que resulte adecuado que la intervención sea idéntica para los supuestos de matrimonio forzado que son consecuencia del aferramiento a determinadas tradiciones familiares que sitúan a la mujer en un papel subordinado y para aquellos que constituyen manifestaciones concretas del fenómeno de la trata de seres humanos. Para estas últimas deviene necesario el recurso al Derecho penal, junto a la eventual previsión de mecanismos de tutela extrapenales de las víctimas, además del diseño de programas asistenciales basados en la separación de las víctimas de los victimarios.

V. BIBLIOGRAFÍA

ANITHA, S. y GILL, A. K.: "Reconceptualising consent and coercion within an intersectional understanding of forced marriage", en GILL, A. K. y ANITHA, S. (eds.), *Forced Marriage. Introducing a social justice and human rights perspective*, Zed Books, London and New York, 2011.

BRAUN, V. y CLARKE, V.: "Using Thematic analysis in Psychology". *Qualitative Research in Psychology*, 3 (2), 2006.

BUNTING, A., LAWRANCE, B. N. y ROBERTS, R. I.: "Something Old, Something New?. Conceptualising Forced Marriage in Africa", en BUNTING, A., LAWRANCE, B. N. y ROBERTS, R. I. (eds.), *Marriage by Force? Contestation Over Consent and Coercion in Africa*, Ohio University Press, Athens (Ohio), 2016.

EUROJUST: *Report on national legislation and Eurojust Caselaw análisis on sham marriages*, 2020.

FRA (EUROPEAN AGENCY FOR FUNDAMENTAL RIGHTS): *Addressing forced marriage in the EU: Legal provisions and promising practices*, 2014. Disponible en https://fra.europa.eu/en/publication/2014/addressing-forced-marriage-eu-legal-provisions-and-promising-practices

GANGOLI, G., CHANTLER, K., HESTER, M. y SINGLETON, A.: "Understanding forced marriage: definitions and realities", en GILL, A. K. y ANITHA, S. (eds.), *Forced Marriage. Introducing a social justice and human rights perspective*, Zed Books, London and New York, 2011.

GILL, A. K. y ANITHA, S.: "Introduction: framing forced marriage as a form of violence against women", en GILL, A. K. y ANITHA, S. (eds.), *Forced Marriage. Introducing a social justice and human rights perspective*, Zed Books, London and New York, 2011.

GUEST, G., MCQUEEN, K. M. y NAMEY, E. E.: *Applied Thematic Analysis*, Sage Publications, Los Angeles, London, New Delhi, Singapore, 2012.

HM GOVERNMENT: *The right to Choose: Multi-agency statutory guidance for dealing with forced marriage*, second (revisited) edition, 2010. Disponible en: https://www.gov.uk/government/publications/the-right-to-choose-multi-agency-

HOME OFFICE: *A Choice by right. The report of the working group on forced marriage*. 2000. Disponible en www.basw.co.uk/system/files/resources/basw_22604-2_0.pdf

HUGHES, D. M.: "The role of 'marriage agencies' in the sexual exploitation and trafficking of women from the former Soviet Union", *International Review of Victimology*, vol. II, 2004.

LIU, W., QIU, G. y ZHANG, S.: "Easy prey: Illicit enterprising activities and the trafficking of Vietnameses Women in China", *Asian Journal of Criminology*, 2020.

LLORIA GARCÍA, P.: "El delito de trata de seres humanos y la necesidad de creación de una ley integral", *Estudios penales y criminológicos*, 39, 2019.

LLOYD, K.A.: "Wives for Sale: The Modern International Mail-Order Bride Industry", *Northwestern Journal of International Law and Business*, vol. 20, 2, 2000.

OUTTARA, M., SEN, P. y THOMSON, M.: "Forced marriage, forced, sex: the perils of childhood for girls", *Gender and development*, vol. 6, no. 3, 1998.

RAJ, A.: "When the mother is a child: the impact of child marriage on the health and human rights of girls", *Archives of Disease in Childhood*, 2010.

STÖCKL, H., KISS, L., KOEHLER, J., DONG, D. T. y ZIMMERMAN, C.: "Trafficking of Vietnamese women and girls for marriage in China", *Global Health Research and Policy*, 2:28, 2017.

TORRES, N.: "Matrimonio forzado: aproximación fenomenológica y análisis de los procesos de incriminación". *Estudios Penales y Criminológicos*, XXXV, 2015.

UNICEF: *Child marriage and the Law, Legislative Reform Initiative Paper Series*, Division of policy and planning, New York, 2008.

UNICEF: *Ending Child marriage. Progress and prospects*, New York, 2014.

UNITED NATIONS CHILDREN'S FUND: *Innocenti Digest no.7: Matrimonios prematuros*, UNICEF, New York, 2001.

VILLACAMPA, C. y TORRES, N.: "El matrimonio forzado en España. Una aproximación empírica", *Revista Española de Investigación Criminológica*, 17, 2019.

VILLACAMPA, C. y TORRES, N.: "Trata de seres humanos para explotación criminal: ausencia de identificación de las víctimas y sus efectos", *Estudios Penales y Criminológicos*, 36, 2016.

VILLACAMPA, C: *El delito de trata de seres humanos. Una incriminación dictada desde el derecho internacional*, Aranzadi-Thomson Reuters, Cizur Menor, 2011.

VILLACAMPA, C.: "Aproximación al matrimonio forzado desde la óptica de las víctimas", *e-Eguzkilore: Revista Electrónica de Ciencias Criminológicas*, 4, 2019.

VIUHKO, M., LIETONEN, A., JOKINEN, A. y JOUTSEN, M. (eds.): "Exploitative sham marriages: exploring the links between human trafficking and sham marriages in Estonia, Ireland, Latvia, Lithuania and Slovakia", *European Institute for Crime Prevention and Control, Publication Series*, no. 82, 2016. Disponible en: http://www.iem.gov.lv/files/text/hestia-report-eng.pdf

WARRIA, A.: "Forced child marriages as a form of child trafficking", *Children and Youth Services Review*, 79, 2017.

WIJERS, M. y LAP-CHEW, L.: *Trafficking in Women. Forced labour and slavery-like practices in marriage, domestic labour and prostitution*, Foundation against trafficking in Women. Global Alliance Against Traffic in Women (GAATW), 1999.

WOOD, L.: "Child modern slavery, trafficking and health: a practical review of factors contributing to children's vulnerability and the potential impacts of severe exploitation on health", *BMJ Paediatrics Open*, 4, 2020.

Capítulo X

¿QUÉ CASOS DE TRATA DE SERES HUMANOS CONOCEN LAS AUDIENCIAS PROVINCIALES? ANÁLISIS CUANTITATIVO DE SENTENCIAS[1]

MARC SALAT PAISAL

Profesor Agregado Serra Húnter de Derecho Penal
Universitat de Lleida

Sumario: I. INTRODUCCIÓN; II. METODOLOGÍA; III. RESULTADOS; 1. Incidencia procesal de la trata de seres humanos en los tribunales españoles; 2. Perfil de los acusados y víctimas; 3. Tipología de los casos de trata de seres humanos enjuiciados; 4. Variables que influyen en la condena; 4.1 Características del tribunal; 4.2 Los hechos objeto de enjuiciamiento; 4.3 Las características de los acusados; IV. DISCUSIÓN Y CONCLUSIONES; V. BIBLIOGRAFÍA.

I. INTRODUCCIÓN

La trata de seres humanos consiste en el proceso conducente a una situación de explotación[2], que según la legislación penal española puede ser sexual, para cometer delitos, para la imposición de trabajos forzados, la mendicidad, la extracción de órganos o a la celebración de matrimonios forzados. La trata, pues, debe diferenciarse claramente de los supuestos de tráfico de personas migradas – el llamado *smuggling of migrants*. Sin embargo, hasta la tipificación del delito de trata de seres humanos a través de la aprobación de la Ley Orgánica 5/2010, este fenómeno se castigaba – en todo caso – a través del delito de tráfico de personas migradas, previsto y penado en el art. 318 bis CP. De hecho, puesto que el tipo penal de la trata solo es aplicable a partir de hechos

---

[1]   El presente capítulo constituye un resumen de dos investigaciones publicadas con carácter previo. La primera en SALAT, M.: "Análisis descriptivo de sentencias sobre trata de personas: Un estudio de casos judiciales entre 2011 y 2019", *Revista Española de Investigación Criminológica*, 18, 2020; SALAT M.; "¿Qué influye en las condenas por el delito de trata de seres humanos? Un estudio a partir de un análisis de sentencias judiciales", *Revista General de Derecho Penal*, 35, 2021.

[2]   Sobre este concepto, *vid.* VILLACAMPA ESTIARTE, C.: *El delito de trata de seres humanos. Una incriminación dictada desde el Derecho internacional*, Thomson-Reuters Aranzadi, Pamplona, 2011.

acaecidos con posterioridad a su entrada en vigor (23 de diciembre de 2010), todavía hoy pueden encontrarse resoluciones judiciales en las que se enjuician casos que materialmente son de trata de personas a través del delito contra los derechos de los ciudadanos extranjeros.

Las singularidades que envuelve el delito de trata de seres humanos impone la necesidad de que se analicen con profundidad y desde distintas perspectivas las variables relacionadas con este fenómeno criminal. Lo cierto es que desde diversos ámbitos del conocimiento se han ido afrontando estas lagunas; sobre todo a raíz de la aprobación del Convenio del Consejo de Europa sobre la lucha contra la trata de seres humanos en 2005, conocido como Convenio de Varsovia, momento a partir del cual se incrementaron el número de publicaciones sobre este fenómeno[3]. Sobre estas, la mayoría de las investigaciones realizadas se han centrado en el análisis teórico de la trata, y en los casos en que han consistido en estudios empíricos, estas se han referido principalmente a análisis cualitativos[4].

En España, sin embargo, a día de hoy poco sabemos sobre los tipos de casos de trata de seres humanos que existen, así como las características de los ofensores y víctimas del mencionado delito[5]. Ciertamente, en los últimos años se ha realizado algún estudio enfocado a poner de manifiesto que supuestos de trata son conocidos por el sistema de justicia más allá de la tradicional trata para explotación sexual[6], pero todavía no se ha analizado en profundidad qué casos llegan a los tribunales penales y si estos se corresponden con el fenómeno de la trata que, según los datos de prevalencia, existe en España. De hecho, se han realizado únicamente tres estudios cuantitativos sobre trata de seres humanos registrada. En el primero[7], se analizaron un total de 15 expedientes sobre trata por explotación laboral. En el segundo, desde el Defensor del Pueblo[8] se recogen datos de Inspección de Trabajo, la Seguridad Social y de las memorias de

---

[3]   Puede verse una interesante revision bibliográfica en RUSSELL, A.: Human Trafficking: "A Research Synthesis on Human-Trafficking Literature in Academic Journals from 2000–2014", *Journal of Human Trafficking*, 4(2), 2018, pp. 114–136.

[4]   Según RUSSELL, A.: *Ibidem*, entre 2000 y 2014 el 67% de las investigaciones sobre trata de seres humanos fueron teóricas. Entre los estudios empíricos, un 62% consistieron en análisis cualitativos.

[5]   Recientemente, en el marco del mismo proyecto de investigación en la que se enmarca esta publicación, *vid.* VILLACAMPA ESTIARTE, C. *et al.*: "Trata de seres humanos: dimensión y características en España", *Revista General de Derecho Penal*, 35, 2021.

[6]   VILLACAMPA ESTIARTE, C. y TORRES ROSELL, N.: "Trata de seres humanos para explotación criminal: ausencia de identificación de las víctimas y sus efectos", *Estudios Penales y Criminológicos*, 36, 2016, pp. 771–829.

[7]   REQUENA ESPADA, L., GIMÉNEZ-SALINAS FRAMIS, A. y DE JUAN ESPINOSA, M.: "La trata de personas para su explotación laboral", *Boletín Criminológico*, 114, 2009, pp. 1-4.

[8]   DEFENSOR DEL PUEBLO: *La trata de seres humanos en España: víctimas invisibles*, 2012, p. 333.

la Fiscalía General del Estado y, a partir de ellos, se identifican las principales actuaciones realizadas por estas instituciones, así como el número de víctimas, nacionalidad, modus operandi, etc. Finalmente, en el último de los estudios cuantitativos existentes en nuestro país se realiza un análisis del delito de trata de seres humanos partiendo de los datos publicados por el Ministerio Fiscal español entre 2014 y 2017, así como de un total de 82 sentencias por trata de seres humanos para explotación sexual o laboral[9]. Este último, a pesar de que parte de datos derivados de sentencias judiciales, se dirige principalmente al análisis de cuestiones económicas (coste del transporte, beneficios obtenidos, etc.) relacionadas con la trata.

Tal circunstancia provoca que no sepamos si el sistema de justicia penal está abarcando las distintas tipologías de trata de seres humanos que, parece, existen. Esto es, si los casos que llegan a los tribunales se corresponden con los existentes o, al menos, los conocidos. De no ser así, resultaría, pues, que una parte de la tipología de casos de trata de seres humanos que existen en España no está siendo perseguida judicialmente y, por tanto, permanece oculta. De hecho, en estudios de trata realizados en otros países se ha puesto de manifiesto que, como consecuencia de la sobre atención a los casos de explotación sexual, se ha producido una falta de identificación de otras manifestaciones de la trata[10].

Así pues, mediante la presente investigación se pretende responder a la pregunta de qué casos de trata de seres humanos conocen nuestros tribunales penales y si estos se corresponden con la realidad fenomenológica.

No obstante, con carácter previo se pretende exponer los datos de prevalencia del fenómeno de la trata de que disponemos, así como los resultados de las principales investigaciones cuantitativas sobre los casos de trata que llegan al sistema de justicia penal derivados de datos policiales, judiciales o de sentencias. Dada la práctica ausencia de datos sobre este fenómeno en nuestro territorio, resulta importante conocer los datos ofrecidos por estudios realizados en países de nuestro entorno que sirvan luego para compararlos con los datos obtenidos en la presente investigación.

En este sentido, es preciso indicar que los datos conocidos de trata provienen básicamente de los estudios de prevalencia que se han realizado por parte de organizaciones internacionales. En este sentido, existen datos publicados

---

[9]   MENESES-FALCÓN, C., URÍO RODRÍGUEZ, S. y UROZ-OLIVARES, J.: *Financing of trafficking in human beings in Spain*, Center for the Study of Democracy, 2019.

[10]   KRAGTEN-HEERDINK, S. L., DETTMEIJER-VERMEULEN, C. E., y KORF, D. J.: "More than just "pushing and pulling": conceptualizing identified human trafficking in the Netherlands", *Crime & Delinquency*, 64(13), 2018, pp. 1765-1789.

por UN[11], por parte de Europol[12] o la Comisión Europa[13], por poner algunos ejemplos. En todos los casos, uno de los principales problemas que se plantea es la propia fiabilidad de los datos. Tal como se expone en los propios informes, existe una falta de uniformidad en las fuentes, en tanto que obtienen los datos a través de los países miembros y estos parten de criterios dispares (fuentes policiales, de acusados, de condenados, de sospechosos, etc.)[14]. En cualquier caso, con carácter general, el 59% de los casos de trata conocidos lo son para explotación sexual, el 34% para explotación laboral y el porcentaje restante para finalidades distintas a las mencionadas (comisión de delitos, tráfico de órganos, matrimonios forzados, etc.). En Europa occidental, el porcentaje de supuestos de trata para explotación sexual se eleva hasta el 66%, si bien se ha constatado que existe un elevado porcentaje de casos de trata para otras formas de explotación. Siguiendo con los datos europeos, los acusados por trata son mayormente hombres (69%) si bien se constata que existe un elevado número de mujeres (31%). Por lo que a la nacionalidad de los acusados se refiere, los datos indican que aproximadamente un 40% son nacionales, el resto extranjeros. Siguiendo con el perfil de las víctimas, en general, podemos decir que en el caso de la trata para explotación sexual – la finalidad más habitual – las víctimas son básicamente mujeres (entre el 90% y 95%). En cambio, en los supuestos de trata para explotación laboral los hombres constituyen el mayor porcentaje de víctimas (entre el 40% y el 50%). Finalmente, cuando la trata tiene como finalidad la mendicidad o la comisión de delitos, los menores de edad ganan protagonismo. Las víctimas mayormente son extranjeras y se estima que solo el 10% son nacionales o de países de Europa occidental[15].

Con respecto a los casos de trata que llegan al sistema de justicia penal, debe advertirse que la mayoría de los datos provienen de fuentes no judiciales[16]. Entre los pocos estudios existentes, un trabajo realizado en Noruega ha analizado un total de 358 archivos policiales sobre casos de trata de seres humanos conocidos y finalizados entre noviembre de 2003 y diciembre de 2013[17] en los que se pretendía conocer algunos de los factores que influyen en la probabilidad de

---

[11]   UNITED NATIONS OFFICE ON DRUGS AND CRIME: *Global Report on Trafficking in Persons*, 2020.

[12]   EUROPOL: *Situation report: Trafficking in human beings in the EU*, Europol Public Information, 765175, 2018.

[13]   COMISIÓN EUROPEA: *Data collection on trafficking in human beings in the EU*, European Commission, Luxembourg, 2020.

[14]   COMISIÓN EUROPEA: *Ibidem*.

[15]   UNITED NATIONS OFFICE ON DRUGS AND CRIME: *Global Report on Trafficking in Persons*, *op. cit.*

[16]   BJELLAND, H. F.: "Identifying human trafficking in Norway: a register-based study of cases, outcomes and police practices", *European Journal of Criminology*, 14 (5), 2017, pp. 522-542.

[17]   BJELLAND, H. F.: *Ibidem*.

condena. Igualmente, Francis[18] analiza un total de 147 casos conocidos por el FBI sobre trata, partiendo de la información publicada por la misma agencia en su página web en el que analiza una serie de variables relacionadas con la condena. En Holanda se han realizado dos estudios partiendo de los datos derivados de Ministerio Fiscal holandés en relación con el delito de trata de seres humanos. Uno de los estudios analizó un total de 768 casos relacionados con la trata durante el periodo 2008 a 2012[19] en el que se pone de manifiesto que hay un elevado número de víctimas reclutadas en el mismo territorio holandés. En otro estudio[20], se han analizado un total de 138 archivos del Ministerio Fiscal holandés de mujeres condenadas por la comisión de un delito de trata de seres humanos entre los años 1991 a 2016. De acuerdo con los resultados de este último trabajo, las acusadas mujeres se encuentran en situaciones más débiles que sus compañeros varones, normalmente provenientes de las mismas regiones que las víctimas, con roles secundarios y en aproximadamente la mitad de casos habiendo sido previamente víctimas de trata. En Italia existe un estudio empírico basado en 164 entrevistas a fiscales a partir de las que se extrajeron datos derivados de un total de 2930 casos judiciales durante los años 1996 a 2001[21] en el que se concluyó que la gran mayoría de víctimas de trata son extranjeras, principalmente de Nigeria y de países de Europa del Este.

Donde existen más trabajos sobre sentencias por delitos de trata de seres humanos es en Estados Unidos. Allí, uno de los estudios más importantes analiza los datos de 2317 sentencias condenatorias derivadas de los casos conocidos por los tribunales federales de Estados Unidos durante los años 2001 a 2010 sobre trata de seres humanos para explotación sexual o laboral[22]. Según los datos obtenidos por el autor, en los casos de trata por explotación sexual solo el 5% de los condenados eran mujeres y en general eran nacionales americanos de raza blanca y con niveles de educación media-alta. En los casos de trata por explotación laboral, en cambio, el porcentaje de hombres fue menor (76%) y a pesar de que en general los condenados también eran nacionales (68%) solo un 25% de ellos eran de raza caucásica. Otro estudio analiza un

---

[18]	FRANCIS, B.: *The Female Human Trafficker in the Criminal Justice System: A Test of the Chivalry Hypothesis*. Electronic Theses and Dissertations, 5116, 2016.

[19]	KRAGTEN-HEERDINK, S. L., DETTMEIJER-VERMEULEN, C. E., y KORF, D. J.: "More than just "pushing and pulling": conceptualizing identified human trafficking in the Netherlands", *op. cit.*, pp. 1765-1789.

[20]	WIJKMAN, M., y KLEEMANS, E.: "Female offenders of human trafficking and sexual exploitation. Crime", *Law and Social Change*, 72(1), 2019, pp. 53–72.

[21]	CURTOL, F., DECARLI, S., NICOLA, A. y SAVONA, E. U.: "Victims of human trafficking in Italy: a judicial perspective", *International Review of Victimology*, 11(1), 2004, pp. 111-141.

[22]	ALBONETTI, C. A.: "Changes in federal sentencing for forced labor trafficking and for sex trafficking: A ten year assessment. Crime", *Law and Social Change*, 61(2), 2014, pp. 179–204.

total de 116 sentencias condenatorias sobre trata de seres humanos entre 2006 y 2011[23] según el cual la mayoría de casos conocidos son de trata para explotación sexual (78%). Por lo que respecta al perfil de acusados y víctimas, el 60% de los acusados son extranjeros y en el 32% de casos mujeres.

A nivel internacional existe un estudio que analiza un total de 72 sentencias de trata de seres humanos por explotación laboral durante los años 2004 a 2014, partiendo de los datos publicados por la *Human Trafficking Case Law Database*; una base de datos de Naciones Unidas en la que se recoge información judicial sobre sentencias de trata de seres humanos de distintos países[24]. Según dicho estudio, la principal conclusión es que existen una fuerte correlación entre la nacionalidad de los acusados y víctimas, de modo que mayormente ambos proceden de los mismos países.

Teniendo en cuenta el actual estado de la cuestión y a pesar de los esfuerzos que se han realizado, se considera necesario profundizar en la labor de obtener un mayor número de datos con el fin de alcanzar una aproximación lo más real posible al fenómeno en todas sus dimensiones, incluida la de conocer los casos de trata que llegan al sistema de justicia penal. Sobre esto último, los datos de que se disponen a nivel internacional, también en España, son escasos e incompletos, por lo que es necesario ahondar en su estudio y análisis[25].

Ante tal estado de la cuestión, el primer objetivo consiste en conocer los casos de trata de seres humanos que son juzgados en los tribunales penales españoles. Es decir, poner de manifiesto la incidencia procesal que tiene el delito de trata de seres humanos (art. 177 bis CP) y conocer la tipología de los casos que llegan a los tribunales españoles; esto es, los perfiles de los autores y de las víctimas, la finalidad de la trata, la relación de la trata con la explotación, así como las variables que influyen en las condenas. En segundo lugar, y con el objetivo de responder a la pregunta de si los casos que llegan a los tribunales se corresponden con el fenómeno de la trata, se quiere comparar los resultados obtenidos en la presente investigación con los procedentes de estudios previos. Todo ello, con el objetivo final de que ello pueda ser tenido en cuenta a la hora de regular una ley integral sobre la trata de seres humanos.

---

[23]   DENTON, E.: "Anatomy of Offending: Human Trafficking in the United States, 2006–2011", *Journal of Human Trafficking*, 2(1), 2016, pp. 32–62.

[24]   ARHIN, A.: "A Diaspora Approach to Understanding Human Trafficking for Labor Exploitation", *Journal of Human Trafficking*, 2(1), 2016, pp. 78–98.

[25]   En este sentido, *vid.* BJELLAND, H. F.: "Identifying human trafficking in Norway: a register-based study of cases, outcomes and police practices", *op. cit.*, pp. 522–542; GOZDIAK, E., MICAH, N. y BUMP, A.: *Data and Research on Human Trafficking: Bibliography of Research-Based Literature*, Institute for the Study of International Migration, Walsh School of Foreign Service, Georgetown University, 2018; RUSSELL, A.: Human Trafficking: "A Research Synthesis on Human-Trafficking Literature in Academic Journals from 2000–2014", *op. cit.*, pp. 114–136.

II. METODOLOGÍA

Se han analizado las sentencias dictadas en primera instancia por todas las Audiencias Provinciales españolas sobre delitos relacionados con la trata de seres humanos desde 2011.

La muestra está formada por la totalidad de las sentencias que constan en la base de datos del Centro de Documentación Judicial del Consejo General del Poder Judicial (CENDOJ) durante el periodo que va desde el 1 de enero de 2011 al 31 de diciembre de 2019. Se ha optado por utilizar la base de datos del CENDOJ al entender que en ella constan todas las sentencias dictadas por las Audiencias Provinciales[26], por lo que evita que se pudiera tener problemas de representatividad de la muestra. En concreto, se procedió a la búsqueda de todas aquellas sentencias de trata de seres humanos, pero también de otros delitos relacionados – sobre todo pensando en los primeros años objeto de análisis en que era probable que el número de sentencias por dicho delito fuera bajo debido a que solo es aplicable a partir de hechos cometidos a partir de julio de 2010 – a pesar de que materialmente los hechos se correspondían con el fenómeno de la trata. Esto es, supuestos en que el relato de hechos de la sentencia se corresponde con la definición de trata, según lo establecido por el tipo penal de la trata en el CP español. Así pues, en el trabajo se tienen en cuenta no solo las acusaciones por el art. 177 bis CP, sino también por el tipo penal del art. 318 bis CP, relativo al tráfico ilegal de migrantes en los casos en que este iba acompañado de alguna forma de explotación y siempre que del relato de los hechos contenido en la sentencia pudiera desprenderse que se trataba de un caso de trata. En concreto, los términos de búsqueda en la base de datos del CENDOJ fueron los siguientes: ""177 bis" O "177bis" O "trata de seres humanos" O "trata seres humanos"", ""318 bis" Y "311"", ""318 bis" Y "312"", ""318 bis" Y "311 bis"", ""318 bis" Y "188" NO "177 bis" Y "Código penal"", ""318 bis" Y "187" NO "177 bis" Y "Código penal""[27]. Con ello se permite acceder a todas las sentencias que se integran en el fenómeno de la trata.

El resultado total de la búsqueda reportó un total un de 674 sentencias. Una vez consultadas, se descartaron todas aquellas que, a pesar de hacer referencia a alguno de los artículos indicados, no se correspondían a un caso de trata de seres humanos, bien porque la referencia se debía a la reproducción

---

[26] TAMARIT, J. M., GUARDIOLA, M. J., HIDALGO, P. H. y SOLANET, A. P.: "La victimización sexual de menores de edad: un estudio de sentencias", *Revista Española de Investigación Criminológica*, 12, 2014, pp. 1-39.

[27] El entrecomillado fuerza al buscador a mostrar resultados en los que aparezcan los términos exactos a los introducidos en el buscador. El hecho de añadir Y u O fuerza a que los resultados incluyan conjuntamente o alternativamente las palabras buscadas. Ello permite afinar la búsqueda y, sobre todo, evitar resultados repetidos.

literal de los arts. 57, 127 bis o 132 CP en los que se hace mención expresa al término "trata de seres humanos" o bien porque, a pesar de que la acusación se hubiera formulado por alguno de los delitos mencionados, se desprendía de manera evidente del relato fáctico de la sentencia que el caso no era de trata de seres humanos. La muestra final de sentencias fue de 221 casos. Teniendo en cuenta que el censo es relativamente pequeño se ha optado por analizar el total de sentencias sobre trata de seres humanos.

Tabla 1. Características de la muestra (N=221)

		n	Porcentaje
Tribunal	Madrid	39	17,6
	Cataluña	23	10,4
	Comunidad Valenciana	7	3,2
	Murcia	8	3,6
	Andalucía	27	12,2
	Castilla La Mancha	18	8,1
	Extremadura	6	2,7
	Castilla León	19	8,6
	Galicia	14	6,3
	Asturias	13	5,9
	Cantabria	6	2,7
	País Vasco	2	0,9
	La Rioja	3	1,4
	Navarra	2	0,9
	Aragón	7	3,2
	Islas Baleares	6	2,7
	Islas Canarias	17	7,7
	Melilla	4	1,8
Año sentencia	2011	20	9,0
	2012	18	8,1
	2013	20	9,0
	2014	30	13,6
	2015	25	11,3
	2016	29	13,1
	2017	31	14,0
	2018	27	12,2
	2019	21	9,5
Número de acusados	1	45	20,4
	2	57	25,8

	entre 3 y 5	82	37,1
	entre 6 y 10	28	12,7
	más de 10	9	4,1
Número de víctimas (*)	1	100	47,2
	2	39	18,4
	entre 3 y 5	51	24,1
	entre 6 y 10	16	7,5
	más de 10	6	2,8

* % respecto el total de casos en que se han podido contabilizar las víctimas (N=212). En los 9 casos restantes no se detallaba tal circunstancia.

Las principales variables analizadas pueden agruparse en aquellas relativas a la identificación del tribunal (lugar, sexo del ponente de la sentencia, fecha condena y fecha de los hechos), aquellas relativas a las características de los acusados y las víctimas (nacionalidad, sexo y número) y aquellas variables relacionadas con el delito (tipo de trata, medio empleado, movilidad de las víctimas, denuncia, explotación y condena). Por medio de las primeras variables se pretende conocer la incidencia procesal del fenómeno en España. Con las segundas, aquellas relativas a las características de los acusados y víctimas, el objetivo es conocer el perfil de los acusados y de las víctimas de trata que llegan a los tribunales penales españoles; esto es, el número de acusados y víctimas en cada proceso, la nacionalidad de los acusados y víctimas, así como el sexo de estos. Finalmente, el último grupo de variables deben servir para conocer y comparar los casos de trata que llegan a los tribunales en relación con aquellos datos de prevalencia existentes. Todos los datos fueron recogidos y recopilados en una plantilla elaborada para la ocasión durante los meses de septiembre de 2019 a marzo de 2020. Posteriormente la información recopilada fue tratada mediante el empleo del programa informático SPSS, Versión 25. A partir de las variables extraídas se procedió a realizar un análisis eminentemente descriptivo de las mismas. No obstante, se partió de los resultados obtenidos en investigaciones previas para realizar análisis relacionales bivariable con el fin de testar si es posible determinar similares conclusiones en los datos de sentencias españolas.

Los resultados se estructuran partiendo de los subobjetivos a los que se ha hecho referencia. Posteriormente, en el apartado de discusión y conclusiones, se relacionan los datos obtenidos en esta investigación con los estudios previos revisados lo que servirá a su vez para dar respuesta al objetivo principal planteado en la presente investigación.

III. RESULTADOS

1. *Incidencia procesal de la trata de seres humanos en los tribunales españoles*

La mayoría de las sentencias han sido dictadas por las Audiencias Provinciales de la Comunidad de Madrid, Andalucía y Cataluña (Tabla 1). Sin embargo, tomando la población total en 2019 como filtro, Andalucía con 0,3 casos por cada 100 mil habitantes, Cataluña (0,3) y la Comunidad Valenciana (0,1) se sitúan entre las comunidades autónomas con menor número de sentencias. Los territorios con más casos, en su lugar, pasan a ser Melilla (4,2), Asturias (1,2) y Cantabria (1). Por lo que al número anual de casos se refiere, desde 2011 a 2017 se observa un incremento constante. Luego, en los años 2018 y 2019, se detecta una reducción de los juicios por trata de seres humanos que terminan en sentencia, si bien la misma no puede considerarse estadísticamente significativa.

Finalmente, el número total de acusados y víctimas que se han visto involucrados en procesos penales que han terminado en sentencia es de 853 acusados y 576 víctimas.

2. *Perfil de los acusados y víctimas*

Por lo que a los perfiles de los acusados y de las víctimas en los casos de trata de seres humanos que llegan a los tribunales españoles podemos decir que, en la inmensa mayoría, el procedimiento penal se dirige frente a más de 1 acusado (M=3,9; SD=4,71), si bien no es habitual que sea superior a 5 (Tabla 1). Por lo que al número de víctimas se refiere, en el 47,2% de las sentencias contenidas en la base de datos CENDOJ durante el periodo 2011 a 2019 consta una única víctima (Tabla 1). La media de víctimas en las 212 sentencias en que así se indicaba es de 2,75 víctimas (SD=2,99).

Tabla 2. Sexo y nacionalidad de acusados y víctimas por casos judiciales

		Acusados		Víctimas	
		Frecuencia	Porcentaje	Frecuencia	Porcentaje
sexo	hombre y mujer	140	63,3	8	3,6
	hombre	54	24,4	13	5,9
	mujer	27	12,2	200	90,5
	Total	221	100,0	221	100,0
Nacionalidad	Europa del Este	63	28,5	73	33,0
	África	57	25,8	61	27,6
	Españoles y otros (*)	50	23,0	0	0,0

Sud América	22	10,0	65	29,4
España	18	8,1	3	1,4
Asia	8	3,6	10	4,5
Diversas (*)	0	0,0	5	2,3
Desconocido	0	0,0	3	1,4
Portugal	2	0,9	1	0,5
Total	217	100,0	217	100,0

(*) Integrado por españoles y personas de otras nacionalidades. Se ha diferenciado de la categoría "diversas" por la peculiaridad de que entre los acusados se encuentra uno o más españoles.

En la Tabla 2 se muestran los perfiles de los acusados y víctimas por delitos de trata de seres humanos. En la mayoría de los casos analizados, los acusados son conjuntamente hombres y mujeres (63,3%) e incluso en un 12,2% de los casos estaban formados exclusivamente por mujeres. En el caso de las víctimas el perfil es completamente distinto, en el sentido de que estas son mujeres en 9 de cada 10 procesos penales de trata que terminan en sentencia.

Por lo que a la nacionalidad de los acusados se refiere, la zona geográfica más representada es Europa del Este (28,5%) seguido de África (25,8%), si bien en un número elevado de casos los acusados estaban conformados tanto por ciudadanos extranjeros como españoles (23%). Si se divide por países, destacan los casos judiciales en que todos los acusados son provenientes de Nigeria (24,9%), Rumania (23,5%) o que hay acusados españoles junto con extranjeros (23%). En el caso de las víctimas, la mayoría provienen de Europa del Este (33%), seguido de América Sur (29,4%) y de África (27,6%). Nuevamente, si solo tenemos en cuenta países, destacan, por encima del resto, Rumania (n=58), Nigeria (n=57), Brasil (n=26) y Paraguay (n=24). En este caso, solo 3 víctimas tenían nacionalidad española.

Tal como se desprende de la Figura 1 existe una relación entre nacionalidad de los acusados y de las víctimas. En este sentido, entre las tres principales regiones de acusados y víctimas (África, Europa del Este y Sudamérica) existe una relación estadísticamente significativa (χ^2 (4, N=139) = 260,234; $p < ,001$). Para evitar que el número de casillas con un recuento menor a 5 invalidara la prueba, se agruparon aquellas zonas territoriales en las que el número de casos ha sido menor, de modo las zonas analizadas han sido África, Europa del Este y Sudamérica y el resto conjuntamente. Ahora bien, si analizamos en mayor detalle los datos y nos fijamos en los residuos corregidos puede comprobarse que donde existe una mayor probabilidad de que la nacionalidad de las víctimas coincida con la de los acusados es cuando ambas no son españolas. De hecho, tal como se observa en la Figura 1 lo habitual es que coincida la nacionalidad de los acusados con la de las víctimas. La peculiaridad se encuentra en aquellos casos en que las víctimas son nacionales de países sudamericanos, puesto que en un elevado porcentaje de casos (47,7%) entre los acusados se encuentran personas con nacionalidad española junto con la de sus propios países.

Figura 1. Diagrama de dispersión entre nacionalidad de los acusados y de las víctimas.

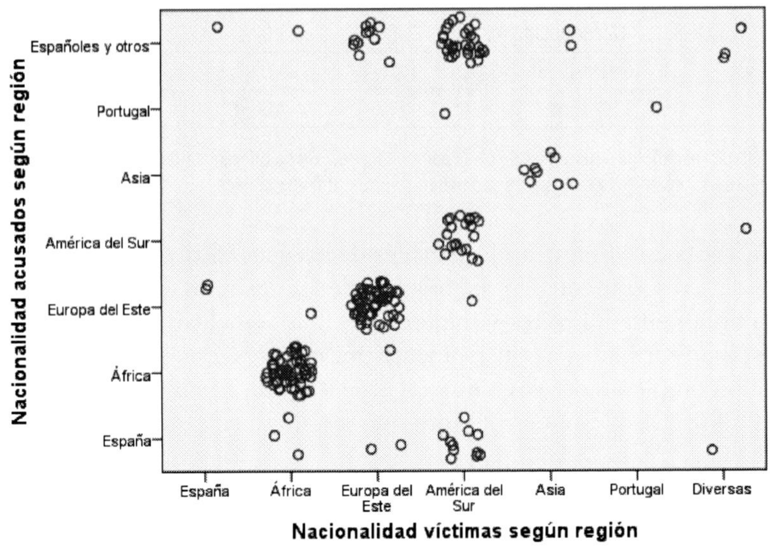

3. *Tipología de los casos de trata de seres humanos enjuiciados*

La gran mayoría de los casos de trata de personas (Tabla 3) son para explotación sexual (n=188) y de entre los restantes destacan los supuestos para explotación laboral (n=23). Difícilmente puede encontrarse casos en los que el objetivo de la trata fuera otro (n=10), y ninguna sentencia de trata de seres humanos con finalidad de extracción de órganos.

Tabla 3. Tabla de contingencia entre finalidad de la trata y sexo de las víctimas

		Finalidad trata			Total
		sexual	laboral	otras	
hombre	Recuento	2	9	2	13
	% dentro de Sexo	15,4%	69,2%	15,4%	100,0%
mujer	Recuento	185	9	6	200
	% dentro de Sexo	92,5%	4,5%	3,0%	100,0%
hombre y mujer	Recuento	1	5	2	8
	% dentro de Sexo	12,5%	62,5%	25,0%	100,0%
Total	Recuento	188	23	10	221
	% dentro de Sexo	85,1%	10,4%	4,5%	100,0%

Si se analiza el sexo de las víctimas de trata según la finalidad de esta, puede observarse que en los casos para explotación sexual el 98,4% de las víctimas son mujeres. Los tribunales solo han conocido dos procesos por trata con fines de explotación sexual en los que la víctima fuera un hombre. Respecto del resto de finalidades, no se distinguen variaciones en la distribución del sexo de las víctimas entre mujeres, hombres y hombres y mujeres. Así, a pesar de que los datos no puedan considerarse fiables debido al limitado número de sentencias de trata para explotación laboral (n= 23), en estos casos, el porcentaje de hombres y mujeres se asimila aproximadamente al 40%. De hecho, tal como se observa en la Tabla 3, las víctimas hombres solo adquieren un papel más relevante en los casos en que la trata se acomete con la finalidad de explotación laboral.

Atendiendo al sexo de las víctimas, a pesar de que el número de casos en que la víctima no es una mujer es muy reducido (9,9%), se observan diferencias significativas cuando se compara éste en relación con las dos principales finalidades: la de explotación sexual y la laboral ($\chi 2$ (1, $N=211$) = 97,195; $\rho < ,001$). Téngase en cuenta, sin embargo, que debido al reducido número de casos los datos pueden no ser suficientemente fiables. En este sentido, las mujeres son explotadas para finalidades distintas a la sexual solo en el 7,5% de los casos, a diferencia de las sentencias analizadas en que las víctimas son hombres que en la mayoría de los casos lo son por finalidades distintas a la sexual (84,6%).

Si tenemos en cuenta no ya el sexo sino la nacionalidad de las víctimas (Figura 2), aquellas provenientes de países africanos (95,1%) o sudamericanos (93,8%) son trasladas a España principalmente para ser explotadas sexualmente. En cambio, las víctimas originarias de países del Este de Europa son aquellas más victimizadas en lo que a finalidad de la trata se refiere y, de hecho, son las únicas que han sido tratadas para finalidades distintas a la de explotación laboral o sexual.

Figura 2. Diagrama de dispersión entre finalidad de la trata y nacionalidad de las víctimas

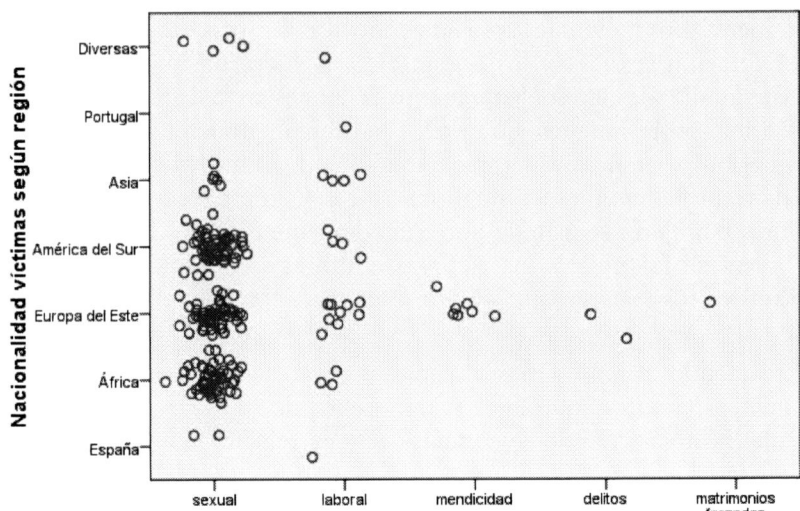

El número de casos de trata en los que no se aprecia movilidad internacional han sido 3 del total de 221 sentencias dictadas por las Audiencias Provinciales. En el resto la víctima ha viajado desde otro país para ser explotada en España.

El principal medio comisivo de los supuestos de trata de personas que son conocidos por los tribunales españoles es el engaño (67%) al que le sigue el abuso de una situación de vulnerabilidad de la víctima (7,7%). La violencia o intimidación, en cambio, solo es usada como medio para realizar alguna de las conductas típicas del art. 177 bis CP en el 2,3% de los casos. En un número no desdeñable (n=26) la sentencia no hace referencia al medio empleado por parte del autor o autores del delito, a pesar de que la víctima no era menor de edad (único caso en que el tipo penal se configura de medios indeterminados). Si se compara el medio comisivo con la región de donde proviene la víctima, se observa que solo en el grupo de víctimas originarias de Europa del Este se ha utilizado violencia o intimidación para conseguir llevarlas hasta España para ser posteriormente explotadas. Es este grupo también en el que se observan el mayor número de víctimas menores de edad (18 de un total de 25 casos con víctimas menores).

Figura 3. Diagrama de dispersión entre medio comisivo de la trata y nacionalidad de las víctimas

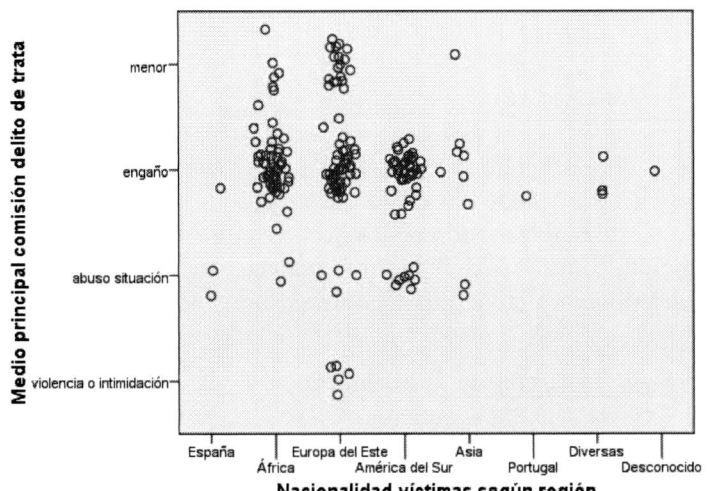

Cuando se tiene en cuenta el sexo, el uso de violencia o intimidación solo ha sido utilizado en los casos en que las víctimas eran mujeres, no cuando eran hombres o ambos sexos (Tabla 4). Es igualmente destacable el hecho de que todos los casos de trata en los que la víctima era menor eran a su vez mujeres. El cambio en lo que a los medios comisivos se refiere se produce una vez la víctima se encuentra en España y se inicia ya la fase de explotación, momento en el que el uso de violencia o intimidación incrementa notablemente hasta el punto de ser el principal medio en el 57,7% de casos en que así se específica en la sentencia (N=168).

Tabla 4. Tabla de contingencia entre sexo de las víctimas y medio comisivo empleado por los acusados

		Sexo mayoritario víctimas			Total
		hombre	mujer	hombre y mujer	
violencia o intimidación	Recuento	0	5	0	5
	% dentro de Medio comisión	0,0%	100,0%	0,0%	100,0%
abuso situación	Recuento	4	13	2	19
	% dentro de Medio comisión	21,1%	68,4%	10,5%	100,0%
engaño	Recuento	9	134	6	149
	% dentro de Medio comisión	6,0%	89,9%	4,0%	100,0%

menor	Recuento	0	26	0	26
	% dentro de Medio comisión	0,0%	100,0%	0,0%	100,0%
Total	Recuento	13	178	8	199
	% dentro de Medio comisión	6,5%	89,4%	4,0%	100,0%

Siguiendo con el análisis de la tipología de casos de trata que llegan a las Audiencias Provinciales, puede afirmarse que en el 97,2% del total de sentencias se constata – esté o no probado en los hechos – que se ha producido algún tipo de explotación, bien sea sexual, laboral, para ejercer la mendicidad, cometer delitos o para obligar a la víctima a contraer matrimonio.

4. Variables que influyen en la condena

Finalizado el proceso, el 65,5% de los casos terminaron en condena, mientras que el 34,4% restante en absolución. No obstante, se observa que hay determinadas variables que influyen en la probabilidad de condena o en la pena que el tribunal impone.

4.1. Características del tribunal

En este sentido, los datos indican que el tiempo transcurrido entre los hechos objeto de enjuiciamiento y la sentencia, la duración media de los procesos penales es de 4,3 años (mín. 0, máx. 13, SD 2,74). Si se compara la duración según hayan terminado en condena (M=4,12) o en absolución (M=4,63) puede comprobarse que no existen diferencias significativas ($t(218)$ =1,30, p = ,198), si bien, como se ha indicado, de media los procesos que terminan en sentencia absolutoria son más largos en el tiempo. Si nos centramos solo en los casos de trata por explotación sexual, en cambio, sí que existen diferencias significativas (t (188) = 2,1, p = ,037, r = ,15), de modo que una mayor duración del proceso está asociada con un mayor número de absoluciones. En estos casos, los procesos que terminan en condena tienen una duración media de 4,27 años frente a los 5,19 en los que el sentido del fallo es absolutorio. En aquellos casos en que el sentido de la sentencia es condenatorio, el tiempo entre la comisión de los hechos y la sentencia influye también en la duración de la pena, en el sentido de existir una correlación inversa entre la duración proceso y la duración de la pena de prisión impuesta (Figura 3). Esto es, a mayor duración del proceso se constata una menor duración de la condena (rs = -.36, p<.001).

Igualmente, se observa que en los casos en que se dicta sentencia condenatoria existen diferencias significativas entre la cantidad de pena impuesta y el lugar donde se encuentra el tribunal sentenciador (F(14,128)= 2,75, p= ,001), si bien si se toma en consideración la existencia de conformidad como variable de control, comprobamos que no existen diferencias significativas ($F(14,106)$= 1.58, p= ,101). Si observamos en concreto la duración media de los distintos tribunales, se vislumbra que las diferencias se encuentran entre las sentencias condenatorias dictadas por los tribunales madrileños respecto del resto de tribunales (Figura 4).

Figura 4. Duración de la condena por el delito de trata de seres humanos según la Comunidad Autónoma donde se encuentra el tribunal

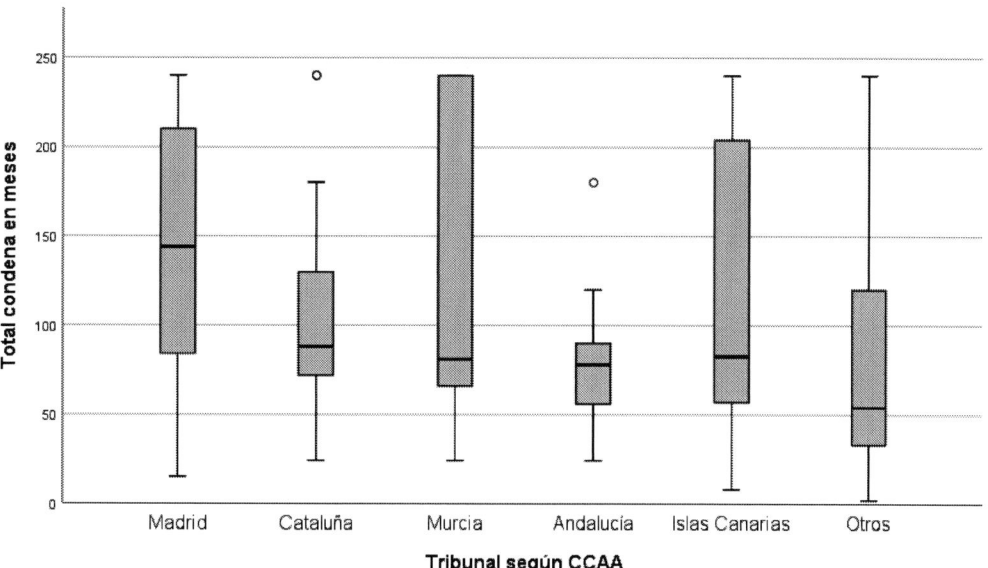

Otra variable asociada a una mayor duración de la pena de prisión impuesta es el sexo del ponente responsable de dictar sentencia, a diferencia de lo que hemos visto en relación con el hecho de dictar sentencia condenatoria o absolutoria ($t(103)$= -2.03; p = .045). En concreto, las sentencias objeto de análisis muestran que las mujeres imponen penas más severas (M=103,17 meses) que los ponentes hombres (M=78,79 meses). No obstante, si se analizan exclusivamente aquellas condenas que no han finalizado por conformidad, las diferencias, aunque todavía existentes (115 meses frente a 95 meses en el caso de ponentes hombres), no son ya significativas ($t(106)$= -1.72; p = .088).

4.2. Los hechos objeto de enjuiciamiento

Pasando al segundo grupo de variables, se ha procedido a analizar la asociación de una serie de datos relacionados con el delito respecto el sentido del fallo judicial y de la duración de la pena de prisión. Las variables independientes analizadas han sido la finalidad de la trata y los medios comisivos.

Empezando por la primera de ellas, según el total de sentencias relacionadas con la trata de seres humanos durante los años 2011 a 2019 contenidas en la base de datos del CENDOJ, no parece que haya una relación entre la finalidad de explotación por la cual se ha cometido el delito de trata y una mayor o menor probabilidad de condena ($x2$ (2, N=221) =5,59, p= ,061). No obstante, si se excluye del análisis los casos de trata para finalidades distintas a la explotación sexual o laboral sí que se observan diferencias estadísticamente significativas. En estos casos, tal como puede verse en la Tabla 5, las probabilidades de condena aumentan en los casos de trata para explotación sexual respecto a los casos de explotación laboral ($x2$ (1, N=211) =5,48, p= ,019) si bien el tamaño del efecto es pequeño (Φ = -.16). Igualmente, puede observarse que se imponen penas mayores en los casos de trata por explotación sexual (M= 91,98 meses) frente al resto (66,5 meses en los casos de trata para explotación laboral o 57,14 meses en el resto de finalidades).

Tabla 5. Tabla de contingencia entre condena y finalidad de la trata

| | Finalidad trata | | | | Total | |
| | sexual | | laboral | | | |
	n	%	n	%	n	%
Absolución	60	31,9%	13	56,5%	73	34,6%
Condena	128	68,1%	10	43,5%	138	65,4%
Total	188	100,0%	23	100,0%	211	100,0%

En segundo lugar, si se analiza la asociación existente entre el medio utilizado por los autores para cometer el delito y el sentido del fallo judicial no se observan diferencias estadísticamente significativas ($x2$ (3, N=199) =5,84, p= ,12). No obstante, sí que se observa una tendencia a condenar más en los casos en que estamos ante menores de edad, y por tanto casos en que el delito de trata es típico sin la necesidad de acreditar el uso de un determinado medio comisivo, o cuando se ha hecho uso de la violencia o intimidación como medio comisivo para cometer la trata (Tabla 6).

Tabla 6. Tabla de contingencia entre el medio comisivo y el sentido del fallo judicial

	Medio principal comisión delito de trata								Total	
	violencia o intimidación		abuso situación		engaño		menor			
	n	%	n	%	n	%	n	%	n	%
Absolución	0	0,0%	5	26,3%	50	33,6%	4	15,4%	59	29,6%
Condena	5	100,0%	14	73,7%	99	66,4%	22	84,6%	140	70,4%
Total	5	100,0%	19	100,0%	149	100,0%	26	100,0%	199	100,0%

4.3.   Las características de los acusados

Siguiendo con el análisis de los datos, es momento ahora de resaltar aquellas variables relacionadas con el acusado que pueden estar asociadas a un mayor porcentaje de condenas por el delito de trata de seres humanos o a una pena de prisión de mayor duración.

El primero de los análisis que se presenta pretende determinar si el sexo del acusado o acusados tiene alguna relación con un mayor o menor porcentaje de condenas en las sentencias dictadas por las Audiencias Provinciales sobre hechos relacionados con el delito de trata de seres humanos. En este sentido, los datos indican que efectivamente el porcentaje de condenas es desde un punto de vista estadístico distinto según el sexo (hombre, mujeres o hombres y mujeres), en el sentido de que el grupo de acusados conformados por hombres y mujeres es aquel que recibe un mayor porcentaje de sentencias condenatorias (77,1%). En segundo lugar, encontramos el caso en que todos los acusados son mujeres (55,6%) y, finalmente, como grupo que recibe un menor número de condenas se halla aquel compuesto exclusivamente por hombres con solo el 40,7% ($x2$ (2, N=221) = 24,26 p< ,001, Φ = ,33). Si se analizan los datos intragrupos, se comprueba que las diferencias se encuentran entre el grupo de condenados compuesto tanto por hombres y mujeres frente a los dos otros grupos, pero que en cambio no existen diferencias estadísticamente significativas entre hombres y mujeres ($x2$ (1, N=81) = 1,59 p= ,21).

La segunda variable que ha sido analizada y que se ha demostrado que está relacionada con el hecho de ser o no condenado es la nacionalidad de los acusados. En este sentido, los datos indican que existen diferencias significativas entre la nacionalidad de los acusados y el sentido del fallo de la sentencia ($x2$ (5, N=219) =14,88 p= ,011, Φ = ,26). Según se desprende de la Tabla 7, aquellos acusados procedentes de África son aquellos que reciben un mayor porcentaje de condenas, seguido de los acusados procedentes de América del Sur y de Europa del Este. El grupo de acusados que recibe un menor porcentaje de condenas es justamente el caso en que todos los acusados tienen nacionalidad española.

Tabla 7. Tabla de contingencia entre porcentaje de condenas y la nacionalidad del acusado

	Nacionalidad acusados según región										
	España		África		Europa del Este		América del Sur		Asia		Españoles y otros	
	n	%	n	%	n	%	n	%	n	%	n	%
Absolución	11	61,1%	10	17,5%	24	38,1%	6	27,3%	4	50,0%	19	37,3%
Condena	7	38,9%	47	82,5%	39	61,9%	16	72,7%	4	50,0%	32	62,7%
Total	18	100%	57	100%	63	100%	22	100%	8	100%	51	100%

Se observan, además, diferencias estadísticamente significativas ($F_{(5,139)}=3.87$, p= ,003) en la duración de la pena impuesta según la nacionalidad de los acusados. Lo cierto es que, según se desprende de los datos, el hecho de que los acusados sean españoles o entre ellos haya nacionales españoles está asociado al hecho de recibir condenas menos severas. En cambio, los acusados procedentes de África o Europa del Este, grupos relacionados básicamente con la trata para explotación sexual, son aquellos que reciben mayores penas, siendo la media 104,72 meses, lo que equivale a algo más de 8 años y medio (Tabla 8).

Tabla 8. Duración media de la condena según la nacionalidad de los acusados

	N	Media
España	7	63,14
África	47	110,17
Europa del Este	39	104,72
América del Sur	16	69,19
Asia	4	82,25
Españoles y otros	32	53,09
Total	145	88,54

4.4. Las características de las víctimas

Finalmente, pasando al último de los grupos de variables analizadas en relación con la condena, analizamos si el sexo de la víctima tiene relación con la condena en las sentencias analizadas. Según los datos obtenidos de la base de datos del CENDOJ, el porcentaje de condenas en los procesos judiciales en que las víctimas son hombres es del 53,8%, a diferencia de los casos en que son todas mujeres que llega al 66,2%, si bien desde un punto de vista estadístico no existen diferencias significativas ($x2$ (2, N=221) = 0,9 p= ,64).

La nacionalidad de la víctima tampoco ha resultado ser una variable que esté asociada a una mayor o menor probabilidad de condena ($x2$ (6, N=218)

= 10,37 p= ,11). No obstante, si se compara el número de condenas teniendo en cuenta como referencia las víctimas procedentes de países africanos frente al resto de víctimas sí que se observan diferencias significativas ($x2$ (1, N=218) = 7,26, p= ,007, Φ = ,18), en el sentido de que en los casos en que las víctimas son africanas se ha detectado un mayor porcentaje de condenas (Tabla 9).

Tabla 9. Tabla de contingencia entre porcentaje de condenas según la nacionalidad de la víctima

	víctimas África				Total	
	no		sí			
	n	%	n	%	n	%
Absolución	64	40,0%	12	19,7%	76	34,4%
Condena	96	60,0%	49	80,3%	145	65,6%
Total	160	100%	61	100%	221	100%

Nuevamente, la nacionalidad, ahora de la víctima, influye en la duración de la pena impuesta (F(5,139)=3,94, p= ,002). En concreto, las mayores penas se imponen a aquellos acusados que tratan a víctimas procedentes de España, África o de Europa del Este (Tabla 10).

Tabla 10. Duración media de la condena según la nacionalidad de las víctimas

	N	Media
España	2	148,50
África	49	112,10
Europa del Este	47	91,87
América del Sur	39	54,15
Asia	6	67,83
Diversas	2	106,00
Total	145	88,54

IV. DISCUSIÓN Y CONCLUSIONES

Los resultados de la presente investigación permiten realizar una primera aproximación a los casos de trata de seres humanos que llegan a los tribunales penales españoles. Hasta la fecha, las aproximaciones que se habían realizado eran incompletas: sobre un número pequeño de casos y enfocadas a determinados casos de trata.

Según estos, los acusados son mayormente extranjeros, principalmente de Rumania y Nigeria, y lo conforman hombres y mujeres conjuntamente en un

63% de los casos. En cambio, las víctimas son básicamente mujeres procedentes de los mismos países que sus ofensores. De hecho, existe una relación entre la nacionalidad de los acusados y de las víctimas, de modo que en un número elevado de casos ambas partes del delito – victimario y víctima – comparten nacionalidad[28]. Los hombres, en cambio, son víctimas básicamente en casos de trata para explotación distinta a la sexual.

Por lo que hace referencia a las víctimas, en términos generales los resultados corroboran las conclusiones de otros estudios en que se apunta que la gran mayoría son mujeres[29]. No obstante, si analizamos los resultados según la finalidad de la trata, sorprende el elevado número de mujeres que han sido víctimas de este delito para su posterior explotación laboral. En este sentido, estos porcentajes son superiores a los obtenidos en estudios realizados en Portugal[30], Estados Unidos[31], Italia[32] o a nivel internacional[33]. Incluso, si comparamos estos datos con los obtenidos en una investigación previa en España[34] podríamos afirmar que el porcentaje de víctimas mujeres para ser explotadas laboralmente ha aumentado.

Igualmente, la comparación de los tipos de trata lleva a confirmar lo que ya antes se había concluido a través de investigaciones previas[35] y que ha sido

---

[28]   ARHIN, A.: "A Diaspora Approach to Understanding Human Trafficking for Labor Exploitation", *op. cit.*, pp. 78–98; DENTON, E.: "Anatomy of Offending: Human Trafficking in the United States, 2006–2011", *op. cit.*, pp. 32–62; EUROPOL: *Situation report: Trafficking in human beings in the EU, op. cit.*; UNITED NATIONS OFFICE ON DRUGS AND CRIME: *Global Report on Trafficking in Persons, op. cit.*; SURTEES, R.: "Traffickers and Trafficking in southern and Eastern Europe: considering the other side of human trafficking", *European Journal of Criminology*, 5(1), 2008, pp. 39-68; WIJKMAN, M., y KLEEMANS, E.: "Female offenders of human trafficking and sexual exploitation. Crime", *op. cit.*, pp. 53–72.

[29]   UNITED NATIONS OFFICE ON DRUGS AND CRIME: *Global Report on Trafficking in Persons, op. cit.*

[30]   MATOS, M., GONÇALVES, M., y MAIA, Â.: "Understanding the criminal justice process in human trafficking cases in Portugal: factors associated with successful prosecutions", *Crime, Law and Social Change*, 72(5), 2019, pp. 501–525.

[31]   DENTON, E.: "Anatomy of Offending: Human Trafficking in the United States, 2006–2011", *op. cit.*, pp. 32–62

[32]   CURTOL, F., DECARLI, S., NICOLA, A. y SAVONA, E. U.: "Victims of human trafficking in Italy: a judicial perspective", *op. cit.*, pp. 111-141.

[33]   ARHIN, A.: "A Diaspora Approach to Understanding Human Trafficking for Labor Exploitation", *op. cit.*, pp. 78–98; EUROPOL: *Situation report: Trafficking in human beings in the EU, op. cit.*; UNITED NATIONS OFFICE ON DRUGS AND CRIME: *Global Report on Trafficking in Persons, op. cit.*

[34]   GIMÉNEZ-SALINAS FRAMIS, A., SUSAJ, G. y REQUENA ESPADA, L.: "La dimensión laboral de la trata de personas en España", *Revista Electrónica de Ciencia Penal y Criminología*, 11-4, 2009, pp. 1-25.

[35]   VILLACAMPA ESTIARTE, C., y TORRES ROSELL, N.: "Trafficked Women in Prison: The Problem of Double Victimisation", *European Journal on Criminal Policy and Research*, 21(1), 2014, pp. 99–115.

también apuntado posteriormente por el GRETA[36]: que el sistema de justicia penal español está excesivamente centrado en la trata por explotación sexual, siendo este el objeto de enjuiciamiento en el 85,1% de los casos que han llegado a juicio. Datos similares, sin embargo, se obtienen en países de nuestro entorno como es el caso de los Países Bajos[37]. En cualquier caso, los porcentajes de casos de trata por otros tipos de explotación son muy escasos, sobre todo si se compara con los resultados obtenidos en otras investigaciones[38]. Igualmente, según datos de Naciones Unidas[39], en la región de países de la Europa occidental y mediterránea se estima que el 66% de los casos conocidos de trata son por explotación sexual, el 27% (10% en España) por explotación laboral y el restante 7% (4,5% en España) por otras formas de explotación. Además, junto al hecho de que los casos de trata para finalidades distintas a la sexual que conocen los tribunales son realmente escasos, que todas las víctimas de trata para explotación distinta a la sexual o laboral sean provenientes de Europa del Este hace sospechar que existe algún tipo de sesgo hacia este colectivo. De hecho, en investigaciones previas, se ha puesto de manifiesto que en España existen casos de trata para explotación criminal[40] o para matrimonios forzados[41] y que estas víctimas no solamente son originarias de países próximos a Europa del Este, por lo que no se están detectando estos casos.

Respecto a los medios comisivos empleados, los resultados del presente estudio coinciden con los obtenidos en trabajos previos, en el sentido de afirmar que el principal medio para tratar las víctimas es el engaño[42]. El hecho de que el uso de violencia o intimidación se convierta en el medio más habitual una vez la víctima esté siendo explotada corresponde con lo observado pre-

---

[36]　GROUP OF EXPERTS ON ACTION AGAINST TRAFFICKING IN HUMAN BEINGS: *Report concerning the implementation of the Council of Europe Convention on Action against Trafficking in Human Beings by Spain, Second evaluation round*, Council of Europe, 2018.

[37]　KRAGTEN-HEERDINK, S. L., DETTMEIJER-VERMEULEN, C. E., y KORF, D. J.: "More than just "pushing and pulling": conceptualizing identified human trafficking in the Netherlands", *op. cit.*, pp. 1765-1789.

[38]　DENTON, E.: "Anatomy of Offending: Human Trafficking in the United States, 2006–2011", *op. cit.*, pp. 32–62; MATOS, M., GONÇALVES, M., y MAIA, Â.: "Understanding the criminal justice process in human trafficking cases in Portugal: factors associated with successful prosecutions", *op. cit.*, pp. 501–525.

[39]　UNITED NATIONS OFFICE ON DRUGS AND CRIME: *Global Report on Trafficking in Persons*, *op. cit.*

[40]　VILLACAMPA ESTIARTE, C., y TORRES ROSELL, N.: "Trafficked Women in Prison: The Problem of Double Victimisation", *op. cit.*, pp. 99–115.

[41]　VILLACAMPA ESTIARTE, C. Y TORRES ROSELL, N.: "Prevalence, dynamics and characteristics of forced marriage in Spain", *Crime Law and Social Change*, 2019, p. 1-21.

[42]　EUROPOL: *Situation report: Trafficking in human beings in the EU*, *op. cit.*; SURTEES, R.: "Traffickers and Trafficking in southern and Eastern Europe: considering the other side of human trafficking", *op. cit.*, pp. 39-68.

viamente por Europol[43] o UNODC[44] y puede explicarse por la voluntad de la víctima/s de escapar de la situación de explotación en la que se encuentra. Otra diferencia es en el número de casos de trata internacional que llegan a los tribunales penales españoles, pues aquí es mucho más elevado que en países de nuestro entorno[45]. En los Países Bajos, por ejemplo, se ha observado que el 49% de casos de trata que llegan al sistema de justicia son de víctimas nacionales o residentes en su propio país[46].

En relación con los factores relacionados con la condena y la pena impuesta, los resultados relativos a las circunstancias relacionadas con el tribunal obtenidos en la presente investigación se aproximan a lo concluido en otros estudios[47]. No obstante, la influencia del sexo del ponente en la sentencia es una variable sobre la que no existen conclusiones consistentes. En este sentido, a diferencia de lo indicado por investigaciones llevadas a cabo en el extranjero[48] y en España[49], no se muestran diferencias entre el sexo del ponente y la probabilidad de condena[50]. En cambio, sí que se observa que en los procesos en que

---

[43]   EUROPOL: *Situation report: Trafficking in human beings in the EU, op. cit.*

[44]   UNITED NATIONS OFFICE ON DRUGS AND CRIME: *Global Report on Trafficking in Persons, op. cit.*

[45]   DENTON, E.: "Anatomy of Offending: Human Trafficking in the United States, 2006–2011", *op. cit.*, pp. 32–62; MATOS, M., GONÇALVES, M., y MAIA, Â.: "Understanding the criminal justice process in human trafficking cases in Portugal: factors associated with successful prosecutions", *op. cit.*, pp. 501–525.; UNITED NATIONS OFFICE ON DRUGS AND CRIME: *Global Report on Trafficking in Persons, op. cit.*

[46]   KRAGTEN-HEERDINK, S. L., DETTMEIJER-VERMEULEN, C. E., y KORF, D. J.: "More than just "pushing and pulling": conceptualizing identified human trafficking in the Netherlands", *op. cit.*, pp. 1765-1789.

[47]   TAMARIT, J. M., GUARDIOLA, M. J., HIDALGO, P. H. y SOLANET, A. P.: "La victimización sexual de menores de edad: un estudio de sentencias", *op. cit.*, pp. 1-39; HAMILTON, M.: "Sentencing disparities", *Br. J. Am. Leg. Studies*, 6 (2), 2017, pp. 177-224; ULMER, J.T. y JOHNSON, B.D.: "Organizational conformity and punishment: federal court communities and judge-initiated guidelines departures", *J. Crim. Law Criminol*, 107, 2017, pp. 253-292; DRÁPAL, J.: "Sentencing disparities in the Czech Republic: Empirical evidence from postcommunist Europe", *European Journal of Criminology*, 17(2), 2020, pp. 151-174.

[48]   STEFFENSMEIER, D. y HEBERT, C.: "Women and men policymakers: does the judge's gender affect the sentencing of criminal defendants?", *Soc. Forces* 77(3), 1999, pp. 1163-1196; SPOHN, C.: "Decision making in sexual assault cases: do black and female judges make a difference?", *Women Crim. Justice*, 2(1), 1990, pp. 83-105; ULMER, J.T. y JOHNSON, B.D.: "Organizational conformity and punishment: federal court communities and judge-initiated guidelines departures", *op. cit.*, pp. 253-292.

[49]   TAMARIT, J. M., GUARDIOLA, M. J., HIDALGO, P. H. y SOLANET, A. P.: "La victimización sexual de menores de edad: un estudio de sentencias", *op. cit.*, pp. 1-39.

[50]   PINA-SÁNCHEZ, J., GRECH, D., BRUNTON-SMITH, I. y SFEROPOULOS, D.: "Exploring the origin of sentencing disparities in the Crown Court: Using text mining techniques to differentiate between court and judge disparities", *Social Science Research*, 84, 2019, pp. 1-13; ARAZAN, C., BALES, W. y BLOMBERG, T.: "Courtroom Context and Sentencing", *Br. J. Am. Legal Stud*, 44, 2019, pp. 23-44.

el juez ponente es una mujer y el sentido de la sentencia es condenatorio se imponen penas más severas[51]. En este sentido, sería necesario indagar, desde una perspectiva cualitativa, por las razones de ello. Una hipótesis plausible podría ser que se deba a razones de género, más teniendo en cuenta que el 90% de las víctimas de trata que llegan a los tribunales españoles son mujeres[52]. El hecho de dictarse sentencia por conformidad es una de las variables en las que existe más unidad, al considerar que está asociada a una menor pena[53]. Otra variable relacionada en parte con la conformidad es el transcurso del tiempo. En este sentido, el número de años entre los hechos y la sentencia influye negativamente en el porcentaje de condenas, así como, en caso de dictarse sentencia condenatoria, en la duración de la pena de prisión impuesta. La excesiva duración del proceso penal en delitos de trata de seres humanos no parece ser una buena señal para los intereses de la acusación, tal como había ya puesto de manifiesto Meshkovska *et al.*[54]. Sorprende además que los procesos penales que terminan en conformidad tengan una mayor duración que aquellos en que se sigue el rito procesal ordinario. Como hipótesis, puede plantearse si la mayor duración del proceso deriva de la mayor dificultad en la obtención de fuentes de prueba, bien, entre otros motivos, por imposibilidad de localizar la víctima bien por estar los acusados en rebeldía, por lo que desde la acusación se termine por plantear una conformidad en vista de una hipotética absolución. Ello explicaría el hecho de que haya también más absoluciones y que cuando se condene la duración de la pena de prisión que se impone sea inferior.

Como se ha visto, los casos de trata para explotación sexual de las víctimas son aquellos en lo que se constata un mayor porcentaje de condenas, así como los supuestos en que se imponen penas de mayor duración. De hecho, los casos de trata distinta a aquella dirigida a la explotación sexual son muy escasos si se

---

[51]   STEFFENSMEIER, D. y HEBERT, C.: "Women and men policymakers: does the judge's gender affect the sentencing of criminal defendants?", *op. cit.*, pp. 1163-1196; SPOHN, C.: "Decision making in sexual assault cases: do black and female judges make a difference?", *op. cit.*, pp. 83-105.

[52]   SALAT, M.: "Análisis descriptivo de sentencias sobre trata de personas: Un estudio de casos judiciales entre 2011 y 2019", *op. cit.*

[53]   HAMILTON, M.: "Sentencing disparities", *Br. J. Am. Leg. Studies*, 6 (2), 2017, pp. 177-224; HOFER, P., BLACKWELL, K., y RUBAK, R.: "Effect of the Federal Sentencing Guidelines on Interjudge Sentencing Disparity", *Journal of Criminal Law and Criminology*, 90(1), 1999, pp. 239-306; PINA-SÁNCHEZ, J., GRECH, D., BRUNTON-SMITH, I. y SFEROPOULOS, D.: "Exploring the origin of sentencing disparities in the Crown Court: Using text mining techniques to differentiate between court and judge disparities", *op. cit.*, pp. 1-13.

[54]   MESHKOVSKA B., MICKOVSKI, N., BOS, A. y SIEGEL, M.: "Trafficking of women for sexual exploitation in Europe: prosecution, trials and their impact", *Anti-trafficking Review*, 6, 2016, pp. 71-90.

compara con los datos publicados en otros países de nuestro entorno[55] a pesar de que la criminología ha constatado de su existencia en nuestro territorio[56]. A lo mejor, el menor número de casos y porcentaje de condenas de delitos de trata de seres humanos para explotación distinta a la sexual se explica por la falta de conocimiento sobre estos tipos de trata por parte de los agentes que intervienen en el sistema de justicia penal[57]. Por lo que se refiere a la mayor pena que se impone a los responsables de los delitos de trata por explotación sexual, lo cierto es que no existe justificación legal para ello. Así, a pesar de que ciertamente en estos supuestos los tipos penales que castigan la conducta de explotación prevén penas más graves, sobre todo en lo que a los límites mínimos se refiere, respecto de los tipos penales que castigan los delitos contra los derechos de los trabajadores o el matrimonio forzado, la explotación se castiga en concurso medial con el delito de trata de seres humanos, por lo que por aplicación del art. 77.2 CP el marco penal de referencia es justamente este último, el previsto en el art. 177 bis CP. Esta diferencia de pena podría explicarse si en los casos de trata para explotación sexual que se conocen en las Audiencias Provinciales hay un mayor número de víctimas frente a los procesos de trata para explotación laboral, criminal, matrimonios forzados, etc. No obstante, según los datos obtenidos en la presente investigación, los procesos de trata para explotación sexual son aquellos en los que hay un menor número de víctimas. Luego, que los condenados por delitos de trata para explotación sexual sean aquellos que reciban mayores condenas parece que nuevamente se explica por motivos extra jurídicos. El hecho de que haya un sesgo en lo que a identificación de víctimas de trata se refiere[58] puede estar influyendo en la

[55]   SALAT, M.: "Análisis descriptivo de sentencias sobre trata de personas: Un estudio de casos judiciales entre 2011 y 2019", *op. cit.*

[56]   VILLACAMPA ESTIARTE, C., y TORRES ROSELL, N.: "Trafficked Women in Prison: The Problem of Double Victimisation", *op. cit.*, pp. 99–115.; VILLACAMPA ESTIARTE, C. Y TORRES ROSELL, N.: "Prevalence, dynamics and characteristics of forced marriage in Spain", *op. cit.*, p. 1-21.

[57]   HALES, L., y GELSTHORPE, L.: *The criminalisation of migrant women*, Institute of Criminology, Cambridge, 2012; MATOS, M., GONÇALVES, M., y MAIA, Â.: "Understanding the criminal justice process in human trafficking cases in Portugal: factors associated with successful prosecutions", *op. cit.*, pp. 501–525; VILLACAMPA ESTIARTE, C., y TORRES ROSELL, N.: "Trafficked Women in Prison: The Problem of Double Victimisation", *op. cit.*, pp. 99–115.

[58]   REQUENA ESPADA, L., GIMÉNEZ-SALINAS FRAMIS, A. y DE JUAN ESPINOSA, M.: "La trata de personas para su explotación laboral", *Boletín Criiminológico*, 114, 2009, pp. 1-4; VILLACAMPA ESTIARTE, C., y TORRES ROSELL, N.: "Trafficked Women in Prison: The Problem of Double Victimisation", *op. cit.*, pp. 99–115; VILLACAMPA ESTIARTE, C. Y TORRES ROSELL, N.: "Prevalence, dynamics and characteristics of forced marriage in Spain", *op. cit.*, p. 1-21.; SALAT, M.: "Análisis descriptivo de sentencias sobre trata de personas: Un estudio de casos judiciales entre 2011 y 2019", *op. cit.*

percepción de la gravedad de los casos de trata distintos a aquellos dirigidos a la explotación sexual de las víctimas.

Igualmente, se ha constatado que el porcentaje de condenas es mayor en los casos en que es más sencillo acreditar frente al tribunal la concurrencia del medio comisivo; esto es, en los casos de uso de violencia o cuando la víctima es menor[59]. Debería tenerse en cuenta que en la mayoría de ocasiones los tratantes utilizan el engaño o el abuso de una situación de necesidad de la víctima para cometer el delito y que la violencia o intimidación solo se torna habitual una vez se inicia la fase de explotación[60]. Las víctimas, además, son extranjeras y habitualmente procedentes de países pobres[61], y con falsas expectativas de lo que supone llegar a España[62], lo que debería tenerse en cuenta a la hora de exigir un mayor o menor baremo a la hora de constatar acreditado el engaño típico en este delito.

Finalmente, la nacionalidad de los acusados y víctimas es también una variable asociada a la condena. En concreto, hemos visto que los acusados procedentes de África son aquellos que tienen mayores probabilidades de ser condenados y cuando lo son reciben además mayores penas que los acusados que son originarios de otras regiones[63]. En este caso, los resultados coinciden con los obtenidos en otras investigaciones en las que se constata que los nacionales propios del país en el que se realiza el análisis son aquellos que además reciben condenas menos severas[64]. En el caso de las víctimas, las nacionalidades determinantes han sido el hecho de ser originario de África y de España. El hecho de que la nacionalidad de las víctimas y de los acusados tenga relación con la condena puede explicarse por determinados clichés sobre los casos de trata que existen en España: acusado y víctima de origen nigeriano o rumano donde la víctima es una mujer engañada para ser explotada sexualmente en nuestro país[65]. Sorprende, sin embargo, que los casos en que las víctimas son

---

[59]   En este caso el art. 177 bis CP no está limitado por la concurrencia de ningún medio comisivo específico, por lo que la realización de alguna de las conductas típicas con cualquiera de las finalidades previstas en el tipo es ya delictiva.

[60]   SALAT, M.: "Análisis descriptivo de sentencias sobre trata de personas: Un estudio de casos judiciales entre 2011 y 2019", *op. cit.*

[61]   SALAT, M.: *Ibidem.*

[62]   VILLACAMPA ESTIARTE, C.: *El delito de trata de seres humanos. Una incriminación dictada desde el Derecho internacional, op. cit.*; EUROPOL: *Situation report: Trafficking in human beings in the EU, op. cit.*

[63]   ULMER, J.T. y JOHNSON, B.D.: "Organizational conformity and punishment: federal court communities and judge-initiated guidelines departures", *op. cit.*, pp. 253-292; SACKS, M., y ACKERMAN A.R.: "Bail and Sentencing: Does Pretrial Detention Lead to Harsher Punishment?", *Criminal Justice Policy Review*, 25(1), 2014, pp. 59-77.

[64]   VOLKOV, V.: "Legal and Extralegal Origins of Sentencing Disparities: Evidence from Russia's Criminal Courts", *Journal of Empirical Legal Studies*, 13(4), 2016, pp. 637-665.

[65]   VILLACAMPA ESTIARTE, C. Y TORRES ROSELL, N.: "Prevalence, dynamics and characteristics of forced marriage in Spain", *op. cit.*, p. 1-21.; SALAT, M.: "Análisis descriptivo

nacionales españolas terminen con penas más severas para los acusados, lo que a lo mejor puede explicarse por la percepción por parte del tribunal de que en estos casos los hechos son más graves.

Concluyendo con el presente trabajo, puede decirse que los casos conocidos por los tribunales penales españoles se corresponden en parte al fenómeno de trata, si bien se han detectado algunas diferencias respecto a los estudios realizados previamente en países de nuestro entorno que requieren de investigaciones futuras para ser explicadas. Principalmente por el hecho de que los resultados muestran una sobrerrepresentación de casos de trata para explotación sexual en los que la víctima procede de terminados países extranjeros, sobre todo proveniente de dos países: Rumania y Nigeria. En cambio, no se detectan casos para explotación laboral – menos aún para otras formas de explotación – ni tampoco de víctimas nacionales o que hayan sido captadas en territorio español. En este sentido, pues, en una hipotética ley integral sería clave tener en cuenta estas deficiencias en la detección de los casos de trata de seres humanos que van más allá de los grupos mencionados.

En relación con las variables que influyen el sentido del fallo judicial, así como una mayor o menor duración de la pena de prisión, deberíamos tomar consciencia de ello a fin de evitar o reducir la incidencia de las mismas. Es más, algunos de los factores mencionados en la presente investigación bien podrían evitarse sin la necesidad de provocar ninguna revolución del sistema. Uno de los puntos centrales sería la de evitar la excesiva duración de los procesos penales. También sería necesario replantearse las exigencias típicas para el engaño en los casos de trata internacional. Es necesario, sin embargo, una mayor formación en el fenómeno de la trata de los agentes del sistema de justicia penal, pues sus conocimientos parecen estar sesgados hacía concretas formas de trata y frente a determinados colectivos. Igualmente, se observa la necesidad de uniformizar criterios judiciales en cuestiones penológicas; ámbito sobre el que habitualmente ni la académica ni la judicatura han prestado demasiada atención y que es crucial a fin de garantizar condenas justas y homogéneas entre los distintos tribunales.

En cualquier caso, es necesario seguir investigando en este ámbito, tanto en relación con las variables relacionadas con la condena en los delitos de trata de seres humanos como con carácter general. La investigación que se ha presentado, además, intenta ser un primer esbozo de futuros trabajos más amplios en los que se analice en España este tipo de cuestiones, siendo conscientes de las limitaciones que presenta la actual investigación. La primera y más importante limitación se refiere al número de sentencias analizadas, 221, que a pesar de ser todas aquellas que constan en la base de datos del CENDOJ no es un

---

de sentencias sobre trata de personas: Un estudio de casos judiciales entre 2011 y 2019", *op. cit.*

número suficientemente elevado como para hacer un análisis más pormenorizado de la influencia de las variables que se han estudiado. Igualmente, en no pocas ocasiones la información que contienen las sentencias sobre los hechos probados es limitada lo que dificulta obtener datos fiables. En un futuro, se pretende, pues, proceder con un análisis cualitativo de los factores que inciden en las condenas de trata para con el objetivo de responder a las hipótesis que han sido planteadas durante la discusión de los resultados.

V. BIBLIOGRAFÍA

ALBONETTI, C. A.: "Changes in federal sentencing for forced labor trafficking and for sex trafficking: A ten year assessment. Crime", *Law and Social Change*, 61(2), 2014, pp. 179–204.

ARAZAN, C., BALES, W. y BLOMBERG, T.: "Courtroom Context and Sentencing", *Br. J. Am. Legal Stud*, 44, 2019, pp. 23-44.

ARHIN, A.: "A Diaspora Approach to Understanding Human Trafficking for Labor Exploitation", *Journal of Human Trafficking*, 2(1), 2016, pp. 78–98.

BJELLAND, H. F.: "Identifying human trafficking in Norway: a register-based study of cases, outcomes and police practices", *European Journal of Criminology*, 14 (5), 2017, pp. 522-542.

COMISIÓN EUROPEA: *Data collection on trafficking in human beings in the EU*, European Commission, Luxembourg, 2020.

CURTOL, F., DECARLI, S., NICOLA, A. y SAVONA, E. U.: "Victims of human trafficking in Italy: a judicial perspective", *International Review of Victimology*, 11(1), 2004, pp. 111-141.

DEFENSOR DEL PUEBLO: *La trata de seres humanos en España: víctimas invisibles*, 2012.

DENTON, E.: "Anatomy of Offending: Human Trafficking in the United States, 2006–2011", *Journal of Human Trafficking*, 2(1), 2016, pp. 32–62.

DRÁPAL, J.: "Sentencing disparities in the Czech Republic: Empirical evidence from postcommunist Europe", *European Journal of Criminology*, 17(2), 2020, pp. 151-174.

EUROPOL: *Situation report: Trafficking in human beings in the EU*, Europol Public Information, 765175, 2018.

FRANCIS, B.: *The Female Human Trafficker in the Criminal Justice System: A Test of the Chivalry Hypothesis*. Electronic Theses and Dissertations, 5116, 2016. Disponible en: http://stars.library.ucf.edu/etd/5116

GIMÉNEZ-SALINAS FRAMIS, A., SUSAJ, G. y REQUENA ESPADA, L.: "La dimensión laboral de la trata de personas en España", *Revista Electrónica de Ciencia Penal y Criminología*, 11-4, 2009, pp. 1-25.

GOZDIAK, E., MICAH, N. y BUMP, A.: *Data and Research on Human Trafficking: Bibliography of Research-Based Literature*, Institute for the Study of International Migration, Walsh School of Foreign Service, Georgetown University, 2018.

GROUP OF EXPERTS ON ACTION AGAINST TRAFFICKING IN HUMAN BEINGS: *Report concerning the implementation of the Council of Europe Conven-*

tion on Action against Trafficking in Human Beings by Spain, Second evaluation round, Council of Europe, 2018.

HALES, L., y GELSTHORPE, L.: *The criminalisation of migrant women,* Institute of Criminology, Cambridge, 2012.

HAMILTON, M.: "Sentencing disparities", *Br. J. Am. Leg. Studies,* 6(2), 2017, pp. 177-224.

HOFER, P., BLACKWELL, K., y RUBAK, R.: "Effect of the Federal Sentencing Guidelines on Interjudge Sentencing Disparity", *Journal of Criminal Law and Criminology,* 90(1), 1999, pp. 239-306.

KRAGTEN-HEERDINK, S. L., DETTMEIJER-VERMEULEN, C. E., y KORF, D. J.: "More than just "pushing and pulling": conceptualizing identified human trafficking in the Netherlands", *Crime & Delinquency,* 64(13), 2018, pp. 1765-1789.

MATOS, M., GONÇALVES, M., y MAIA, Â.: "Understanding the criminal justice process in human trafficking cases in Portugal: factors associated with successful prosecutions", *Crime, Law and Social Change,* 72(5), 2019, pp. 501–525.

MENESES-FALCÓN, C., URÍO RODRÍGUEZ, S. y UROZ-OLIVARES, J.: *Financing of trafficking in human beings in Spain,* Center for the Study of Democracy, 2019.

MESHKOVSKA B., MICKOVSKI, N., BOS, A. y SIEGEL, M.: "Trafficking of women for sexual exploitation in Europe: prosecution, trials and their impact", *Anti-trafficking Review,* 6, 2016, pp. 71-90.

PINA-SÁNCHEZ, J., GRECH, D., BRUNTON-SMITH, I. y SFEROPOULOS, D.: "Exploring the origin of sentencing disparities in the Crown Court: Using text mining techniques to differentiate between court and judge disparities", *Social Science Research,* 84, 2019, pp. 1-13.

REQUENA ESPADA, L., GIMÉNEZ-SALINAS FRAMIS, A. y DE JUAN ESPINOSA, M.: "La trata de personas para su explotación laboral", *Boletín Criminológico,* 114, 2009, pp. 1-4.

RUSSELL, A.: Human Trafficking: "A Research Synthesis on Human-Trafficking Literature in Academic Journals from 2000–2014", *Journal of Human Trafficking,* 4(2), 2018, pp. 114–136.

SACKS, M., y ACKERMAN A.R.: "Bail and Sentencing: Does Pretrial Detention Lead to Harsher Punishment?", *Criminal Justice Policy Review,* 25(1), 2014, pp. 59-77.

SALAT M.; "¿Qué influye en las condenas por el delito de trata de seres humanos? Un estudio a partir de un análisis de sentencias judiciales", *Revista General de Derecho Penal,* 35, 2021.

SALAT, M.: "Análisis descriptivo de sentencias sobre trata de personas: Un estudio de casos judiciales entre 2011 y 2019", *Revista Española de Investigación Criminológica,* 18, 2020.

SPOHN, C.: "Decision making in sexual assault cases: do black and female judges make a difference?", *Women Crim. Justice,* 2(1), 1990, pp. 83-105.

STEFFENSMEIER, D. y HEBERT, C.: "Women and men policymakers: does the judge's gender affect the sentencing of criminal defendants?", *Soc. Forces* 77(3), 1999, pp. 1163-1196.

SURTEES, R.: "Traffickers and Trafficking in southern and Eastern Europe: considering the other side of human trafficking", *European Journal of Criminology,* 5(1), 2008, pp. 39-68.

TAMARIT, J. M., GUARDIOLA, M. J., HIDALGO, P. H. y SOLANET, A. P.: "La victimización sexual de menores de edad: un estudio de sentencias", *Revista Española de Investigación Criminológica*, 12, 2014, pp. 1-39.

ULMER, J.T. y JOHNSON, B.D.: "Organizational conformity and punishment: federal court communities and judge-initiated guidelines departures", *J. Crim. Law Criminol*, 107, 2017, pp. 253-292.

UNITED NATIONS OFFICE ON DRUGS AND CRIME: *Global Report on Trafficking in Persons*, 2020.

VILLACAMPA ESTIARTE, C. *et al.*: "Trata de seres humanos: dimensión y características en España", *Revista General de Derecho Penal*, 35, 2021.

VILLACAMPA ESTIARTE, C. Y TORRES ROSELL, N.: "Prevalence, dynamics and characteristics of forced marriage in Spain", *Crime Law and Social Change*, 2019, p. 1-21.

VILLACAMPA ESTIARTE, C. y TORRES ROSELL, N.: "Trata de seres humanos para explotación criminal: ausencia de identificación de las víctimas y sus efectos", *Estudios Penales y Criminológicos*, 36, 2016, pp. 771–829.

VILLACAMPA ESTIARTE, C., y TORRES ROSELL, N.: "Trafficked Women in Prison: The Problem of Double Victimisation", *European Journal on Criminal Policy and Research*, 21(1), 2014, pp. 99–115.

VILLACAMPA ESTIARTE, C.: *El delito de trata de seres humanos. Una incriminación dictada desde el Derecho internacional*, Thomson-Reuters Aranzadi, Pamplona, 2011.

VOLKOV, V.: "Legal and Extralegal Origins of Sentencing Disparities: Evidence from Russia's Criminal Courts", *Journal of Empirical Legal Studies*, 13(4), 2016, pp. 637-665.

WIJKMAN, M., y KLEEMANS, E.: "Female offenders of human trafficking and sexual exploitation. Crime", *Law and Social Change*, 72(1), 2019, pp. 53–72.

Capítulo XI
TRATA DE SERES HUMANOS Y SU APROXIMACIÓN INSTITUCIONAL EN ESPAÑA: PERSPECTIVA CUANTITATIVA[1]

CAROLINA VILLACAMPA ESTIARTE
Catedrática de Derecho Penal
Universitat de Lleida

CLÀUDIA TORRES FERRER
Investigadora predoctoral FPU de Derecho Penal
Universitat de Lleida

Sumario: I. APROXIMACIÓN VICTIMOCÉNTRICA A LA TRATA DE SERES HUMANOS Y MIGRACIÓN: SESGOS EN EL ABORDAJE ESPAÑOL; II. OBJETIVOS Y METODOLOGÍA; III. ¿CÓMO AFLORAN LOS CASOS DE TSH?: ENTIDADES MÁS EFECTIVAS EN LA DETECCIÓN DE VÍCTIMAS; IV. LA ASISTENCIA QUE SE PRESTA A LAS VÍCTIMAS DE TSH EN ESPAÑA; V. RECONOCIMIENTO DEL PERÍODO DE RESTABLECIMIENTO Y REFLEXIÓN, DEL PERMISO DE RESIDENCIA Y DE LA CONDICIÓN DE REFUGIADAS A LAS VÍCTIMAS DE TSH; VI. REFLEXIONES CONCLUSIVAS Y PROPUESTAS DE FUTURO; VII. BIBLIOGRAFÍA.

I. APROXIMACIÓN VICTIMOCÉNTRICA A LA TRATA DE SERES HUMANOS Y MIGRACIÓN: SESGOS EN EL ABORDAJE ESPAÑOL

La trata de seres humanos (en adelante, TSH) constituye un fenómeno intrínsecamente ligado al migratorio. La existencia de personas en disposición de ser trasferidas de un lugar a otro para ser explotadas al llegar a su destino se explica por la confluencia de factores que las impulsan–*push factors*- a trasladarse fuera de sus países de origen junto a otros que las atraen –*pull factors*- a los de destino donde pueden acabar siendo explotadas[2]. Hay oferta

---

[1] La publicación original, en versión íntegra y no actualizada, de este trabajo puede consultarse en VILLACAMPA ESTIARTE, C. y TORRES FERRER, C.: "Aproximación institucional a la trata de seres humanos en España: valoración crítica", *Estudios Penales y Criminológicos*, núm. 41, 2021, pp. 189-232.

[2] Al respecto, *vid.* KARA, S.: *Sex Trafficking. Inside the Business of Modern Slavery*, Columbia University Press, New York, 2009, pp. 23 y ss.; SCARPA, S.: *Trafficking in Human Beings*, Oxford University Press, Oxford, 2008, pp. 12 y ss.; UNITED NATIONS OFFICE

de personas en riesgo de explotación severa porque el proceso de globalización económica asentado en un modelo capitalista ha condenado a muchos
países en vías de desarrollo y a sus ciudadanos a una situación paupérrima.
Esto unido a la falta de oportunidades, a la feminización de la pobreza, al estallido de conflictos armados, a la existencia de débiles y corruptas estructuras
estatales y, en algunos casos, a determinadas prácticas culturales aboca flujos
de personas fuera de sus países de origen en busca de una vida mejor, la que
pueden obtener en los de destino, que incesantemente demandan la prestación
de servicios baratos.

La relación, no solo fenomenológica, sino también normativa, entre la TSH
y la migración se estableció ya desde que se aprobara el primer instrumento
normativo internacional para luchar contra esta realidad, la Convención de las
Naciones Unidas contra la delincuencia organizada transnacional de 2000, y
los dos protocolos facultativos que lo acompañaron -el Protocolo para prevenir, reprimir y sancionar la trata de personas, especialmente mujeres y niños,
de un lado, y el Protocolo contra el tráfico ilícito de migrantes por tierra, mar
y aire, de otro-. Con todo, esa inicial estrecha confluencia normativa de la
TSH con las migraciones ilegales fue desvaneciéndose como consecuencia de
considerar a la primera un ataque a la dignidad humana de primera magnitud
que requería un abordaje de derechos humanos, victimocéntrico[3], mientras al
control de flujos migratorios se le hacía frente sobre todo mediante la sanción
de las conductas infractoras. La referida aproximación victimocéntrica busca
acercarse holísticamente al problema y erradicar sus causas, articulando la respuesta contra la TSH sobre la base de lo que se conoce como "política 3P", de
prevención, protección y persecución, que prioriza la protección de la víctima
y su bienestar frente a la persecución del delito. Tal política fue tímidamente
instaurada por el Protocolo para prevenir, reprimir y sancionar la trata de
personas. En el ámbito regional europeo ha sido desarrollada sobre todo gracias al Convenio del Consejo de Europa sobre la lucha contra la trata de seres
humanos de 2005 y, en menor medida, por la Directiva 2011/36/UE, relativa
a la prevención y lucha contra la trata de seres humanos y a la protección de
las víctimas.

ON DRUGS AND CRIME (UNODC): *Toolkit to Combat Trafficking in Persons*, United
Nations, New York, 2008, p. 424; ZHANG, S. X.: *Smuggling and trafficking in human
beings. All roads lead to America*, Praeger, Westport-Connecticut, London, 2007, pp. 11
y ss.

3   *Vid.*, por todos, OBOKATA, T.: "Trafficking of Human Beings as a crime against humanity:
some implications of the international legal system", *International and Comparative Law
Quarterly*, 54 (2), 2005, pp. 445 y ss.; OBOKATA, T.: *Trafficking in Human Beings from a
Human Rights Perspective: Towards a Holistic Approach*, Martinus Nijhoff, Leiden, Boston, 2006, pp. 32 y ss., 121 y ss., 445 y ss.; VILLACAMPA ESTIARTE, C.: *El delito de trata
de seres humanos. Una Incriminación Dictada desde el Derecho Internacional*, Aranzadi-
Thomson Reuters, Cizur Menor, 2011, pp. 170 y ss.

Hacer efectiva dicha aproximación victimocéntrica a la TSH supone situar en el centro de la respuesta institucional la protección a las víctimas, el reconocimiento de sus derechos, aspecto que demanda la detección de las personas que la sufren como presupuesto necesario para tutelarlas adecuadamente. Una vez que estas han sido convenientemente detectadas, debe garantizarse su tutela, tanto en el marco del proceso penal, como sobre todo, al margen del mismo, lo que convierte en esencial para este tipo de aproximación la previsión y adecuada implementación de un completo programa de asistencia victimal. De ahí precisamente que la monitorización de los mecanismos mediante los que los casos de TSH afloran y de las medidas de protección victimal aplicadas en cualquier país resulta trascendental para saber si este asume materialmente dicha forma de aproximación.

Con el objeto de determinar si esto es así en el caso español, debe comenzarse por indicar que, dado que el abordaje normativo de la TSH a nivel supranacional se ha desligado del propio del control de los flujos migratorios y la migración ilegal, el reconocimiento de los derechos propios de las víctimas de TSH debería disociarse de la regulación de extranjería. No obstante, esto no es lo que ha sucedido en España, donde la aproximación normativa e institucional a la TSH ha adolecido de un doble sesgo. Conforme al primero, se ha adoptado una visión trafiquista de la TSH que la ha mantenido perennemente vinculada a las migraciones ilegales y que, a diferencia de lo acontecido en normativa internacional, no se ha desvanecido con el tiempo. Cierto que la introducción del delito de TSH en el Código penal en la reforma de 2010 sirvió para que estos supuestos dejasen de sancionarse conforme al delito de tráfico ilícito de migrantes, acabando con la indebida confusión entre ambas realidades en el marco del procedimiento penal, esto es, en el contexto de la "P de persecución". Sin embargo, esa disociación no se ha producido todavía en la "P de protección", lo que hace que algunos derechos de las víctimas de trata y las disposiciones referidas a su asistencia se continúen regulando indebidamente en la normativa de extranjería, conduciendo a la invisibilización de las víctimas que no entran en el estereotipo del inmigrante ilegal[4]. Así sucede con la identificación victimal, a la que se refieren los arts. 59 bis de la Ley Orgánica

---

[4]   En este sentido, *vid.* LARA AGUADO, M. A.: "El avance irresistible de la concepción de la trata como violación de derechos humanos: luces y sombras de las políticas protectoras de las víctimas en la normativa internacional e interna", en PÉREZ ALONSO, E. (dir.), *El Derecho ante las formas contemporáneas de esclavitud*, Tirant lo Blanch, Valencia, 2017, pp. 849 y ss.; VILLACAMPA ESTIARTE, C.: *El delito de trata de seres humanos. Una Incriminación Dictada desde el Derecho Internacional, op. cit.*, pp. 493 y ss.; VILLACAMPA ESTIARTE, C.: "Víctimas de trata de seres humanos: su tutela a la luz de las últimas reformas penales sustantivas y procesales proyectadas", *Indret*, núm. 2/2014, 2014, pp. 17 y ss.; VILLACAMPA ESTIARTE, C. y TORRES ROSELL, N.: "Mujeres víctimas de trata en prisión en España", *Revista de Derecho Penal y Criminología*, núm. 8, 2012, p. 428.

4/2000, de derechos y libertades de los extranjeros en España y su integración social (LOEX) y 141 del Real Decreto 557/2011, de 20 de abril, por el que se aprueba el Reglamento de la LOEX. Estos establecen, en semejantes términos a como lo hace el Protocolo marco de protección de las víctimas de trata de seres humanos, que la identificación la deben realizar autoridades policiales con formación específica en la investigación de esta realidad, sin reconocerles dicha posibilidad a otros actores. El mismo régimen se aplica a las víctimas que residen legalmente en España, según indica el Reglamento LOEX. En segundo lugar, algo parecido sucede con la asistencia victimal, exiguamente regulada en el art. 140 Reglamento LOEX. Este indica que se establecerá la forma y la participación de las organizaciones no gubernamentales, fundaciones y otras asociaciones de carácter no lucrativo que estén especializadas en la acogida y/o protección de las víctimas de TSH en el Protocolo marco de protección de víctimas de trata de seres humanos, aunque luego el mismo apenas dice nada. Menciona a estas entidades con la única finalidad de reflejar la necesidad de derivarles víctimas, reconociendo la aportación que efectúan a su protección. Finalmente, también el reconocimiento de un período de restablecimiento y reflexión se regula en normativa de extranjería (art. 59 bis LOEX), reconociéndose exclusivamente a las víctimas de TSH sin residencia legal.

Junto a estas, existen otras medidas contempladas en normativa de extranjería que sí tienen *a priori* más que ver directamente con la regularidad de la estancia de ciudadanos extranjeros en nuestro país y, por tanto, con la protección específica a las víctimas de trata extranjeras en España. Así sucede con el reconocimiento de un permiso de residencia y trabajo por circunstancias excepcionales para estas en la LOEX o con la posibilidad de otorgarles protección internacional de acuerdo con la Ley 12/2009, reguladora del derecho de asilo y protección subsidiaria.

El segundo de los sesgos de que adolece la aproximación institucional a la TSH en España consiste en haberse centrado en la visibilización y la protección de las víctimas de la trata sexual, pretiriendo a las que lo son de TSH orientada a otras formas de explotación. En esto, el abordaje en España no es muy diverso del de otros países, pues la focalización preferente en la TSH para explotación sexual ha sido denunciada por la academia y los analistas a nivel internacional. Se indica así que la atención y, por tanto, también la investigación, está muy orientada a la TSH para explotación sexual, dejando de lado otras formas de TSH, como la laboral, que pueden ser incluso más prevalentes y con una distribución más equitativa de sexos entre las víctimas[5].

---

[5]   *Vid.* HOME OFFICE: *Trafficking for the purposes of labour exploitation: A literature review*, Home Office, London, 2007, *passim*; KAYE, J., WINTERDYK, J. y QUARTERMAN, L.: "Beyond criminal justice. A case study of responding to human trafficking in Canada", *Canadian Journal of Criminology and Criminal Justice*, 56 (1), 2014, pp. 23 y ss.; KELLY,

Sin embargo, esta tendencia es incluso más acusada en nuestro país, en que la lucha contra la TSH se ha emprendido casi en exclusiva pensando en la prostitución como manifestación principal de la TSH para explotación sexual, pretiriendo notoriamente no ya solo otras formas de TSH, claramente la laboral, sino incluso la trata sexual que no tenga por fin la prostitución[6]. Con todo, muy recientemente, parece que esta marcada tendencia va atemperándose en España. Este recientísimo cambio de estrategia en la lucha contra la trata se observa no solo porque comienzan a recogerse más datos oficiales sobre víctimas explotadas laboralmente, sino porque además se ha adoptado el Plan Estratégico Nacional contra la Trata y la Explotación de Seres Humanos 2021-2023 (PENTRA), dado a conocer el 12 de enero de 2022. En cumplimiento del mismo, el Gobierno ha aprobado el 10 de diciembre de 2021 el Plan Nacional de Acción contra el Trabajo Forzoso: Relaciones laborales obligatorias y otras actividades humanas forzadas que, centrado en la protección de las víctimas,

---

L.: "You can find anything you want": A critical reflection on research on trafficking in persons within and into Europe", *International Migration*, núm. 43, 2005, pp. 235 y ss.; LACZKO, F.: "Introduction", en LACZKO, F. y GOZDZIAK, E. (coords.), *Data and research on human trafficking: A global survey*, International Organization for Migration, Geneva, 2005, pp. 5 y ss.; TYLDUM, G. y BRUNOVSKIS. A.: "Describing the Unobserved: Methodological Challenges in Empirical Studies on Human Trafficking", en LACZKO, F. y GOZDZIAK, E. (coords.), *Data and research on human trafficking: A global survey, op. cit.*, pp. 17-24; WEITZER, R.: "Sex trafficking and the sex industry: The need for evidence-based theory and legislation", *Journal of Criminal Law and Criminology*, 101 (4), 2012, pp. 1368-1369; WEITZER, R.: "New Directions in Research on Human Trafficking", *The Annals of the American Academy of Political and Social Science*, 653 (6), 2014, pp. 12-13.

[6]   *Vid.* DEFENSOR DEL PUEBLO: *La trata de seres humanos en España: Víctimas Invisibles*, Defensor del Pueblo, Madrid, 2012, pp. 90 y ss.; GROUP OF EXPERTS ON ACTION AGAINST TRAFFICKING IN HUMAN BEINGS (GRETA): *Report concerning the implementation of the Council of Europe Convention on Action against Trafficking in Human Beings by Spain. First evaluation round*, Council of Europe, Strasbourg, 2013, p. 63; GROUP OF EXPERTS ON ACTION AGAINST TRAFFICKING IN HUMAN BEINGS (GRETA): *Report concerning the implementation of the Council of Europe Convention on Action against Trafficking in Human Beings by Spain. Second evaluation round*, Council of Europe, Strasbourg, 2018, pp. 7, 21 y ss.; IGLESIAS SKULJ, A.: *Trata de mujeres con fines de explotación sexual*, Tirant lo Blanch, Valencia, 2013, pp. 50 y ss.; MAQUEDA ABREU, M. L.: *Prostitución, feminismos y derecho penal*, Comares, Granada, 2009, *passim*; VILLACAMPA ESTIARTE, C.: *El delito de trata de seres humanos. Una Incriminación Dictada desde el Derecho Internacional, op cit.*, pp. 551 y ss.; VILLACAMPA ESTIARTE, C.: "Víctimas de trata de seres humanos: su tutela a la luz de las últimas reformas penales sustantivas y procesales proyectadas", *op. cit.*, pp. 22-26; VILLACAMPA ESTIARTE, C. y TORRES ROSELL, N.: "Mujeres víctimas de trata en prisión en España", *op. cit.*, p. 488; VILLACAMPA ESTIARTE, C. y TORRES ROSELL, N.: "Trata de seres humanos para explotación criminal: ausencia de identificación de las víctimas y sus efectos", *Estudios Penales y Criminológicos*, núm. 36, 2016, pp. 784-785; VILLANUEVA FERNÁNDEZ, A. y FERNÁNDEZ-LLÉBREZ, F.: "La importancia de los datos de trata de seres humanos. Una aproximación al sistema de recolección de datos de víctimas de trata en España", *Deusto Journal of Human Rights*, núm. 4, 2019, pp. 137-139.

plantea la necesidad de estudiar en más profundidad e implementar medidas para la prevención de estas conductas y la protección de sus víctimas, junto a la necesidad de incriminar las formas severas de explotación humana en un horizonte de tres años tras su aprobación.

II. OBJETIVOS Y METODOLOGÍA

Como se ha indicado, en el contexto de una aproximación victimocéntrica a la TSH, resulta relevante conocer en qué términos se está materialmente cumpliendo con los requerimientos de la protección y asistencia a sus víctimas, sin descuidar un análisis del presupuesto que permite la activación de dicha protección, su detección como tales. El de la asistencia y protección victimal en materia de TSH no ha constituido un campo que haya sido abordado todavía en demasiada profundidad a nivel internacional, más allá de en cuestiones muy relacionadas con la detección de víctimas[7] y fundamentalmente sobre la base de estudios de tipo cualitativo. Tampoco en España, en que los análisis hasta ahora efectuados lo han sido sobre todo con base en aproximaciones de carácter preferentemente cualitativo y generalmente centradas en una manifestación concreta de la TSH[8].

Precisamente con la finalidad de abordar desde una perspectiva cuantitativa esta cuestión, dado que la doctrina ha denunciado la ausencia de robustez de los datos cuantitativos sobre TSH en general[9], de manera que además pudiese

---

[7]   Al respecto, *vid.* FARRELL, A.: "Environmental and institutional influences on Police Agency Responses to Human Trafficking", *Police Quarterly*, 17 (1), 2014, pp. 3-19; FARRELL, A. y PFEFFER, R.: "Policing Human Trafficking: Cultural Blinders and Organizational Barriers", *The Annals of the American Academy of Political and Social Science*, 653 (1), 2014, pp. 46 y ss.; KAYE, J., WINTERDYK, J. y QUARTERMAN, L.: "Beyond criminal justice. A case study of responding to human trafficking in Canada", *op. cit.*, pp. 23-48; WARRIA, A., NEIL, H. y TRIEGAARDT, J.: "Challenges in Identification of Child Victims of Transnational trafficking", *Practice: Social Work in Action*, 27 (5), 2015, pp. 315-333.

[8]   *Vid.* JIMÉNEZ ROMERO, M. y TARANCÓN GÓMEZ, P.: "Perspectivas de profesionales del tercer sector sobre la intervención con víctimas de trata con fines de explotación sexual", *Revista Electrónica de Ciencia Penal y Criminología*, núm. 20-25, 2018, pp. 1- 25; MENESES FALCÓN, C., UROZ OLIVARES, J. y RÚA VIEITES, A.: *Apoyando a las víctimas de trata. Las necesidades de las mujeres víctimas de trata desde la perspectiva de las entidades especializadas y profesionales involucrados. Propuestas para la sensibilización contra la trata*, Delegación del Gobierno para la Violencia de Género, Madrid, 2015; TORRES ROSELL, N. y VILLACAMPA ESTIARTE, C.: "Protección jurídica y asistencia para víctimas de trata de seres humanos", *Revista General de Derecho Penal*, núm. 27, 2017, pp. 1-48; VILLACAMPA ESTIARTE, C. y TORRES ROSELL, N.: "Trata de seres humanos para explotación criminal: ausencia de identificación de las víctimas y sus efectos", *op. cit.*, pp. 773 y ss.

[9]   *Vid.* COCKBAIN, E. y BOWERS, K.: "Human trafficking for sex, labour and domestic servitude: how do key trafficking types compare and what are their predictors?", *Crime, Law*

compararse la aproximación en función del tipo de TSH frente al que nos hallamos, se emprendió esta investigación.

Su principal objetivo consiste en analizar desde una perspectiva cuantitativa la aproximación institucional tuitiva a la TSH en España. Esto se hace, de un lado, estudiando cómo afloran los casos de TSH en un determinado período e identificando las entidades más eficientes en su detección y, de otro, analizando los mecanismos de protección que se aplican a las víctimas de TSH.

La metodología empleada en esta investigación, tanto en lo relativo al instrumento para obtener los datos como en lo concerniente a la muestra con la que se ha trabajado, ha sido ya expuesta en el capítulo de esta obra que lleva por título "Dimensión de la trata de seres humanos en España", elaborado por C. Villacampa, M.J. Gómez, C. Torres y X. Miranda. Nos remitimos, pues, a lo allí indicado sobre esta cuestión.

III. ¿CÓMO AFLORAN LOS CASOS DE TSH?: ENTIDADES MÁS EFECTIVAS EN LA DETECCIÓN DE VÍCTIMAS

Como ya se ha indicado en el referido capítulo, las 150 entidades, unidades u organismos (en adelante, EUO) que respondieron a la encuesta *online* efectuada para recoger los datos en esta investigación reportaron que durante los años 2017 y 2018 habían detectado un total de 7.448 víctimas, 3.126 en 2007 y 4.322 en 2018. De ellas, el 95,96% (n=7.146) están clasificadas en función de variables como su sexo, edad y el tipo de TSH a que se las destinó (sexual, laboral, criminal y otras formas de explotación), mientras el 4,05% (n=302), aunque constan como víctimas halladas por estas entidades, no están clasificadas de acuerdo con las variables indicadas. Como también se ha indicado, el número de víctimas detectadas en este estudio es muy superior al de las formalmente identificadas en el mismo período por el Centro de Inteligencia contra el Terrorismo y el Crimen Organizado (CITCO), esto es, el órgano dependiente del Ministerio del Interior que centraliza la recogida de datos policiales referidos a víctimas identificadas en España, y que en el bienio analizado identificó a 458 víctimas (220 en 2107 y 238 en 2018)[10].

---

and *Social Change*, 72 (1), 2019, p. 11; COCKBAIN, E., BOWERS, K. y DIMITROVA, G.: "Human trafficking for labour exploitation: the results of a two-phase systematic review mapping the European evidence base and synthesizing key scientific research evidence", *Journal of Experimental Criminology*, 14 (3), 2018, pp. 320-322; GOZDZIAK, E. M. y BUMP, M. N.: *Data and Research on Human Trafficking: Bibliography of Research-Based Literature*, Institute for the Study of International Migration, Washington D.C., 2008, pp. 1-56.

[10]   *Vid.* CITCO: *Trata de seres humanos en España. Balance estadístico 2013-17*, Ministerio del Interior. Secretaría de Estado de Seguridad, Madrid, 2018, pp. 3-12; CITCO: *Trata de*

Ciertamente la distancia entre las víctimas detectadas y registradas en España, con ser un fenómeno que se observa a nivel internacional[11] y que permite reforzar la opinión según la cual la TSH que aflora al sistema puede constituir solamente la punta del iceberg[12], es más acusada en nuestro país que en otros de nuestro entorno, que se han mostrado más eficaces en la identificación y registro de víctimas[13]. Pero al mismo tiempo, la lejanía en nuestro país entre la cifra de las víctimas detectadas y el de las formalmente identificadas, las únicas que aquí se consideran registradas, muestra que si fuéramos capaces de aproximar ambos montantes ganaríamos en eficacia en el registro de víctimas, permitiendo que una parte más relevante de supuestos de TSH aflorase. De ahí precisamente que resulte capital saber cómo han surgido los casos detectados en este estudio y qué EUO han sido más eficientes a la hora de detectarlos.

Con la finalidad de obtener información acerca de cómo se detectaron los casos, se preguntó a las 66 EUO encuestadas que detectaron víctimas cómo lo hicieron. La mayor parte declararon que los supuestos afloran porque la entidad misma emprende algún tipo de actuación para detectarlas (n=43, 34%), o porque les vienen derivadas de otras EUO (n=43, 34%). Más escasos son los supuestos en que las víctimas solicitan ayuda a la entidad (n=29, 24%) y apenas sucede que personas de su entorno denuncien lo que está sucediendo (gráfico 1).

---

seres humanos en España. Balance estadístico 2014-18, Ministerio del Interior. Secretaría de Estado de Seguridad, Madrid, 2019, pp. 3-12.

[11]   *Vid.* INTERNATIONAL LABOUR OFFICE (ILO): *Global Estimates of Modern Slavery: Forced Labour and Forced Marriage*, International Labour Office, Geneva, 2017, pp. 9 y ss.; UNITED NATIONS OFFICE ON DRUGS AND CRIME (UNODC): *Global Report on Trafficking in Persons 2018*, United Nations, New York, 2018, pp. 13 y ss.

[12]   En este sentido, *vid.* ARONOWITZ, A. A.: *Human trafficking, human misery. The global trade in human beings*, Praeger, Westport-Connecticut, London, 2009, p. 20; KANGAS-PUNTA, K.: "Collecting Data on Human Trafficking. Availability, Reliability and Comparability of Trafficking Data", en SAVONA, E. U. y STEFANIZZI, S. (coords.), *Measuring Human Trafficking. Complexities and Pitfalls*, Sage/Ispac, New York, 2007, pp. 27-36.

[13]   Este sería el caso de Reino Unido y Países Bajos que, con un total de 12.123 y 1.624 víctimas registradas durante el período 2017-2018, respectivamente, se erigen como dos de los países con un mayor índice de detección tanto en datos absolutos como en datos relativos, esto es, en proporción al tamaño de su población, de conformidad con el último informe de la Comisión Europea. *Vid.* EUROPEAN COMMISSION-MIGRATION AND HOME AFFAIRS: *Data collection on trafficking in human beings in the EU*, Publications Office of the European Union, Luxembourg, 2020, pp. 10-11, 132-135.

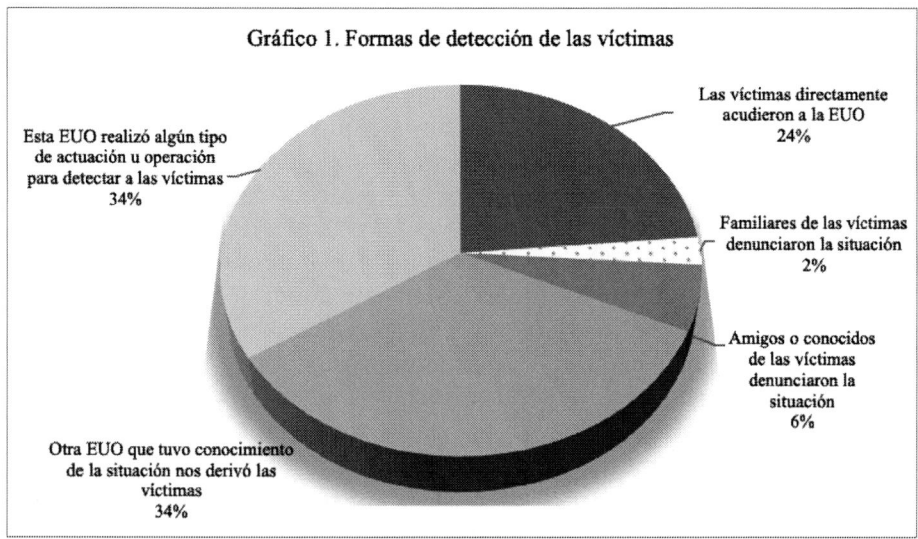

Gráfico 1. Formas de detección de las víctimas

Las víctimas directamente acudieron a la EUO 24%

Familiares de las víctimas denunciaron la situación 2%

Amigos o conocidos de las víctimas denunciaron la situación 6%

Otra EUO que tuvo conocimiento de la situación nos derivó las víctimas 34%

Esta EUO realizó algún tipo de actuación u operación para detectar a las víctimas 34%

Así, la actividad proactiva de las EUO es precisamente la que parece tener una mayor incidencia en la detección de las víctimas de TSH, puesto que o bien son estas directamente las que con sus actuaciones de búsqueda las hallan o bien les son derivadas por otras EUO, mientras solo un 32% de los casos afloran por denuncias. Tomando esto en consideración, resulta interesante conocer hasta qué punto la actividad de dichas EUO se orientaba a la TSH, si tenían formación al respecto y en qué medida dichos extremos explican su éxito a la hora de detectar víctimas.

Se ha visto ya al describir la muestra de las 150 EUO que respondieron a la encuesta cuáles eran sus principales actividades. Cruzando la variable detección víctimas de TSH con los ámbitos de actividad a que se dedican las EUO encuestadas, se observa como las que detectaron más víctimas fueron las que declararon dedicarse a la asistencia de víctimas de TSH (n=43), seguidas de las centradas en la asistencia a víctimas de violencia de género y violencia familiar (n=22), víctimas en general (n= 18) e inmigrantes (n=16), situándose en quinto lugar las entidades policiales (n=12).

Más allá del análisis de su ámbito de actividad y su incidencia en la detección victimal, en punto a la valoración de su grado de especialización en la materia, pese a tratarse de una muestra intencional, cuando se les preguntó específicamente si se consideraban especializadas en TSH, 25 EUO no respondieron esta pregunta. De las que lo hicieron, el 44,8% (n=56) respondió afirmativamente, mientras que la mayoría, o respondió negativamente (52,8%, n=66), o indicó que desconocía la respuesta (2,7%, n=3).

Aunque no se atribuyeron mayoritariamente la condición de entidades especializadas en la materia, sí consideraron más generalizadamente, sin embargo, que habían recibido formación sobre TSH. En concreto sobre formas de TSH que hasta el momento han sido menos visibilizadas en España, donde la atención se ha centrado en la trata sexual. Así, a la cuestión correspondiente a si habían recibido formación en TSH para explotación laboral, criminal u otras formas de trata, no respondieron 23 de las 150 EUO encuestadas. Las que lo hicieron, contestaron mayoritariamente que sí la habían recibido (59,84%, n=76), frente a las que indicaron que no habían sido formadas (37,8%, n=48) o manifestaron desconocer la respuesta (2,36%, n=3). Cuando se les preguntó en qué concretos aspectos habían recibido formación, cuestión a la que solo respondieron 76 de las 150 EUO entrevistadas, indicaron que versó fundamentalmente sobre asistencia y protección a las víctimas (n=24), identificación de las mismas (n=22) y persecución penal de la TSH (n=14). De las 3Ps que se ha indicado integran la estrategia de abordaje institucional de la TSH a nivel internacional, fueron las de protección victimal y persecución del delito aquellas en que se centró la formación, sin que aspectos como la prevención de la victimización por esta realidad a distintos niveles, la colaboración entre los agentes que la abordan o la recogida de datos sobre el fenómeno constituyesen prioridades formativas (*vid.* gráfico 2).

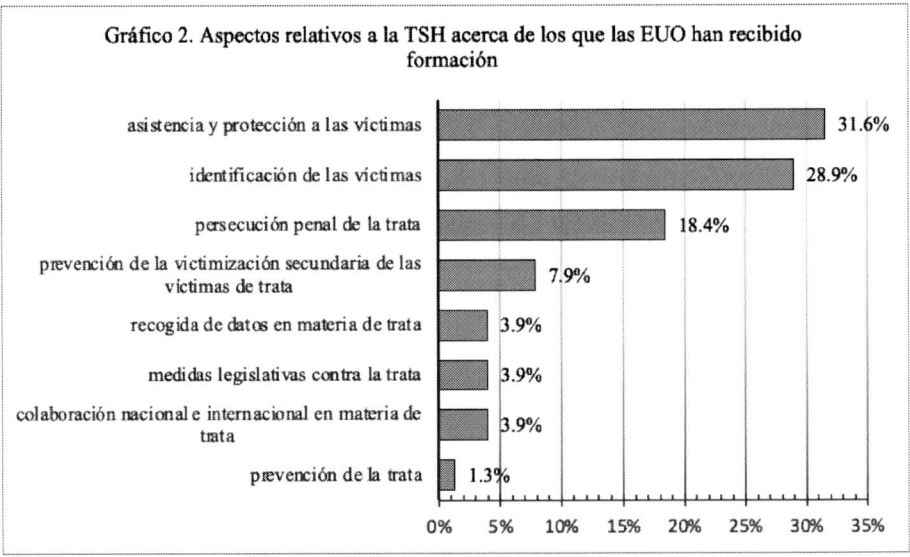

Atendiendo a que todas las EUO integrantes de la muestra real fueron encuestadas acerca de su grado de especialización y formación en materia de TSH sin que todas ellas detectaran a víctimas de esta realidad, se efectuó un análisis bivariado para determinar la relación existente entre la variable consistente en identificar víctimas y las relacionadas con el grado de especialización y la formación recibida en materia de TSH. En todos los casos, la asociación bivariada arrojó resultados estadísticamente significativos. Puede afirmarse así que las entidades más efectivas en la detección de víctimas de cualquier tipo de TSH en los dos años analizados son las que se consideran a sí mismas especializadas en este fenómeno [(χ2 (6, N=150) = 63.290, ρ=.000, ΦCramer=.459] y las que han obtenido formación en la materia [(χ2 (6, N=150) = 49.11, ρ=.000, ΦCramer=.405], en concreto, en mayor medida aquellas que han sido formadas en aspectos como la asistencia y protección a las víctimas e identificación de las mismas [(χ2 (16, N=150) = 60.53, ρ=.000, ΦCramer=.449]. Se confirma con ello lo que anteriores investigaciones empíricas habían puesto de manifiesto, en el sentido de que la capacidad de los profesionales para detectar a víctimas de TSH se incrementa cuando se refuerza su grado de especialización y la formación recibida[14].

IV. LA ASISTENCIA QUE SE PRESTA A LAS VÍCTIMAS DE TSH EN ESPAÑA

El segundo de los objetivos específicos de esta investigación consistía en analizar los mecanismos de protección que se aplican a las víctimas detectadas de TSH. Al margen de las medidas tuitivas para con víctimas que pueden aplicarse en el marco del procedimiento penal, el aspecto más relevante al abordar la protección victimal viene integrado por la asistencia que se presta a las mismas. De ahí que conocer qué tipo de mecanismos de asistencia se les dispensan resulte trascendental en un estudio que, como este, pretende testear el abordaje institucional tuitivo en TSH.

Preguntadas las EUO encuestadas que detectaron víctimas sobre qué tipo de medidas de protección aplicaban, pudiendo escoger varias de las opciones formuladas y admitiendo que pudiesen incorporar ulteriores medidas, las que resultaron más seleccionadas fueron la asistencia legal (85,5%), la asistencia médica y psicológica (71%) y la provisión de alojamiento (67,7%) (gráfico 3). Tras este primer grupo de opciones más seleccionadas,

---

[14]   Vid. FARRELL, A., BRIGHT, K., DE VRIES, I., PFEFFER, R. y DANK, M.: "Policing labor trafficking in the United States", *Trends in Organized Crime*, 23 (1), 2020, pp. 43-45; FARRELL, A y PFEFFER, R.: "Policing Human Trafficking: Cultural Blinders and Organizational Barriers", *op. cit.*, pp. 56-60; RENZETTI, C. M., BUSH, A., CASTELLANOS, M. y HUNT. G.: "Does training make a difference? An evaluation of a specialized human trafficking training module for law enforcement officers", *Journal of Crime and Justice*, 38 (3), 2015, pp. 339 y ss.; WARRIA, A., NEIL, H. y TRIEGAARDT, J.: "Challenges in Identification of Child Victims of Transnational trafficking", *op. cit.*, pp. 315-333; VILLACAMPA ESTIARTE, C. y TORRES ROSELL, N.: "Trata de seres humanos para explotación criminal: ausencia de identificación de las víctimas y sus efectos", *op. cit.*, pp. 788-791.

la asistencia a la reintegración y la formación/educación, constituyeron un segundo grupo de opciones escogidas. Finalmente, las actuaciones menos generalizadas tuvieron que ver con la ocupación laboral, la asistencia al retorno o el acompañamiento jurídico y emocional. Se observa como la asistencia fundamentalmente prestada es la que tiene carácter más urgente, puesto que las medidas tendentes a la capacitación educacional u ocupacional de las víctimas, a su reintegración e incluso retorno asistido se seleccionan en menor medida. Tales resultados confirman solo parcialmente lo que refleja la última estadística publicada a nivel europeo, aunque España no facilitase datos sobre este concreto aspecto, dado que si la asistencia médica y psicológica fue igualmente la opción asistencial más escogida en segundo término, la predominante fue el alojamiento[15].

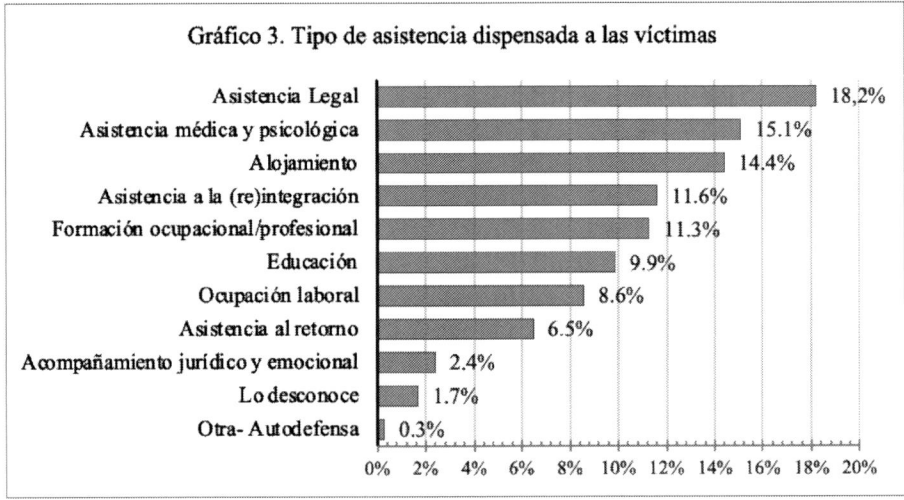

Gráfico 3. Tipo de asistencia dispensada a las víctimas

Con relación a quiénes son las personas a las que fundamentalmente va orientada la asistencia prestada, las respuestas de las entidades encuestadas a la correspondiente pregunta permiten confirmar que se trata de medidas de protección prácticamente solo aplicadas a mujeres (89,4%, n=59), puesto que únicamente el 7,6 % de las EUO indicaron que se aplicaban por igual a hombres que a mujeres (n=5), sin perjuicio de que un 3% de las mismas declararon desconocer la respuesta. Estos resultados resultan coherentes con la distribución por sexos de las víctimas de trata detectadas, en que el porcentaje de mujeres es claramente superior al de hombres (96,11% mujeres frente a 3,89% hombres). El desequilibrio por sexos es más acusado en la trata sexual (94,24% mujeres vs. 0,79% hombres), pero también se observa en las

---

15   *Vid.* EUROPEAN COMMISSION-MIGRATION AND HOME AFFAIRS: *Data collection on trafficking in human beings in the EU, op. cit.*, p. 43.

otras formas de TSH, como la laboral, en que frente a un 44,10% de víctimas mujeres se detecta a un 42,13% de hombres victimizados. Dichos resultados son también coherentes con el anunciado sesgo que se ha indicado sufre el abordaje institucional de la TSH en España, muy centrado en la sexual. Pero es que la atención casi exclusivamente prestada a las mujeres víctimas de TSH para explotación sexual se traduce no solo en la distribución de la atención institucional prestada a las distintas formas de trata, sino también en la atribución de recursos asistenciales a las distintas manifestaciones de esta realidad y a los colectivos a que afectan. También en lo que a recursos asistenciales se refiere, la prioridad es la asistencia a mujeres víctimas de TSH para explotación sexual, sin que apenas se cuente con recursos para asistir a hombres[16]. No obstante, esa es desgraciadamente una situación bastante generalizada en Europa, en que el 76% de las víctimas TSH asistidas son mujeres[17].

También los menores son víctimas bastante invisibles de la TSH y, de hecho, no solo en la atención que ha merecido su condición como víctimas de esta realidad y en su consecuente ausencia de detección como tales, como se ha denunciado por la academia[18], sino también en la implementación de recursos asistenciales. El primero de los aspectos ha sido puesto de manifiesto en esta investigación, en que se ha confirmado que de las 7.146 víctimas detectadas de TSH en 2017 y 2018 clasificadas por sexo y edad, solo 393 (el 5,5%) son menores de edad. Además, la condición de estos menores es en general escasamente conocida por las EUO encuestadas. Cuando se les preguntó si se trataba mayoritariamente de menores no acompañados (MENA), el 48,5% de los encuestados declinaron responder a la pregunta o declararon desconocer esa información, frente a 19 EUO (28,8%) que indicaron que no se trataba de MENA. Solo 15 de las EUO encuestadas (22,7%) indicaron que sí podían considerarse mayoritariamente MENA, cuando la academia, también en nuestro país, ha puesto de manifiesto el riesgo que tienen este tipo de menores de acabar padeciendo situaciones de trata[19].

La invisibilización de los menores víctimas, de nuevo, no solo se traduce en su ausencia de detección, sino también en la escasez de articulación de recursos asistenciales específicos. Este vacío asistencial ha aflorado ya en

---

[16]   En este sentido, *vid*. TORRES ROSELL, N. y VILLACAMPA ESTIARTE, C.: "Protección jurídica y asistencia para víctimas de trata de seres humanos", *op. cit.*, pp. 36-37.

[17]   *Vid*. EUROPEAN COMMISSION-MIGRATION AND HOME AFFAIRS: *Data collection on trafficking in human beings in the EU. 2018, op. cit.*, p. 41.

[18]   *Vid*., entre otros, WEITZER, R.: "Sex trafficking and the sex industry: The need for evidence-based theory and legislation", *op. cit.*, pp. 1337-1370.

[19]   *Vid*. GARCÍA DE DIEGO, M. J.: "Bajo el casco de Hades": Menores migrantes no acompañadas como posibles víctimas de trata y su triple invisibilización", *Migraciones*, núm. 28, 2010, *passim*.

anteriores investigaciones con profesionales efectuadas en nuestro país[20], confirmándose en el presente análisis. Se ha cuantificado además a nivel europeo, indicándose que en promedio solo 1/3 de las víctimas de TSH son menores, descendiendo al 6% en el caso de España[21]. Cuando se preguntó a las EUO encuestadas qué medidas asistenciales se habían aplicado con estas víctimas (*vid.* gráfico 4), la respuesta más prevalente fue que se habían adoptado medidas específicas para asistir y apoyar a los menores víctimas (n=18), así como la adopción de medidas específicas para MENA (n=13) –ya sea porque tuviesen en cuenta sus especiales circunstancias, ya porque consistiesen en nombrar un tutor-. No obstante, en segundo término, la respuesta mayoritariamente escogida consistió en afirmar que se desconocía si se habían adoptado este tipo de medidas asistenciales (n=9), reveladora del desconocimiento de algunos profesionales encuestados sobre el tipo de medidas adoptadas con los menores de edad. Finalmente, medidas orientadas a satisfacer necesidades del menor que van más allá de la asistencia más inmediata –como las enderezadas a realizar una evolución del interés del menor o garantizar su acceso a la educación- o las dirigidas a atender las necesidades de su familia fueron menos adoptadas. Tales resultados se alejan de los obtenidos a nivel europeo, entre los que no se incluyen datos de España, en que se recurre más comúnmente a este tipo de medidas asistenciales más a largo plazo y, sobre todo, no se objetiva tanto desconocimiento respecto de las medidas adoptadas entre los profesionales[22].

---

[20]   *Vid.* JIMÉNEZ ROMERO, M. y TARANCÓN GÓMEZ, P.: "Perspectivas de profesionales del tercer sector sobre la intervención con víctimas de trata con fines de explotación sexual", *op. cit.*, pp. 12 y ss.; MENESES FALCÓN, C., UROZ OLIVARES, J. y RÚA VIEITES, A.: *Apoyando a las víctimas de trata. Las necesidades de las mujeres víctimas de trata desde la perspectiva de las entidades especializadas y profesionales involucrados. Propuestas para la sensibilización contra la trata, op. cit.*, pp. 103 y ss.; TORRES ROSELL, N. y VILLACAMPA ESTIARTE, C.: "Protección jurídica y asistencia para víctimas de trata de seres humanos", *op. cit.*, pp. 37-38;

[21]   *Vid.* EUROPEAN COMMISSION-MIGRATION AND HOME AFFAIRS: *Data collection on trafficking in human beings in the EU, op. cit.*, p. 41.

[22]   *Vid.* EUROPEAN COMMISSION-MIGRATION AND HOME AFFAIRS: *Data collection on trafficking in human beings in the EU, op. cit.*, pp. 43 y ss.

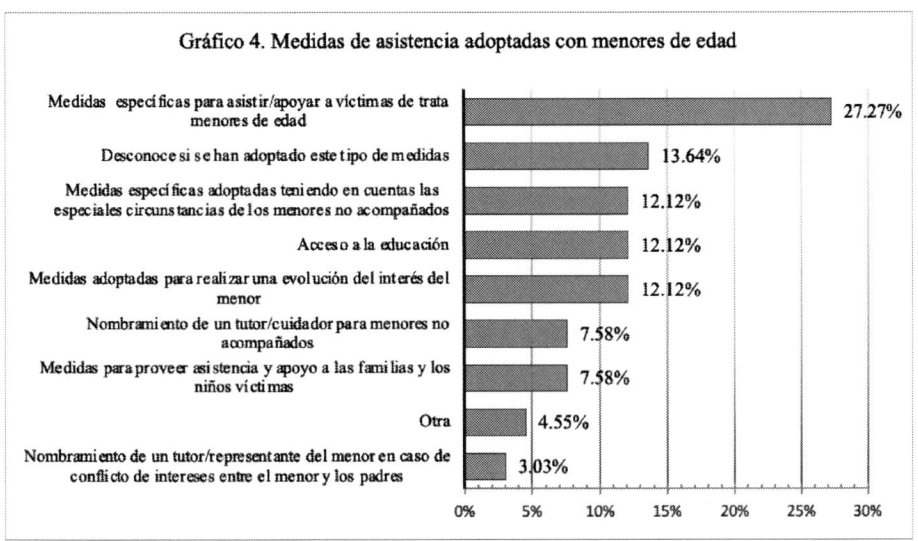

Gráfico 4. Medidas de asistencia adoptadas con menores de edad

V. RECONOCIMIENTO DEL PERÍODO DE RESTABLECIMIENTO Y REFLEXIÓN, DEL PERMISO DE RESIDENCIA Y DE LA CONDICIÓN DE REFUGIADAS A LAS VÍCTIMAS DE TSH

En un contexto de análisis cuantitativo de la asistencia a víctimas de TSH, resulta también pertinente referirse al grado de implementación de las medidas de protección victimal que el ordenamiento jurídico español prevé únicamente para víctimas de trata extranjeras sin residencia legal en España, que no por estar contempladas solo para estas dejan de ser mecanismos protectores. Entre ellas, el reconocimiento del período de restablecimiento y reflexión, el de un período de residencia temporal por razones humanitarias y, finalmente, el reconocimiento de la condición de refugiado o la protección internacional subsidiaria.

Con el objeto de analizar estas tres cuestiones, se preguntó a los encuestados que habían detectado víctimas, en las cuatro formas de TSH analizadas – para explotación sexual, laboral, criminal u otras formas de explotación-, cuán habitual era el reconocimiento de cada una de dichas medidas. Dado que estas cuestiones se formularon en los cuatro tipos de trata analizados, las respuestas obtenidas no solo permiten conocer la dimensión con que estos mecanismos se están activando, sino también establecer si existen diferencias en el recurso a los mismos en función del tipo de trata.

Comenzando por la implementación del período de restablecimiento y reflexión, el art. 59 bis LOEX prevé que se conceda por 90 días prorrogables a las víctimas extranjeras sin residencia para que, además de reponerse, decidan si quieren colaborar con las autoridades en la investigación del delito y el procedimiento penal. Durante el mismo, el Estado debe hacerse cargo de la subsistencia de la víctima y garantizar su seguridad y la de personas que dependan de ella, así como excepcionalmente de algunos familiares que residan en España, quedando en suspenso los expedientes de infracción de la normativa de extranjería que tenga pendientes y las órdenes de expulsión. Una vez transcurrido ese período, la Administración debe decidir si facilita el retorno asistido a la víctima o le concede una autorización de residencia y trabajo. La experiencia ha mostrado que existen impedimentos aplicativos a la implementación de este periodo[23], tales como que escasas víctimas se acogen al mismo, su denegación debida a una interpretación amplia de las causas que la prevén sostenida por algunos órganos jurisdiccionales o la vinculación material de su concesión a la colaboración con la Administración de justicia[24].

Al margen de que este permiso, necesario para que la víctima se recupere y decida qué hacer tras la experiencia vivida, debería reconocerse a toda víctima de TSH, no solamente a las que se hallan en una situación de estancia irregular, los resultados de esta investigación confirman que nos hallamos frente a un mecanismo de protección al que se recurre escasamente y no en los mismos términos en todas las formas de TSH estudiadas. Eso pese a que España aparece como el tercer país en que más se concede a nivel europeo[25]. El gráfico 5 muestra que, aunque este mecanismo de tutela se aplica poco, puesto que para las cuatro formas de TSH analizadas la no concesión supera a su acuerdo, el porcentaje de EUO que respondieron que suele concederse en supuestos de trata sexual es claramente superior al de las que afirmaron que se hace así en otras formas de TSH. Es más, en la TSH para explotación laboral o criminal la ausencia de consciencia de los encuestados sobre si se concede o no confirma su escaso conocimiento incluso acerca de los mecanismos de protección victimal implementados al margen de la TSH para explotación sexual.

---

[23]   *Vid.* FISCALÍA GENERAL DEL ESTADO: *Memoria elevada al Gobierno de S.M.*, Fiscalía General del Estado. Ministerio de Justicia, Madrid, 2019, pp. 1236-1238; LARA AGUADO, M. A.: "El avance irresistible de la concepción de la trata como violación de derechos humanos: luces y sombras de las políticas protectoras de las víctimas en la normativa internacional e interna", *op. cit.*, pp. 854-855.

[24]   *Vid.* TORRES ROSELL, N. y VILLACAMPA ESTIARTE, C.: "Protección jurídica y asistencia para víctimas de trata de seres humanos", *op. cit.*, pp. 12-18 y 45.

[25]   *Vid.* EUROPEAN COMMISSION-MIGRATION AND HOME AFFAIRS: *Data collection on trafficking in human beings in the EU, op. cit.*, p. 47.

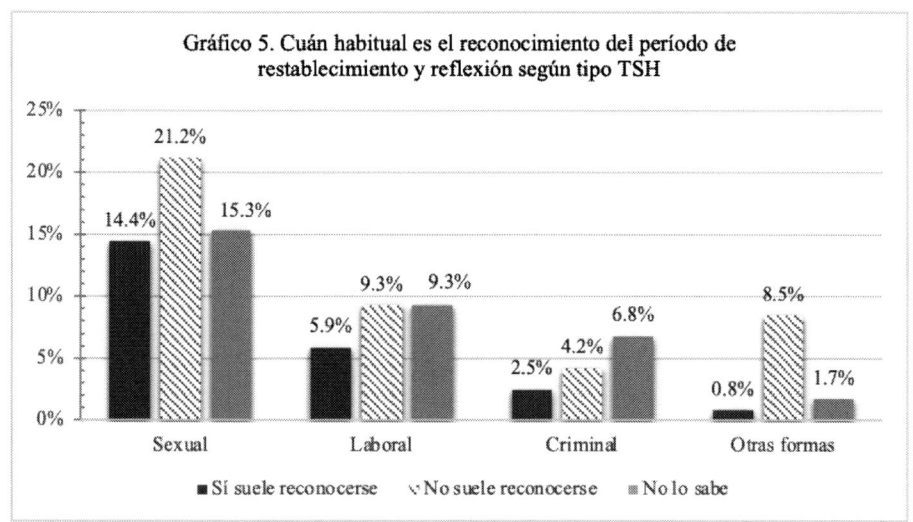

Gráfico 5. Cuán habitual es el reconocimiento del período de restablecimiento y reflexión según tipo TSH

Aunque comparando las cuatro formas de TSH analizadas no pudo determinarse que el tipo de trata fuese estadísticamente significativo para explicar la concesión del referido período [(χ2 (6, N=118) = 9.279, ρ=.159, ΦCramer=.198], la asociación bivariada acerca de su concesión comparando TSH sexual con laboral [(χ2 (16, N=27) = 32.866, ρ=.008, ΦCramer=.552] y criminal [(χ2 (12, N=15) = 27.768, ρ=.006, ΦCramer=.786] sí resultó tener significación estadística. El tipo de TSH que las víctimas experimentan tiene así valor explicativo para la concesión de este período, que beneficia más a las víctimas de TSH para explotación sexual que al resto.

Y no solo eso, sino que además el tipo de TSH padecido tiene también valor predictivo para explicar la concesión de este período. En tal sentido, se efectuó una regresión logística multinominal en la que se consideró como variable dependiente el tipo de TSH, tomando como modelo la TSH para explotación sexual, teniéndose en cuenta como factores el reconocimiento del período de restablecimiento y reflexión, el del permiso de residencia extraordinario por razones humanitarias y la concesión de protección internacional, permitiendo los estadísticos del modelo afirmar que tiene una buena capacidad para discriminar entre tipos de TSH [−2 Log Likelihood = 109.5, χ2(36) = 78.59, *p* < 0.000; Nagelkerke R2 = .876). Conforme a dicha regresión, resulta ser 62 veces menos probable que se reconozca el período de restablecimiento y reflexión a las víctimas de TSH para explotación laboral que sexual (b = 4.128, Wald χ2 (1) = 1.687, *p* = .194).

En definitiva, estos resultados respecto de la concesión del período de restablecimiento y reflexión permiten confirmar el sesgo institucional en la aproximación a la TSH que conduce a visibilizar a víctimas de un solo tipo de TSH, las de la explotación sexual –mayoritariamente mujeres-, en demérito del resto en el caso español. Eso además se ve reforzado por el hecho de que si, en promedio, en Europa, este período se reconoce a un 75% de víctimas mujeres, en España dicho porcentaje escala al 87%[26].

En segundo término, finalizado el período de restablecimiento y reflexión, puede concederse a las víctimas de TSH un permiso de residencia y trabajo por circunstancias excepcionales de hasta 5 años (art. 144 Reglamento LOEX en relación con los arts. 31 y 59 LOEX), que teóricamente cabe tanto por razones humanitarias como por la colaboración con las administraciones públicas. Ante la ausencia de regulación específica de este permiso excepcional en la LOEX, a diferencia del previsto para las víctimas de violencia de género (art. 31 bis LOEX), se está imponiendo una interpretación jurisdiccional de la norma en virtud de la cual en la práctica desaparece su concesión por razones humanitarias, salvo que concurran los requisitos para reconocer la protección internacional, manteniéndose únicamente su concesión conforme a la normativa de extranjería cuando se colabora con las autoridades[27].

Nuevamente en relación con esta segunda medida protectora, la escasez general de su reconocimiento no es obstáculo para que puedan observarse diferencias en función del tipo de trata frente al que nos hallamos. Con ser lo más habitual que no suela reconocerse, las respuestas afirmativas se concentran en los supuestos de TSH sexual (gráfico 6).

---

[26]   Vid. EUROPEAN COMMISSION-MIGRATION AND HOME AFFAIRS: *Data collection on trafficking in human beings in the EU, op. cit.*, p. 47.
[27]   Vid. CONSEJO GENERAL DEL PODER JUDICIAL (CGPJ): *Guía de criterios de actuación judicial frente a la trata de seres humano*, Consejo General del Poder Judicial, Madrid, 2015, pp. 57, 333 y ss.

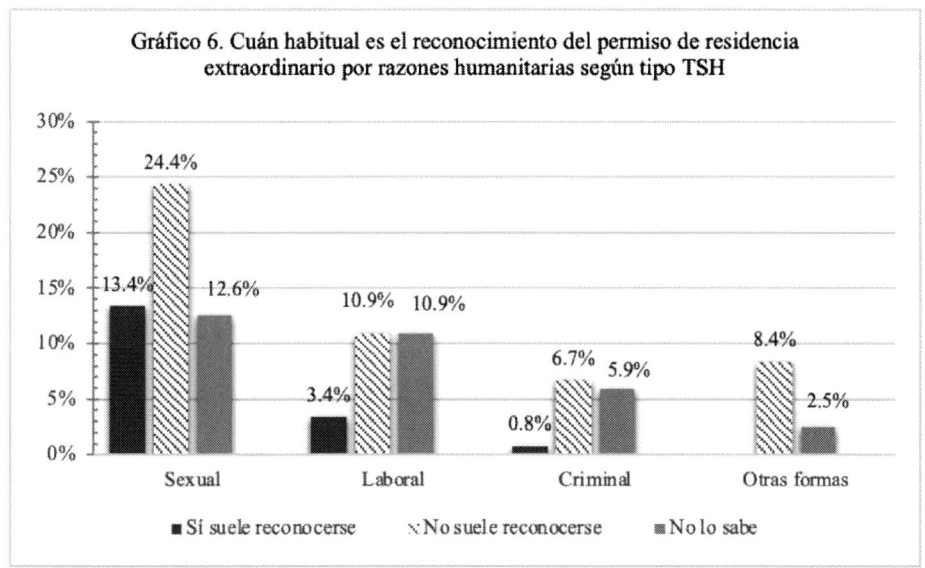

Gráfico 6. Cuán habitual es el reconocimiento del permiso de residencia extraordinario por razones humanitarias según tipo TSH

Tampoco respecto del reconocimiento de este permiso de residencia la comparativa entre las cuatro formas de TSH analizadas arrojó resultados estadísticamente significativos [(χ2 (6, N=119) = 11.860, ρ=.065, ΦCramer=.223]. Sin embargo, de nuevo la tabla cruzada comparando la habitualidad de su concesión entre TSH sexual con laboral [(χ2 (16, N=28) = 41.776, ρ=.000, ΦCramer=0.611] y criminal [(χ2 (12, N=15) = 21.000, ρ=.050, ΦCramer=.683] permite concluir que el tipo de trata padecido es relevante para explicar su concesión. En atención a esto puede también confirmarse el sesgo institucional en el abordaje de la trata, focalizado en la visibilización de las víctimas cuyo destino es la explotación sexual. El mismo es todavía más acusado en esta medida que en el reconocimiento del período de restablecimiento y reflexión, puesto que si la media de concesión en Europa es del 59% de beneficiarias mujeres, en España dicho porcentaje escala al 90%[28].

Finalmente, la misma desviación hacia la trata sexual se observa en la tercera de las medidas protectoras aplicables a víctimas de TSH previstas en la normativa de extranjería que, pese a constituir la que debería ser vía preferente de estancia legal para ellas, deviene una opción a la que se recurre escasamente[29]. Se trata de la protección internacional. De acuerdo con el art. 3 de la Ley

[28] Vid. EUROPEAN COMMISSION-MIGRATION AND HOME AFFAIRS: *Data collection on trafficking in human beings in the EU, op. cit.*, pp. 47-49.

[29] Vid. CONSEJO GENERAL DEL PODER JUDICIAL (CGPJ): *Guía de criterios de actuación judicial frente a la trata de seres humano, op. cit.*, pp. 318 y ss.; SANTOS OLMEDA, B.: "Las víctimas de trata en España. El sistema de acogida de protección internacional", *Anuario CIDOB de la Inmigración 2019*, 2019, pp. 151 y ss.

12/2009, de 30 de octubre, reguladora del derecho de asilo y protección subsidiaria, a quienes debido a fundados temores de ser perseguidos por motivos
de raza, religión, nacionalidad, opiniones políticas, pertenencia a determinado
grupo social, de género y orientación sexual, se encuentren fuera del país de su
nacionalidad y no pueden o, a causa de dichos temores, no quieren acogerse
a la protección de dicho país, así como a los apátridas que se hallan fuera del
país de residencia y, por los mismos motivos, no quieren regresar a él, puede reconocérseles la condición de refugiados. Puede entenderse que la mayor parte
de víctimas de trata se encuentran en tales circunstancias y que, en caso de no
concedérseles el estatus de refugiadas, de considerar que si regresan a su país
corren el riesgo de sufrir graves torturas o tratos inhumanos o degradantes por
parte de los tratantes o amenazas graves contra su vida o integridad, cabría
considerarlas beneficiarias de la protección subsidiaria[30].

En relación con la aplicación de protección internacional a las víctimas
de TSH, el gráfico 7 muestra numéricamente lo que ya se había denunciado por parte de las organizaciones especializadas en su asistencia: la práctica
inexistencia del recurso a la protección internacional[31]. En dicho contexto de
ausencia de aplicación, nuevamente los únicos casos en los que se reconoce
son los de TSH para explotación sexual. Aquí tampoco la comparativa entre
las cuatro formas de TSH analizadas arrojó resultados estadísticamente significativos [($\chi 2$ (6, $N=120$) = 7.695, ρ=.261, ΦCramer=.179], pero nuevamente la asociación bivariada de la TSH sexual con la laboral [($\chi 2$ (9, $N=29$) =
49.760, ρ=.000, ΦCramer=.756] y la criminal [($\chi 2$ (4, $N=16$) = 9.600, ρ=.048,
ΦCramer=.548] demostró tener significación estadística. El tipo de trata padecido vuelve así a tener valor explicativo para la aplicación de mecanismos de
protección internacional a las víctimas, que benefician en mayor medida a las
de trata sexual. Tiene además valor predictivo, puesto que la regresión logística realizada informa que las víctimas de TSH laboral tienen 3,5 veces más de
probabilidad que las de trata sexual de que no se les reconozca el estatuto de
refugiadas (b = 1.267, Wald $\chi 2$ (1) = .159, p = .690).

---

[30]   En este sentido, *vid.* CASTAÑO REYERO, M. J.: "Un estatuto de protección internacional
       para las víctimas de trata desde la perspectiva del derecho internacional de los derechos
       humanos", en MARTÍN OSTOS, J. S. (dir.), *La tutela de la víctima de trata: una perspectiva
       penal, procesal e internacional*, JB Bosch Editor, Barcelona, 2019, pp. 155-206.
[31]   *Vid.* SANTOS OLMEDA, B.: "Las víctimas de trata en España. El sistema de acogida de
       protección internacional", *op. cit.*, pp. 151 y ss.

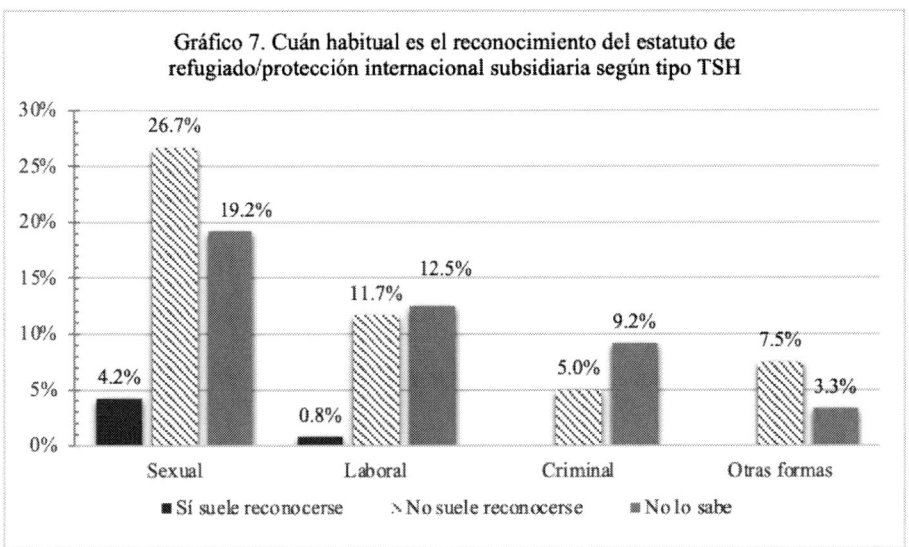

Gráfico 7. Cuán habitual es el reconocimiento del estatuto de refugiado/protección internacional subsidiaria según tipo TSH

Es más, no solo a las víctimas de TSH para explotación sexual se les reconoce más y es más probable que así sea el estatuto de refugiadas, sino que son estas las que lo solicitan en mayor medida (*vid.* gráfico 8). Así lo indica, confirmando su relevancia estadística, la asociación bivariada comparativa entre las cuatro formas de trata analizadas [(χ2 (6, N=120) = 13.172, ρ=.040, ΦCramer=.234]. Dicha mayor solicitud por parte de las víctimas de TSH para explotación sexual frente a la laboral puede deberse a que, según la literatura informa, este segundo tipo de víctimas tienen más dificultades para reconocerse como tales[32]. Sin embargo, en un contexto como el español, en que se ha otorgado tanto protagonismo a la trata sexual, también puede explicarse por el escaso convencimiento de estas víctimas a ser reconocidas como tales.

---

[32]   Al respecto, *vid.* VAN MEETEREN, M. y WIERING, E.: "Labour trafficking in Chinese restaurants in the Netherlands and the role of Dutch immigration policies. A qualitative analysis of investigative case files", *Crime, Law and Social Change*, núm. 72, 2019, pp. 107-124; VAN MEETEREN, M. y HIAH. J.: "Self-Identification of Victimization of Labor Trafficking", en WINTERDYK, J. y JONES, J. (coords.), *The Palgrave International Handbook of Human Trafficking*, Palgrave Macmillan, London, 2020, pp. 1608-1611.

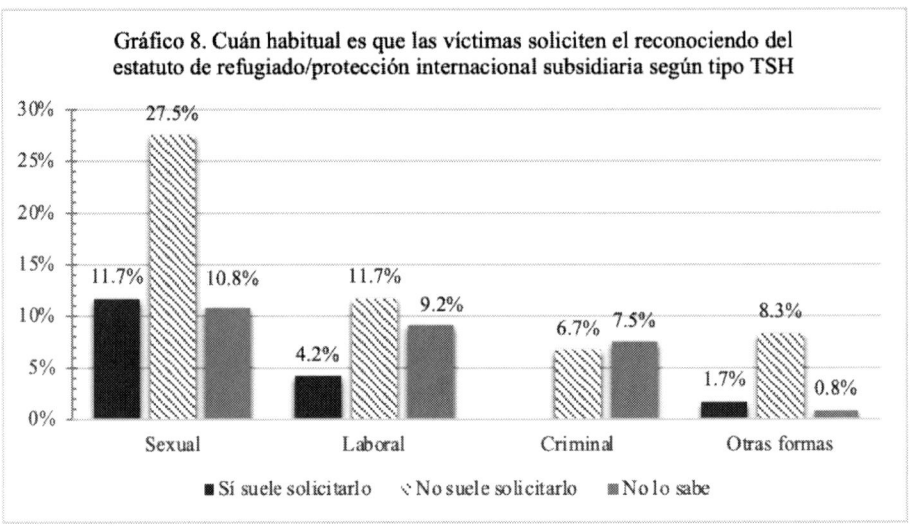

Gráfico 8. Cuán habitual es que las víctimas soliciten el reconociendo del estatuto de refugiado/protección internacional subsidiaria según tipo TSH

VI. REFLEXIONES CONCLUSIVAS Y PROPUESTAS DE FUTURO

El análisis cuantitativo de la aproximación institucional tuitiva para con las víctimas de TSH aquí desarrollado permite confirmar numéricamente que el doble sesgo que se ha denunciado que sufre el abordaje de esta realidad en España no se ha superado pese a que llevamos ya una década de lucha específica contra esta realidad. El mismo conduce a la invisibilización de una parte relevante de las víctimas y a su ausencia de protección por parte del sistema. Además, respecto de las víctimas detectadas, se confirma como la asistencia prestada se focaliza en las mujeres víctimas de trata sexual que responden al estereotipo de extranjeras ilegales, desatendiendo la asistencia a otras personas afectadas por este proceso esclavizador.

En un contexto en el que el abordaje victimocéntrico de la TSH, por contraposición al criminocéntrico propio del control de flujos migratorios, prioriza la protección victimal frente a la sanción de conductas con relevancia penal, los referidos déficits deben superarse para culminar la asunción de esta aproximación integral. A ello pueden contribuir algunas propuestas deducidas de los resultados de este análisis que se exponen a continuación.

De un lado, respecto de la detección de las víctimas de TSH, se ha visto como los casos afloran más por la actividad proactiva de las EUO implicadas en la asistencia que por la denuncia realizada por las propias víctimas o personas de su entorno. También se confirma estadísticamente que las entidades más centradas en la asistencia de casos de TSH, con más formación y más especializadas en la materia, son las más eficaces en la detección de víctimas.

Se refuerza con ello lo que otros estudios anteriores muestran respecto de la formación como elemento determinante para el éxito en la identificación[33], lo que evidencia que se precisa más formación profesional en TSH que aborde las distintas manifestaciones de esta realidad. Parece que esto pretende precisamente conseguirse mediante la implementación de algunas de las medidas contenidas tanto en el Plan Estratégico Nacional contra la Trata y la Explotación de Seres Humanos 2021-2023 (PENTRA) cuanto en el Plan de Acción Nacional contra el Trabajo Forzoso. Pero, además, en el caso de España, estos resultados deberían conducir a que se replantee la atribución exclusiva de la competencia para identificar formalmente a las víctimas de TSH a determinadas unidades policiales que imponen la normativa de extranjería y el Protocolo marco de protección a las víctimas de trata de seres humanos de 2011, como ya se ha pedido desde la academia[34]. Debería articularse un sistema multiagencia que permitiese a distintos actores registrar víctimas de TSH, tal como hacen los países europeos más eficaces en la detección de víctimas. Al respecto, la última estadística europea muestra que los Estados con más víctimas registradas son lo que permiten a entre 3 y 5 tipos de actores distintos –funcionarios de inmigración, ONGs, inspectores laborales y agentes de frontera, además de cuerpos policiales- realizar dicha función[35].

[33]   *Vid.* FARRELL, A., BRIGHT, K., DE VRIES, I., PFEFFER, R. y DANK, M.: "Policing labor trafficking in the United States", *op. cit.*, pp. 43 y ss.; FARRELL, A y PFEFFER, R.: "Policing Human Trafficking: Cultural Blinders and Organizational Barriers", *op. cit.*, pp. 58-60; RENZETTI, C. M., BUSH, A., CASTELLANOS, M. y HUNT. G.: "Does training make a difference? An evaluation of a specialized human trafficking training module for law enforcement officers", *op. cit.*, pp. 334-350; VILLACAMPA ESTIARTE, C. y TORRES ROSELL, N.: "Trata de seres humanos para explotación criminal: ausencia de identificación de las víctimas y sus efectos", *op. cit.*, pp. 785 y ss.; WARRIA, A., NEIL, H. y TRIEGAARDT, J.: "Challenges in Identification of Child Victims of Transnational trafficking", *op. cit.*, pp. 315-333.

[34]   *Vid.* JIMÉNEZ ROMERO, M. y TARANCÓN GÓMEZ, P.: "Perspectivas de profesionales del tercer sector sobre la intervención con víctimas de trata con fines de explotación sexual", *op. cit.*, pp. 14- 15; MENESES FALCÓN, C., UROZ OLIVARES, J. y RÚA VIEITES, A.: *Apoyando a las víctimas de trata. Las necesidades de las mujeres víctimas de trata desde la perspectiva de las entidades especializadas y profesionales involucrados. Propuestas para la sensibilización contra la trata*, *op. cit.*, p. 186; VILLACAMPA ESTIARTE, C.: "Víctimas de trata de seres humanos: su tutela a la luz de las últimas reformas penales sustantivas y procesales proyectadas", *op. cit.*, pp. 23-25; VILLACAMPA ESTIARTE, C. y TORRES ROSELL, N.: "Trata de seres humanos para explotación criminal: ausencia de identificación de las víctimas y sus efectos", *op. cit.*, pp. 822 y ss.

[35]   Del análisis de los datos obrantes en el último informe de la Comisión Europea, puede constatarse que los países más eficaces en la detección, como el referido caso de Reino Unido y Países Bajos, son precisamente los que permiten a un mayor número de entidades y organizaciones registrar a víctimas. Por el contrario, aquellos países en los que únicamente la policía está facultada para registrar víctimas -como es el caso de Bulgaria, Alemania o España-, se sitúan en las últimas posiciones en cuanto a índice de detección si se analizan los datos en proporción al tamaño de su población. *Vid.* EUROPEAN COMMISSION-MI-

Como se ha indicado al analizar cuantitativamente la victimización por trata en España, el establecimiento de este sistema de identificación podría hallar refrendo en una eventual futura ley integral de lucha contra la trata de seres humanos y la esclavitud. Sin embargo, dicha previsión normativa debería venir acompañada de la formación profesional, con la consiguiente capacitación, necesarias para detectar a esas otras víctimas de trata. En todo caso, no parece que de las líneas de acción contenidas en el PENTRA pueda deducirse que exista voluntad política de cambiar sustancialmente el sistema de identificación victimal de base policial que rige en España.

De otro lado, en relación con la asistencia prestada a las víctimas de TSH, se ha confirmado que los mecanismos implementados se orientan principalmente a mujeres víctimas de TSH para explotación sexual que entran en el estereotipo del migrante ilegal, estando muy centrados en la asistencia de urgencia. Se invisibiliza con ello a otras víctimas y para otras formas de TSH. Esto resulta particularmente alarmante en el caso de los menores, en relación con los que a menudo se desconocen sus circunstancias personales y de nuevo se aplican medidas asistenciales focalizadas en la intervención de urgencia. El doble sesgo se confirma también al analizar las medidas protectoras contempladas en normativa de extranjería. Aquí, el reconocimiento del período de restablecimiento y reflexión, el del permiso de residencia por razones humanitarias o la misma protección internacional, con concederse escasamente, vuelven a aplicarse casi en exclusiva a víctimas de TSH para explotación sexual, pretiriendo a las de trata laboral, criminal u orientadas a otras formas de explotación.

Superar los déficits de que, según se deduce de los resultados de este análisis, adolece el programa de asistencia victimal implementado con víctimas de TSH pasaría también aquí por abandonar el doble sesgo de atención preferente a víctimas de TSH para explotación sexual que sean extranjeras ilegales. Esperemos que tanto la adopción del PENTRA y su despliegue como la aplicación del Plan de Acción Nacional contra el Trabajo Forzoso permitan avanzar en esta dirección. Normativamente, aspectos como la regulación de la asistencia victimal o el reconocimiento de un período de restablecimiento y reflexión deberían desligarse de la normativa de extranjería y preverse en contextos normativos centrados en la protección victimal, como la Ley del estatuto de la víctima o, si se considera preciso, en una futura ley integral contra la trata de seres humanos y la esclavitud. Asimismo, ya en normativa de extranjería, debería articularse la forma en que el reconocimiento del permiso de residencia

---

GRATION AND HOME AFFAIRS: *Data collection on trafficking in human beings in the EU, op. cit.*, pp. 13-15, 136-139. *Vid.* también EUROPEAN COMMISSION-MIGRATION AND HOME AFFAIRS: *Data collection on trafficking in human beings in the EU, op. cit.*, pp. 38-40.

extraordinario pudiese concederse efectivamente por razones humanitarias sin condicionarlo a la colaboración de la víctima con la Administración de justicia.

Para concluir, en punto a la implementación de programas de asistencia victimal en este campo, debería abundarse en la previsión y efectiva activación de medidas protectoras dirigidas a colectivos victimizados más allá de las mujeres traficadas para explotarlas sexualmente. Las víctimas de TSH para explotación laboral, en que el porcentaje de hombres es superior, deberían centrar también la atención del sistema de asistencia victimal, aspecto que parece puede llegar a conseguirse a través del despliegue de las líneas de acción incluidas en la prioridad 2 del PENTRA y de las medidas que contempla el Plan de Acción Nacional contra el Trabajo Forzoso. Junto a ello, es preciso que los programas asistenciales implementados no se limiten a la asistencia de urgencia, debiendo abordar también medidas de más largo recorrido, reintegradoras de las víctimas y de tipo ocupacional. Especialmente necesario, además, es atender a las necesidades asistenciales de las víctimas menores de edad, no solo incrementando el grado de conocimiento de los prestadores de servicios asistenciales acerca de las circunstancias personales de los mismos, sino también aplicando programas que, de nuevo, no estén únicamente focalizados en la asistencia de urgencia. Debería apostarse, entre otras, por la aplicación de medidas orientadas a monitorizar la evolución del interés del menor y de integración educativa. Finalmente, las medidas de protección que por su naturaleza pueden aplicarse solo a víctimas que no residen legalmente en nuestro país, además de aplicarse en mayor medida y sin hallarse tan condicionadas a la colaboración con la Administración de justicia, deben tener como destinatarias a todas las víctimas de TSH, en cualquiera de sus manifestaciones, no solamente a mujeres a las que, tras un proceso de trata, se explota sexualmente. Que tales sugerencias se implementen depende de que hallen su correspondiente traducción normativa, pero, junto a ello, que operativamente se articulen las medidas que favorezcan su efectiva aplicación.

VII. BIBLIOGRAFÍA

ARONOWITZ, A. A.: *Human trafficking, human misery. The global trade in human beings*, Praeger, Westport-Connecticut, London, 2009.

CASTAÑO REYERO, M. J.: "Un estatuto de protección internacional para las víctimas de trata desde la perspectiva del derecho internacional de los derechos humanos", en MARTÍN OSTOS, J. S. (dir.), *La tutela de la víctima de trata: una perspectiva penal, procesal e internacional*, JB Bosch Editor, Barcelona, 2019, pp. 155-206.

CITCO: *Trata de seres humanos en España. Balance estadístico 2013-17*, Ministerio del Interior. Secretaría de Estado de Seguridad, Madrid, 2018.

CITCO: *Trata de seres humanos en España. Balance estadístico 2014-18*, Ministerio del Interior. Secretaría de Estado de Seguridad, Madrid, 2019.

COCKBAIN, E. y BOWERS, K.: "Human trafficking for sex, labour and domestic servitude: how do key trafficking types compare and what are their predictors?", *Crime, Law and Social Change*, 72 (1), 2019, pp. 9-34. doi:10.1007/s10611-019-09836-7.

COCKBAIN, E., BOWERS, K. y DIMITROVA, G.: "Human trafficking for labour exploitation: the results of a two-phase systematic review mapping the European evidence base and synthesizing key scientific research evidence", *Journal of Experimental Criminology*, 14 (3), 2018, pp. 319-360. doi:10.1007/s11292-017-9321-3.

CONSEJO GENERAL DEL PODER JUDICIAL (CGPJ): *Guía de criterios de actuación judicial frente a la trata de seres humano*, Consejo General del Poder Judicial, Madrid, 2015. Disponible en http://www.poderjudicial.es/cgpj/es/Poder-Judicial/En-Portada/El-CGPJ-presenta-una-Guia-de-criterios-de-actuacion-judicial-para-detectar-e-investigar-la-trata-de-seres-humanos-con-fines-de-explotacion. (últ. consulta 6 de octubre de 2021).

DEFENSOR DEL PUEBLO: *La trata de seres humanos en España: Víctimas Invisibles*, Defensor del Pueblo, Madrid, 2012. Disponible en https://www.defensordelpueblo.es/wp-content/uploads/2015/05/2012-09-Trata-de-seres-humanos-en-Espa%C3%B1a-v%C3%ADctimas-invisibles-ESP.PDF. (últ. consulta 6 de octubre de 2021).

EUROPEAN COMMISSION-MIGRATION AND HOME AFFAIRS: *Data collection on trafficking in human beings in the EU*, Publications Office of the European Union, Luxembourg, 2018. Disponible en: https://ec.europa.eu/home-affairs/sites/homeaffairs/files/what-we-do/policies/european-agenda-security/20181204_data-collection-study.pdf. (últ. consulta 6 de octubre de 2021).

EUROPEAN COMMISSION-MIGRATION AND HOME AFFAIRS: *Data collection on trafficking in human beings in the EU*, Publications Office of the European Union, Luxembourg, 2020. Disponible en: https://ec.europa.eu/home-affairs/sites/default/files/what-we-do/policies/european-agenda-security/20181204_data-collection-study.pdf. (últ. consulta 6 de octubre de 2021).

FARRELL, A. y PFEFFER, R.: "Policing Human Trafficking: Cultural Blinders and Organizational Barriers", *The Annals of the American Academy of Political and Social Science*, 653 (1), 2014, pp. 46-64. doi:10.1177/0002716213515835.

FARRELL, A., BRIGHT, K., DE VRIES, I., PFEFFER, R. y DANK, M.: "Policing labor trafficking in the United States", *Trends in Organized Crime*, 23 (1), 2020, pp. 36-56. doi:10.1007/s12117-019-09367-6.

FARRELL, A.: "Environmental and institutional influences on Police Agency Responses to Human Trafficking", *Police Quarterly*, 17 (1), 2014, pp. 3-19. doi:10.1177/1098611113495050.

FISCALÍA GENERAL DEL ESTADO: *Memoria elevada al Gobierno de S.M.*, Fiscalía General del Estado. Ministerio de Justicia, Madrid, 2019. Disponible en https://www.fiscal.es/memorias/memoria2019/FISCALIA_SITE/index.html. (últ. consulta 6 de octubre de 2021).

GARCÍA DE DIEGO, M. J.: "Bajo el casco de Hades": Menores migrantes no acompañadas como posibles víctimas de trata y su triple invisibilización", *Migraciones*, núm. 28, 2010, pp. 199-223.

GOZDZIAK, E. M. y BUMP, M. N.: *Data and Research on Human Trafficking: Bibliography of Research-Based Literature*, Institute for the Study of International Migration, Washington D.C., 2008.

GROUP OF EXPERTS ON ACTION AGAINST TRAFFICKING IN HUMAN BEINGS (GRETA): *Report concerning the implementation of the Council of Europe Convention on Action against Trafficking in Human Beings by Spain. First evaluation round*, Council of Europe, Strasbourg, 2013. Disponible en https://rm.coe.int/greta-2013-16-fgr-esp-public-en/168071c836. (últ. consulta 6 de octubre de 2021).

GROUP OF EXPERTS ON ACTION AGAINST TRAFFICKING IN HUMAN BEINGS (GRETA): *Report concerning the implementation of the Council of Europe Convention on Action against Trafficking in Human Beings by Spain. Second evaluation round*, Council of Europe, Strasbourg, 2018. Disponible en https://rm.coe.int/greta-2018-7-frg-esp-en/16808b51e0. (últ. consulta 6 de octubre de 2021).

HOME OFFICE: *Trafficking for the purposes of labour exploitation: A literature review*, Home Office, London, 2007.

IGLESIAS SKULJ, A.: *Trata de mujeres con fines de explotación sexual*, Tirant lo Blanch, Valencia, 2013.

INTERNATIONAL LABOUR OFFICE (ILO): *Global Estimates of Modern Slavery: Forced Labour and Forced Marriage*, International Labour Office, Geneva, 2017. Disponible en: https://www.ilo.org/wcmsp5/groups/public/—-dgreports/—-dcomm/documents/publication/wcms_575479.pdf. (últ. consulta 6 de octubre de 2021).

JIMÉNEZ ROMERO, M. y TARANCÓN GÓMEZ, P.: "Perspectivas de profesionales del tercer sector sobre la intervención con víctimas de trata con fines de explotación sexual", *Revista Electrónica de Ciencia Penal y Criminología*, núm. 20-25, 2018, pp. 1-25.

KANGASPUNTA, K.: "Collecting Data on Human Trafficking. Availability, Reliability and Comparability of Trafficking Data", en SAVONA, E. U. y STEFANIZZI, S. (coords.), *Measuring Human Trafficking. Complexities and Pitfalls,* Sage/Ispac, New York, 2007, pp. 27-36.

KARA, S.: *Sex Trafficking. Inside the Business of Modern Slavery*, Columbia University Press, New York, 2009.

KAYE, J., WINTERDYK, J. y QUARTERMAN, L.: "Beyond criminal justice. A case study of responding to human trafficking in Canada", *Canadian Journal of Criminology and Criminal Justice*, 56 (1), 2014, pp. 23-48. doi:10.3138/cjccj.2012.E33.

KELLY, L.: ""You can find anything you want": A critical reflection on research on trafficking in persons within and into Europe", *International Migration*, núm. 43, 2005, pp. 235-265. doi :10.1111/j.0020-7985.2005.00319.x.

LACZKO, F.: "Introduction", en LACZKO, F. y GOZDZIAK, E. (coords.), *Data and research on human trafficking: A global survey,* International Organization for Migration, Geneva, 2005, pp. 5-16.

LARA AGUADO, M. A.: "El avance irresistible de la concepción de la trata como violación de derechos humanos: luces y sombras de las políticas protectoras de las víctimas en la normativa internacional e interna", en PÉREZ ALONSO, E. (dir.), *El Derecho ante las formas contemporáneas de esclavitud*, Tirant lo Blanch, Valencia, 2017, pp. 823-870.

MAQUEDA ABREU, M. L.: *Prostitución, feminismos y derecho penal*, Comares, Granada, 2009.

MENESES FALCÓN, C., UROZ OLIVARES, J. y RÚA VIEITES, A.: *Apoyando a las víctimas de trata. Las necesidades de las mujeres víctimas de trata desde la perspectiva de las entidades especializadas y profesionales involucrados. Propuestas para la sensibilización contra la trata*, Delegación del Gobierno para la Violencia de Género, Madrid, 2015. Disponible en: https://violenciagenero.igualdad.gob.es/violenciaEnCifras/estudios/investigaciones/2015/estudio/Apoyando_Victimas_Trata.htm. (últ. consulta 6 de octubre de 2021).

OBOKATA, T.: "Trafficking of Human Beings as a crime against humanity: some implications of the international legal system", *International and Comparative Law Quarterly*, 54 (2), 2005, pp. 445-457. doi:10.1093/iclq/lei005.

OBOKATA, T.: *Trafficking in Human Beings from a Human Rights Perspective: Towards a Holistic Approach*, Martinus Nijhoff, Leiden, Boston, 2006.

RENZETTI, C. M., BUSH, A., CASTELLANOS, M. y HUNT. G.: "Does training make a difference? An evaluation of a specialized human trafficking training module for law enforcement officers", *Journal of Crime and Justice*, 38 (3), 2015, pp. 334-350. doi:10.1080/0735648X.2014.997913.

SANTOS OLMEDA, B.: "Las víctimas de trata en España. El sistema de acogida de protección internacional", *Anuario CIDOB de la Inmigración 2019*, 2019, pp. 144-166. doi:10.24241/AnuarioCIDOBInmi.2019.144.

SCARPA, S.: *Trafficking in Human Beings*, Oxford University Press, Oxford, 2008.

TORRES ROSELL, N. y VILLACAMPA ESTIARTE, C.: "Protección jurídica y asistencia para víctimas de trata de seres humanos", *Revista General de Derecho Penal*, núm. 27, 2017, pp. 1-48.

TYLDUM, G. y BRUNOVSKIS. A.: "Describing the Unobserved: Methodological Challenges in Empirical Studies on Human Trafficking", en LACZKO, F. y GOZDZIAK, E. (coords.), *Data and research on human trafficking: A global survey*, International Organization for Migration, Geneva, 2005, pp. 17-24.

UNITED NATIONS OFFICE ON DRUGS AND CRIME (UNODC): *Global Report on Trafficking in Persons 2018*, United Nations, New York, 2018. Disponible en: https://www.unodc.org/documents/data-and-analysis/glotip/2018/GLOTiP_2018_BOOK_web_small.pdf. (últ. consulta 6 de octubre de 2021).

UNITED NATIONS OFFICE ON DRUGS AND CRIME (UNODC): *Toolkit to Combat Trafficking in Persons*, United Nations, New York, 2008.

VAN MEETEREN, M. y HIAH. J.: "Self-Identification of Victimization of Labor Trafficking", en WINTERDYK, J. y JONES, J. (coords.), *The Palgrave International Handbook of Human Trafficking*, Palgrave Macmillan, London, 2020, pp. 1605-1618.

VAN MEETEREN, M. y WIERING, E.: "Labour trafficking in Chinese restaurants in the Netherlands and the role of Dutch immigration policies. A qualitative analysis of investigative case files", *Crime, Law and Social Change*, núm. 72, 2019, pp. 107-124. doi:10.1007/s10611-019-09853-6.

VILLACAMPA ESTIARTE, C. y TORRES FERRER, C.: "Aproximación institucional a la trata de seres humanos en España: valoración crítica", *Estudios Penales y Criminológicos*, núm. 41, 2021, pp. 189-232. DOI: https://doi.org/10.15304/epc.41.6979.

VILLACAMPA ESTIARTE, C. y TORRES ROSELL, N.: "Trata de seres humanos para explotación criminal: ausencia de identificación de las víctimas y sus efectos", *Estudios Penales y Criminológicos*, núm. 36, 2016, pp. 771-829.

VILLACAMPA ESTIARTE, C. y TORRES ROSELL, N.: "Mujeres víctimas de trata en prisión en España", *Revista de Derecho Penal y Criminología*, núm. 8, 2012, pp. 411-494.

VILLACAMPA ESTIARTE, C.: "Víctimas de trata de seres humanos: su tutela a la luz de las últimas reformas penales sustantivas y procesales proyectadas", *Indret*, núm. 2/2014, 2014, pp. 1-31.

VILLACAMPA ESTIARTE, C.: *El delito de trata de seres humanos. Una Incriminación Dictada desde el Derecho Internacional*, Aranzadi-Thomson Reuters, Cizur Menor, 2011.

VILLANUEVA FERNÁNDEZ, A. y FERNÁNDEZ-LLÉBREZ, F.: "La importancia de los datos de trata de seres humanos. Una aproximación al sistema de recolección de datos de víctimas de trata en España", *Deusto Journal of Human Rights*, núm. 4, 2019, pp. 115-143.

WARRIA, A., NEIL, H. y TRIEGAARDT, J.: "Challenges in Identification of Child Victims of Transnational trafficking", *Practice: Social Work in Action*, 27 (5), 2015, pp. 315-333. doi:10.1080/09503153.2015.1039974.

WEITZER, R.: "New Directions in Research on Human Trafficking", *The Annals of the American Academy of Political and Social Science*, 653 (6), 2014, pp. 6-24. doi:10.1177/0002716214521562.

WEITZER, R.: "Sex trafficking and the sex industry: The need for evidence-based theory and legislation", *Journal of Criminal Law and Criminology*, 101 (4), 2012, pp. 1337-1370.

ZHANG, S. X.: *Smuggling and trafficking in human beings. All roads lead to America*, Praeger, Westport-Connecticut, London, 2007.

Parte III
ANÁLISIS JURÍDICO INTERNACIONAL Y PENAL SUSTANTIVO: PROTECCIÓN EN MATERIA DE TRATA Y EXPLOTACIÓN DE SERES HUMANOS

Capítulo XII

UNA APROXIMACIÓN A LOS MECANISMOS DE PROTECCIÓN INTERNACIONAL APLICABLES A LAS VÍCTIMAS DE TRATA DE SERES HUMANOS DESDE EL ENFOQUE BASADO EN DERECHOS HUMANOS

NÚRIA CAMPS MIRABET
Profesora Titular de Derecho Internacional Público
Universitat de Lleida

I. ASPECTOS GENERALES

La trata de seres humanos constituye una violación de los derechos humanos, un atentado contra la dignidad y la integridad de las personas. Es una aseveración compartida y difundida desde organizaciones internacionales, Estados y entidades especializadas que la trata de seres humanos puede calificarse como una forma de esclavitud moderna.

En el último Informe bienal elaborado por la Oficina de las Naciones Unidas contra la Droga y el Delito (UNODC), el Informe Mundial sobre la Trata de Personas 2020 publicado el 2 de febrero de 2021, se señala, en 2018, la cifra de 50,000 víctimas detectadas de trata, en 148 países. Sin embargo, como bien se pone de manifiesto son datos aproximados pues "este delito permanece oculto en muchos casos, por lo que el número de víctimas es mayor." En cuanto a las diversas formas de explotación a los que son sometidas las víctimas de trata el Informe señala que "el 50% de las víctimas sufre explotación sexual y el 38% es sometido a trabajos forzados. Otras formas de explotación también son la participación obligada en actividades criminales, la mendicidad, los matrimonios forzados, la venta de bebés y la extracción de órganos."

En el quinto informe anual de Europol, publicado en mayo de 2021, destaca el incremento del interés de los tratantes en explotar a las personas en la mendicidad forzada y en la comisión de actividades delictivas. Asimismo, indica que los tratantes suelen captar para ello a personas en situación de vulnerabilidad, como son los/as niños/as y las personas con discapacidad. Europol recomienda que se potencie la investigación financiera y que la confiscación de los bienes de los tratantes sea efectiva. Igualmente, destaca la importancia de desarrollar instrumentos para abordar el impacto de la tecnología y de los mercados online usados por los tratantes[1].

El Informe UNODC pone también de relieve las consecuencias derivadas de la pandemia causada por la Covid 19, y pone en alerta al señalar que es probable que se eleve el riesgo de ser víctimas de trata para muchas personas y se debe tomar cartas en el asunto con actuaciones preventivas, "Millones de mujeres, niñas, niños y hombres de todo el mundo se encuentran sin trabajo, sin escuela y sin apoyo social en la persistente crisis del COVID-19, lo que los expone a un mayor riesgo de trata de personas. Necesitamos acciones concretas para impedir que los tratantes se aprovechen de la pandemia para explotar a las personas vulnerables"[2]. Esta situación exacerba aún más la vulnerabilidad, ya de por sí elevada, de las personas que necesitan de forma acuciante un empleo y aquellas que se encuentran en situación administrativa irregular, pues pueden verse abocadas a asumir "riesgos elevados con la esperanza de mejorar sus oportunidades".

El Informe señala la tipología de las formas de explotación, según pone de relieve las más extendidas a escala mundial son la trata con fines de explotación sexual y le sigue la trata con el fin de someter a trabajos forzados. En concreto las cifras que expone son las siguientes:" el 50% de las víctimas sufre explotación sexual y el 38% es sometido a trabajos forzados" Además de otras formas de explotación como son: la participación obligada en actividades criminales (6%), 1 % a la mendicidad y un porcentaje menor a, los matrimonios forzados, la venta de bebés y la extracción de órganos.

Asimismo, el Informe resulta también muy revelador en cuanto al perfil de las víctimas, prevalece una constante: las principales víctimas son las mujeres.

---

[1]   La organización Acccem, dedicada a mejorar las condiciones de vida de las personas en situación de vulnerabilidad. Se hace eco de ello el informe de EUROPOL, que puede consultarse directamente en: Europol: *European Migrant Smuggling Centre* (5th annual report), 2021. Disponible en: https://www.europol.europa.eu/publications-documents/european-migrant-smuggling-centre-5th-annual-report-%e2%80%93-2021

[2]   Son declaraciones de la Directora Ejecutiva de la UNODC, la Señora Ghada Waly, se puede consultar en: https://www.unodc.org/mexicoandcentralamerica/es/webstories/2020/2021_02_02_aumenta-la-proporcin-de-menores-vctimas-de-trata—los-nios-vctimas-se-multiplican-por-cinco-la-tendencia-general-de-la-trata-de-personas-ha-empeorado-de-forma-paralela-al-covid-19—indica-el-informe-de-la-unodc.html

Se evidencia que: "Por cada 10 víctimas detectadas en el mundo en 2018, unas cinco eran mujeres adultas y dos eran niñas. Alrededor del 20% de las víctimas de trata de personas eran hombres adultos y el 15% eran varones jóvenes."

Sin embargo se pone de manifiesto un cambio relevante, el incremento de menores víctimas de trata, a tenor del Informe "la proporción de mujeres adultas entre las víctimas detectadas se redujo de más del 70% a menos del 50% en 2018; mientras que la proporción de personas menores detectadas ha aumentado, de alrededor del 10% a más del 30%", lo cual resulta muy alarmante pues se ha triplicado. "En el mismo período, la proporción de hombres adultos casi se ha duplicado, pasando del 10% al 20% aproximadamente en 2018", se destaca que "la proporción de niños se ha multiplicado por cinco en los últimos 15 años".

El patrón más repetido es que la mayoría de las mujeres y las niñas son víctimas de trata con fines de explotación sexual; mientras que los hombres y los niños lo son de la trata con fines de trabajo forzoso. Esta última forma de trata experimenta un crecimiento constante durante más de una década, según señala el Informe: "las víctimas son explotadas en una amplia gama de sectores económicos, especialmente en aquellos en los que el trabajo se realiza en condiciones de aislamiento, como la agricultura, la construcción, la pesca, la minería y el trabajo doméstico."

UNODC, sobre la base de los datos recogidos en los 148 países, pudo registrar 534 diferentes flujos de trata en todo el mundo, aunque las víctimas suelen ser explotadas dentro de zonas geográficamente cercanas, siendo el ejemplo más recurrente el de las niñas reclutadas en un área suburbana y explotadas en moteles o bares cercanos.

Estos datos refuerzan la idea de que la trata de personas constituye ante todo y fundamentalmente una violación de derechos humanos y el abordaje del fenómeno de la trata debe hacerse desde el Enfoque Basado en Derechos Humanos, como se pone de manifiesto en *Los Principios y Directrices recomendados sobre Derechos humanos y trata de personas*[3]. Las prácticas vinculadas a la trata constituyen una vulneración de los derechos y libertades fundamentales de la persona. Sin embargo, debe ponerse el acento en la cuestión de género asociada a la trata, de ahí que el Enfoque Basado en Derechos Humanos debería ser complementado por el Enfoque de Género, lo que se conoce como el Enfoque de Género y Basado en Derechos Humanos (EGyBDH)[4]. Asimismo, debe abordarse también con carácter prioritario la protección de la infancia y

---

[3]　OFICINA DEL ALTO COMISIONADO PARA LOS DERECHOS HUMANOS: *Los Principios y Directrices recomendados sobre Derechos humanos y trata de personas. Comentario*. Naciones Unidas, Nueva York y Ginebra, 2010.

[4]　Para un análisis de este Enfoque y que aporta el enfoque de género al enfoque basado en derechos humanos véase: NAVARRO OLIVÁN, N.: *L'enfocament de gènere i basat en drets*

la adolescencia pues, como avalan los datos puestos de relieve más arriba, la de trata con fines de explotación sexual es la forma más extendida, seguida del trabajo forzoso, y las mujeres y las niñas son las principales víctimas.

En el ámbito del Derecho internacional de los Derechos Humanos aplicable a la trata de personas deben señalarse dos tratados que incluyen sendas referencias específicas a la trata de personas y la explotación que comporta. Se trata de la Convención sobre la eliminación de todas las formas de discriminación contra la mujer, de 1979 que exige a los Estados Partes que tomen todas las medidas apropiadas, incluso de carácter legislativo, para suprimir todas las formas de trata de mujeres y explotación de la prostitución de la mujer (art. 6) y la Convención sobre los Derechos del Niño, de 1989 que, por una parte, prohíbe la trata de niños con cualquier propósito, así como la explotación sexual de los niños y el trabajo forzoso o en condiciones de explotación y, por otra, regula medidas de protección para la infancia y adolescencia víctima de trata.

II. OBLIGACIONES DE LOS ESTADOS RESPECTO DE LAS VÍCTIMAS DE TRATA

El Enfoque Basado en Derechos Humanos, complementado por el EGyB-DH, permite identificar a los titulares de derechos, a los titulares de obligaciones y a los titulares de responsabilidades.

Son titulares de derechos todas las víctimas de la trata, cualquiera que sea la forma de explotación (trabajo o servicios forzados, sexual, esclavitud, servidumbre, extirpación de órganos u otras.). Los titulares de obligaciones son los órganos e instituciones competentes del Estado donde se ha cometido el delito de trata de seres humanos, que puede ser o no el Estado de la nacionalidad o el de residencia de las víctimas. Pueden identificarse como titulares de responsabilidades a las organizaciones internacionales ya sean de ámbito universal o regional, las organizaciones sociales (ONG) vinculadas a este ámbito, las empresas, los medios de comunicación, así como la sociedad en su conjunto.

Este apartado se centrará fundamentalmente en las obligaciones que corresponden a los Estados, en tanto que titulares de obligaciones extraídas del marco jurídico vigente, ya sea en el ámbito universal o en el ámbito regional europeo.

---

humans: cap a la conscienciació, respecte, garantia i exercici de drets, Unitat de Desenvolupament i Cooperació de la Universitat de Lleida, Lleida, 2021.

1. Ámbito internacional

Partiendo de este enfoque se analizarán qué mecanismos de protección existen dentro del marco jurídico internacional aplicable a los titulares de derechos, en este caso las víctimas de trata, correlativas a las correspondientes obligaciones de los Estados.

1.1. Obligación de asistencia y protección

El Protocolo para prevenir, reprimir y sancionar la trata de personas, especialmente mujeres y niños, que complementa la Convención de las Naciones Unidas contra la Delincuencia Organizada Transnacional (Protocolo de Palermo) determina cuales son las obligaciones para los Estados parte respecto de las víctimas de trata.

Este Protocolo tiene un enfoque de justicia penal tal como queda reflejado en el primero de los fines que recoge el artículo 2: "a) Prevenir y combatir la trata de personas, prestando especial atención a las mujeres y los niños". Sin embargo, a continuación, se establece también como uno de sus fines: "b) Proteger y ayudar a las víctimas de dicha trata, respetando plenamente sus derechos humanos", y para conseguirlos "Promover la cooperación entre los Estados Parte."(art. 2.c).

El contenido de estas medidas viene detallado en el Protocolo (artículo 6), se trata de las siguientes:

- Protección de su privacidad e identidad. Las leyes procesales penales deben incluir disposiciones que otorguen a los tribunales la autoridad para salvaguardar la privacidad de las víctimas, incluso mediante la adopción de medidas para mantener la confidencialidad de los aspectos de los procedimientos. Estos pueden ser, por ejemplo, la exclusión de los miembros del público o los medios de comunicación cuando las víctimas proporcionan evidencia, o limitaciones en la publicación de información específica sobre las víctimas (como detalles que permitirían su identificación), incluso cuando se redactan fallos judiciales[5].

- Arbitrar, el sistema jurídico interno, medidas que garanticen a las víctimas el derecho a la asistencia legal de manera que se asegure su derecho de acceso efectivo a los tribunales facilitándoles "Información sobre procedimientos judiciales y administrativos relevantes" así como "asistencia para permitir que sus puntos de vista y preocupaciones se presenten y consideren en las etapas apropiadas de los procesos penales contra

---

[5]   Véase UNODC: *Assistance for the Implementation of the ECOWAS Plan of Action against Trafficking in Persons. Training Manual*, 2006, p. 65.

los delincuentes, de una manera que no sea perjudicial para el derecho de la defensa". Esta obligación viene recogida ya en el Pacto Internacional de los Derechos Civiles y Políticos al determinar que "Toda persona cuyos derechos o libertades reconocidos en el presente Pacto hayan sido violados podrá interponer un recurso efectivo, aun cuando tal violación hubiera sido cometida por personas que actuaban en ejercicio de sus funciones oficiales;" (art 2. 3 a).

- Adoptar de medidas para proveer la recuperación física, psicológica y social de las víctimas[6]. El Protocolo hace una mención específica de las necesidades especiales de los niños víctimas de trata, niños, incluidas las cuestiones relativas al "alojamiento, la educación y el cuidado adecuados". Existen múltiples Directrices y principios que orientan a los Estados en relación con la protección que deben ofrecer a los niños y adolescentes identificados como víctimas de trata a fin de garantizar el respeto de sus derechos[7].

- Garantizar la seguridad física de las víctimas de la trata. Deben ser protegidas contra la tortura y otros tratos crueles o degradantes puesto que una práctica habitual asociada a la trata es que los tratantes causen dolor a la víctima e incluso que para tenerla más sometida amenacen causarla contra alguno de sus familiares, es lo que "se denomina "elección imposible" (...) y se asimila a la tortura"[8]. Vinculada a esta cuestión debe señalarse que es también una obligación del Estado contar con mecanismos eficaces y eficientes de protección de testigos.

- Prever, en el ámbito del derecho interno, la posibilidad de obtener una indemnización por los daños sufridos. El acceso a una compensación económica puede resultar decisivo para que las víctimas puedan rehacer su vida, en algunos Estados existen fondos específicos en otros se vehicula a través de fondos generales, lo que suele ser bastante común en todos los Estados es la mayor dificultad de acceder a la indemnización os no residentes pueden enfrentar obstáculos para las víctimas extranjeras. Se constata una carencia del Protocolo que contribuye a incrementar estas

---

[6]   El detalle de estas medidas asistenciales citadas y otras que se derivan de las mismas puede consultarse en UNODC: *Enfoque de la trata de personas Basado en los Derechos Humanos, Educación para la Justicia. Serie de Módulos Universitarios*, Módulo 8, Naciones Unidas, Viena, 2019, pp. 11-19.

[7]   UNODC: *Ibidem*, pp. 19-22.

[8]   CASTAÑO REYERO, M. J.: «Un estatuto de protección internacional para las víctimas de trata desde la perspectiva del derecho internacional de los derechos humanos», en DE LOS SANTOS MARTÍN OSTOS, J. (dir.) y MARTÍN RÍOS, P. (coord.), *La tutela de la víctima de trata: una perspectiva penal, processal e internacional*, J. B. Bosch, Barcelona, p. 184.

dificultades cual es que no regula la obligación específica de proporcionar a las víctimas esta información[9].

1.2.   Obligación de ofrecer a las víctimas un estatuto jurídico que las proteja

Los principales motivos de los grandes movimiento de personas que observamos en el mundo de hoy, ya sea dentro del propio país, desplazados internos, o en el intento de atravesar fronteras, son las situaciones de conflicto armado y violencia que generan persecución que puede ser de carácter político, religioso, étnico, social o de género.

Las personas víctimas de trata, así como aquellas que están en riesgo de serlo, cuando están cruzando fronteras internacionales, en tránsito o en el país de destino, necesitan y deben beneficiarse de protección internacional.

Estas personas no pueden verse obligadas a regresar a su país si este regreso constituye una amenaza para su vida o su libertad y pone en peligro sus derechos, en particular el derecho a no ser sometido a esclavitud, trabajo forzoso o servidumbre doméstica, a matrimonios forzados, así como el derecho a no ser sometido a tortura, o a tratos inhumanos o degradantes.

Debe analizarse el marco regulatorio aplicable en estas situaciones y ver como se aplica a los titulares de derechos, en este caso las personas víctimas de trata, a fin de garantizarles la protección debida.

El Protocolo de Palermo contiene dos obligaciones al respecto:

- A adoptar medidas legislativas u otras medidas apropiadas que permitan a las víctimas permanecer en su territorio, temporal o permanentemente, cuando proceda tomando en consideración factores humanitarios y compasivos (art 7).
- Un regreso digno y seguro en caso de repatriación a su país de origen, proporcionándole la documentación necesaria para que la persona pueda viajar a su territorio y reingresar en él (art. 8).

El Estado, a través de las autoridades de inmigración y refugio, debe proteger a la víctima de la retrata, revictimización o represalias durante el tránsito y también en el momento de su reintegración[10].

---

9   Véase UNODC: *Enfoque de la trata de personas Basado en los Derechos Humanos, Educación para la Justicia. Serie de Módulos Universitarios, op. cit.*
10   UNODC: *Combating Trafficking In Persons. A Handbook for Parliamentarians*, n° 16, 2009, pp. 61-63.

1.2.1.   El derecho de asilo y refugio

La Convención sobre el Estatuto de los Refugiados de 1951 (en adelante la Convención de 1951) determina que a los efectos de la misma, el término "refugiado" se aplicará a toda persona que tenga: "fundados temores de ser perseguida por motivos de raza, religión, nacionalidad, pertenencia a determinado grupo social u opiniones políticas, se encuentre fuera del país de su nacionalidad y no pueda o, a causa de dichos temores, no quiera acogerse a la protección de tal país; o que, careciendo de nacionalidad y hallándose, a consecuencia de tales acontecimientos, fuera del país donde antes tuviera su residencia habitual, no pueda o, a causa de dichos temores, no quiera regresar a él" artículo 1(A) 2.

De acuerdo con lo establecido en dicha disposición las víctimas de trata y también las personas que temen ser víctimas de trata podrían ser reconocidas como refugiadas, pero deben concurrir determinadas circunstancias: se exige que tengan un temor fundado de ser perseguidas en su país de origen cuando el Estado no pueda o no quiera protegerlos. En otros términos, la persona solicitante de asilo deberá demostrar que tiene fundados temores de ser perseguido por razones de raza, religión, nacionalidad, pertenencia a determinado grupo social u opinión política.

Se puede considerar que la persecución comporta un daño grave o graves violaciones a los derechos humanos, como las amenazas contra la vida, la integridad física o la libertad. La persecución debe estar relacionada con una o varias de las causas recogidas en la Convención: raza, religión, nacionalidad, pertenencia a determinado grupo social u opiniones políticas.

Las *Directrices de ACNUR sobre protección internacional núm. 7*[11] esclarecen cuando la definición de refugiado de la Convención de 1951 se aplica a las víctimas de trata y a las personas que están en riesgo de ser víctimas de trata.

"Esto es particularmente relevante en situaciones donde:

a) las víctimas que han sido sometidas a la trata en el extranjero buscan protección internacional como refugiados en el Estado en el cual se encuentran actualmente;

b) las víctimas que han sido sometidas a la trata dentro de su propio país y han huido al extranjero en busca de protección internacional como refugiados y

---

11   ACNUR: *Directrices sobre protección internacional no. 7: La aplicación del artículo 1A(2) de la Convención de 1951 o del Protocolo de 1967 sobre el Estatuto de los Refugiados en relación con las víctimas de la trata de personas y las personas que están en riesgo de ser víctimas de la trata*, HCR/GIP/06/07, 2006.

c) las personas que, aunque nunca hayan sido víctimas de trata, temen convertirse en víctimas de trata en su país de origen y han huido al extranjero en busca de protección internacional como refugiados."[12]

En la situaciones de conflicto armado y violencia, ACNUR a través de diversas de sus Directrices, en particular las Directrices *sobre Protección Internacional No. 12* deja claro que a Convención de 1951 y/o su Protocolo de 1967 son directamente aplicables a las personas civiles desplazadas por situaciones de conflicto armado y violencia." Resulta particularmente esclarecedor el contenido de estas al proporcionar una "orientación sustantiva y procedimental para evaluar las solicitudes de la condición de refugiado relacionadas con situaciones de conflicto armado y violencia, y promover coherencia en la aplicación de la Convención de 1951 y las definiciones regionales de Refugiado".

Define las situaciones de conflicto armado y violencia como aquellas que "están marcadas por un nivel material o por una propagación de violencia que afecta a la población civil. Tales situaciones pueden incluir violencia entre actores estatales y no estatales, incluyendo pandillas organizadas y violencia entre diferentes grupos de la sociedad. Además, tales situaciones pueden incluir violencia entre dos o más Estados, entre Estados y grupos armados no estatales, o entre varios grupos armados no estatales". Es indiferente la categorización del conflicto armado como interno o de carácter internacional para la determinación de la condición de refugiado. En ocasiones también entra dentro de la noción una situación de violencia generalizada o indiscriminada.

Estas Directrices contienen un análisis sustantivo en profundidad sobre lo establecido en el art 1 (A) 2 sobre los "Fundados temores de persecución" que es útil a fin de dilucidar cuando es aplicable a las víctimas de trata puesto que las personas que se ven obligadas a dejar su país de origen como resultado de conflictos armados internacionales o nacionales no son consideradas normalmente como refugiados, sino que se apunta la necesidad de que exista un nexo causal entre los "fundados temores" de una persona de ser perseguida y un motivo de la Convención de 1951.

Es conocido que en un contexto de conflicto armado y violencia se suele producir graves violaciones de los derechos humanos u otros daños graves que equivalen a persecución, por ejemplo: situaciones de genocidio y depuración étnica; tortura y otras formas de trato inhumano o degradante; violación y otras formas de violencia sexual; reclutamiento forzoso, incluidos niños y niñas; arresto y detención arbitrarios; toma de rehenes y desapariciones forzadas o arbitrarias.

---

[12]   GRUPO INTERINSTITUCIONAL DE COORDINACIÓN CONTRA LA TRATA DE PERSONAS (ICAT): *La trata de personas* (resumen informativo), 2017, p.1.

Con respecto a las víctimas de trata el nexo causal se halla en que dentro de los fundados temores de persecución hay que considerar la violencia sexual y de género "incluida la violación, la trata de personas, la esclavitud sexual y la esclavitud conyugal/el matrimonio forzado, son formas comunes de persecución en muchas situaciones de conflicto armado y violencia". Lamentablemente existen múltiples ejemplos de conflictos armados donde la violencia sexual y de género ha sido utilizada como una táctica, estrategia, un arma de guerra con el fin de debilitar al adversario degradando y aterrorizando a la población civil. Estas prácticas asociadas con la trata de personas, incluidas diversas formas de violencia sexual como la prostitución forzosa, pueden ser calificadas como crímenes de guerra y al tiempo como crímenes de lesa humanidad y conllevar responsabilidad penal individual. En aplicación del Estatuto de Roma, que exige el carácter de ataque generalizado o sistemático y que exista el conocimiento de que se está produciendo, el elemento intencional subrayado por la jurisprudencia del mismo destacando la irrelevancia de los motivos del autor o autores, la profesora M. José Castaño considera que "un ejemplo claro sería el caso de la *wayiha o sadaka* (que significa quinta esposa), que es una forma de esclavitud muy generalizada en Níger." [13]

La *Relatora Especial sobre la trata de personas, especialmente mujeres y niños* abordó el vínculo existente entre la trata de personas y los conflictos armados. Había señalado en un informe anterior al Consejo (A/HRC/29/38) esta cuestión como una de las esferas de interés de su mandato.

Pone el foco también en la necesidad de abordar la situación posterior al conflicto. Señala que si bien la explotación relacionada con la trata forma parte del conflicto, es frecuente que las sociedades experimenten un incremento de la trata con fines de explotación sexual (por ejemplo, prostitución forzada), así como otras formas de violencia de género, como la violación y la violencia doméstica, después de que el conflicto llegue oficialmente a su fin. En ese contexto de post conflicto, "la vulnerabilidad de las mujeres y las niñas a la explotación relacionada con la trata aumenta por su relativa falta de acceso a recursos, educación, documentación a su nombre y protección." [14]

Con respecto a los agentes de persecución resulta indistinto que se trate de las fuerzas armadas del Estado, sus agentes de seguridad o fuerzas de seguridad u otros órganos o grupos estatales, así como individuos de los cuales el Estado es responsable o cuya conducta puede atribuirse al Estado o bien actores no estatales. En ocasiones se confunden, pero esto es irrelevante lo determinante para dilucidar que existen fundados temores de persecución es la existencia

---

[13]   CASTAÑO REYERO, M. J.: «Un estatuto de protección internacional para las víctimas de trata desde la perspectiva del derecho internacional de los derechos humanos», *op. cit.*, 176.
[14]   CONSEJO DE DERECHOS HUMANOS: *Informe de la Relatora Especial sobre la trata de personas, especialmente mujeres y niños*, A/HRC/32/41, 2016, párrafos 37 y 38.

de una amenaza. Asimismo, se puede catalogar como persecución cuando las víctimas de violencia sexual y de género han sufrido "un daño especialmente flagrante que hace intolerable su regreso al país de origen, incluso si no hay riesgo futuro de daño adicional"[15].

1.2.2.   *Grupos vulnerables y/o vulnerabilizados*

A)   Los menores

Los menores solos o que se encuentran separados de ambos padres, y no están acompañados de ningún adulto, así como los niños y niñas huérfanos, son especialmente vulnerables a ser víctimas de trata de personas con fines diversos como son: una adopción irregular, extracción de órganos, prostitución, servidumbre, los trabajos o servicios forzados entre otros.

Las mujeres y los menores son las víctimas principales afectadas por la trata realizada con fines de explotación sexual, una de las modalidades de la trata de personas, se les fuerza a prostituirse o son víctimas de otras formas de explotación sexual.

En determinados casos el menor se encuentra en esta circunstancia por negligencia o incluso con el consentimiento de sus progenitores, hecho que debe examinarse minuciosamente.

Cuando se valoren las necesidades de protección internacional de los menores víctimas de trata es preciso que se les aplique un tratamiento diferenciado y debe prevalecer un principio esencial, rector de la Convención sobre los derechos del niño (1989), cual es el principio del interés superior del menor.

Este principio debe implementarse de la forma más acertada en todas las decisiones y medidas relacionadas con menor. Esto significa que, en cualquier medida que tenga que ver con uno o varios menores, su interés superior deberá ser la consideración primordial a la cual se atenderá. El término "medida" incluye no solo las decisiones, sino también todos los actos, conductas, propuestas, servicios, procedimientos y demás iniciativas.[16]

Debe subrayarse que en aquellos supuestos en que la víctima de la trata sea un niño o una niña, la cuestión del consentimiento es irrelevante, "ya que la captación, el transporte, el traslado, la acogida o recepción de niños con el pro-

---

[15]   ACNUR: *Directrices sobre protección internacional No. 12 Solicitudes de la condición de refugiado relacionadas con situaciones de conflicto armado y violencia bajo el artículo 1A(2) de la Convención de 1951 y/o el Protocolo de 1967 sobre el Estatuto de los Refugiados y las definiciones regionales de refugiado*, HCR/GIP/16/12, 2016, párrafo 27.

[16]   COMITÉ DE LOS DERECHOS DEL NIÑO: *Observación general Nº 14 (2013) sobre el derecho del niño a que su interés superior sea una consideración primordial (artículo 3, párrafo 1)*, Ginebra, 2013.

pósito de su explotación constituyen una forma de trata de personas, sin tomar en consideración el método utilizado". Se diferencia con la trata de personas adultas en que no es necesario demostrar ningún medio como la amenaza o el uso de la fuerza u otras formas de coacción, el rapto, el fraude, el engaño, el abuso de poder o de una situación de vulnerabilidad[17].

Con respecto a los menores víctimas de la trata de personas, además de la determinación formal del interés superior del menor, deben recibir asistencia sanitaria y psicológica especializada, deben gozar de garantías procedimentales específicas a fin de asegurar que se adoptan las decisiones adecuadas en lo que concierne a su acceso a la protección internacional.

Igualmente es preciso establecer salvaguardias específicas para su protección, como son: la adopción de medidas de protección dirigidas específicamente a los niños, como la asignación de tutores; la recopilación de información sobre el papel que puedan haber desempeñado los padres en la situación de la trata de sus hijos; la inclusión de las cuestiones relativas a la búsqueda y reunificación familiar, y la observancia de salvaguardias específicas en los casos de repatriación de los niños no acompañados o separados[18].

B)   Las víctimas de la Violencia de Género (VBG)

Es un principio básico que la definición de refugiado se debe interpretar con una perspectiva de género con el fin de abordar de forma acertada las solicitudes de asilo y la concesión del estatuto de refugiado. Además, esta forma de violencia es la más extendida "entre las personas refugiadas y desplazadas, siendo habitual en el propio seno de la pareja o el grupo social o familiar y no siendo un hecho aislado la cometida por el propio personal de operaciones de mantenimiento de la paz de las Naciones Unidas"[19]. Así lo afirmaba, en el marco de los procedimientos especiales de Naciones Unidas, la *Relatora Especial sobre la trata de personas, especialmente mujeres*. Señalaba que en un estudio llevado a cabo en 2010, que utilizaba Haití, Kosovo y Sierra Leona como estudios de caso, se ponía de manifiesto la relación existente entre la introducción de las fuerzas de mantenimiento de la paz en una zona de conflicto

---

[17]   Se expresa de forma muy clara en la DIRECTIVA 2011/36/UE DEL PARLAMENTO EUROPEO Y DEL CONSEJO de 5 abril de 2011 relativa a la prevención y lucha contra la trata de seres humanos y a la protección de las víctimas y por la que se sustituye la Decisión marco 2002/629/JAI del Consejo, art. 2.5.

[18]   Véase ACNUR: *La Trata de Personas y la Protección de los Refugiados: Perspectiva del ACNUR. Ponencia: Conferencia Ministerial sobre la "Acción Global de la UE contra La Trata de Personas"*, Bruselas, 2009.

[19]   Para un estudio en profundidad respecto de esta cuestión véase JIMÉNEZ SÁNCHEZ, C.: «La persecución de género en el Derecho Internacional de los Refugiados: Nuevas perspectivas», *Revista Electrónica de Estudios Internacionales*, 2017, p. 5.

y el consiguiente aumento de la trata de personas como resultado directo de un aumento de la demanda de servicios sexuales (...). La relación entre el despliegue de tropas y la demanda de mujeres víctimas de la trata era inequívoca"[20].

Este enfoque desde la perspectiva de género ha sido aprobado por la Asamblea General y por el Comité Ejecutivo del programa del ACNUR tal como se especifica en *las Directrices sobre Protección Internacional: La persecución por motivos de género en el contexto del Artículo 1A(2) de la Convención de 1951 sobre el Estatuto de los Refugiados, y/o su Protocolo de 1967*. En las mismas se pone de relieve lo siguiente: "Aunque la definición de refugiado no hace referencia directa a la dimensión de género, es comúnmente aceptado que ésta puede influenciar o determinar el tipo de persecución o daño causado, y las razones de ese trato. Debidamente interpretada, la definición de refugiado abarca, por lo tanto, las solicitudes por motivos de género".

El reclutamiento o captación forzosa o mediante engaño de mujeres o menores para la prostitución o la explotación sexual es una forma de violencia o abuso por motivos de género que puede llevar incluso a la muerte. Puede ser considerada como una forma de tortura y trato cruel, inhumano o degradante[21]. Las mujeres podrían constituir un grupo social a los efectos de ser incluidas dentro de la definición de refugiado.

En concreto las mujeres constituyen un ejemplo de un subgrupo social de personas que son definidas por características innatas e inmutables y que con frecuencia son objeto de discriminación y reciben un trato distinto al que reciben los hombres.

Se podría distinguir a las mujeres como posibles víctimas de trata debido a factores que generalmente "están vinculados con su vulnerabilidad en algunos contextos sociales; por ello, algunos subgrupos sociales de mujeres podrían también constituir determinados grupos sociales"[22].

En dichas *Directrices* se señala que, si se interpreta de la forma debida, la definición de refugiado, abarca las solicitudes por motivos de género de lo cual deduce que "Siendo así, no es necesario agregar un nuevo motivo a la definición contenida en la Convención de 1951". Esta afirmación puede ser objeto de controversia puesto que una mención expresa al género como motivo de persecución en la Convención de 1951 podría contribuir quizás a clarificar y dar más consistencia a la protección en el plano universal.

---

[20]   CONSEJO DE DERECHOS HUMANOS: *Informe de la Relatora Especial sobre la trata de personas, especialmente mujeres y niños, op. cit.*

[21]   ACNUR: *Directrices sobre protección internacional no. 7: La aplicación del artículo 1A(2) de la Convención de 1951 o del Protocolo de 1967 sobre el Estatuto de los Refugiados en relación con las víctimas de la trata de personas y las personas que están en riesgo de ser víctimas de la trata, op. cit.*, párrafo 18.

[22]   ACNUR: *Ibidem*, párrafo 38.

En su análisis en profundidad sobre la persecución de género y su encuadre en el Derecho Internacional de los Refugiados y el Asilo, la profesora Carolina Jiménez pone en evidencia, de forma totalmente pertinente, una realidad que atraviesa al conjunto del ordenamiento jurídico internacional; el mismo no se libra de la impronta del sistema heteropatriarcal (y se podría añadir sustentado en un modelo económico capitalista) en el que surge: "Las dificultades del Derecho Internacional de los Refugiados para proteger a las mujeres refugiadas vienen derivadas de su anacronismo y del tradicional anclaje de las normas internacionales a los esquemas patriarcales. Paradójicamente, han sido los sistemas jurisdiccionales de algunos Estados los que con su interpretación abierta de la Convención de Ginebra para el Estatuto de los Refugiados de 19515 han accedido a considerar la persecución de género (así como la orientación sexual y la identidad de género) inserta en el motivo de persecución "grupo social", recomendación auspiciada por ACNUR. Sobra apuntar que no es una concesión unánime ni mayoritaria. Lo mismo ocurre en cuanto a la orientación sexual, siendo una marcada minoría los Estados que han apoyado tal inclusión, aunque también destacan incipientes interpretaciones jurisprudenciales más abiertas en algunos ámbitos regionales, como la del Tribunal de Justicia Unión Europea (TJUE)"[23].

Así pues, a partir de un análisis individualizado, se puede afirmar que ser objeto de la trata de personas, o bien estar en riesgo de serlo, con fines de prostitución forzosa o explotación sexual puede ser el fundamento para la solicitud de condición de refugiado cuando el Estado no pueda o no quiera brindar protección contra tales perjuicios o amenazas.

El colectivo integrado por personas lesbianas, gays, bisexuales, transgénero e intersexuales (LGBTI), también puede ser incluido en la categoría de 'grupo social' entendido como: "un grupo de personas que comparten una característica en común distinta al hecho de ser perseguidas, o que son percibidas como grupo por la sociedad".

Esta identidad de género u orientación sexual, diferente a la mayoría, hace que sean sometidas a un trato discriminatorio, a graves abusos, víctimas de delitos de odio y a una persecución, amparados incluso por la legislación en múltiples Estados.

Con respecto a este colectivo debe tomarse en consideración factores que abundan en la dificultad de presentar una solicitud de protección, en particular en "un contexto de procedimientos acelerados (frontera y CIE), debido a la discriminación, el odio y la violencia que han podido sufrir o que temen en caso de volver a su país por lo que, en general, no se recomienda su estudio en este tipo de procedimientos. De hecho, muchos de estos solicitantes

---

23   ACNUR: *Ibidem*, pp. 3 y 4.

pueden encontrarse profundamente afectados por sentimientos de vergüenza, miedo o trauma y su capacidad para presentar su solicitud puede verse por ello disminuida."[24]

Debe señalarse que también en este caso los agentes de persecución pueden ser tanto estatales como no estatales. "Si bien los actos de persecución son normalmente perpetrados por las autoridades de un país, el trato gravemente discriminatorio y otro tipo de ofensas perpetradas por la población local o por individuos pueden equipararse a persecución si las autoridades los toleran de manera deliberada o si éstas se niegan a proporcionar una protección eficaz o son incapaces de hacerlo"[25].

Al igual que respecto de las mujeres en estos casos se debe garantizar a las víctimas de trata fundamentalmente dos derechos:

- Derecho a la protección contra su devolución en aplicación del *principio de non refoulement* (artículo 33 de la Convención de 1951)
- Derecho de acceso a los procedimientos para determinar la condición de persona refugiada. El acceso a los procedimientos de asilo constituye un enorme desafío por "la frecuente falta de procedimientos que sistemáticamente identifiquen a las víctimas de trata entre las poblaciones de migrantes y refugiados" tal como señala el Grupo Interinstitucional de coordinación contra la trata de personas (ICAT)[26].

C)　Los apátridas

El marco normativo que regula los derechos de los apátridas, las correspondientes obligaciones de los Estados para evitar acciones que deriven en apatridia y las medidas que deben adoptarse para resolver las situaciones de apatridia lo constituyen la Convención sobre el Estatuto de los Apátridas (1954) completada por la Convención para la Reducción de los Casos de Apatridia (1961).

---

[24]　Así se pone de manifiesto en FUNDACIÓN ABOGACÍA ESPAÑOLA: *La protección internacional de los solicitantes de asilo. Guía práctica para la abogacía*, 2017, pág. 51. Disponible en: https://www.abogacia.es/wp-content/uploads/2017/07/VERSION-FINAL-GUIA-PROTECCION-INTERNACIONAL-SOLICITANTES-DE-ASILO.pdf
Esta Guía resulta especialmente interesante por cuanto da unes pautas a seguir en el momento de la entrevista a solicitantes de asilo del colectivo LGBTI pues se requiere una especial atención para no vulnerar el derecho a la intimidad o realizar cuestiones improcedentes.

[25]　ACNUR: *Directrices sobre Protección Internacional: La persecución por motivos de género en el contexto del Artículo 1A(2) de la Convención de 1951 sobre el Estatuto de los Refugiados, y/o su Protocolo de 1967*, 2002, párrafo 19.

[26]　GRUPO INTERINSTITUCIONAL DE COORDINACIÓN CONTRA LA TRATA DE PERSONAS (ICAT): *La trata de personas, op. cit.*, p.2.

La Convención de 1961 prevé expresamente, artículo 8, que: "Los Estados contratantes no privarán de su nacionalidad a una persona si esa privación ha de convertirla en apátrida."

Una persona víctima de trata conserva la nacionalidad que poseían ante de ser captadas por los tratantes. Sucede con frecuencia que éstos a fin de ejercer un mayor control sobre la víctima, le confisquen su documentación, con lo cual le dificulta o imposibilita totalmente demostrar su nacionalidad. Tal como se señala en las Directrices sobre Protección Internacional: (ACNUR 2006), esta situación de falta de capacidad temporal para demostrar la identidad se resuelve con facilidad con el apoyo de las autoridades del país de origen. Lamentablemente, también existen supuestos en que el Estado de origen se inhibe y no presta asistencia y no entrega la documentación que permite a la víctima el retorno a su país, "esto podría tener como consecuencia práctica que la persona sea efectivamente un apátrida". Cuando se producen estas situaciones se deben adoptar medidas y emprender acciones para asistir a estas personas víctimas por partida doble, de la trata y de quedarse desprotegidas al hallarse en una situación de apátrida.

D)   Cláusula de salvaguardia contenidas en diferentes instrumentos internacionales

En varios instrumentos jurídicos internacionales hallamos disposiciones destinadas a complementar la aplicación de lo regulado en los mismos con una garantía específica de la protección de los derechos humanos de las personas víctimas de trata.

El Protocolo para prevenir, reprimir y sancionar la trata de personas, especialmente mujeres y niños, que complementa la Convención de las Naciones Unidas contra la Delincuencia Organizada Transnacional, de 15 noviembre de 2000, contiene una disposición, el art. 14, que establece una *Cláusula de salvaguardia*, en virtud de la cual:

> "1. Nada de lo dispuesto en el presente Protocolo afectará a los derechos, obligaciones y responsabilidades de los Estados y las personas con arreglo al derecho internacional, incluidos el derecho internacional humanitario y la normativa internacional de derechos humanos y, en particular, cuando sean aplicables, la Convención sobre el Estatuto de los Refugiados de 19514 y su Protocolo de 19675, así como el principio de *non refoulement* consagrado en dichos instrumentos.
>
> 2. Las medidas previstas en el presente Protocolo se interpretarán y aplicarán de forma que no sea discriminatoria para las personas por el hecho de ser víctimas de la trata de personas. La interpretación y aplicación de esas medidas estarán en consonancia con los principios de no discriminación internacionalmente reconocidos".

De esta disposición se infieren de forma palmaria dos ideas esenciales:

- la necesidad de hacer compatible la lucha contra la trata de personas con el derecho individual a acceder al asilo y al estatuto de persona refugiada.
- no se puede condicionar la asistencia a la víctima al hecho de presentarse como testigo en los procesos judiciales contra los tratantes.

2. *Ámbito regional europeo*

En este apartado se analiza la normativa aplicable en el ámbito regional europeo, tanto en la adoptada en el ámbito del Consejo de Europa como de la Unión Europea. Asimismo, se realiza un somero análisis la jurisprudencia de referencia del TEDH desde el Enfoque basado en Derechos Humanos.

En el marco del Consejo de Europa, el instrumento jurídico principal es el Convenio del Consejo de Europa sobre la lucha contra la trata de seres humanos, en vigor desde el 1 de febrero de 2008 (en adelante Convenio de Varsovia[27]).

Se focaliza en dar respuesta a cuatro aspectos fundamentales:

- La prevención: prevenir la trata de seres humanos;
- La protección de las víctimas, reforzada cuando se trata de menores a través de la coordinación con otros instrumentos internacionales en particular con el Protocolo para prevenir, reprimir y sancionar la trata de personas, especialmente mujeres y niños, que complementa la Convención de las Naciones Unidas contra la delincuencia organizada transnacional
- La persecución de los traficantes
- La coordinación entre la acción estatal y la cooperación internacional.

Ratione materiae el Convenio incluye todas las formas de trata, ya sean nacionales o transnacionales, vinculadas o no con el crimen organizado.

Existen varios principios rectores del Convenio:

- la protección del interés del menor
- la igualdad de género que conlleva con la integración de la perspectiva de género en el desarrollo, la ejecución y la evaluación de las medidas a adoptar

---

[27]   En octubre 2021, el número total de ratificaciones/adhesiones obtenido es de 48, puede consultarse en: https://www.coe.int/fr/web/conventions/full-list?module=signatures-by-treaty&treatynum=197

- la cooperación internacional, en particular, entre los Estados parte, pero también en el ámbito interno, tanto de carácter interorgánico u interinstitucional como con la sociedad civil
- el principio pro-persona de acuerdo con lo establecido en el art. 40 del Convenio[28]

Los Derechos de las víctimas-Obligaciones de los Estados son los siguientes:

Derecho a de las víctimas a ser identificadas, especialmente los menores. Se deberán tomar medidas a fin de asegurar que las distintas autoridades colaboren entre ellas y con las organizaciones responsables de prestar asistencia. Es imprescindible que el procedimiento que permita la identificación de las víctimas tenga en cuenta la situación especial de las mujeres y menores víctimas.

Derecho a la recuperación física, psicológica y social.

Derecho a la asistencia que incluye: un alojamiento apropiado y seguro; asistencia psicológica; asistencia material; acceso a tratamiento médico de urgencia; servicios de traducción e interpretación; asesoramiento e información; asistencia durante los procesos judiciales, y acceso al mercado de trabajo, a la formación y educación profesional, si residen legalmente en el país de que se trate.

Derecho a la asistencia jurídica gratuita y en una lengua que comprendan.

Derecho a que les sea expedido un permiso de residencia, el cual no debe interferir con el derecho de las víctimas a solicitar asilo.

Derecho a la privacidad y a la identidad, debe evitarse que se permita la identificación de las víctimas.

Derecho a la protección y a la seguridad especialmente frente a posibles represalias o actos de intimidación por parte de los traficantes.

Derecho a la indemnización y reparación legal por los daños sufridos.

Derecho a que la repatriación o retorno de las víctimas se haga de forma que se garanticen sus derechos, seguridad y dignidad, se evite la revictimización y se favorezca su reinserción en el sistema educativo y en el mercado laboral, en particular mediante la adquisición y perfeccionamiento de su capacitación profesional.

Derechos específicos de los menores sin un familiar de referencia en aplicación del interés superior del menor regulado en el artículo 3º de la CDN.

---

[28] Artículo 40. Relación con otros instrumentos internacionales.
1. El presente Convenio no afectará a los derechos y obligaciones derivados de otros instrumentos internacionales en los que las Partes en el presente Convenio sean o lleguen a ser Partes y que contengan disposiciones sobre materias reguladas por el presente Convenio y que aseguren una mayor protección y asistencia a las víctimas de la trata de seres humanos.

Derecho a que se le asigne un tutor legal, el cual les representa y debe actuar preservando su interés superior.

Derecho a que se determine su identidad y nacionalidad y, en aplicación de su interés superior, localizar a sus familias.

Derecho a la presunción de minoría de edad y se les ofrezcan medidas especiales de protección hasta que se verifique su edad, si su edad es incierta, pero existen motivos fundados para creer que es menor de 18 años.

Derecho a la educación.

Derecho a medidas de asistencia que tengan en cuenta sus necesidades.

Derecho a que se evalúen los riesgos y la seguridad de los menores en caso de repatriación y que esta solamente se lleve a cabo si es acorde al interés superior del menor.

Derecho a beneficiarse de medidas especiales de protección durante la investigación y los procesos judiciales.

El Convenio contiene una suerte de "cláusula de salvaguardia" (similar a la recogida en el Protocolo de Palermo) muy relevante a efectos del tema que nos ocupa, regulada en el art. 40.4 del Convenio, en virtud de la cual se establece que:

> "Nada de lo dispuesto en el presente Convenio afectará a los derechos, obligaciones y responsabilidades de los Estados y de los particulares en virtud del derecho internacional, incluido el derecho internacional humanitario y el derecho internacional sobre derechos humanos y, en particular, cuando sea aplicable, la Convención de 1951 y el Protocolo de 1967 sobre el Estatuto de los Refugiados y el principio de no devolución («non- refoulement») contenido en ellos."

Así pues, otro de los derechos fundamentales de las víctimas es el derecho a no ser expulsadas, aplicación del principio angular de la Convención sobre el Estatuto de los Refugiados de 1951: el principio de *non refoulement* o principio de no devolución.

En cuanto a los mecanismos de garantía regulados en el Convenio cabe destacar como órgano encargado del control y de vigilancia periódica creado es el Grupo de expertos en la lucha contra la trata de seres humanos (GRETA) cuya misión es hacer el seguimiento de la aplicación Convenio por los Estados Parte. Formado por 15 personas expertas independientes e imparciales procedentes de los Estados Parte y procedentes de muy diversos campos: jurídico, fuerzas de seguridad, medicina, psicología, tejido asociativo entre otros. Su mandato es de cuatro años, renovable una vez.

Las actividades de seguimiento del GRETA consisten en rondas de evaluación[29].

> "Al principio de cada ronda, el GRETA define las disposiciones del Convenio que se supervisarán, y determina el modo más apropiado de realizar la evaluación."

Los métodos de recopilación de la información se articulan de la siguiente manera:

Fase inicial: Un cuestionario a las autoridades del país que está siendo evaluado (también puede enviar cuestionarios a las Organizaciones no Gubernamentales (ONGs) u otros actores de la sociedad civil que puedan aportar datos o información contrastada y verificable.

Análisis del contenido de las respuestas obtenidas. En determinadas ocasiones si lo considera oportuno puede requerir información adicional.

Visita al país objeto de supervisión que incluye, por una parte, un intercambio con personas técnicas que trabajan en la administración, del cuerpo de policía, fiscales, parlamentarios y otros interlocutores que pueden resultar relevantes a efectos de la investigación que están llevando a cabo. Se reúne también con otros actores relevantes de la sociedad en el ámbito de la protección de los derechos humanos y contra la trata son ONGs, sindicatos, Colegios de Abogacía, universidades, entre otros.

Por otra, la visita a emplazamientos donde se atiende y presta asistencia a las víctimas de la trata "centros de crisis o albergues para las víctimas de la trata dirigidos por entidades públicas u ONG, centros de acogida de migrantes irregulares o solicitantes de asilo, puestos fronterizos u hospitales. Estas visitas permiten verificar la eficacia de las medidas adoptadas en aplicación del Convenio."

Fase final: Proyecto de informe.

El GRETA elabora un proyecto de informe que contiene su análisis en relación con la aplicación de las disposiciones en que se base la evaluación, así como sus sugerencias y propuestas relativas al modo cómo la Parte interesada puede tratar los problemas identificados. El proyecto de informe se enviad a la Parte objeto de la evaluación para que ésta formule sus observaciones. Dichas observaciones serán tenidas en cuenta por el GRETA en la elaboración de su informe

Adopción del informe. Una vez tomado en consideración lo anterior, el GRETA adopta su informe y sus conclusiones en relación con las medidas tomadas por la Parte interesada para aplicar las disposiciones del presente Con-

---

[29]   CONVENIO DEL CONSEJO DE EUROPA: *Convenio del Consejo de Europa sobre la lucha contra la trata de seres humanos. Mecanismo de supervisión*, 2013. Disponible en: https://rm.coe.int/16805d58b7

venio. El informe y las conclusiones se envían a la Parte interesada y al Comité de las Partes. El informe y las conclusiones del GRETA se hacen públicos en el momento de su adopción junto con las eventuales observaciones de la Parte interesada.

En el ámbito de la Unión Europea rige *la Directiva 2011/36/UE del Parlamento Europeo y del Consejo de 5 abril de 2011 relativa a la prevención y lucha contra la trata de seres humanos y a la protección de las víctimas y por la que se sustituye la Decisión marco 2002/629/JAI del Consejo*, esta normativa confirma el cambio de rumbo que se venía gestando respecto de la anterior regulación, hacia un Enfoque basado en Derechos humanos, pues tal como señala la profesora Villacampa Estiarte: "El nuevo planteamiento de la Unión aboga por un tratamiento victimocéntrico de la cuestión, que sitúa en el epicentro del tratamiento de este problema a los derechos humanos de las víctimas del proceso de trata"[30].

La Directiva 2011/36/UE se alinea en la misma dirección en cuanto a la protección de las víctimas de respetar principio de *non refoulement* y la prohibición de expulsión puesto que según dispone: "debe entenderse sin perjuicio del principio de no devolución con arreglo a la Convención de 1951 sobre el Estatuto de los Refugiados (Convención de Ginebra) y es conforme con el artículo 4 y el artículo 19, apartado 2, de la Carta de los Derechos Fundamentales de la Unión Europea."

En el mismo sentido Directiva 2004/81/CE DEL CONSEJO de 29 de abril de 2004 relativa a la expedición de un permiso de residencia a nacionales de terceros países que sean víctimas de la trata de seres humanos o hayan sido objeto de una acción de ayuda a la inmigración ilegal, que cooperen con las autoridades competentes:

> (9) "La presente Directiva establece un permiso de residencia destinado a las víctimas de la trata de seres humanos o, en el caso de los Estados miembros que decidan ampliar el alcance de dicha Directiva, a aquellos nacionales de terceros países que hayan sido objeto de una acción de ayuda a la inmigración ilegal, para quienes el permiso de residencia constituye un incentivo suficiente para cooperar con las autoridades competentes, e incluye al mismo tiempo determinadas condiciones para evitar abusos".

---

[30]   VILLACAMPA ESTIARTE, C.: «La nueva Directiva europea relativa a la Prevención y la lucha contra la trata de seres Humanos y a la protección de las víctimas. ¿Cambio de rumbo de la política de la Unión en materia de trata de seres humanos?», *Revista Electrónica de Ciencia Penal y Criminología*, RECPC 13-14, 2011, pp. 1-52.

2.1. Protección subsidiaria

La aplicación del principio de *non refoulement* se extiende a las víctimas de trata, y a los apátridas, a través del derecho a la protección subsidiaria establecido por *la Directiva 2011/95/UE por la que se establecen normas relativas a los requisitos para el reconocimiento de nacionales de terceros países o apátridas como beneficiarios de protección internacional, a un estatuto uniforme para los refugiados o para las personas con derecho a protección subsidiaria y al contenido de la protección concedida, de 13 de diciembre de 2011.*

Se aplica a personas solicitantes de protección de otros países que, si bien no reúnen los requisitos para obtener el asilo o ser reconocidas como refugiadas, respecto de estas se dan motivos fundados para creer que, si regresasen a su país de origen en el caso de los nacionales o, al de su anterior residencia habitual en el caso de los apátridas, se enfrentarían a un riesgo real de sufrir algún daños grave como, a modo de ejemplo, pena de muerte, torturas o tratos inhumanos o degradantes.

El estatuto de protección subsidiaria incluye también como principio esencial el principio de *non refoulement,* en una disposición dedicada específicamente a la "Protección contra la devolución", donde se contemplan también dos excepciones amparadas en el principio de seguridad (art. 21).

Queda regulado de la siguiente manera:

1. Los Estados miembros respetarán el principio de no devolución con arreglo a sus obligaciones internacionales.

2. Cuando no esté prohibido por las obligaciones internacionales mencionadas en el apartado 1, los Estados miembros podrán devolver a un refugiado, reconocido formalmente o no, si:

   a) existen motivos razonables para considerar que dicha persona constituye un peligro para la seguridad del Estado miembro en el que se encuentra, o

   b) habiendo sido condenado por sentencia firme por un delito de especial gravedad, constituye un peligro para la comunidad de dicho Estado miembro.

2.2. Aproximación a la Jurisprudencia desde el Enfoque basado en Derechos Humanos

Debe señalarse como punto de partida que, si bien la Declaración Universal de Derechos Humanos en su artículo 13.1 proclama que "Toda persona tiene derecho a circular libremente y elegir su residencia en el territorio de cada Estado", lo cierto es que, ni la regulación en el ámbito internacional ni en el derecho interno, y la práctica de los Estados lo corrobora así, establecen el derecho individual a elegir la residencia en un Estado distinto al de la nacionalidad, la libre circulación no va acompañado del derecho de establecimiento a efectos de residencia.

En el actual estadio de evolución de la sociedad internacional se considera como una de las prerrogativas incluidas dentro de la soberanía estatal las denominadas: competencias personales. Es decir, el conjunto de poderes que el Derecho Internacional otorga al Estado en relación con la población que forma parte de este ya sea nacional o extranjera. De estas competencias se deriva la capacidad de regular, a través de su derecho interno, las condiciones exigibles para la admisión, los requisitos para la obtención de la residencia por parte de las personas extranjeras, e igualmente decidir la expulsión.

Aun teniendo competencia plena respecto a estas cuestiones, la competencia del Estado no se puede entender ni interpretar de forma absoluta o ilimitada. Se encuentra sujeto a normas de derecho internacional que someten dicha competencia a restricciones. Todos los Estados deben respetar el "standard mínimo internacional" en la persona de los extranjeros que residen en su territorio; así como todas las obligaciones convencionales de Derecho Internacional a las que se han obligado a través de la ratificación o adhesión a Tratados internacionales ya sean de carácter bilateral o multilateral.

El enfoque basado en Derechos Humanos aplicado a la trata y la protección de sus víctimas como una obligación del Estado, más allá de la dimensión punitiva, ha recibido un impulso esencial, en el ámbito regional europeo, a través de la Jurisprudencia del Tribunal Europeo de Derechos Humanos (TEDH).

Tal como ha señalado el propio Tribunal ni el Convenio Europeo para la protección de los derechos humanos y las libertades fundamentales de 1950 (CEDH), ni los Protocolos Adicionales que lo complementan, regulan el derecho al asilo.

Sin embargo, ha sido su aproximación desde el enfoque basado en Derechos Humanos la que le ha conducido a considerar el fenómeno de la trata como una violación de Derechos Humanos que impone a los Estados parte obligaciones de comportamiento y de resultado.

Un análisis de la jurisprudencia, ha sido realizado con profundidad por el profesor García Oscos[31], desde la sentencia "pionera" en relación con el Asunto *Siliadin v. Francia* (de 26 de octubre de 2005) en la que se enjuicia la trata con fines de explotación laboral pasando por el caso de referencia en este ámbito, que complementa la anterior, como es el Asunto *Rantsev c. Chipre y*

---

[31]   GARCÍA COSO, E: «Las iniciativas multinivel para combatir la trata de seres humanos y el crimen organizado transnacional: la protección de las víctimas por el TEDH», *Revista del Ministerio de Empleo y Seguridad Social. Migraciones Internacionales*, pp. 19-49.

Rusia, de 10 de mayo de 2010, referido a otra de las formas más habituales de trata, la que tiene fines de explotación sexual. Esta sentencia resulta de un gran interés en su conjunto y, en particular, porque detalla las obligaciones derivadas para los Estados parte del CEDH.

El TEDH en ambas sentencias deja sentado que la trata de seres humanos, tal como viene definida en la normativa internacional y regional de referencia, el Protocolo de Palermo (art. 3) y el Convenio de Varsovia art. 4 (a), entra en el ámbito de aplicación del art. 4 de la CEDH que prohíbe la esclavitud, la servidumbre y los trabajos forzados, lo establece así:

> 282. There can be no doubt that trafficking threatens the human dignity and fundamental freedoms of its victims and cannot be considered compatible with a democratic society and the values expounded in the Convention. In view of its obligation to interpret the Convention in light of present-day conditions, the Court considers it unnecessary to identify whether the treatment about which the applicant complains constitutes "slavery", "servitude" or "forced and compulsory labour". Instead, the Court concludes that trafficking itself, within the meaning of Article 3(a) of the Palermo Protocol and Article 4(a) of the Anti-Trafficking Convention, falls within the scope of Article 4 of the Convention. The Russian Government's objection of incompatibility ratione materiae is accordingly dismissed.32

En el caso *Rantsev c. Chipre y Rusia* el Tribunal sostuvo que para que surja una obligación positiva para el Estado de tomar medidas operativas en las circunstancias de un caso en particular, debe demostrarse que las autoridades estatales tenían conocimiento o debían haberlo tenido de las circunstancias que daban lugar a suponer de forma fundamentada que una persona identificada había sido, o estaba en riesgo real e inmediato de ser traficada o explotada en el sentido del artículo 3 (a) del Protocolo contra la trata de personas.

El Tribunal lo expresaba en estos términos:

> "286. *In order for a positive obligation to take operational measures to arise in the circumstances of a particular case, it must be demonstrated that the State authorities were aware, or ought to have been aware, of circumstances giving rise to a credible suspicion that an identified individual had been, or was at real and immediate risk of being, trafficked or exploited within the meaning of Article 3(a) of the Palermo Protocol and Article 4(a) of the Anti-Trafficking Convention. In the case of an answer in the affirmative, there will be a violation of Article 4 of the Convention where the authorities fail to take appropriate measures within the scope of their powers to remove the individual from that situation or risk.*"

En coherencia con la anterior jurisprudencia el TEDH concluyó que Grecia había violado el artículo 4. 2 del CEDH Asunto *Chowdury y otros v. Grecia*, de 30 de marzo de 2017, incoado por la demanda interpuesta por 42 ciudadanos de Bangladesh por considerar que dicho Estado no había adop-

---

32   CASE OF RANTSEV V. CYPRUS AND RUSSIA (Application no. 25965/04).

tado medidas de prevención ni tampoco les había protegido contra el trabajo forzoso.

Otras conclusiones relevantes que permite inferir el estudio exhaustivo de la jurisprudencia del TEDH, mencionado anteriormente, son: las siguientes: "El conjunto de medidas de protección adoptadas en la legislación nacional debe ser adecuada para asegurar la protección real y efectiva de las víctimas o potenciales víctimas de la trata. (..) Los Estados parte deben proporcionar seguridad física a las víctimas de trata mientras se encuentran en su territorio y adoptar políticas y programas para prevenir y controlar la trata, incluyendo la formación al personal de las agencias encargadas de hacer cumplir la ley y a los agentes migratorios"[33].

Una sentencia reciente de febrero de 2021, el caso *V.C.L. and A.N. V. The United Kingdom*[34], se refiere al enjuiciamiento de los dos (entonces) demandantes menores de edad, ambos reconocidos como víctimas de la trata por delitos penales relacionados con su trabajo como jardineros en fábricas de cannabis. Con respecto a ambos demandantes, la Corte concluye que ha habido una violación de los artículos 4 (Prohibición de la esclavitud y del trabajo forzado) y 6 (Derecho a un proceso equitativo) del CEDH debido al incumplimiento por parte del Estado demandado de sus obligaciones positivas en virtud del artículo 4 de tomar medidas operativas para proteger a las víctimas del tráfico. El Tribunal no tiene ninguna duda de que los demandantes sufrieron angustia a causa del proceso penal y que se enfrentaron a ciertos obstáculos debido a sus antecedentes penales.

> *"219. In respect of both applicants the Court refers to its finding that there has been a violation of Articles 4 and 6 of the Convention on account of the failure of the respondent State to fulfil its positive obligations under Article 4 to take operational measures to protect the victims of trafficking. The Court has no doubt that the applicants suffered distress on account of the criminal proceedings and have faced certain obstacles on account of their criminal records. However, it must also bear in mind that the aforementioned violations were essentially procedural in nature and as such the Court has not had to consider the merits of the decisions to prosecute the applicants. The Court therefore considers it appropriate to grant to each of the applicants the sum of EUR 25,000 in rspect f non-pecuniary damage, plus any tax that may be chargeable".*

El Tribunal fundamenta su decisión en el hecho probado que el Reino Unido no adoptó las medidas requeridas para proteger a estas dos víctimas res-

---

[33]　GARCÍA COSO, E: «Las iniciativas multinivel para combatir la trata de seres humanos y el crimen organizado transnacional: la protección de las víctimas por el TEDH», *op. cit.*, pp. 19-49.

[34]　CASE OF V.C.L. AND A.N. V. THE UNITED KINGDOM (Applications nos. 77587/12 and 74603/12). JUDGMENT, STRASBOURG, 2021, p. 219.

pecto de las cuales existían indicios fundamentados de que podían ser víctimas de trata.

La sentencia ha sido calificada de "histórica" pues tal como pone de relieve Accem: "representa un hito esencial en la protección de las víctimas de trata y en el reconocimiento de sus derechos, así como para recalcar las obligaciones que incumben en los Estados en materia de trata de seres humanos."[35].

III. CONCLUSIONES

Resulta imprescindible abordar la trata de seres humanos desde el Enfoque Basado en Derechos Humanos, complementado con el Enfoque de Género, es decir, el EGyBDH. En ocasiones, todavía predomina la aproximación desde la vertiente punitiva, de persecución del delito, y no el abordaje como una de las violaciones más graves de derechos humanos. En determinadas circunstancias prácticas asociadas a la trata han sido identificadas incluso como un crimen de guerra y de lesa humanidad, sin embargo, queda por resolver si la trata por sí misma es susceptible de ser tipificada como crimen de lesa humanidad.

El Enfoque basado en Derechos Humanos permite identificar a las víctimas de trata como un grupo específico de víctimas, las cuales son titulares de derechos. Siguiendo con la aplicación del Enfoque, los Estados son los titulares de obligaciones y las organizaciones internacionales, ONGs y la sociedad civil son titulares de responsabilidades en diferente grado. En este sentido cabe destacar, respecto de responsabilidad de las organizaciones internacionales, la tarea ingente de UNODC, de la OIT a través de sus valiosos informes, o la utilidad práctica, en el terreno de la protección internacional de las directrices emanadas de ACNUR.

Este Enfoque al ser completado con el EGyBDH conduce a poner de relieve que entre este grupo identificado como "víctimas de trata" prevalece una constante: uno de los tipos más extendidos de trata, la que se realiza con fines de explotación sexual, tiene como principales víctimas a mujeres y niñas. Dentro del grupo "víctimas de trata" existen grupos vulnerables por su propia condición como son las niñas, los niños y adolescentes, que deben contar con medidas especiales y reforzadas de protección y asistencia que tengan en cuenta sus necesidades bajo el prisma del principio del interés superior del menor y a través de la coordinación con otros instrumentos internacionales.

Estas medidas se añaden a los derechos fundamentales que el Estado tiene el deber de garantizar a todas las víctimas de trata como son: el derecho a la seguridad física estrechamente vinculado al derecho a no ser sometido a torturas

---

[35] Véase ACCEM: *Sentencia histórica del TEDH para la protección de las víctimas de trata*, 2021. Disponible en: https://www.accem.es/tag/sentencia/

ni tratos inhumanos, crueles o degradantes, el derecho a la salud y el derecho a una indemnización y reparación legal por los daños sufridos.

La aplicación del Derecho Internacional de los Derechos Humanos limita la potestad de que gozan los Estados, que se plasma en su derecho interno, de regular las condiciones en las que someterá la entrada en su territorio, y la permanencia de los extranjeros. Si bien los Estados gozan de la facultad de decidir su política migratoria y de asilo, determinar a quién quiere admitir en su territorio, qué requisitos se exigen para permanecer en el mismo y, de acuerdo con la jurisprudencia del TEDH tienen también el deber de garantizar el orden público y la seguridad interior, pero deben hacerlo respetando los límites impuestos por el marco jurídico internacional en su conjunto, tratados internacionales, derecho consuetudinario y los principios y normas de Derecho internacional humanitario que les obligan a respetar y garantizar los derechos humanos.

Los Estados tienen la obligación de garantizar a las víctimas extranjera o apátridas, los siguientes derechos: derecho a recurrir a la jurisdicción en defensa de sus derechos, el derecho a la protección contra su devolución concediéndoles permisos temporales o permanentes de residencia en aplicación del principio de *non refoulement*, el acceso a los procedimientos para determinar la condición de refugiado o a la protección subsidiaria, el derecho al retorno voluntario.

Se constata, no obstante, una carencia importante: no existe en el plano internacional un estatuto específico de víctima de trata de seres humanos que incluya una conceptualización unívoca de "víctima de trata", que codifique unas reglas de procedimiento para su concesión y conceda garantías de derechos para las víctimas de trata, con independencia de su origen o del país receptor donde han sido sometidas. Esta falta de reconocimiento universal dificulta y debilita la protección.

Aun así, podemos afirmar que en aplicación del Derecho internacional y tomando en consideración el Enfoque de Género y Basado en Derechos Humanos quedan asentadas un conjunto de obligaciones que los Estados tienen para con las víctimas de trata y que el incumplimiento de estas ya sea por acción u por omisión, les puede acarrear responsabilidad internacional. En el ámbito regional europeo esta aseveración queda fijada de forma clara a través de la Jurisprudencia del TEDH que, de forma sucesiva y reiterada se ha ido reafirmando en esta dirección.

Finalmente, cabe subrayar que, dentro de estas obligaciones de los Estados, en el ámbito regional europeo, se atribuye especial relevancia a la prevención queda bien recogida la obligación de prevención en la Directiva 2011/36/UE, en especial del Convenio de Varsovia, que hace de la misma uno de sus ejes principales y, de nuevo, en la Jurisprudencia del TEDH. Obliga a la adopción de políticas y programas para prevenir y controlar la trata siendo responsables las autoridades nacionales si no se toman dichas medidas o no se investigan eficazmente los casos de trata.

IV. BIBLIOGRAFÍA

ACCEM: *Sentencia histórica del TEDH para la protección de las víctimas de trata*, 2021. Disponible en: https://www.accem.es/tag/sentencia/

ACNUR: *Directrices sobre protección internacional No. 11: Reconocimiento prima facie de la condición de refugiado*, HCR/GIP/15/11, 2015.

ACNUR: *Directrices sobre protección internacional No. 12: Solicitudes de la condición de refugiado relacionadas con situaciones de conflicto armado y violencia bajo el artículo 1A(2) de la Convención de 1951 y/o el Protocolo de 1967 sobre el Estatuto de los Refugiados y las definiciones regionales de refugiado*, HCR/GIP/16/12, 2016, párrafo 27.

ACNUR: *Directrices sobre protección internacional No. 7: La aplicación del artículo 1A(2) de la Convención de 1951 o del Protocolo de 1967 sobre el Estatuto de los Refugiados en relación con las víctimas de la trata de personas y las personas que están en riesgo de ser víctimas de la trata*, HCR/GIP/06/07, 2006.

ACNUR: *Directrices sobre Protección Internacional: La persecución por motivos de género en el contexto del Artículo 1A(2) de la Convención de 1951 sobre el Estatuto de los Refugiados, y/o su Protocolo de 1967*, 2002, párrafo 19.

ACNUR: *La Trata de Personas y la Protección de los Refugiados: Perspectiva del ACNUR. Ponencia: Conferencia Ministerial sobre la "Acción Global de la UE contra La Trata de Personas"*, Bruselas, 2009.

ARENAS, N.: «La obtención del estatuto de refugiada en occidente. La persecución por motivos relacionados con el género en la normativa de asilo de la Europa comunitaria», en GALLEGO DURÁN, M. (coord.), GARCÍA GUTIÉRREZ, R. y GILES CARNERO, R. (eds.): *Género, Ciudadanía y Globalización*, Vol. I, Sevilla, Alfar, 2009, pp. 97-119.

BONET PÉREZ, J.: «La interpretación de los conceptos de esclavitud y de otras prácticas análogas a la luz del ordenamiento jurídico internacional: aproximación teórica y jurisdiccional», en PÉREZ ALONSO, E. (dir.), *El Derecho penal ante las formas contemporáneas de esclavitud*, Tirant lo Blanch, Valencia, 2017.

CASTAÑO REYERO, M. J.: «Un estatuto de protección internacional para las víctimas de trata desde la perspectiva del derecho internacional de los derechos humanos», en DE LOS SANTOS MARTÍN OSTOS, J. (dir.) y MARTÍN RÍOS, P. (coord.), *La tutela de la víctima de trata: una perspectiva penal, processal e internacional*, J.B. Bosch, Barcelona, p. 184.

COMITÉ DE LOS DERECHOS DEL NIÑO: *Observación general Nº 14 (2013) sobre el derecho del niño a que su interés superior sea una consideración primordial (artículo 3, párrafo 1)*, Ginebra, 2013.

CONSEJO DE DERECHOS HUMANOS: *Informe de la Relatora Especial sobre la trata de personas, especialmente mujeres y niños*, A/HRC/32/41, 2016, párrafos 37 y 38.

CONVENIO DEL CONSEJO DE EUROPA: *Convenio del Consejo de Europa sobre la lucha contra la trata de seres humanos. Mecanismo de supervisión*, 2013. Disponible en: https://rm.coe.int/16805d58b7

EUROPOL: *European Migrant Smuggling Centre* (5th Annual Report), 2021. Disponible en: https://www.europol.europa.eu/publications-documents/european-migrant-smuggling-centre-5th-annual-report-%E2%80%93-2021

FUNDACIÓN ABOGACÍA ESPAÑOLA: *La protección internacional de los solicitantes de asilo. Guía práctica para la abogacía*, 2017, pág. 51. Disponible en: https://www.abogacia.es/wp-content/uploads/2017/07/VERSION-FINAL-GUIA-PROTECCION-INTERNACIONAL-SOLICITANTES-DE-ASILO.pdf

GARCÍA COSO, E: «Las iniciativas multinivel para combatir la trata de seres humanos y el crimen organizado transnacional: la protección de las víctimas por el TEDH», *Revista del Ministerio de Empleo y Seguridad Social. Migraciones Internacionales*, pp. 19-49.

GRUPO INTERINSTITUCIONAL DE COORDINACIÓN CONTRA LA TRATA DE PERSONAS (ICAT): *La trata de personas* (resumen informativo), 2017.

JIMÉNEZ SÁNCHEZ, C.: «La persecución de género en el Derecho Internacional de los Refugiados: Nuevas perspectivas», *Revista Electrónica de Estudios Internacionales*, 2017, pp. 1-31.

KELLY, N.: «Gender-Related Persecution: Assessing the Asylum Claims of Women», *Cornell International Law Journal*, Volumen 26, 1993. Disponible en: https://scholarship.law.cornell.edu/cgi/viewcontent.cgi?article=1323&context=cilj

NAVARRO OLIVÁN, N.: *L'enfocament de gènere i basat en drets humans: cap a la conscienciació, respecte, garantia i exercici de drets*, Unitat de Desenvolupament i Cooperació de la Universitat de Lleida, Lleida, 2021.

OFICINA DEL ALTO COMISIONADO PARA LOS DERECHOS HUMANOS: *Los Principios y Directrices recomendados sobre Derechos humanos y trata de personas*, Naciones Unidas, Nueva York y Ginebra, 2010.

PIOTROWICZ, R.: «Law towards Victims of Trafficking in Human Beings: Positive Developments in Positive Obligations», *International Journal of Refugee Law*, vol. 24, no. 2, pp. 181–201.

SHELTON, D.: *Remedies in International Human Rights Law* (2d ed.), Faculty Scholarship at Scholarly Commons, 2005. Disponible en: https://scholarship.law.gwu.edu/cgi/viewcontent.cgi?article=1234&context=faculty_publications

TRUJILLO DEL ARCO, A.: *La trata de personas: la 'trata delito' y la 'trata violación de derechos humanos'. Reconsideraciones sobre el concepto de trata y examen de las obligaciones de los Estados*, tesis doctoral, Instituto de Derechos Humanos Bartolomé de las Casas, Leganés/Getafe, 2017. Disponible en: tesis-angela-trujillo-delarco-2017.pdf

UNODC: *Assistance for the Implementation of the ECOWAS Plan of Action against Trafficking in Persons. Training Manual*, 2006, p. 65.

UNODC: *Combating Trafficking In Persons. A Handbook for Parliamentarians, nº 16*, 2009, pp. 61-63.

UNODC: *Enfoque de la trata de personas Basado en los Derechos Humanos, Educación para la Justicia. Serie de Módulos Universitarios, Módulo 8*, Naciones Unidas, Viena, 2019, pp. 11-19.

UNODC: *Manual Operativo de procedimientos para la detección y atención de migrantes objeto del tráfico ilícito y; la coordinación entre autoridades de gobierno, entidades autónomas de promoción y defensa de los derechos humanos y organizaciones de la sociedad civil*, México, 2017.

VILLACAMPA ESTIARTE, C: «La nueva Directiva europea relativa a la Prevención y la lucha contra la trata de seres Humanos y a la protección de las víctimas. ¿Cambio de rumbo de la política de la Unión en materia de trata de seres humanos?», *Revista Electrónica de Ciencia Penal y Criminología*, RECPC 13-14, 2011, pp. 1-52.

VILLACAMPA ESTIARTE, C: *El Delito de trata de seres humanos: una incriminación dictada desde el derecho internacional*, Aranzadi Thomson Reuters, 2011.

Capítulo XIII

APROXIMACIÓN INTERNACIONAL A LA TRATA DE SERES HUMANOS: ESPECIAL REFERENCIA AL CONSEJO DE EUROPA

EIMYS ORTIZ HERNÁNDEZ

Profesora Lector Serra Húnter de Derecho Internacional Público
Universitat de Lleida

I. INTRODUCCIÓN

La globalización, tan controvertida en los últimos tiempos, no solo ha estimulado el crecimiento económico mundial, sino que igualmente ha favorecido la expansión de actividades criminales de carácter transfronterizo entre las cuales destaca la trata de seres humanos. El individuo se convierte en mera mercancía a explotar[1] con fines ciertamente lucrativos. Pese a la dificultad en su cuantificación, el beneficio anual que reporta el fenómeno de la trata ronda una cifra superior a los 150.000 millones de dólares según datos de la Organización Internacional del Trabajo[2].

---

[1]   RODRÍGUEZ MONTAÑÉS, T.: «Trata de seres humanos y explotación laboral. Reflexiones sobre la realidad práctica», en ALCÁCER GUIRAO, R.; MARTÍN LORENZO, M. y VALLE MARISCAL DE GANTE, M. (coords.), *La trata de seres humanos: persecución penal y protección de las víctimas*, Edisofer, Madrid, 2015, p. 59. La autora emplea la expresión "comercio de seres humanos para su explotación" al referirse a los fines de explotación comprendidos en la definición de la trata de seres humanos.

[2]   ORGANIZACIÓN INTERNACIONAL DEL TRABAJO: *Profits and poverty: the economics of forced labour, Special Action Programme to Combat Forced Labour (SAP-FL), Fundamental Principles and Rights at Work Brach (FPRW)*, Geneva, 2014.

Desde luego se incurriría en una visión simplista si se limitase exclusivamente a acentuar la rentabilidad del hecho delictivo ignorando otros factores
inherentes a la cuestión. De manera que, con arreglo a los datos desglosados
en el *2020 Global Report on Trafficking in Persons*[3], se puede aseverar que nos
hallamos lejos de erradicar dicha lacra a pesar de los continuados esfuerzos en
el contexto jurídico internacional y regional. De hecho, mientras que el número de víctimas se ha incrementado durante los últimos quince años, el perfil ya
no se ciñe exclusivamente a la mujer adulta dado que se ha detectado un crecimiento constante de víctimas masculinas y de menores de edad[4]. Respecto a los
fines, la explotación sexual continúa persistiendo como el principal propósito,
sin embargo, el ámbito de trabajos o servicios forzados ha experimentado un
crecimiento destacado -del 18% al 38%-. Inclusive en los últimos tiempos
se ha detectado un alza en la explotación de víctimas destinadas a cometer
delitos[5]. En un mundo donde internet se ha convertido en una herramienta
imprescindible, los traficantes, evidentemente, se sirven de la red de redes no
solamente con el fin de operar en diversas localizaciones de manera simultánea
o para captar víctimas potenciales sino que igualmente emplean plataformas y
aplicaciones con miras a rentabilizar así como a promocionar el negocio y, por
supuesto, los servicios ofertados.

En materia de dinámica criminal se advierte que los actores implicados van
desde grupos organizados a individuos que operan en solitario o en conjunto
pero carentes de una estructura permanente. Atendiendo a los datos aportados, se ha de señalar que pese a que en 2018 aproximadamente dos tercios de
los convictos a causa de delitos relacionados con la trata de seres humanos
fueron hombres, comienza a proliferar la participación de mujeres[6]. Por lo que

---

[3]   UNITED NATIONS OFFICE ON DRUGS AND CRIME: *Global Report on Trafficking in
        Persons 2020*, 2020. Disponible en: https://www.unodc.org/unodc/data-and-analysis/glotip.
        html
        Este exhaustivo informe que compila datos de alrededor de 130 países se ha convertido en
        una herramienta de análisis del tráfico de seres humanos. *Vid.* BOUCHÉ, V. y BAILEY, M.:
        «The UNODC Global Report on Trafficking in Persons: an aspirational tool with great
        potential», en WINTERDYK, J. y JONES, J. (eds.), *The Palgrave International Handbook
        of Human Trafficking*, Springer International Publishing, 2020, pp. 163-175.
[4]   UNITED NATIONS OFFICE ON DRUGS AND CRIME: *Global Report on Trafficking...*,
        op. cit. Los datos muestran que en 2018 de cada diez víctimas de trata, cinco eran mujeres
        adultas y dos niñas. Mientras 1/3 del global lo copaban los menores (19% de niñas y 15%
        de niños), el 20% se trataban de hombres adultos.
[5]   *Ibid.* Atendiendo a los datos aportados en el informe, el 50% de las víctimas de trata de
        seres humanos se les explotaba para fines sexuales, el 38% destinados a trabajos o servicios
        forzados, el 6% han sido obligadas a cometer delitos y finalmente, el 1% sometidos a prac-
        ticar la mendicidad. El resto de situaciones lo conforman desde los matrimonios forzados,
        extracción de órganos o venta de menores así como propósitos diversos.
[6]   *Ibid.* De hecho, en Europa del este y Asia central se han condenado a más mujeres que
        hombres.

se refiere a la nacionalidad de los condenados, la mayoría ostentan aquella del Estado competente para enjuiciarlos, en cambio, solamente un cuarto del total es nacional extranjero[7]. Un aspecto positivo radica en que los datos aportados por la Oficina de Naciones Unidas contra la Droga y los Delitos (UNODC) reflejan que desde 2003, se ha triplicado el porcentaje de punición a nivel global. No obstante, los países europeos que, tradicionalmente, han liderado las estadísticas afrontan cierto anquilosamiento en los últimos años. A todas las ramificaciones planteadas se le ha de añadir la coyuntura actual de recesión mundial como consecuencia de la pandemia de Covid-19 la cual comporta un mayor riesgo para aquellos grupos vulnerables a los que la recuperación socioeconómica o no impactará lo suficiente o lo hará en un estadio ulterior.

Tomando en consideración lo expuesto, se ha de afirmar que nos encontramos frente a un fenómeno poliédrico de complejo tratamiento y dispares ramificaciones, por consiguiente, el presente capítulo acomete la tarea de analizarlo acorde a la protección regional que concede el Convenio del Consejo de Europa sobre la lucha contra la trata de seres humanos de 2005 conocido como Convenio de Varsovia[8]. Con el objeto de comprender la relevancia de tal instrumento, en un primer lugar, se aborda, de forma sucinta, la articulación de la protección específica[9] en el marco internacional desde los movimientos abolicionistas hasta el Protocolo para prevenir, reprimir y sancionar la trata de personas, especialmente mujeres y niños, que complementa la Convención de las Naciones Unidas contra la delincuencia organizada transnacional de 2000 -a partir de ahora el Protocolo- que abordan el fenómeno desde un enfoque criminocéntrico. Por otra parte, en un segundo apartado se examinan los apartados más relevantes del Convenio de Varsovia a fin de destacar aquellos aspectos que lo han posicionado como paradigma del enfoque victimocéntrico. Asimismo, en dicho apartado se hace referencia a la jurisprudencia del Tribunal Europeo de Derechos Humanos -a partir de ahora, TEDH-respecto a

---

[7]   *Ibid.* Los países de origen han condenado al 95% de sus ciudadanos, cuando los países de destino han tendido a condenar al 52% de extranjeros.

[8]   El correspondiente análisis del Convenio se documenta principalmente a partir de: PLANITZER, J. y SAX, H. (eds.): *A commentary on the Council of Europe Convention on action against trafficking in human beings*, Edward Elgar, Cheltenham, 2020.

[9]   Otros instrumentos de derecho internacional relativos a los derechos humanos contienen disposiciones respecto al tráfico de seres humanos, por ejemplo, la Convención sobre la Eliminación de todas las formas de discriminación contra las mujeres -CEDAW- de 1979 o la Convención sobre los derechos del niño y su Protocolo Opcional de 1989. *Vid.* VILLACAMPA ESTIARTE, C.: *El delito de trata de seres humanos: una incriminación dictada desde el Derecho Internacional*, Aranzadi-Thomson Reuters, Navarra, 2011; BLOM, N.: «Human trafficking: an international response», en WINTERDYK, J. y JONES, J. (eds.), *The Palgrave International Handbook of Human Trafficking*, Springer International Publishing, 2020, pp. 1275-1297.

la cuestión de análisis. Por último, el capítulo concluirá con la aportación de propuestas orientadas a perfeccionar el sistema regional europeo.

II. LA PROTECCIÓN INTERNACIONAL

1. *Instrumentos jurídicos internacionales en materia de trata previos al Protocolo de Palermo*

A pesar de la percepción de que la trata de seres humanos no se atiende a nivel global hasta la adopción del Protocolo en el año 2000, el derecho internacional ha prestado atención al asunto desde finales del siglo XIX[10] amparándose principalmente en la correlación entre la Revolución Industrial y el aumento de la prostitución. Por consiguiente, los movimientos *sociales* británicos contrarios a la regulación de tal actividad lideraron la abolición de semejante inmoralidad[11]. Razón por la cual, en sus inicios, el enfoque se fundamenta en las corrientes abolicionistas dado que la trata de seres humanos corresponde al *white slavery*[12] -mujeres europeas blancas reclutadas para ejercer la prostitución en el extranjero- de modo que la primera tentativa de establecer un marco jurídico, el Acuerdo internacional para la supresión de la trata de blancas de 1904[13], únicamente contempla como víctimas a quienes cumplen con el requisito prescrito, no obstante, precisa una notable diferencia de tratamiento entre menores y mayores de edad. Asimismo se advierte que el delito implica dos elementos: consecución mediante abuso o coacción, de un lado, y un objetivo inmoral -prostitución-, de otro. Inclusive con las carencias presentes, en particular, la falta de definiciones, el Acuerdo supone un intento de diseñar mecanismos intergubernamentales -medidas de carácter técnico y administrativo- que los Estados habían de adoptar a fin de proteger a las víctimas. Al

---

[10]   Acerca de la evolución histórica jurídica internacional del tratamiento de la trata de seres humanos *Cfr.* GALLAGUER, A. T.: *The international law of human trafficking*, Cambridge University Press, New York, 2010, pp. 55-64; SILLER, N. J.: «Human trafficking in International Law before the Palermo Protocol», *Netherlands International Law Review*, vol. 64, núm. 3, 2017, p. 407-452; LAMMASNIEMI, L.: «International legislation on white slavery and anti-trafficking in the early twentieth century», en WINTERDYK, J. y JONES, J. (eds.), *The Palgrave International Handbook of Human Trafficking*, Springer International Publishing, 2020, pp. 67-77.

[11]   LIMONCELLI, S. A.: *The politics of trafficking, the first international movement to combat the sexual exploitation of women*, Stanford University Press, Stanford, 2010.

[12]   ALLAIN, J.: «White slave traffic in international law», *Journal of Trafficking and Human Exploitation*, vol. 1, núm. 1, 2017, pp. 1-40; DOEZEMA, J.: *Sex slaves and discourse masters: the construction of trafficking*, Zed Books, Londres, 2010.

[13]   International Agreement for the Suppression of the "White Slave Traffic", adoptada el 18 de mayo de 1904, entrada en vigor el 18 de julio de 1905, 1LNTS 83.

albor de este importante hito se genera un intrincado debate sobre la necesidad de promulgar medidas legislativas encaminadas a criminalizar el tráfico, por consiguiente, en 1910 se adopta la Convención internacional para la supresión del tráfico de la trata de blancas[14]. Una vez más se reivindica el imperativo de detener la "exportación de inmoralidad", de ahí que la Convención no se circunscribe al delito transnacional *per se*, que exige el cruce de fronteras, sino que igualmente crea la obligación positiva de introducir medidas necesarias cuando el delito se cometa en el propio territorio. Entre los elementos novedosos destacan las definiciones relativas a quién puede ser considerada víctima y qué acciones constituyen el delito, sin embargo, una vez más, la trata carece de definición jurídica.

En un período posterior, en concreto, tras la Primera Guerra Mundial, resurge el interés respecto a la cuestión y, por esa razón, la Sociedad de Naciones adopta la Convención internacional para la supresión de la trata de mujeres y menores en 1921[15] con el propósito de complementar lo estipulado en los dos instrumentos previos. Consecuentemente la innovación consiste en la reestructuración y ampliación del ámbito de aplicación del delito de tráfico de modo que se estima, a partir de entonces, como víctima a adultos -mujeres y hombres- e igualmente a menores de edad sin importar raza o color. En un esfuerzo por lograr el cumplimiento de las obligaciones jurídicas adquiridas los Estados acuerdan redactar informes en materia de progresos que con el transcurso del tiempo sientan las bases para la Convención internacional para la supresión de la trata de mujeres mayores de edad de 1933[16]. En esta ocasión no se incluye ningún aspecto relativo a la prostitución o burdeles debido a la abierta discrepancia entre Estados decididos a regularlos y aquellos a favor de la prohibición de manera que se conviene la supresión del requisito de coacción o fuerza en la conducta.

Dicha falta de consenso provoca que, unos años más tarde, la Sociedad de Naciones emprenda la labor de adoptar la Convención Internacional para reprimir la explotación de la prostitución ajena[17], la cual no prospera a causa del estallido de la Segunda Guerra Mundial. Por lo tanto, no fue hasta el fin de la contienda y la consiguiente creación de las Naciones Unidas –a partir de ahora NNUU- que se retoma la iniciativa de elaborar un nuevo acuerdo internacional. De hecho, las NNUU adopta, en 1949, la Convención internacional

---

[14]   International Convention for the Suppression of the White Slave Traffic, adoptada el 4 de mayo de 1910, entrada en vigor el 8 de agosto de 1912, 3 LNTS 278.

[15]   International Convention for the Suppression of Traffic in Women and Children, adoptada el 30 de septiembre de 1921, entrada en vigor el 15 de junio de 1922, 9 LNTS 415.

[16]   International Convention for the Suppression of the Traffic in Women in Full Age, adoptada el 11 de octubre de 1933, entrada en vigor el 24 de agosto de 1934, 150 LNTS 431.

[17]   International Convention for Suppressing the Exploitation of the Prostitution of others (1937), no entró en vigor.

para la represión de la trata de personas y de la explotación de la prostitución ajena[18], fundamentada en el proyecto de la extinta Sociedad de Naciones, que, a su entrada en vigor, sustituye a los instrumentos previos.

En definitiva, al precisar la Convención de 1949 como objetivo principal la erradicación del tráfico y la eliminación de la prostitución y de los burdeles, ya traza una línea de distinción respecto a sus antecesores dado que aquellos se centran, primordialmente, en la adquisición de personas con el fin de prostituirlas. El contexto social de la época posibilitó avances cruciales puesto que, por primera vez, se procede a una redacción neutra desde el punto de vista de género, por tanto, todos los seres humanos pueden ser considerados víctimas pese a su edad, sexo o raza. Tampoco se diferencia entre el tráfico doméstico y el internacional en cuanto al ámbito de aplicación del instrumento. Respecto a la prostitución se opta por el enfoque abolicionista en vez del enfoque regulacionista lo cual permite que, únicamente, frente a ella se requiera el objetivo inmoral. Sin embargo, no se define prostitución en el texto ni tampoco se criminaliza o prohíbe. Adicionalmente, se crean nuevas obligaciones para los Estados relativas a la codificación de delitos no recogidos, hasta entonces, en instrumentos internacionales: se prohíbe la explotación, la facilitación o financiación en beneficio de la prostitución o burdeles. Pese las críticas sobre la ambigüedad de su redacción y las escasas ratificaciones recibidas[19], la Convención se erige instrumento internacional de referencia hasta el año 2000.

2.   *Análisis del Protocolo para prevenir, reprimir y sancionar la trata de personas, especialmente mujeres y niños, que complementa la Convención de las Naciones Unidas contra la Delincuencia Organizada Transnacional*

La atención y por ende preocupación por el asunto que nos ocupa resurge en la década de los noventa debido, entre otras causas, a la inadecuación del marco jurídico internacional destinado a prevenir la explotación de las personas. De modo que en el seno de las distintas organizaciones internacionales y regionales se plantean la exigencia de adoptar nuevos instrumentos acordes al contexto de la época.

Este apartado centra el interés en el régimen de las NNUU que, si bien se había manifestado con ocasión de la conferencia ministerial mundial sobre la delincuencia organizada transnacional de 1994, no logra apoyos suficientes

---

[18]   Convention for the Suppression of the Traffic in Persons and the Exploitation of the Prostitution of Others, adoptada el 2 de diciembre de 1949 y entrada en vigor el 25 de julio de 1951, 96 UNTS 271.

[19]   A finales de octubre de 2021, los Estados Parte alcanzaban un total de 82 https://treaties.un.org/Pages/ViewDetails.aspx?src=IND&mtdsg_no=VII-11-a&chapter=7&clang=_en

hasta tres años después a raíz del nombramiento, por parte de la Asamblea General, de un grupo de expertos intergubernamentales cuya función conllevaba la presentación de un proyecto preliminar. Sobre la base del resultado se convoca un Comité Intergubernamental *Ad Hoc* que concluye el cometido en once sesiones en Palermo[20]. *A posteriori*, la Asamblea General adopta, en noviembre de 2000, la Convención de las Naciones Unidas contra la delincuencia organizada transnacional, así como dos protocolos complementarios: el Protocolo para prevenir, reprimir y sancionar la trata de personas, especialmente mujeres y niños y el Protocolo contra el tráfico ilícito de migrantes por tierra, mar y aire[21]. Mientras que la Convención entra en vigor el 29 de septiembre de 2003, los Protocolos hacen lo propio el 25 de diciembre de 2003. La relación entre la Convención y sus Protocolos se motiva en cuatro principios[22]. En primer lugar, los Estados han de ratificar la Convención antes de manifestar su consentimiento a vincularse por los Protocolos. En segundo lugar, no cabe la interpretación aislada e individualizada de los instrumentos sino que debe realizarse desde la globalidad. En tercer lugar, no se debe reinterpretar o modificar la aplicación de los Protocolos respecto de la Convención salvo cuando sea estrictamente necesario. En último lugar, las conductas susceptibles de ser punibles recogidas en los Protocolos se extienden de igual manera a la Convención.

En cierto sentido la Convención, como instrumento de cooperación internacional, lejos de asumir el intrincado propósito de erradicar la delincuencia organizada transnacional pretende "prevenir y combatir" dicha lacra -art. 1- fomentando la punibilidad de una serie de delitos. En concordancia se propugnan estándares mínimos para conformar una definición global en torno a tres requisitos -art. 3-: delitos graves o tipificados en el propio articulado[23], su carácter transnacional, y, finalmente, que entrañen la participación de un grupo delictivo organizado. Aun cuando el instrumento delimita los tres elementos se ha de recalcar que se inclina, como es habitual en el derecho internacional público, por definiciones ciertamente amplias de manera que cabe tal amplio margen de apreciación por parte de los Estados en el momento de tipificar las actividades como criminales que, inclusive, si un Estado no accede a los Protocolos se le confiere la capacidad para incorporar el tráfico de seres humanos o

---

[20]　En lo concerniente al proceso de conclusión de la Convención y de los Protocolos, *Cfr.* GALLAGUER, A. T.: *The international law of...*, *op. cit.*, pp. 69-72. De la misma autora, GALLAGUER, A. T.: «Human rights and the New UN Protocols on trafficking and migrant smuggling: a preliminary analysis», *Human Rights Quaterly*, vol. 23, núm. 4, 2011, pp. 975-1004.

[21]　Resolución 55/25 de la Asamblea General de 15 de noviembre de 2000, recoge los tres instrumentos.

[22]　*Cfr.* GALLAGUER, A. T.: *The international law of...*, *op. cit.*, pp. 73-74.

[23]　Art. 5 de la Convención -participación en un grupo delictivo organizado-, art. 6 -blanqueo del producto del delito-, art. 8 -corrupción- y art. 23 -obstrucción de la justicia-.

el tráfico ilícito de migrantes. Asimismo, la Convención contiene disposiciones dirigidas a las víctimas, en las que se requiere a los Estados Parte, conforme a sus facultades, prestar asistencia y protección, en especial, frente a amenazas, represalias o intimidación. En virtud de lo establecido, se atribuye a las víctimas la posibilidad de obtener indemnización o restitución -art. 25-[24]. Por último, se instaura una conferencia de las Partes con el fin de mejorar la capacidad de combatir la delincuencia organizada transnacional de los Estados contratantes. En consecuencia han de informar acerca de sus programas, planes y prácticas así como de las medidas legislativas y administrativas prescritas en el marco de la implementación del Convenio -art. 32-.

El delito del tráfico se acomete en el Primer Protocolo a consecuencia de la propuesta que Argentina formula dedicada, primordialmente, a una mayor protección de los menores y las mujeres. Dicha iniciativa despierta interés en Estados Unidos que añade la necesidad de extender el amparo a todas las personas sin atender al género[25]. De ahí que, finalmente, la protección se estructure alrededor de tres ámbitos: la prevención-lucha prestando especial atención a las mujeres y niños; la protección-asistencia a las víctimas respetando plenamente los derechos humanos y por último, la promoción de la cooperación intergubernamental. Por ende, aunque el instrumento onusiano, muestre deficiencias claves -mecanismo de financiación o examen-[26], su aprobación articula una noción universal de mínimos que, hasta ese momento, no se hallaba en los instrumentos jurídicos de carácter internacional puesto que abordaban el fenómeno desde una protección sectorial[27].

De la definición dispuesta en el artículo 3[28] se extrae que el elemento transnacional -cruce de fronteras- no se presume un aspecto fundamental en el supuesto de hecho del delito. Por el contrario se impone la presencia de la fina-

---

[24]   Cfr. VAN DIJK, J. J. M.: «Empowering victims of organized crimes, on the compliance of the Palermo Convention with the UN declaration on basic principles for justice for victims», *ERA/Forum*, vol. 3, núm. 1, 2002, pp. 15-30.

[25]   Cfr. GALLAGUER, A. T.: *The international law of...*, *op. cit.*, pp., 77-78.

[26]   Cfr. SORIANO, J. P.: «Gobernanza global contra la delincuencia transnacional: la UE y la Convención de Palermo», *Revista CiDOB d'Afers Internacionals*, núm. 12, 2014, pp. 150 y ss.

[27]   EZEILO, J. N.: «Achievements of the trafficking protocol: perspectives form the former UN Special Rapporteur on Trafficking in Persons», *Anti-trafficking Review*, vol. 4, 2015, pp. 145-146.

[28]   Art. 3.a) del Primer Protocolo: "[...] por "trata de personas" se entenderá la captación, el transporte, el traslado, la acogida o la recepción de personas, recurriendo a la amenaza o al uso de la fuerza u otras formas de coacción, al rapto, al fraude, al engaño, al abuso de poder o de una situación de vulnerabilidad o a la concesión o recepción de pagos o beneficios para obtener el consentimiento de una persona que tenga autoridad sobre otra, con fines de explotación. Esa explotación incluirá, como mínimo, la explotación de la prostitución ajena u otras formas de explotación sexual, los trabajos o servicios forzados, la esclavitud o las prácticas análogas a la esclavitud, la servidumbre o la extracción de órganos"[...].

lidad de "explotación económica" de las personas mediante diversos medios que incluyen la coacción, el fraude o el abuso físico[29]. De igual forma se ha de reiterar que el tráfico de seres humanos no solamente contempla la explotación sexual sino que también abarca aquella de carácter laboral además de otras finalidades: el tráfico de órganos, actividades criminales o la venta de menores entre otras. A destacar también, las secciones II y III que delimitan la protección de las víctimas[30] y las medidas de prevención -políticas o programas de cooperación- en sus preceptos. Con ello no solamente se toma en consideración el paradigma punitivo sino que, adicionalmente, se procura proteger los derechos humanos de aquellas personas que hayan sufrido el delito, a la vez que, supone un intento de afrontar las causas del tráfico.

La delimitación del concepto busca no incurrir en confusión respecto a otro fenómeno, a veces correlativo, el tráfico ilícito de migrantes recogido en el Segundo Protocolo de la Convención de Palermo. A ambas figuras se les dota de entidad individual al estar contenidas en sendos instrumentos normativos. Además la doctrina identifica tres criterios de distinción: fuente de lucro, transnacionalidad y victimización[31]. Tras un análisis pormenorizado de los elementos señalados se advierte que, mientras la fuente de lucha del tráfico de migrantes radica en posibilitar la entrada o permanencia en el territorio por medios fraudulentos, en la trata de seres humanos, aquella proviene de la explotación del individuo en el país de destino o incluso desde su captación. La transnacionalidad viene a definir el contrabando de migrantes, pues, en efecto, se ha de producir un cruce de fronteras de forma irregular, en cambio, en el tráfico de seres humanos, aquel factor no singulariza el delito. Por último, y por lo que concierne al tercer criterio relativo a la victimización o lo que es lo mismo la prestación del consentimiento, los sujetos de tráfico de migrantes conocen, *a priori*, que van a cometer una infracción con la cual se hallan conformes,

---

29   *Cfr.* VILLACAMPA ESTIARTE, C.: *El delito de trata de seres...*, *op. cit.*, p. 40.

30   El Protocolo especificó en su artículo 6 aquellas medidas de orden interno destinadas a proporcionar a las víctimas comprendiendo desde proveer información sobre procedimientos criminales, asistencia médica, psicológica o material, a un alojamiento adecuado.

31   Respecto a la diferenciación *vid.* GUARDIOLA LAGO, M. J.: «La compleja armonización del delito de tráfico ilícito de migrantes (smuggling of migrants): ¿existe un consenso internacional?», en PÉREZ CEPEDA, A. I. (dir.), *Política criminal ante el reto de la delincuencia transnacional*, Tirant lo Blanch, Valencia, 2016, pp. 565-571. La autora igualmente hace referencia a parte de la doctrina que sostiene la misma distinción: PÉREZ CEPEDA, A. I.: *Globalización, tráfico internacional ilícito de personas y derecho pena*, Comares, Granada, 2004, pp. 23 y ss.; PÉREZ ALONSO, E. J.: *Tráfico de personas e inmigración clandestina (un estudio sociológico, internacional y jurídico-penal)*, Tirant lo Blanch, Valencia, 2008, pp. 154 y ss.; BATSYUKOVA, S.: «Human trafficking and human smuggling: similar nature, different concepts», *Studies of changing societies: comparative and interdisciplinary focus*, núm. 1, 2012, pp. 39-49.

sin embargo, en la trata no se produce tal aquiescencia dado que se les obliga mediante cualquier método de coacción en virtud del régimen internacional.

La entrada en vigor del Protocolo supone un gran avance dado que proporciona una respuesta común por parte de la comunidad internacional a uno de los desafíos más perniciosos de la globalización, eso sí, el enfoque securitario, llegado el momento, desdibuja sus logros[32]. En paralelo, las organizaciones regionales y sub-regionales además de grupos de la sociedad civil comienzan a sumar esfuerzos en la lucha contra la trata recurriendo, de un lado, a la adopción de sus propios instrumentos jurídicos, y de otro lado, a campañas de concienciación y prevención. Al cumplirse el veinte aniversario del régimen onusiano se ha de hacer hincapié en la urgente necesidad de poner en marcha un profundo debate que englobe cuestiones peliagudas, en especial, las dirigidas a elaborar un nuevo tratado relativo al asunto objeto de estudio. En realidad, los propios baluartes del Protocolo inciden en sus notorias carencias que se vienen observando desde su entrada en vigor. Desde la definición que solo atiende la dimensión transnacional excluyendo de ese modo del ámbito de aplicación aquellas conductas producidas en el territorio de un Estado. Dicha exclusión de la dimensión "interna" del tráfico quizás se produce conforme a la noción tradicional de la soberanía consagrada en el artículo 2(1) y (7) de la Carta de las NNUU que viene a evidenciar que los Estados regulan los asuntos internos relativos a su población y territorio[33]. Otra importante carencia que presenta la definición alude al comercio de personas, en otros términos, la compraventa de individuos no se comprende como rasgo decisivo en la cualificación del delito. Tampoco se especifica la distinción entre la explotación sexual ni la prostitución. La protección de las víctimas ciertamente desdibuja su eficacia debido, sobre todo, a la inter-relación con el fenómeno de la migración irregular. Por último, el Protocolo no atiende a las especiales necesidades de comunidad LGTBIQ+[34], ni a las nuevas tecnologías, por tanto, en caso de apertura de un nuevo proceso, estos y otros aspectos han de tratarse en profundidad desde la perspectiva victimocéntrica fundamentada en los derechos humanos[35].

---

[32]   IÑIGUEZ DE HEREDIA, M.: «People trafficking: conceptual issues with the United Nations Trafficking Protocol 2000», *Human Rights Review*, vol. 9, 2008, p. 303.

[33]   *Ibid.* pp. 307-309.

[34]   *Cfr.* GOZDZIAK, E. M. y VOGEL, K. M.: «Palermo at 20: a retrospective and prospective», *Journal of Human Trafficking*, vol. 6, núm. 2, 2020, pp. 109-118, p. 111.

[35]   *Cfr.* JONES, J.: «It is time to open a conversation about a new United Nations treaty to fight human trafficking that focuses on victim protection and human right?», en WINTERDYK, J. y JONES, J. (eds.), *The Palgrave International Handbook of Human Trafficking*, Springer International Publishing, 2020, pp. 1803-1818.

III. LA PROTECCIÓN REGIONAL EN EL MARCO DEL CONSEJO DE EUROPA: EL CONVENIO DE VARSOVIA

1. *Propuesta y adopción*

La aproximación al Convenio del Consejo de Europa sobre la lucha contra la trata de seres humanos[36] ha de destacar su trascendencia dado que supone el primer instrumento jurídico que se ocupa de la problemática en consonancia con la protección de los derechos humanos. En efecto, la organización regional opta por un enfoque victimocéntrico que inaugura una nueva dimensión en la pugna contra el tráfico de personas. Dicha elección implica, en esencia, la obligatoriedad respecto a la asistencia de las víctimas de tráfico o la instauración por el Estado de un período de reflexión. Asimismo otro aspecto de gran envergadura se extrae del mecanismo de seguimiento proyectado, ya que, por primera vez, se le encarga a un grupo de expertos independientes velar por la adecuada aplicación e implementación de lo acordado.

La temática no se circunscribe a criterios de oportunidad porque el Consejo de Europa -a partir de ahora CdE- se ha venido ocupando de la cuestión desde finales de los años ochenta[37]. Sin embargo, no es hasta principios de siglo que el Comité de Ministros adopta sendas recomendaciones en el contexto de la explotación sexual femenina y de menores[38]. A continuación, en 2002, la Asamblea Parlamentaria del CdE recomienda al Comité de Ministros la redacción de una convención en lo concerniente a la explotación de las mujeres[39], no obstante, un año más tarde, dicho órgano eleva el marco de protección esgrimiendo que el futuro proyecto ha de acometer el tráfico de seres humanos y además de proporcionar un valor añadido a otros instrumentos internacionales[40]. Los esfuerzos se concretan en el establecimiento, en primavera de 2003, de un Comité *Ad Hoc* sobre la acción contra el tráfico de seres humanos -conocido por sus siglas en inglés, CAHTEH-. El carácter

---

[36]   Convenio del Consejo de Europa sobre la lucha contra la trata de seres humanos, CETS, núm. 197, 16 de mayo 2005.

[37]   La primera declaración política se produjo con ocasión de la Cumbre de Estrasburgo en 1997 cuya Declaración Final hizo una referencia expresa a la violencia contra las mujeres enfatizando la relación entre la explotación de aquellas y las amenazas a la seguridad y democracia en el continente.

[38]   Recomendación nº R(2000), del Comité de Ministros del Consejo de Europa sobre la lucha contra la trata de seres humanos para la explotación sexual, de 19 de mayo de 2000; Recomendación nº R(2001)16, del Comité de Ministros del Consejo de Europa sobre la protección de niños contra la explotación sexual, de 31 de octubre de 2001.

[39]   Asamblea Parlamentaria, Recomendación nº 1545(2002) relativa a una campaña contra el tráfico de mujeres, 21 enero 2002.

[40]   Asamblea Parlamentaria, Recomendación nº 1610(2003) relativa a la migración conectada al tráfico de mujeres y prostitución, 25 junio 2003.

privado de las negociaciones impide a la sociedad civil o a las organizaciones no gubernamentales -a partir de ahora ONGs- jugar un papel relevante en aspectos sensibles tales como la duración del período de reflexión, el control migratorio, o la petición de la UE de incluir una "cláusula de desconexión" que le permitiese aplicar normas ya existentes o futuras propias en vez de aquellas establecidas por el CdE. Por tanto, únicamente tras negociaciones al más alto nivel en el seno del Comité de Ministros se abre la fase de manifestación del consentimiento por los Estados negociadores con ocasión de la celebración de la Tercera Cumbre de Jefes de Estado y de Gobierno del CdE en Varsovia el 16 y 17 de mayo de 2005[41].

La entrada en vigor se supedita al criterio tanto cuantitativo como cualitativo imponiendo un total de diez ratificaciones de los cuales ocho han de ser Estados miembros[42], circunstancia que ha ralentizado el proceso debido al amplio margen de discrecionalidad de las disposiciones. En el momento de la redacción del presente trabajo, excepto Rusia, el resto de miembros del CdE han expresado su voluntad de obligarse inclusive Belarús e Israel, que no pertenecen a la organización, han accedido al Convenio[43]. Por otro lado, cabe destacar que, pese a la gran influencia de la UE durante el proceso de negociación, aún no se ha sumado formalmente[44]. Dicha organización, por el contrario, apuesta por entablar su propio marco regulatorio complementando el marco internacional y regional[45].

---

[41]   Sobre el proceso de elaboración del Convenio, *vid.* COUNCIL OF EUROPE: *Explanatory Report to the Council of Europe Convention on Action against Trafficking in Human Beings*, CETS nº 197, 2005.

[42]   *Vid.* art. 42 del Convenio de Varsovia.

[43]   En relación con el estatus de las ratificaciones, *vid.*: https://www.coe.int/en/web/conventions/full-list?module=signatures-by-treaty&treatynum=197

[44]   Mientras que en las prioridades de cooperación bilateral entre ambas organizaciones para el período 2016-2017, la UE asumió que, a largo plazo, su objetivo radicaba en la accesión al Convenio, en las actuales de 2020-2022, dicho compromiso se ha omitido y toda referencia al tráfico de seres humanos se ciñe al marco de la lucha contra la migración irregular. *Cfr.* https://www.consilium.europa.eu/media/45002/st09283-en20.pdf

[45]   *Cfr.* VILLACAMPA ESTIARTE, C.: «La nueva directiva europea relativa a la prevención y la lucha contra la trata de seres humanos y a la protección de las víctimas. ¿Cambio de rumbo de la política de la Unión en materia de trata de seres humanos?», *Revista Electrónica de Ciencia Penal y Criminología*, vol. 13-14, 2011, pp. 2-52; JOVANOVIC, M.: «International law and regional norm smuggling: how the EU and ASEAN redefined the global regime on human trafficking», *The American Journal of Comparative Law*, vol. 68, 2020, pp. 801-835; JORDANA SANTIAGO, M. E.: «The European Union fight against trafficking of human beings: challenges of the victim's statute», *Paix et Sécurité Internationales*, núm. 8, 2020, pp. 467-493.

2. Objetivos, aplicación y definiciones

No se puede obviar que el instrumento onusiano influye en la elaboración del Convenio puesto que, inevitablemente, se parte de los estándares instaurados en aquel al diseñar el marco regional. Como resultado el propio Preámbulo especifica que los Estados miembros y los firmantes han tomado debidamente en consideración el Protocolo de Palermo y, por consiguiente, su finalidad se focaliza en reforzar la protección prevista al igual que en desarrollar las normas enunciadas[46]. En otros términos, se incurre en una inexactitud si se aprecia la iniciativa del CdE como un instrumento eventual carente de relación alguna con el régimen global, por tanto, nos hallamos ante un instrumento que complementa y "perfecciona" lo ya dispuesto en sus 47 artículos y 10 capítulos. Dicha aserción igualmente se recoge en el artículo 39 que esgrime, sin lugar a duda, que no se "podr[í]a atentar contra los derechos y obligaciones derivados de las disposiciones" del Protocolo. Sin embargo, al hacer uso del verbo "perfeccionar" se ha de traer a colación igualmente el segundo considerando del Preámbulo debido a que en él se vislumbra que el Convenio se erige como instrumento de derechos humanos ya que el Comité especificó, en el momento de plantear el contenido, que la trata de seres humanos constituye una violación de los derechos de las personas y, por ende, un atentado contra la dignidad y la integridad del ser humano[47].

En cuanto a los objetivos del Convenio, se ha de acudir al artículo 1: prevenir y combatir la trata de seres humanos; proteger los derechos de la persona de las víctimas de la trata; garantizar una investigación y unas acciones judiciales eficaces y, por último, promover la cooperación internacional. En todo momento se garantiza el principio de igualdad de género en el cumplimiento de cada objetivo y además, en lo referente al disfrute de las medidas destinadas a proteger y promover los derechos de las víctimas, se debe aplicar el principio de no discriminación[48]. El Convenio no solamente complementa al Protocolo sino que, paralelamente, supera la tradicional postura del CdE respecto a la trata -vinculación con la prostitución-. Dicha aserción se argumenta a partir de la redacción del artículo 2 ya que en él se abandona la prostitución como única forma de explotación, por lo tanto, se amplía el ámbito de aplicación.

---

[46]   Convenio del Consejo de Europa sobre la lucha contra la trata de seres humanos, Preámbulo. Análogamente *vid*. DÍAZ BARRADO, C.: «Trafficking in human beings: a violation of human rights», en DIRECTORATE GENERAL OF HUMAN RIGHTS AND LEGAL AFFAIRS (ed.), *Council of Europe Convention on Action against trafficking in human being: Expert Seminar Madrid*, Strasbourg, 2009, pp. 25 y ss.

[47]   Gallager apunta que el Comité quizás rechazó una redacción alternativa que especificara que la trata socava o imposibilita el disfrute de los derechos humanos a causa de la presión de las organizaciones no gubernamentales. *Cfr*. GALLAGUER, A. T.: *The international law of...*, *op. cit*., p. 115 (pie de nota 410).

[48]   Convenio del Consejo de Europa sobre la lucha, art. 3.

En definitiva, la provisión concierta que el Convenio se aplica a todas las formas de trata -ello incluye, mujeres, hombres y menores de edad-, nacionales o transnacionales -cruce o no de fronteras legal o ilegalmente- relacionadas o no con la delincuencia organizada[49].

En virtud de las definiciones comprendidas en el artículo 4 se pretende que los ordenamientos nacionales se adapten a los principios del Convenio implementando un marco jurídico que refleje las obligaciones asumidas[50]. Respecto a la definición de trata recogida en el artículo 4(a) es idéntica a la establecida en el artículo 3(a) del Protocolo de Palermo. Asimismo las acepciones restantes comprendidas del apartado (b) al (d) del artículo 4 son equivalentes a aquellas contenidas en el apartado (b) al (d) del artículo 3 del Protocolo. Este planteamiento se deriva del expreso apoyo a las definiciones contenidas en el instrumento onusiano tal como se recoge en el *Explanatory Report* del CdE, donde se declara que dicho artículo conforma un conjunto integro que ha de ser incorporado sin mediar modificación alguna[51].

La definición contenida en el artículo 4(a)[52] es el resultado de la combinación de tres elementos esenciales: acción, medio y objetivo de la explotación. De forma que la apreciación del delito comporta la conjunción de dichos componentes[53]. La excepción a la regla general se detecta en el supuesto de explotación de niños -menor de dieciocho años acorde al apartado (d)-, dado que, conforme al artículo 4(c), la contratación, el transporte, el traslado, el alojamiento o la acogida de aquellos tiene consideración de trata aun cuando no se diesen los medios enunciado en el apartado (a). La importancia de la definición de trata es fundamental puesto que afecta directamente a las provisiones proyectadas del capítulo II al capítulo VI.

En lo concerniente a la acción, el Convenio aspira a englobar todas aquellas formas que pudiesen conducir a la explotación de la víctima. Por lo que

---

49   GALLAGUER, A.T.: *The international law of...*, *op. cit.*, p. 114.
50   COUNCIL OF EUROPE: *Explanatory Report to the...*, *op. cit.*, párr. 70.
51   *Ibid.* párr. 73: "[...] Article 3 of that protocol forms a whole which need to be incorporated as it stood into the present convention".
52   Convenio del Consejo de Europa sobre la lucha..., *op. cit.*: artículo 4(a) "La expresión de "trata de seres humanos" designa la contratación, el transporte, el traslado, el alojamiento o la acogida de personas mediante amenazas de recurrir a la fuerza, recurso a la fuerza o cualquier otra forma de obligación, mediante rapto, fraude, engaño, abuso de autoridad o de una situación de vulnerabilidad o mediante la oferta o la aceptación de pagos o ventajas para obtener el consentimiento de una persona que tenga autoridad sobre otra con fines de explotación. La explotación incluirá, como mínimo, la explotación de la prostitución ajena o bien otras formas de explotación sexual, el trabajo o los servicios forzados, la esclavitud o prácticas similares a la esclavitud, la servidumbre o la extracción de órganos [...]".
53   COUNCIL OF EUROPE: *Explanatory Report to the...*, *op. cit.*, párr. 75. El apartado precisó algunos ejemplos que constituirían el delito de trata como la contratación de personas -acción- mediante el recurso a la fuerza -medio- para la extracción de órganos -objetivo-.

se refiere a los medios, la redacción ofrece un amplio margen de apreciación de modo que, por ejemplo, la incentivación a prostituirse se asimila el cumplimiento del requisito[54]. Ahora bien, no cabe otro objetivo o finalidad que no sea la explotación. Sin perjuicio de lo indicado, el apartado deja entreabierta la posibilidad de que las Partes, además de cubrir como "mínimo" los tipos de explotación enunciadas, pueden añadir otras formas. Otro interesante apunte que se ha de poner de manifiesto en cuanto a la definición radica en la consideración de víctima ya que se contempla como tal a la persona sujeta a una de las acciones por algún medio delimitado con la finalidad de explotación, aunque no la haya sufrido. Al fin y al cabo, a partir de dicha apreciación se concibe la trata de seres humanos inclusive antes que de la explotación ocurra[55]. Al mismo tiempo, el Convenio no define conceptos relevantes como prostitución, explotación sexual, trabajo o servicios forzados, esclavitud o prácticas similares, servidumbre o la extracción de órganos de manera que se debe acudir a otros instrumentos internacionales o a la legislación particular de cada Estado a fin de contextualizarlos.

En cuanto al consentimiento de la víctima, la dificultad reside en determinar cuándo finaliza la libertad y cuándo comienza la coacción de ahí que el artículo 4(b) estipule que este sea irrelevante en el caso de la trata. Finalmente, teniendo en cuenta que el Convenio consagra, entre sus objetivos, el respeto de los derechos y protección de las víctimas, la noción de quién es considerada como tal se infiere más que fundamental así que apartado (e) del artículo 4 acomete dicha función. De manera que define víctima como cualquier "persona física sometida a la trata de seres humanos" siempre y cuando se aprecien los tres elementos definitorios del delito. Sin embargo, en el caso de los menores, aquellos tendrán consideración de víctimas sin que intervenga ningún medio delimitado en el apartado (a).

3. Medidas preventivas

Frente a la trata de seres humanos no cabe únicamente la tipificación del delito para lograr una lucha eficaz sino que igualmente se han de adoptar medidas preventivas que engloben desde la sensibilización al control de los documentos de identidad. En virtud de lo cual el capítulo II del Convenio diseña un amplio sistema de prevención. El apartado 1 del artículo 5 asume que se han de adoptar medidas necesarias a nivel nacional con el fin de instaurar o reforzar la coordinación entre distintas instancias responsables: fuerzas de seguridad, ONGs, instancias administrativas o judiciales entre otras. Si bien la coordinación es un primer paso, también resulta imprescindible establecer y

---

[54]   *Ibid.* párr. 84.
[55]   *Ibid.* párr. 87.

apoyar políticas y también programas destinados a las personas vulnerables y a aquellos profesionales en contacto con las víctimas. Las medidas que estipula el apartado 2 del artículo 5 varían en cuanto a su carácter puesto que pueden producir efectos a corto, medio o largo plazo. A modo de ilustración, el *Explanatory Report* subraya que iniciativas económicas, en concreto, la inversión en empleo en los países de origen orientada a grupos vulnerables, sin lugar a duda, detenta un aspecto de prevención a largo plazo[56]. A continuación, el apartado 3 hace especial hincapié en que todos programas y políticas se diseñen e implementen desde un enfoque *humanista*, en particular, conforme al principio de igualdad así como introduciendo un especial interés hacia los menores. Uno de los aspectos clave para la lucha contra la trata radica en contrarrestar la falsa información que los traficantes transmiten a sus potenciales víctimas en materia de migración de modo que el apartado 4 del precepto obliga a adoptar las medidas adecuadas para permitir-fomentar una migración legal al amparo de una información exacta. A lo largo del Convenio se identifican diversas puntualizaciones con especial atención a los menores, entre ellas, el apartado 5 prescribe la obligación de instaurar medidas específicas con el objeto de reducir su vulnerabilidad a tenor de crear un "entorno protector"[57]. Finalmente, el apartado 6 reconoce la importancia de las ONGs así como de otros competentes de la sociedad civil en materia de prevención y lucha de manera que las medidas adoptadas con arreglo al artículo han de implicarlas. Por su lado, el artículo 6 impone obligaciones positivas a los Estados al requerir medidas legales, administrativas, educativas, sociales, culturales o de cualquier otro tipo que desincentiven la demanda. La noción procura sentar las bases de la disuasión mediante una serie de medidas que por su carácter pueden ser objeto de ampliación por las autoridades pertinentes[58].

En la segunda parte del capítulo -artículos 7,8 y 9- se disponen aquellas medidas que pese a calificarse mediante el adjetivo de preventivas se formulan desde un enfoque securitario. En línea con lo cual se ha de resaltar que el Comité sustancia su elección en lo previsto en el Protocolo de Palermo. De modo que, a grandes rasgos, el artículo 7, sin perjuicio de los compromisos

---

[56]   *Ibid.* párr. 103.
[57]   *Ibid.* párr. 106: "[The concept of a protective environment, as promoted by UNICEF has eight key components: protecting children's rights from adverse attitudes, traditions, customs, behavior and practices; government commitment to and protection and realization of children's rights; open discussion of, and engagement with, child protection issues; drawing up and enforcing protective legislation; the capacity of those dealing and in contact with children, families and communities to protect children; children's life skills, knowledge and participation; putting in place a system for monitoring and reporting abuse cases; programmes and services to enable child victims of trafficking to recover and reintegrate"].
[58]   A modo de ejemplo; se podrán adoptar medidas destinadas a que se tome conciencia de la responsabilidad y del importante papel de los medios de comunicación y de la sociedad civil para identificar la demanda como una de las causas profundas de la trata de seres humanos.

internacionales relativos a la libre circulación de personas[59], agrupa una serie de medidas respecto de las fronteras puesto que un mejor control así como una mayor cooperación en cuestiones fronterizas contribuyen directamente en la prevención y la detección del delito[60]. En cuanto a la naturaleza de las medidas o de las infracciones incurridas, el Convenio prevé que sean los Estados quienes las delimiten y concreticen en su legislación interna[61]. En otro orden de cuestiones, los documentos de viaje e identidad pueden jugar un importante rol en la trata de seres humanos de ahí que se fomente el control, legitimidad y validez de dicha documentación. Por un lado, el artículo 8 apela a la imposición de medidas necesarias encaminadas a garantizar la calidad y seguridad en la expedición de documentos de viaje o de identidad a fin de impedir falsificaciones o uso indebido. De otro lado, el artículo 9 continúa en dicha dirección estableciendo la obligación, a petición de Parte, de verificar, conforme a la normativa interna y en un plazo razonable, la legitimidad y validez de la documentación preceptiva siempre y cuando recaiga sospecha de haber sido utilizada en el supuesto de trata.

4. *Protección y asistencia de las víctimas*

El núcleo a partir del cual se categoriza el Convenio como instrumento innovador de enfoque victimocéntrico se halla en los ocho artículos que componen el capítulo III. La extensión de los derechos de las víctimas parten de la siguiente clasificación: derechos conferidos a todas las víctimas -arts. 10, 11, 12, 15 y 16-; derechos destinados específicamente a víctimas en situación irregular en el territorio del Estado de destino o que se encuentren de manera regular pero con un visado de corta duración -arts. 13 y 14- y por último, derechos aplicables no solamente a individuos identificados formalmente como víctimas sino que también extienden su ámbito de aplicación en caso de existir motivos razonables para creer que una persona ha sido víctima -arts. 10(2), 12(1)-(2) y 13-. Todas las medidas contempladas en el capítulo III se fundamentan en el principio de igualdad de género acorde al artículo 17.

---

[59]   Indudablemente la redacción del primer apartado del artículo 7 hace una concesión a la UE en lo referente a la libre circulación.

[60]   El Convenio destaca, en el apartado 3 del artículo 7, que en lo relativo al control de fronteras, la obligación principal para las partes contratantes radica en prever que los transportistas comerciales verifiquen que todos los pasajeros estén en posesión de los documentos de viajes necesarios para la entrada en el Estado de destino. Además, el último apartado -el sexto- aboga por reforzar la cooperación transfronteriza sobre todo en lo concerniente a la comunicación.

[61]   El apartado 5 del artículo 7 apunta que se han de adoptar las medidas legales o de otro tipo en la legislación interna con la finalidad de negar la entrada o la anulación del visado de las personas implicadas en la comisión de las infracciones comprendidas en el capítulo IV.

Sin duda alguna, la protección y asistencia se articula a partir de la identificación de la víctima tal como precisa el artículo 10. Teniendo en cuenta la dificultad y retos que conlleva dicho procedimiento, exclusivamente las autoridades competentes y formadas[62] en la materia han de evaluar las circunstancias particulares contando con el apoyo de organizaciones especializadas inclusive con la asistencia de ONGs. Adicionalmente el artículo 10 resulta ciertamente garantista al asumir que el proceso de identificación puede incurrir en demoras y complicaciones, por consiguiente, no cabe la expulsión mientras se lleva a cabo. En otros términos, el Convenio no requiere la certeza absoluta para aplicar dicha provisión sino que un mero motivo "razonable" ya impide a las autoridades ejecutar la acción. Asimismo el proceso de identificación se considera independiente de cualquier procedimiento penal que se incoe a un sospechoso de haber incurrido en el delito de trata. En el caso de existir duda sobre la edad de la víctima, el apartado 3 indica que se le debe conceder medidas específicas a la espera de que se pueda proceder a la oportuna comprobación. El precepto cierra con el supuesto de los menores no acompañados que dada su situación de especial vulnerabilidad requieren un tutor legal. Asimismo las autoridades han de tomar las acciones necesarias para proceder a determinar su identidad y nacionalidad, y por último, se deben desarrollar las acciones pertinentes con miras a encontrar la familia siempre y cuando se conciba desde su interés superior. Dicha puntualización alude a aquellos casos en los cuales sus familiares han sido los principales promotores del tráfico de los propios menores por lo que proceder a su búsqueda perjudica psicológicamente y/o físicamente al individuo.

Una vez se ha identificado al sujeto como víctima, el artículo 11 estipula la protección de su vida privada y de su identidad para lo cual las Partes han de armar medidas específicas acorde a su legislación interna y, por supuesto, atendiendo al tratamiento automatizado de datos de carácter personal (ETS núm. 108). Dicha protección deviene imprescindible debido no solamente a la peligrosidad de los traficantes sino igualmente al estigma social que acarrea la victimización en la posterior reintegración. El apartado 2 del artículo proporciona protección especial a los menores para evitar que sus datos sean públicos excepto imperiosa necesidad de localización de familiares o si de esa manera se garantiza su bienestar y protección. El último apartado aborda el conflicto que puede surgir entre la libertad de expresión consagrada en el artículo 10 del Convenio Europeo para la Protección de Derechos Humanos y Libertades

---

[62]   COUNCIL OF EUROPE: *Explanatory Report to the…*, *op. cit.* El párrafo 129 y 130 se dictamina que la autoridad competente hace alusión a aquellas autoridades públicas que puedan tener contacto con víctimas de tráfico así sea las fuerzas de seguridad, inspectores de trabajo, autoridades migratorias, embajadores, etc. No obstante, no tienen que porque ser especialista en la trata sino que han de tener cierta cualificación.

Fundamentales -a partir de ahora CEDH- y la protección de la vida privada e identidad de las víctimas[63].

Otra consecuencia de la identificación como víctima se deriva del artículo 12 el cual procura atajar la vulnerabilidad e inseguridad de las personas objeto de trata por medio de la asistencia. Las disposiciones indicadas engloban a todas las víctimas a excepción del caso en el cual, durante el proceso de identificación, las autoridades competentes estiman que existen motivos razonables para creer que una persona es víctima pero, aún no se ha procedido a su verificación definitiva. Frente a tal coyuntura la preceptiva asistencia se circunscribe al apartado 1 y 2. Dicha interpretación se extiende en el supuesto del artículo 13 durante el período de recuperación y reflexión. De la redacción del apartado 1 del artículo 12 se discierne que los Estados lejos de proveer asistencia de forma generalizada, han de garantizar exclusivamente aquellas a las víctimas situadas en su territorio o jurisdicción[64]. Las medidas han de incluir como mínimo lo estipulado del apartado (a) al apartado (f)[65]. No obstante, la noción permite que los Estados amplíen el listado otorgando otras adicionales en línea con el objetivo prestablecido. Asimismo de la asistencia se encargan y responsabilizan primordialmente las autoridades públicas pero también cabe la cooperación con ONGs u organizaciones de la sociedad civil. Se ha de subrayar que si la persona reside legalmente en el territorio se le ofrece asistencia médica y paralelamente, si así fuese necesario se le otorga un permiso laboral o el acceso a la formación profesional y a la enseñanza. Un elemento crucial que el Comité se ocupa de dilucidar recae en el apartado 6 puesto que se han de adoptar las medidas, ya sean legislativas o de otro tipo, para desvincular la asistencia de la potencial voluntad de actuar como testigo. Sin embargo, a las Partes, conforme al artículo 14, se les faculta a conceder permisos de residencia en función de la cooperación con las autoridades[66]. Para finalizar el apartado 7 insta a que, en todo momento, la aplicación de las disposiciones relativas a la asistencia se han de fundamentar en el consenso e información sin obviar la exigencia de apreciar las circunstancias individuales de la persona y si resultase

---

[63]   *Ibid.* párr. 145. En lo concerniente a la autorregulación se refiere al sector privado, la regulación conjunta en el contexto de un partenariado entre el sector privado y las autoridades públicas, y la regulación se aplica a los estándares propuestos por las autoridades públicas.

[64]   *Ibid.* párr. 148.

[65]   Art. 12 (1): a) unas condiciones de vida que puedan garantizar su subsistencia, a través de medidas como el acceso a una vivienda adecuada y segura y una asistencia psicológica y material; a) el acceso a la asistencia médica de urgencia; c) ayuda en materia de traducción e interpretación, si fuera necesario; d) asesoría e información, especialmente en lo relativo a los derechos que le reconoce la ley, así como los servicios que se encuentran a su disposición, en un idioma que pueda comprender; e) asistencia para que sus derechos e intereses puedan estar presentes y tenerse en cuenta en los momentos adecuados de las acciones penales entabladas contra los autores de los delitos; f) acceso a la educación para los niños.

[66]   COUNCIL OF EUROPE: *Explanatory Report to the...*, *op. cit.*, párr. 169 y 170.

menor de edad, además se ha de garantizar los derechos del niño en materia de alojamiento, educación y atención sanitaria.

El artículo 13 trata de evitar la inmediata expulsión tras la identificación de la víctima definiendo un período de recuperación y de reflexión en tanto y cuanto aquella se encuentre irregularmente en el territorio de un Estado Parte o disponga de una visa de corta duración. Esta prerrogativa, en ningún caso, ha de confundirse con la cuestión de la concesión de un permiso de residencia, sino que se trata de permitir que la víctima se aparte de la influencia del traficante y/o que decida cooperar con los poderes públicos. Por ello, la disposición se adopta sin perjuicio de las acciones que lleven a cabo las autoridades competentes en cada una de las fases de un posible enjuiciamiento. La duración del período se regula en la legislación interna, sin embargo, debe prolongarse, al menos, durante treinta días[67]. Ahora bien cabe la suspensión del plazo por motivos de orden público o cuando se tenga conocimiento de que la condición de víctima se ha invocado de forma indebida.

El inmediato retorno de las víctimas a sus países de origen además de impedir una lucha eficaz contra la trata, también genera posibles inseguridades, estigmatización o represalias ya sean contra su persona directamente o sus familiares. Por consiguiente, resulta primordial la expedición de permisos de residencia renovables a las víctimas cuando se aprecien uno o ambos supuestos prescritos en el artículo 14(1), de un lado, que la estancia necesaria a causa de su situación personal, y, de otro lado, que esta sea necesaria debido a su cooperación con fines de investigación o de acciones penales. El primer supuesto abarca circunstancias que van desde las estrictamente securitarias a las sanitarias entre otras, por el contrario, el segundo supuesto trata de desterrar el miedo de las víctimas a la expulsión al acudir a las autoridades[68]. Una vez más frente a los menores de edad, el pertinente permiso de residencia se expide y llegado el momento se renueva teniendo en cuenta su interés superior. Respecto a la duración del permiso de residencia se somete a la discreción de los Estados y a su ordenamiento interno. En línea con lo expuesto, el apartado 4 establece que si una víctima solicita un permiso de residencia de categoría diferente, se ha de contemplar el hecho de que el sujeto sea o haya sido titular de un permiso de residencia. Finalmente, el apartado 5 sobre la base del artículo 40 del Convenio, estipula que la expedición de un permiso de residencia no conlleva obstáculo alguno en el caso de solicitar asilo o acogerse al mismo.

El objeto del artículo 15 consiste en garantizar la indemnización a las víctimas de trata por el daño sufrido. De manera que sus cuatro apartados desgranan el contenido de la obligación. En primer lugar, se ha de informar a las

---

[67]   En lo concerniente a la duración del período de recuperación y de reflexión, la Comisión Europea recomendó en 2003 una duración de, al menos, tres meses.

[68]   COUNCIL OF EUROPE: *Explanatory Report to the...*, *op. cit.*, párr. 185 y185.

víctimas. En segundo lugar, se ha de prever en la legislación interna, en consecuencia, no supone una prerrogativa inmediata sino que se han de fijar los requisitos para acceder al derecho de asistencia de un defensor y a la pertinente asistencia jurídica gratuita. En tercer lugar, se ha de procurar que el derecho a la compensación cubra daños tanto materiales como no materiales. La noción implica que se pueda interponer una reclamación a los autores del delito. En último lugar, la dificultad de obtener una compensación por parte de los perpetradores ha incentivado que el Comité disponga que se garantice la indemnización a través de medidas legislativas o de otro tipo. A modo de ejemplo, se sugiere la creación de un fondo o de programas específicos.

Finalmente, el capítulo de derechos de las víctimas se cierra con el artículo 16 relativo a la repatriación y retorno que se inspira en el artículo 8 del Protocolo de Palermo. En suma, se perfilan dos posibilidades o bien que la víctima vuelva a su país de origen a iniciativa propia o bien que ese regreso no se fundamente en su libre voluntad. El apartado1 impone la obligación de facilitar y aceptar el retorno sin incurrir en dilaciones indebidas cuando se trate de una víctima nacional de dicho Estado o resida de forma permanente en su territorio. Sin duda, la devolución no puede llegar a comprometer los derechos, la seguridad y la dignidad del sujeto, por ende, se procura que sea voluntario y no afecte a los procedimientos judiciales correspondientes[69]. En los apartados 3 y 4 se deciden las medidas específicas de cooperación entre el Estado de destino y el Estado de envío con el objeto de verificar la nacionalidad o residencia permanente, de expedir documentos ya sean de viaje, autorizaciones o de otra categoría que faciliten el retorno. Todo lo anterior comporta el menester de diseñar y establecer programas de repatriación, por tanto, se han de adoptar medidas legislativas así como todas las necesarias tratando de evitar la revictimización. Una vez se ha consumado el retorno o la repatriación, los Estados no se han de desentender de las víctimas sino que han de procurar proveerlas de información sobre las instancias capacitadas para proporcionarles asistencia: ONGs, organismos sociales o servicios de detección y represión. En última instancia, se precisa, conforme al artículo 3 de la Convención de los Derechos del Niño, que los menores no han de ser objeto de repatriación si tras la valoración de riesgo y de seguridad se comprueba que el retorno no contribuye a su interés superior[70].

---

[69]   *Ibid.* párr. 202 y 203. En particular el párrafo 203 pone de manifiesto que el Comité basó su trabajo en la jurisprudencia del Tribunal de Estrasburgo en lo relativo al artículo 3 Convenio Europeo de Derechos Humanos y Libertades Fundamentales -nadie podrá ser sometido a tortura ni a penas o tratos inhumanos o degradantes-: Soering v. Reino Unido (7 de julio 1989, Series A, núm 161), Cruz Varaz y otros v. Suecia (20 marzo 1991, Series A, núm. 201) y D v. Reino Unido (2 mayo 1997, Informe de Sentencias y Decisiones, 1997-III).

[70]   *Ibid.* párr. 207.

5.   Penalización, investigación y persecución

A priori se argumenta que el Convenio delimita una extensa protección de las víctimas, no obstante, en una lectura detenida se ha de revisar tal afirmación dado que el enfoque criminocéntrico no se ha superado en su totalidad. Todas las prerrogativas otorgadas a las víctimas corren el riesgo de resultar irrelevantes si no se asegura la posibilidad de emprender acciones legales y de condenar a los autores del delito amparándose en la cooperación de aquellas[71]. De modo que los capítulos IV y V afrontan cuestiones penales y procedimentales con la finalidad de *armonizar* los dispares ordenamientos jurídicos de las Partes. Se intuye entonces que se está ante un acuerdo de mínimos y que los Estados contratantes, por supuesto, se hallan facultados a añadir otros delitos en el contexto de la trata[72]. El *Explanatory Report* plantea tres razones principales a favor de la armonización de las legislaciones internas: de un lado, evita la elección de un Estado concreto para la comisión del delito gracias a normas menos estrictas; además favorece el intercambio de información, estadísticas y de experiencias pudiéndose de esa manera analizar el fenómeno en su máxima amplitud, y, por otro lado, facilita la cooperación internacional, en particular, en situaciones de repatriación o de mutual asistencia jurídica[73].

En el capítulo IV se identifican tres categorías de obligaciones: del artículo 18 al artículo 20 se propone la tipificación de conductas relativas a la trata, a continuación del artículo 21 al artículo 25 se pretende la tipificación de actos correlativos al delito *per se*, y finalmente, el artículo 26 formula la opción de no imponer sanción a las víctimas. A tenor del artículo 18 se ha de conferir el carácter de infracción penal a las acciones contempladas en el artículo 4 del Convenio siempre y cuando se hayan cometido mediando intencionalidad para lo cual se han de adoptar medidas necesarias ya sean legislativas o de otro tipo. En efecto, se ha de recurrir a la definición de trata de seres humanos en el momento de proceder a su tipificación. No obstante, el artículo 19 introduce una innovación que estriba en criminalizar la utilización de los servicios de una víctima. A modo de ejemplo, se puede llegar a imputar al cliente de una prostituta si este tuviese conocimiento de que la persona es víctima de trata. Por consiguiente, dos dificultades arrecian de dicho supuesto, de un lado, frente al desconocimiento de la situación no cabe la atribución

---

[71]   GALLAGUER, A. T.: *The international law of…*, *op. cit.*, p. 122. La autora afirma que sería extremadamente improbable que disposiciones como el período de recuperación y reflexión o inclusive aquellas relacionadas con la asistencia se acordasen sin tener presente el doble enfoque.

[72]   En el momento de la redacción del Convenio se decidió no incluir disposición alguna respecto al delito de blanqueo de dinero puesto que se consideró que sería más eficaz mediante un instrumento jurídico transversal. *Cfr.* COUNCIL OF EUROPE: *Explanatory Report to the…*, *op. cit.*, párr. 218.

[73]   *Ibid.* párr. 216.

de la responsabilidad, y de otro lado, la carga de la prueba corresponde a las autoridades públicas. Respecto al tema de la prostitución no se ha de inferir que se penaliza la prostitución, aserción que ya se ha mantenido en previos párrafos, dado que la obligación no afecta al tratamiento interno de cada Estado[74]. En lo concerniente al artículo 20, su objetivo atiende a la necesidad de tipificar aquellas acciones relativas a los documentos de viaje o de identidad. De hecho, los apartados (a) y (b)[75] reproducen el artículo 6 del Protocolo de Palermo contra el tráfico ilícito de migrantes por tierra, aire y mar que complementa la Convención de las NNUU contra la delincuencia organizada transnacional aunque no incluyen la tenencia de documentos de identidad falso o fraudulentos como delito. Asimismo el apartado (c) se dirige a la conducta del traficante cuando retiene, sustrae, altera, daña o destruye un documento de viaje o de identidad de la víctima a fin de ejercer presión. Los miembros del Comité presumen que la tipificación de esas acciones constituye una herramienta eficaz contra el tráfico[76].

El artículo 21establece como delito la complicidad además de la tentativa en el momento de cometer una de las infracciones penales descritas en los artículos 18 y 20(a). A continuación, el artículo 22 se dedica a la responsabilidad de las personas jurídicas. Mientras el apartado 1 abre la posibilidad de exigir responsabilidad a las personas jurídicas por las acciones cometidas por sujetos físicos que ejercen un poder de dirección[77], el apartado 2 expande el campo de actuación a empleados o agentes cuando la falta de vigilancia o control facilite la comisión de los delitos tipificados. Respecto a la responsabilidad, se especifica en el apartado 3 que puede ser penal, civil o administrativa y que dicha responsabilidad no interfiere bajo ningún concepto con la responsabilidad penal de la persona física que ha cometido la infracción.

Un apartado decisivo en cuanto a la verificación de la operatividad de las medidas del Convenio en concordancia con sus objetivos principales -erradicar la trata y proteger a las víctimas- se fundamenta en la capacidad de sancionar y hacer ejecutar lo dictado, en atención a lo cual los artículos 23, 24 y 25 revisten especial importancia. El primero de ellos compele a las partes a adoptar sanciones, respecto de los artículos 18 y 21, que sean "efectivas, proporcionadas y disuasorias" comprendiendo la pena de prisión, que, a su vez, habilite la extradición en el caso de que el delito fuese cometido por personas físicas. Si quien consuma la acción delictiva es una persona jurídica, el apartado 2 reitera

---

[74]   *Ibid.* párr. 233.
[75]   Art. 20 (a) fabricar un documento de viaje o de identidad fraudulento; (b) procurar o aportar dicho documento.
[76]   *Ibid.* párr. 241.
[77]   Art. 22 (a) un poder de representación de la persona jurídica; (b) autoridad para tomar decisiones en nombre de la persona jurídica; (c) autoridad para ejercer un control en el seno de la persona jurídica.

los calificativos que han de caracterizar las sanciones a la par que insta a incorporar otras de carácter pecuniario. Inclusive se observa la posibilidad de privar a los infractores de sus bienes mediante la confiscación o incautación, si estos hubieran sido utilizados para perpetrar las acciones tipificadas en el artículo 18 y 20. El último apartado impone, de una parte, el cierre ya sea temporal o definitivo de todo establecimiento empleado para cometer trata y por otra, el cese, en los mismos términos, del ejercicio de la actividad. Esta medida no tiene que porqué incoar un procedimiento penal, sino que la retirada de la licencia ya obedece tal objetivo. A fin de no penalizar a sujetos no involucrados, se puntualiza que el cierre no ha de perjudicar a terceros que actúan de buena fe, por ejemplo, el dueño de un establecimiento en el cual se explota a mujeres con fines sexuales sin su conocimiento[78]. El artículo 24 señala una serie de circunstancias contenidas en subapartados (a), (b), (c) y (d) que agravan la determinación de la sanción aplicada a las infracciones tipificadas con arreglo al artículo 18[79]. Otra innovación que añade el Convenio se advierte en el artículo 25 dado que permite prever la posibilidad de tener en cuenta, dentro del marco de la apreciación de la pena, las condenas firmes pronunciadas en otra Parte por infracciones cometidas con arreglo al instrumento. No obstante, se ha de recalcar que la disposición no impone a las autoridades competentes la obligación de indagación previa cuando procedan a enjuiciar al presunto responsable.

En cuanto a las cuestiones procedimentales, el capítulo V pretende la adaptación de los procedimientos penales nacionales acorde a los objetivos del Convenio. A tenor de lo cual el artículo 27 permite que las acciones sean a instancia *ex parte* o *ex officio* y además garantiza que ONGs u otro tipo de organizaciones dedicadas a la lucha contra la trata asistan y apoyen a la víctima, que así lo acepte, durante el proceso penal. Acorde al artículo 28(1), las partes deben aprobar las medidas necesarias a fin de ofrecer una protección eficaz y apropiada a las víctimas[80] y testigos. Ahora bien, cuando se traten de colaboradores, la protección se constriñe al requisito "cuando proceda" y si nos hallamos ante familiares, igualmente, se puntualiza, que se proporciona "si fuese necesario". El consentimiento en este caso no es preceptivo debido a

---

[78]   COUNCIL OF EUROPE: *Explanatory Report to the…*, *op. cit.*, párr. 259.

[79]   Circunstancias agravantes contenidas en el artículo 24. En primer lugar, si la infracción hubiese puesto en peligro a la víctima, deliberadamente o por negligencia grave, en segundo lugar, si la infracción hubiese cometido contra un niño -menor de edad-, en tercer lugar, si la infracción se hubiese cometido por un agente público en el ejercicio de sus funciones, y en último lugar, si la infracción se hubiese cometido dentro del marco de una organización delictiva -conforme a la definición estipulada en el art. 2(a) de la Convención de las Naciones Unidas contra la Delincuencia Organizada Transnacional-.

[80]   Ante víctimas menores de edad, el apartado 3 del artículo 28 propugna que gozarán de medidas de protección especiales que tengan en cuenta su interés superior.

que en ocasiones los individuos se hallan sometidos a presión o experimentan situaciones de gran vulnerabilidad. El Convenio proyecta ejemplos de lo contempla como medidas de protección adecuadas en el apartado 2 sin concretar el período durante el cual se han de extender, eso sí, la lista no es exhaustiva de manera que los Estados se hallan facultados para incorporar otras que presuman necesarias: protección física, la adjudicación de un nuevo hogar de residencia, el cambio de identidad y la ayuda en la obtención de un empleo. A veces las personas que necesitan protección no se circunscriben únicamente al círculo al que se ha hecho mención sino que igualmente miembros de grupos, fundaciones, ONGs entre otros precisan de aquella y, por consiguiente, el apartado 4 del artículo 28, suma dicha previsión. Finalmente, cabe la posibilidad de que entre los Estados se concluyan acuerdos o instauren compromisos con el fin de asegurar una apta implementación.

Otro aspecto crucial en la lucha contra la trata y la protección de las víctimas consiste en la necesidad de contar con personas o entidades especializadas, independientes y que cuenten con los recursos financieros adecuados en cada Estado. Dicha especialización se regula en el artículo 29 fundamentándose tanto en la coordinación entre instancias -correlación entre la política gubernamental y la acción de la administración-, como en la preceptiva formación integral de los agentes responsables[81]. En realidad, se aspira a que todas las Partes nombren un ponente nacional u otro mecanismo que se encargue del seguimiento del proceder de las instituciones y del cumplimiento de las obligaciones previstas por la legislación nacional.

Si bien el artículo 28 se ocupa de las medidas extrajudiciales, el artículo 30 ciñe su ámbito de aplicación al procedimiento judicial con arreglo al artículo 6 -derecho a un proceso equitativo- del CEDH, de modo que se han de adoptar medidas que garanticen la protección de la vida privada e inclusive la identidad, así como la seguridad de las víctimas y su protección contra la intimidación[82]. Por último, el artículo 31 dirime la cuestión de la competencia de conformidad, de un lado, con el principio de territorialidad y sus variaciones -buques con bandera o aeronaves matriculadas- , y de otro lado, con el principio personal o de nacionalidad[83]. No obstante, conforme al artículo 45 del Convenio cabe la reserva respecto al apartado 1(d) y (e) en el momento

---

[81]   No se ha de asumir que el vocablo agente se compete solamente a las fuerzas de seguridad sino que incluye todas aquellas personas o servicios que tengan contacto con las víctimas: agentes judiciales, servicios sociales, diplomáticos y hasta inclusive personal de misiones de paz.

[82]   En el caso de menores se procederá, conforme a la legislación interna, a valorar sus necesidades y se garantizará su derecho a unas medidas de protección específica.

[83]   El párrafo 5 del artículo 31 puntualiza que: "sin perjuicio de las reglas generales de derecho internacional, el Convenio no excluirá competencia penal ejercida por una parte con arreglo a su legislación interna". En otros términos, un Estado podría ejercer su competencia

de expresar el consentimiento en obligarse[84]. La negativa de un Estado a la extradición de un nacional tras una petición expresa, no le exime de conocer del delito con posterioridad.

6. *Cooperación internacional y cooperación con la sociedad civil*

El capítulo VI fija las áreas y los principios que han de gobernar la cooperación entre las partes[85]. La cooperación no se limita exclusivamente a cuestiones del ámbito penal o judicial, sino que, según el artículo 31, abarca la prevención, protección y asistencia de la víctima. Lejos de concebirse el apartado a partir de un sistema independiente que sustituya a otros instrumentos internacionales, los miembros del Comité canalizan el objetivo en virtud de tratados de asistencia mutua y extradición ya en vigor. En realidad, el capítulo comprende disposiciones que ofrecen un valor añadido en relación con convenios preexistentes[86].

De modo que, además de la obligación general de cooperación, se configuran otras medidas más específicas. De un lado, el artículo 33 presta especial atención a la obligación de un Estado de informar a otro cuando en cuyo territorio se encuentre una víctima, colaborador, testigo o familiar si su integridad física, vida o libertad se hallasen amenazadas. Además, su apartado 2 habilita la posibilidad de celebrar tratados bilaterales o multilaterales con el objeto de reforzar la colaboración en la búsqueda de personas desaparecidas, en particular, de niños. De otro lado, el artículo 34 procura la obligación de proporcionar información penal o de otro tipo ya sea a *muto propio* o a petición de Parte siempre respetando la confidencialidad y sin demora. Respecto a la cooperación con la sociedad civil, se pretende en el artículo 35 entablar un partenariado estratégico destinado a coordinar esfuerzos con las autoridades públicas[87]. Un diálogo regular o la firma de memorándum de entendimiento podrían dar lugar a canales de cooperación activa.

---

cualquiera que sea el territorio en el que se materialice el delito o la nacionalidad del traficante.

[84]   Art. 31(d): [cuando el delito se haya cometido] por uno de sus nacionales o por un apátrida que tenga su residencia habitual en su territorio, cuando el delito sea penalmente punible allá donde ha sido cometido, o si no es competencia territorial de ningún Estado; (e) con uno de sus nacionales.

[85]   CORRÊA DA SILVA, W.: «¡Qué se rompan los grilletes! La cooperación internacional para la protección de los derechos humanos de las víctimas de trata de personas desde el Consejo de Europa», *Revista Facultad de Derecho y Ciencias Políticas*, vol. 44, núm. 120, 2014, pp. 234 y ss.

[86]   COUNCIL OF EUROPE: *Explanatory Report to the...*, op. cit., párr. 337.

[87]   *Ibid.* párr. 352.

7. Mecanismo de seguimiento

El análisis del contenido esencial del Convenio ha de cerrarse con una referencia a su pionero mecanismo que asegura su efectiva implementación. Dicho sistema se asienta en dos pilares: el Grupo de Expertos -conocido por sus siglas en ingles GRETA- de carácter técnico y el Comité de las Partes de carácter político. Mientras que el artículo 36 pauta la función, composición y elección de los miembros de GRETA, el artículo 37 acomete idéntica labor respecto al Comité de las Partes. Por su parte GRETA, que se encarga de velar por la aplicación del Convenio, está conformado por un mínimo de diez miembros y un máximo de quince nacionales -de los Estados Parte- tomando en consideración el equilibrio tanto de género como geográfico además de su experiencia multidisciplinar por un mandato de cuatro años renovable una sola vez. En resumen, la elección se basa en criterios de independencia y *expertise* conforme al procedimiento estipulado por el Comité de Ministros[88]. Su tarea se centra en adoptar informes y conclusiones de cada Estado contratante en lo concerniente a la implementación del Convenio. Por su lado, el Comité de las Partes conformado por los representantes en el Comité de Ministros del CdE de los Estados miembros Partes y los representantes de las Partes que no son miembros del CdE. Las reuniones se convocan a iniciativa del Secretario General del CdE aunque también a petición de un tercio de las Partes o del Presidente del GRETA. Sin embargo, su primera reunión debe celebrarse en el plazo de un año a partir de la entrada en vigor del instrumento con el propósito de elegir los miembros de GRETA[89]. En cuanto a su función se concreta principalmente en adoptar recomendaciones a partir del informe y de las conclusiones aportadas por GRETA dirigidas a los Estados sobre las medidas de seguimiento que deberán tomarse[90].

El artículo 38 detalla el procedimiento de evaluación en el cual interactúan GRETA y el Comité de las Partes. El apartado 1 puntualiza que el proceso se lleva a cabo en rondas y que al comienzo de cada una de ellas, GRETA selecciona las disposiciones sobre las cuales versa su trabajo. El apartado 2 continúa especificando que GRETA determina los medios más adecuados para proceder a dicha evaluación y uno de esos medios puede ser un cuestionario o una petición de información. El apartado 3 faculta al grupo de expertos a solicitar información a la sociedad civil. El apartado 4 habilita, subsidiariamente o en caso de necesidad, la oportunidad de organizar, en cooperación con las autoridades nacionales y la "persona de contacto" nombrada a tal efecto visitas a

---

[88]   Art. 36(4): [...] tras consulta de las Partes en el Convenio y tras obtener aprobación unánime, en un plazo de un año a contar desde la entrada en vigor del presente Convenio. El GRETA adoptará sus propias reglas de procedimiento.
[89]   Art. 37(3): [...] El Comité de las Partes adoptará sus propias reglas de procedimiento.
[90]   COUNCIL OF EUROPE: *Explanatory Report to the...*, *op. cit.*, párr. 354.

los países pertinentes. Y si llegado el caso se produce tal visita, GRETA tiene la posibilidad de contar con la asistencia de especialistas de ámbitos específicos. Los apartados 5 y 6 describen la fase de elaboración del proyecto de informe y conclusiones de GRETA que consiste en un *diálogo* con la Parte objeto de evaluación. Al finalizar, se remite el resultado al Estado y al Comité de las Partes y, una vez aprobados, se hacen públicos. Por último, el apartado 7 capacita al Comité de las Partes a emitir recomendaciones dirigidas al Estado en concreto o bien sobre las medidas necesarias con miras a aplicar lo señalado por GRETA pudiendo, inclusive, fijar una fecha en la cual aquel remita información con respecto a su desempeño o bien tendentes a promover la cooperación con la finalidad de aplicar el Convenio.

8. *Desarrollo jurisprudencial del Tribunal Europeo de Derechos Humanos relativa a la trata de seres humanos*

A pesar de que la trata no se recoge en el CEDH, texto sobre el cual deben sustanciarse las quejas ante el TEDH, dicho órgano judicial considera que se integra en el ámbito de protección del artículo 4: prohibición de la esclavitud y del trabajo forzado[91]. En línea con lo cual la jurisprudencia establece respecto a la trata obligaciones positivas, que se resumen en la exigencia de adoptar todas las medidas necesarias, penales y de otro tipo por parte de los Estados a fin de perseguir el delito y proporcionar protección a las víctimas. Por tanto, no se produce una violación del artículo 4 únicamente a falta de tales medidas sino también cuando los Estados dentro de sus capacidades fallen en la investigación de los hechos o indicios, en la protección de las víctimas o en el enjuiciamiento de los supuestos traficantes[92]. A continuación se efectúa un análisis de aquellos pronunciamientos más relevantes que han introducido avances o retrocesos al tratamiento de la trata de seres humanos.

---

[91]   CEDH, art. 4: (1) Nadie podrá ser sometido a esclavitud o servidumbre. (2) Nadie podrá ser constreñido a realizar un trabajo forzado u obligatorio. (3) No se considera como trabajo forzado u obligatorio" en el sentido del presente artículo: a) todo trabajo exigido normalmente a una persona privada de libertad en las condiciones previstas por el artículo 5 del presente Convenio, o durante su libertad condicional; b) todo servicio de carácter militar o, en el caso de objetores de conciencia en los países en que la objeción de conciencia sea reconocida como legítima, cualquier otro servicio sustitutivo del servicio militar obligatorio; c) todo servicio exigido cuando alguna emergencia o calamidad amenacen la vida o el bienestar de la comunidad; d) todo trabajo o servicio que forme parte de las obligaciones cívicas normales.

[92]   FERNANDO GONZALO, E.: «Marco jurídico internacional de la trata de personas. Especial mención al especio regional europeo», *Cuadernos Deusto de Derechos Humanos*, núm. 94, 2019, p. 67.

El primer caso en el cual el TEDH tiene la oportunidad de examinar el artículo 4 fue en el asunto *Siliadin v. France*[93]. La demandante, una togolesa que llega a Francia en 1994 a la edad de 15 años por medio de la Sra. D, quien se compromete a regularizar su situación administrativa, escolarizarla y mientras tanto Siliadin ha de trabajar en su casa el tiempo necesario para reintegrarle el coste del viaje. No obstante, tras la retirada del pasaporte, la menor ejerce de trabajadora doméstica sin recibir remuneración. Al cabo del tiempo el matrimonio la "cede" a los Sres. B. convirtiéndose en su criada con un horario laboral de siete días a la semana de 07.30am a 10.30pm. En el transcurso del tiempo la menor confía su situación a una vecina que, a su vez, alerta a las autoridades. Pese a que en 1998 los Sres. B. son condenados en primera instancia, en un posterior recurso resultan eximidos de toda responsabilidad. De manera que Siliadin interpone una demanda ante el TEDH que termina condenando a Francia dado que su legislación interna no tipificaba, en el momento de los hechos, ni la servidumbre ni el trabajo forzado, por consiguiente, dicha omisión permitía la absolución de las personas que habían abusado de la víctima.

El segundo caso, y el más relevante a propósito de nuestro objeto de análisis, el asunto *Rantsev vs. Cyprus and Russia*[94] donde el Tribunal reconoce por primera vez la violación del artículo 4. El demandante es el padre de la víctima, Oxana Rantseva, quien llega a Chipre en 5 de marzo de 2001 con un visado de "artista" y un permiso de trabajo con la finalidad de emplearse en el cabaret administrado por el Sr. M.A. Sin embargo, Oxana abandona el apartamento donde convive con otras mujeres con la idea de regresar a Rusia. Su empleador, inmediatamente, procede a informar de los hechos con la intención de solicitar la revocación del permiso de trabajo y, por ende, ejecutar su expulsión del país. Sin embargo, el nombre de la Sra. Rantseva no es incluido en la lista de personas buscadas por la policía. Tras dar con su paradero, el Sr. M.A. reclama su detención a la cual se procede y durante el proceso se verifica que no se halla en situación irregular, sin embargo, en vez de ponerla en libertad, la entregan a su jefe. Este la conduce a casa de otro trabajador en un apartamento en una sexta planta. La mañana siguiente Rantseva, mientras es encontrada sin vida en la calle, se halla una sábana atada desde el balcón. El Sr. Rantsev denuncia ante el TEDH la ausencia de una investigación efectiva sobre las circunstancias que rodean el fallecimiento de su hija; la incapacidad de la policía chipriota de protegerla mientras se encontraba todavía con vida y la falta de adopción por las autoridades chipriotas de medidas para castigar a los responsables de los malos tratos que le fueron infligidos y de su muerte. Respecto de las autoridades rusas les reprocha que no hubieran investigado sobre el fallecimiento de su hija y el trato del que pudo haber sido víctima, y que no adoptasen

---

[93]   Sentencia del TEDH (Sección 2.ª) de 26 de julio de 2005, Caso Siliadin c. Francia.
[94]   Sentencia del TEDH (Sala) de 7 de enero de 2010, Caso Rantsev c. Chipre y Rusia.

medidas para protegerla de dicho trato. El Tribunal observa violaciones del artículo 2 -derecho a la vida-[95], artículo 4 -prohibición de la esclavitud y del trabajo forzado-, artículo 5 -derecho a la libertad y a la seguridad-[96] del CE-DH. La sentencia afirma en su análisis que el ámbito de aplicación del artículo 4 cubre el delito de trata de seres humanos y adicionalmente pone de relieve que las obligaciones positivas derivadas del precepto no se limitan a la mera tipificación de modo que se requieren medidas operativas de protección, una obligación procesal de investigar y una obligación positiva de protección de las víctimas[97]. No obstante, no se procede a detallar bajo qué circunstancias la Sra. Rantsev estaba sometida a la trata.

El tercer caso, *L.E. v. Greece*[98], una nacional nigeriana, la Sra. L.E. entra en Grecia en 2004 acompañada del Sr. K.A. quien le ha prometido trabajar en bares y clubes nocturnos a cambio de 40.000 euros y no denunciar su situación irregular a la policía. A su llegada le confisca el pasaporte y la obliga a prostituirse durante al menos dos años hasta que logra ponerse en contacto con una ONG que ofrece información práctica y apoyo psicológico a las mujeres que forzadas a ejercer la prostitución. La situación vulnerable de la Sra. L.E. provoca su detención incoándose al mismo tiempo un expediente de expulsión, sin embargo, ella presenta una demanda contra el Sr. K.A. y su socio en 2006. Al no admitirse su pretensión, recurre y como consecuencia se paralizan los trámites de expulsión, y el fiscal procede a enjuiciar a los presuntos traficantes en 2007. Después de un arduo procedimiento con una duración de cinco años se resuelve la cuestión y el permiso de residencia de la víctima se le renueva hasta finales de 2014. La demandante alega que las deficiencias de las autoridades griegas al cumplir con sus obligaciones positivas han supuesto una violación del artículo 4 del Convenio. Asimismo añade que se ha vulnerado su derecho a ser oída en un plazo razonable incurriéndose en dilaciones indebidas. Además del reconocimiento del incumplimiento del artículo 6 -derecho a un proceso equitativo- y del artículo 13 -derecho a un recurso efectivo, el Tribunal entiende que se ha violado el artículo 4 puesto que el Estado griego había retrasado

---

[95] *Ibid.* párr. 242. El TDEH consideró que se había producido una violación procesal del artículo 2 del Convenio por lo que respecta al fracaso de las autoridades chipriotas para llevar a cabo una investigación efectiva sobre la muerte de la Sra. Rantseva.

[96] *Ibid.* párr. 325. La detención y posterior secuestro ilegal y arbitrario de constituyó una violación del artículo 5.1.

[97] STOYANOVA, V.: «European Court of Human Rights and the right not to be sujected to slavery, servitude, forced labor and human trafficking», WINTERDYK, J. y JONES, J. (eds.), *The Palgrave International Handbook of Human Trafficking*, Springer International Publishing, 2020, p. 1396; ERIKSSON, M.: «The prevention of human trafficking-regulating domestic criminal legislation through the European Convention on Human Rights», *Nordic Journal of International Law*, vol. 82, 2013, pp. 339-368. *Vid.* párr. 281-282 y 285-286 de la Sentencia Rantsev c. Chipre y Rusia.

[98] Sentencia del TEDH (Sala) de 21 de enero de 2016, Caso L.E. c. Grecia.

el reconocimiento formal de L.E. como víctima y que dicha circunstancia había generado consecuencias negativas[99]. La doctrina recibe la sentencia como un revés respecto al caso *Rantsev* dado que si en dicho pronunciamiento el Tribunal identifica una serie de obligaciones en el ámbito de la protección y de la prevención al margen del marco penal, en el asunto *L.E.* se volvió al enfoque criminocéntrico centrándose principalmente en la persecución.

El cuarto caso *J. and Others v. Austria*[100] de gran complejidad debido a que las tres demandantes son captadas en Filipinas y trasladadas a Emiratos Árabes Unidos donde siguiendo el *modus operandi* habitual se les retira el pasaporte y se las somete a explotación laboral. En 2010 en un viaje a Austria a resultas de un episodio violento huyen y tras un año escondidas deciden denunciar su situación a las autoridades alegando su predisposición a colaborar. Pese a que se inicia un proceso penal, no prospera debido a que los hechos se han cometido en el extranjero y los denunciados no ostentan la nacionalidad austríaca. El Tribunal, en esta ocasión, no considera que existía violación del artículo 4 ni del artículo 3 dado que no se prescribe ni deduce obligación alguna en el marco del Convenio de Varsovia al amparo de la jurisdicción universal. Del mismo modo las actuaciones del Estado austriaco fueron correctas al llevar a cabo todas las acciones posibles para asistir a las denunciantes, inclusive a falta de un acuerdo bilateral de asistencia con los Emiratos Árabes Unidos.

El quinto y último caso a reseñar, *Chowdury and Others v. Grecia*[101] donde cuarenta y dos nacionales de Bangladesh, sin permiso de trabajo, son reclutados y empleados en una granja cercana a Atenas. Estos individuos no reciben remuneración alguna a cambio de sus tareas e inclusive se les obligaba a trabajar en condiciones deplorables sujetos a permanente custodia por personas armadas. A causa de su situación alegan que han sido víctimas de trata en su vertiente de explotación laboral o trabajo forzado y que el Estado griego no ha atendido a su obligación de prevención. Por su parte, el Tribunal respalda los argumentos de los ciudadanos bangladesíes en vista de que la ausencia de una investigación efectiva afectó a la correspondiente protección.

En esencia, la jurisprudencia citada en los párrafos anteriores refleja que la trata puede enmarcarse en diferentes supuestos de violación de derechos humanos reconocidos en el CEDH. Igualmente se ha de prestar especial atención a los dos importantes avances que ha propugnado el Tribunal. De un lado, se ha determinado que las obligaciones positivas derivadas del artículo 4 no se circunscriben a medidas penales y, de otro lado, se ha señalado que la

---

[99]   Cfr. MILANO, V.: «The European Court of Human Rights' case law on human trafficking in light of L.E. v. Greece: a disturbing setback?», *Human Rights Law Review*, vol. 17, 2017, pp. 701-727.

[100]   Sentencia del TEDH (Sala) de 17 de enero de 2017, Caso J. y otros c. Austria.

[101]   Sentencia del TEDH (Sala) 30 de marzo de 2017, Caso Chowsury y otros c. Grecia.

intrínseca vulnerabilidad de los migrantes comporta un mayor riesgo de sufrir explotación.

IV. PROPUESTAS FINALES

El presente capítulo se cierra con una serie propuestas respecto al futuro desarrollo del instrumento regional. En primer lugar, una estrategia exhaustiva acarrea que la UE acceda al Convenio, ahora bien, las dificultades que han surgido en el momento de adhesión al CEDH contribuyen indudablemente a la parálisis del proceso. En segundo lugar, a pesar de la exigua jurisprudencia del TEDH respecto al artículo 4, no se han de descartar futuros desarrollos en la materia que clarifiquen el margen de apreciación de la trata. En tercer lugar, se ha de intensificar la cooperación centrada en una mayor protección de las víctimas ya sea mediante instrumentos *soft-law* -diálogos políticos- o de acuerdos *ad hoc* con países de origen. En cuarto lugar, y quizás la más compleja de las propuestas, la actualización del Convenio de Varsovia mediante la adopción de un protocolo adicional que abarque aspectos señalados como deficientes en las recomendaciones que el mecanismo de seguimiento ha dictado desde su entrada en vigor. Por tanto, el instrumento habría de incidir en el enfoque victimocéntrico de modo que se desvincule con mayor contundencia la trata de la migración irregular. Razón por la cual se debería puntualizar aquellas definiciones jurídicas que presentan carencias o un amplio margen de apreciación además se tendría que añadir aquellas cuestiones que, en el momento de la elaboración del Convenio, no se encontraban entre las preocupaciones de los Estados, como por ejemplo, el uso de las nuevas tecnologías o la identidad sexual. En quinto y último lugar, subrayar que la obligación de los Estados no se circunscribe a la lucha contra la trata con finalidad sexual sino que han de abordar otros fines quizás menos atendidos por los legisladores. A modo de ejemplo, el caso particular del Estado español que en los últimos días del 2021 ha aprobado el Plan de Acción Nacional Contra el Trabajo Forzoso: Relaciones laborales obligatorias y otras actividades humanas forzadas[102] que pretende sentar las bases del análisis y tratamiento de este fenómeno comprendiendo medidas de protección integral. De hecho, hasta el momento, las autoridades han centrado su atención en la dimensión sexual de la trata ya sea a través de planes o de la futura Ley Integral, sin embargo, el trabajo forzoso no ha sido objeto de tratamiento específico alguno. A pesar de que el Plan de

---

[102]   Resolución de 20 de diciembre de 2021, de la Secretaría de Estado de Empleo y Economía Social, por la que se publica el Acuerdo del Consejo de Ministros de 10 de diciembre de 2021, por el que se aprueba el Plan de Acción Nacional contra el Trabajo Forzoso: relaciones laborales obligatorias y otras actividades humanas forzadas, Boletín Oficial del Estado Número 308 de 24.12.2021.

Acción no hace referencia directa ni a la guía[103] ni a las recomendaciones de *buenas prácticas* publicadas por GRETA, sin lugar a duda, se advierte en su configuración la influencia de los trabajos citados[104]. De modo que el grupo de expertos especifica que se hace necesario un análisis detallado del estado de la cuestión con el propósito de obtener estadísticas específicas. A partir de lo cual se ha de delimitar el concepto con el objetivo de diferenciarlo de figuras afines que puedan llegar a generar inseguridad jurídica y, por consiguiente, obstaculizar una efectiva aplicación de lo tipificado. Además no solamente se exige una cooperación multidisciplinar de todas las autoridades o interlocutores sociales implicados sino que también se debe profundizar en la formación y en la capacidad de aquellos para perseguir el delito y atajar sus consecuencias. Finalmente, se resalta la prevención enfocada en la sensibilización de la sociedad atendiendo, sobre todo, a las vulnerabilidades de las víctimas potenciales, en concreto, de los trabajadores migrantes. En efecto, estas recomendaciones se hallan descritas en mayor o menor medida entre las diversas acciones que durante los próximos tres años se han de poner en marcha a tenor de lo estipulado. De cierta manera la adopción del Plan de Acción supone un importante avance en el cumplimiento de las obligaciones internacionales adquiridas, sin embargo, su redacción rezuma tal ambición que sus objetivos pueden desdibujarse prematuramente.

V. BIBLIOGRAFÍA

ALLAIN, J.: «White slave traffic in international law», *Journal of Trafficking and Human Exploitation*, vol. 1, núm. 1, 2017, pp. 1-40.

BATSYUKOVA, S.: «Human trafficking and human smuggling: similar nature, different concepts», *Studies of changing societies: comparative and interdisciplinary focus*, núm. 1, 2012, pp. 39-49.

BLOM, N.: «Human trafficking: an international response», en WINTERDYK, J. y JONES, J. (eds.), *The Palgrave International Handbook of Human Trafficking*, Springer International Publishing, 2020, pp. 1275-1297.

BOUCHÉ, V. y BAILEY, M.: «The UNODC Global Report on Trafficking in Persons: an aspirational tool with great potential», en WINTERDYK, J. y JONES, J. (eds.), *The Palgrave International Handbook of Human Trafficking*, Springer International Publishing, 2020, pp. 163-175.

CORRÊA DA SILVA, W.: «¡Qué se rompan los grilletes! La cooperación internacional para la protección de los derechos humanos de las víctimas de trata de personas

---

[103]   COUNCIL OF EUROPE: *Guidance note on preventing and combatting trafficking in human beings for the purpose of labour exploitation*, GRETA, 2020.

[104]   COUNCIL OF EUROPE: *Compendium of good practices in addressing trafficking in human beings for the purpose of labour exploitation*, GRETA, 2020.

desde el Consejo de Europa», *Revista Facultad de Derecho y Ciencias Políticas*, vol. 44, núm. 120, 2014, pp. 221-269.

COUNCIL OF EUROPE: *Compendium of good practices in addressing trafficking in human beings for the purpose of labour exploitation*, GRETA, 2020.

COUNCIL OF EUROPE: *Explanatory Report to the Council of Europe Convention on Action against Trafficking in Human Beings*, CETS nº 197, 2005.

COUNCIL OF EUROPE: *Guidance note on preventing and combatting trafficking in human beings for the purpose of labour exploitation*, GRETA, 2020.

DÍAZ BARRADO, C.: «Trafficking in human beings: a violation of human rights», en DIRECTORATE GENERAL OF HUMAN RIGHTS AND LEGAL AFFAIRS (ed.), *Council of Europe Convention on Action against trafficking in human being: Expert Seminar Madrid*, Strasbourg, 2009, pp. 25-30.

DOEZEMA, J.: *Sex slaves and discourse masters: the construction of trafficking*, Zed Books, Londres, 2010.

ERIKSSON, M.: «The prevention of human trafficking-regulating domestic criminal legislation through the European Convention on Human Rights», *Nordic Journal of International Law*, vol. 82, 2013, pp. 339-368.

EZEILO, J. N.: «Achievements of the trafficking protocol: perspectives form the former UN Special Rapporteur on Trafficking in Persons», *Anti-trafficking Review*, vol. 4, 2015, pp. 144-149.

FERNANDO GONZALO, E.: «Marco jurídico internacional de la trata de personas. Especial mención al especio regional europeo», *Cuadernos Deusto de Derechos Humanos*, núm. 94, 2019.

GALLAGUER, A. T.: «Human rights and the New UN Protocols on trafficking and migrant smuggling: a preliminary analysis», *Human Rights Quaterly*, vol. 23, núm. 4, 2011, pp. 975-1004.

GALLAGUER, A. T.: *The international law of human trafficking*, Cambridge University Press, New York, 2010.

GOZDZIAK, E. M. y VOGEL, K. M.: «Palermo at 20: a retrospective and prospective», *Journal of Human Trafficking*, vol. 6, núm. 2, 2020, pp. 109-118.

GUARDIOLA LAGO, M. J.: «La compleja armonización del delito de tráfico ilícito de migrantes (smuggling of migrants): ¿existe un consenso internacional?», en PÉREZ CEPEDA, A. I. (dir.), *Política criminal ante el reto de la delincuencia transnacional*, Tirant lo Blanch, Valencia, 2016, pp. 565-571.

IÑIGUEZ DE HEREDIA, M.: «People trafficking: conceptual issues with the United Nations Trafficking Protocol 2000», *Human Rights Review*, vol. 9, 2008, pp. 299-316.

JONES, J.: «It is time to open a conversation about a new United Nations treaty to fight human trafficking that focuses on victim protection and human right?», en WINTERDYK, J. y JONES, J. (eds.), *The Palgrave International Handbook of Human Trafficking*, Springer International Publishing, 2020, pp. 1803-1818.

JORDANA SANTIAGO, M. E.: «The European Union fight against trafficking of human beings: challenges of the victim's statute», *Paix et Sécurité Internationales*, núm. 8, 2020, pp. 467-493.

JOVANOVIC, M.: «International law and regional norm smuggling: how the EU and ASEAN redefined the global regime on human trafficking», *The American Journal of Comparative Law*, vol. 68, 2020, pp. 801-835.

LAMMASNIEMI, L.: «International legislation on white slavery and anti-trafficking in the early twentieth century», en WINTERDYK, J. y JONES, J. (eds.), *The Palgrave International Handbook of Human Trafficking*, Springer International Publishing, 2020, pp. 67-77.

LIMONCELLI, S. A.: *The politics of trafficking, the first international movement to combat the sexual exploitation of women*, Stanford University Press, Stanford, 2010.

MILANO, V.: «The European Court of Human Rights' case law on human trafficking in light of L.E. v. Greece: a disturbing setback?», *Human Rights Law Review*, vol. 17, 2017, pp. 701-727.

ORGANIZACIÓN INTERNACIONAL DEL TRABAJO: *Profits and poverty: the economics of forced labour, Special Action Programme to Combat Forced Labour (SAP-FL), Fundamental Principles and Rights at Work Brach (FPRW)*, Geneva, 2014.

PÉREZ ALONSO, E. J.: *Tráfico de personas e inmigración clandestina (un estudio sociológico, internacional y jurídico-penal)*, Tirant lo Blanch, Valencia, 2008.

PÉREZ CEPEDA, A. I.: *Globalización, tráfico internacional ilícito de personas y derecho pena*, Comares, Granada, 2004.

PLANITZER, J. y SAX, H. (eds.): *A commentary on the Council of Europe Convention on action against trafficking in human beings*, Edward Elgar, Cheltenham, 2020.

RODRÍGUEZ MONTAÑÉS, T.: «Trata de seres humanos y explotación laboral. Reflexiones sobre la realidad práctica», en ALCÁCER GUIRAO, R.; MARTÍN LORENZO, M. y VALLE MARISCAL DE GANTE, M. (coords.), *La trata de seres humanos: persecución penal y protección de las víctimas*, Edisofer, Madrid, 2015, pp. 57-82.

SILLER, N. J.: «Human trafficking in International Law before the Palermo Protocol», *Netherlands International Law Review*, vol. 64, núm. 3, 2017, pp. 407-452.

SORIANO, J. P.: «Gobernanza global contra la delincuencia transnacional: la UE y la Convención de Palermo», *Revista CiDOB d'Afers Internacionals*, núm. 12, 2014, pp. 141-163.

STOYANOVA, V.: «European Court of Human Rights and the right not to be subjected to slavery, servitude, forced labor and human trafficking», WINTERDYK, J. y JONES, J. (eds.), *The Palgrave International Handbook of Human Trafficking*, Springer International Publishing, 2020, pp. 1393-1408.

UNITED NATIONS OFFICE ON DRUGS AND CRIME: *Global Report on Trafficking in Persons 2020*, 2020. Disponible en: https://www.unodc.org/unodc/data-and-analysis/glotip.html

VAN DIJK, J. J. M.: «Empowering victims of organized crimes, on the compliance of the Palermo Convention with the UN declaration on basic principles for justice for victims», *ERA/Forum*, vol. 3, núm. 1, 2002, pp. 15-30.

VILLACAMPA ESTIARTE, C.: «La nueva directiva europea relativa a la prevención y la lucha contra la trata de seres humanos y a la protección de las víctimas. ¿Cambio de rumbo de la política de la Unión en materia de trata de seres humanos?», *Revista Electrónica de Ciencia Penal y Criminología*, vol. 13-14, 2011, pp. 2-52.

VILLACAMPA ESTIARTE, C.: *El delito de trata de seres humanos: una incriminación dictada desde el Derecho Internacional*, Aranzadi-Thomson Reuters, Navarra, 2011.

Capítulo XIV

EL ORDENAMIENTO JURÍDICO INTERNACIONAL Y LA TRATA DE SERES HUMANOS CON FINES DE EXPLOTACIÓN LABORAL[1]

JORDI BONET PÉREZ

Catedrático de Derecho Internacional Público
Universitat de Barcelona

Sumario: I. INTRODUCCIÓN; II. LA EXPLOTACIÓN LABORAL EN EL ORDENAMIENTO JURÍDICO INTERNA-CIONAL; 1. El principio de diferenciación de la gravedad de los distintos niveles de explotación laboral en el Derecho internacional público: la dignidad humana como fundamento; 2. Las prácticas de explotación laboral y su interrelación con la trata de seres humanos; 3. La evolución de la delimitación de las formas más graves de explotación laboral; III. APORTACIONES JURÍDICAS INTERNACIONALES A LA CONSTRUCCIÓN DE LA EXPLOTACIÓN LABORAL COMO FINALIDAD DE LA TRATA DE SERES HUMANOS; 1. La jurisprudencia del Tribunal Europeo de Derechos Humanos; 1.1 La trata de seres humanos y el art. 4 CEDH; 1.2 Las obligaciones positivas de los Estados Partes a tenor del art. 4 CEDH; 2. La dimensión jurídico-penal internacional de la explotación laboral con fines de trata de seres humanos; IV. CONSIDERACIONES FINALES Y PROPUESTA POLÍTICO-JURÍDICA; V. BIBLIOGRAFÍA.

I. INTRODUCCIÓN

El objeto de este estudio es examinar cómo el ordenamiento jurídico internacional, a partir de los parámetros jurídicos que determinan las obligaciones jurídicas de los Estados frente a los distintos fenómenos relacionados con la explotación laboral, afronta desde la perspectiva político-criminal su consideración como una finalidad de la trata de seres humanos, así como cuáles pueden ser las posibles soluciones a las potenciales incoherencias de las normas jurídicas internacionales y/o de las normas jurídicas internas que abordan la erradicación y/o la represión de tales prácticas desde el prisma de su adecuación al marco jurídico internacional.

Hay que tener apriorísticamente en cuenta una triple dimensión político-jurídica. Primera, que el desarrollo de normas jurídicas internacionales que

[1]   Este estudio se ha realizado dentro de los trabajos del Proyecto de Investigación financiado por el MICINN *Condicionantes regulatorios internacionales y comunitarios en un marco de gobernanza multinivel para la formulación de estrategias contra la pobreza en España"* (PID2020-117627GB-I00).

pretenden implementar la cooperación internacional para la represión penal en este ámbito material es fruto de la interacción normativa, conforme a las técnicas jurídicas que la impulsan, entre el Derecho internacional de los derechos humanos (DIDH), las *normas internacionales del trabajo* elaboradas en el seno de la Organización Internacional del Trabajo (OIT), y, en cierta medida, del Derecho internacional penal (DIP). Segunda, que el proceso regulatorio es fruto de muy distintas etapas históricas y de subsiguientes aproximaciones político-jurídicas no idénticas en lo concerniente a la delimitación de qué prácticas son expresivas de los potenciales y diversos niveles de gravedad entre las prácticas de explotación laboral existentes; esto, consecuentemente, repercute en la determinación de las tipologías de conductas reprochables administrativa y criminalmente en cada momento, siempre en función de los cambios sociales asociados a la composición de intereses en juego –como veremos, por ejemplo, la noción de esclavitud ha experimentado una evolución significativa en la interpretación de sus notas características a partir de mediados del siglo XX-. Y, tercero, que el resultado regulatorio, además de las implicaciones derivadas de las anteriores consideraciones político-jurídicas, se resiente también de una construcción jurídica caracterizada por la superposición de diferentes niveles normativos –por ejemplo, a escala universal y regional-, que, aunque trazan una dirección político-jurídica generalmente convergente, no dejan de suscitar problemas de coherencia que afectan a la generación de una comprensión global del hecho jurídico y de su aplicabilidad.

La propuesta de análisis pretende profundizar en dos aspectos sustantivos a abordar consecutivamente: primero, la consideración del tratamiento normativo de la *explotación laboral en el ordenamiento jurídico internacional*; y, segundo, las *aportaciones jurídicas internacionales a la construcción de la explotación laboral como finalidad de la trata de seres humanos de la jurisprudencia* del *Tribunal Europeo de Derechos Humanos* -a partir del artículo 4[2] del Convenio Europeo para la Protección de los Derechos Humanos y las Libertades Fundamentales o Convenio Europeo de Derechos Humanos

---

[2] "1. Nadie podrá ser sometido a esclavitud o servidumbre.

2. Nadie podrá ser constreñido a realizar un trabajo forzado u obligatorio.

3. No se considera como «trabajo forzado u obligatorio» en el sentido del presente artículo:

a) Todo trabajo exigido normalmente a una persona privada de libertad en las condiciones previstas por el artículo 5 del presente Convenio, o durante su libertad condicional.

b) Todo servicio de carácter militar o, en el caso de objetores de conciencia en los países en que la objeción de conciencia sea reconocida como legítima, cualquier otro servicio sustitutivo del servicio militar obligatorio.

c) Todo servicio exigido cuando alguna emergencia o calamidad amenacen la vida o el bienestar de la comunidad.

d) Todo trabajo o servicio que forme parte de las obligaciones cívicas normales".

(CEDH)[3]-, así como de la que se desprende de la *dimensión jurídico-penal internacional de la explotación laboral.*

II. LA EXPLOTACIÓN LABORAL EN EL ORDENAMIENTO JURÍDICO INTERNACIONAL

El artículo 177 bis del Código Penal español omite una referencia general a la explotación laboral como finalidad de la trata de seres humanos: en su párrafo 1 a) se hace referencia a la "imposición de trabajo o de servicios forzados, la esclavitud o prácticas similares a la esclavitud, a la servidumbre o a la mendicidad".

Casi intuitivamente, en consecuencia, es perceptible cómo la norma jurídica española está vinculando la trata de seres humanos con situaciones graves de explotación de la fuerza de trabajo del individuo caracterizadas por un plus de vulnerabilidad de la víctima, ya que, con mayor o menor intensidad, experimenta la privación de su dignidad, incluida su libertad volitiva, y no cualesquiera modalidades de explotación laboral.

En esta misma dirección política-jurídica, coinciden las definiciones de trata de seres humanos que ofrecen en paralelo las dos principales construcciones convencionales que le son exigibles jurídicamente a España: el art. 3 a) del *Protocolo para prevenir, reprimir y sancionar la trata de personas, especialmente mujeres y niños, que complementa la Convención de las Naciones Unidas contra la delincuencia organizada transnacional* (Protocolo), de 15 de noviembre de 2000[4] y el art. 4 a) del *Convenio del Consejo de Europa sobre la lucha contra la trata de seres humanos* (Convenio Europeo), de 16 de mayo de 2005[5]. Y lo hacen entendiendo que son formas de explotación laboral susceptibles de constituir una finalidad de la trata de seres humanos determinadas prácticas vinculadas a la utilización de la fuerza de trabajo, tales como los "trabajos o servicios forzados, la esclavitud o las prácticas análogas a la esclavitud, la servidumbre".

Por consiguiente, la explotación laboral como finalidad de la trata de seres humanos parece perfilarse como la manifestación de una pluralidad de prácticas diferenciadas y diferenciables por su nivel de gravedad, que afectan severamente a la dignidad humana del individuo y a su facultad de disposición de su fuerza de trabajo frente a un tercero.

---

[3]   *BOE*, núm. 108, de 6 de mayo de 1999; asimismo, las modificaciones derivadas del Protocolo núm. 15 (*BOE*, núm. 109, de 7 de mayo de 2021).

[4]   *BOE*, núm. 296, de 11 de diciembre de 2003.

[5]   *BOE*, núm. 219, de 10 de septiembre de 2009.

Tras un primer epígrafe, dedicado a esta diferenciación, se identificarán subsiguientemente las prácticas de explotación laboral, subrayando su interrelación con la trata de seres humanos, así como la evolución de la delimitación jurídica de su alcance.

1. El principio de diferenciación de la gravedad de los distintos niveles de explotación laboral en el Derecho internacional público: la dignidad humana como fundamento

Es innegable que, de conformidad con el ordenamiento jurídico internacional, las referencias normativas antes mencionadas no conciernen de manera genérica a situaciones en que el empleador, sea por establecer unas condiciones de trabajo o salariales de inferior nivel que las prescritas en la legislación laboral para el trabajo formal, y/o por someter al trabajador a los parámetros del trabajo por cuenta ajena en el sector informal, obtiene un enriquecimiento injusto y, en consecuencia, lleva a cabo actos de explotación laboral.

Es decir, no se vincula la trata de seres humanos a supuestos de hecho de explotación laboral que se caracterizan:

> "tanto [por] la imposición de condiciones de trabajo perjudiciales (ampliación de jornada, menores salarios...) como [por] la omisión de las obligaciones preventivo-laborales (no facilitación de equipos de protección individual, no implantación de medidas colectivas...) [que] se traducen [meramente] en una automática reducción de costes empresariales y una ventaja competitiva con respecto a los cumplidores"[6].

Por el contrario, se interrelaciona la trata de seres humanos más bien con prácticas de explotación de la fuerza de trabajo -perseguidas, con un enfoque universalista institucionalizado, particularmente desde principios del siglo XX, a partir de la actividad normativa desarrollada en el seno de la Sociedad de Naciones y la OIT- que pueden y deben considerarse como las *formas más graves de explotación laboral*. Es decir, quedan englobadas dentro de este concepto político-jurídico aquellas que entrañan un desprecio de la dignidad humana del individuo/trabajador por quien detenta la capacidad para imponer formas de trabajo contrarias a la misma y respecto a las cuales puede entenderse que el bien jurídico a proteger excede de la desprotección generada por prácticas relativas a condiciones laborales y de seguridad en el trabajo inadecuadas; todo ello, en la medida que se prescinde, entre otras afectaciones, con mayor o menor intensidad, de la libre voluntad del trabajador[7]. En esta dirección,

---

[6]   HORTAL IBARRA, J. C.: «Tutela de la condiciones laborales y reformas penales: ¿el ocaso del Derecho Penal del Trabajo?», *UNED. Revista de Derecho Penal y Criminología*, 3ª época, nº 20, 2018, p. 75.

[7]   Sin excluir *situaciones laborales fronterizas* en que pueda existir alto nivel de proximidad -una zona difusa- entre prácticas de explotación laboral y las formas más graves de la

cabe preguntarse si, en esencia, estas formas más graves de explotación laboral no deben considerarse ajenas a la propia concepción jurídica del *trabajo por cuenta ajena* -fundamentado en la voluntariedad de la prestación de la fuerza de trabajo aun cuando puedan darse situaciones de explotación laboral-.

En orden a explicar las razones de esta tendencia, cabe señalar:

— El principio de la dignidad humana constituye, en la actualidad, no solo un valor presente en la Sociedad internacional (*dimensión axiológica*), sino un principio jurídico de Derecho internacional público (*dimensión jurídica*), que constituye el fundamento jurídico de una obligación jurídica *erga omnes* de garantizar ciertos derechos fundamentales como expresión, hasta cierto punto, de normas imperativas oponibles a todos los Estados. La esclavitud sería una de esas prácticas aberrantes que atentan contra la dignidad humana -e, igualmente, norma imperativa de Derecho internacional[8]-. En la medida que algunas de las conductas constitutivas de graves formas de explotación laboral tienden a ser identificadas como conductas análogas a la esclavitud, de alguna manera la Sociedad internacional ha promovido un reproche social (incluso de naturaleza penal) respecto a todas ellas.

— La gravedad de conductas como la esclavitud (y buen parte de las prácticas análogas a la esclavitud, siempre advirtiendo de los matices que implica la figura del *trabajo forzoso u obligatorio*), o la trata de seres humanos, comporta la presencia de una tendencia a la consolidación de una voluntad general de cooperación internacional para reprimirlas *per se*, calificándolas como *delitos internacionales o de trascendencia internacional* –"infracciones penales que por un lado afectan un interés protegido por el Derecho internacional" y "por otro lado, contienen elementos de transnacionalidad"-[9]. Esto no impide señalar, como se explicará más adelante, que conductas como la esclavitud puedan, producidas en los contextos jurídicamente establecidos por el Derecho internacional penal, constituir a su vez crímenes de Derecho internacional –por ejemplo, un crimen contra la humanidad de esclavitud-.

— Las diversas conductas que pueden tildarse de formas graves de explotación laboral manifiestan en sí mismas distintos niveles de gravedad,

---

misma, en especial, respecto al trabajo forzoso u obligatorio (RIVAS VALLEJO, P.: «Aproximación laboral a los conceptos de esclavitud, trabajo forzoso y explotación laboral en los tratados internacionales», *Revista de Estudios Jurídico Laborales y de Seguridad Social*, núm. 2, 2021, p. 126).

[8]   DE SCHUTTER, O.: *International Human Rights Law. Cases, Materials, Commentary.* Cambridge University Press, Cambridge, 2010, p. 65.

[9]   VIADA, N. G.: *Derecho penal y globalización. Cooperación penal internacional.* Marcial Pons, Madrid/Barcelona/Buenos Aires, 2009, p. 91.

por lo que parece en hipótesis necesario reflejar convenientemente esta distinta intensidad diferenciada de estas conductas al concretar jurídicamente los términos del reproche penal.

— Como se desprende incluso de la labor de un actor internacional tan significativo al respecto como es la OIT, es perceptible cómo, respecto a otras formas no tan graves de explotación laboral, parece existir un consenso general sobre la necesidad de que la criminalización de algunas de estas conductas sea un asunto que debe dirimirse en el seno de los Estados y de la delimitación de sus políticas criminales internas.

En gran medida, el debate contemporáneo sobre las cuestiones jurídicas que suscitan este tipo de prácticas se ha ido perfilando internacionalmente a partir del concepto de *formas contemporáneas de esclavitud*, elaborado a partir de los trabajos llevados a cabo en el seno de la Organización de las Naciones Unidas (ONU) y, particularmente, de las consideraciones del procedimiento especial de investigación sobre las *formas contemporáneas de esclavitud*.

Pese a la propia contradicción del planteamiento analítico subyacente (en consideración, tanto a la concatenación concepto/definición, como a la constatación de que todas estas prácticas *per se* son formas graves de explotación de la fuerza de trabajo pero no exactamente equivalentes todas ellas a la esclavitud), tal concepto vendría a comprender:

> "en general todas las formas contemporáneas de la esclavitud y las prácticas análogas a la esclavitud, en concreto las señaladas en la Convención sobre la Esclavitud (1926) y la Convención Suplementaria sobre la Abolición de la Esclavitud, la Trata de Esclavos y las Instituciones y Prácticas Análogas a la Esclavitud (1956)".

Estas formas contemporáneas de esclavitud:

> "comprenden, entre otras modalidades, la esclavitud tradicional, el trabajo forzoso, la servidumbre por deudas, la servidumbre de la gleba, los niños que trabajan en la esclavitud o en condiciones análogas a la esclavitud, la servidumbre doméstica, la esclavitud sexual y las formas serviles de matrimonio"[10].

A este respecto cabe indicar dos cosas: primera, que no todas las prácticas descritas se inscriben como desviaciones contrarias a la dignidad humana relacionadas estrictamente con la prestación de la fuerza de trabajo, sino que se ubican en la lógica de la discriminación de género y en prácticas que inciden en la libertad sexual de los seres humanos; y, segunda, que, a falta de una concreción jurídica de cada una de estas instituciones, parece evidente que todas

---

[10]   ONU: *Las formas contemporáneas de la esclavitud, incluidas sus causas y consecuencias. Nota del Secretario General*, Documento A/72/139, 2017, p. 6, pár. 12.

ellas dan lugar a una afección distinta y gradual sobre la voluntad libre del individuo y de su fuerza de trabajo.

De ahí que el principio de diferenciación entre estas prácticas sea relevante en orden a identificar su distinto nivel de incidencia sobre la dignidad del individuo y, por consiguiente, de un hipotético disímil reproche penal -en la medida en que no presentan un mismo trato y una igual disminución de las disponibilidades volitivas de quien experimenta el sometimiento a cada una de las mismas-. Así, parece obvio que el ser humano no se encuentra en una misma situación al ser esclavizado que cuando es conminado forzosamente a trabajar, como se desprende de los supuestos de hechos acaecidos en Sierra Leona y constatados en el contexto de una investigación judicial[11]: no es lo mismo hacer trabajar bajo coerción armada a individuos "captured by rebel forces in Sierra Leone, undressed, tied together and brought to the mines[12] (esclavitud), que obligar a los mineros, bajo la amenaza del uso de la violencia, a trabajar dos días a la semana para las autoridades en la mina de diamantes (trabajo forzado u obligatorio).

El principio de diferenciación es importante, igualmente, en tanto en cuanto, a pesar de las significativas conexiones de estas prácticas con la trata de seres humanos, como ha señalado el Tribunal Europeo de Derechos Humanos (TEDH), prácticas como el trabajo forzoso u obligatorio pueden encontrarse desvinculadas de un contexto de trata de seres humanos en el que se reproducen los elementos constitutivos de la misma (acción; medios y propósito)[13]. Lo que realza la necesidad de reflexionar sobre el encuadramiento jurídico-penal de las formas graves de explotación laboral.

2. Las prácticas de explotación laboral y su interrelación con la trata de seres humanos

El principio de diferenciación de las formas más graves de explotación laboral tiene su anclaje en una regulación jurídica internacional de carácter universal que, al fin y al cabo, es fruto de distintos momentos y de marcos institucionales diferenciados (incluidos sus diversos condicionantes político-jurídicos). No en vano, los tratados internacionales de 1926 y de 1956, que constituyen los instrumentos jurídicos de referencia respecto a la esclavitud y

---

11   ALLAIN, J. y HICKEY, R.: «Property and the definition of Slavery», *International and Comparative Law Quarterly*, n° 61, 2012, p. 938.
12   *Ibid.*
13   *S.M. v. Croatia [GC]*, no. 60561/14, § 303, 25 June 2020.

las prácticas análogas a la esclavitud[14], son fruto de momentos históricos no del todo asimilables.

Es constatable, en primer lugar, cómo determinadas prácticas contrarias al principio de respeto a la dignidad humana -consolidado progresivamente en la Sociedad internacional tras la II Guerra Mundial- tienden a ser convencionalmente reguladas bajo pautas propias de los delitos de trascendencia internacional y, asimismo, consolidarse como parte del Derecho internacional general:

— La esclavitud fue definida como "el estado o condición de un individuo sobre el cual se ejercitan los atributos del derecho de propiedad o algunos de ellos" (art. 1 Convención sobre la Esclavitud de 1926)[15]. La necesidad de asistencia mutua y de articular la represión penal de la esclavitud y de la trata de esclavos (con "penas severas") son subrayadas en su articulado (por ejemplo, arts. 4 y 6). Estos compromisos jurídicos de principios del siglo XX serán desarrollados normativamente a nivel universal y regional a través del DIDH (tratados internacionales de carácter general que reconocen jurídicamente a ambos niveles un catálogo de derechos humanos). Adicionalmente, la prohibición de la esclavitud es considerada como una *norma imperativa de Derecho internacional*, que obliga a todos los Estados con independencia de su condición de Parte de los diversos tratados internacionales vigentes[16].

— Más allá de otras prácticas aberrantes análogas a la esclavitud[17], la Convención Suplementaria sobre la Abolición de la Esclavitud, la Trata de Esclavos y las Instituciones y Prácticas Análogas a la Esclavitud (1956)[18], define: a) la *servidumbre por deudas* como "el estado o la condición que resulta del hecho de que un deudor se haya comprometido a prestar sus servicios personales, o los de alguien sobre quien ejerce autoridad, como garantía de una deuda, si los servicios prestados, equitativamente valo-

---

[14]   Véase: ALLAIN, J.: «The Legal Definition of Slavery into the Twenty-First Century», en ALLAIN, J. (ed.), *The Legal Understanding of Slavery: From the Historical to the Contemporary*, Oxford University Press, Oxford, 2012.

[15]   *Gaceta de Madrid*, núm. 356, de 22 de diciembre de 1927.

[16]   ONU: *Observación General nº 24 (1994). Comentario general sobre cuestiones relacionadas con las reservas formuladas con ocasión de la ratificación del Pacto o de sus Protocolos Facultativos, o de la adhesión a ellos, o en relación con las declaraciones hechas de conformidad con el artículo 41 del Pacto*, Documento CCPR/C/21/Rev.1/Add.6, 1994, p. 3, párr. 8.
        Esta afirmación, asimismo, tiene su una referencia significativa en la jurisprudencia de la Corte Internacional de Justicia: *Armed Activities on the Territory of the Congo (New Application: 2002) (Democratic Republic of the Congo v. Rwanda), Jurisdiction and Admissibility, Judgment, I.C.J. Reports* 2006, p. 64.

[17]   Relacionadas con la mujer y su entorno familiar (art. 1.c): matrimonio forzoso; el derecho de cesión a un tercero de la mujer "a título oneroso o de otra manera"; y la transmisión en herencia de la mujer casada.

[18]   *BOE*, núm. 311, de 29 de diciembre de 1967.

rados, no se aplican al pago de la deuda, o si no se limita su duración ni se define la naturaleza de dichos servicios"; y b) la *servidumbre de la gleba* como "la condición de la persona que está obligada por la ley, por la costumbre o por un acuerdo a vivir y a trabajar sobre una tierra que pertenece a otra persona y a prestar a ésta, mediante remuneración o gratuitamente, determinados servicios, sin libertad para cambiar su condición". Al igual que el anterior tratado internacional, es visible una manifiesta voluntad represiva de naturaleza penal que es acompañada por un compromiso intergubernamental respecto a la cooperación internacional.

El hecho adicional constatable es que la trata de seres humanos se encuentra vinculada a las prohibiciones de estas otras prácticas ilícitas: de forma general, lo está a la trata de esclavos, pero, específicamente, en el art. 1.d) de la Convención Suplementaria, se identifica con la posibilidad de que un menor de dieciocho años sea "entregado por sus padres, o uno de ellos, o por su tutor, a otra persona, mediante remuneración o sin ella, con el propósito de que se explote la persona o el trabajo del niño o del joven".

El tratamiento jurídico internacional de la prohibición del trabajo forzoso u obligatorio difiere de los parámetros anteriores, aunque, conforme a la *Declaración de la OIT relativa a los principios y derechos fundamentales en el trabajo*, de 18 de junio de 1998, la OIT considere su erradicación como un *derecho fundamental en el trabajo*:

— Sin perjuicio de que alguno de sus elementos sea susceptible de una interpretación particularizada (por ejemplo, por parte del TEDH) -véase el apartado III-, el punto de partida generalmente aceptado para la definición de esta práctica es el propuesto por el art. 2.1 del *Convenio núm. 29 relativo al trabajo forzoso y obligatorio* (1930)[19] de la OIT: "todo trabajo o servicio exigido a un individuo bajo la amenaza de una pena cualquiera y para el cual dicho individuo no se ofrece voluntariamente".

---

[19]   *Gaceta de Madrid*, núm. 288, de 14 de octubre de 1932.
El Convenio núm. 29 es modificado por *el Protocolo de 2014 relativo al Convenio sobre el trabajo forzoso, 1930*, de 11 de junio de 2014 (BOE, núm. 309, de 21 de diciembre de 2017) y el *Convenio núm. 105 relativo a la abolición del trabajo forzoso*, de 1957 (BOE, núm. 248, de 16 de octubre de 1975).
Desde la perspectiva de la cooperación internacional, téngase presente lo dicho por el art. 5 Protocolo de 2014: "Los Miembros deberán cooperar entre sí para garantizar la prevención y la eliminación de todas las formas de trabajo forzoso u obligatorio".
Igualmente, a tenor del art. 1.2 Protocolo de 2014, se ha adoptado en España el *Plan de Acción Nacional contra el Trabajo Forzoso: relaciones laborales obligatorias y otras actividades humanas forzadas* (BOE, núm. 308, de 24 de diciembre de 2021) -al que se hará referencia básicamente en el Apartado IV-.

— Los diversos tratados internacionales de derechos humanos, universales y regionales, en los que se consolida la prohibición inicialmente inserta en el Convenio núm. 29 coinciden en su consideración como una práctica sometida a una prohibición diferenciada de la de la esclavitud y servidumbre, puesto que: 1) su prohibición no es absoluta, en tanto en cuanto es sometida a excepciones[20]; y 2) a diferencia de lo que acaece con la esclavitud y la servidumbre, no es una prohibición inderogable en situaciones de excepción -como se desprende, por ejemplo, de la cláusula derogatoria del CEDH[21]-.

— En estos términos, el trabajo forzoso u obligatorio parece generalmente concebirse como una práctica de menor gravedad relativa desde la perspectiva de la dignidad humana si se compara con la esclavitud o la servidumbre. De este modo, aunque el art. 25 Convenio núm. 29 abogue por la represión penal del trabajo forzoso u obligatorio[22], ni alcanza a todos los posibles supuestos de su imposición, ni cualitativamente es concebida a tal efecto como una práctica totalmente equiparable a la esclavitud o a la servidumbre.

Y, finalmente, hay que hacer mención a la *explotación infantil*, respecto a la cual cabe reseñar partiendo de que se está ante otro *derecho fundamental en el trabajo* que:

— Acorde con los parámetros políticos-jurídicos de la OIT, debe focalizarse esencialmente como referente a toda forma de trabajo infantil prohibida por el ordenamiento jurídico internacional[23]: "no abarca todos los trabajos que realizan los niños menores de 18 años" -pues hay trabajos "totalmente coherentes con su educación y su pleno desarrollo físico y mental", que no son perjudiciales para su desarrollo físico y psíquico y no les privan ni de su niñez ni de su dignidad-.

— La referencia normativa universal a este respecto son el *Convenio núm. 138 sobre la edad mínima de admisión al empleo*, de 26 de junio de

---

20   Léase disposición normativa inserta en la nota 1.
21   Art. 15.2 CEDH: "La disposición precedente no autoriza ninguna derogación al artículo 2 [derecho a la vida], salvo para el caso de muertes resultantes de actos lícitos de guerra, y a los artículos 3 [prohibición de la tortura], 4 (párrafo 1) [es decir, la prohibición de la esclavitud y de la servidumbre] y 7 [no hay pena sin ley].
22   "El hecho de exigir ilegalmente trabajo forzoso u obligatorio será objeto de sanciones penales, y todo Miembro que ratifique el presente Convenio tendrá la obligación de cerciorarse de que las sanciones impuestas por la ley son realmente eficaces y se aplican estrictamente".
23   OIT: *Un futuro sin trabajo infantil. Informe global con arreglo al seguimiento de la Declaración de la OIT relativa a los principios y derechos fundamentales en el trabajo*, Oficina Internacional del Trabajo, Ginebra, 2002.

1973[24] y *el Convenio número 182 de la OIT sobre la prohibición de las peores formas de trabajo infantil y de la acción inmediata para su eliminación*, de 17 de junio de 1999[25]. De los mismos se infieren tres categorías de trabajo infantil que deben abolirse[26]: 1) el trabajo realizado por un niño por debajo de la edad mínima fijada por el Estado a tenor de los requerimientos jurídicos internacionales; 2) el trabajo "perjudicial para el bienestar físico, mental o moral del niño" (trabajo peligroso); y 3) las peores formas de trabajo infantil internacionalmente establecidas. Particular pero no exclusivamente respecto a las peores formas de trabajo infantil, tal y como reflejan el art. 3 del Convenio núm. 82 y el ya mencionado art. 1.d) de la Convención Suplementaria, la vinculación con la trata de seres humanos no deja de ser una realidad, "que se inicia con promesas de trabajo [sin que los progenitores identifiquen el riesgo real] en la hotelería o con oportunidades de capacitación pero concluye en una explotación sexual comercial o en trabajos domésticos forzados"[27].

— A priori, solo respecto a las peores formas de trabajo infantil[28] se plantea expresamente el "establecimiento y la aplicación de sanciones penales o, según proceda, de otra índole" (art. 7 Convenio núm. 182), lo cual implica una aproximación restringida del trabajo infantil como forma grave de explotación laboral. El Convenio núm. 138 también exige que, frente a posibles vulneraciones de las limitaciones de acceso al trabajo establecidas, las autoridades prevean "todas las medidas necesarias, incluso el establecimiento de sanciones apropiadas", por lo que no se excluye, dentro de la debida proporcionalidad, el recurso a la tipificación penal de conductas contrarias a la edad mínima. Todo ello, sin perjuicio de los presupuestos jurídico-penales de los arts. 3 y 4 del *Protocolo facultativo de la Convención sobre los Derechos del Niño relativo a la venta de niños, la prostitución infantil y la utilización de niños en la*

---

24   *BOE*, núm. 109, de 8 de mayo de 1978.
25   *BOE*, núm. 118, de 17 de mayo de 2001.
26   OIT: *Un futuro sin trabajo infantil. Informe global con arreglo al seguimiento de la Declaración de la OIT relativa a los principios y derechos fundamentales en el trabajo, op. cit.*, nota 22, pp. 9-10.
27   *Ibid.* p. 56.
28   Art. 3 Convenio núm. 182 OIT: a) Todas las formas de esclavitud o las prácticas análogas a la esclavitud, como la venta y el tráfico de niños, la servidumbre por deudas y la condición de siervo, y el trabajo forzoso u obligatorio, incluido el reclutamiento forzoso u obligatorio de niños para utilizarlos en conflictos armados; b)   La utilización, el reclutamiento o la oferta de niños para la prostitución, la producción de pornografía o actuaciones pornográficas; c)   La utilización, el reclutamiento o la oferta de niños para la realización de actividades ilícitas, en particular la producción y el tráfico de estupefacientes, tal como se definen en los tratados internacionales pertinentes; y d)   El trabajo que, por su naturaleza o por las condiciones en que se lleva a cabo, es probable que dañe la salud, la seguridad o la moralidad de los niños.

pornografía, de 25 de mayo de 2000, que dispone una voluntad tendente a la persecución universal (con sus matices) de prácticas de explotación laboral de los menores como pueda ser, por ejemplo, el "trabajo forzoso del niño".

3.   La evolución de la delimitación jurídica de las formas más graves de explotación laboral

Lo expuesto hasta el momento subraya, de una parte, la *autonomía conceptual* de las que se han señalado como formas más graves de explotación laboral, de la que se infiere, asimismo, una diferenciación en cuanto a su grado de afectación a la dignidad humana y a su incidencia como vector de privación de la libre voluntad individual; y, de otra parte, que la significación político-jurídica inserta en la idea de la existencia de *formas contemporáneas de esclavitud* deviene importante para alertar de la existencia en las últimas décadas de una evolución de las formas de sometimiento de la persona a las condiciones propias de prácticas como la esclavitud, la servidumbre o el trabajo forzoso u obligatorio[29]. Por ejemplo, es obvio que, en la actualidad, si bien "no existe la propiedad legal sobre una persona", le pueden llegar a ser aplicados a esta determinados atributos del derecho a la propiedad -de modo que la persona sometida a estos atributos "es llevada a una condición sin derecho alguno y tratada como un esclavo"-[30].

La necesidad de una interpretación contemporánea de la definición de las diferentes formas más graves de explotación laboral parece una exigencia racional en aras de lograr la efectividad de la prevención y de la represión de conductas que las perpetúen, y, con ello, impedir que a través de estos nuevos modelos de dominación se reproduzca la extrema desigualdad que, junto a su indiferencia a la dignidad y al libre albedrío de la persona, entrañan las formas más graves de explotación laboral.

Ahora bien, desde la perspectiva jurídica internacional, no es factible cualquier tipo de interpretación: no son suficientes elementos de juicio apoyados en la evolución económica y/o social o la pretensión de incluir cualquier práctica de grave explotación laboral como forma contemporánea de esclavitud -sobre, quizá, una base sociológica- para construir la idea de *esclavitud moderna* (o de *servidumbre* o *trabajo forzoso u obligatorio modernos*), sino que bajo

---

[29]   SHAHINIAN, G.: «Aproximación a la realidad de las formas contemporáneas de esclavitud», en PÉREZ ALONSO, E. (ed.), *El Derecho ante las Formas Contemporáneas de Esclavitud*, Tirant lo Blanch, Valencia, 2020, p. 33.

[30]   *Ibid.*

esta fundamentación inicial es preciso que los resultados se ajusten a las reglas interpretativas del Derecho internacional público.

Si el punto de partida para señalar las formas más graves de explotación laboral son los tratados internacionales que las reconocen, definen y regulan jurídicamente (siendo, asimismo, manifestación en paralelo de lo que dispone el Derecho internacional general), hay que tener presente que las reglas interpretativas generalmente aceptadas son las previstas en los arts. 31 a 33 del *Convención de Viena sobre el Derecho de los Tratados*, de 23 de mayo de 1969[31] (CVDT) y que, igualmente, tienden a ser consideradas como parte del Derecho internacional general.

Atendiendo a que la ONU no parece disponer hoy de reglas interpretativas autónomas -art. 5 CVDT-[32], la potencialidad de la actualización del concepto de esclavitud y de la servidumbre[33] debe realizarse partiendo de lo dispuesto en el párrafo 1 del art. 31 CVDT: "Un tratado deberá interpretarse de buena fe conforme al sentido corriente que haya de atribuirse a los términos del tratado en el contexto de estos y teniendo en cuenta su objeto y fin"[34]; sin perjuicio de tener en cuenta, a los efectos de seguir esta dirección interpretativa, los materiales propuestos por los párrafos 2 a 4 del mismo[35].

---

[31]   *BOE*, núm. 142, de 13 de junio de 1980.

[32]   "La presente Convención se aplicará a todo tratado que sea un instrumento constitutivo de una organización interna nacional y a todo tratado adoptado en el ámbito de una organización internacional, sin perjuicio de cualquier norma pertinente de la organización" (el subrayado es propio).

[33]   En relación con los Convenios de la OIT, cabe señalar que, durante los trabajos preparatorios de la CVDT, el representante de la OIT señaló que la práctica de la OIT "on interpretation had involved greater recourse to preparatory work" (UNITED NATIONS CONFERENCE ON THE LAW OF TREATIES: *Official Records. Summary records of the plenary meetings and of the meetings of the Committee of the Whole. First session (Vienna, 26 March-24 May 1968)*, Document A/CONF.39/11, 1968-1969, pp. 36-37, párs. 5 y 12).
Ahora bien, la Comisión de Expertos en Aplicación de los Convenios y Recomendaciones de la OIT parece inclinarse en su actividad de control preferentemente por la aplicación de la regla interpretativa del art. 31 CVDT, sin olvidar, empero, los trabajos preparatorios como manifestación de una labor tripartita (Oficina Internacional del Trabajo, Ginebra, 2002. OIT: *Informe de la Comisión de Expertos en Aplicación de Convenios y Recomendaciones*, ILC.100/III/1A, Ginebra, 2011, p. 9, par. 12).
Sobre este tema, por ejemplo: BONET PÉREZ, J.: «El sistema de control de la Organización Internacional del Trabajo (OIT) y la interpretación de los convenios de la OIT. Aproximación jurídica a una crisis institucional», *Revista electrónica de estudios internacionales*, n° 26, 2013, pp. 1-46.

[34]   Solo si el resultado de la interpretación no es suficientemente claro o da lugar a un resultado manifiestamente absurdo o irrazonable se recurriría a los trabajos preparatorios o a las circunstancias históricas de la celebración del tratado internacional (art. 32 CVDT); el art. 33 CVDT establece reglas particulares para la interpretación de los tratados internacionales -algo más que habitual- autenticados en dos o más idiomas.

[35]   "2. Para los efectos de la interpretación de un tratado. el contexto comprenderá, además del texto, incluidos su preámbulo y anexos: a) todo acuerdo que se refiera al tratado y haya

Si se parte de la definición antes mencionada de esclavitud –"estado o condición de un individuo sobre el cual se ejercitan los atributos del derecho de propiedad o algunos de ellos"-, el trabajo colectivo de la Red de Investigación sobre los Parámetros Jurídicos de Esclavitud, plasmado en las *Bellagio–Harvard Guidelines on the Legal Parameters of Slavery*, de 3 de marzo de 2012[36] (*Directrices Bellaggio-Harvard sobre los Parámetros Jurídicos de la Esclavitud*), parece dar lugar a una definición que, respetando las reglas interpretativas señaladas pero abandonando la noción de esclavitud tradicional (*chattel slavery*), resulta "internamente consistente" porque da la seguridad jurídica necesaria en un tribunal de justicia, y, además, "capta la experiencia vivida de la esclavitud"[37].

El planteamiento argumentativo se sustenta en la observación evolutiva de un concepto como el de *derecho a la propiedad* que, en definitiva, es una construcción social, reflejo hoy, no de un derecho no absoluto, sino de la disponibilidad de la "capacidad de gozar y disponer"[38]. A partir de esta consideración inicial, se busca focalizar este parámetro en una idea clave vinculada a la realidad social que permite delimitar los *atributos del derecho de propiedad* como fundamento de la esclavitud *de facto*: "los atributos del derecho a la propiedad empiezan y terminan con la posesión" y, en relación con ello, se ejerce sobre la persona un "control equivalente a la posesión"[39].

Acorde con este lineamiento interpretativo congruente con el art. 31,1 CVDT, en la Directriz 2 Bellaggio-Harvard se afirma que en lo que respecta a la esclavitud:

---

sido concertado entre todas las partes con motivo de la celebración del tratado: b) todo instrumento formulado por una o más partes con motivo de la celebración del tratado y aceptado por las demás como instrumento referente al tratado;

3. Juntamente con el contexto, habrá de tenerse en cuenta: a) todo acuerdo ulterior entre las partes acerca de la interpretación del tratado o de la aplicación de sus disposiciones: b) toda práctica ulteriormente seguida en la aplicación del tratado por la cual conste el acuerdo de las partes acerca de la interpretación del tratado: c) toda forma pertinente de derecho internacional aplicable en las relaciones entre las partes [el resaltado es propio para mostrar la necesidad de una interpretación que tenga en cuenta otros posibles tratados internacionales o el Derecho internacional general].

4. Se dará a un término un sentido especial si consta que tal fue la intención de las partes".

[36]   Se empleará la versión en castellano de los Dres. Carlos Espaliú Berdud y Eulogio Bedmar Carrillo (Universidad de Granada), disponible en: https://pdfslide.tips/documents/directrices-bellagio-harvard-de-2012-los-condicionamientos-fisicos-no-siempre.html (última consulta; 30/10/2021).

[37]   ALLAIN, J.: «125 años de abolición: el derecho de la esclavitud y la explotación humana», en PÉREZ ALONSO, E. *et al.* (eds.), *El derecho ante las formas contemporáneas de esclavitud*, Tirant lo Blanch, Valencia 2017, p. 178.

[38]   *Ibid.*, pp. 178-179.

[39]   *Ibid.*, pp. 179-180.

"el ejercicio de "los atributos del derecho de propiedad" debe ser entendido como la manifestación de un control sobre una persona de tal manera que se le prive significativamente de su libertad individual, con intención de explotación mediante el uso, la gestión, el beneficio, la transferencia o el despojarse, de esa persona. Por lo general, esté ejercicio se apoyará y se obtendrá a través de medios tales como la violencia, el engaño y/o la coacción".

La Directriz 3, atendiendo a ese control como una privación significativa de la libertad del individuo sometido a esclavitud, añade:

"Ese control es el atributo del derecho de propiedad conocido como posesión".

(...)

Tal control puede ser físico, aunque los condicionamientos físicos no siempre serán necesarios para el mantenimiento del control efectivo sobre una persona. Manifestaciones más abstractas de control sobre una persona pueden revelarse en intentos de retener documentos de identidad, de restringir la libre circulación o el acceso a las autoridades estatales o a los procedimientos legales o, también pueden manifestarse en los intentos de forjar una nueva identidad mediante la imposición de una nueva religión, de un nuevo idioma, de un nuevo lugar de residencia, o de un matrimonio forzado"[40].

A tenor de estos parámetros jurídicos, en los supuestos en que una presunta práctica de servidumbre o de trabajo forzoso u obligatorio entrañen fácticamente un control equivalente a la posesión se estará jurídicamente ante una situación de esclavitud, y, por consiguiente, se demostrará un nivel de explotación y de gravedad mayor.

En primer término, partiendo de las definiciones previstas en la Convención Suplementaria de 1956, es preciso apreciar cuál es la evolución de la práctica de la servidumbre, para indicar particularmente que, a nivel internacional, es de interés la jurisprudencia del TEDH[41], pues entiende que: 1) constituyen las diversas modalidades de servidumbre *prácticas serviles* porque convergen en "restringir la autonomía personal"; 2) comportan la obligación de prestar servicios bajo coacción[42]; y 3) son una forma agravada de trabajo forzoso, ya que, primero, suponen una forma particularmente grave de privación de libertad del individuo,

---

[40]   Entre los supuestos de control equivalente a la posesión que reflejan los atributos del derecho a la propiedad se articulan en las Directriz 4: comprar, vender o transferir a una persona; usar a una persona; gestionar el uso de una persona; beneficiarse del uso de una persona; transferir una persona a un heredero o sucesor; o bien, deshacerse de una persona, maltratar o descuidar a una persona.

[41]   VALVERDE-CANO, A. B.: «¿Lo sé cuando lo veo? El bien jurídico a proteger en las conductas de sometimiento a esclavitud, servidumbre y trabajos forzosos», *Revista de Derecho Penal y Criminología*, nº 23 (14), p. 6.

[42]   *Siliadin v. France*, no. 73316/01, § 124, ECHR 2005-VII.

y, segundo, implican que la víctima sienta que su condición es permanente y que la situación difícilmente cambiará en el futuro[43].

El *asunto Siliadin contra Francia*[44] puede ser ilustrativo de la significación fáctica actual tras estos criterios y de un paradigma moderno de servidumbre (identificable, como uno de sus principales exponentes, dentro de la actividad del servicio doméstico):

— Menor de edad que, para viajar a Francia, es puesta a disposición de una familia por la persona que había pactado con sus progenitores que trabajaría para ella hasta que pagase la deuda contraída para realizar el viaje, mientras esta misma persona se preocupaba de regularizar su situación y le buscaba una escuela.

— El trabajo de servicio doméstico ocupaba los siete días a la semana y unas quince horas al día, no saliendo la menor de la casa más que para llevar a los niños al colegio, y, excepcionalmente, para ir los domingos a misa.

— La demandante ante el TEDH compartía habitación con el bebé de la familia, al que debía atender en todo momento.

— La documentación personal (pasaporte) le fue retenido.

— En consecuencia, estaba bajo control absoluto del matrimonio para el que trabajaba sin remuneración alguna.

Y, en segundo término, hay que señalar que el trabajo forzoso u obligatorio, sobre la base de la definición del Convenio núm. 29 (considerado el referente a los efectos de cualquier mención al mismo)[45], se caracteriza por ser un:

— Trabajo o servicio de cualquier tipo y cualquier sector económico, público o privado.

— El cual es realizado bajo la amenaza de una pena o castigo cualesquiera. Esta noción abarca "una amplia gama de sanciones utilizadas para obligar a alguien a realizar un trabajo o a prestar un servicio, incluidas tanto las sanciones penales como distintas formas de coacción directa o indirecta, como la violencia física, las amenazas psicológicas o el impago de los salarios"[46]; sin embargo, como se verá más adelante al analizar la jurisprudencia del TEDH, es suficiente el ejercicio de una coacción

---

43   C. N. *and* V. *v. France*, no. 67724/09, § 91, 11 October 2012.
44   *Siliadin v. France*, no. 73316/01, §§ 126-128, ECHR 2005-VII.
45   OIT: *Normas de la OIT sobre el trabajo forzoso. El nuevo Protocolo y la nueva Recomendación de un vistazo*, Oficina Internacional del Trabajo, Ginebra, 2016, p. 5.
46   *Ibid.*

física o mental más o menos sutil para constatar la existencia de trabajo forzoso[47].

— En ausencia de voluntariedad: no hay consentimiento libre -con conocimiento de causa- por parte del trabajador, ni para acordar una relación de trabajo ni tampoco para renunciar en cualquier momento a la misma. Hay que incluir en este escenario la potencial interferencia en este libre albedrío de falsas promesas destinadas a inducir a un trabajador a aceptar un empleo que de otro modo no habría aceptado.

La conceptualización de estas formas graves de explotación laboral pone de manifiesto el extraordinariamente intenso ataque que comportan al bien o bienes jurídicos que justifican su prohibición y represión penal: en principio, la dignidad humana, de la cual, a tenor del Derecho internacional general, se desprende la protección de los derechos fundamentales internacionalmente reconocidos como tales. VALVERDE-CANO, propone, empero, debido a que la dignidad humana se sustenta en una "noción demasiado abstracta y polivalente"[48], identificar como bien jurídico específico la protección de la personalidad jurídica en tanto que "capacidad de la persona de actuar como sujeto de derecho"[49]-en suma, un derecho fundamental "cuyo respeto resulta imperativo para garantizar la protección de la dignidad humana"[50]-. La pregunta es si este argumento cierra todo debate sobre el bien jurídico protegido por la represión penal de las formas más graves de explotación laboral, atendiendo a que la protección de la personalidad jurídica tiende a "garantizar jurídicamente al individuo un espacio de autodeterminación dentro de sus relaciones sociales [en la doble dimensión vertical y horizontal]", cuya negación deriva del hecho de que "el Estado responde tratándolo como un objeto"[51]; es decir, se está ante un bien jurídico que solo indirectamente –a partir de la relación horizontal entre particulares-, ante la omisión preventiva y/o represiva

---

[47]   VALVERDE-CANO, A. B.: «¿Lo sé cuando lo veo? El bien jurídico a proteger en las conductas de sometimiento a esclavitud, servidumbre y trabajos forzosos», *op. cit.*, nota 40, p. 7.

[48]   *Ibid.*, nota 40, p. 23.

[49]   Y, en este sentido, "asignándole la gravedad que corresponde a ciertas acciones que pueden no ser consideradas graves a priori, como la retirada injustificada de un pasaporte" (*ibid.*, p. 23).

[50]   ALIJA FERNÁNDEZ, R. A.: *La persecución como crimen contra la humanidad*, Publicaciones de la Universitat de Barcelona, Barcelona, 2011, p. 229.

[51]   ALIJA FERNÁNDEZ, R. A.: «La desaparición social en el Derecho Internacional de los Derechos Humanos y su relación con el derecho al reconocimiento de la personalidad jurídica», en VV.AA., *La desaparición social. Límites y posibilidades de una herramienta para entender vidas que no cuentan*, Universidad del País Vasco, Bilbao, 2021, p. 19. De hecho, la propia autora lo califica de una "negación de la dignidad humana" en cuanto que "condición sine qua non para el disfrute de cualquier otro derecho otorgado por el ordenamiento internacional" (*ibid.*, pp. 18-19).

del Estado frente a la conducta privada, se ve afectado. Es por lo que, quizás, debería tenerse presente siempre como bien jurídico en conjunción con otros bienes jurídicos que convergen en la realización de la acción típica, tales como la integridad moral y/o la libre voluntad del individuo frente a graves y flagrantes ataques.

Asimismo, la conceptualización jurídica realizada perfila la autonomía y la diferente gravedad del ataque contra el bien jurídico protegido que se deriva de la producción de una u otra forma más grave de explotación laboral.

III. APORTACIONES JURÍDICAS INTERNACIONALES A LA CONSTRUCCIÓN DE LA EXPLOTACIÓN LABORAL COMO FINALIDAD DE LA TRATA DE SERES HUMANOS

Se cree necesario el escenario jurídico examinado, de manera complementaria, con algunas aportaciones jurídicas internacionales significativas a partir de las cuales terminar de argumentar la gravedad diferenciada de las formas de explotación laboral analizadas y ubicarlas como una potencial finalidad de la trata de seres humanos; a este respecto, se sugieren estos dos ámbitos jurídicos: la *jurisprudencia del TEDH* y la referencia a la *dimensión jurídico-penal internacional de la explotación laboral con fines de trata*.

1. *La jurisprudencia del Tribunal Europeo de Derechos Humanos*

La especificidad de la jurisprudencia del TEDH lleva a considerar a partir de la misma dos aspectos esenciales: 1) la *trata de seres humanos y el art. 4 CEDH*; y 2) las *obligaciones positivas* de los Estados Partes a tenor del art. 4 CEDH.

1.1. La trata de seres humanos y el art. 4 CEDH

Como se puso de manifiesto al examinar la conceptualización de la servidumbre, el TEDH ha realizado una tarea de interpretación evolutiva de las nociones jurídicas insertas en el art. 4 CEDH (véase de nuevo nota 1), que ha pretendido sustentarse en la aplicación de la regla interpretativa del art. 31 CVDT[52]; conforme a ella, ha procurado realizarla *en armonía* con otras normas jurídicas internacionales[53]. No obstante, el TEDH, en el desarrollo su argumentación, sin que ello resulte extraño en su práctica jurisdiccional, puede

---

[52]   *Rantsev v. Cyprus and Russia*, no. 25965/04, § 273, ECHR 2010.
[53]   *Ibid.* § 274.

que haya tendido en realidad al empleo de criterios autónomos que, hasta cierto punto, difieren de los definidos de forma general por el art. 31,1 CVDT[54].

La conceptualización de la noción de trabajo forzoso u obligatorio -más allá incluso de la aportación de su labor a la delimitación de la servidumbre ya examinada- es muy significativa, aun partiendo de la necesidad de armonización de la prohibición del art. 4,2 CEDH con los parámetros jurídicos del art. 2,1 Convenio núm. 29:

— No todos los trabajos realizados bajo las condiciones descritas en el art. 2,1 Convenio núm. 29 constituyen indefectiblemente trabajo forzoso u obligatorio en el sentido del art. 4,2 CEDH (dejando de lado las excepciones previstas en el párrafo 3 del mismo). Considerando que hay que observar la naturaleza y el volumen de actividad que son exigidos, el TEDH excluye que lo sean: 1) las actividades que suponen *echar una mano* -esperables razonablemente de otros miembros de la familia o de las personas con las que se comparte alojamiento-[55]; y 2) el trabajo exigido cuyo volumen no implica una carga desproporcionada -por ejemplo, las horas dedicadas de modo obligatorio por un abogado en prácticas a fin de acceder al colegio profesional[56]-.

— La idea de pena o castigo es entendida en sentido amplio: incluye también formas sutiles de violencia física o psíquica, desde las amenazas de violencia física o sexual contra la víctima o algún familiar, o la denuncia de la situación irregular del trabajador extranjero ante las autoridades -con las potenciales repercusiones sobre su libertad y/o permanencia en el Estado-. En este segundo supuesto de hecho, cabe destacar la importancia dada a la especial vulnerabilidad del extranjero en situación irregular[57].

— La no voluntariedad de la realización del trabajo forzoso u obligatorio es ampliamente analizada respecto a la prestación del consentimiento por extranjeros en situación irregular para llevar a cabo un trabajo temporal de recogida de fresas, resultando en la práctica la actividad requerida y las condiciones de vida durante su realización indignas (incluido

---

[54]   En su apoyo, Carrillo Salcedo hace años admitió ya que, pese a referirse explícita y reiteradamente a los arts. 31 a 33 CVDT, el TEDH había recurrido de manera habitual a "criteria for interpretation that respond to the specific nature of the European Convention of Human Rights" (CARRILLO SALCEDO, J. A.: «The European Convention on Human Rights», en GÓMEZ ISA, F. y DE FEYTER, K. (eds.), *International Human Rights Law in a Global Context*, University of Deusto, Bilbao, 2009, p. 660).

[55]   *C.N. and V. v. France*, no. 67724/09, § 74, 11 October 2012 o *Chowdury and Others v. Greece*, no. 21884/15, § 91, 30 March 2017.

[56]   *Van der Mussele v. Belgium*, 23 November 1983, § 39, Series A no. 70.

[57]   *Chowdury and Others v. Greece*, no. 21884/15, § 97, 30 March 2017.

el impago de la remuneración prometida). El TEDH señala que[58]: 1) el previo consentimiento de las víctimas no excluye que la actividad desempeñada pueda constituir trabajo forzoso u obligatorio; 2) aun cuando al ser reclutados se hayan ofrecido a realizar el trabajo voluntariamente y crean de buena fe que recibirán su salario, la situación subsiguiente puede variar la calificación situacional como resultado de la conducta del empleador; y 3) el ofrecimiento voluntario para trabajar se diluye si el empleador abusa de su poder o toma ventaja de la vulnerabilidad de sus trabajadores (en el caso señalado, por ser extranjeros en situación irregular) con el fin de explotarles. En una situación como la descrita o similar no existe voluntariedad y es pertinente considerar que se ha realizado un trabajo forzoso u obligatorio.

El TEDH, en otro orden de cosas, ha dejado claro que la explotación laboral constituye una de las modalidades de explotación vinculadas a la trata de seres humanos[59], sin perjuicio de que, en buena medida, su jurisprudencia tenga que ver con la trata de seres humanos con fines de explotación sexual -preferentemente, de mujeres-. Ahora bien, los problemas interpretativos de base son los mismos: el art. 4 CEDH no hace mención alguna a la trata de seres humanos[60]. La voluntad del TEDH de examinar la trata de seres humanos, a pesar del vacío normativo del art. 4 CEDH, se sostiene, junto a los datos sobre la extensión de la trata de seres humanos en Europa, en su comprensión como una amenaza a la dignidad humana y su incompatibilidad con los valores democráticos que se desprenden del CEDH[61].

En el *asunto Rantsev contra Chipre y Rusia*, el TEDH parece aparentemente contradecirse al intentar incluirla en el ámbito de aplicación material del art. 4 CEDH:

— Entiende que la trata de seres humanos, por su naturaleza y el fin de explotación que la caracteriza, se fundamenta en el ejercicio de potestades (atributos) concernientes al derecho a la propiedad[62] -forma de esclavitud moderna-[63]. Parece razonable pensar entonces que se identifica la trata de seres humanos con una violación de la prohibición de la esclavitud del art. 4 CEDH -es decir, con una de las prácticas de explotación la-

---

[58]   *Ibid.* §§ 90 y 94-97.
[59]   *Ibid.* § 93.
[60]   Una ausencia que no resulta sorprendente en opinión del TEDH, atendiendo a que el CEDH se inspira en la Declaración Universal de Derechos Humanos y esta carece también de mención expresa al respecto (*Rantsev v. Cyprus and Russia*, no. 25965/04, § 277, ECHR 2010).
[61]   *Rantsev v. Cyprus and Russia*, no. 25965/04, § 282, ECHR 2010.
[62]   *Ibid.* § 281.
[63]   *J. and Others v. Austria*, no. 58216/12, § 104, 17 January 2017.

boral que puede constituir una finalidad de la misma-. Sugiere ALLAIN al respecto que el TEDH asimila trata de seres humanos con esclavitud, a expensas de reconocer que interpretativamente lo deseado era abordar genéricamente la explotación humana, y no la esclavitud, asegurándose que el artículo 4 CEDH sea un vehículo para enjuiciar situaciones de hecho relativas a la trata de seres humanos[64].

— No obstante, fijándose en la definición de trata de personas del artículo 3 a) del Protocolo y del artículo 4 a) del Convenio del Consejo de Europa[65], el TEDH afirma que, en vista de su obligación de interpretar el CEDH evolutivamente a la luz de las condiciones existentes en el momento de su aplicación, considera innecesario identificar si la práctica denunciada constituye esclavitud, servidumbre o trabajo forzoso[66]. Esto parece significar que los hechos enjuiciados son *ratione materiae* subsumibles genéricamente en el artículo 4 del CEDH: el TEDH considera adecuado examinar en qué medida esta práctica inhumana atenta contra el "spirit and purpose" del art. 4 CEDH y le son aplicables las garantías otorgadas frente a ella[67].

La Gran Sala del TEDH, en el *asunto S. M. contra Croacia*, acepta la idea de que la trata de seres humanos es contraria al *espíritu y fin* del art. 4 CEDH[68], terminando de precisar los extremos sugeridos por la Sala del TEDH en el *asunto Rantsev contra Chipre y Rusia* y que venían siendo objeto de reiterada jurisprudencia[69]:

— No es posible caracterizar la trata de seres humanos en el ámbito material del art. 4 CEDH a menos que se cumplan los criterios establecidos para identificar este fenómeno en el ordenamiento jurídico internacional (armonización)[70].

---

[64] ALLAIN, J.: «*Rantsev v Cyprus and Russia*: The European Court of Human Rights and Trafficking as Slavery», *Human Rights Law Review*, n° 10, 2010, p. 557; asumiendo que, a priori, "following the logic of the development of the Court's jurisprudence regarding Article 4, it must be understood that, legally speaking, trafficking cannot transpire within Europe as there exists no legal right to own a person within the Council of Europe" (*ibid.*).

[65] Véase introducción del Apartado II.

[66] *Rantsev v. Cyprus and Russia*, no. 25965/04, § 282, ECHR 2010.

[67] *Ibid.* § 279.

[68] *S. M. v. Croatia* [GC], no. 60561/14, § 292, 25 June 2020.

[69] Por ejemplo, en sentencias sobre el fondo dictadas por las salas del TEDH: *M. and Others v. Italy and Bulgaria*, no. 40020/03, § 151, 31 July 2012; *L.E. v. Greece*, no. 71545/12, §§ 64-65, 21 January 2016; *J. and Others v. Austria*, no. 58216/12, §§ 103-106, 17 January 2017; *Chowdury and Others v. Greece*, no. 21884/15, § 93, 30 March 2017; *T.I. and Others v. Greece*, 40311/10, §§ 134-135, 18 July 2019; *V.C.L. and A.N. v. the United Kingdom*, nos. 77587/12 and 74603/12, § 148, 16 February 2021.

[70] *S.M. v. Croatia* [GC], no. 60561/14, § 290, 25 June 2020.

— Los criterios que permiten identificar la trata de seres humanos se en-
trecruzan con las tres categorías prohibidas por el art. 4 CEDH y, en
consecuencia, se evidencia la intrínseca relación entre las tres categorías de explotación laboral con la trata de seres humanos: tratamiento
del ser humano como una mercancía, ejercicio de vigilancia, limitación
de movimientos, el uso de la violencia o de amenazas, condiciones de
vida y de trabajo indignas, así como de una remuneración escasa o
inexistente[71].

A priori no se antoja que el TEDH se incline finalmente por asimilar la trata
de personas a una forma de esclavitud prohibida por el artículo 4,1 CEDH:
prefiere incluirlo genéricamente dentro del ámbito de aplicación material del
art. 4 CEDH, sin clasificarlo ni vincularlo a ninguna de aquellas prácticas expresamente prohibidas por el citado artículo. Su fundamento está en la intrínseca relación derivada de que la trata de seres humanos pretende, en el plano
de la explotación laboral, someter a la persona a esclavitud, servidumbre o
trabajo forzoso u obligatorio.

Pese a su pragmatismo y racionalidad fáctica, esta interpretación podría
no parecer coherente con una disposición normativa que, de forma expresa
y particular, prohíbe tres prácticas de explotación diferenciables. En definitiva, parece esencialmente una interpretación teleológica reforzada por la pretensión de armonización con el Derecho internacional aplicable a la trata de
seres humanos, que otorga un peso específico a su compatibilización con las
definiciones de trata de seres humanos contemporáneas[72], pero que prescinde,
en buena medida, del tenor del precepto interpretado de conformidad con el
canon del art. 31,1 CVDT. Es cierto que, en el *asunto Chowdury y otros contra
Reino Unido*, ante la queja inicial de haber sido sometidos a trabajos forzosos
en el ámbito de la recolección agrícola, el TEDH consideró la situación comprendida en el art. 4,2 CEDH como trata de seres humanos y trabajo forzoso
u obligatorio[73]. Pese a que esta formulación jurídica, derivada de las alega-
ciones iniciales de los demandantes, pudiera parecer interpretativamente más
ajustada al art. 31,1 CVDT, no acaba de aparcar la posibilidad de que la trata

---

71   *Ibid.* § 291.
72   El intento armonizador subyacente ha implicado evaluar la proximidad de las definiciones
      del Protocolo y el Convenio Europeo (a priori este último parece aparentemente más cerca-
      no) con la noción de trata de seres humanos preconizada por el TEDH: entiende este que es
      una práctica consistente en actos producidos tanto a nivel nacional como trasnacional, es-
      tando o no conectados con organizaciones criminales (*S.M. v. Croatia* [GC], no. 60561/14,
      §§ 294-296, 25 June 2020).
73   *Chowdury and Others v. Greece*, no. 21884/15, § 93, 30 March 2017; también: *Zoletic
      and Others v. Azerbaijan*, no. 20116/12, § 138, 7 October 2021.

de seres humanos con fines distintos a la explotación laboral pueda o deba considerarse genéricamente una vulneración del art. 4 CEDH.

1.2.   Las obligaciones positivas de los Estados Partes a tenor del art. 4 CEDH

Es una constante en la jurisprudencia del TEDH el reconocimiento de obligaciones jurídicas de naturaleza positiva respecto a la mayoría de derechos y de libertades reconocidos por el CEDH. La idea clave es que las obligaciones positivas son aquellas que imponen la necesidad de la acción estatal[74], y, más concretamente, que comportan "to take steps to secure individuals the effective enjoyment of their human rights"[75]. El TEDH concreta algo más esta percepción al considerar que el Estado Parte debe adoptar medidas razonables y apropiadas para garantizar[76] unos derechos y libertades que, al ser reconocidos en el CEDH, son redactados básicamente en términos negativos.

El art. 4 CEDH también genera obligaciones positivas, no solo respecto a las prácticas que expresamente prohíbe, sino en relación con la trata de seres humanos. Es pertinente indicar, como ha hecho el propio TEDH[77], que las conductas constitutivas de trata de seres humanos examinadas jurisdiccionalmente no suelen ser atribuibles al Estado Parte sino a particulares, por lo que el Estado Parte responderá básicamente por la vulneración de sus obligaciones positivas frente a las víctimas que demandan ante el TEDH.

La sentencia del TEDH en el *asunto Rantsev contra Chipre y Rusia* resulta de nuevo relevante[78], desde su aproximación extensiva a las obligaciones positivas estatales para proteger real y efectivamente a las víctimas reales o potenciales de trata de seres humanos:

— Existe una obligación positiva de perseguir y castigar conductas constitutivas de trata de seres humanos[79]. A tenor de su pronunciamiento

---

[74]   MADELAINE, C.: *La technique des obligations positives en droit de la Convention européenne des droits de l'homme* (tesis doctoral no publicada), Université Montpellier I, Montpellier, 2012, p. 22.

[75]   LAVRYSEN, L.: *Human Rights in a Positive State. Rethinking the Relationship between Positive and Negative Obligations under the European Convention on Human Rights*, Intersentia Ltd, Cambridge/Antwerp/Portland, 2017, p. 1.

[76]   *López Ostra v. Spain*, 9 December 1994, § 51, Series A no. 303-C; en este caso, los reconocidos en el artículo 8 (derecho al respeto a la vida privada y familiar).

[77]   *J. and Others v. Austria*, no. 58216/12, §§ 108-109, 17 January 2017.

[78]   "The general principles summarised in Rantsev represent the central tenets of the existing case-law and to date represent the relevant Convention framework within which cases of, or related to, human trafficking are examined" (*S.M. v. Croatia* [GC], no. 60561/14, § 305, 25 June 2020).

[79]   *Rantsev v. Cyprus and Russia*, no. 25965/04, § 285, ECHR 2010.

en el *asunto Siliadin contra Francia*[80], el TEDH señala la necesidad de adoptar disposiciones en materia penal relativas a las prácticas prohibidas por el artículo 4 CEDH -lo que, a la vista de la jurisprudencia del TEDH, incluye la trata de seres humanos- y aplicarlas en la práctica. Esto exige su tipificación como delito y la represión efectiva y adecuada de todo acto relacionado con la trata de seres humanos. Esta obligación jurídica se extiende aún más al abarcar la necesidad integral de disponer de "a legislative and administrative framework to prohibit and punish trafficking"[81]; con lo que se requiere del Estado que adopte políticas legislativas que: 1) prevengan su práctica y protejan a las víctimas (incluida la legislación migratoria); y 2) faciliten la adopción de medidas adecuadas respecto a actividades económicas que la encubran[82].

— Existe la obligación de adoptar medidas operacionales tendentes a proteger tanto a las víctimas, como a personas en riesgo real e inmediato de ser sometidas a actos de trata de seres humanos y de otras conductas prohibidas por el art. 4 CEDH resultantes de la trata de seres humanos[83]. El Estado Parte, en esta dirección, debe garantizar la seguridad física de estas personas mientras se encuentren en su territorio, establecer políticas y programas integrales para prevenirla y combatirla, así como proporcionar formación pertinente a los funcionarios y trabajadores públicos encargados de hacer cumplir la normativa vigente -incluidas las leyes de inmigración-[84].

— Existe, finalmente, la obligación procesal de investigar de manera efectiva las situaciones potenciales de trata de seres humanos. Esta investigación debe realizarse de forma razonablemente diligente y pronta,

---

[80]   *Siliadin v. France*, no. 73316/01, §§ 89 y 112, ECHR 2005-VII.
[81]   *Rantsev v. Cyprus and Russia*, no. 25965/04, § 285, ECHR 2010.
[82]   *Ibid.* §§ 284 y 285.
[83]   *Ibid.* § 286.
      Esta obligación positiva debe ser interpretada en el sentido de que no impone una carga imposible o desproporcionada a las autoridades (*ibid.* § 287); una de las más recientes sentencias del TEDH sobre trata de seres humanos condena al Estado por falta de medidas operacionales respecto a potenciales víctimas (*V.C.L. and A.N. v. the United Kingdom*, nos. 77587/12 and 74603/12, § 173 y 182, 16 February 2021).
[84]   *Rantsev v. Cyprus and Russia*, no. 25965/04, § 286, ECHR 2010.
      El TEDH también ha entendido que debe eludirse el riesgo de que la víctima vuelva a ser cautiva de la red de trata de seres humanos transnacional que en primera instancia la captó, exigiéndosele al Estado Parte que prevenga el riesgo de que la víctima entre de nuevo en el círculo de la trata de seres humanos como derivada de ser enviada de nuevo a su país de origen por una decisión administrativa o judicial (re-trata) (*L.R. v. United Kingdom* (dec.), nº 49113/09, 14 June 2011; *V.F. v. France* (dec.), no. 7196/10, 29 November 2011; *Idemugia v. France* (dec.), no. 4125/11, 27 March 2012; *F.A. v. United Kingdom* (dec.), no. 20658/11, § 57, 10 September 2013; *O.G.O. v. United Kingdom* (dec.), nº 13950/12, §§ 22-25, 18 february 2014; o *Y. K. v. United Kingdom* (dec.), no. 21413/11, 4 March 2014).

aunque si existe la posibilidad de rescatar a la víctima de la situación de riesgo debe gestionarse con urgencia[85]. Esta obligación positiva[86] adquiere una dimensión internacional ya que los Estados Partes deben cooperar efectivamente con las autoridades competentes de otros Estados cuando existe la necesidad de investigar hechos ocurridos fuera del propio territorio[87].

Es cuando menos curiosa la sentencia del TEDH en el *asunto Chowdury y otros contra Reino Unido,* en la que se condena al Estado por violación del art. 4,2 CEDH, por trata de seres humanos y trabajo forzoso u obligatorio. El TEDH considera que no se ha vulnerado la obligación positiva de disponer de un marco legislativo adecuado ya que ha cumplido *esencialmente* al disponer de normativa represiva de la trata de seres humanos[88]. Sin embargo, aunque la Constitución helena en su art. 22,3 prohíba el trabajo forzoso u obligatorio, el Código Penal no hace referencia alguna a esta práctica). La potencial incongruencia, pese a no disponerse de argumento jurídico diáfano sustentado en parámetros formales, podría superarse entendiendo que los hechos se encajan en una conducta de trata de seres humanos con fines de trabajo forzoso u obligatorio.

La adecuación de las normas jurídicas penales que permiten reprimir las formas más graves de explotación laboral ha sido abordada por el TEDH desde el prisma del art. 4 CEDH; en su sentencia en el *asunto Rantsev contra Chipre y Rusia,* se afirma que la obligación positiva de tipificación penal se predica igualmente de todas las prácticas expresamente prohibidas por el art. 4 CEDH -e incluso de la prostitución forzada[89]-.

El *asunto Siliadin contra Francia* es interesante porque la condena penal de quienes sometieron a la demandante a servidumbre (art. 4,1 CEDH), basada

---

[85]   *Rantsev v. Cyprus and Russia,* no. 25965/04, § 288, ECHR 2010.
       A modo de ejemplo, una muy reciente sentencia sobre trata de seres humanos condena al Estado por violación del art. 4,2 CEDH -en la medida que los demandantes alegan inicialmente esa disposición por ser sometidos a trabajo forzoso u obligatorio- por la ausencia de una efectiva investigación criminal (*Zoletic and Others v. Azerbaijan,* no. 20116/12, § 208, 7 October 2021).

[86]   Aproximación previamente desarrollada respecto a los arts. 2 CEDH (derecho a la vida) y 3 CEDH (prohibición de la tortura) y trasladada al art. 4 CEDH a través de la sentencia en el *asunto Siliadin contra Francia* (*S.M. v. Croatia* [GC], no. 60561/14, § 320, 25 June 2020).

[87]   *Rantsev v. Cyprus and Russia,* no. 25965/04, § 289, ECHR 2010.

[88]   *Chowdury and Others v. Greece,* no. 21884/15, § 108, 30 March 2017; los artículos 323 y 323A del Código Penal griego tipificaban, respectivamente, la trata de seres humanos y la esclavitud; igualmente, había sido modificado el Código Procesal Penal para favorecer la asistencia a las víctimas que tuviesen que prestar declaración (*ibid.* § 33).

[89]   Una práctica que, pudiéndose producir fuera del contexto de la trata de seres humanos, según el TEDH, puede asimilarse tanto al trabajo forzoso u obligatorio, como a la esclavitud o la servidumbre (*S.M. v. Croatia* [GC], no. 60561/14, §§ 300-302, 25 June 2020).

en los arts. 225-13 y 225-14 del Código Penal francés (en la redacción vigente en la época de los hechos)[90], fue considerara por el TEDH como una vulneración de la obligación positiva del art. 4 CEDH, ya que: 1) el texto legal no reprimía como tales la esclavitud y la servidumbre[91]; y 2) el Código Penal no aseguraba a una víctima -menor de edad en este caso- una *protección concreta y efectiva* respecto a los actos lesivos, cuando la exigencia de protección de los derechos y libertades reconocidos implicaba una mayor firmeza en la apreciación de los atentados a los valores fundamentales de la sociedad democrática[92]. Criterio que se reproduce en su sentencia en el *asunto C.N. y V. contra Francia* en relación con la servidumbre y el trabajo forzoso u obligatorio, incluso tras la reforma del Código Penal francés no aplicable por motivos temporales al *asunto Siliadin contra Francia*[93].

El *asunto C.N. contra Reino Unido* pone de manifiesto, en cambio, la interrelación entre la efectividad de la investigación criminal y los términos de la tipificación penal: se condena al Estado Parte por violación del art. 4 CEDH debido a que la investigación fue deficiente ante la inexistencia de una legislación criminal específica que tipificase la servidumbre (doméstica), no pudiéndose determinar si era víctima o no la demandante de un trato contrario al art. 4 CEDH[94].

Estas decisiones jurisdiccionales del TEDH ponen de relieve la necesidad de que se tipifiquen de la forma más autónoma y específica posibles las diversas formas más graves de explotación laboral para cumplir con la obligación positiva derivada del art. 4 CEDH, así como que, en aras de los valores democráticos, la punición prevista resulte lo más firme posible -es decir, atendiendo a la especial gravedad de las conductas descritas-. Surge entonces la duda de si los ordenamientos jurídicos internos de Estados Partes, como pueda ser España,

---

[90]   Article 225-13: «Le fait d'obtenir d'une personne, en abusant de sa vulnérabilité ou de sa situation de dépendance, la fourniture de services non rétribués ou en échange d'une rétribution manifestement sans rapport avec l'importance du travail accompli est puni de deux ans d'emprisonnement et de 500 000 francs d'amende».
       Article 225-14: «Le fait de soumettre une personne, en abusant de sa vulnérabilité ou de sa situation de dépendance, à des conditions de travail ou d'hébergement incompatibles avec la dignité humaine est puni de deux ans d'emprisonnement et de 500 000 francs d'amende».

[91]   *Siliadin v. France*, no. 73316/01, § 141, ECHR 2005-VII.

[92]   *Ibid.* § 148.

[93]   *C.N. and V. v. France*, no. 67724/09, §§ 106-108, 11 October 2012.

[94]   *C.N. v. the United Kingdom*, no. 4239/08, § 81, 13 November 2012.
       La investigación fue impulsada por un experto policial en trata de seres humanos, conforme a la *Section 4 of the Asylum and Immigration Act 2004* que introdujo el delito de trata de seres humanos para su explotación (*ibid.* §§ 33 y 79-80); la investigación, en consecuencia, no se orientó adecuadamente –según el TEDH- hacia la identificación o no de una situación de servidumbre doméstica.

responden o no a estos parámetros jurídicos respecto a la represión de la trata de seres humanos y estas formas graves de explotación laboral.

2. La dimensión jurídico-penal internacional de la explotación laboral con fines de trata de seres humanos

Como ya se ha expuesto, las formas más graves de explotación laboral reconocidas por el ordenamiento jurídico internacional –probablemente, con algo más de dificultad jurídica si se hace referencia a los trabajos forzosos u obligatorios- son abordadas como *delitos de trascendencia internacional*. Esto implica que, aun con las correcciones evolutivas desarrolladas, cada uno de ellos ha sido objeto de su propio tratamiento jurídico internacional, sin perjuicio de su convergencia teleológica.

Sin embargo, en el ordenamiento jurídico internacional la dimensión jurídico-penal se expresa también a través de los crímenes de Derecho internacional. La aproximación a tan graves delitos, cuya *ratio* de tutela es el mantenimiento de la paz y seguridad internacionales y que tiene a la dignidad humana (y, específicamente, en alguno de los derechos humanos que la configuran) como bien jurídico protegido en la gran mayoría de ellos, parte de la constatación de la existencia de tipos penales creados por el Derecho internacional público, más allá de los intereses estatales generalizados que justifican la voluntad de reprimir ciertas conductas delictivas, como los delitos de transcendencia internacional, de modo conjunto y coordinado.

Los Principios de Núremberg, formulados en 1950, expresan claramente cuál es el origen jurídico-formal de los crímenes de Derecho internacional: "El hecho de que el derecho interno no imponga pena alguna por un acto que constituya delito de derecho internacional no exime de responsabilidad en derecho internacional a quien lo haya cometido"[95]. En definitiva, son tipos penales adoptados inicialmente conforme a los términos del principio de la legalidad (jurídico-formal) internacional.

La esclavitud parece *a priori* haberse consolidado como un tipo delictivo inserto entre los crímenes de Derecho internacional. Su comisión pasa por los respectivos contextos definidos para los crímenes de guerra, los crímenes contra la humanidad y el genocidio, sin perjuicio -se vuelve a señalar- de su caracterización como delito de trascendencia internacional. Ya en el Estatuto del Tribunal Militar Internacional de Núremberg (art. 6) y en el Estatuto del

---

[95]   ONU: *Informe de la Comisión de Derecho Internacional. Período comprendido entre el 5 de junio y el 29 de junio de 1950*, Documento A/1316, 1950, p. 11.

Tribunal Militar Internacional para el Lejano Oriente (art. 5) la esclavitud era una de las prácticas constitutivas de crimen contra la humanidad[96].

Así, por ejemplo, de conformidad con el art. II la Ley 10 del Consejo Aliado, de 20 de diciembre de 1945, la esclavitud fue tipificada entre los crímenes de guerra (*slave labour*) y los crímenes contra la humanidad (*enslavement*), resultando una de las acusaciones contra los rectores de algunos grandes conglomerados industriales alemanes –Flick, I.G. Farben y Krupp-. El empleo de mano de obra para el ejercicio forzoso de la actividad laboral -dentro de un programa estatal de trabajo esclavo- por estas empresas, fuese recurriendo a personas deportadas hacia Alemania, internadas en los campos de concentración o prisioneros de guerra[97], excede por lo general de los parámetros jurídicos que definen el trabajo forzoso u obligatorio[98], puesto que los trabajadores "were exploited under inhumane conditions with respect to their personal liberty, shelter, food, pay, hours of work, and health" –es decir, bajo condiciones crueles e inhumanas que, según parámetros actuales, comportaban un control equivalente a la posesión[99]-.

---

[96]   Señalándose la importancia de las prácticas esclavistas desarrolladas por los dos regímenes cuyos máximos dirigentes vivos fueron enjuiciados (JARA BUSTOS, F.: «La esclavitud y el trabajo forzado como crímenes de lesa humanidad». *Revista Chilena del Trabajo y la Seguridad Social*, núm. 7, 2015, p. 127).

[97]   *The I.G. Farben Case (Military Tribunal VI, case 6, The United States of America against Carl Krauch, Hermann Schmitz, Georg von Schnitzler, Fritz Gajewski, Heinrich Hoerlein, August von Knieriem, Fritz Ver Meer, Christian Schneider, Otto Ambros, Max Brueggemann, Ernst Buergin, Heinrich Buetefisch, Paul Haefliger, Max Ilgner, Friedrich Jaehne, Hans Kuehne, Carl Lautenschlaeger, Wilhelm Mann, Heinrich Oster, Karl Wurster, Walter Duerrfeld, Heinrich Gattineat, Erich von Der Heyde, and Hans Kugler, officials of I.G. Farbenindustrie Aktiengesellschaft)*; IMT: *Trials of War Criminals before the Nuernberg Military Tribunals under Control Council Law Nº 10*, vol. VIII, Government Printing Office, Washington, 1952-1953, p. 1173.

[98]   Aun cuando en el asunto *Krupp* se perfile, entre los llamados *trabajadores libres* procedentes de países europeos ocupados como Francia, Bélgica o Países Bajos, una situación algo distinta, en la medida en que eran mejor tratados que el resto, sin perjuicio de no ser "free to leave their work and were also otherwise deprived of many basic rights" (*The Krupp Case (Military Tribunal III, case 10, The United States of America against Alfried Felix Alwyn Krupp von Bohlen und Halbach, Ewald Oskar Ludvig Loeser, Eduard Houdremont, Erich Mueller, Friedrich Wilhelm Janssen, Karl Heinrich Pfirsch, Max Otto Ihn, Karl Adolf Ferdinand Eberhardt, Heinrich Leo Korschan, Friedrich von Buelow, Werner Wilhem Heinrich Lehmann, and Hans Albert Gustav Krupke)*; IMT: *Trials of War Criminals before the Nuernberg Military Tribunals under Control Council Law Nº 10*, vol. IX, Government Printing Office, Washington, 1950, p. 1396.

[99]   *The Flick Case (Military Tribunal IV, case 5, The United States of America against Friedrich Flick, Otto Steinbrinck, Odilo Burkart, Konrad Kaletsch, Bernhard Weiss, and Hermann Terberger)*; IMT: *Trials of War Criminals before the Nuernberg Military Tribunals under Control Council Law Nº 10*, vol. VI, Government Printing Office, Washington, 1952, p. 1195. En la sentencia del asunto *I.G. Farben*, se menciona la existencia de trabajo forzoso u obligatorio, aunque se encaja en las conductas tipificadas en el art. II de la Ley 10 del Con-

En la medida en que refleja teóricamente el Derecho internacional consuetudinario vigente, la referencia a la esclavitud como conducta susceptible de constituir crimen contra la humanidad puede ser encontrada, por ejemplo, en el artículo 7,1, c) del Estatuto de la Corte Penal Internacional (ECPI), cuando se realiza como parte de un ataque generalizado o sistemático dirigido contra una población civil. Igualmente, la esclavitud sexual constituye también un crimen contra la humanidad si se produce en ese contexto –art. 7, 1, g) ECPI-, así como un crimen de guerra, tanto en conflictos armados internacionales como sin carácter internacional –arts. 8, 2. b), xii y 8,2, e), vi) ECPI-[100].

El art. 7, 2, c) ECPI define el término *esclavitud* en este contexto jurídico-penal con una referencia conceptual añadida a su interrelación con la trata de seres humanos, entendiendo la esclavitud como:

> "el ejercicio de los atributos del derecho de propiedad sobre una persona, o de algunos de ellos, incluido el ejercicio de esos atributos en el tráfico de personas, en particular mujeres y niños".

Considerando que los Elementos de los Crímenes, acordados por la Asamblea de los Estados Partes del ECPI, ayudan a interpretar el alcance jurídico de los tipos penales previstos –art. 9 ECPI-, los *elementos del crimen contra la humanidad de esclavitud* lo perfilan como el supuesto en que el "autor haya ejercido uno de los atributos del derecho de propiedad sobre una o más personas, como comprarlas, venderlas, prestarlas o darlas en trueque, o todos ellos, o les haya impuesto algún tipo similar de privación de libertad".

La definición de la esclavitud como crimen contra la humanidad, en esencia, parece semejante a la prevista en la Convención de 1926 y susceptible de ser debidamente reinterpretada conforme a los parámetros jurídicos modernos:

— Es susceptible de ser interpretada de manera no restrictiva, admitiendo tanto la esclavitud *de iure* como *de facto*[101].

---

sejo Aliado (*ibid.*, nota 96, p. 1174); solo cabe entender que, visto el contexto antes descrito, su calificación jurídica fue encajada generalmente como una práctica de esclavitud.

[100]   No se analiza el crimen contra la humanidad de esclavitud sexual (art. 7.1.g) ECPI) pues los Elementos del Crimen lo definen bajo idénticos parámetros de base aplicados a un propósito específico de naturaleza sexual. Según ALIJA FERNÁNDEZ, "dada la mayor incidencia que estos crímenes tienen sobre las mujeres, su incorporación tuvo sin duda una relevancia extrema para visibilizar y abordar las aberrantes prácticas de que son objeto sobre todo las mujeres" en tales contextos (ALIJA FERNÁNDEZ, R. A.: «¿Excesos en la protección del bien público global? Incoherencias normativas en la protección de los Derechos Humanos fundamentales por la vía penal internacional», en VV.AA., *La gobernanza del interés público global*, XXV Jornadas Ordinarias de Profesores de Derecho Internacional y Relaciones Internacionales (Barcelona, 19 y 20 de septiembre de 2013), Tecnos, Madrid, 2015, p. 586.

[101]   ALLAIN, J.: «The Definition of 'Slavery' in General International Law and the Crime of Enslavement within the Rome Statute», *Guest Lecture Series of the Office of the Prosecutor*, 2007, p. 18.

— Igualmente, las palabras "*o algunos de ellos*" referidas a los atributos del derecho a la propiedad de la definición ofrecida en el art. 7, 2 c) ECPI podrían favorecer interpretar que es factible la extensión del alcance de la noción de esclavitud a situaciones fácticas en que se producen formas de privación de libertad equivalentes, e incluir *per se* prácticas análogas como la servidumbre o el trabajo forzoso u obligatorio, que se fundamentan, con diferente alcance, también en una conducta privativa del libre albedrío de la persona explotada. Esta potencial percepción queda teóricamente diluida si se advierte que, en nota a pie a los elementos del crimen contra la humanidad de esclavitud, se precisa que:

> "Se entiende que ese tipo de privación de libertad podrá, en algunas circunstancias, incluir la exacción de trabajos forzados o la reducción de otra manera a una persona a una condición servil, según se define en la Convención suplementaria sobre la abolición de la esclavitud, la trata de esclavos y las instituciones y prácticas análogas a la esclavitud, de 1956. Se entiende además que la conducta descrita en este elemento incluye el tráfico [trata] de personas, en particular de mujeres y niños"[102].

Parece nítida, por consiguiente, la convicción de que la servidumbre o el trabajo forzoso u obligatorio no constituyen necesariamente una forma de esclavitud: solo cuando las condiciones en que se practican reviertan en una modalidad de privación de libertad equivalente, en sustancia, al ejercicio de los atributos del derecho a la propiedad, serán ambas conductas subsumibles en el tipo penal descrito (esclavitud). De ello se colige que esta tipificación encaja con una concepción relativamente extensiva pero autónoma de la esclavitud fundamentada en las previsiones de la Convención de 1926. En esta dirección, los Elementos de los Crímenes manifestarían de este modo "the evolution of the fundamental elements of slavery in general international law, namely the exercise of 'any or all of the powers attaching to the right of ownership'[103]", subrayando su dimensión, como ya se ha comentado, *de iure* y *de facto*.

Ahora bien, aunque refleje racionalmente lo que esta práctica conlleva de ejercicio real de atributos del derecho a la propiedad, la inclusión de la trata de seres humanos como conducta constitutiva de un crimen contra la humanidad de esclavitud disocia el planteamiento jurídico-penal plasmado en el Derecho internacional de finales del siglo XX/principios del siglo XXI: la tendencia permanente del ordenamiento jurídico internacional ha sido

---

[102]   CPI: *Elementos de los Crímenes*, p. 231; como puede verse, se sigue asimilando la trata de mujeres y de niños con la esclavitud como conductas constitutivas del crimen contra la humanidad de esclavitud.

[103]   ALLAIN, J.: «The Definition of 'Slavery' in General International Law and the Crime of Enslavement within the Rome Statute», *op. cit.*, nota 100, p. 18.

el sostenimiento formal de la especificidad conceptual de la trata de seres humanos respecto a una esclavitud que, en definitiva, es una de aquellas modalidades de explotación a la que la trata de seres humanos sirve y tiene a la esclavitud como uno, pero no el único, de sus fines últimos de explotación humana[104].

En la jurisprudencia de la Corte Penal Internacional (CPI), la principal referencia a las formas graves de explotación laboral concierne a su interacción con otros dos crímenes contra la humanidad[105]: 1) respecto a la persecución, mencionándose la violación de otros derechos fundamentales como la esclavitud y la servidumbre como prácticas dirigidas contra el grupo objeto de la misma[106]; y 2) respecto a la esclavitud sexual, de la que el trabajo forzoso pudiera considerarse parte del entorno coercitivo demostrativo del ejercicio de atributos de la propiedad -entorno en el que las "abducted women and girls were forced to perform work, such as household work and carrying ítems" (el subrayado es propio)-[107]. Cabe advertir, empero, que la CPI, en este contexto, asumió la existencia de un crimen contra la humanidad por la práctica de matrimonios forzosos, en tanto que acto inhumano de carácter similar a los que causan intencionalmente grandes sufrimientos o atentan gravemente contra la integridad física o la salud mental o física -art. 7, 1, k) ECPI-; si la esclavitud sexual implica principalmente el control de la autonomía sexual de la víctima, el matrimonio forzoso comporta la "imposition of this conjugal association" y de las obligaciones asociadas al matrimonio[108].

Es pertinente señalar que esta vinculación de todas las formas graves de explotación laboral a otros crímenes contra la humanidad distintos del de esclavitud no implica necesariamente que se amplíe a la servidumbre o trabajo forzoso u obligatorio la tipificación penal del crimen contra la humanidad de esclavitud.

---

[104]   Esta disociación permite trasladar al ámbito normativo la afirmación de ESPALIÚ BERDUD en el sentido de que "algunas decisiones jurisprudenciales internacionales han emborronado de alguna manera las diferencias entre los rasgos teóricos de estas figuras [esclavitud v. prácticas análogas a la esclavitud]" (ESPALIÚ BERDUD, C.: «La definición de esclavitud en el Derecho internacional a comienzos del siglo XXI», *Revista Electrónica de Estudios Internacionales*, Nº 28, 2014, p. 34).

[105]   Sin perjuicio de que la prueba de la existencia de trabajo forzoso obligatorio y/o servidumbre constituya un indicio, junto a otros, de la existencia de "powers attaching to the right of ownership" que caracteriza a la esclavitud (INTERNATIONAL CRIMINAL COURT: *The Case of the Prosecutor v. Dominic Ongwen*, Tribunal Chamber IX, Judgment, ICC-02/04-01/15, 2021, pár. 2712).

[106]   *Ibid.* pár. 2846.

[107]   *Ibid.* pár. 220 o 2028.
En este contexto eran obligadas a realizar diferentes labores domésticas (*ibid.*, párs. 2028 y 2981).

[108]   *Ibid.* pár. 2748 y 2750.

Pese a este punto de partida, debería señalarse lo siguiente:

— La servidumbre, que comporta la violación de derechos fundamentales del individuo, difícilmente puede constituirse por sí misma en parte del crimen contra la humanidad de persecución: 1) la persecución se tipifica como una conducta consistente en la privación intencional y grave de derechos fundamentales en contravención del derecho internacional en razón de la identidad del grupo o de la colectividad -art. 7, 2, g) ECPI-; y 2) los Elementos de los Crímenes[109] señalan que la conducta típica de persecución se produce solo "en relación con cualquier acto de los señalados en el párrafo 1 del artículo 7 del Estatuto o con cualquier crimen de la competencia de la Corte". Solo lo sería, entonces, si fuese constitutiva de crimen contra la humanidad de esclavitud (para lo cual debería entrañar fácticamente el ejercicio de atributos del derecho a la propiedad y se constituiría jurídicamente en un acto de esclavitud). Eso sí, cabe preguntarse si la servidumbre podría constituir un crimen contra la humanidad como un acto inhumano en el sentido del art. 7, 1, k) ECPI, considerando que, según los Elementos de los Crímenes, estos *otros actos inhumanos*, de un lado, deben haber causado grandes sufrimientos o atentado gravemente contra la integridad física o la salud mental o física, y, de otro lado, hace falta que tengan "carácter similar a cualquier otro de los actos a que se refiere el párrafo 1 del artículo 7 del Estatuto"[110].

— El trabajo forzoso u obligatorio, en cuanto pueda constituir parte de un entorno coercitivo identificable respecto a un crimen contra la humanidad, podría integrarse en un contexto donde se manifiesten atributos del derecho a la propiedad, y, en consecuencia, constituir una práctica constitutiva de esclavitud -lo que, de cualquier modo, no implica una extensión al trabajo forzoso u obligatorio de la calificación jurídica de crimen contra la humanidad de esclavitud-.

Aunque se parta de que la tipificación prevista en el ECPI refleja el Derecho internacional consuetudinario vigente y de que el art. 1,1 Convención de 1926 fundamenta su definición como crimen de Derecho internacional, en el *asunto Kunarac y otros,* el Tribunal Penal Internacional para la Antigua Yugoslavia

---

[109]   CPI: *Elementos de los Crímenes, op. cit.,* nota 101, p. 235.
[110]   CPI: *Elementos de los Crímenes, op. cit.,* nota 101, p. 237.
       La reflexión en torno a si la servidumbre puede constituir o no uno de estos actos inhumanos a los que se refiere el art. 7, 1, k) ECPI no es un asunto pacífico, a pesar de su nivel de similitud con la esclavitud; de otra parte, la gradación que se sugiere entre las formas más graves de explotación laboral evidencia que la potencial similitud de la esclavitud y el trabajo forzoso u obligatorio es menor que la de la servidumbre.

(siglas inglesas ICTY) realiza hasta cierto punto una interpretación evolutiva autónoma del contenido consuetudinario de la esclavitud.

Así, la Sala de Apelaciones confirmó que la definición de esclavitud había evolucionado a partir de formas contemporáneas de esclavitud sustentadas en el ejercicio de cualesquiera de los poderes correspondientes al derecho a la propiedad: la víctima no era ya sometida al conjunto de todos los poderes asociados con la *chattel slavery* (esclavitud tradicional basada en el derecho a la propiedad), sino que se ejercía sobre ella alguno de los atributos del derecho a la propiedad, originando una cierta destrucción de su personalidad jurídica"[111] -en la línea, como puede verse, de la tesis de VALVERDE-CANO-. La Sala de Apelaciones advirtió, adicionalmente, que la existencia de un fenómeno particular de esclavización era dependiente de los factores o indicios identificados por el tribunal en el supuesto fáctico. Se asume, por consiguiente, la imposibilidad de categorizar exhaustivamente todas las modalidades de esclavitud contemporáneas[112].

El TPIY se inclina, en consecuencia, por una interpretación inclusiva de la esclavitud *de facto*: asume que el art. 1,1 Convención de 1926 no se refiere al derecho a la propiedad sobre una persona, sino más cautelosamente a una persona sobre la que se ejercen los atributos del derecho de propiedad o algunos de ellos[113]. Los factores que identifican la esclavitud como crimen contra la humanidad, y que no han de ser vistos uno a uno de manera totalmente independiente, perfilan aspectos fácticos que denotan esa pérdida de la personalidad jurídica y un trato de la persona humana como un objeto (desprovisto de libertad volitiva) sometido a una forma grave de explotación laboral.

Esta línea jurisprudencial no rompe con las exigencias jurídicas de la interpretación de la esclavitud: la consideración del trabajo forzoso u obligatorio

---

[111]   ICTY: *Prosecutor v. Dragoljub Kunarac, Radomir Kovac and Zoran Vukovic*, Case IT-96-23-T& IT-96-23/1-A, Appeals Chamber, Judgement, 12 June 2002, § 117.

[112]   ICTY, *Prosecutor v. Dragoljub Kunarac, Radomir Kovac and Zoran Vukovic*, Case IT-96-23-T& IT-96-23/1-A, Appeals Chamber, Judgement, 12 June 2002, § 119. En primera instancia, el TPIY afirmó que: "Under this definition, indications of enslavement include elements of control and ownership; the restriction or control of an individual's autonomy, freedom of choice or freedom of movement; and, often, the accruing of some gain to the perpetrator. The consent or free will of the victim is absent. It is often rendered impossible or irrelevant by, for example, the threat or use of force or other forms of coercion; the fear of violence, deception or false promises; the abuse of power; the victim's position of vulnerability; detention or captivity, psychological oppression or socio-economic conditions. Further indications of enslavement include exploitation; the exaction of forced or compulsory labour or service, often without remuneration and often, though not necessarily, involving physical hardship; sex; prostitution; and human trafficking" (ICTY, *Prosecutor v. Dragoljub Kunarac, Radomir Kovac and Zoran Vukovic*, Case IT-96-23-T& IT-96-23/1-T, Trial Chamber, Judgement, 22 February 2001, § 542).

[113]   ICTY, *Prosecutor v. Dragoljub Kunarac, Radomir Kovac and Zoran Vukovic*, Case IT-96-23-T& IT-96-23/1-A, Appeals Chamber, Judgement, 12 June 2002, § 118.

como un indicio de existencia de esclavitud no modifica la autonomía conceptual observada respecto a otras formas graves de explotación laboral y sí fortalece por el contrario la percepción elástica del concepto de esclavitud, al mismo tiempo que reafirma los requisitos que pueden equiparar la servidumbre y el trabajo forzoso u obligatorio a la esclavitud.

En el *asunto Krnojelac*, para terminar, la Sala determinó que:

> "To establish the allegation that detainees were forced to work and that the labour detainees performed constituted a form of enslavement, the Prosecution must establish that the Accused (or persons for whose actions he is criminally responsible) forced the detainees to work, that he (or they) exercised any or all of the powers attaching to the right of ownership over them".[114]

IV. CONSIDERACIONES FINALES Y PROPUESTA POLÍTICO-JURÍDICA

A la vista de lo expuesto se formulan las siguientes consideraciones finales:

1) Las formas más graves de explotación constituyen *per se* una violación grave de derechos fundamentales que deben verse como un todo, pero a su vez, por la propia inercia del Derecho internacional público y de la racionalidad intrínseca de sus diferencias, como conductas autónomas y con un distinto grado de afectación o de perjuicio a los derechos fundamentales vinculados a la dignidad humana (particularmente, a la libertad del trabajador y, si se quiere para explicitar de manera más coherente su afectación a la dignidad humana, de la personalidad jurídica del mismo).

2) La interpretación moderna de las tres instituciones jurídicas, incluida la aproximación del TEDH al trabajo forzoso u obligatorio, no modifica en nada lo expuesto en la anterior consideración final: aun cuando se haya trabajado sobre todo en adecuar la noción de *esclavitud* a la práctica contemporánea de la misma –despegada de la tradicional vinculación intrínseca y estricta entre esclavitud/derecho a la propiedad-, no se desvirtúa en modo alguno su diferenciación respecto a la servidumbre y el trabajo forzoso u obligatorio, y entre estas dos otras modalidades entre sí.

3) Desde esta perspectiva, se cree que la tipificación penal de cualquier legislación penal interna debe reflejar de modo diferenciado las tres instituciones examinadas –esclavitud, servidumbre y trabajo forzoso-, no

---

[114]   ICTY, *Prosecutor v. Milorad Krnojelac*, Case IT-97-25-T, Trial Chamber, Judgement, 15 March 2002, § 358; un ejercicio que, a tenor del tipo penal, ha de producirse de manera intencional.

solo en lo que concierne a la distinción de los tres tipos penales, sino también expresando en la determinación de las respectivas penas un grado distinto de reproche penal. Esta perspectiva es perceptible, por ejemplo, en la jurisprudencia del TEDH, que entiende que estas conductas deben ser penalmente sancionadas de manera efectiva y expresiva del firme repudio hacia ellas en una sociedad democrática. Lo anterior, asimismo, debe resultar en la previsión adicional de una adecuada represión penal (agravada) si las víctimas son menores de edad.

4) Asimismo, en lo que concierne a la trata de seres humanos, es evidente que, si se dirige a la explotación laboral, esencialmente se define en el ordenamiento jurídico internacional como una institución dirigida a consolidar conductas constitutivas de formas graves de explotación laboral (esclavitud, servidumbre y trabajo forzoso u obligatorio). Esta circunstancia, y en la constatación de que, en buena medida, las formas más graves de explotación laboral se vinculan en la práctica a situaciones de trata de seres humanos, no es óbice para que las tres formas graves de explotación laboral no solo estén tipificadas como fines a los que se orienta la trata de seres humanos, sino también como tipos penales autónomos.

5) Finalmente, la jurisprudencia del TEDH pone de relieve la dificultad interpretativa derivada de que en el texto del art. 4 CEDH se prohíban las formas más graves de explotación laboral, pero no se prohíba expresamente de igual manera la trata de seres humanos. Es evidente que la interacción existente debe reflejarse en la doctrina jurisdiccional, pero también lo es que la misma es, a veces, poco coherente y discontinua argumentalmente, de tal modo que no siempre las soluciones jurídicas ofrecidas son las más acertadas en aras de garantizar que las obligaciones positivas relevantes para la trata de seres humanos se vean reflejadas dentro de los compromisos jurídicos adquiridos mediante el art. 4 CEDH.

Sobre esta base, y aun advirtiendo que el hecho de que el autor no sea un experto en materia penal mediatizará su aportación, se realiza la siguiente **propuesta político-jurídica**:

1) Es preciso, previamente, un análisis de si los delitos contra los derechos de los trabajadores reflejan de manera adecuada las formas graves de explotación que representan las tres figuras jurídicas de referencia, a los efectos de comprobar si, como parece a priori y en apariencia suceder en el caso de España, las normas jurídicas penales deben ser modificadas en la dirección señalada por el Derecho internacional y, específicamente, por el TEDH -atendiendo a que su doctrina jurisprudencial parece comprometer *erga omnes* a los Estados Partes del CEDH-. El *Plan de Acción*

Nacional contra el Trabajo Forzoso: relaciones laborales obligatorias y otras actividades humanas forzadas (Plan contra el Trabajo Forzoso), de hecho, deja claro que en España "no están tipificados específicamente los delitos de esclavitud, servidumbre y trabajos forzados en los términos que exige el derecho internacional con relevancia penal y llevado a cabo muchos ordenamientos de nuestro entorno jurídico" (Punto 2.1.).

2) Existe la necesidad, acorde con todo lo expuesto, de que las leyes penales tipifiquen de manera diferenciada, pero específica, la esclavitud, la servidumbre y el trabajo forzoso u obligatorio: tanto con una tipificación autónoma como con unas penas que reflejen la distinta gravedad de las tres formas graves de explotación laboral (incluyendo una comprensión de la especial gravedad de que las víctimas de estas prácticas sean los menores de edad u otras personas vulnerables). Esta aproximación -propuesta muy positiva, siempre que la misma se ajuste a los términos normativos y jurisdiccionales internacionales- es perceptible en el Plan contra el Trabajo Forzoso español, ya que este es uno de los ámbitos de acción preferente propuestos (Acción núm. 22). Sin perjuicio de ello, son propuestas también útiles, adicionalmente, la de estudiar la inclusión en el art. 177 del Código Penal la explotación laboral como finalidad de la trata de seres humanos (Acción núm. 22); la actualización del Código Penal respecto a los delitos contra los derechos de los trabajadores incluyendo subtipos cualificados o agravados (Acción núm. 23); y el abordaje jurídico-penal de estos asuntos desde la perspectiva de la responsabilidad de las personas jurídicas (Acción núm. 24).

3) Más allá de que pueda concurrir en un supuesto de hecho una actividad correspondiente al tipo de trata de seres humanos y el efectivo resultado de que esta termine ocasionado una situación final de explotación laboral tipificable adicionalmente en el futuro como un delito de trabajo forzoso u obligatorio, esclavitud o servidumbre, no deja de ser factible que la trata de seres humanos comporte simplemente un riesgo, conforme a la actividad desarrollada, de sometimiento a tales formas graves de explotación laboral. Se cree que, a los efectos de tipificar la trata de seres humanos, no debe ser exactamente el mismo reproche penal si el fin de la actividad es el sometimiento de una persona a esclavitud, servidumbre o trabajo forzoso u obligatorio; por lo que es precisa una fórmula jurídico-penal que refleje la distinta gravedad de las prácticas de explotación laboral como finalidad de la trata de seres humanos. En consecuencia, ello debe llevarse a cabo respecto al art. 177 Código Penal de aquella forma que se considere más oportuna técnicamente –especificación de agravantes diferenciadas o una disposición que distinga dentro del tipo penal de trata de seres humanos su producción en función de cada uno de los fines de explotación laboral-.

V. BIBLIOGRFÍA

ALIJA FERNÁNDEZ, R. A.: «¿Excesos en la protección del bien público global? Incoherencias normativas en la protección de los Derechos Humanos fundamentales por la vía penal internacional», en VV.AA., *La gobernanza del interés público global,* XXV Jornadas Ordinarias de Profesores de Derecho Internacional y Relaciones Internacionales (Barcelona, 19 y 20 de septiembre de 2013), Tecnos, Madrid, 2015.

ALIJA FERNÁNDEZ, R. A.: «La desaparición social en el Derecho Internacional de los Derechos Humanos y su relación con el derecho al reconocimiento de la personalidad jurídica», en VV.AA., *La desaparición social. Límites y posibilidades de una herramienta para entender vidas que no cuentan,* Universidad del País Vasco, Bilbao, 2021.

ALIJA FERNÁNDEZ, R. A.: *La persecución como crimen contra la humanidad,* Publicaciones de la Universitat de Barcelona, Barcelona, 2011.

ALLAIN, J. y HICKEY, R.: «Property and the definition of Slavery», *International and Comparative Law Quarterly,* n° 61, 2012.

ALLAIN, J.: «125 años de abolición: el derecho de la esclavitud y la explotación humana», en PÉREZ ALONSO, E. *et al.* (eds.), *El derecho ante las formas contemporáneas de esclavitud,* Tirant lo Blanch, Valencia 2017.

ALLAIN, J.: «*Rantsev v Cyprus and Russia*: The European Court of Human Rights and Trafficking as Slavery», *Human Rights Law Review,* n° 10, 2010.

ALLAIN, J.: «The Definition of 'Slavery' in General International Law and the Crime of Enslavement within the Rome Statute», *Guest Lecture Series of the Office of the Prosecutor,* 2007.

ALLAIN, J.: «The Legal Definition of Slavery into the Twenty-First Century», en ALLAIN, J. (ed.), *The Legal Understanding of Slavery: From the Historical to the Contemporary,* Oxford University Press, Oxford, 2012.

BONET PÉREZ, J.: «El sistema de control de la Organización Internacional del Trabajo (OIT) y la interpretación de los convenios de la OIT. Aproximación jurídica a una crisis institucional», *Revista electronica de estudios internacionales,* n° 26, 2013.

CARRILLO SALCEDO, J. A.: «The European Convention on Human Rights», en GÓMEZ ISA, F. y DE FEYTER, K. (eds.), *International Human Rights Law in a Global Context,* University of Deusto, Bilbao, 2009.

CPI: *Elementos de los Crímenes.* Disponible en: https://www.icc-cpi.int/nr/rdonlyres/a851490e-6514-4e91-bd45-ad9a216cf47e/283786/elementsofcrimesspaweb.pdf (última consulta, 30/10/2021)

DE SCHUTTER, O.: *International Human Rights Law. Cases, Materials, Commentary.* Cambridge University Press, Cambridge, 2010.

ESPALIÚ BERDUD, C.: «La definición de esclavitud en el Derecho internacional a comienzos del siglo XXI», *Revista Electrónica de Estudios Internacionales,* N° 28, 2014.

HORTAL IBARRA, J. C.: «Tutela de la condiciones laborales y reformas penales: ¿el ocaso del Derecho Penal del Trabajo?», *UNED. Revista de Derecho Penal y Criminología,* 3ª época, n° 20, 2018.

IMT: *Trials of War Criminals before the Nuernberg Military Tribunals under Control Council Law N° 10,* vol. IX, Government Printing Office, Washington, 1950.

IMT: *Trials of War Criminals before the Nuernberg Military Tribunals under Control Council Law N° 10*, vol. VI, Government Printing Office, Washington, 1952.

IMT: *Trials of War Criminals before the Nuernberg Military Tribunals under Control Council Law N° 10*, vol. VIII, Government Printing Office, Washington, 1952-1953, p. 1173.

INTERNATIONAL CRIMINAL COURT: *The Case of the Prosecutor v. Dominic Ongwen*, Tribunal Chamber IX, Judgment, ICC-02/04-01/15, 2021. Disponible en: https://www.icc-cpi.int/CourtRecords/CR2021_01026.PDF

JARA BUSTOS, F.: «La esclavitud y el trabajo forzado como crímenes de lesa humanidad», *Revista Chilena del Trabajo y la Seguridad Social*, núm. 7, 2015.

LAVRYSEN, L.: *Human Rights in a Positive State. Rethinking the Relationship between Positive and Negative Obligations under the European Convention on Human Rights*, Intersentia Ltd, Cambridge/Antwerp/Portland, 2017.

MADELAINE, C.: *La technique des obligations positives en droit de la Convention européenne des droits de l'homme* (tesis doctoral no publicada), Université Montpellier I, Montpellier, 2012.

OIT: *Informe de la Comisión de Expertos en Aplicación de Convenios y Recomendaciones*, ILC.100/III/1A, Ginebra, 2011.

OIT: *Normas de la OIT sobre el trabajo forzoso. El nuevo Protocolo y la nueva Recomendación de un vistazo*, Oficina Internacional del Trabajo, Ginebra, 2016.

OIT: *Un futuro sin trabajo infantil. Informe global con arreglo al seguimiento de la Declaración de la OIT relativa a los principios y derechos fundamentales en el trabajo*, Oficina Internacional del Trabajo, Ginebra, 2002.

ONU: *Informe de la Comisión de Derecho Internacional. Período comprendido entre el 5 de junio y el 29 de junio de 1950*, Documento A/1316, 1950.

ONU: *Las formas contemporáneas de la esclavitud, incluidas sus causas y consecuencias. Nota del Secretario General*, Documento A/72/139, 2017.

ONU: *Observación General n° 24 (1994). Comentario general sobre cuestiones relacionadas con las reservas formuladas con ocasión de la ratificación del Pacto o de sus Protocolos Facultativos, o de la adhesión a ellos, o en relación con las declaraciones hechas de conformidad con el artículo 41 del Pacto*, Documento CCPR/C/21/Rev.1/Add.6, 1994.

RIVAS VALLEJO, P.: «Aproximación laboral a los conceptos de esclavitud, trabajo forzoso y explotación laboral en los tratados internacionales», *Revista de Estudios Jurídico Laborales y de Seguridad Social*, núm. 2, 2021.

SHAHINIAN, G.: «Aproximación a la realidad de las formas contemporáneas de esclavitud», en PÉREZ ALONSO, E. (ed.), *El Derecho ante las Formas Contemporáneas de Esclavitud*, Tirant lo Blanch, Valencia, 2020.

UNITED NATIONS CONFERENCE ON THE LAW OF TREATIES: *Official Records. Summary records of the plenary meetings and of the meetings of the Committee of the Whole. First session (Vienna, 26 March-24 May 1968)*, Document A/CONF.39/11, 1968-1969.

VALVERDE-CANO, A. B.: «¿Lo sé cuando lo veo? El bien jurídico a proteger en las conductas de sometimiento a esclavitud, servidumbre y trabajos forzosos», *Revista de Derecho Penal y Criminología*, n° 23 (14), 2021.

VIADA, N. G.: *Derecho penal y globalización. Cooperación penal internacional.* Marcial Pons, Madrid/Barcelona/Buenos Aires, 2009.

Capítulo XV

LA EXPLOTACIÓN LABORAL COMO FINALIDAD PROPIA DEL DELITO DE TRATA DE PERSONAS

EDUARDO RAMÓN RIBAS
Catedrático de Derecho Penal
Universitat de les Illes Balears

I. INTRODUCCIÓN: ALGUNAS CONCLUSIONES

- El delito de trata de seres humanos protege un bien jurídico de naturaleza indi*vid*ual.

- El delito de trata de seres humanos con fines de explotación laboral no castiga la efectiva explotación laboral; pretende prevenirla actuando, en fases previas a su ejecución, contra los actos de captación, transporte o recepción. Supone un adelantamiento, desde la perspectiva de dicha explotación laboral, de la línea de intervención penal.

- El delito de trata de seres humanos con fines de explotación laboral no castiga toda conducta de trata de personas con fines de explotación laboral, sino, únicamente, la que se realiza con fines de explotación constitutiva de trabajos o servicios forzados, esclavitud, ser*vid*umbre o prácticas similares a ellas, y, quizá (muy tímido), la realizada con el fin de explotar a personas utilizándolas en labores de mendicidad o similares.

II. EL DELITO DE TRATA DE SERES HUMANOS: REGULACIÓN. BIEN JURÍDICO DE CARÁCTER INDIVIDUAL

1.   *El artículo 177 bis del Código Penal. Las conductas típicas*

El artículo 177 bis.1 del Código Penal, integrante único del Título VII bis, rubricado *De la trata de seres humanos*, de su Libro II (*Delitos y sus penas*), tipifica, como indica aquella rúbrica, el delito de trata de seres humanos[1].

Los tipos básicos, los supuestos de hecho que dan soporte a toda la regulación, los hallamos en el apartado 1 de un muy extenso art. 177 bis, que prevé el castigo (con la pena de prisión de cinco a ocho años) de quien realice alguna de las siguientes conductas: captar (1), transportar (2), trasladar (3), acoger (4) o recibir personas (5), incluido el intercambio o transferencia de control sobre ellas (6)[2].

Esta enumeración de conductas típica supone la adopción, según destaca LLORIA GARCÍA, de un concepto unitario de autor "*en virtud del cual los actos de colaboración se elevan a la categoría de autoría*"[3].

Consistiendo el delito de trata de personas, en primer término, por tanto, en captar, transportar, trasladar, acoger o recibir personas, además de en el referido intercambio o transferencia sobre ellas[4], es preciso, además, que cualquiera de dichas conductas se realice de alguna de estas formas:

- empleando violencia o intimidación (1)
- empleando engaño (2)
- abusando de una situación de superioridad de la víctima, nacional o extranjera (3)
- abusando de una situación de necesidad de la víctima, nacional o extranjera (4)

---

[1]   Como afirma POMARES CINTAS, E.: "El delito de trata de seres humanos con finalidad de explotación laboral", *Revista Electrónica de Ciencia Penal y Criminología*, 13-15, 2011, tanto el Título VII bis como el artículo 177 bis, ambos del Código Penal, utilizan los términos *trata* y *seres humanos*, "*seguramente*", para distinguir la trata de seres humanos del *tráfico de personas* contemplado, en su momento, en el artículo 318 bis.

[2]   Se facilita, así, "*la incriminación de los casos de compraventa, alquiler o permuta de víctima*". *Vid.* VILLACAMPA ESTIARTE, C.: "¿Es necesaria una Ley integral contra la trata de seres humanos?", *Revista General del Derecho Penal*, 33, 2020, p. 7.

[3]   *Vid.* LLORIA GARCIA, P.: "El delito de trata de seres humanos y la necesidad de creación de una ley integral", *Estudios Penales y Criminológicos*, vol. 39, 2019, p. 377.

[4]   Todas estas conductas se presentan como *alternativas*, siendo su alcance gramatical muy extenso. *Vid.* TERRADILLOS BASOCO, J. M.: "Trata de seres humanos", en ÁLVAREZ GARCÍA, F. J. y GONZÁLEZ CUSSAC, J. L. (dirs.), *Comentarios a la reforma Penal de 2010*, Tirant lo Blanch, Valencia 2010, p. 210.

- abusando de una situación de vulnerabilidad de la víctima, nacional o extranjera (5)[5]
- mediante la entrega de pagos o beneficios para lograr el consentimiento de la persona que poseyera el control sobre la víctima (6)
- mediante la recepción de pagos o beneficios para lograr el consentimiento de la persona que poseyera el control sobre la víctima (7)

Las conductas mencionadas pueden realizarse en territorio español (1)[6], desde España (2), en tránsito por España (3) o con destino a España (4). Se excluye, por tanto, la trata cometida en el extranjero que no tenga conexión con España[7].

Esta limitación geográfica, al margen de contradecir la normativa europea[8], lleva consigo, como denunció VILLACAMPA ESTIARTE, una innecesaria e indebida restricción del ámbito de aplicación del delito[9].

---

[5] El artículo 177 bis se refiere a la *víctima* adjetivándola, innecesariamente (e, incluso, perturbadoramente), como *nacional o extranjera*. Como indica POMARES CINTAS, la esfera de los sujetos pasivos del delito de trata *"no está determinada por la nacionalidad, condición de extranjero o vulneración de las normas migratorias. Es"*, dice, *"un rasgo esencial del concepto de trata"*. *Vid.* POMARES CINTAS, E.: "El delito de trata de seres humanos con finalidad de explotación laboral", *op. cit.*, p. 15: 7. En consecuencia, como dice VILLACAMPA ESTIARTE, C.: *El delito de trata de seres humanos. Una incriminación dictada desde el Derecho Internacional*, Aranzadi, Pamplona, 2011, p. 416, sería conveniente suprimir la referencia al sujeto pasivo.
También la *Circular* de la Fiscalía General *5/2011, de 2 de noviembre, sobre criterios para la unidad de actuación especializada del ministerio fiscal en materia de extranjería e inmigración*, destaca la referencia del delito previsto en el artículo 177 bis a la trata de seres humanos y *"no a la trata de extranjeros"*. *"Ello significa no solo que es posible cometer el delito en el territorio de un solo Estado (trata doméstica o interior), sino también que es inadmisible cualquier discriminación en su persecución por razón de la nacionalidad de la víctima"*.

[6] *"No se requiere"*, por tanto, *"un desplazamiento transfronterizo de la víctima: el delito de trata puede cometerse (exclusivamente) en territorio español"*. *Vid.* POMARES CINTAS, E.: "El delito de trata de seres humanos con finalidad de explotación laboral", *op. cit.*, p. 15: 7.

[7] *Vid.* CUGAT MAURI, M.: "La trata de seres humanos: la universalización del tráfico de personas y su disociación de las conductas infractoras de la política migratoria (arts. 177 bis, 313, 318 bis)", en QUINTERO OLIVARES, G. (dir.), *La reforma penal de 2010: análisis y comentarios*, Aranzadi, Pamplona 2020, p. 61.

[8] *Vid.*, en este sentido, POMARES CINTAS, E.: "El delito de trata de seres humanos con finalidad de explotación laboral", *op. cit.*, p. 15: 8.

[9] *Vid.* VILLACAMPA ESTIARTE, C.: *El delito de trata de seres humanos. Una incriminación dictada desde el Derecho Internacional*, *op. cit.* p. 417.
Dado que la normativa internacional no contiene requerimiento territorial alguno, se sigue confundiendo trata e inmigración ilegal, con el consiguiente peligro de no llegar, en este ámbito, en materia de criminalización, hasta donde es preciso. VILLACAMPA ESTIARTE, C.: "El delito de trata de seres humanos en Derecho Penal español tras la reforma de 2015",

En efecto, el delito de trata, como decíamos, puede cometerse solo en territorio español, y aunque también puede tener esa referida proyección transnacional, siempre debe tener un punto de conexión con España: "*debe cometerse «desde España» (España como punto de partida hacia otro país), «con destino» a España (la conducta tiene lugar en otro país siendo el destino España), o «en tránsito» por España como lugar de paso, siendo el punto de partida otro país y el destino uno distinto*"[10].

Referidos los tipos objetivos, debe destacarse la necesidad de que su autor actúe con dolo (pues no se prevé el castigo de dichos comportamientos cuando fueren realizados por imprudencia, fuere grave o menos grave) y, además, con cualquiera de las finalidades siguientes[11]:

a) La imposición de trabajo o de servicios forzados, la esclavitud o prácticas similares a la esclavitud, a la servidumbre o a la mendicidad.

b) La explotación sexual, incluyendo la pornografía.

c) La explotación para realizar actividades delictivas.

d) La extracción de sus órganos corporales.

e) La celebración de matrimonios forzados.

En definitiva, el artículo 177 bis CP estructura los tipos básicos del delito de trata de seres humanos exigiendo la concurrencia de cuatro elementos:

- dos de naturaleza objetiva: las diversas conductas consistentes en captar, transportar, trasladar, recibir o alojar, y el empleo de alguna de las formas de sumisión de las personas objeto de trata,

- y dos de naturaleza subjetiva: el dolo y las referidas finalidades, descritas también en términos alternativos.

---

en PÉREZ ALONSO, E. (dir.), *El derecho ante las formas contemporáneas de esclavitud*, Tirant lo Blanch, Valencia 2017, p. 461.

Advierte al respecto PÉREZ ALONSO, E.: *Tráfico de personas e inmigración clandestina (un estudio sociológico, internacional y jurídico-penal)*, Tirant lo Blanch, Valencia, 2008, pp. 323-324, que el *elemento geográfico* de la trata debe ceñirse a los comportamientos que expresan el movimiento o desplazamiento de personas de un lugar a otro, considerándolo un rasgo esencia del concepto de trata.

10   *Vid.* POMARES CINTAS, E.: "El delito de trata de seres humanos con finalidad de explotación laboral", *op. cit.*, p. 15: 7. *Vid.* también en este sentido, PÉREZ ALONSO, E.: *Tráfico de personas e inmigración clandestina (un estudio sociológico, internacional y jurídicopenal)*, *op. cit.*, p. 325.

11   "*La necesaria vinculación del delito del artículo 177 bis a determinados objetivos explotadores convierte a la trata de seres humanos en la «versión moderna» de la trata de esclavos que se produjo hasta el siglo XIX*". *Vid.* POMARES CINTAS, E.: "El delito de trata de seres humanos con finalidad de explotación laboral", *op. cit.*, p. 15: 4.

Como observa TERRADILLOS BASOCO, la definición española de la trata de seres humanos, tributaria de la internacional, "*integra tres elementos: la conducta típica de índole traslativa, los medios comisivos para obtener el control de la víctima y la finalidad de explotación ulterior*"[12].

Es sumamente importante destacar, como hace POMARES CINTAS, que la fase de explotación efectiva de la víctima no forma parte de la conducta típica: "*no es necesaria para la consumación del delito de trata*"[13]. Es más, no solo no es necesaria, sino que deberá ser castigada, en su caso, autónomamente: a las penas propias de la trata deberán sumarse, por tanto, como establece (según veremos) el artículo 177 bis, las que correspondan a los delitos cometidos mediante la correspondiente explotación[14]. La justificación o fundamento del

---

[12] *Vid.* TERRADILLOS BASOCO, J. M.: "Delitos contra los derechos de los trabajadores: veinticinco años de política legislativa errática", *Estudios penales y criminológicos*, vol. 41, 2021, p. 47.

[13] *Vid.* POMARES CINTAS, E.: "El delito de trata de seres humanos con finalidad de explotación laboral", *op. cit.*, p. 15: 8.

[14] Es frecuente la denuncia doctrinal de que se castiga más la recluta, el traslado, transporte, alojamiento o recepción destinados a explotar, que la explotación posterior, *evidenciándose una defectuosa técnica legislativa que compromete seriamente el principio de proporcionalidad*. *Vid.*, por ejemplo, en este sentido, VILLACAMPA ESTIARTE, C.: *El delito de trata de seres humanos. Una incriminación dictada desde el Derecho Internacional, op. cit.*, pp. 477 y ss.
Producida una reforma del delito de trata de seres humanos en 2015, critica dicha autora que el legislador "*desaprovechase la oportunidad que le brindaba esta reforma penal para incluir en el Código penal español un delito de esclavitud, como inmediatamente se puso de manifiesto. Y es que, concebida la trata de seres humanos como el camino que conduce a la esclavitud, en la doctrina pronto se evidenció que, contra toda lógica, el legislador español sancionaba más severamente el proceso de convertir a alguien en esclavo que la esclavitud misma. La constatación de que la calificación de los hechos conforme a las tipicidades propias de los delitos contra la libertad sexual, cuando se trata de la explotación sexual de las personas y, sobre todo, conforme a los delitos contra los derechos de los trabajadores, en los supuestos de trata para explotación laboral, aun con la eventual posible aplicación en concurso con delitos como el trato degradante, no aprehende el contenido de injusto propio de las conductas de esclavización, que constituyen un atentado a la misma línea de flotación de la dignidad y la libertad de la voluntad humanas, han conducido a distintos autores en nuestro país a proponer la inclusión de un delito de esclavitud. A los argumentos indicados en favor de esa demanda, se añade que en la mayor parte de países de nuestro entorno jurídico existe un delito de esclavitud o, cuanto menos, esta se sanciona al mismo nivel de la trata*". *Vid.* VILLACAMPA ESTIARTE, C.: "¿Es necesaria una Ley integral contra la trata de seres humanos?", *op. cit.*, pp. 9 y 10. *Vid.* también, en este sentido, MAQUEDA ABREU, M. L.: "Trata y esclavitud no son lo mismo, pero ¿qué son?", *Estudios jurídicos penales y criminológicos en homenaje al Prof. Dr. Dr. H.C. mult. Lorenzo Morillas Cueva*, Dykinson, Madrid, 2018, p. 1251 y siguientes; LLORIA GARCIA, P.: "El delito de trata de seres humanos y la necesidad de creación de una ley integral", *op. cit.*, p. 367.

castigo autónomo de la trata de personas, como dice aquella autora, es *la co-sificación de la persona* previa a su explotación[15].

Aceptado que, *"una vez consumado el delito de trata de personas, la ulterior puesta en práctica de las finalidades típicas dará lugar a un concurso de delitos, tal como dispone expresamente el art. 177 bis 9"*[16], es preciso decidir la naturaleza de dicho concurso. Dice al respecto TERRADILLOS BASOCO que, a pesar de que *"la fórmula legal parece inclinarse por apreciar un concurso real, la vinculación teleológica entre la trata y el delito de explotación responde a la estructura del concurso medial"*, y que *"así lo ha entendido la jurisprudencia"*[17]. Para determinar la pena imponible será preciso acudir, en consecuencia, a lo previsto en el artículo 77, números 1 y 3.

El artículo 177 bis.1 se completa con estas dos previsiones:

- Existe una situación de necesidad o vulnerabilidad cuando la persona en cuestión no tiene otra alternativa, real o aceptable, que someterse al abuso[18].

- Cuando la víctima de trata de seres humanos fuera una persona menor de edad se impondrá, en todo caso, la pena de inhabilitación especial para cualquier profesión, oficio o actividades, sean o no retribuidos, que conlleve contacto regular y directo con personas menores de edad, por un tiempo superior entre seis y veinte años al de la duración de la pena de privación de libertad impuesta.

Establece acto seguido el artículo 177 bis.2 que, *"aun cuando no se recurra a ninguno de los medios enunciados en el apartado anterior, se considerará trata de seres humanos cualquiera de las acciones indicadas en el apartado anterior cuando se llevare a cabo respecto de menores de edad con fines de explotación"*.

Cuando las víctimas fueren personas menores de edad, los tipos objetivos, por tanto, se simplifican: no es necesario, ahora, utilizar o emplear alguno de los numerosos medios que relaciona el artículo 177 bis.1, sino, únicamente, captar, transportar, trasladar, acoger o recibir menores. Permaneciendo la nece-

---

[15]   *"Por ello, a diferencia del delito de colaboración en la inmigración clandestina o tráfico ilegal de personas del artículo 318 bis.1 CP (tipo básico), cuya relevancia penal reside únicamente en la condición de extranjero-inmigrante-ilegal de la persona, en la infracción de la normativa migratoria sobre entrada o permanencia en territorio nacional o de la UE, el que es objeto de trata es también víctima del delito"*. Vid. POMARES CINTAS, E.: "El delito de trata de seres humanos con finalidad de explotación laboral", *op. cit.*, p. 15: 6.

[16]   *Vid.* TERRADILLOS BASOCO, J. M.: "Delitos contra los derechos de los trabajadores: veinticinco años de política legislativa errática", *Estudios penales y criminológicos*, vol. 41, 2021, p. 51.

[17]   *Vid.* TERRADILLOS BASOCO, J. M.: *Ibidem.*

[18]   En tanto realizada por las propias Cortes legisladoras, es esta una *interpretación auténtica.*

sidad de que el sujeto actúe dolosamente, deberá concurrir, además, el elemento subjetivo consistente en actuar con fines de explotación.

De la regulación de la trata de personas interesa destacar, acto seguido, lo previsto en el número 3 del citado art. 177 bis: "*El consentimiento de una víctima de trata de seres humanos será irrelevante cuando se haya recurrido a alguno de los medios indicados en el apartado primero de este artículo*".

En los números siguientes del artículo 177 bis, presentando brevemente el resto de dicha regulación, se contienen tipos agravados (números 4,5 y 6)[19], la previsión de la responsabilidad penal de las personas jurídicas de acuerdo con lo establecido en el artículo 31 bis del Código Penal (número 7)[20] y del castigo de la provocación, la conspiración y la proposición para cometer el delito de trata de seres humanos (número 8)[21], así como una importante (y ya referida) norma concursal: "*En todo caso, las penas previstas en este artículo se impondrán sin perjuicio de las que correspondan, en su caso, por el delito del artículo 318 bis de este Código y demás delitos efectivamente cometidos, incluidos los constitutivos de la correspondiente explotación*" (número 9).

---

[19]   Art. 177 bis. "*4. Se impondrá la pena superior en grado a la prevista en el apartado primero de este artículo cuando:*
a) se hubiera puesto en peligro la vida o la integridad física o psíquica de las personas objeto del delito;
b) la víctima sea especialmente vulnerable por razón de enfermedad, estado gestacional, discapacidad o situación personal, o sea menor de edad.
Si concurriere más de una circunstancia se impondrá la pena en su mitad superior.
5. Se impondrá la pena superior en grado a la prevista en el apartado 1 de este artículo e inhabilitación absoluta de seis a doce años a los que realicen los hechos prevaliéndose de su condición de autoridad, agente de ésta o funcionario público. Si concurriere además alguna de las circunstancias previstas en el apartado 4 de este artículo se impondrán las penas en su mitad superior.
6. Se impondrá la pena superior en grado a la prevista en el apartado 1 de este artículo e inhabilitación especial para profesión, oficio, industria o comercio por el tiempo de la condena, cuando el culpable perteneciera a una organización o asociación de más de dos personas, incluso de carácter transitorio, que se dedicase a la realización de tales actividades. Si concurriere alguna de las circunstancias previstas en el apartado 4 de este artículo se impondrán las penas en la mitad superior. Si concurriere la circunstancia prevista en el apartado 5 de este artículo se impondrán las penas señaladas en este en su mitad superior.
Cuando se trate de los jefes, administradores o encargados de dichas organizaciones o asociaciones, se les aplicará la pena en su mitad superior, que podrá elevarse a la inmediatamente superior en grado. En todo caso se elevará la pena a la inmediatamente superior en grado si concurriera alguna de las circunstancias previstas en el apartado 4 o la circunstancia prevista en el apartado 5 de este artículo".

[20]   Con previsión de la imposición de una "*pena de multa del triple al quíntuple del beneficio obtenido*" y, "*atendidas las reglas establecidas en el artículo 66 bis*", de las penas recogidas en las letras b) a g) del apartado 7 del artículo 33 (su imposición es, sin embargo, facultativa).

[21]   Dispone el art. 177 bis.8, siguiendo la norma general en la materia, la imposición de la pena inferior en uno o dos grados a la del delito correspondiente.

En sus números 10 y 11, declara el art. 177 bis, finalizando la regulación del delito de trata de seres humanos, lo siguiente:

- *"Las condenas de jueces o tribunales extranjeros por delitos de la misma naturaleza que los previstos en este artículo producirán los efectos de reincidencia, salvo que el antecedente penal haya sido cancelado o pueda serlo con arreglo al Derecho español"* (número 10)

- *"Sin perjuicio de la aplicación de las reglas generales de este Código, la víctima de trata de seres humanos quedará exenta de pena por las infracciones penales que haya cometido en la situación de explotación sufrida, siempre que su participación en ellas haya sido consecuencia directa de la situación de violencia, intimidación, engaño o abuso a que haya sido sometida y que exista una adecuada proporcionalidad entre dicha situación y el hecho criminal realizado"* (número 11).

2. El bien jurídico protegido. Naturaleza individual. Los fines de explotación

¿Cuál es el bien jurídico protegido por el delito de trata de personas? Su regulación la hallamos, recordemos, en el Título VII bis del Libro II del Código Penal, refiriéndose su rúbrica al delito cuyo castigo se prevé y no, como hacen la mayoría de títulos de dicho Libro II[22], al bien cuya protección se persigue. La rúbrica del título inmediatamente anterior, el Título VII, si bien empieza refiriéndose también a una concreta figura delictiva (*De las torturas*), acto seguido se refiere a ella, y al conjunto de figuras reguladas en él, como (*otros*) *delitos contra la integridad moral*.

La ubicación sistemática del delito de trata de seres humanos seguidamente de la de los delitos contra la integridad moral no es, con certeza, casual. El legislador no se atrevió a configurarlo expresamente como un delito contra la integridad moral, pero su esencia, si no es esa, es, sin duda, muy próxima.

---

[22]   Título VI: *Delitos contra la libertad*; Título VII: *Delitos contra la libertad e indemnidad sexuales*; Título X: *Delitos contra la intimidad, el derecho a la propia imagen y la inviolabilidad del domicilio*; Título XI: *Delitos contra el honor*; Título XII: *Delitos contra las relaciones familiares*; Título XIII: *Delitos contra el patrimonio y contra el orden socioeconómico*; Título XIV: *Delitos contra la Hacienda Pública y contra la Seguridad Social*; Título XV: *De los delitos contra los derechos de los trabajadores*; Título XV bis: *Delitos contra la derechos de los ciudadanos extranjeros*; Título XVI: *De los delitos relativos a la ordenación del patrimonio y el urbanismo, la protección del patrimonio histórico y el medio ambiente*; Título XVII: *Delitos contra la seguridad colectiva*; Título XIX: *Delitos contra la Administración pública*; Título XX: *Delitos contra la Administración de Justicia*; Título XXI: *Delito contra la Constitución*; Título XXII: *Delitos contra el orden público*; Título XXIII: *Delitos de traición y contra la paz o la independencia del Estado y relativos a la Defensa Nacional*; Título XXIV: *Delitos contra la Comunidad Internacional*.

En el Preámbulo de la Ley Orgánica 5/2010, que introdujo, recordemos, el delito de trata de seres humanos en nuestro Código Penal, se explica, al respecto, lo siguiente: "*El tratamiento penal unificado de los delitos de trata de seres humanos e inmigración clandestina que contenía el artículo 318 bis resultaba a todas luces inadecuado, en vista de las grandes diferencias que existen entre ambos fenómenos delictivos. La separación de la regulación de estas dos realidades resulta imprescindible tanto para cumplir con los mandatos de los compromisos internacionales como para poner fin a los constantes conflictos interpretativos*".

"*Para llevar a cabo este objetivo se procede*", sigue diciendo el mentado Preámbulo, "*a la creación del Título VII bis, denominado «De la trata de seres humanos». Así, el artículo 177 bis tipifica un delito en el que prevalece la protección de la dignidad y la libertad de los sujetos pasivos que la sufren. Por otro lado, resulta fundamental resaltar que no estamos ante un delito que pueda ser cometido exclusivamente contra personas extranjeras, sino que abarcará todas las formas de trata de seres humanos, nacionales o trasnacionales, relacionadas o no con la delincuencia organizada.*

En cambio, el delito de inmigración clandestina siempre tendrá carácter trasnacional, predominando, en este caso, la defensa de los intereses del Estado en el control de los flujos migratorios.

Además de la creación del artículo 177 bis, y como consecuencia de la necesidad de dotar de coherencia interna al sistema, esta reestructuración de los tipos ha requerido la derogación de las normas contenidas en los artículos 313.1. y 318 bis. 2".

Destaca la importancia del mentado Preámbulo de la LO 5/2010, con relación al tema que nos ocupa, la *Circular de la Fiscalía General 5/2011, de 2 de noviembre, sobre criterios para la unidad de actuación especializada del ministerio fiscal en materia de extranjería e inmigración*, según la cual, "*de manera concisa pero muy expresiva el preámbulo de la LO 5/2010 reconoce que no tiene otro objetivo que el de la protección de la dignidad y la libertad de los sujetos pasivos que la sufren. En este sentido reafirma idéntica declaración y pretensión que todos los documentos e instrumentos internacionales preparatorios, explicativos y reguladores de este delito o de cualquier otra disposición relativa al sistema de prevención, protección, o persecución que integran la acción mundial contra este fenómeno criminal*".

También destacan dicha importancia LLORIA GARCÍA, según la cual, "*la propia Exposición de Motivos de la LO 5/2010 fija como objeto de protección en el delito de trata de seres humanos la dignidad y la libertad de la persona*"[23]; MARTOS NUÑEZ, quien, citando dicha Exposición de Motivos, concluye

---

[23]   "*Bien jurídico que encaja perfectamente con la ubicación sistemática del art. 177 bis, en el Título VII bis, esto es, inmediatamente después de los delitos de tortura y contra la integri-*

que la libertad y la libertad son los bienes protegidos[24]; y GUISASOLA LERMA, que destaca el acierto de la ubicación sistemática del delito de trata de seres humanos[25].

Según DE LA MATA BARRANCO, *"no se enfrenta el Código -no le obliga a ello la legislación europea-, sin embargo, a la cuestión básica de definir con claridad (a través de una correcta rúbrica) qué es lo que ha de protegerse frente al fenómeno de trata, aunque la ubicación del nuevo capítulo mediante la incorporación de un "bis" inmediatamente posterior al Título de los delitos contra la integridad moral apunta en una concreta dirección. Y ello sería importante para expresar con claridad de una vez por todas que, aunque la idea de explotación pueda utilizarse para definir el concepto de trata (aunque esto puede también cuestionarse), estamos ante dos lesividades diferentes, ante dos realidades diferentes, como se reconoce ya con claridad con la cláusula concursal del art. 177 bis 9"*[26].

"En efecto", dice TERRADILLOS BASOCO, *"el nuevo delito atenta gravemente contra la dignidad de la víctima, considerándola instrumento más que persona. Y atenta también contra su libertad, en cuanto instancias ajenas deciden qué hacer con ella"*. Es como consecuencia de ello que, como hemos visto, el delito de trata de personas *"constituye un delito autónomo e independiente, desde el punto de vista normativo, de los delitos de explotación posteriores, a los que sirve instrumentalmente"*[27].

Según VILLACAMPA ESTIARTE, los delitos de trata de seres humanos suponen, como sostiene aquel autor, un ataque a la dignidad humana, un ataque, en concreto, de *primera magnitud*[28].

En opinión de POMARES CINTAS, *"el delito de trata puede concebirse como una modalidad específica de ataque contra la integridad moral de las*

---

dad moral". LLORIA GARCIA, P.: "El delito de trata de seres humanos y la necesidad de creación de una ley integral", *op. cit.*, p. 374.

[24]   *Vid.* MARTOS NUÑEZ, J. A.: "El delito de trata de seres humanos: análisis del artículo 177 bis del Código Penal", *Estudios Penales y Criminológicos*, Vol. 32, 2012, p. 100.

[25]   *Vid.* GUISASOLA LERMA, C.: "Formas contemporáneas de esclavitud y trata de seres humanos: una perspectiva de género", *Estudios Penales y Criminológicos*, vol. 39, 2019, p. 189.

[26]   *Vid.* DE LA MATA BARRANCO, N. J.: "Trata de personas y favorecimiento de la inmigración ilegal, dos conductas de muy distinto desvalor", *Revista electrónica de Ciencia Penal y Criminología*, núm. 23, 2021, pág. 30.

[27]   *Vid.* TERRADILLOS BASOCO, J.M.: "Delitos contra los derechos de los trabajadores: veinticinco años de política legislativa errática", *op. cit.*, p. 47.

[28]   *Vid.* VILLCAMPA ESTIARTE, C.: *El delito de trata de seres humanos. Una incriminación dictada desde el Derecho Internacional, op. cit.*, p. 170 y ss.; recientemente VILLACAMPA ESTIARTE, C. y TORRES FERRER, C.: "Aproximación institucional a la trata de seres humanos en España: valoración crítica", *Estudios Penales y Criminológicos*, Vol. 41, 2021, p. 192.

personas en la medida en que la instrumentalización del ser humano para la consecución de determinadas finalidades mercantilistas supone involucrarle en una situación que lo anula como persona"[29], situación a la que se ve sometida la víctima "*en contra de su voluntad, o bien sin consentimiento válido*". Precisamente por ello, BAUCELLS LLADÓS considera que sería más acertado ubicar esta figura delictiva entre los delitos contra la integridad moral[30].

Como afirma POMARES CINTAS, de acuerdo con PÉREZ ALONSO[31], "*los procedimientos comisivos*", cuyo efecto inmediato es determinar la irrelevancia, en su caso, del consentimiento de la víctima[32], "*configuran el escenario de sometimiento característico de la trata*"[33].

"*En definitiva*", sigue diciendo POMARES CINTAS, frente al delito de inmigración clandestina o tráfico ilegal de personas del 318 bis.1 CP, "*la relevancia penal del delito de trata reside en la falta de consentimiento de la víctima. El recurso a los medios típicos permite al autor ejercer un control absoluto sobre la víctima, y, por ende, el abuso de la posición de dominio resultante de cualquiera de aquellos procedimientos invalida el consentimiento del sujeto pasivo sobre tales comportamientos*"[34]. "*La trata*", dice PÉREZ ALONSO, "*tiene en su base un elemento de sometimiento y control*", consecuencia del empleo de medios engañosos, abusivos o coactivos, "*de la persona objeto y víctima de la misma*"[35].

Muy importante resulta, a mi juicio, la proyección futura de la mencionada irrelevancia o inexistencia del consentimiento de la trata: "*En cualquier caso, la irrelevancia del consentimiento de la víctima de la trata se ha de proyectar sobre la posible consecución de las conductas de explotación a las que debe ex ante encaminarse el comportamiento del autor. Esa vinculación del sujeto pasivo con una posterior situación de explotación es lo que lo convierte en víctima de trata de seres humanos*"[36]. Subraya esta exigencia POMARES CINTAS

---

[29]   *Vid.* también, en este sentido, PÉREZ ALONSO, E.: *Tráfico de personas e inmigración clandestina (un estudio sociológico, internacional y jurídico-penal), op. cit.*, p. 177.

[30]   *Vid.* BAUCELLS LLADÓS, J.: "El tráfico ilegal de personas para su explotación sexual", en RODRÍGUEZ MESA, Mª. J. y RUÍZ RODRÍGUEZ, L. (coords.), *Inmigración y sistema penal. Retos y desafíos para el siglo XXI*, Tirant lo Blanch, Valencia, 2006, pág. 182.

[31]   *Vid.* PÉREZ ALONSO, E.: *Tráfico de personas e inmigración clandestina (un estudio sociológico, internacional y jurídico-penal), op. cit.*, p. 327.

[32]   Recordemos lo dispuesto por el artículo 177 bis.3: "*El consentimiento de una víctima de trata de seres humanos*".

[33]   *Vid.* POMARES CINTAS, E.: "El delito de trata de seres humanos con finalidad de explotación laboral", *op. cit.*, p. 15: 9.

[34]   *Vid.* POMARES CINTAS, E.: *Ibidem*, p. 15: 11.

[35]   *Vid.* PÉREZ ALONSO, E.: *Tráfico de personas e inmigración clandestina (un estudio sociológico, internacional y jurídico-penal), op. cit.*, p. 324.

[36]   *Vid.* POMARES CINTAS, E.: "El delito de trata de seres humanos con finalidad de explotación laboral", *op. cit.*, pág. 15: 11.

destacando la necesidad de que los comportamientos constitutivos de delito de trata de seres humanos estén *preordenados objetivamente a la explotación personal del sujeto pasivo*:

> "*Tan esencial como la utilización de los medios comisivos que doblegan o anulan la voluntad del sujeto pasivo, es otro elemento del que, en última instancia, va a depender el significado penal de estas conductas como «trata de seres humanos». En efecto, la rúbrica del Título VII bis y la denominación «reo de trata de seres humanos» insertada en el precepto obligan a integrar el término «trata» en el tipo, de modo que la captación, traslado o recepción del sujeto pasivo a través de los procedimientos citados sólo tendrán relevancia típica en cuanto modalidades de trata de seres humanos; y lo serán en la medida en que se encuentren objetivamente vinculadas, en el momento de la acción, a la consecución de conductas posteriores de explotación (…). Ello significa que los comportamientos de trata han de ser objetivamente idóneos (ex ante) para poner a la víctima en peligro de explotación, con independencia de su efectiva realización o no, y, con ello, deben poner en peligro los bienes jurídicos de la víctima relacionados con esas otras conductas de explotación. Aunque esas finalidades típicas de explotación constituyen el elemento subjetivo del injusto del delito de trata, también desempeñan una función de restricción de la vertiente objetiva del tipo, acotando el alcance de la conducta típica. De no ser así, sería ilimitado y todavía más incomprensible el marco penal previsto para el tipo básico*"[37].

Dicho con otras palabras, y de forma resumida: la trata de seres humanos no consiste, solo, en captar, trasladar, acoger o recibir personas, sino, presupuesto ello, en convertirlas en meras mercancías, lo cual se consigue, por una parte, utilizando alguna de las formas o medios de sumisión referidos por el precepto para conseguir la captación, traslado, acogimiento o recepción, y, por otra parte, dirigiendo dichas conductas a un objetivo final: la explotación, en las diversas formas descritas por el artículo 177 bis, de las personas objeto de trata. Esta es la marca distintiva de la trata: el fin por ella perseguido, la explotación de personas en alguna de las citadas manifestaciones.

Dicho característico fin está presente por exigencia expresa del delito de trata de seres humanos, configurándose, como ya he comentado, como un elemento subjetivo del tipo que completa su dimensión subjetiva sumándose al dolo: esa finalidad *tiñe* todo el tipo penal, es la que convierte la conducta en *trata de personas*.

Empleando violencia o intimidación, mediante el engaño o abusando de una situación de superioridad, de necesidad o de vulnerabilidad de la víctima, esta pierde su libertad, pero no en su sentido de libertad de desplazamiento[38],

---

[37]   *Vid.* POMARES CINTAS, E.: *Ibidem*, pp. 15: 11 y 15: 12.

[38]   Creo entender que opina lo contrario MAPELLI CAFFARENA, según el cual, "*allá done haya una trata conforme a lo que tipifica el Código, habrá, cuando menos, una lesión a la libertad ambulatoria y un peligro para otros bienes jurídicos. En correspondencia a los dos ejes sobre los que gira el injusto podemos hablar también de un delito pluriofensivo; siem-*

sino en el más genérico de libertad de decidir; instrumentalizando la conducta[39], y a su víctima, destinándola a su explotación, la persona ve negada asimismo su dignidad, fundamento, según el artículo 10 de la Constitución[40], del orden político y de la paz social. Diferenciar la dignidad de la integridad moral e, incluso, de la libertad en el referido genérico sentido, es, quizá, una tarea imposible. La persona objeto de trata es sometida, sin duda, a un trato degradante que menoscaba gravemente su integridad moral y pierde, por supuesto, su libertad y dignidad, inherente aquella a esta. Dicho trato degradante merece, a juicio del legislador, una respuesta penal específica, no la generalista prevista en el artículo 173.1 CP. El trato degradante, mercantilizando a una persona, convirtiéndola en objeto de mercancía, es de tal alcance (de *primera magnitud*, como diría VILLACAMPA ESTIARTE), que se considera adecuada la imposición de una pena muy notable: la de prisión de cinco a ocho años.

Por supuesto, aceptado ello, no podrá apreciarse que existe un concurso de delitos, como regla general, entre el previsto en el artículo 177 bis y el penado en el artículo 173.1.

De especial interés resultan, a mi juicio, las siguientes declaraciones contenidas en la *Circular de la Fiscalía General 5/2011, de 2 de noviembre, sobre criterios para la unidad de actuación especializada del ministerio fiscal en materia de extranjería e inmigración*: "*Si en el delito de contrabando de personas el desplazamiento territorial del inmigrante no es determinado por el traficante, en el delito de trata es impuesto por el sujeto activo mediante distintos medios —coactivos, intimidatorios, engañosos o abusivos- ejercidos durante todas o alguna de las fases en que se desarrolla el proceso. El contrabandista de personas preferentemente persigue enriquecerse facilitando la entrada ilegal o clandestina de la víctima en el territorio de un Estado, el tratante actúa con la intención decidida de que la víctima sea explotada en el lugar de destino; esto es, la actividad del tratante está encaminada directamente a cosificar a su víctima, convirtiéndola en un bien semoviente para que realice cualquier actividad productiva en su provecho o de un tercero, reduciéndola a mero objeto o mercancía sexual, o rebajándola a la condición de depósito o banco de órganos que puedan ser extraídos para lucrativos trasplantes*".

Afirmado lo anterior, la consecuencia es *evidente*: "*Tal como es concebido el delito de trata de seres humanos por el Protocolo de Palermo, resulta evidente*

---

pre se verá comprometida la libertad y a ello habrá que sumar la lesión o puesta en peligro de otros bienes jurídicos determinado por las condiciones del traslado". Vid. MAPELLI CAFFARENA, B.: "La trata de personas", *ADPCP,* vol. LXV, 2012, p. 51.

[39]   Subraya acertadamente el carácter instrumental de la trata VILLACAMPA ESTIARTE, C., "El delito de trata de seres humanos en Derecho Penal español tras la reforma de 2015", *op. cit.,* p. 465.

[40]   Junto con los *derechos inviolables inherentes a la persona, el libre desarrollo de la personalidad, el respeto a la ley y a los derechos de los demás.*

*que solo persigue la protección de la dignidad de la víctima a quienes los tra-
tantes —desconociendo su condición humana- pretenden privarle de su misma
personalidad"*[41].

Sin entrar en el debate sobre cuál es el bien jurídico concretamente protegido por el delito de trata de seres humanos, el Tribunal Supremo resolvió
hace pocos años una cuestión de gran importancia: dicho bien es de naturaleza
individual.

En efecto, el Tribunal Supremo, mediante Acuerdo del Pleno No Jurisdiccional de la Sala Segunda de 31 de mayo de 2016, planteado el asunto siguiente: *"Si el delito de trata de seres humanos definido en el art. 177 bis del Código
Penal, dentro del Título VII bis del Libro II, últimamente reformado por la LO
1/2015, de 30 de marzo, con entrada en vigor el día 1 de julio de 2015, toma
en consideración un sujeto pasivo plural, o bien han de ser sancionadas tantas
conductas cuantas personas se vean involucradas en la trata como víctimas del
mismo"*, decidió que *"el delito de trata de seres humanos definido en el art.
177 bis del Código Penal, reformado por la LO 1/2015, de 30 de marzo, obliga
a sancionar tantos delitos como víctimas, con arreglo a las normas que regulan
el concurso real"*.

III. EQUIPARACIÓN DE FORMAS COMISIVAS VIOLENTAS Y NO VIOLENTAS

En relación con las citadas formas de ejecución de los hechos, es preciso
destacar la equiparación entre violencia o intimidación, por una parte, y toda
la restante relación de medios no violentos o intimidatorios: el simple engaño,
el abuso de una situación de superioridad, de necesidad o de vulnerabilidad de
la víctima, o la entrega de pagos o beneficios a la persona que posee el control
sobre ella.

No se reproduce en este ámbito, por tanto, la tajante distinción entre unos
y otros procedimientos, todavía vigente y determinante de la diferenciación, en
los delitos contra la libertad e indemnidad sexual, entre abusos y agresiones
sexuales.

¿Deberían introducirse diferencias en la regulación de los delitos de trata
de personas tomando como base para ellas la utilización, o no, de violencia o
intimidación?

---

[41]   *Vid.,* asimismo, Circular de la Fiscalía General 5/2011, de 2 de noviembre, sobre criterios
para la unidad de actuación especializada del ministerio fiscal en materia de extranjería e
inmigración.

La unificación de ambas figuras delictivas mediante un nuevo tipo básico que considera "*en todo caso agresión sexual los actos de contenido sexual que se realicen empleando violencia, intimidación o abuso de una situación de superioridad o vulnerabilidad de la víctima, así como los que se ejecuten sobre personas que se hallen privadas de sentido o de cuya situación mental se abusare y los que se realicen cuando la víctima tenga anulada por cualquier causa su voluntad*", ha sido criticada, entre otros, por GIMBERNAT ORDEIG.

En efecto, según este autor, la equiparación de la violencia o intimidación con otras situaciones que también suponen la ausencia de consentimiento, como el abuso de situación de superioridad "es *injusta, porque –a pesar de la diferencia material que existe entre ellos- trata de igual manera supuestos de hecho desiguales*"[42]. Y alega, en apoyo de la distinción actual entre abuso y agresión sexual, que nadie ha pedido que desaparezcan la violencia o intimidación como factor de agravación "*en los restantes delitos del CP actual*", citando a estos efectos los delitos contra la propiedad (robo, estafa y apropiación indebida) y contra los derechos de los trabajadores, el allanamiento de morada y la usurpación, sin que se alcance a comprender "*qué diferencia determinante concurre en los delitos contra la libertad sexual*" para que allí sí se justifique la eliminación. Entiende que, "*si se quiere suprimir la diferencia entre acceso carnal con violencia o intimidación, o sin ellas, entonces este criterio valorativo de equiparación habría que aplicarlo también, consecuentemente, a los restantes delitos del CP que se han servido precisamente de esos dos elementos de la violencia y de la intimidación para establecer penas más o menos graves según que concurran o no en la ejecución del delito... según este criterio valorativo que aplica el Anteproyecto a los delitos contra la libertad sexual, habría que expurgar el CP vigente, para encontrar todos los delitos en los que, frente al elemento común del tipo básico, concurre además la violencia o intimidación, a fin de suprimir ese supuestamente estúpido criterio como factor de agravación*"[43].

El argumento es cautivador, pero, como explicaré acto seguido, falaz[44].

---

[42] "*Ya que no es equiparable que el autor consiga tener acceso carnal con una mujer en un descampado, después de agredirle físicamente, o bajo la amenaza de que, si se niega, la estrangulará -un caso inequívoco de agresión sexual (violación) violenta, en el primer caso según el CP vigente, y de violación intimidatoria, en el segundo-, que el comportamiento que lleva a cabo el idolatrado y admirado profesor de 49 años, quien, prevaleciéndose de la autoridad que ejerce sobre su abducida alumna de 18, la accede carnalmente (supuesto indiscutible de abuso sexual, según el todavía vigente art. 181.3 CP)*". Vid. GIMBERNAT ORDEIG, E.: "Solo si es sí", *Iustel, Diario de Derecho*, edición de 27 de abril de 2020. Disponible en: https://www.iustel.com/diario_del_derecho/noticia.asp?ref_iustel=1197551.

[43] *Vid.* GIMBERNAT ORDEIG, E.: *Ibidem.*

[44] En este sentido, RAMON RIBAS, E. y FARALDO CABANA, P.: "«Solo Sí es Sí», pero de verdad. Una réplica a Gimbernat", *Estudios Penales y Criminológicos*, vol. 40, 2020, pp. 24 y ss.

1°.- En primer lugar, porque no tiene en cuenta la diferente estructura y bien jurídico de los delitos que menciona, y, en particular, que la libertad sexual de la víctima, entendida como su derecho a no verse involucrada, activa o pasivamente, en conductas de contenido sexual a las que no ha accedido, se ve tan afectada cuando la penetran a punta de navaja como cuando lo hacen aprovechando que estaba borracha o drogada[45]. Sin embargo, cuando en vez de quedarse con la bicicleta prestada, el ladrón vence la resistencia del propietario dándole unos golpes en la cabeza o amenazándole con hacerlo (por usar el ejemplo de GIMBERNAT ORDEIG), al atentado contra el patrimonio del titular (el único contemplado por el delito de hurto) se suma otro, contra su libertad (dejamos a un lado la salud o integridad física en el caso de los golpes, que merecería, si se vieran afectadas, un concurso de delitos), que justifica de por sí una mayor pena. Impedir a alguien con violencia (término que comprende, según reiterada jurisprudencia, tanto la física como la intimidatoria y la violencia sobre las cosas e, incluso, supuestos en los que fácilmente se advierte su ausencia, pero cuyo efecto es igualmente impedir realizar lo que se desea hacer y la ley no prohíbe) hacer lo que no quiere y, sobre todo, compelerle a efectuar lo que no quiere (en este caso, con independencia de que sea justo o injusto[46]) es, al fin y al cabo, siempre un delito de coacciones. Preciso es subrayarlo: el delito de robo con violencia o intimidación es una coacción específicamente castigada[47], que encerrará comúnmente, por otra parte, una detención ilegal que, en la medida en que resulte inherente al robo y no exceda del tiempo estrictamente necesario para su comisión, se entiende castigada con

---

[45]   A juicio de GIMBERNAT ORDEIG, por el contrario, la diferencia de penalidad (*"que, por lo demás, los delitos contra la libertad sexual comparten con muchos otros"*) entre el hecho cometido sin violencia ni intimidación, por una parte, o con ellas, por otra, es completamente plausible: *"en primer lugar, porque en este último caso, además de la lesión del bien jurídico protegido en concreto, se produce una vulneración de otro interés jurídico, a saber: la lesión efectiva de la integridad física de la víctima* (lo cual, por cierto, no es verdad: primero, porque no siempre se produce dicha lesión, y, segundo, porque si tiene lugar, deberá ser castigada considerando cometidos dos delitos), *o la amenaza dirigida contra ella de causarle un mal grave* (esta amenaza merece la consideración legal de coacción y su lesión no incrementa la que sufre la libertad sexual de la víctima); *y, en segundo lugar, porque, cuando se acude a la violencia o a la intimidación, el autor está poniendo de manifiesto una brutalidad que no concurre en la comisión de los tipos penales básicos en los que esa violencia o esa intimidación están ausentes"*. Esta *brutalidad* no lesiona más la libertad sexual y si es constitutiva de ensañamiento podrá apreciarse la correspondiente circunstancia agravante.

[46]   Esta segunda modalidad de coacción es, conforme el CP, más grave: no se exige, al menos de forma expresa, violencia (compeler significa, según el Diccionario de la RAE, obligar a alguien, con fuerza o por autoridad, a que haga lo que no quiere) y, además, como hemos dicho, es indiferente que lo compelido a hacer sea justo o injusto.

[47]   La intimidación a la que alude el delito de robo tipificado en el art. 242 CP debe consistir en el anuncio de un mal inmediato y la condición, la entrega de la cosa mueble, debe exigirse igualmente con inmediatez: se lesiona, por tanto, la libertad de obrar, la protegida por el delito de coacciones.

la pena propia del robo. La pena prevista por dicho delito de robo traduce un doble contenido de injusto: un desvalor patrimonial y un atentado contra la libertad personal, de obrar concretamente. El delito de agresión sexual, por el contrario, asimismo es obligado enfatizarlo, solo atenta contra un bien jurídico, resultando indiferente que se cometa, o no, utilizando violencia o intimidación: la libertad de obrar, particularmente, la libertad de obrar en el ámbito sexual, de participar en un comportamiento de esta naturaleza. En efecto, el hecho de que se emplee violencia o intimidación no afecta en mayor medida al bien protegido: entre el delito de coacciones y el de agresión sexual existe una *evid*ente relación de progresión delictiva. Y si la utilización de aquellas llevara consigo la causación de lesiones, estas, como hemos adelantado, deberán ser castigadas separadamente[48].

En los delitos contra los derechos de los trabajadores, de allanamiento de morada y de usurpación se reproduce, utilizadas la violencia o la intimidación, una situación análoga, sino equivalente. En ninguno de dichos delitos es la libertad el objeto de protección, por lo que recurrir al empleo de aquellos medios incorpora una nueva dimensión de injusto: se comete una coacción (por cierto, específicamente sancionada, lo que impedirá la aplicación del artículo 172 CP) y, por consiguiente, un atentado contra la libertad, que el legislador ha considerado debe ser castigada no de forma general, sino especial, sumándola, en el seno de las normas que prevén su castigo, al atentado contra los derechos de los trabajadores, contra la inviolabilidad del domicilio o contra el derecho de posesión.

2°.- En segundo lugar, porque no es verdad, como da a entender GIMBERNAT ORDEIG, que en el Código Penal siempre se tenga en cuenta la violencia o intimidación como factor de agravación cuando concurre. En particular, no se tiene en cuenta en los delitos contra la *vida* (salvo que la violencia llegue hasta el punto del ensañamiento, da igual que matemos a alguien a cuchilladas o que lo hagamos con somníferos), contra la libertad ambulatoria (da igual que detengamos a alguien, privándolo de su libertad, drogándolo, reduciéndolo a golpes o cerrando con llaves la puerta de la habitación o estancia en la que se halla), contra la salud (tendrá que reconocer GIMBERNAT ORDEIG que la pena es la misma si transmitimos dolosamente el VIH a nuestra víctima mediante una placentera relación sexual o utilizando violencia física, inyectando, por ejemplo, la sustancia mientras sujetamos a la víctima, o intimidándola con una pistola; también merecen

---

[48]   Respondemos, así, a la observación siguiente de GIMBERNAT ORDEIG, según el cual, *"no se alcanza a comprender qué diferencia determinante concurre en los delitos contra la libertad sexual, frente a otros del CP en los que, como acabo de indicar, la mayor o menor gravedad de la pena se hace depender también, y precisamente, de si concurre, o no, la violencia o la intimidación"*.

idéntico trato penal la causación de la impotencia suministrando determinada sustancia o amputando con una sierra radial el órgano genital masculino), la integridad moral[49] o descubrimiento y revelación de secretos.

En otros delitos sí se hace mención expresa al uso de violencia o intimidación, pero se equipara su utilización a la del engaño, del abuso de una situación de superioridad, de necesidad o de vulnerabilidad de la víctima o, en fin, de otros medios o artificios.

Es el caso de los artículos 470 (que prevé el castigo del particular que proporcionare la evasión a un condenado, preso o detenido, bien del lugar en que esté recluido, bien durante su conducción; la conducta se agrava si se emplea *"al efecto violencia o intimidación en las personas, fuerza en las cosas o soborno"*), 284 (serás castigados, dice, quienes, empleando violencia, amenaza, engaño o cualquier otro artificio, alterasen los precios que hubieren de resultar de la libre concurrencia de productos, mercancías, instrumentos financieros, contratos de contado sobre materias primas relacionadas con ellos, índices de referencia, servicios o cualesquiera otras cosas muebles o inmuebles que sean objeto de contratación), 362 quinquies (que agrava los comportamientos en él descritos cuando se *"haya empleado engaño o intimidación"*), 616 ter (será castigado *"el que con violencia, intimidación o engaño, se apodere, dañe o destruya una aeronave, buque u otro tipo de embarcación o plataforma en el mar, o bien atente contra las personas, cargamento o bienes que se hallaren a bordo de las mismas"*) o de los siguientes:

- El art. 144, que, tras ordenar el castigo de quien produzca el aborto de una mujer, sin su consentimiento, establece que *"las mismas penas"* se impondrán *"al que practique el aborto habiendo obtenido la anuencia de la mujer mediante violencia, amenaza o engaño"*.

- El art. 172 bis, el cual, prevista la punición de quien, con intimidación grave o violencia compeliere a otra persona a contraer matrimonio, preceptúa que se impondrá la misma pena *"a quien, con la finalidad de cometer los hechos a que se refiere el apartado anterior, utilice violencia, intimidación grave o engaño para forzar a otro a abandonar el territorio español o a no regresar al mismo"*.

---

[49]   El artículo 173.1 prevé el castigo de quien *"infligiera a otra persona un trato degradante, menoscabando gravemente su integridad moral"*. No se prevé una agravación si se usa violencia o intimidación. Tampoco en los delitos de acoso laboral o inmobiliario tipificados en el propio art. 173.1, o en los delitos de torturas: los artículos 174 y 175, cuya autoría está reservada a autoridades o funcionarios públicos, describen así el tipo objetivo: someter a una persona *"a condiciones o procedimientos que por su naturaleza, duración u otras circunstancias, le supongan sufrimientos físicos o mentales, la supresión o disminución de sus facultades de conocimiento, discernimiento o decisión"* o que (y es importante remarcarlo), «*de cualquier otro modo, atenten contra su integridad moral*»".

- El art. 183 ter, según el cual, será castigado el que, a través de internet, del teléfono o de cualquier otra tecnología de la información y la comunicación contacte con un menor de dieciséis años y proponga concertar un encuentro con el mismo a fin de cometer cualquiera de los delitos descritos en los artículos 183 y 189, siempre que tal propuesta se acompañe de actos materiales encaminados al acercamiento. "*Las penas*", dice, "*se impondrán en su mitad superior cuando el acercamiento se obtenga mediante coacción, intimidación o engaño*".

- El art. 187, que impone el castigo de quien, empleando violencia, intimidación o engaño, o abusando de una situación de superioridad o de necesidad o vulnerabilidad de la víctima, determine a una persona mayor de edad a ejercer o a mantenerse en la prostitución.

Incluso en los delitos contra el patrimonio, en cuyo seno se diferencia entre hurto, robo con fuerza en las cosas y robo con violencia, la importancia del empleo de violencia o intimidación para consumar una lesión del patrimonio ajeno debe relativizarse. El robo con violencia o intimidación es más grave, sin duda, que el hurto, pero la diferencia con el robo con fuerza en las cosas es menos *evidente*. La pena asociada a este es, principio, la de prisión de 1 a 3 años, pero, concurriendo las circunstancias previstas en el art. 235[50], la pena que se impondrá será, dice el art. 240, la de prisión de 2 a 5 años. Esta es, precisamente, la pena propia del robo con violencia o intimidación, que se impondrá en su mitad superior si se hace uso de armas u otros medios igualmente peligrosos, pudiéndose imponer una pena de prisión de uno a 2 años "*en atención a la menor entidad de la violencia o intimidación ejercidas*". En este caso, se castigaría más un robo con fuerza en las cosas que un robo con violencia o intimidación (de menor entidad).

La pena propia de los delitos de estafa, administración desleal o apropiación indebida[51] es, según anuncian sus tipos básicos, la de prisión de 6 meses a 3 años, pero, si se dan las circunstancias previstas en el artículo 250, la de prisión de 1 a 6 años y multa de 6 a 12 meses; o, incluso, la de prisión de 4 a 8 años y multa de 12 a 24 meses. El delito de robo con violencia tiene un límite superior en todo caso de 5 años. Estos otros delitos patrimoniales pueden superar, muy manifiestamente, este límite. Es más grave, por tanto, según el Código Penal, cometer una estafa sobre una cosa de primera necesidad aprovechándose de la credibilidad empresarial o profesional (4 a 8 años de cárcel) que robar con violencia o intimidación dicha cosa de primera necesidad (2 a

---

[50]   Entre ellas, por ejemplo, la multireincidencia, poner a la víctima o a su familia en grave situación económica, o tener las cosas sustraídas valor artístico, cultural, histórico o científico.

[51]   Del art. 253 CP.

5 años de prisión, a menos que la violencia o intimidación ejercidas lo sean de menor entidad, en cuyo caso se impondrá la pena de prisión de uno a 2 años).

En el Código Penal conviven, por tanto, figuras delictivas que sí otorgan relevancia (o mucha relevancia) al hecho de que se utilice violencia o intimidación, con otras que ignoran totalmente la presencia de estas o que la equiparan con otros medios no violentos (engaño, soborno, abuso de situación de necesidad, vulnerabilidad o superioridad).

Incluso el delito de coacciones, tradicionalmente identificado con el empleo de violencia (para impedir hacer u obligar a realizar un determinado comportamiento), ha sido interpretado de forma tan extensiva (muchas veces superando los límites impuestos por una interpretación que jamás debería superar el tenor literal de la ley) que incluye hoy supuestos de violencia o fuerza en las cosas junto con otros en los que propiamente no la hay.

Nadie, que me conste, ha propuesto reformar los delitos de homicidio, lesiones, aborto, detenciones, contra la integridad moral o de descubrimiento y revelación de secretos, a fin de prever su agravación si se emplea violencia o intimidación.

¿Habría que expurgar el Código Penal vigente a fin de eliminar todas las agravaciones cuyo fundamento es el uso de violencia o intimidación? ¿O todo lo contrario y prever en todo caso que dicho uso fundamentará la imposición de penas agravadas y siempre en mayor medida que las que deberían resultar del empleo de otros medios no violentos?

Ya hemos visto que la utilización de violencia o intimidación fundamenta, desde la perspectiva del contenido de injusto de muchos delitos, la agravación de la pena, pues se produce una doble afección de bienes jurídicos. En muchas figuras, sin embargo, se ha considerado innecesario introducir previsiones análogas.

No es ocioso recordar, al respecto, que la individualización de la pena es una fase capaz de traducir, muchas veces en marcos penales muy generosos, el desvalor de las circunstancias personales del delincuente o de otras que circunstancias que, como señala el artículo 66.1, regla sexta, del Código Penal, determinan una mayor o menor gravedad del hecho.

¿Debería introducirse una diferenciación en el seno del artículo 177 bis según la forma empleada para captar, transportar, alojar o recibir fuere, o no, violenta o intimidatoria?[52]

---

[52]   Teniendo en cuenta la diversa incidencia que unos y otros medios tienen sobre la libertad decisoria de las personas y que diversos delitos, como hemos visto, sí la ponderan, a juicio de MAQUEDA ABREU, M. L.: *El tráfico sexual de personas*, Tirant lo Blanch, 2001, p. 57, la respuesta debería ser positiva.

El bien tutelado, del cual se ha subrayado su carácter eminentemente personal, se ve igualmente lesionado con independencia de que sea una u otra la forma de sumisión, con la consiguiente anulación de la libertad y dignidad, empleada por el autor o autores: no habrá consentimiento o, si este concurre, será nulo. La violencia o intimidación podrán ser respondidas, con certeza, según las circunstancias, con otras figuras penales y si su presencia fuera insignificante para traspasar los límites del artículo 177 bis, podrían ser tenidas en cuenta para realizar la individualización de la pena. Si utilizar engaño está penalizado con pena de 5 a 8 años, acudir el empleo de violencia o intimidación podría ser considerado un factor de agravación del hecho y, en consecuencia, justificar imponer una pena que fuese más allá del límite mínimo previsto por la ley.

IV. LA TRATA DE PERSONAS CON FINES DE EXPLOTACIÓN LABORAL

1. La explotación laboral en el artículo 177 bis

El mentado artículo 177 bis.1, objeto constante de nuestra atención, emplea el término *explotación* adjetivándola como *sexual* (1) o *para realizar actividades delictivas* (2), configurándola, en fin, como una de las finalidades necesarias para estimar cometido el delito de trata de seres humanos. No utiliza dicha palabra, sin embargo, para referirse a las restantes finalidades capaces de integrar el elemento subjetivo adicional al dolo propio del delito que nos ocupa.

En concreto, y en relación con el tema de este trabajo, el artículo 177 bis, como hemos visto, se refiere a la finalidad de *imponer trabajo o servicios forzados, la esclavitud o prácticas similares a ella, la servidumbre o la mendicidad*, sin utilizar, como comentaba, el término *explotación*. Este, sin embargo, es empleado una vez más por el art. 177 bis en su número 2 al exigir, en los supuestos de trata de menores de edad, previa renuncia a la necesidad de emplear alguno de los medios enunciados en el apartado anterior, una actuación realizada *con fines de explotación*. ¿Se refiere ahora el precepto, de modo genérico, a cualquiera de las finalidades enumeradas por el artículo 177 bis número 1, o exclusivamente a la explotación sexual o para realizar actividades delictivas?

Una indudable referencia normativa y, en consecuencia, interpretativa, la constituye el artículo 3 del importantísimo *Protocolo para prevenir, reprimir y sancionar la trata de personas, especialmente mujeres y niños, que complementa la Convención de las Naciones Unidas contra la delincuencia organizada transnacional*, hecho en Nueva York el 15 de noviembre de 2000, que contiene en su artículo 3 un conjunto de *Definiciones* (así se rubrica dicho precepto), declarando que, "*para los fines del presente Protocolo:*

a) Por "trata de personas" se entenderá la captación, el transporte, el traslado, la acogida o la recepción de personas, recurriendo a la amenaza o al uso de la fuerza u otras formas de coacción, al rapto, al fraude, al engaño, al abuso de poder o de una situación de vulnerabilidad o a la concesión o recepción de pagos o beneficios para obtener el consentimiento de una persona que tenga autoridad sobre otra, «con fines de explotación»[53]. *Esa explotación incluirá, como mínimo, la explotación de la prostitución ajena u otras formas de explotación sexual, los trabajos o servicios forzados, la esclavitud o las prácticas análogas a la esclavitud, la servidumbre o la extracción de órganos;*

b) El consentimiento dado por la víctima de la trata de personas a toda forma de explotación que se tenga la intención de realizar descrita en el apartado a) del presente artículo no se tendrá en cuenta cuando se haya recurrido a cualquiera de los medios enunciados en dicho apartado;

c) La captación, el transporte, el traslado, la acogida o la recepción de un niño «con fines de explotación»[54] *se considerará "trata de personas" incluso cuando no se recurra a ninguno de los medios enunciados en el apartado a) del presente artículo;*

d) Por "niño" se entenderá toda persona menor de 18 años.

El legislador español, por tanto, se limita a copiar la fórmula utilizada en el citado artículo 3 del referido Protocolo, sin *adjetivar* y, por tanto, cerrar o limitar, el ámbito de aplicación de la expresión empleada.

Según el Diccionario de la Real Academia Española, explotar, término base, como hemos visto, de las dos finalidades enumeradas por el art. 177 bis en sus letras b) y c), significa[55], según el Diccionario de la Real Academia, *utilizar abusivamente en provecho propio el trabajo o las cualidades de otra persona,* abuso presente, sin duda, en las prácticas referidas por la letra a) del artículo 177 bis.1 (especialmente teniendo presente la necesaria concurrencia, si las víctimas son personas adultas, de alguno de los medios referidos en dicho precepto), prácticas cuya ejecución constituyen la primera finalidad mencionada por dicho precepto.

El artículo 177 bis.2, con toda seguridad, no pretendía limitar su alcance restringiendo los fines de explotación a los sexuales o a los de realización de conductas delictivas. Debe entenderse, por ello, y la letra de la ley no lo im-

---

[53]   El entrecomillado (o, más exactamente, encorchetado) no aparece en el original; es una adición mía que pretende subrayar dicha expresión.

[54]   Una vez más, el encorchetado es una adición mía que pretende subrayar dicha expresión.

[55]   Además de *extraer de las minas la riqueza que contienen* o *sacar utilidad de un negocio o industria en provecho propio.*

pide, que todos los fines relacionados en el artículo 177 bis.1 son formas de explotación; también, en consecuencia, los enumerados en su letra a), a los que podemos referirnos, en síntesis, como fines de explotación laboral. Esta sería, en consecuencia, su etiqueta resumen.

2. ¿Cuántas finalidades describe la letra a) del artículo 177 bis, número 1, del Código Penal?

Reproduciré, en primer término, literalmente, dicha letra a): "*a) La imposición de trabajo o de servicios forzados, la esclavitud o prácticas similares a la esclavitud, a la servidumbre o a la mendicidad*".

En esta letra cabe diferenciar las siguientes finalidades:

- imposición de trabajo forzado (1);
- imposición de servicios forzados (2);
- esclavitud (3);
- prácticas similares a la esclavitud (4);
- prácticas similares a la ser*vid*umbre (5);
- prácticas similares a la mendicidad (6).

La deficiente redacción de dicha letra a) obvia referirse a la ser*vid*umbre y a la mendicidad, aunque entre las finalidades sí aparecen las prácticas similares a una y a otra. No imagino, en cualquier caso, al intérprete de la norma y, en su caso, aplicador, dejando fuera del precepto cualquiera de ellas.

Dicho de otro modo, la letra a) del artículo 177 bis.1 hace referencia, de forma literal, al menos en apariencia, a seis finalidades; en realidad, seguramente, a ocho (aunque alguna quizá englobe otras): imposición de trabajo forzado (1); imposición de servicios forzados (2); esclavitud (3); prácticas similares a la esclavitud (4); *servidumbre* (5); prácticas similares a la ser*vid*umbre (6); *mendicidad* (7); prácticas similares a la mendicidad (8).

3. Explotación laboral severa o extrema, como fin, en el art. 177 bis CP

Aunque las finalidades expresadas en la letra a) del artículo 177 bis pueden ser conceptuadas como formas de *explotación laboral*, lo cierto es que esta expresión, como hemos visto, no es la utilizada por dicho precepto, el cual, en consecuencia, no castiga las conductas por él tipificadas cuando se ejecutan con fines (entre otros, como también hemos visto) de *explotación laboral*, sino determinadas formas de *explotación laboral severa o extrema*, destacadamente, la imposición de trabajo o servicios forzados, la esclavitud o la ser*vid*umbre o prácticas similares a ellas.

La tipicidad subjetiva del tipo no se colma, dicho con otras palabras, con la genérica persecución de fines de explotación laboral; el artículo 177 bis exige más: exige que la finalidad no sea, "simplemente", utilizar abusivamente en provecho propio el trabajo de otras personas, por ejemplo, imponiendo condiciones ilegales de trabajo de forma engañosa o con aprovechamiento de una situación de necesidad o vulnerabilidad (art. 311 CP); es preciso, importante es insistir en ello, que el fin sea la imposición de trabajo o servicios forzados, la esclavitud o la servidumbre o prácticas similares a ellas. Mención aparte, casi inmediata, merece la referencia a la mendicidad.

¿Cuál es la diferencia entre imposición de trabajo o de servicios forzados, esclavitud y servidumbre?

Según el Diccionario de la RAE, la servidumbre es el estado o condición de siervo. Y siervo significa esclavo de un señor; persona completamente sometida a alguien.

Es esclavo, según dicho Diccionario de la RAE, quien carece de libertad por estar bajo el dominio de otra. El artículo 607 bis del Código Penal constituye, por cierto, una estupenda referencia para interpretar el concepto esclavitud empleado por el artículo 177 bis: *"por esclavitud se entenderá la situación de la persona sobre la que otro ejerce, incluso de hecho[56], todos o algunos de los atributos del derecho de propiedad, como comprarla prestarla o darla en trueque"*.

El artículo 1 de la Convención sobre la esclavitud de 1926, referencia del mencionado artículo 607 bis, dice lo siguiente:

"A los fines de la presente Convención se entiende que:

1. La esclavitud es el estado o condición de un individuo sobre el cual se ejercitan los atributos del derecho de propiedad o algunos de ellos".

No resulta sencillo, en fin, distinguir entre esclavitud y servidumbre[57], ni diferenciar estas de la imposición de trabajo o de servicios forzados.

Diversos instrumentos internacionales, sin embargo, distinguen igualmente, como hace el CP español, entre unas y otras finalidades. De hecho, *trabajos forzados, esclavitud y servidumbre* son términos procedentes de la regulación internacional de la trata de personas, por lo que *la confusión es importada*; el defecto lo es en origen.

---

[56]   Quizá sobre la palabra *incluso*, pues solo de hecho, y no derecho, es posible ejercer los atributos del derecho de propiedad que se mencionan.

[57]   Dice VILLACAMPA ESTIARTE, C.: *El delito de trata de seres humanos. Una incriminación dictada desde el Derecho Internacional, op. cit.*, pp. 437-438, que la servidumbre es una forma de esclavitud *"que no difiere de ésta tanto en el carácter como en el grado"*: *"debe entrañar"*, sigue diciendo, *"un caso particularmente grave de limitación de la libertad"*, presentándose la prestación del servicio como *"la única alternativa"*.

"*De hecho*", explica ESPALIÚ BERDUD, "*algunos instrumentos internacionales muy relevantes, como el artículo 5 de la Carta de Derechos Fundamentales de la Unión Europea o el artículo 6 de la Convención Americana de Derechos Humanos (Pacto de San José), reúnen estas tres formas de explotación en una misma disposición. Asimismo, el artículo 4 del Convenio Europeo de Derechos Humanos congrega bajo su paraguas esclavitud, servidumbre y trabajo forzoso.*

Del mismo modo, algunas decisiones de tribunales internacionales han asimilado en parte estos conceptos, creando cierta confusión"[58].

"*Así, por ejemplo*", sigue diciendo aquel autor, "*en el asunto Prosecutor v. Kunarac, Vukovic and KovacK, el Tribunal Penal Internacional para la ex Yugoslavia, manejó un concepto amplio de esclavitud al estimar que las nuevas formas de esclavitud suponen el ejercicio de alguno de los poderes derivados del derecho de propiedad, aunque no sea de sus más extremos derechos, lo que se asociaría a la forma clásica (…) Para el Tribunal, por tanto, para saber en un caso concreto si estamos ante alguna forma de esclavitud dependerá de los factores o indicios de esclavización, como por ejemplo el control sobre los movimientos de alguien, el control del entorno físico, el control psicológico, las medidas tomadas para prevenir o evitar el escape, la coacción, la amenaza o el uso de la fuerza, la duración, la exclusividad, la sujeción a tratamientos crueles y abusos, el control de la sexualidad y el trabajo forzado. Por ello, concluye el Tribunal: «Consequently, it is not possible exhaustively to enumerate all of the contemporary forms of slavery which are comprehended in the expansion of the original idea [...]»*".

Además, "*la confusión sobre las nuevas formas de esclavitud es mucho mayor aún en la práctica de otros órganos y organismos internacionales*"[59]. Ayuda a que se produzca dicha confusión, sin duda, la innecesaridad de precisión consecuencia de la contemplación legal conjunta de las prácticas que nos ocupan: en efecto, la "*necesidad de precisión también se desvanece un tanto cuando las disposiciones de los tratados proscriben en una misma disposición las diversas figuras que presentan elementos de explotación comunes con la esclavitud*"[60].

Dicho todo ello, afirma el citado autor que teórica y conceptualmente es posible, y se debe, distinguir entre esclavitud, trabajo forzoso o servidumbre. Tomando como base la doctrina del Tribunal Europeo de Derecho Humanos, observa ESPALIÚ BERDUD que existe, como ha reconocido aquel, una *gradación entre las tres formas de explotación humana referidas*, "*con una*

---

58   *Vid.* ESPALIÚ BERDUD, C.: "La definición de esclavitud en el Derecho Internacional a comienzos del siglo XXI", *Revista electrónica de estudios internacionales*, núm. 28, 2014, p. 23.

59   *Vid.* ESPALIÚ BERDUD, C.: *Ibidem.*

60   *Vid.* ESPALIÚ BERDUD, C.: *Ibidem*, p. 35.

desconsideración de la dignidad de la persona y un empleo de la coerción crecientes según se trate de trabajo forzoso, servidumbre o esclavitud. La víctima del trabajo forzoso se ve simplemente coaccionada a prestar un trabajo muy duro. La sometida a servidumbre, además, ha de vivir a merced del explotador sin esperanzas de mejora. Finalmente, en la cumbre de la explotación, el esclavo pierde ya su subjetividad jurídica para pasar a ser como un objeto, la propiedad de otro"[61].

Dicho ello, interesa destacar, como hace POMARES CINTAS, que, "*en todo caso, estas modalidades de explotación comparten una nota común: describen situaciones de sometimiento de la persona trasladada, captada o acogida (por los procedimientos típicos del delito de trata) a un trabajo o servicio en contra de su voluntad o sin su consentimiento válido. El objetivo es explotar su trabajo bajo la condición de esclava o sierva, o bajo la imposición forzada de la condición de trabajador, creando una situación de total disponibilidad sobre la víctima. En puridad, estas formas de utilizar a las víctimas de la trata no consisten tanto en explotar su trabajo mediante la imposición de condiciones ilícitas que vulneran los derechos socio-laborales, como en imponer la realización del trabajo mismo. Los trabajos o servicios forzados, la esclavitud, la servidumbre o prácticas análogas a la esclavitud son modos de imponer la condición de trabajador, vulnerando la libertad de decidir realizar la prestación laboral. Asimismo, estas formas de aprovechamiento económico ilícito de la víctima deben tener naturaleza laboral porque se incluyen expresamente dentro de la finalidad de explotar el trabajo ajeno: basta que concurran las notas de ajenidad y productividad en sentido amplio*"[62].

Destacada la *nota común* a las modalidades de explotación referidas por la letra a) del artículo 177 bis, es preciso recordar que la explotación está presente en ella *como fin*, no como acti*vi*dad efectivamente impuesta.

El delito de trata no castiga los trabajos o servicios forzados, la esclavitud, la servidumbre o prácticas similares, sino realizar determinadas conductas dirigidas a conseguir que se produzcan.

El delito de trata de seres humanos no necesita de la utilización de violencia o intimidación, pues es posible el recurso a otras formas de instrumentalización. Su no necesidad *en origen* no significa, sin embargo, que la violencia o intimidación no sean necesarias *en destino*: si los trabajos forzados, la esclavitud, la servidumbre o las prácticas similares a ellas suponen apropiarse, por supuesto ilícitamente, del valor del trabajo de la víctima arrebatándole los atributos inherentes a la condición de persona mediante el sometimiento a una

---

61   *Vid.* ESPALIÚ BERDUD, C.: *Ibidem*, p. 35.
62   POMARES CINTAS, E.: "El delito de trata de seres humanos con finalidad de explotación laboral", *op. cit.*, p. 15: 18.

situación de disponibilidad absoluta, *anulando completamente la libertad para cambiar esa condición de trabajador impuesta*, la violencia, el miedo, parece, deberán estar presentes.

Si la víctima conserva su *libertad de elección* y sigue trabajando por *necesidad*, soportando por ella la imposición de condiciones ilegales, existirá una conducta delictiva, una efectiva explotación laboral punible, por supuesto, pero difícilmente podrá ser adjetivada como una situación de trabajos forzados, esclavitud, ser*vid*umbre o prácticas análogas, salvo si se admite que la analogía puede construirse prescindiendo de la ausencia total de libertad.

En suma, el delito de trata no precisa de la violencia o intimidación, pero estas son inherentes a los fines de explotación laboral, tal y como aparecen descritos en la letra a) del artículo 177 bis, por ella perseguidos.

4. *La mendicidad como fin propio de la trata de seres humanos*

Las finalidades descritas en la letra a) del artículo 177 bis, elementos configuradores de un injusto penal cuya comisión es (no resulta ocioso insistir en ello) severamente castigada, con pena de cinco a ocho años de prisión, son, posiblemente, muy *desiguales* entre sí.

Imponer trabajo o servicios forzados, imponer la esclavitud o prácticas similares a ella, imponer la ser*vid*umbre o prácticas similares a ella, podrían conformar, como he explicado, un grupo único, homogéneo.

Los fines restantes, la mendicidad o prácticas similares a ella, en comparación con las anteriores, y presuponiendo su no concurrencia, son *evidentemente* menos graves. Mendigar significa, según el Diccionario de la RAE, pedir limosna de puerta en puerta o solicitar el favor de alguien con importunidad y hasta con humillación.

Captar o transportar personas, abusando de una situación de necesidad o vulnerabilidad, para que practiquen la mendicidad es, en efecto, si esta no es impuesta de forma forzada (en cuyo caso se trataría de trabajo o servicios forzados), ni en términos de esclavitud o ser*vid*umbre, una conducta claramente distinguible de aquellas, con menor desvalor.

La mendicidad aparece en el Código Penal en su artículo 232, en el que se prevé el castigo, con pena de prisión de seis meses a un año, de "*los que utilizaren o prestaren a menores de edad o personas con discapacidad necesitadas de especial protección para la práctica de la mendicidad, incluso si ésta es encubierta*" (art. 232.1). Acto seguido establece dicho precepto que, "*si para los fines del apartado anterior se traficare con menores de edad o personas con discapacidad necesitadas de especial protección, se empleare con ellos violencia o intimidación, o se les suministrare sustancias perjudiciales para su salud, se impondrá la pena de prisión de uno a cuatro años*".

La referida *Circular de la Fiscalía General 5/2011, de 2 de noviembre, sobre criterios para la unidad de actuación especializada del ministerio fiscal en materia de extranjería e inmigración*, se refiere así a la mendicidad como fin propio del delito de trata:

> "*La mendicidad. Siguiendo las orientaciones del derecho comunitario [Propuesta de Decisión marco de la Comisión de las Comunidades Europeas de 25/3/2009 (COM 2009 136 final) incorporada a la Directiva36/2011/CE] por entender que constituye una forma de trabajo o servicio forzoso según la definición del Convenio N° 29 de la OIT, relativo al trabajo forzoso u obligatorio, de 1930, por lo tanto, la explotación de la mendicidad, incluido el uso en la mendicidad de una persona dependiente víctima de la trata, solo se incluye en el ámbito de la definición de trata de seres humanos cuando concurren todos los elementos del trabajo o servicio forzoso (considerando 11 de la exposición preliminar de esa Directiva)*".

Como la Fiscalía General, POMARES CINTAS considera que debe tratarse, "*por su ubicación en el apartado a) del artículo 177 bis.1 CP*", de una mendicidad coactiva o forzosa, configurándose así como una forma de explotación análoga a las restantes descritas en dicha letra a): "*debe manifestar similar severidad en el sentido del delito de trata: imposición de la condición de trabajador y disponibilidad respecto de la persona para quien se realiza el servicio*"[63].

Esta comprensión de la mendicidad reduce, lógicamente, el ámbito de aplicación del precepto, pues, en realidad, sin necesidad de referirse a ella, la conducta ya está comprendida en él al tratarse de un trabajo o servicio forzoso. La mención de la mendicidad, desde esta perspectiva, es redundante. Su función, a lo sumo, sería subrayarla especialmente para tener presente que el tipo penal, siquiera como forma de trabajo o servicio forzoso, no la olvida[64].

Con independencia de que se comparta dicha conclusión, lo cierto es que esta interpretación reduce muy sensiblemente el ambicioso tenor literal de la letra a), in fine, del artículo 177 bis.1 del Código Penal, significando en la práctica ignorarla, tenerla por no puesta por el legislador. ¿Es correcta esta solución?

Para equiparar la gravedad de los fines perseguidos por el autor de trata, se transforma el más *liviano* en otro de superior gravedad, aceptando, por tanto, que la trata solo merecerá dicho nombre cuando el fin sea la sumisión absoluta del trabajador, que verá, así, perdida totalmente su libertad, su capacidad de elección. ¿Significa ello que se renuncia a ampliar la fórmula típica y a sustituir-

---

[63]   *Vid.* POMARES CINTAS, E.: *Ibidem*, p. 15: 22.
[64]   *Vid.*, en este sentido, PÉREZ ALONSO, E.: *Tráfico de personas e inmigración clandestina (un estudio sociológico, internacional y jurídico-penal), op. cit.,* p. 82.

la por otra más ambiciosa que castigue la persecución de fines de explotación laboral sin necesidad de que esta sea severa o extrema? No debe olvidarse que semejante recorte o limitación no está presente en las formas de explotación referidas acto seguido en el artículo 177 bis: b) La explotación sexual, incluyendo la pornografía y c) La explotación para realizar actividades delictivas.

Quizá, interpretar ampliamente la mendicidad sería una forma de superar los estrechos límites impuestos por el legislador al exigir, en esta modalidad de trata, fines de explotación laboral extrema.

¿Y si las víctimas de trata son menores de edad? ¿Solo será delito de trata si el fin explotador perseguido por el tratante es un trabajo o servicio forzoso y no una mendicidad despojada de dicha condición?

Casi a modo de anécdota, es bueno recordar que el artículo 177 bis.1, letra a), no se refiere literalmente a la mendicidad, sino a práctica análogas a ella como finalidad del tratante.

V. ¿ES CONSTITUTIVA DE DELITO DE TRATA DE SERES HUMANOS LA TRATA DE PERSONAS REALIZADA CON FINES DE EXPLOTACIÓN LABORAL?

La analizada letra a) del artículo 177 bis CP podría haberse referido, sucintamente, a *la explotación laboral*, introduciendo, así, una formulación extensa, análoga, además, a las contenidas en las dos letras siguientes: *la explotación sexual, incluyendo la pornografía*, y *la explotación para realizar actividades delictivas* (letras b y c, respectivamente).

Estas dos últimas finalidades lo son también, en sentido amplio, de *explotación laboral*, pero es obligado admitir que tienen, desde dicha perspectiva, una proyección muy limitada, como la tienen, igualmente, las finalidades expresadas en la citada letra a).

¿Cuál es la respuesta a la pregunta que aparece como rúbrica de este apartado? Sin duda, *depende*. En efecto, la respuesta será positiva o negativa en función de la modalidad de explotación laboral que constituye la finalidad del autor. Si la explotación laboral es también explotación sexual o para realizar actividades delictivas, la respuesta es SÍ; y lo mismo sucederá si la explotación laboral es susceptible de calificarse como trabajo o servicio forzado, como esclavitud, como servidumbre o como práctica similar a ellas; también será positiva la respuesta si el fin es la mendicidad, o práctica semejante, y, pese a no reunir los requisitos necesarios para ser considerada esclavitud, trabajo forzado o servidumbre, o práctica a ellas similar, no se le exige un contenido que hace innecesaria y redundante la expresa referencia legal a ella.

Por el contrario, si la explotación laboral perseguida no llega al extremo de autorizar su conceptuación como trabajo o servicio forzado, esclavitud, servidumbre o prácticas a ellas similares, la trata de seres humanos no será constitutiva de delito de trata de seres humanos.

Dicho ello, es preciso tener presente que dichos términos son, como todos, elásticos, susceptibles, y necesitados, siempre, de interpretación, por lo que en la práctica el ámbito de aplicación propio del delito de trata de seres humanos podrá extenderse, sin necesidad de reformas legales, si aquellos términos son interpretados de forma extensiva. Esta última es una actividad no prohibida por el Derecho, aunque es frecuente confundirla con la analogía, esta sí, prohibida expresamente por el artículo 4 del Código Penal[65] y derivable, además, directamente de la Constitución.

Es obligado igualmente no olvidar que el artículo 177 bis.1, letra a), se refiere no solo a los trabajos forzados, a la esclavitud y a la servidumbre, sino, además, a las *prácticas similares a ellas*. A la posibilidad de interpretar extensamente, sin invadir competencias legislativas de definición de delitos, aquellas tres prácticas, se une, pues, la previsión legal que exige realizar una interpretación analógica de ellas. En virtud de lo previsto por el artículo 177 bis.1 letra a), el intérprete podrá, y *deberá*, incluir en el tipo penal subjetivo prácticas que no son constitutivas de trabajos forzados, de esclavitud o de servidumbre, sino únicamente similares, semejantes, análogas.

"La duda a resolver", según TERRADILLOS BASOCO, es *"si la orientación de la trata de seres humanos a la ulterior explotación laboral, en los términos de los artículos 311.1° y 4° y 312.2 in fine puede integrar el delito de trata con la finalidad de imposición de trabajo o servicios forzados o condiciones similares a las de esclavitud o servidumbre. La respuesta afirmativa vendría avalada por la inclusión de la explotación laboral entre los objetivos del delito de trata en la Resolución aprobada por el Consejo de Derechos Humanos en la Asamblea General de NU el 30 de junio de 2016. 32/3, que se refiere indistintamente a todas las formas de explotación, económica o laboral. Y el Protocolo de Palermo ejemplifica que la explotación, para ser considerada objetivo típico del delito, ha de revestir las formas de trabajos o servicios forzados o de prácticas análogas a la esclavitud "como mínimo". Por lo tanto, como advierte el Proyecto de Ley modelo contra la trata de personas, elaborado en 2010 por la Oficina de NU contra la Droga y el Delito, "la lista no es exhaustiva". El mismo documento propone que la explotación típica debe incluir, entre otros*

---

[65]   Según el cual, *"1. Las leyes penales no se aplicarán a casos distintos de los comprendidos expresamente en ellas"*.

objetivos tradicionalmente aceptados, "otras formas de explotación tipificadas en las leyes nacionales" (Art. 8.2.f)"[66].

"Queda a la decisión del legislador estatal", concluye TERRADILLOS BASOCO, *"el integrar expresamente en el tipo de trata la finalidad de imponer condiciones ilegales de trabajo que no lleguen al nivel de los trabajos forzosos o de la esclavitud. Y el legislador español no lo ha hecho, aunque esa vía no le está definitivamente cerrada al intérprete de la norma"*[67].

La decisión del legislador, de momento, es clara: el artículo 177 bis.1 letra a) no se refiere a fines de explotación laboral, sino a las finalidades tantas veces referidas. Y la *duda a resolver* a la que alude TERRADILLOS BASOCO debe resolverse en el sentido antes expresado. El *aval* internacional que menciona este autor aboga por la reforma de lo actualmente previsto, pero no autoriza introducir formas de explotación laboral que no sean constitutivas de trabajos forzados, ser*vi*dumbre, esclavitud o prácticas similares. Y aunque, como he comentado, es posible realizar una interpretación extensa, siempre respetuosa con el tenor literal del precepto, de aquellas palabras o expresiones y de aquella cláusula de interpretación analógica, *evi*dentemente son numerosos los ejemplos imaginables de explotación laboral que lo serán en los términos previstos en el artículo 311 del Código Penal pero que carecerán de la entidad suficiente para ser considerados casos de explotación extrema de acuerdo con lo previsto por el art. 177 bis.1 letra a).

El Anteproyecto de reforma del Código Penal de 2008 incluía expresamente, como recuerda POMARES CINTAS, modalidades de explotación económica (*explotar el trabajo o servicios, incluidos* –pero no solo- *el trabajo o los servicios forzados, la esclavitud o prácticas similares a ella o a la servidumbre*) en un sentido mucho más amplio, reproduciendo así lo establecido en la Decisión Marco del Consejo, 2002/696/JAI, de 19 de julio de 2002. *"Sin embargo, el Proyecto de reforma penal de 27 de noviembre de 2009 opta por la interpretación más restringida del Protocolo ONU 2000, distanciándose considerablemente de la propuesta inicial"*[68].

En definitiva, el delito de trata de seres humanos tiene, cuando las conductas descritas por el artículo 177 bis.1 son realizadas con fines de explotación laboral, un limitado alcance. No toda víctima de trata es, por tanto, en este ámbito, víctima de un delito de trata. La captación, el transporte, el traslado, el acogimiento o la recepción de personas empleando violencia, intimidación o engaño, o abusando de una situación de superioridad, de necesidad o de

---

66   *Vid.* TERRADILLOS BASOCO, J. M.: "Delitos contra los derechos de los trabajadores: veinticinco años de política legislativa errática", *op. cit.*, p. 50.

67   *Vid.* TERRADILLOS BASOCO, J. M.: *Ibidem*, p. 51.

68   *Vid.* POMARES CINTAS, E.: "El delito de trata de seres humanos con finalidad de explotación laboral", *op. cit.*, p. 15: 16.

vulnerabilidad de la víctima, con la finalidad de explotarlas laboralmente, de cometer, incluso, con ellas como víctimas, un delito contra los derechos de los trabajadores, no será, normalmente, constitutiva de un delito de trata de seres humanos; será preciso que el destino de tales víctimas de trata sea una explotación laboral susceptible de adjetivarse como constitutiva de trabajo o servicio forzado, ser*vi*dumbre, esclavitud o prácticas similares a ellas.

Dicho de otro modo, si el fin, perseguido o conocido por los autores de la trata, es *imponer*, mediante engaño o abuso de situación de necesidad[69], *en un futuro próximo, condiciones laborales o de seguridad social que perjudiquen, supriman o restrinjan los derechos que tengan reconocidos por disposiciones legales, convenios colectivos o contrato individual*, la trata no será, ordinariamente, delictiva, sino solo cuando dicho perjuicio, supresión o restricción sea, resumidamente, extrema.

Si el fin que preside la trata fuera idéntico a este, pero sustituyendo el empleo de engaño o abuso de situación de necesidad por el de violencia o intimidación, la conducta, sin duda, estaría más próxima a su conceptuación como delito de trata, pues la víctima, ahora sí, cabría sostener, se ve coaccionada a prestar el trabajo en las referidas condiciones ilegales.

VI. PROPUESTA DE LEGE FERENDA

Si no se considera conveniente ampliar la fórmula típica actual contenida en la letra a) del artículo 177 bis.1, sería recomendable mejorar su redacción.

Propuesta:

a) La imposición de trabajo o de servicios forzados, de la ser*vi*dumbre, de la esclavitud o de prácticas similares a ellas, incluida la imposición de la mendicidad o de prácticas análogas cuando reuniere las características propias de las acti*vi*dades referidas.

Si se considera conveniente ampliar la fórmula típica actual contenida en la letra a) del artículo 177 bis.1, esta es la propuesta:

a) La explotación laboral delictiva.

---

[69]   Que estarán presentes, por tanto, en la fase previa a la explotación, la de trata, y en la fase de efectiva explotación ilegal.

VII. BIBLIOGRAFÍA

AGUADO LÓPEZ, S.: "Delitos contra los derechos de los trabajadores", en BOIX REIG, J. (dir.), LLORIA GARCÍA, P. (coord.), *Diccionario de Derecho Penal Económico*, 2ª ed., Iustel, Madrid, 2017.

BAUCELLS LLADÓS, J.: "El tráfico ilegal de personas para su explotación sexual", en RODRÍGUEZ MESA, Mª. J. y RUÍZ RODRÍGUEZ, L. (coords.), *Inmigración y sistema penal. Retos y desafíos para el siglo XXI*, Tirant lo Blanch, Valencia, 2006.

BENÍTEZ ORTÚZAR, I. F.: "A propósito de los nuevos artículos 311.2 CP y 311 bis CP ¿Delitos contra los derechos de los trabajadores?", en DE LA CUESTA AGUADO, P.M. *et al*ii (coord.), *Liber amicorum. Estudios jurídicos en Homenaje al Prof. Dr. Dr. H.c. Juan Mª Terradillos Basoco*, Tirant lo Blanch, Valencia, 2018.

BERMEJO CASADO, R.: "Trata de seres humanos", *Eunomía: Revista en Cultura de la legalidad*, núm. 21, 2021.

CASTAÑO REYERO, M. J.: "Un estatuto de protección internacional para las víctimas de trata desde la perspectiva del derecho internacional de los derechos humanos", en MARTÍN OSTOS, J. S. (dir.), *La tutela de la víctima de trata: una perspectiva penal, procesal e internacional*, JB Bosch Editor, Barcelona, 2019, pp. 155-206.

CUGAT MAURI, M.: "La trata de seres humanos: la universalización del tráfico de personas y su disociación de las conductas infractoras de la política migratoria (arts. 177 bis, 313, 318 bis)", en QUINTERO OLIVARES, G. (dir.), *La reforma penal de 2010: análisis y comentarios*, Aranzadi, Pamplona 2020.

DE LA MATA BARRANCO, N. J.: "Trata de personas y favorecimiento de la inmigración ilegal, dos conductas de muy distinto desvalor", *Revista electrónica de Ciencia Penal y Criminología*, núm. 23, 2021.

DE VICENTE MARTÍNEZ, R.: "Artículo 177 bis: de la trata de seres humanos", en GÓMEZ TOMILLO, M. (dir.), *Comentarios prácticos al Código Penal*, vol. 2, 2015, Aranzadi, Pamplona, 2015.

DÍAZ MORGADO, C. V.: *El delito de trata de seres humanos. Su aplicación a la luz del Derecho Internacional y comunitario*, tesis doctoral, Barcelona, 2014. Disponible en: https://www.corteidh.or.cr/tablas/r38309.pdf

DOLZ LAGO, M. J.: "¿Existió alguna vez un verdadero Derecho penal del trabajo?", en DE LA CUESTA AGUADO, P. M. *et al*. (coord.), *Liber amicorum. Estudios jurídicos en Homenaje al Prof. Dr. Dr. H.c. Juan Mª Terradillos Basoco*, Tirant lo Blanch, Valencia, 2018.

ESPALIÚ BERDUD, C.: "La definición de esclavitud en el Derecho Internacional a comienzos del siglo XXI", *Revista electrónica de estudios internacionales*, núm. 28, 2014.

FARALDO CABANA, C.: *El delito contra la seguridad e higiene en el trabajo*, Tirant lo Blanch, Valencia, 2013.

FARALDO CABANAS, P.: *¿Dónde están las víctimas de trata? Obstáculos a la identificación de las mujeres víctimas de trata en España*, Libro de Actas Conferencia Internacional "Día europeo contra el tráfico de seres humanos", 2017.

FERNÁNDEZ HERNÁNDEZ, J. J.: "La regulación de la trata de seres humanos: esclavitud del siglo XXI", *RESI: Revista de estudios en seguridad internacional*, vol. 5, núm. 1, 2019.

GARAIZÁBAL ELIZALDE, C.: "La trata de seres humanos", en IGLESIAS SKULJ, A. y PUENTE ABA, L. M. (coords.), *Sistema penal y perspectiva de género: trabajo sexual y trata de personas*, Comares, Granada, 2012.

GARCÍA DE BLANCO, V.: "Trata de seres humanos y criminalidad organizada", *ADCP*, Tomo 67, Fasc/Mes 1, 2014.

GIMBERNAT ORDEIG, E.: "Solo si es sí", *Iustel, Diario de Derecho*, edición de 27 de abril de 2020. Disponible en: https://www.iustel.com/diario_del_derecho/noticia. asp?ref_iustel=1197551

GUISASOLA LERMA, C.: "Formas contemporáneas de esclavitud y trata de seres humanos: una perspectiva de género", *Estudios Penales y Criminológicos*, vol. 39, 2019.

IGLESIAS SKULJ, A.: *Trata de mujeres con fines de explotación sexual*, Tirant lo Blanch, Valencia, 2013.

LARA AGUADO, M. A.: "El avance irresistible de la concepción de la trata como violación de derechos huma-nos: luces y sombras de las políticas protectoras de las víctimas en la normativa internacional e interna", en PÉREZ ALONSO, E. (dir.), *El Derecho ante las formas contemporáneas de esclavitud*, Tirant lo Blanch, Valencia, 2017.

LLORIA GARCIA, P.: "El delito de trata de seres humanos y la necesidad de creación de una ley integral", *Estudios Penales y Criminológicos*, vol. 39, 2019.

LLORIA GARCIA, P.: "Trata de seres humanos", en BOIX REIG, F.J. (coord.), *Derecho penal parte especial, vol. I. La protección penal de los intereses jurídicos personales* (adaptado a la reforma de 2015 del Código Penal), Tirant lo Blanch, Valencia, 2016.

LÓPEZ RODRÍGUEZ, J. y ARRIETA IDIAKEZ, F. J.: "La Trata de seres humanos con fines de explotación laboral en la legislación española", *Icade: Revista cuatrimestral de las Facultades de Derecho y Ciencias Económicas y Empresariales*, núm. 107, 2019.

LÓPEZ RODRÍGUEZ, J. y BENITO SÁNCHEZ, D.: "El fenómeno de la trata de menores de edad en los instrumentos internacionales: avances y retos pendientes", *IQUAL. Revista de género e igualdad*, 2019, p. 2.

MAPELLI CAFFARENA, B.: "La trata de personas", *ADPCP*, vol. LXV, 2012.

MAQUEDA ABREU, M. L.: *El tráfico sexual de personas*, Tirant lo Blanch, 2001.

MAQUEDA ABREU, M. L.: *Prostitución, feminismos y derecho penal*, Comares, Granada, 2009.

MAQUEDA ABREU, M. L.: "Trata y esclavitud no son lo mismo, pero ¿qué son?", *Estudios jurídicos penales y criminológicos en homenaje al Prof. Dr. Dr. H.C. mult. Lorenzo Morillas Cueva*, Dykinson, Madrid, 2018.

MARTOS NUÑEZ, J. A.: "El delito de trata de seres humanos: análisis del artículo 177 bis del Código Penal", *Estudios Penales y Criminológicos*, vol. 32, 2012.

MAYORDOMO RODRIGO, V.: "Nueva regulación de la trata, el tráfico ilegal y la inmigración clandestina de personas", *Estudios Penales y Criminológicos*, vol. 31, 2011.

NELKEN, D.: "La trata de seres humanos y la cultura legal", *Anuario da Facultade de Dereito da Universidade da Coruña*, núm. 16, 2012.

PÉREZ ALONSO, E.: "La Política Criminal europea en materia de trata de seres humanos", *Revista de la Facultad de Derecho de la Universidad de Granada*, Nº 16-17, 2013-2014.

PÉREZ ALONSO, E.: *Tráfico de personas e inmigración clandestina (un estudio sociológico, internacional y jurídico-penal)*, Tirant lo Blanch, Valencia, 2008.

POMARES CINTAS, E.: "Directrices para el análisis y persecución penal de la explotación económica en condiciones de esclavitud o similares", en PÉREZ ALONSO, E. (dir.), *El derecho ante las formas contemporáneas de esclavitud*, Tirant lo Blanch, Valencia, 2017.

POMARES CINTAS, E.: "El delito de trata de seres humanos con finalidad de explotación laboral", *Revista Electrónica de Ciencia Penal y Criminología*, RECPC13-15, 2011.

POMARES CINTAS, E.: "La revisión delos delitos contra los derechos de los trabajadores según la reforma del 2015", en QUINTERO OLIVARES, G. (dir.), *Comentario a la reforma penal de 2015*, Aranzadi Thomson Reuters, Cizur Menor, 2015.

POMARES CINTAS, E.: "La Unión Europea ante la inmigración ilegal: la institucionalización del odio", *Eunomía. Revista en cultura de la legalidad*, nº 7, 2014-2015.

POMARES CINTAS, E.: "Reforma del Código Penal español en torno al delito de tráfico ilegal de migrantes como instrumento de lucha contra la inmigración ilegal en la Unión Europea", *Revista de Estudios Jurídicos UNESP*, nº 29, vol. 19, *2015*.

POMARES CINTAS, E.: *El Derecho Penal ante la explotación laboral y otras formas de violencia en el trabajo*, Tirant lo Blanch, Valencia, 2013.

RAMON RIBAS, E. y FARALDO CABANA, P.: "«Solo Sí es Sí», pero de verdad. Una réplica a Gimbernat", *Estudios Penales y Criminológicos*, vol. 40, 2020.

RAMON RIBAS, E.: "Delitos contra los derechos de los trabajadores: ¿responsabilidad penal de la empresa?", en DE LA CUESTA AGUADO, P. M. *et al.* (coord.), *Liber amicorum. Estudios jurídicos en Homenaje al Prof. Dr. Dr. H.c. Juan Mª Terradillos Basoco*, Tirant lo Blanch, Valencia, 2018.

TERRADILLOS BASOCO, J.M.: "De la trata de seres humanos", en BERDUGO GÓMEZ DE LA TORRE, I. (coord.), *Derecho penal. Parte especial (I). Lecciones y materiales para el estudio del derecho penal*, Iustel, vol. 3, tomo 1, Madrid, 2011.

TERRADILLOS BASOCO, J. M.: "Delitos contra los derechos de los trabajadores", en TERRADILLOS BASOCO, J. M. (coord.), *Derecho Penal. Parte Especial (Derecho Penal Económico)*, Iustel, 2ª ed., Madrid, 2016.

TERRADILLOS BASOCO, J. M.: "Delitos contra los derechos de los trabajadores: veinticinco años de política legislativa errática", *Estudios penales y criminológicos*, vol. 41, 2021.

TERRADILLOS BASOCO, J. M.: "Explotación laboral, trabajo forzoso, esclavitud. ¿Retos político-criminales para el siglo XXI?", en DEMETRIO CASTRO, E. y NIETO MARTÍN, A., *Derecho penal Económico y Derechos Humanos*, Tirant lo Blanch, Valencia, 2018.

TERRADILLOS BASOCO, J. M.: "Trata de seres humanos", en ÁLVAREZ GARCÍA, F. J. y GONZÁLEZ CUSSAC, J. L. (dirs.), *Comentarios a la reforma Penal de 2010*, Tirant lo Blanch, Valencia 2010.

TORRES ROSELL, N. y VILLACAMPA ESTIARTE, C.: "Protección jurídica y asistencia para víctimas de trata de seres humanos", *Revista General de Derecho Penal*, vol. 27, 2017.

TORRES ROSELL, N.: "Matrimonio forzado: aproximación fenomenológica y análisis de los procesos de incriminación", *Estudios penales y criminológicos*, vol. 35, 2015.

VILLACAMPA ESTIARTE, C. y SALAT PAISAL, M.: "Título XV. De los delitos contra los derechos de los trabajadores", en QUINTERO OLIVARES, G. y MORALES PRATS, F. (dirs.), *Comentarios al Código Penal español*, vol. 2, Aranzadi, 2016.

VILLACAMPA ESTIARTE, C. y TORRES FERRER, C.: "Aproximación institucional a la trata de seres humanos en España: valoración crítica", *Estudios Penales y Criminológicos*, Vol. 41, 2021.

VILLACAMPA ESTIARTE, C. y TORRES ROSELL, N.: "Mujeres víctimas de trata en prisión en España", *Revista de Derecho Penal y Criminología*, núm. 8, 2012.

VILLACAMPA ESTIARTE, C. y TORRES ROSELL, N.: "Trata de seres humanos para explotación criminal: ausencia de identificación de las víctimas y sus efectos", *Estudios Penales y Criminológicos*, vol. 36, 2016.

VILLACAMPA ESTIARTE, C.: "¿Es necesaria una Ley integral contra la trata de seres humanos?", *Revista General del Derecho Penal*, 33, 2020.

VILLACAMPA ESTIARTE, C.: "El delito de trata de seres humanos en Derecho Penal español tras la reforma de 2015", en PÉREZ ALONSO, E. (dir.), *El derecho ante las formas contemporáneas de esclavitud*, Tirant lo Blanch, Valencia 2017.

VILLACAMPA ESTIARTE, C.: "El delito de trata de seres humanos", en QUINTERO OLIVARES, G. (dir.), *Comentario a la reforma penal del 2015*, Aranzadi, Pamplona, 2015.

VILLACAMPA ESTIARTE, C.: "La moderna esclavitud y su relevancia jurídico-penal", *Revista de Derecho Penal y Criminología*, 3ª época, núm. 10, 2013.

VILLACAMPA ESTIARTE, C.: "Pacto de estado en materia de violencia de género: ¿más de lo mismo?", *Revista Electrónica de Ciencia Penal y Criminología*, núm. 20-04, 2018.

VILLACAMPA ESTIARTE, C.: "Trata de seres humanos y delincuencia organizada", *Indret*, 1/2012, 2012.

VILLACAMPA ESTIARTE, C.: "Víctimas de trata de seres humanos: su tutela a la luz de las últimas reformas penales sustantivas y procesales proyectadas", *Indret*, vol. 2, 2014.

VILLACAMPA ESTIARTE, C.: *El delito de trata de seres humanos. Una incriminación dictada desde el Derecho Internacional*, Aranzadi, Pamplona, 2011.

VILLACAMPA ESTIARTE, C.; TORRES FERRER, C.; GÓMEZ ADILLÓN, M. J. y MIRANDA RUCHE, X.: "Trata de seres humanos: dimensión y características en España", *Revista General de Derecho Penal*, 35, 2021.

ZUÑIGA RODRÍGUEZ, L.: "Trata de seres humanos y criminalidad organizada transnacional: problemas de política criminal desde los derechos humanos", *Estudios Penales y Criminológicos*, vol. 38, 2018.

Capítulo XVI

LA TRATA DE SERES HUMANOS CON FINES DE MATRIMONIO FORZADO: ANÁLISIS JURÍDICO-PENAL

NÚRIA TORRES ROSELL

Profesora Agregada Serra Húnter de Derecho Penal
Universitat Rovira i Virgili

I. INTRODUCCIÓN

La imposición de matrimonios forzados constituye una de las modalidades menos conocidas de la trata de seres humanos. Contribuye a ello el todavía limitado conocimiento del que se dispone acerca del fenómeno del matrimonio forzado y sobre los motivos que conducen a concertar e imponer el matrimonio en personas que lo rechazan o que no están, siquiera, en disposición de aceptarlo. Además, el propio fenómeno de la trata de seres humanos, complejo y frecuentemente invisibilizado, genera múltiples interrogantes, tanto en lo que se refiere a la vía más adecuada para la persecución y castigo de los tratantes, como en la que actualmente se reclama como principal prioridad, esto es, la prevención del fenómeno y la protección a sus víctimas[1]. Se detecta, sin embargo, un creciente interés por conocer de qué forma el matrimonio y otras relaciones íntimas se vinculan a procesos de trata de seres humanos, tanto en supuestos en que el matrimonio habilita para la captación, el traslado y la transferencia de personas, que son posteriormente destinadas a formas diversas de explotación, como en

---

[1]   VILLACAMPA ESTIARTE, C.: *El delito de trata de seres humanos. Una incriminación dictada desde el Derecho Internacional*, Thomson Reuters Aranzadi, Pamplona, 2011; la misma en ¿Es necesaria una ley integral contra la trata de seres humanos?, *Revista General de Derecho Penal*, 22, 2020, pp. 1-57.

casos en que el matrimonio constituye propiamente la vía para la explotación de la víctima.

Sin duda, que la explotación de las víctimas por la vía del matrimonio forzado no se contemplara originariamente en el Protocolo de Palermo de 2000[2], instrumento de referencia en la definición y la articulación de una estrategia en la lucha contra la trata de seres humanos, demuestra que el vínculo entre ambos fenómenos no es tan claro como sucede en otros ámbitos. Sin embargo, la influencia de otros textos normativos internacionales que sí han apuntado cierta relación entre los dos fenómenos determinó que en el año 2015 el legislador español optara por introducir explícitamente el matrimonio forzado en la órbita del delito de trata de seres humanos, en el art. 177bis CP, como una de las modalidades de explotación a la que pueden ser destinadas las víctimas de trata.

El objetivo de estas páginas es analizar, precisamente, si la previsión de una modalidad de trata de seres humanos con fines de explotación para la celebración de matrimonios forzados, en los términos previstos en el art. 177bis CP, favorece una respuesta adecuada a las víctimas de este fenómeno, tanto a nivel jurídico penal como a nivel asistencial. Se trata de definir el mejor encaje jurídico penal para una casuística muy amplia de lo que se conoce como matrimonio forzado, una denominación que aglutina situaciones muy dispares y que exige repensar las vías para ofrecer una respuesta adecuada a las víctimas y a quienes incentivan o perpetúan estas prácticas.

Para ello, el presente trabajo se estructura de la siguiente manera. Tras examinar de qué forma se ha reconocido a nivel internacional la interacción entre el matrimonio forzado y la trata, se procede a revisar la regulación penal española en esta materia: en un primer estadio, se analiza desde una vertiente crítica, y recogiendo el parecer de la doctrina mayoritaria, el contenido del art. 172 CP, que tipifica el matrimonio forzado como modalidad del delito de coacciones. A continuación, se examina de qué forma la actual definición del delito de trata de seres humanos y la configuración de acciones, medios y fines que integran el proceso de trata, resulta adecuada para abarcar supuestos en que se ha forzado a la víctima a contraer matrimonio o a iniciar una relación análoga a la matrimonial. Especial atención se presta también a los supuestos en que uno de los contrayentes es menor de edad. El trabajo incorpora una revisión de las medidas asistenciales previstas para las víctimas de trata forzadas a contraer y se plantea si estas medidas son más adecuadas que las que podrían ofrecerse a víctimas de matrimonio forzado no identificadas como víctimas de

---

[2]   Protocolo para prevenir, reprimir y sancionar la trata de personas, especialmente mujeres y niños, que complementa la Convención de las Naciones Unidas contra la Delincuencia Organizada Transnacional. El instrumento de Ratificación del Protocolo está disponible en: https://www.boe.es/eli/es/ai/2000/11/15/(2)

trata. Finalmente, el texto concluye con algunas propuestas orientadas a contribuir a la mejora de la tutela jurídico penal de las víctimas de este fenómeno, así como a su protección y asistencia social.

II. LA INTERACCIÓN ENTRE LA TRATA Y EL MATRIMONIO FORZADO EN INSTRUMENTOS INTERNACIONALES

Puesto que el reconocimiento en diversos instrumentos internacionales del matrimonio forzado como atentado a los derechos fundamentales ha sido ampliamente documentado en diversos trabajos doctrinales[3], nos referiremos en este epígrafe exclusivamente a aquellos textos que de alguna forma han apuntado a la relación entre el matrimonio forzado, la trata de seres humanos y la esclavitud.

La primera idea relevante al respecto es constatar que el matrimonio forzado no se contempla de forma expresa en el que ha sido el instrumento de referencia para la conceptualización y la acción frente a la trata de seres humanos: el Protocolo para prevenir, reprimir y sancionar la trata de personas, especialmente mujeres y niños, firmado en Palermo en el año 2000. El artículo 3 del Protocolo alude a los diversos fines de explotación a los que pueden destinarse las víctimas de trata, y lo hace en una cláusula abierta que reconoce "como mínimo, la explotación de la prostitución ajena u otras formas de explotación sexual, los trabajos o servicios forzados, la esclavitud o las prácticas análogas a la esclavitud, la servidumbre o la extracción de órganos", aunque no contiene una mención expresa al matrimonio forzado como modalidad de explotación.

Con todo, en fechas próximas a la firma del Protocolo de Palermo, en el ámbito regional europeo se adoptaron diversos instrumentos normativos que relacionaban la trata con el matrimonio forzado. Así, por un lado, la Recomendación 1325 (1997) *sobre trata de mujeres y prostitución forzada en los Estados*

---

[3]   Véase, en este sentido TRAPERO BARREALES, M. A.: *Matrimonios ilegales y Derecho penal. Bigamia, matrimonio inválido, matrimonio de conveniencia, matrimonio forzado y matrimonio precoz*, Tirant lo Blanch, Valencia, 2016, pp. 123 y ss.; y en especial, la nota a pie de página núm. 191; TORRES ROSELL, N.: "Matrimonio forzado: aproximación fenomenológica y análisis de los procesos de incriminación", *Estudios Penales y Criminológicos*, vol. 35, 2015; BARCONS CAMPMAJÓ, M.: "Forced marriages in Europe: a form of gender-based violecne and violation of human rights", *The Age of Human Rights Journal*, 14, 2020, p. 2 y ss.; MIRABET CAMPS, N.: "Los matrimonios forzados: marco jurídico internacional", en VILLACAMPA ESTIARTE, C. (coord.), *Matrimonios forzados. Análisis jurídico y empírico en clave victimológica*, Tirant lo Blanch, Valencia, 2019, pp. 153 y ss.; y AGUADO CORREA, T.: "La respuesta jurídico-penal al matrimonio infantil (art. 172bis CP): inidónea, innecesaria, desproporcionada", en VILLACAMPA ESTIARTE, C. (coord.), *Matrimonios forzados. Análisis jurídico y empírico en clave victimológica*, Tirant lo Blanch, Valencia, 2019, pp. 185 y ss.

miembros, reconocía el matrimonio forzado como una de las modalidades de explotación a la que puede ser destinada la mujer víctima de trata, junto a la prostitución forzada y otras formas de explotación sexual. Por otro lado, la Directiva 2011/26/UE del Parlamento europeo y del Consejo, de 5 de abril de 2011, *relativa a la prevención y la lucha contra la trata de seres humanos y la protección de las víctimas,* que, si bien no incluía referencias al matrimonio forzado en el articulado del texto, sí mencionaba al fenómeno en su considerando octavo, donde declaraba que los matrimonios forzados constituyen una de las conductas incluidas en la definición de la trata de seres humanos siempre que concurran los elementos constitutivos de la trata, esto es, la acción, los medios comisivos y los fines de explotación[4].

Asimismo, el Convenio de Estambul, aprobado en el marco del Consejo de Europa en 2011[5], instó a tipificar penalmente el matrimonio forzado sin especificar, sin embargo, cual debía ser su ubicación sistemática en la legislación penal de cada Estado y, por lo tanto, sin vincular específicamente el fenómeno con la trata de seres humanos[6]. En todo caso, a partir precisamente de la adopción de este convenio, el matrimonio forzado se ha venido incorporando a la legislación penal de la mayor parte de Estados europeos.

Junto al papel preponderante del Convenio de Estambul en el proceso de criminalización del matrimonio forzado en Europa, la operación puede estar también influida por el reconocimiento del matrimonio servil y forzado como una modalidad de esclavitud. La propia Convención suplementaria sobre la abolición de la esclavitud, el comercio de esclavos y las instituciones y prácti-

---

[4]   Los elementos del delito de trata se definen en el art. 2 de la Directiva, en un sentido similar al previsto en el Protocolo de Palermo. En este sentido, la trata es definida en la Directiva como la "*acogida o recepción de personas, incluido el intercambio o la transferencia de control sobre estas personas, mediante la amenaza o el uso de la fuerza y otras formas de coacción, el rapto, el fraude, el engaño, el abuso de poder o de una situación de vulnerabilidad, o mediante la entrega o recepción de pagos o beneficios para lograr el consentimiento de una persona que posea el control sobre otra persona, con el fin de explotarla. La explotación incluirá, como mínimo, la prostitución ajena y otras formas de explotación sexual, el trabajo o los servicios forzados, incluida la mendicidad, la esclavitud o prácticas similares a la esclavitud, la servidumbre, la explotación para realizar actividades delictivas o la extracción de órganos*".

[5]   Convenio del Consejo de Europa sobre prevención y lucha contra la violencia contra las mujeres y la violencia doméstica, firmado en Estambul el 11 de mayo de 2011.

[6]   Según el art. Artículo 37 del Convenio: *1 Las Partes adoptarán las medidas legislativas o de otro tipo necesarias para tipificar como delito el hecho, cuando se cometa intencionadamente, de obligar a un adulto o un menor a contraer matrimonio. 2 Las Partes adoptarán las medidas legislativas o de otro tipo necesarias para tipificar como delito el hecho, cuando se cometa intencionadamente, de engañar a un adulto o un menor para llevarlo al territorio de una Parte o de un Estado distinto a aquel en el que reside con la intención de obligarlo a contraer matrimonio.*

cas similares a la esclavitud, adoptada en 1956[7], prohíbe "cualquier institución o práctica por la que: i) una mujer, sin que le asista el derecho a oponerse, es prometida o dada en matrimonio a cambio de una contrapartida en dinero o en especie entregada a sus padres, a su tutor, a su familia o a cualquier otra persona o grupo de personas; ii) el marido de la mujer, la familia o el clan del marido tienen el derecho de cederla a un tercero a título oneroso o de otra manera; iii) la mujer, a la muerte de su marido, puede ser transmitida por herencia a otra persona." Junto a estas tres modalidades directamente identificadas como formas de esclavitud por la propia Convención[8], otros supuestos de imposición coactiva del matrimonio en las que se ejerciten también los atributos del derecho de propiedad sobre el cónyuge pueden llegar a considerarse formas de esclavitud o servidumbre. En este sentido, la sumisión del cónyuge a una condición parangonable a la de siervo doméstico y sexual en favor del cónyuge o de sus familiares, la privación o la restricción de la libertad ambulatoria a la que se somete el cónyuge forzado, el control e, incluso, la desposesión de sus pertinencias, constituyen manifestaciones de una esclavización del individuo por la vía matrimonial[9]. El Grupo de Trabajo sobre Formas Contemporáneas de Esclavitud, en su Informe de 27 de junio de 2003, reconoció el matrimonio forzado, el matrimonio precoz y la venta de esposas como formas contemporáneas de esclavitud relacionadas con la discriminación por motivos de sexo[10]. En el informe se sostiene que cualquier mujer que se vea privada de los derechos y las libertades más elementales y sea sometida a la brutalidad y al control en una relación íntima de pareja se encuentra en una situación de esclavitud[11]. Asimismo, el *Informe temático sobre matrimonio servil* de la Relatora

---

7   Convención suplementaria sobre la abolición de la esclavitud, el comercio de esclavos y las instituciones y prácticas similares a la esclavitud, adoptada por la Conferencia de plenipotenciarios convocada por Resolución del Consejo económico y social 608(XXI) de 30 de abril de 1956 y celebrada en Ginebra el 7 de septiembre de 1956 (en vigor desde el 30 de abril de 1957).

8   GARCÍA SEDANO, T.: "El delito de trata de seres humanos con finalidad de matrimonio forzoso en el ordenamiento jurídico español", *Anuario de Derechos Humanos*, n° 12, 2016, p. 90, sostiene que, a resultas de lo previsto en la Convención suplementaria, todas las formas de matrimonio forzoso son definidas como prácticas análogas a la esclavitud. No obstante, albergo dudas que el texto de la Convención alcance a supuestos en que el matrimonio se imponga en la órbita de lo previsto en la letra a) y sin embargo no conste pago o contraprestación, lo que podría ocurrir, por ejemplo, caso de entregar a la hija en matrimonio por motivos de honor, para encauzar su estilo de vida y evitar determinados patrones de conducta, sin recibir contraprestación económica alguna.

9   *Vid.* sobre el matrimonio servil CAMPS MIRABET, N.: "Los matrimonios forzados: marco jurídico internacional", *op. cit.*, p. 157.

10   Informe del Grupo de Trabajo sobre las Formas Contemporáneas de la Esclavitud en su 28° período de sesiones, Naciones Unidas, Comisión de Derechos Humanos, Subcomisión de Promoción y Protección de los Derechos Humanos, 27 de junio de 2003.

11   El Informe incorpora en su apartado VI una relación de recomendaciones, algunas de las cuales destinadas a prevenir situaciones de esclavitud relacionadas con la discriminación

Especial sobre las formas contemporáneas de esclavitud, incluidas sus causas y consecuencias insistía en la relación entre el matrimonio forzado e infantil y la esclavitud[12].

En el caso que las víctimas forzadas a contraer matrimonio sean menores de edad, algunos de los instrumentos mencionados contienen previsiones específicas que facilitan su reconocimiento como trata o como esclavitud. Así, tanto el Protocolo de Palermo de 2000[13] como la Directiva europea 2011/26/UE[14] excluyen la exigencia de medios comisivos determinados y requieren únicamente los elementos relativos a la acción y la finalidad de explotación para la apreciación de un proceso de trata. Por su parte, la Convención suplementaria sobre la abolición de la esclavitud, la trata de esclavos y las instituciones y prácticas análogas a la esclavitud reconoce como esclavitud infantil en el art. 1.d) "Toda institución o práctica en virtud de la cual un niño o un joven menor de dieciocho años es entregado por sus padres, o uno de ellos, o por su tutor, a otra persona, mediante remuneración o sin ella, con el propósito de que se explote la persona o el trabajo del niño o del joven". En este sentido, la entrega del menor con fines de explotación puede considerarse esclavitud, sin necesidad de que se constate la concurrencia de medios comisivos y sin que medie una contraprestación.

Recientemente, el tercer informe de la Comisión europea sobre los progresos efectuados en la lucha contra la trata de personas admite que, frecuentemente los casos de víctimas de trata para matrimonio forzado se denuncian acudiendo a otras formas de explotación, como la trata para explotación sexual o la laboral. El informe pone también el foco en la alta prevalencia de

---

sexual.

[12] Informe de la Relatora Especial sobre las formas contemporáneas de esclavitud, incluidas sus causas y sus consecuencias. Informe temático sobre el matrimonio servil. Consejo de Derechos Humanos de la Asamblea General de Naciones Unidas, 21º período de sesiones, 10 de julio de 2012, A/HCR/21/41. La Relatora apunta que "es común que la esposa termine en la servidumbre doméstica y en la esclavitud sexual, en la que se la explota mediante el uso o la amenaza del uso de la fuerza. En los matrimonios serviles, las niñas y las mujeres no tienen más opción que realizar las tareas que se espera de ellas, como los trabajos de la casa o de la tienda y las labores agrícolas, y tener relaciones sexuales con sus maridos. Si se niegan a hacerlo o si su desempeño es insatisfactorio, sufren malos tratos físicos, psicológicos y sexuales". Por todo ello, la Relatora considera que las violaciones que se producen dentro del matrimonio servil no pueden considerarse solamente como actos de violencia puntual contra las mujeres y las niñas sino que requieren de un abordaje más completo, que tenga en cuenta su naturaleza de prácticas análogas a la esclavitud.

[13] El Protocolo de Palermo excluye en su artículo 3.c) y d.) el requisito de la concurrencia de la violencia, la intimidación, el engaño o cualesquiera otros medios comisivos cuando la trata afecte a menores de edad

[14] La Directiva europea 2011/26/UE excluye en el art. 2.5 la concurrencia de medio comisivos concretos cuando la conducta afecte a un menor de edad.

víctimas pertenecientes a comunidades gitanas marginalizadas y la vinculación con la migración dada la vulnerabilidad de mujeres y niñas migrantes[15].

A nivel de Derecho comparado, un número creciente de Estados han procedido a tipificar el matrimonio forzado como infracción penal. Aun cuando la mayor parte de ordenamientos no configuran el delito como modalidad de trata de seres humanos, sí es relevante que diversos textos penales ubican sistemáticamente el delito en una posición intermedia entre los delitos contra la libertad, y en particular, los delitos de amenazas y coacciones, y los delitos de trata de seres humanos, aproximando la conducta a las previsiones de la trata y la esclavitud[16]. En Alemania, por ejemplo, tras la reforma operada al Código penal en el año 2011[17], se introdujo un nuevo tipo penal en el §237StGB, ubicado a renglón seguido de los delitos de trata de seres humanos y sustracción de menores (§232 a 236 StGB). En Australia, la regulación aprobada en 2013, procedió a tipificar el matrimonio forzado en la modalidad de matrimonio servil, sancionado con una pena máxima de siete años de prisión[18]. Finalmente, en

---

[15]   COUNCIL OF THE EUROPEAN UNION: *Report from the Comission to the European Parliment and the Council. Third report on the progress made in the fight against trafficking in human beings (2020) as required under Article 20 of Directive 2011/36/UE on preventing and combating trafficking in human beings and protecting its victims.* Brussels, 2020, p. 7.

[16]   Para una revisión de las previsiones de criminalización del matrimonio forzado en Derecho comparado véase, entre otros, TORRES ROSELL, N.: "Matrimonio forzado: aproximación fenomenológica y análisis de los procesos de incriminación", *Estudios Penales y Criminológicos*, vol. 35, 2015, pp. 872 y ss.; TRAPERO BARREALES, M. A.: *Matrimonios ilegales y Derecho penal. Bigamia, matrimonio inválido, matrimonio de conveniencia, matrimonio forzado y matrimonio precoz, op. cit.*, p. 141 y ss.; ESQUINAS VALVERDE, P.: "El delito de matrimonio forzado (art. 172bis CP) y sus relaciones concursales con otros tipos delictivos", *Revista Electrónica de Ciencia Penal y Criminología*, 20-32, 2018, p. 14 y ss.

[17]   *Gesestz zur Bekämpfung der Zwangsheirat und zum besseren Schutz der Opfer von Zwangsheirat sowie zur Änderung weiterer aufenthalts- und asylrechtlicher Vorschriften.* La norma funciona como una ley integral para el abordaje del matrimonio forzado, en la que confluyen reformas que afectan a la ley penal y procesal penal, pero también al Código civil, al derecho de asilo, y de forma también relevante al derecho de extranjería. A la ley se le atribuye una potente función simbólica en el sentido de transmitir el mensaje sobre la posición del legislador ante esta conducta, no tolerada o justificada por motivos de tradición o culturales.

[18]   Sobre la tipificación del matrimonio forzado en Australia en el ámbito de los delitos de esclavitud y, en concreto, mediante la introducción del matrimonio servil como condición similar a la esclavitud en la *Crimes Legislation Amendment (Slavery, Slavery-like conditionad and People Trafficking) Bill* de 2013, véase LYNEHAM, S. y RICHARDS, K.: "Human trafficking involving marriage and partner migration to Australia", *Research and Public Policy Series*, 124, Australian Institute of Criminology, Canberra, 2014, *passim*; LYNEHAM, S.: "Forced and servile marriage in the context of human trafficking", *Research in Practice Series*, No. 32, Australian Institute of Criminology, Canberra, 2013, *passim*; ASKOLA, H.: "Responding to vulnerability? Forced marriage and the Law", *University of New South Wales Journal*, 41(3), 2018, pp. 977-1002, pp. 989 y ss.; SIMMONS, F. y

cuanto a las particularidades observadas en derecho comparado, destaca que diversos ordenamientos asimilan la imposición de un matrimonio forzado a la conducta consistente en imponer una relación de pareja o una unión de hecho, de modo que la aplicación del tipo no queda supeditada a la celebración de un contrato matrimonial, lo que puede observarse en el Código penal austríaco, francés, noruego y suizo[19].

III. LA INTERACCIÓN ENTRE LA TRATA Y EL MATRIMONIO FORZADO EN EL DERECHO PENAL ESPAÑOL

Aun ser una de las modalidades menos conocidas de la trata de seres humanos, la trata para matrimonio forzado se halla expresamente reconocida desde el año 2015 en el tipo penal que incrimina esta conducta. En efecto, mediante la importante reforma legal que dio traslado a los mandatos internacionales contraídos por España en los años anteriores, entre los cuales, el Convenio de Estambul, el fenómeno del matrimonio forzado quedó incorporado explícitamente en el ordenamiento penal español en dos tipos penales distintos. Por un lado, se configuró como modalidad específica del delito de coacciones en el art. 172bis CP y, por otro lado, se introdujo como finalidad de explotación de un proceso de trata de seres humanos en el art. 177bis CP. La opción escogida por el legislador no ha merecido, sin embargo, una valoración particularmente positiva por parte de la doctrina científica que, desde entonces, ha subrayado los problemas técnicos y político-criminales que genera la actual previsión incriminadora, en especial en relación con el art. 172bis CP[20].

Entre las críticas de naturaleza político criminal cabe destacar la relativa al efecto poco más que simbólico que tiene la operación, dada la dificultad para enjuiciar las conductas por la vía de los nuevos tipos penales y el riesgo que la incriminación incremente la vulnerabilidad de unas víctimas ya de por

---

BURN, J.: "Without consent: Forced marriage in Australia", *Melbourne University Law Review*, 36, 2013, *passim*.

[19]   Para mayor detalle véase al respecto, TRAPERO BARREALES, M. A.: *Matrimonios ilegales y Derecho penal. Bigamia, matrimonio inválido, matrimonio de conveniencia, matrimonio forzado y matrimonio precoz, op. cit.*, pp. 142 y 144; ESQUINAS VALVERDE, P.: "El delito de matrimonio forzado (art. 172bis CP) y sus relaciones concursales con otros tipos delictivos", *op. cit.*, p. 16.; TORRES ROSELL, N.: "Matrimonio forzado: aproximación fenomenológica y análisis de los procesos de incriminación", *op. cit.*, p. 872 y ss.

[20]   Las críticas se han dirigido fundamentalmente al delito de coacciones del art. 172bis, dedicándose menor atención a la previsión del matrimonio forzado en el marco de la trata de seres humanos, probablemente por constituir, precisamente, una de las modalidades menos conocidas de la trata, por el menor volumen de casos detectados y por no ser esta la vía a la que se recurre prioritariamente en la praxis judicial.

sí vulnerables e invisibilizadas[21]. El empleo del *ius puniendi* y la limitación de derechos a las personas en nombre de un **objetivo** simbólico y ejemplarizante excede de los fines de un Derecho penal propio de un estado democrático que dispone ya de tipos penales que permiten perseguir y sancionar tales conductas sin necesidad de crear un tipo penal *ad hoc* que asume una visión estereotipada de la sociedad y que contribuye a estigmatizar al extranjero[22]. Como ha puesto de manifiesto la doctrina, la conducta de quienes obligan a otro a contraer matrimonio o a iniciar una vida análoga a la matrimonial puede comportar la concurrencia de diversos tipos penales presentes ya en el Código penal antes de la reforma de 2015, como el delito de amenazas, el delito de coacciones, el de detención ilegal, el delito de trato degradante, el maltrato habitual o de obra, así como los diversos delitos contra la libertad sexual que pueden concurrir en el probable caso que el matrimonio haya comportado la imposición de relaciones sexuales forzadas. Sin embargo, las criticas mayoritarias no obstan para poner también en valor la argumentación de quienes ponen de relieve la capacidad transformadora del Derecho y la posibilidad que este uso simbólico del Derecho penal redunde en una labor pedagógica que, combinada con mecanismos de educación y concienciación social, permita avanzar en el reconocimiento de los derechos de las mujeres y la erradicación de prácticas como la analizada[23]. Pero, además, su tipificación expresa permite también que los profesionales, tanto del ámbito penal como del ámbito de los servicios sociales, detecten e identifiquen los casos de victimización[24].

A continuación, se analizarán los tipos penales que aluden expresamente al matrimonio forzado, en sede de coacciones y de trata de seres humanos, con el fin de perfilar los supuestos que pueden subsumirse en el delito de trata.

---

[21]   También en el ámbito internacional se ha criticado el pretendido efecto simbólico de la tendencia a recurrir a la justicia criminal y crear tipos penales específicos frente a fenómenos como el matrimonio forzado, sin calibrar previamente el riesgo que la criminalización genere nuevas vulnerabilidades y contribuya a abrir nuevas brechas y discriminaciones por razón del origen étnico o comunitario. Véase, entre otros, ASKOLA, H.: "Responding to vulnerability? Forced marriage and the Law", *op. cit.*, p. 984

[22]   IGAREDA GONZÁLEZ, N.: "Matrimonios forzados: ¿otra oportunidad para el derecho penal simbólico?", *InDret*, 2015, pp.1-18; TRAPERO BARREALES, M. A.: *Matrimonios ilegales y Derecho penal. Bigamia, matrimonio inválido, matrimonio de conveniencia, matrimonio forzado y matrimonio precoz, op. cit.*, p. 195 y ss.

[23]   Véase la aportación de ESQUINAS VALVERDE, P.: "El delito de matrimonio forzado (art. 172bis CP) y sus relaciones concursales con otros tipos delictivos", *op. cit.*, pp. 7 y ss.

[24]   Se refiere a ello SALAT PAISAL, M.: "Derecho penal y matrimonios forzados. ¿Es adecuada la actual política criminal?", *Política Criminal*, Vol. 15, Nº 29, 2020, pp. 386-405, p. 394.

1. *Limitaciones del delito de matrimonio forzado del art. 172 bis CP*

El tipo básico del art. 172bis CP castiga con una pena de prisión (de seis meses a tres años y seis meses) o, alternativamente, con una pena de multa, a quien con intimidación grave o violencia compeliere a otra persona a contraer matrimonio. La ubicación del tipo entre los delitos contra la libertad y en concreto, en el capítulo III dedicado a las coacciones, comporta que el bien jurídico protegido se concrete en la libertad de obrar del sujeto pasivo. El sujeto pasivo no quiere contraer matrimonio, o no quiere hacerlo en el momento en el que se le compele a hacerlo o con la persona que actúa como contrayente[25]. En consecuencia, la tutela penal se otorga a quien es compelido a hacer algo que no quiere hacer, y no es objeto de protección aquí ni la familia -en el sentido de los derechos y deberes tutelados en el Libro XII CP- ni el matrimonio, sino la libertad del individuo como derecho fundamental.

La conducta típica se define en el precepto como "compeler a otro a contraer matrimonio". Uno de los aspectos más discutidos de la configuración del art. 172bis CP es el relativo a la definición de los medios comisivos exigidos para la realización del tipo. En efecto, el primer apartado del 172bis CP requiere la concurrencia de la violencia -elemento propio del delito de coacciones- o la intimidación grave. La previsión de la intimidación y su calificación como grave han merecido valoraciones negativas por parte de la doctrina, y ello no solamente porque su incorporación a esta concreta modalidad de coacciones dificulta, en la práctica, la delimitación entre este comportamiento y el propio de las amenazas, sino también por la exigencia en el art. 172bis que tal intimidación sea grave, algo que no se exige en la mayor parte de delitos que prevén la intimidación como medio comisivo[26]. Además, se ha puesto de manifiesto que la previsión de medios comisivos contenida en el precepto no se corresponde con la realidad, pues la investigación empírica ha revelado que ni la violencia ni la intimidación grave suelen ser necesarias cuando las víctimas son jóvenes o menores de edad y quienes ejercen como sujetos activos son adultos de su entorno próximo que no necesitan recurrir más que a formas de presión sutil para imponer su voluntad[27]. En efecto, la relación estrecha de parentesco u otras formas de ascendencia entre autor activo y pasivo, esto es, entre quien obliga y quien obedece, diluye la intensidad de la carga intimidatoria nece-

---

[25]   En cuanto delito de coacciones y como indica Esquinas "el constreñimiento se dirige a que la víctima no pueda ejercer y hacer valer libremente una decisión que ya habrá adoptado con la antelación que sea, y es la de no casarse en tal momento y luchar con la otra persona", ESQUINAS VALVERDE, P.: "El delito de matrimonio forzado (art. 172bis CP) y sus relaciones concursales con otros tipos delictivos", *op. cit.*, p. 13.

[26]   ESQUINAS VALVERDE, P.: *Ibidem*, p. 18; TORRES ROSELL, N.: "Matrimonio forzado: aproximación", *op. cit.*, pp. 894 y ss.

[27]   VILLACAMPA C., y TORRES, N.: "El matrimonio forzado en España. Una aproximación empírica", *Revista Española de Investigación Criminológica*, n° 17, 2019, pp. 14 y ss.

saria, que se manifiesta más bien como una presión sutil pero persistente. De hecho, la normalización desde la infancia del matrimonio como una decisión ajena, que es pactada por terceros y ejecutada a edades tempranas, contribuye a que las propias afectadas no osen alterar un equilibrio familiar y comunitario que se construye desde premisas claramente patriarcales.

Por ello, la previsión de los medios comisivos descritos en el delito de matrimonio forzado del art. 172bis resulta claramente inadecuada. Si el legislador pretende que efectivamente puedan perseguirse penalmente las conductas consistentes en forzar a una persona a contraer matrimonio, entonces la referencia a la intimidación no debe calificarse como grave o, alternativamente, debe facilitarse el reconocimiento como grave del control y la presión emocional y psicológica que de forma sutil pero persistente ejerce el entorno próximo de la víctima. Se trata de construir un concepto de intimidación que incorpore criterios de interseccionalidad, de forma que la referencia no sea el temor que pueda infligirse a un hombre adulto blanco de clase media, sino que atienda a criterios de edad, género y contexto socio-cultural de la víctima, de modo que el mal con el que se amenaza a la víctima tome también en consideración el riesgo de exclusión social y su creciente vulnerabilidad[28].

La configuración del delito de matrimonio forzado como modalidad de coacciones en el art. 172bis excluye el engaño de entre los medios comisivos del tipo básico. La apreciación del engaño se relega al segundo apartado del precepto, cuando la perpetración del delito requiere de este elemento para el traslado del sujeto pasivo a un tercer estado donde será compelido a contraer. Que el engaño sea relevante únicamente a efectos de traslados internacionales puede limitar la eficacia del tipo penal cuando el engaño se emplea, por ejemplo, para trasladar a la víctima a una localidad distinta dentro del territorio nacional donde será forzada a contraer, así como en supuestos en que fraudulentamente se convence a la víctima que el matrimonio no le impedirá continuar con su formación o con su actividad laboral. Pero además la doctrina ha puesto ya de manifiesto que el precepto tiene poco recorrido en la práctica[29]

---

[28]   Sobre el consentimiento en el matrimonio y la interseccionalidad, *vid.* IGAREDA GONZÁLEZ, N.: "Debates sobre la autonomía y el consentimiento en los matrimonios forzados", *Anales de la Cátedra Francisco Suárez*, 47, 2013, p. 216; CHANTLER, K.: "Recognition of and Intervention in Forced Marriage as a Form of Violence and Abuse", *Trauma, Violence & Abuse*, 13 (3), 2012, pp. 176-183., pp.176 y ss.

[29]   GUINARTE CABADA, G.: "El nuevo delito de matrimonio forzado (artículo 172 bis del CP)", en GONZÁLEZ CUSSAC, J. L. (dir.), *Comentarios a la Reforma del CP de 2015*, Tirant lo Blanch, 2ª ed., Valencia, 2015, p. 570, señala que la dicción literal del precepto lleva a entender que no cabría incluir en el ámbito típico del delito los casos en que el compelido a contraer matrimonio en el extranjero, sin haber sido compelido a abandonar territorio nacional, es forzado a no regresar a España con la finalidad de impedirle denunciar aquí los actos coactivos de los que fue víctima o para evitar que roma aquí la situación matrimonial a la que fue obligado.

puesto que, en la medida que el tipo se configura como una modalidad avanzada de protección penal en que el matrimonio forzado constituye la finalidad del traslado, la conducta colisiona directamente con el delito de trata de seres humanos que, en concurso de normas, sería de aplicación prioritaria[30].

Junto al problema que genera la selección de medios comisivos en el 172bis, una de las cuestiones más relevantes apuntadas por la doctrina es la relativa a la falta de necesidad de incriminación específica del delito. Un sector doctrinal relevante argumenta que el delito no responde a una laguna de punibilidad y que los comportamientos en que pudieran incurrir quienes fuerzan a otra persona a contraer ya podían ser perseguidos penalmente mediante otros delitos previstos en el Código penal[31]. Entre los tipos penales que alternativamente servirían para valorar la conducta se alude a los delitos de amenazas, el tipo básico de coacciones, la detención ilegal, el trato degradante y los delitos contra la libertad sexual, entre otros. Estos tipos penales, además de dar alcance al bien jurídico que lesiona la conducta de forzar a contraer matrimonio, permiten, en ocasiones, la imposición de una pena más severa incluso que la que actualmente se contempla en el art. 172bis.

Así, por ejemplo, en el supuesto en que el matrimonio no hubiera llegado a celebrarse en el momento de seguirse las actuaciones judiciales, cabría analizar la eventual comisión de un delito de amenazas, si el sujeto activo hubiera anunciado a la víctima la perpetración de un daño sobre ella o sobre sus familiares o allegados[32]. Ciertamente, la relación entre ambos delitos -el de amenazas y el de matrimonio forzado- es compleja y pueden darse problemas de solapamiento desde el momento en que el delito de matrimonio forzado admite la intimidación como medio comisivo[33]. Ello deviene especialmente patente en el caso de las amenazas condicionales en que se amenaza con la causación de un mal constitutivo de delito y en que el sujeto activo logra su propósito, lo que se observaría, por ejemplo, en caso de ceder la víctima tras ser amenazada con ser objeto de lesiones, encierro, violación u homicidio. En este supuesto, la

---

[30]   ESQUINAS VALVERDE, P.: "El delito de matrimonio forzado (art. 172bis CP) y sus relaciones concursales con otros tipos delictivos", *op. cit.*, p. 39; GUINARTE CABADA, G.: "El nuevo delito de matrimonio forzado (artículo 172 bis del CP)", *op. cit.*, p. 571 y ss.

[31]   TRAPERO BARREALES, M. A.: *Matrimonios ilegales y Derecho penal. Bigamia, matrimonio inválido, matrimonio de conveniencia, matrimonio forzado y matrimonio precoz, op. cit.*, p. 194.

[32]   *Vid.* TRAPERO BARREALES, M. A.: *Ibidem*, p. 189, sobre las limitaciones del delito de amenazas, en concreto, la dificultad para aplicar el delito de amenaza condicional de un mal no constitutivo de delito, así como los casos en que se recurra al engaño.

[33]   Como señala GUINARTE CABADA, G.: "El nuevo delito de matrimonio forzado (artículo 172 bis del CP)", *op. cit.*, p. 566, "resulta muy insatisfactoria la solución de estimar como ley especial, en concurso de leyes, el delito de matrimonio forzado frente a las amenazas, puesto que ellos supondría un tratamiento privilegiante indeseable y gravemente perturbador".

pena máxima de tres años y seis meses prevista para el delito de matrimonio forzado resultaría claramente privilegiante frente a una pena de hasta cinco años de prisión que se prevé para el delito de amenazas condicionales en las que el sujeto activo consigue su propósito. Cabe incluso la posibilidad que la familia utilice instrumentalmente el matrimonio como amenaza para exigir un cambio de actitud o de comportamiento que se considera más afín a determinados valores que responden siempre a un determinado modelo patriarcal -por ejemplo, en el caso de mujeres jóvenes a quienes se destina a la vida en pareja antes de que se inicien en las relaciones sexuales o individuos forzados a contraer según un patrón normativo que no encaja en su orientación sexual.

Por otro lado, se ha planteado la posibilidad de acudir al tipo básico de coacciones, dado el encaje del bien jurídico y de la conducta típica. Las dificultades que pudiera entrañar una previsión más estricta de los medios comisivos empleados, puesto que el tipo básico requiere la concurrencia de violencia, pueden soslayarse, de facto, mediante la interpretación laxa a la que atiende la jurisprudencia respecto del alcance de la violencia sin perjuicio que, de *lege ferenda*, accedan al tipo penal un mayor número de medios comisivos. A todo ello debe añadirse que, a nivel penológico, la pena máxima prevista para el delito de matrimonio forzado supera únicamente en seis meses la prevista para el tipo básico de coacciones[34].

Al margen del delito de amenazas y coacciones podría plantearse acudir al delito de trato degradante, considerando que la imposición del matrimonio no solamente afecta a la libertad de obrar del sujeto pasivo, sino que supone una vulneración a la propia integridad moral y la dignidad de la víctima forzada a adoptar un régimen de vida que condiciona su futuro a corto y medio plazo, obligándole a asumir una serie de cargas convivenciales, tareas domésticas, relaciones sexuales, cuidado de menores y adultos, etc. Sin embargo, y aun cuando el delito podría considerarse adecuado atendiendo al bien jurídico protegido, la pena prevista en el art. 173.1 CP alcanza solamente los dos años de prisión, de modo que deviene, de nuevo, una opción privilegiante.

Finalmente, cuando el matrimonio forzado se fragua en el ámbito familiar y se ejerce violencia física o psíquica sobre la víctima puede tener sentido acudir al delito de maltrato habitual del art. 173.2 CP. El tipo, que no requiere que el sujeto activo persiga ulterior propósito, resultaría de aplicación cuando se recurriera a actos de violencia o a la intimidación destinados a doblegar la voluntad de la víctima y lograr concertar el matrimonio. También cuando, una

---

[34] En este sentido, SALAT PAISAL, M.: "Derecho penal y matrimonios forzados. ¿Es adecuada la actual política criminal?", *op. cit.*, p. 393, sostiene con razón que "la pena establecida, prisión de prisión de 6 meses hasta 3 años y medio con la alternativa de multa, no parece que vaya a ser muy efectiva y menos aún proporcional, si lo que se hace es comparar con la pena prevista para el genérico delito de coacciones".

vez ya perpetrado aquel, la víctima del matrimonio forzado sufriera abusos o violencias por parte del cónyuge y la familia política. La apreciación del art. 173.2 CP no excluiría la sanción de los episodios puntuales de violencia que en forma de coacciones, amenazas, lesiones o privaciones de libertad tejieran la situación de maltrato. Sin embargo, dado que el tipo penal se incardina en la órbita de las relaciones familiares no resultaría aplicable a los supuestos en que no constara tal relación respecto de las personas que hubieran conminado a la víctima a contraer, aunque sí podría aplicarse al cónyuge y sus allegados.

2. El matrimonio forzado en el ámbito de la trata de seres humanos

Vistas las limitaciones que acompañan el delito de matrimonio forzado del art. 172bis y que las conductas pueden hallar acomodo en otros tipos penales, se somete a continuación a examen la previsión del matrimonio forzado en el ámbito del delito de la trata de seres humanos. En este contexto, la vulneración que comporta la conducta trasciende de la libertad de obrar de la víctima y atenta directamente a la dignidad[35], en términos de cosificación de la persona, sumisión, utilización o instrumentalización de la víctima en beneficio de los tratantes, y, como señala Zúñiga "degradar la autonomía de su voluntad a cero"[36].

A tenor de lo previsto en el art. 177bis CP y siguiendo la estructura del delito de trata, según la propia definición dada en el Protocolo de Palermo del año 2000, tres son los elementos que, de concurrir, pueden determinar la apreciación de un matrimonio forzado en un contexto de trata de seres humanos: la acción, que incluye la captación y el resto de acciones relativas al eventual traslado de personas (transporte, recepción, etc.); los medios comisivos determinados, que el precepto enuncia de forma amplia, incorporando medios o modalidades que no se contemplan en el art. 172bis CP, y, en tercer lugar, la finalidad del proceso de trata, que no es otra que la explotación de las víctimas en alguna de las actividades que se contienen, en régimen de *numerus clausus*, en el propio precepto. Precisamente el apartado e) del art. 177bis contempla, tras la reforma legal de 2015, la "celebración de matrimonios forzados" como una de las modalidades de explotación de la trata.

En lo que atañe a la conducta típica, y a los efectos del tema que aquí analizamos, destaca que, en su redacción posterior a 2015, el tipo penal incorpora

---

[35]   VILLACAMPA ESTIARTE, C.: *El delito de trata de seres humanos. Una incriminación dictada desde el Derecho Internacional*, Thomson Reuters Aranzadi, Pamplona, 2011, pp. 396 y ss.; GUISASOLA LERMA, C.: "Formas contemporáneas de esclavitud y trata de seres humanos: una perspectiva de género", *Estudios Penales y Criminológicos*, 2019, p. 189.

[36]   ZÚÑIGA RODRÍGUEZ, L.: "Trata de seres humanos y criminalidad organizada transnacional: problemas de política criminal desde los Derechos humanos", *Estudios Penales y Criminológicos*, vol. XXXVIII, 2018, p. 392.

nuevas previsiones que permiten un mejor encaje del matrimonio forzado en el delito de trata de seres humanos. En efecto, como a continuación veremos, el texto vigente amplía las previsiones relativas tanto a la acción, como a los medios comisivos y la finalidad de explotación, que pueden entrar ahora claramente en la órbita de la dinámica comisiva del matrimonio forzado.

Sobre la consideración de autores de un delito de trata con fines de explotación en la celebración de un matrimonio forzado cabe identificar a las personas que detentan y asumen el control sobre la víctima, sometiéndola a una situación de servidumbre y de práctica anulación de su capacidad de decisión. Por lo tanto, padres o familiares que entregan a la víctima pueden ser autores, del mismo modo que pueden serlo los facilitadores del enlace –esto es, quienes hacen de intermediarios entre quien detenta el control de la víctima y el cónyuge– y, finalmente, también el cónyuge y, eventualmente, su familia. No obstante, la máxima de analizar el caso concreto puede conducir a considerar a los padres o allegados de la víctima como víctimas también del proceso de trata, cuando hubieran sido también sometidos a engaño o se constatara una situación de intimidación o un abuso de necesidad o de vulnerabilidad.

El marco penal previsto para el tipo básico lo define como delito grave, pues se prevé una pena de entre cinco y ocho años de prisión, sin la opción de pena alternativa que sí se incluye en sede de coacciones, lo que en el caso de la trata supondrá, por lo general, el ingreso del responsable en prisión. La pena prevista en este tipo penal es asimismo superior a la que conmina los delitos a los que anteriormente se ha aludido como alternativa para sancionar la conducta consistente en forzar a otro a contraer matrimonio. En este sentido, la pena del delito de trata es superior a la prevista para unas amenazas graves del art. 169CP y para un delito de trato degradante del art. 173.1CP; supera también la prevista para el tipo básico de detención ilegal, pero coincide con la que conmina un supuesto agravado de privación de libertad que se extiende por más de quince días.

2.1. Acción: la relevancia de la transferencia del control

Así, en lo que respecta a las acciones propias de la trata destaca que, junto a las conductas de captación, transporte, traslado, acogida o recepción, propias del delito y que han sido profusamente analizadas por la doctrina científica, se incluye la consistente en el intercambio o la transferencia del control sobre las personas. La previsión amplía el radio de conductas propias de la trata pues remite a supuestos en los que ya no va a ser necesaria la captación de la víctima como antesala de un posterior traslado, pues el sujeto activo ejerce ya cierto control sobre aquella. Las situaciones en las que se hace patente este control previo incluyen, por ejemplo, supuestos en que el sujeto activo ocupa una posición de superioridad en el entorno familiar, religioso, comunitario, etc. También las situaciones en que la víctima no dispone de la madurez para discernir sobre las decisiones que otros toman por ella, sea por razones de edad o por sufrir algún tipo de discapacidad, en especial, en supuestos de discapacidad psíquica. En caso de imposición de un matrimonio o una relación análoga, quien detenta el control sobre la víctima transfiere dicho control al cónyuge o a la persona que actúa como intermediaria del enlace. Reconocer la trasferencia del control sobre la persona como una acción propia del delito de trata permite valorar la concurrencia del delito cuando no ha habido un verdadero traslado físico de la víctima o, incluso, cuando de existir, este traslado no implica una distancia geográfica importante, pues lo relevante es la falta de autonomía de la víctima, su sumisión al control y la dominación que ejerce un tercero y la transferencia de dicho control entre individuos a los que aquella queda sometida. Esta aproximación a las conductas propias de la trata abre la puerta a plantear la concurrencia del delito cuando la explotación, en nuestro caso en forma de imposición de una relación matrimonial, tiene lugar incluso en la propia localidad donde reside la víctima, de modo que el cónyuge mantiene el control estricto que antes ejercieran otras personas, por ejemplo, familiares y allegados de la víctima, manteniéndola en situación de aislamiento o dispensándole un trato que suponga una cosificación de la víctima, sin que resulte ya exigible para apreciar el delito, el efectivo traslado de la víctima a otra localidad o a un tercer país.

2.2. Medios comisivos

En lo que respecta a los medios comisivos, el abanico previsto en el delito de trata es mucho más amplio que el requerido por el delito de matrimonio forzado del art. 172bis CP que, como indicamos, reducía tales medios a la violencia, la intimidación grave y, en caso de traslado internacional, el engaño para facilitar tal traslado. En el contexto del delito de trata, la previsión de medios incluye la violencia, la intimidación -respecto de la que no se exige una determinada gradación-, el engaño -no referido ya a conductas de traslado a un tercer estado, sino a cualquiera de las conductas previstas en el delito de trata- y el abuso de situación de superioridad o de necesidad o de vulnerabilidad de la víctima. Respecto del abuso de necesidad o de vulnerabilidad el texto penal especifica que su apreciación pasa por valorar que en tal situación la persona "no tiene otra alternativa, real o aceptable, que someterse al abuso".

A los efectos de este trabajo deviene relevante la inclusión como medio comisivo en el tipo penal del delito de trata de "la entrega o recepción de pagos o beneficios para lograr el consentimiento de la persona que poseyera el control de la víctima"[37]. Ciertamente, la perpetuación de prácticas de pago de dote o la compraventa de esposas permite aventurar que este puede ser el canal por el que se fragüe un delito de trata destinado a la imposición a la víctima de un matrimonio forzado[38], en concreto en aquellos supuestos en los que se constata un intercambio económico o, mejor dicho, el intercambio de la víctima por dinero, efectuado por parte de quien tiene el control sobre aquella y, por lo tanto, sin que la víctima se beneficie de una contraprestación dineraria por acceder a la relación matrimonial. Por lo tanto, la previsión se alejaría de los supuestos en que la víctima accede a contraer a cambio de una contraprestación económica, que puede guardar para ella o trasladar a sus familiares o allegados, lo que sería propio de un matrimonio de conveniencia en que aquella consiente con la transacción.

2.3.   Fines de la trata

Finalmente, en cuanto a los fines del proceso de trata, tras la reforma penal de 2015, el art. 177bis CP reconoce de forma expresa la "celebración de matrimonios forzados" como uno de los fines de explotación a los que pueden ser destinadas las víctimas de la trata de personas.

Obviamente, la referencia, en plural, a la actividad de explotación como "matrimonios forzados" responde a la técnica de redacción empleada por el legislador, que puede observarse también en apartados precedentes, y no a la exigencia de una pluralidad de víctimas forzadas a contraer que, de existir, darían lugar a la apreciación de sendos delitos de trata.

En este contexto nos planteamos si la previsión específica del matrimonio forzado como una de las modalidades de explotación a la que pueden ser destinadas las víctimas de trata permite una respuesta más adecuada a los supuestos de víctimas forzadas a contraer o si, por el contrario, resulta una previsión distorsionadora. Para responder a esta cuestión revisamos, en primer lugar, si las diversas constelaciones de casos que se identifican como matrimonio forzado tienen cabida en la actual previsión del art. 177 bis, y, en segundo lugar, y en su caso, si tales supuestos podrían reconducirse a alguna otra de las finalidades de explotación ya previstas en el propio precepto.

---

[37]   Señala GUISASOLA LERMA, C.: "Formas contemporáneas de esclavitud y trata de seres humanos: una perspectiva de género", *op. cit.*, que esta previsión evidencia el proceso de comercialización que sufre la víctima.

[38]   LAFONT NICUESA, L.: "Algunas cuestiones sustantivas y probatorias sobre el delito de trata con fines de matrimonios forzados y la protección de sus víctimas", en VILLACAMPA ESTIARTE, C. (coord.), *Matrimonios forzados. Análisis jurídico y empírico en clave victimológica*, Tirant lo Blanch, Valencia, 2019, p. 279.

2.3.1.   Casos que encajan en el delito de trata

En primer lugar, en cuanto a la adecuación de la previsión normativa para dar respuesta a las diversas constelaciones de casos, la previsión explícita de la finalidad de explotación consistente en celebrar un matrimonio forzado permite abordar en el ámbito de la trata los supuestos en que se exige o se ofrece el pago de una contraprestación económica a cambio de la entrega de una persona en matrimonio. En estos casos quien detenta el control sobre la víctima -progenitor, familiar o terceros- accede, a cambio de un precio, a transferir tal control al cónyuge o a los intermediarios que continuaran las transacciones hasta imponer a aquella un matrimonio no consentido. La compraventa de la persona, el pago de una cuantía o la entrega de bienes con valor económico a cambio de aquella, deviene un indicio de la cosificación a la que se somete a la víctima[39], que puede quedar reducida a la consideración de una mera mercancía, siendo el enlace matrimonial el mecanismo para la traslación del control.

No obstante, dada la práctica extendida en diversas tradiciones y culturas del pago de una dote en ocasión del enlace, la constatación del pago no sería el único elemento a valorar para confirmar el proceso de trata, siendo también necesario que las condiciones en las que se procede a la operación dejen a la víctima en una situación de falta de autonomía, sin capacidad de decisión -respecto del enlace, pero tampoco, probablemente, sobre sus ocupaciones habituales-, obligada a adoptar una actitud servil hacia los intermediarios y hacia el cónyuge.

Por otro lado, el tipo penal del art. 177bis ofrece una respuesta adecuada para los supuestos en que la víctima es trasladada a un tercer país para obligarla allí a contraer matrimonio. Aun cuando una previsión similar se halla contenida en el párrafo segundo del art. 172bis CP, la situación descrita encuentra mejor acomodo en el delito de trata de personas que, por un lado, recoge el grave atentado a la libertad y a la dignidad de la persona, y que además, por otro lado, acoge un elenco de medios comisivos mucho más amplio que el descrito en el delito de coacciones, reconociendo que el traslado de la víctima puede haberse logrado tras recurrir los tratantes no solamente al engaño, sino también a la violencia, la intimidación así como el abuso de superioridad o de la vulnerabilidad o necesidad de la víctima. Efectuado el traslado y ubicada la víctima en un nuevo destino, privada de su entorno de confianza y de su actividad habitual en su lugar de origen (trabajo, estudios) aquella será forzada a contraer matrimonio. El traslado a otro país incrementa la desprotección de la víctima, su aislamiento, su vulnerabilidad y por lo tanto el riesgo de que la explotación se amplíe a la servidumbre doméstica, sexual y de reproducción

---

39   GARCÍA SEDANO, T.: "El delito de trata de seres humanos con finalidad de matrimonio forzoso en el ordenamiento jurídico español", *op. cit.*, p. 96.

cuando el matrimonio deviene el mecanismo que legitima y oficializa las cargas que contrae la víctima respecto del cónyuge y otras personas de su entorno.

Con todo, la situación de sumisión y de falta de autonomía que flagela a la víctima en este supuesto no difiere mucho de aquella en que el matrimonio o la unión se oficializa en el lugar de residencia de la víctima para ser luego trasladada por el cónyuge a otro destino, en el que es privada de su actividad habitual y obligada a ejercer cuidados, servicios domésticos, mantener relaciones sexuales y, eventualmente también, reproducirse. La particularidad del caso apuntado radica en que el traslado geográfico es posterior a la oficialización de un matrimonio en el marco del cual se explota a la víctima en la dimensión sexual o de servitud doméstica o laboral. El traslado tiene como fin mantener, sino incrementar todavía más, el carácter forzado, servil y penoso de las cargas impuestas a la víctima, afectando gravemente su libertad y autonomía. Por lo tanto, si consideramos como propio de un proceso de trata aquel supuesto en que la víctima es trasladada geográficamente en vistas a facilitar la imposición de un matrimonio y su sumisión a las cargas domésticas y sexuales, también debiera contemplarse en la misma órbita el supuesto en que tras la imposición del matrimonio la víctima es trasladada y forzada a asumir cargas similares. Ello nos lleva a plantearnos si la finalidad del proceso de trata es propiamente la celebración de un matrimonio forzoso o si, por el contrario, la finalidad es la reducción de la víctima a una posición de servidumbre hacia el cónyuge, familiares o terceros, lo que se vehicula a través del matrimonio, y lo que nos permitiría acudir a los fines descritos en los apartados a) o b) del art. 177bis.1. CP, esto es, los fines de explotación sexual y los de servidumbre vinculados a la figura del matrimonio servil.

En tercer lugar, resulta de interés explorar la idoneidad de la actual regulación para abordar casos de matrimonio de conveniencia abusivos en los que la víctima, de nacionalidad española o nacional de un país UE, es forzada a contraer con un nacional de un tercer estado con la finalidad de que éste adquiera de forma fraudulenta la nacionalidad o la residencia legal en Europa. El matrimonio de conveniencia no se ha considerado tradicionalmente como una conducta afín a la trata de seres humanos, por cuanto ambos contrayentes suelen mostrarse conformes con una operación que acelera, para una de las partes, los trámites de acceso a la residencia legal, y que proporciona, a la otra parte, una contraprestación o un beneficio económico, siendo entonces el mayor perjudicado el Estado y la regulación de los flujos migratorios y del acceso a la nacionalidad[40].

---

[40]   TRAPERO BARREALES, M. A.: *Matrimonios ilegales y Derecho penal. Bigamia, matrimonio inválido, matrimonio de conveniencia, matrimonio forzado y matrimonio precoz*, *op. cit.*, pp. 106 y ss., con referencia a los efectos del matrimonio en materia de nacionalidad y extranjería. En el ordenamiento español el matrimonio de conveniencia, blanco o de

Sin embargo, en estos últimos años se ha detectado a nivel internacional un creciente número de supuestos en que una de las partes ha sido forzada a contraer[41]. En estos casos el contrayente nacional UE se ha visto expuesto a un proceso de captación mediando engaño, abuso de necesidad o vulnerabilidad, o incluso violencia o intimidación, tras el cual es forzado a contraer matrimonio con una persona sin nacionalidad UE. En cuanto a las modalidades de engaño en fase de captación lo habitual es que la víctima acceda a su traslado tras recibir una oferta de empleo fraudulenta que esconde los fines matrimoniales[42].

La actual dicción del precepto, estableciendo la celebración de un matrimonio forzado como objetivo de explotación del proceso de trata, permite abarcar el desvalor de la conducta de quien somete a un individuo a un proceso de trata con el fin de destinarlo a la celebración de un matrimonio que coloca a la víctima en una posición servil por cuanto es utilizada y cosificada al servicio de los intereses del otro contrayente, quien busca regularizar su situación legal en un país europeo, así como de los propios tratantes, que obtienen con la transacción un beneficio económico. En tal tesitura la víctima no tiene opción a oponerse y puede verse sometida a ulteriores formas de explotación una vez concluido el enlace -sexual, laboral, mendicidad, etc.- por parte del cónyuge o incluso por parte de los propios tratantes que pretendan obtener un mayor lucro a su costa.

---

complacencia se considera matrimonio nulo por falta de consentimiento matrimonial. El motivo que está detrás de la unión y el que en definitiva más preocupa a las autoridades es la regularización de la situación administrativa en el país de uno de los contrayentes, dada la simplificación de los requisitos para acceder a la nacionalidad o a la regularización de la residencia, lo que ha determinado su tipificación como infracción grave en el art. 53.2b) de la LO 2/2009, de reforma de la LO 4/2000.

[41]   El abordaje del matrimonio de conveniencia es distinto en los diversos Estados miembros, de modo que algunos estados solamente prevén efectos civiles derivados de la nulidad del matrimonio mientras que otros lo consideran una infracción administrativa punible con una multa e incluso puede llegar a tipificarse como delito castigado con pena de prisión. En aquellos supuestos en que ambas partes están de acuerdo con la transacción, la operación constituye una vulneración de las normas civiles que recibirán en cada país una respuesta administrativa o penal. Véase, en este sentido el informe de EUROJUST: *Report on national legislation and Eurojust caslaw analysis on sham marriages*, 2020, p. 17, donde se señala que el matrimonio fraudulento se castiga con prisión de hasta cinco años en Bélgica, Francia, Portugal y Letonia, y con prisión de hasta 8 años en Bulgaria, República eslovaca y República Checa. Por el contrario, en Italia, Grecia. Alemania, Polonia, Irlanda o España, entre otros, la conducta no está criminalizada. Pero la propia Eurojust admite que la criminalización no incide en la prevención de la conducta y pone como ejemplo el caso de Chipre.

[42]   Más problemáticos resultan los supuestos en que la víctima conoce la trama matrimonial si bien es engañada respecto de las condiciones, habiéndole hecho creer que el enlace no iba a requerir vinculación alguna con el cónyuge. Tales situaciones podrían, en su caso, plantear un eventual abuso de la situación de necesidad o de vulnerabilidad de la víctima.

A pesar del encaje que los supuestos de matrimonio de conveniencia abusivos hallan en la modalidad de la trata para celebración de matrimonio forzado, es posible que otras formas de explotación ya previstas en el tipo penal previo a la reforma de 2015[43] permitieran también dar respuesta a la conducta. Podría así acudirse al delito de trata para explotación sexual, cuando se constatara que la víctima, antes o después del enlace, fuera sometida a explotación sexual o incluso a un abuso de sus derechos reproductivos por parte del cónyuge o de los propios tratantes. También, al delito de trata para explotación laboral, cuando la víctima fuera obligada a asumir cargas laborales o domésticas en circunstancias en las que no tuviera capacidad de decisión. Asimismo, podría plantearse la explotación de la víctima por la vía de forzar su participación en actividades ilícitas o delictivas, tomando en consideración que el enlace tuviera como pretensión lograr la residencia legal por cauces ilegales. En este último caso debería atenderse a la posibilidad que el propio cónyuge fraudulento utilizara el título matrimonial para, tras haber pagado una suma de dinero a los tratantes para la consecución de su objetivo, someter a abuso y explotación a la víctima, lo que podría llevar a valorar su participación en el delito de trata para explotación sexual o laboral.

Por su parte el cónyuge forzado a contraer en un matrimonio de conveniencia abusiva debería ser identificado como víctima, y ello a fin de evitar tanto la imputación de una infracción grave de la ley de extranjería como, en su caso, la comisión de un delito de tráfico de migrantes del art. 318bis CP[44]. La identificación como víctima de trata conduciría a entender que la explotación no solamente se había materializado en la consecución de un matrimonio forzado, sino en la realización de actividades ilegales tales como la facilitación fraudulenta del acceso a la residencia legal de un nacional de un tercer estado. En este caso debería entrar en juego la previsión del apartado 11 del art. 177bis en el sentido de eximir de responsabilidad a la víctima por las infracciones cometidas en situación de explotación sufrida. Cierto es que el precepto se refiere a la exención de *pena* por infracciones *penales* cometidas y no, por el contrario, a la exención de las sanciones por infracciones administrativas. Sin embargo, ningún sentido tendría que tal previsión pudiera ser aplicable en países que

---

[43]   En sentido contrario, GARCÍA SEDANO, T.: "La reforma del Código penal español motivada por la transposición de la Directiva 2011/36, sobre prevención y lucha contra la trata de seres humanos y protección de las víctimas", *Revista Jurídica de Investigación e Innovación educativa*, 8, 2013, p. 135, quien, en relación con la anterior regulación del delito de trata, rechazaba una interpretación extensiva del art. 177 para incluir la finalidad de matrimonio forzado cuando esta no se recogía en el numerus clausus del precepto.

[44]   Sobre la aplicabilidad del delito de ayuda a la inmigración ilegal al contrayente en situación regular y la necesidad de adoptar una interpretación hiperrestrictiva del tipo en el caso de los matrimonios de conveniencia *vid.* TRAPERO BARREALES, M. A.: *Matrimonios ilegales y Derecho penal. Bigamia, matrimonio inválido, matrimonio de conveniencia, matrimonio forzado y matrimonio precoz*, op. cit., pp. 111 y ss.

han optado por criminalizar el matrimonio de conveniencia y que no lo fuera en aquellos que lo contemplan como infracción administrativa, además del sinsentido de obviar una interpretación favorable de previsiones que se contemplan incluso para supuestos más graves.

2.3.2.   Casos problemáticos para el encaje del delito de trata

Frente a los supuestos acabados de analizar existen otros en los que, aun constatarse que la víctima contrae matrimonio o se halla en una relación sentimental abusiva, la subsunción en el tipo penal de trata de seres humanos resulta menos clara. Se trata de supuestos en que la acción (captación, traslado, recepción) no tiene como finalidad la "celebración de matrimonios forzados" sino que es precisamente la celebración del matrimonio o el inicio de una relación sentimental lo que origina o da lugar a la transferencia de control sobre la víctima y su ulterior explotación.

Se plantean así, en primer lugar, los supuestos en que el tratante emplea la modalidad de *lover boy* para captar y trasladar a la víctima, siendo que el matrimonio o la relación afectiva le permiten destinar aquella a ulterior explotación. El sujeto activo de la trata es, en estos casos, el cónyuge o pareja sentimental de la víctima, sin perjuicio que actúe en connivencia con otros individuos. A pesar de existir una relación sentimental o de haberse formalizado la relación con un contrato matrimonial, la finalidad del proceso de trata no es propiamente el enlace sino otras formas de explotación con las que el tratante obtiene un beneficio, sea destinando a la víctima al ejercicio de la prostitución, a la servidumbre laboral, al ejercicio de la mendicidad o a la comisión de actividades ilícitas[45]. La finalidad de la trata no es pues el matrimonio forzado aun cuando la víctima ha podido quedar atrapada en una relación que deviene forzada -por cuanto no se mantiene en ella por voluntad propia sino por el riesgo que implica intentar salir de ella- y en el marco de la cual se la somete a explotación. En consecuencia, la relación sentimental deviene el método de captación o de obtención del control sobre la persona, aun cuando la finalidad de explotación se focaliza en alguna otra de las descritas en el delito de trata.

En segundo lugar, se plantea como problemática la aplicabilidad del delito de trata en supuestos en que la víctima no accede libremente al matrimonio, sino que es forzada por personas de su entorno próximo, generalmente familiares y allegados. Se trata de dirimir, por lo tanto, si podemos acudir al art. 177bis CP en supuestos para los que, aparentemente, fue diseñado el art. 172bis CP. Probablemente la apreciación del delito de trata no deba excluirse

---

[45]   No pocas mujeres destinadas a actuar como mulas y forzadas a introducir drogas en Europa actúan por orden de quien fuera su pareja sentimental o su marido, sin que puedan oponerse a la actividad a la que son destinadas.

por el mero hecho de mantenerse la víctima vinculada a su entorno habitual, cuando es sometida a un nivel de presión o a un control tan férreo que su capacidad de decisión se vea anulada o no pueda oponerse al enlace por hallarse, según la propia previsión del art. 177bis.1 in fine, en una situación en que "no tiene otra alternativa, real o aceptable, que someterse al abuso". La valoración respecto de esta circunstancia, que de entrada parece menos clara cuando la víctima se mantiene en su entorno habitual y puede requerir auxilio de terceros, exigirá tomar en consideración las circunstancias de forma íntegra y desde una mirada interseccional. Así, por ejemplo, cabría plantear un supuesto de trata cuando junto a la voluntad de imponer el matrimonio, se vislumbra la sumisión a otras formas de explotación a las que hemos aludido, como la explotación sexual o la servidumbre doméstica o laboral, en un contexto en que la víctima no tiene reducto de libertad y autonomía. Por el contrario, si la víctima mantiene cierta capacidad de decisión respecto de su propia vida, manteniendo total o parcialmente sus ocupaciones laborales o formativas habituales fuera del marco doméstico, resulta difícil acudir al delito de trata, por lo que, penalmente, la conducta debería analizarse de acuerdo con lo previsto en los delitos contra la libertad o contra la integridad moral. En definitiva, ni toda propuesta de enlace efectuada por unos padres a sus hijos/as puede considerarse como un delito de trata de seres humanos, ni debe tampoco excluirse tal opción, con independencia de que conste o no el traslado de la víctima a un tercer país.

2.3.3.   Especial referencia a la trata para matrimonio infantil

Probablemente los casos más sobrecogedores de trata para matrimonio son los que afectan a menores de edad y, en especial, a niños y niñas de corta edad, entregados en matrimonio en contextos de pobreza, de guerra y de falta de oportunidades para los menores y sus familias. Además de estos casos extremos, existen supuestos en los que los menores acceden a una relación marital o de pareja conducidos por sus padres, cuidadores u otros intermediarios, que les imprimen modelos vitales con marcadas raíces patriarcales en los que están muy definidos los roles que corresponden al hombre y a la mujer. En todos estos casos, la entrega en matrimonio produce una afectación en los derechos del menor que no se limita al derecho a acceso libre al matrimonio, un derecho que en diversos ordenamientos no se reconoce al individuo hasta alcanzar la mayoría de edad, sino que afecta a una dimensión mucho más amplia de la dignidad y el reconocimiento a toda persona del derecho a desarrollarse libremente conforme a su edad y no verse forzados a asumir obligaciones o cargas que corresponden a la edad adulta. El matrimonio de menores ha sido reconocido como una modalidad de matrimonio forzado, dada la falta de capacidad del menor para decidir sobre una cuestión tan trascendental sobre su vida.

Por ello, al observar la previsión normativa penal en el contexto español, la primera constatación necesaria es que la respuesta penal contenida en el art. 172bis CP resulta a todas luces insuficiente cuando la víctima no alcanza siquiera la edad legalmente prevista para poder contraer matrimonio[46]-edad que el ordenamiento español fija actualmente en los dieciséis años[47]. Al margen del debate que pueda emprenderse respecto de si la edad núbil debiera retrasarse hasta los dieciocho años[48], en cumplimiento de lo previsto en diversas disposiciones internacionales[49], lo cierto es que cuando el contrayente no alcanza todavía la edad legal mínima, el bien jurídico afectado no puede restringirse a la libertad de obrar del menor en el marco de un delito específico de coacciones (172bis CP), como si, en efecto, la elección del matrimonio fuera una opción válida para el menor.

Por lo tanto, en tales casos parece lógico acudir a tipos penales que reconozcan la vulneración que experimenta el menor sobre su dignidad, el libre desarrollo de la personalidad, su integridad física, psíquica, la libertad e indemnidad sexual y los derechos reproductivos. Al respecto, debe tenerse también en cuenta que dentro del marco normativo español el hecho que el menor no alcance la edad de dieciséis años tendrá especial relevancia en el marco de los delitos contra la libertad sexual por cuanto no alcanza la edad de consentimiento sexual, actualizada con la reforma penal de 2015. Por lo tanto, el umbral de los 16 años deviene doblemente relevante pues ni el ordenamiento civil le reconoce al menor de tal edad la capacidad para consentir al enlace, ni la regulación penal le reconoce capacidad para consentir a las relaciones sexuales derivadas de un hipotético enlace matrimonial[50].

---

[46] La mera previsión de aplicación de la pena en su mitad superior ha sido considerada como demasiado leve por la doctrina. *Vid.* ESQUINAS VALVERDE, P.: "El delito de matrimonio forzado (art. 172bis CP) y sus relaciones concursales con otros tipos delictivos", *op. cit.*, p. 42; AGUADO CORREA, T.: "La respuesta jurídico-penal al matrimonio infantil (art. 172bis CP): inidónea, innecesaria, desproporcionada", *op. cit.*, pp. 204 y ss., quien considera que la pena es, además de inidónea, desproporcionada, en abstracto y en concreto.

[47] La edad mínima para contraer matrimonio se aumentó a los dieciséis años mediante Ley 15/2015, pues anteriormente el art. 48 CC lo permitía a partir de los catorce años si se contaba con autorización judicial.

[48] Véase al respecto AGUADO CORREA, T.: *Ibidem*, pp. 189 y ss., quien apunta que "el legislador español está violando los derechos de los niños al no establecer la edad para contraer matrimonio en 18 años, tal y como se recomienda en todos los textos internacionales que se ocupan del tema en los últimos años".

[49] *Vid.* SALAT PAISAL, M.: "Derecho penal y matrimonios forzados. ¿Es adecuada la actual política criminal?", *op. cit.*, p. 399. Sobre los cambios operados en este sentido en algunos países europeos. Véase también, IGAREDA GONZÁLEZ, N.: "Debates sobre la autonomía y el consentimiento en los matrimonios forzados", *op. cit.*, p. 208 y ss.

[50] Cierto es que la conexión entre matrimonio de menores y trata no puede realizarse automáticamente por la vía de la falta de edad de consentimiento sexual de las víctimas, pues no hubiera distancia relevante en la edad de los cónyuges o se constatara un grado similar de madurez, podría entrar en juego la cláusula Romeo y Julieta que ampararía el consenti-

Puesto que la celebración del matrimonio no será posible por contravenir la regulación civil española cuando el menor no alcanzara la edad de 16 años, resulta en este caso interesante extender la protección reforzada, equivalente al matrimonio forzado, a los supuestos en que se impone una relación análoga a la matrimonial en que por lo menos una de las partes es menor de dicha edad. Sin embargo, la aplicación del tipo penal no debiera ser automática cuando el menor ha alcanzado la edad de 16 años, dado que existen también casos de menores de entre 16 y 18 años que consienten libremente sin que pueda presumirse el abuso o el control dentro de la relación[51].

A nivel penal la regulación de la trata de seres humanos que afecta a menores de edad presenta algunos caracteres especialmente importantes. En primer lugar, a nivel penológico, la involucración de menores obliga a acudir al apartado 4 del art. 177bis CP que se configura como un tipo agravado y prevé la aplicación de una pena de entre ocho y doce años de prisión a los autores del delito. En segundo lugar, en el caso de víctimas menores el delito de trata simplifica su configuración de elementos típicos por cuanto requiere únicamente la concurrencia de alguna de las acciones enumeradas en el precepto y alguna de las finalidades de explotación, sin que, y en ello radica la excepcionalidad, se requiera constatar el empleo por parte de los tratantes de alguno de los medios comisivos que sí resultan ineludibles cuando la víctima es adulta. Por lo tanto, la captación, el traslado, la recepción de los menores para la celebración de un matrimonio infantil, o el intercambio o transferencia del control sobre los menores para someterlos a explotación, será suficiente para apreciar un delito de trata sin que deba probarse la concurrencia de violencia, intimidación, engaño o abuso de superioridad, necesidad o vulnerabilidad de la víctima, algo que el legislador de alguna forma presume cuando las conductas afectan a menores de edad.

La regulación contenida en el art. 177bis CP, que acoge en este sentido las previsiones del Convenio de Palermo, evidencia todavía más el desacierto de las previsiones del art. 172bis CP, donde la imposición de un matrimonio forzado a un menor de edad comporta simplemente la aplicación de la pena en su mitad superior, manteniendo incluso la posibilidad penológica consistente en el mero pago de una multa, que se formula como alternativa a la pena de prisión. Y ello tanto cuando el matrimonio se fragua en el país de residencia de la víctima como cuando a tal efecto se ha procedido a su traslado al extranjero, lo que en la mayor parte de ocasiones comportará acrecentar más si

---

miento prestado por las partes y excluiría la idea de explotación en la relación. Este mismo argumento sería trasladable a las menores de entre 16 y 18 años, pues en este caso no podría presumirse la concurrencia de explotación, sino que debería alegarse falta de consentimiento y eventual concurrencia del tipo previsto en el art. 182CP.

51   WARRIA, A.: "Forced child marriages as a form of child trafficking", *Children and Youth Services Review*, 79, 2017, pp. 275.

cabe la vulnerabilidad de la víctima. En definitiva, el salto cuantitativo en lo penológico es más que evidente cuando se comparan las penas previstas en los respectivos tipos agravados de los delitos de coacciones y de trata.

En consecuencia, cuando un menor de dieciséis sea entregado en matrimonio o a una relación análoga a la matrimonial, el delito de trata de seres humanos debería ser siempre, por lo menos, tomado en consideración, por la posibilidad de asimilar el matrimonio a un matrimonio forzado[52]. Cuando el menor supere la edad de dieciséis años la subsunción de la conducta en el delito de trata exigirá comprobar que el matrimonio es efectivamente forzado, que no concurre consentimiento y que la víctima, despojada de su capacidad de decisión al respecto, es tratada como una mera mercancía al servicio o en provecho de los tratantes. Esta aproximación al fenómeno tiene además como ventaja facilitar que la jurisdicción penal española intervenga cuando la conducta se comete en el extranjero, puesto que el delito de trata de seres humanos se contempla en el catálogo de infracciones a las que resulta aplicable el principio de justicia universal[53].

IV. LA ASISTENCIA A LAS VÍCTIMAS DE TRATA FORZADAS A CONTRAER MATRIMONIO

La reclamación de un tratamiento holístico del fenómeno de la trata de seres humanos que ponga en el centro de la intervención la asistencia y la protección a las víctimas[54] nos lleva a ofrecer a continuación una revisión de las medidas previstas para la tutela de víctimas de matrimonio forzado identificadas como víctimas de trata. Resulta importante conocer cuáles son las medidas de protección y asistencia que el marco normativo reconoce a las víctimas de matrimonio forzado y, en particular, a aquellas que han sido objeto de un proceso de trata en el marco del cual han sido forzadas o han sido amenazadas con la imposición de un matrimonio o una relación análoga a la conyugal. Se trata de plantearnos si, al margen de la condena para los tratantes, el trato y la protección dispensada a las personas forzadas es más favorable en caso de

---

[52]   Vid. AGUADO CORREA, T.: "La respuesta jurídico-penal al matrimonio infantil (art. 172bis CP): inidónea, innecesaria, desproporcionada", *op. cit.*, pp. 207 y ss.

[53]   Vid. TRAPERO BARREALES, M. A.: *Matrimonios ilegales y Derecho penal. Bigamia, matrimonio inválido, matrimonio de conveniencia, matrimonio forzado y matrimonio precoz, op. cit.*, p. 188 y 198 y ss.; GUINARTE CABADA, G.: "El nuevo delito de matrimonio forzado (artículo 172 bis del CP)", *op. cit.*, p. 567.

[54]   VILLACAMPA ESTIARTE, C.: "¿Es necesaria una ley integral contra la trata de seres humanos?", *Revista General de Derecho Penal*, 22, 2020, pp. 2 y ss.: GUISASOLA LERMA, C.: "Formas contemporáneas de esclavitud y trata de seres humanos: una perspectiva de género", *op. cit.*, p. 208.

ser reconocidas como víctimas de trata de modo que pueda acceder a medidas de protección y asistencia que posibiliten su proceso de recuperación personal.

Para que estas medidas sean aplicables resulta indispensable identificar a las víctimas como tales. Sin embargo, la identificación de las víctimas de trata resulta especialmente compleja y ello tanto por la propia reticencia de las víctimas a revelar su situación, sea por desconfianza, por temor o incluso vergüenza, como, por otro lado, por la falta de idoneidad de los profesionales que tienen encomendada la función de identificación de las víctimas, que en España se asigna en exclusiva a miembros de FCSE, que emplean recursos y procedimientos en los que no suele atenderse de forma suficiente al tiempo y al contexto que la víctima requiere para poder narrar su experiencia[55].

En el caso de las víctimas de matrimonio forzado, la identificación resulta todavía más compleja pues la propia dinámica de victimización, en la que se ven frecuentemente involucrados familiares de las víctimas, despierta sentimientos encontrados de lealtad a la familia e incluso al tratante, cuando adopta la modalidad de *lover boy*, pero también de temor y vergüenza, que pueden ser todavía más intensos que en supuestos de trata que no comprometen a familiares[56]. Cobra entonces especial importancia la labor de los profesionales que entran en contacto con la víctima de matrimonio forzado, de modo que no se centre -ni se perciba centrada- en el inicio del proceso penal y la persecución de los autores, sino en la propia detección de la víctima y en la activación de los servicios y recursos destinados a su protección y recuperación.

En cuanto a las medidas de asistencia y protección, el reconocimiento de la víctima de matrimonio forzado como una víctima de trata permite su acceso, según previsión del Protocolo Marco español, a los recursos sociales que puedan garantizarle alojamiento, ayuda material, asistencia psicológica, médica, servicios de interpretación y asesoramiento jurídico[57]. Se observa, por lo tanto,

---

[55]   VILLACAMPA ESTIARTE, C.: "Víctimas de la trata de seres humanos: su tutela a la luz de las últimas reformas penales sustantivas y procesales proyectadas", *Indret: Revista para el Análisis Del Derecho*, 2, 2014; VILLACAMPA, C. y TORRES, N.: "Trata de seres humanos para explotación criminal: ausencia de identificación de las víctimas y sus efectos", *Estudios Penales y Criminológicos*, vol. 36, 2016; MIRANDA-RUCHE, X., y VILLACAMPA, C.: "La atención a las víctimas de trata de seres humanos. Un análisis crítico del protocolo marco español desde una perspectiva comparada", *Alternativas. Cuadernos de Trabajo Social*, vol. 28, 2, 2021, p. 9.

[56]   ASKOLA, H.: "Responding to vulnerability? Forced marriage and the Law", *op. cit.*, p. 993.

[57]   Véanse los apartados VIII y siguientes del Protocolo Marco de Protección de las víctimes de trata de seres humanos, disponible en https://violenciagenero.igualdad.gob.es/va/otrasFormas/trata/normativaProtocolo/marco/docs/protocoloTrata.pdf. Véase, también, TORRES, N. y VILLACAMPA, C.: *Intervention with Victims of Forced Marriage. Women and Criminal Justice*, 2021, para un análisis sobre las medidas desplegadas para la protección de las víctimas de trata.

el reconocimiento a un amplio dispositivo de servicios con los que cubrir las necesidades básicas de manutención así como la atención al impacto emocional del proceso sufrido y el acceso a la información legal respecto del proceso penal así como, en el caso de víctimas de matrimonio forzado, en términos civiles relativos a la validez o no del enlace, los efectos sobre los posibles hijos habidos durante el matrimonio, o incluso, de ser la víctima extranjera, la posibilidad de acceso a la residencia legal en España. En todo caso, el modelo de prestación de servicios ha recibido importantes críticas por cuanto que los recursos disponibles se han venido dirigiendo de forma prácticamente exclusiva a las mujeres víctimas de trata para explotación sexual y han descuidado las prestaciones a otras víctimas de formas menos conocidas de trata[58]. Cierto es que, posiblemente, los recursos previstos para las víctimas sometidas a explotación sexual podrían hacerse extensibles a las víctimas de matrimonio forzado, por cuanto comparten elementos comunes. Así, según apunta la investigación empírica, unas y otras víctimas son mayoritariamente mujeres; también las forzadas a contraer matrimonio has podido experimentar algún atentado a su libertad sexual y, ciertamente, la mayor parte de medidas de protección se diseñan y despliegan para mujeres[59].

Por otro lado, las medidas de protección están muy vinculadas a la normativa de extranjería, puesto que han sido diseñadas desde una visión estereotipada de las víctimas, que las identifica de forma casi exclusiva con mujeres extranjeras sin residencia legal en España[60]. A esta concepción responde el hecho que, entre las prerrogativas que se ofrece a las víctimas de trata, se reconozca un periodo de restablecimiento y reflexión, regulado en el art. 59bis de la LOEX por el cual se concede un plazo de noventa días, prorrogables, a las víctimas extranjeras sin residencia legal, durante los cuales el Estado se hace cargo de su subsistencia y seguridad. En este plazo, además de reponerse, las víctimas deciden si quieren colaborar en la investigación del delito y el procedimiento penal. Este periodo sería por lo tanto aplicable a víctimas extranjeras forzadas a contraer y detectadas en España. Sin embargo, no podría reconocerse, inexplicablemente, cuando las mujeres forzadas fueran españolas o con residencia legal, lo cual resulta incoherente con los datos de la investigación empírica realizada en España que muestran que una parte relevante de las víctimas de

---

[58]   MIRANDA-RUCHE, X. y VILLACAMPA, C.: "La atención a las víctimas de trata de seres humanos. Un análisis crítico del protocolo marco español desde una perspectiva comparada", *op. cit.*, p. 13; TORRES ROSELL, N. y VILLACAMPA ESTIARTE, C.: "Asistencia y protección a víctimas de trata de seres humanos", *Revista General de Derecho Penal*, nº 27, 2017, pp. 2-48.

[59]   Resultados expuestos en el trabajo de TORRES, N. y VILLACAMPA, C.: *Intervention with Victims of Forced Marriage. Women and Criminal Justice*, *op. cit.*

[60]   TORRES, N. y VILLACAMPA, C.: *Ibidem.*

matrimonio forzado tienen residencia legal[61]. Tendría, por el contrario, mucho sentido que víctimas de trata para matrimonio forzado y víctimas con residencia legal pudieran disponer de un plazo temporal para reponerse y decidir cómo orientar su vida y, eventualmente, su participación en el proceso penal. Asimismo, debería plantearse la posibilidad de ofrecer también esta prerrogativa a los padres o familiares de la víctima forzada a contraer que hubieran cedido a las presiones, la intimidación o el abuso ejercido por los tratantes al entregar a la víctima en matrimonio.

La legislación de extranjería reconoce también la posibilidad de conceder a las víctimas de trata un permiso de residencia y trabajo de hasta cinco años. En el caso de las personas forzadas a contraer, la medida podría contribuir a revertir la situación cuando, precisamente, por el hecho de no tener la nacionalidad o la residencia legal, se las mantuviera en situación de servidumbre, atemorizadas bajo amenazas de expulsión o de pérdida de los hijos habidos en la pareja. No obstante, los resultados de investigaciones recientes no permiten ser muy halagüeños al respecto y muestran cómo, en la práctica, su concesión se vincula a la colaboración de la víctima con las autoridades, cuestión que de nuevo se presenta como especialmente compleja en los supuestos de matrimonio forzado[62].

En cuanto a la posibilidad de acceso a protección internacional derivada del derecho de asilo por el riesgo a sufrir tratos inhumanos o degradantes en caso de regresar las víctimas de trata a sus países de origen, se intuye fácilmente la idoneidad de esta medida cuando el proceso de victimización lo inician los padres o allegados que rechazan el incumplimiento del contrato matrimonial, de modo que el regreso de la víctima a la comunidad de origen podría suponer un riesgo de ser sometida a un nuevo matrimonio forzado. Por el momento, no obstante, el reconocimiento del asilo en estos supuestos es poco más que anecdótico pues continúa focalizado en supuestos de trata para explotación sexual[63].

Finalmente, dado que la situación de victimización puede intensificarse cuando afecta a un menor de edad, es importante que las medidas previstas para los adultos puedan reproducirse también para estos, adaptándolas a las especiales necesidades de protección y de asistencia que requieren los menores.

---

[61]   VILLACAMPA C., TORRES, N.: "El matrimonio forzado en España. Una aproximación empírica", *op. cit.* Pero, además, en caso de ser las víctimas extranjeras tampoco parece que el acceso a este reconocimiento fuera a tener mejores perspectivas, pues según datos elaborados por TORRES, N. y VILLACAMPA, C.: *Intervention with Victims of Forced Marriage. Women and Criminal Justice, op. cit.*, solamente se habría concedido en un 0.8% de las víctimas de trata destinadas a formas de explotación distintas a la explotación sexual.

[62]   TORRES, N. y VILLACAMPA, C.: *Intervention with Victims of Forced Marriage. Women and Criminal Justice, op. cit.*

[63]   TORRES, N. y VILLACAMPA, C.: *Ibidem.*

Para estos, todos los esfuerzos deberían ir destinados a dispensarles la atención integral que actualmente tienen reconocida en la LO 8/2021, de 4 de junio, de protección integral a la infancia y la adolescencia frente a la violencia[64], teniendo especialmente en cuenta que los menores pueden hallarse en situación de abandono familiar, fuera de circuito escolar y con necesidades que probablemente vayan a requerir de una intervención prolongada en el tiempo. En cuanto a su participación en el proceso penal, resulta importante adoptar las medidas necesarias para evitar la victimización secundaria, haciendo uso de la prueba preconstituida[65]. No obstante, en la práctica, los recursos asistenciales específicos para menores de edad víctimas de trata son escasos e insuficientes[66], pues muchos de los recursos han sido diseñados para atender a mujeres víctimas de explotación sexual. Por ello, resulta urgente desplegar los recursos necesarios para prestar asistencia a los menores forzados a contraer -así como, en su caso también, a sus familias, si se constata un abuso de vulnerabilidad de la familia[67].

Tras esta revisión panorámica de los recursos disponibles para víctimas de trata, resulta obligado plantearse si la atención a las personas forzadas a contraer matrimonio que no sean identificadas como víctimas de trata va a ser muy distinta. En este caso, el marco normativo para atender las necesidades de las víctimas se contiene en el Estatuto de la víctima, sin perjuicio que, en caso de tratarse de mujeres, lo que acontece en la mayor parte de supuestos, y puesto que el matrimonio forzado ha sido reconocido en diversos instrumentos normativos, tanto internacionales como nacionales[68], como una manifestación

---

[64]   El derecho a la atención integral de los menores se halla definido en el art. 12 de la LO 8/2021 e incluye, entre otros aspectos: a) Información y acompañamiento psicosocial, social y educativo a las víctimas. b) Seguimiento de las denuncias o reclamaciones. c) Atención terapéutica de carácter sanitario, psiquiátrico y psicológico para la víctima y, en su caso, la unidad familiar. d) Apoyo formativo, especialmente en materia de igualdad, solidaridad y diversidad. e) Información y apoyo a las familias y, si fuera necesario y estuviese objetivamente fundada su necesidad, seguimiento psicosocial, social y educativo de la unidad familiar. f) Facilitación de acceso a redes y servicios públicos. g) Apoyo a la educación e inserción laboral. h) Acompañamiento y asesoramiento en los procedimientos judiciales en los que deba intervenir, si fuera necesario.

[65]   Véanse los arts. 449 bis y ter LECrim, modificados por LO 8/2021, de 4 de junio.

[66]   TORRES ROSELL, N. y VILLACAMPA ESTIARTE, C.: "Asistencia y protección a víctimas de trata de seres humanos", *op. cit.*, pp. 37-38.

[67]   WARRIA, A.: "Forced child marriages as a form of child trafficking", *op. cit.*, pp. 278.

[68]   El propio Pacto de Estado contra la violencia de género, Ministerio de la Presidencia, relaciones con las Cortes e Igualdad, Delegación del Gobierno para la violencia de género, reconoce en su eje de actuación número 8 "La visualización y atención de las forma de violencia de género fuera del contexto de pareja o expareja. Se prestará especial atención a la violencia sexual, a la trata de mujeres y niñas con fines de explotación sexual, a la mutilación genital femenina y a los matrimonios fozados". https://violenciagenero.igualdad.gob.es/pactoEstado/docs/FolletoPEVGcastweb.pdf En Cataluña, la Ley 5/2008, de 24 de abril, del derecho de las mujeres a erradicar la violencia machista, modificada por Ley 17/2020,

de la violencia de género[69], pueda articularse el acceso al catálogo de prestaciones y medidas de protección previstas para tales víctimas en la LO 1/2004 de medidas de protección integral contra la violencia de género. Asimismo, la aprobación de protocolos específicos para la asistencia de víctimas de matrimonio forzado, como el disponible en Cataluña desde 2020, pueden contribuir también a esta labor.

V. PROPUESTAS PARA UNA MEJOR TUTELA PENAL Y ASISTENCIAL DE LAS VÍCTIMAS

Tras el análisis efectuado cabe concluir que el reconocimiento expreso que el legislador español realiza del fenómeno del matrimonio forzado en forma de tipos penales específicos en sede de coacciones y en el ámbito de la trata de seres humanos no consigue resolver pacíficamente el problema de subsunción de la conducta en los tipos penales. La constatación de diversos niveles de afectación a distintos bienes jurídicos según el alcance de la conducta emprendida por el sujeto activo nos lleva a concluir que la actual configuración de los tipos penales y, en especial, el previsto en el art. 172bis CP en sede de coacciones, resulta, cuanto menos, poco adecuada.

Por ello, tras el estudio efectuado, y con la finalidad de abrir un debate en vistas a mejorar la tutela jurídico penal de las víctimas de este fenómeno, así como su asistencia a nivel social y de protección, se formulan las siguientes propuestas.

En primer lugar, habida cuenta de las deficiencias que presenta el tipo penal previsto en el art. 172bis CP y que otros delitos analizados en el contexto de este trabajo (amenazas, coacciones y malos tratos) abarcan suficientemente el desvalor de acción y de resultado de la conducta se plantea su supresión del Código penal para reconducir los casos a un delito de matrimonio servil. Probablemente tendría sentido contar, de *lege ferenda*, con un tipo penal en la órbita de los atentados a la dignidad y la integridad moral de la persona, que conmine con una penalidad más proporcionada a la gravedad de la infracción, las conductas consistentes en imponer, también mediante la celebración de un matrimonio o el inicio de una relación afectiva, situaciones de esclavitud o de

---

de 22 de diciembre, reconoce los matrimonios forzados como una modalidad de violencia machista que se manifiesta en el ámbito familiar por cuando se perpetra por miembros de la misma familia o por miembros de núcleo de convivencia, en el marco de las relaciones afectivas y de los vínculos del entorno familiar.

[69] De la opinión también que a las víctimas de matrimonio forzado les resulta aplicable el sistema normativa creado para atender a la violencia de género, TRAPERO BARREALES, M. A.: *Matrimonios ilegales y Derecho penal. Bigamia, matrimonio inválido, matrimonio de conveniencia, matrimonio forzado y matrimonio precoz*, op. cit., p. 146.

servidumbre en las que el cónyuge se vea privado de su autonomía, su libertad y su dignidad y quede sometido a la condición de esclavo doméstico, siendo forzado, además, a mantener relaciones sexuales con su pareja y a asumir un embarazo no deseado y la crianza de los menores. Resulta difícil comprender que el embarazo forzado pueda alcanzar una pena de hasta seis años de prisión cuando comporta prácticas de reproducción asistida (art. 161 CP) y que, por el contrario, no se contemple cuando la reproducción es forzada en el contexto de una relación sexual coactiva. El encaje penal del embarazo forzado debería comprender no solamente la apreciación de los delitos contra la libertad sexual en los que pueda haber incurrido el cónyuge, sino la afectación a la dignidad de la víctima, su autonomía y el libre desarrollo de su persona.

De lege lata, en aquellos supuestos en que se constata un riesgo de matrimonio forzado en que el sujeto activo recurre a la intimidación para doblegar la voluntad de la víctima, el delito de amenazas reúne los elementos para ser tipo penal preferente. Que las amenazas se viertan en un contexto familiar, por parte de los padres u otros familiares, no debería conducir a una aplicación automática de las amenazas leves en violencia doméstica (art. 171 CP) sin antes valorar la gravedad de la amenaza desde una perspectiva que tenga en cuenta las características de género, edad, condición sexual, discapacidad o pertenencia a comunidad minoritaria de la destinataria del mensaje. A nivel penológico, la formulación de las amenazas como condicionales comportará la aplicación de una pena superior a la actualmente prevista en el art. 172bis CP. Además, cuando las amenazas surjan efecto y la víctima acceda al matrimonio, la conducta podrá todavía mantenerse en el radio de acción del art. 169 CP puesto que el sujeto activo consigue, en efecto, su propósito.

En aquellos supuestos en que se constata una situación de maltrato y de abuso reiterado sobre la víctima, bien por parte de los familiares que pretenden la imposición del matrimonio, bien por parte del cónyuge y su familia una vez iniciada la relación matrimonial, debe analizarse si la conducta integra el tipo del art. 173,2 CP relativo al maltrato habitual en el ámbito doméstico. La configuración del tipo penal y la relación de sujetos pasivos -y, en consecuencia, también de sujetos activos que contiene el tipo penal- permite atender tanto a la conducta reiterada de los familiares que con violencia fuerzan a la víctima a mantenerse en el matrimonio, como a la conducta del cónyuge y los familiares de éste que someten a violencia y abuso a aquella. Además, la apreciación de este delito no impide valorar también el concurso con otros delitos que hayan podido atentar a la integridad o la salud física y psíquica de la víctima, así como a su libertad sexual.

El delito de trata de seres humanos se reserva para los supuestos en que la víctima del matrimonio forzado o análoga relación forzada es menor de edad, así como los supuestos en que, siendo adulta, se advierte también un proceso de cosificación y de pérdida de autonomía de aquella revelándose la presencia de los elementos propios de la trata de seres humanos (acción, medios comisivos y fines de explotación) con independencia que como sujetos activos del delito actúen familiares de la víctima u otros individuos extraños a aquella, integrados o no en una organización criminal.

En el caso de menores de edad, el art. 177bis permite valorar de forma más adecuada la vulneración de la dignidad de la víctima en supuestos en los que se constata un intercambio en el control al que se somete a la menor, incluso perpetrado dentro del territorio nacional y sin necesidad de someterla a un traslado geográfico internacional. La minoría de edad de la víctima y la falta de autonomía a la que se la somete permiten la aplicación de una pena notablemente superior a la que resultaría de mantener el tipo agravado de coacciones del art. 172bis y más acorde con la vulneración de bienes jurídicos que comporta la conducta[70].

Tratándose de víctimas adultas, el delito de trata de seres humanos constituye una opción adecuada cuando el proceso de captación, traslado geográfico o transferencia de control se ejecutan mediando alguno de los medios comisivos descritos en el tipo penal, y el sujeto es privado de su autonomía y sometido a alguna forma de servidumbre: sexual, doméstica, para mendicidad, para la comisión de delitos, etc. Respecto de la concreta referencia a la explotación en la celebración de matrimonios forzados como uno de los fines de la trata de seres humanos, se plantea si no resultaría mejor opción la de modificar la redacción del apartado e) de modo que la finalidad se definiera como "imponer o mantener un matrimonio o relación servil". Esta previsión permitiría perseguir los supuestos en que el matrimonio o la unión deviene el título que legitima al sujeto activo (tratantes, incluido el cónyuge) a someter a la víctima a explotación en forma de servidumbre doméstica, servidumbre o explotación sexual o, incluso, para la comisión de delitos o la mendicidad, constatándose la voluntad de perpetuar la situación abusiva en la que se halla la víctima, aislada y vulnerable, y continuar obteniendo un rendimiento a través de ella. En efecto, no se identifica solamente la celebración del matrimonio o el inicio de la relación análoga y abusiva, sino el sometimiento de la víctima a la misma durante un plazo temporal dilatado. Además, la redacción propuesta permite identificar también como trata los casos en que la víctima contrae en otro país y es trasladada a España después del enlace.

Alternativamente, puede proponerse suprimir toda referencia al matrimonio forzado en el delito de trata entendiendo que todos los casos analizados hallan acomodo en los fines de explotación sexual, en los fines de servidumbre o esclavitud, e incluso en aquellos en que prima la explotación de la víctima en actividades ilegales o delictivas. Esta propuesta presenta tres puntos importan-

---

[70]   APTEL, C.: "Child slaves and child brides", *Journal of International Criminal Justice*, 14(2), 2016, pp. 305–325.

tes. En primer lugar, reduce la casuística relativa a los fines de explotación en el delito de trata de serse humanos, sin perjuicio que el legislador español optara preferiblemente por configurar el listado en régimen de *numerus apertus*. En segundo lugar, obliga a ampliar la perspectiva en cuanto a los supuestos que pueden incluirse en los fines de explotación sexual sin que ello requiera una interpretación extensiva del tipo, alcanzando, más allá del ejercicio de la prostitución o los casos en que la víctima es empleada para la elaboración y distribución de pornografía, aquellos en que la víctima es forzada a participar, bajo el amparo de una relación contractual como es el matrimonio, en las prácticas sexuales no consentidas impuestas por el cónyuge, así como, a resultas de ello, la gestación y la maternidad forzada. Es más, los casos de matrimonio servil podrían también reconducirse a situaciones de servidumbre que, aun acaecidas en el ámbito doméstico, resultan parangonables a otras formas de servidumbre laboral. El propio Plan de Acción Nacional contra el Trabajo Forzoso, recientemente aprobado en España, vincula, a partir del análisis de los datos del Ministerio fiscal, el matrimonio forzado con formas de trabajo forzoso, al constituir medio para la imposición a la víctima de determinados servicios, entre los cuales, el empleo doméstico y la explotación sexual[71].

La opción apuntada, que resultaría interesante desde el punto de vista de técnica jurídica, no deja de ser sin embargo una opción arriesgada en un momento en el que el fenómeno del matrimonio forzado es todavía poco conocido entre los operadores jurídicos y su presencia en el delito de trata de serse humanos contribuye, indudablemente, a darle visibilidad en la praxis jurídica y asistencial. No en vano, antes de su introducción en el tipo penal un sector doctrinal era reacio a apreciar el matrimonio forzado en la órbita de la trata de seres humanos dada la previsión de una enumeración cerrada de fines de explotación en la trata[72]. Además, como se ha expuesto en este trabajo, el recurso al delito de trata debería ser opción preferente cuando el matrimonio o una relación análoga se impongan a un menor de edad.

En otro orden de cosas, la regulación penal no debería excluir los casos en que se impone una unión o cohabitación análoga a la conyugal, en términos similares a lo que se prevé ya en otros Códigos penales europeos. Aun cuando la propuesta de extender a estos casos la actual regulación penal topa, cierta-

---

[71]   Plan de Acción Nacional contra el Trabajo forzoso: Resolución de 20 de diciembre de 2021, de la Secretaría de Estado de Empleo y Economía Social, por la que se publica el Acuerdo del Consejo de Ministros de 10 de diciembre de 2021, por el que se aprueba el Plan de Acción Nacional contra el Trabajo Forzoso: relaciones laborales obligatorias y otras actividades humanas forzadas.

[72]   Así lo documenta TRAPERO BARREALES, M. A.: *Matrimonios ilegales y Derecho penal. Bigamia, matrimonio inválido, matrimonio de conveniencia, matrimonio forzado y matrimonio precoz, op. cit.*, p. 139.

mente, con la prohibición de analogía in *malam partem*[73], resulta a todas luces necesario que, de *lege ferenda*, el legislador tipifique también estos supuestos con el fin de evitar una discriminación a efectos de tutela de las víctimas cuando los bienes jurídicos personales lesionados en uno y otro caso resultan en la práctica parangonables.

Por otro lado, se propone excluir de la esfera de intervención penal los casos en que se constata cierto riesgo derivado de la presión que se ejerce desde el ámbito intrafamiliar. En estos supuestos, y siempre que no consten amenazas graves que deban ser analizadas vía art. 169 o 171 CP, la intervención debería articularse desde formulas tendentes a la prevención, la protección de la víctima y la intervención social con la familia para redefinir las dinámicas de poder que están en la base del matrimonio forzado[74] y en su caso, la adopción de órdenes de protección, preferiblemente de naturaleza civil[75], empleando, incluso, procesos de Justicia restaurativa que cuenten con la participación de profesionales altamente especializados[76].

Finalmente, de *lege ferenda* resulta recomendable la introducción de un tipo penal que recoja las conductas relativas a la sumisión de una persona a esclavitud y a formas análogas a la esclavitud en la modalidad propia del matrimonio servil. Este tipo penal podría entrar en concurso con la trata de seres humanos, cuando se constatara que tras el proceso de la trata la víctima fuera efectivamente destinada a esclavitud doméstica. Además, el tipo permitiría dar cobertura a supuestos en que, incluso de no poder probarse que la celebración del matrimonio hubiera sido forzada, se constatara la sumisión de una de las partes a un contexto de explotación y de cosificación por parte del cónyuge, pareja u otros familiares, incluyendo prácticas serviles, con pérdida de su libertad personal, sin opción de finalizar o escapar de dicha situación. Este tipo penal castigaría de forma autónoma la situación de servidumbre o esclavitud en que se hallara la víctima y permitiría recoger todo el desvalor de la conducta de quien somete a otro a cargas domésticas, sexuales, de cuidados familiares, privándole de su libertad personal y de toda capacidad de decisión para revertir la situación.

---

[73] TRAPERO BARREALES, M. A.: *Ibidem*, p. 210; ESQUINAS VALVERDE, P.: "El delito de matrimonio forzado (art. 172bis CP) y sus relaciones concursales con otros tipos delictivos", *op. cit.*, p. 21.

[74] ASKOLA, H.: "Responding to vulnerability? Forced marriage and the Law", *op. cit.*, p. 996.

[75] SALAT PAISAL, M.: "Derecho penal y matrimonios forzados. ¿Es adecuada la actual política criminal?", *op. cit.*, p. 400.

[76] ASKOLA, H.: "Responding to vulnerability? Forced marriage and the Law", *op. cit.*, p. 1000; SERRAMIÀ BALAGUER, L: "El papel de la justicia restaurativa en delitos contemporáneos de violencia de género: los matrimonios forzados", en VILLACAMPA ESTIARTE, C. (coord), *Matrimonios forzados. Análisis jurídico y empírico en clave victimológica*, Tirant lo Blanch, Valencia, 2019, pp. 539 y ss.

En lo relativo a la protección y asistencia a las víctimas de matrimonio forzado se propone, en la línea ya apuntada por otros autores, desligar la protección a las víctimas de trata para matrimonio forzado de la normativa de extranjería, en particular, en cuanto al reconocimiento de un periodo de restablecimiento y reflexión a las víctimas, de forma que pueda reconocerse esta opción a todas ellas, independientemente de su nacionalidad o de su residencia legal en España. Asimismo, deben tomarse en especial consideración los casos de menores de edad forzadas a contraer matrimonio o a iniciar una relación análoga a la matrimonial, mediante un despliegue de medidas de protección y asistenciales adaptadas a la edad y madurez de sus destinatarias y con previsión de duración más extensa que la que cabe disponer para víctimas mayores de edad. Asimismo, y puesto que las mujeres forzadas a contraer pueden haber tenido hijos, la asistencia debe alcanzar también necesariamente a estos menores.

VI. BIBLIOGRAFÍA

AGUADO CORREA, T.: "La respuesta jurídico-penal al matrimonio infantil (art. 172bis CP): inidónea, innecesaria, desproorcionada", en VILLACAMPA ESTIARTE, C. (coord), *Matrimonios forzados. Análisis jurídico y empírico en clave victimológica*, Tirant lo Blanch, Valencia, 2019.

APTEL, C.: "Child slaves and child brides", *Journal of International Criminal Justice*, 14(2), 2016, pp. 305–325. https://doi.org/10.1093/jicj/mqv078

ASKOLA, H.: "Responding to vulnerability? Forced marriage and the Law", *University of New South Wales Journal*, 41(3), 2018.

BARCONS CAMPMAJÓ, M.: "Forced marriages in Europe: a form of gender-based violecne and violation of human rights", *The Age of Human Rights Journal*, 14, 2020.

BLASI CASAGRAN, C.: "El papel de Europa en la lucha contra el tráfico de migrantes y la trata de seres humanos", *Revista de Derecho Comunitario Europeo*, 59, 2018.

CHANTLER, K.: "Recognition of and Intervention in Forced Marriage as a Form of Violence and Abuse", *Trauma, Violence & Abuse*, 13(3), 2012.

COUNCIL OF THE EUROPEAN UNION: *Report from the Comission to the European Parliment and the Council. Third report on the progress made in the fight against trafficking in human beings (2020) as required under Article 20 of Directive 2011/36/UE on preventing and combating trafficking in human beings and protecting its victims*, Brussels, 2020.

ESQUINAS VALVERDE, P.: "El delito de matrimonio forzado (art. 172bis CP) y sus relaciones concursales con otros tipos delictivos", *Revista Electrónica de Ciencia Penal y Criminología*, 20-32, 2018.

EUROJUST: *Report on national legislation and Eurojust caslaw analysis on sham marriages*, 2020.

GARCÍA SEDANO, T.: "El delito de trata de seres humanos con finalidad de matrimonio forzoso en el ordenamiento jurídico español", *Anuario de Derechos Humanos*, nº 12, 2016, pp. 85-101.

GARCÍA SEDANO, T.: "La reforma del Código penal español motivada por la transposición de la Directiva 2011/36, sobre prevención y lucha contra la trata de seres humanos y protección de las víctimas", *Revista Jurídica de Investigación e Innovación educativa*, 8, 2013, pp. 119-142.

GUINARTE CABADA, G.: "El nuevo delito de matrimonio forzado (artículo 172 bis del CP)", en GONZÁLEZ CUSSAC, J. L. (dir.), *Comentarios a la Reforma del CP de 2015*, Tirant lo Blanch, 2ª ed., Valencia, 2015.

GUISASOLA LERMA, C.: "Formas contemporáneas de esclavitud y trata de seres humanos: una perspectiva de género", *Estudios Penales y Criminológicos*, 2019.

IGAREDA GONZÁLEZ, N.: "Debates sobre la autonomía y el consentimiento en los matrimonios forzados", *Anales de la Cátedra Francisco Suárez*, 47, 2013.

IGAREDA GONZÁLEZ, N.: "Matrimonios forzados: ¿otra oportunidad para el derecho penal simbólico?", *InDret*, 2015.

LAFONT NICUESA, L.: "Algunas cuestiones sustantivas y probatorias sobre el delito de trata con fines de matrimonios forzados y la protección de sus víctimas", en VILLACAMPA ESTIARTE, C. (coord.), *Matrimonios forzados. Análisis jurídico y empírico en clave victimológica*, Tirant lo Blanch, Valencia, 2019.

LYNEHAM, S. y RICHARDS, K.: "Human trafficking involving marriage and partner migration to Australia", *Research and Public Policy Series*, 124, Australian Institute of Criminology, Canberra, 2014.

LYNEHAM, S.: "Forced and servile marriage in the context of human trafficking", *Research in Practice Series*, No. 32, Australian Institute of Criminology, Canberra, 2013.

MIRABET CAMPS, N.: "Los matrimonios forzados: marco jurídico internacional", en VILLACAMPA ESTIARTE, C. (coord.), *Matrimonios forzados. Análisis jurídico y empírico en clave victimológica*, Tirant lo Blanch, Valencia, 2019.

MIRANDA-RUCHE, X., y VILLACAMPA, C.: "La atención a las víctimas de trata de seres humanos. Un análisis crítico del protocolo marco español desde una perspectiva comparada", *Alternativas. Cuadernos de Trabajo Social*, vol. 28, 2, 2021.

SALAT PAISAL, M.: "Derecho penal y matrimonios forzados. ¿Es adecuada la actual política criminal?", *Política Criminal*, Vol. 15, Nº 29, 2020.

SERRAMIÀ BALAGUER, L: "El papel de la justicia restaurativa en delitos contemporáneos de violencia de género: los matrimonios forzados", en VILLACAMPA ESTIARTE, C. (coord.), *Matrimonios forzados. Análisis jurídico y empírico en clave victimológica*, Tirant lo Blanch, Valencia, 2019.

SIMMONS, F. y BURN, J.: "Without consent: Forced marriage in Australia", *Melbourne University Law Review*, 36, 2013.

TORRES ROSELL, N. y VILLACAMPA ESTIARTE, C.: "Asistencia y protección a víctimas de trata de seres humanos", *Revista General de Derecho Penal*, nº 27, 2017.

TORRES ROSELL, N.: "Matrimonio forzado: aproximación fenomenológica y análisis de los procesos de incriminación", *Estudios Penales y Criminológicos*, vol. 35, 2015, pp. 831-917.

TORRES, N., y VILLACAMPA, C.: *Intervention with Victims of Forced Marriage. Women and Criminal Justice*, 2021. https://doi.org/10.1080/08974454.2021.1875107

TRAPERO BARREALES, M. A.: *Matrimonios ilegales y Derecho penal. Bigamia, matrimonio inválido, matrimonio de conveniencia, matrimonio forzado y matrimonio precoz*, Tirant lo Blanch, Valencia, 2016.

VILLACAMPA C., y TORRES, N.: "El matrimonio forzado en España. Una aproximación empírica", *Revista Española de Investigación Criminológica*, nº 17, 2019.

VILLACAMPA ESTIARTE, C.: "¿Es necesaria una ley integral contra la trata de seres humanos?", *Revista General de Derecho Penal*, 22, 2020.

VILLACAMPA ESTIARTE, C.: "Víctimas de la trata de seres humanos: su tutela a la luz de las últimas reformas penales sustantivas y procesales proyectadas", *Indret: Revista para el Análisis Del Derecho*, 2, 2014.

VILLACAMPA ESTIARTE, C.: *El delito de trata de seres humanos. Una incriminación dictada desde el Derecho Internacional*, Thomson Reuters Aranzadi, Pamplona, 2011.

VILLACAMPA, C. y TORRES, C.: "Aproximación institucional a la trata de seres humanos en España: Valoración crítica", *Estudios Penales y Criminológicos*, 2021, p.189-232.

VILLACAMPA, C. y TORRES, N.: "Trata de seres humanos para explotación criminal: ausencia de identificación de las víctimas y sus efectos", *Estudios Penales y Criminológicos*, vol. 36, 2016.

WARRIA, A.: "Forced child marriages as a form of child trafficking", *Children and Youth Services Review*, 79, 2017.

ZÚÑIGA RODRÍGUEZ, L.: "Trata de seres humanos y criminalidad organizada transnacional: problemas de política criminal desde los Derechos humanos", *Estudios Penales y Criminológicos*, vol. XXXVIII, 2018.

Capítulo XVII

TRATA DE SERES HUMANOS PARA EXPLOTACIÓN CRIMINAL O CRIMINALIDAD FORZADA Y AUSENCIA DE RESPONSABILIDAD DE SUS VÍCTIMAS

CAROLINA VILLACAMPA ESTIARTE
Catedrática de Derecho Penal
Universitat de Lleida

Sumario: I. LA TRATA PARA EXPLOTACIÓN CRIMINAL: UN FENÓMENO POCO CONOCIDO; II. DATOS SOBRE ESTE TIPO DE TRATA DE SERES HUMANOS; 1. La prevalencia de la trata de seres humanos para explotación criminal: datos cuantitativos; 2. Estudios cualitativos sobre este tipo de trata de seres humanos: los análisis que han provocado que la atención se acabase también centrando en esta manifestación de la trata; III. REGULACIÓN JURÍDICO-PENAL DE LA TRATA DE SERES HUMANOS PARA EXPLOTACIÓN CRIMINAL; IV. APROXIMACIÓN A ESTA MANIFESTACIÓN DE LA TRATA DE SERES HUMANOS POR PARTE DEL SISTEMA DE JUSTICIA PENAL: EFECTOS SOBRE LAS VÍCTIMAS; V. EL PRINCIPIO DE NO PUNICIÓN (DE NO PENALIZACIÓN O DE AUSENCIA DE RESPONSABILIDAD): RECONOCIMIENTO NORMATIVO INTERNACIONAL Y NACIONAL Y GRADO DE APLICACIÓN; 1. Reconocimiento normativo internacional; 2. Reconocimiento normativo a nivel interno: el art. 177 bis.11 CP español; 3. Reconocimiento práctico del principio de no punición; VI. CONCLUSIONES Y PROPUESTAS DE FUTURO; VII. BIBLIOGRAFÍA.

I. LA TRATA PARA EXPLOTACIÓN CRIMINAL: UN FENÓMENO POCO CONOCIDO

La trata de seres humanos (en adelante, TSH) para explotación criminal o para criminalidad forzada se identifica con la que tiene por finalidad explotar a las víctimas en la realización tanto de actividades ilegales o antinormativas como de aquellas que tienen directamente relevancia penal, como ha indicado la Organización para la Seguridad y Cooperación en Europa (en adelante, OSCE)[1]. Consiste en las conductas de captación, transporte, traslado, acogida, recepción, intercambio o traslado de control sobre una persona empleando los medios propios de la trata coactiva (violencia, intimidación, rapto u otras formas de coacción), la fraudulenta (fraude o engaño) o la abusiva (aprovechar la situación de vulnerabilidad de la víctima o de poder sobre la misma así como

---

[1] OSCE: *Policy and legislative recommendations towards the effective implementation of the non-punishment provision with regard to victims of trafficking*, OSCE Office of the Special Representative and Co-ordinator for Combating Trafficking in Human Beings, 2013, p. 9.

ofrecer pagos o beneficios para obtener el consentimiento de una persona que tenga autoridad sobre otra) con la finalidad de explotarla realizando actividades delictivas[2].

Las conductas criminales relacionadas con este tipo de trata incluyen, en primer término, los delitos cometidos por las víctimas en el proceso mismo de ser tratadas (p.e., los relacionados con el cruce ilegal de fronteras, como la entrada ilegal en países o la elaboración de documentación falsa), conocidos como *causation-based offences*[3], también denominados *status offences*[4], porque son cometidos por las víctimas generalmente a consecuencia del estatus legal que tienen en los lugares por los que pasan en el proceso de trata o en el lugar de destino. Se trata, así, de delitos que acostumbran a cometerse por las víctimas en los procesos de trata internacional y que están directamente relacionados con la entrada, la permanencia o la salida ilegal de los territorios de los estados atravesados en el proceso de trata: la posesión de documentos de identidad o de viaje falsos, emitidos a nombre de otra persona o que fueron una vez válidos y han perdido vigencia y que, en definitiva, conducen normalmente a la posible concurrencia de responsabilidad penal por la comisión de delitos de falsedad documental o por infracción de normas de extranjería.

En segundo lugar, este tipo de trata de seres humanos se refiere también a la comisión de aquellos delitos o conductas antinormativas que, sin tener relación directa con el proceso de esclavización, han sido obligadas a cometer las víctimas como consecuencia de la limitación de la libertad de la voluntad que la trata implica ya en la fase de explotación, que se conocen como *duress-based offences*[5], también denominados *consequential offences*[6]. Son los delitos que las víctimas cometen porque son coaccionadas o forzadas a cometerlos por los traficantes, como consecuencia directa de la situación de trata padecida. En su ejecución las víctimas acostumbran a servir como meros agentes o instrumentos en manos de los traficantes, que son quienes dirigen la situación desde atrás, pero sin directo envolvimiento en la conducta criminal. Estos últimos son los que pueden alcanzar una gama más amplia de conductas, que van desde la delincuencia patrimonial callejera o la intervención en el cultivo y el

---

[2] VILLACAMPA, C. y TORRES, N.: "Trata de seres humanos para explotación criminal: ausencia de identificación de las víctimas y sus efectos", en *Estudios Penales y Criminológicos*, 2016, 36, pp. 772-773.

[3] VILLACAMPA, C. y TORRES, N.: "Trata de seres humanos para explotación criminal: ausencia de identificación de las víctimas y sus efectos", *op. cit.*, pp. 772-773.

[4] SCHLOENHARDT, A. y MARKEY-TOWLER, R.: "Non-Criminalisation of Victims of Trafficking in Persons- Principles, Promises, and Perspectives", en *Groningen Journal of Internacional Law*, vol. 4 (1), pp. 13-14.

[5] VILLACAMPA, C. y TORRES, N., "Trata de seres humanos para explotación criminal: ausencia de identificación de las víctimas y sus efectos", *op. cit.*, pp. 772-773.

[6] SCHLOENHARDT, A. y MARKEY-TOWLER, R.: "Non-Criminalisation of Victims of Trafficking in Persons- Principles, Promises, and Perspectives", *op. cit.*, p. 14.

tráfico de drogas hasta conductas más graves, incluso delitos violentos, como después veremos. Partiendo de que el concepto internacional de trata parece requerir que la trata de seres humanos comporte que la víctima sea siempre destinada a su explotación en la realización de actividades con trascendencia económica, puede resultar dudoso que la finalidad de uso de víctimas en actividades criminales, como la delincuencia violenta, que no tienen esa traducción económica directa, caiga dentro de este concepto de trata. Sin embargo, un entendimiento amplio del concepto de explotación en la trata que no se limita a la que se identifica con la concepción Marxista propia de las relaciones laborales, incluyendo también la explotación consecuencia del desequilibrio de poder entre esclavizado y tratante, permite que estas formas de explotación puedan incluirse también en el concepto de trata[7].

Finalmente, el tercer tipo de actividades delictivas que las víctimas de esta forma de trata pueden cometer son las que se conocen como *liberation offences*, en el sentido de que pueden verse forzadas a cometer determinados delitos en un intento de liberarse a sí mismas de la situación de trata o intentando mejorar la situación en la que se hallan[8]. Se trata en este tercer caso de delitos que no son siempre directa consecuencia del control ejercido por los tratantes, pero que pueden considerarse intrínsecamente relacionados con la experiencia de trata vivida. Generalmente este tipo de conductas se dirigen contra los tratantes mismos o sus asociados, así como contra sus propiedades, o implican la realización de actividades delictivas orientadas a obtener armas, documentos u otros instrumentos necesarios para abandonar la situación ya de trata ya de esclavización en la que se encuentran las víctimas. Junto a las mencionadas, este tercer tipo de conductas ilegales pueden incluir también las orientadas a mejorar las condiciones en las que viven su situación de trata, como sucede en aquellos casos en los que, forzadas por las circunstancias, las víctimas colaboran directa o indirectamente con los tratantes en la recluta, explotación o recepción de otras personas traficadas.

La TSH para explotación criminal constituye una de las que ha sido menos analizada hasta el momento, dado que la lucha contra la trata sigue muy cen-

---

[7]   SKRIVANKOVA, K..: "Defining exploitation in the context of trafficking- what is a crime and what is not", en PIOTROWICZ, R., RIJKEN, C. y UHL. B.H. (eds.), *Routledge Handbook of Human Trafficking*, Routledge, London y New York, 2018, pp. 109 y 115-117. En el mismo sentido, RODRÍGUEZ-LÓPEZ, S.: "Telling Victims from Criminals: Human Trafficking for the Purposes of Criminal Exploitation", en WINTERDICK, J., JONES, J. (eds.), *The Palgrave International Handbook of Human Trafficking*, Volume 1, Palgrave-Macmillan, Cham, 2020, p. 305.

[8]   SCHLOENHARDT, A. y MARKEY-TOWLER, R.: "Non-Criminalisation of Victims of Trafficking in Persons- Principles, Promises, and Perspectives", *op. cit.*, p. 15.

trada en la sexual[9]. No obstante, el creciente interés que esta forma de trata despierta no solo en la comunidad académica, sino también en organismos internacionales orientados a la lucha contra la trata, comienza a hacerse evidente desde que en 2013 la OSCE publicase el documento *Policy and legislative recommendations towards the effective implementation of the non-punishment provision with regard to victims of trafficking.*

Pese a la pujanza evidente del interés despertado por esta manifestación de la trata en los últimos años, su general desconocimiento hasta épocas recientes puede explicarse por la ausencia de su previsión específica en las definiciones internacionales del concepto de trata. Esto aunque siempre había podido considerarse una especie del género trata para explotación laboral implícitamente incluida en el amplio concepto de servicios forzados contenido en la definición internacional de la trata del art. 3 del Protocolo de Palermo[10], que asume en términos muy semejantes el art. 4 del Convenio del Consejo de Europa sobre la lucha contra la trata de seres humanos (Convenio de Varsovia) de 2005. Otro argumento en favor de considerar a la referida una forma de trata admisible desde el inicio del reconocimiento de este concepto en instrumentos internacionales hubiese podido hallarse en que las formas de explotación específicamente mencionadas en estos documentos pueden considerarse ejemplificativas, sin pretender abarcar todas las formas de explotación posibles, por lo que nada impediría considerar que pueden integrarla formas de explotación no específicamente previstas. No en vano, el informe explicativo del Convenio de Varsovia indica que las formas de explotación especificadas en la definición de trata que incluye abarcan la explotación sexual, la explotación laboral y la extracción de órganos, ya que la actividad delictiva se diversifica cada vez más para para suministrar personas para su explotación en cualquier sector en el que surja la demanda[11].

---

[9]   Esto se hace evidente no solo atendiendo a los datos sobre distintas formas de trata contenidos en informes periódicos internacionales como el *Trafficking in Persons Report* de la Secretaría de Estado Norteamericana, el *Global Report on Trafficking in Persons* de la Oficina de Naciones Unidas contra la Droga y el Delito o los informes estadísticos de la Comisión Europea, sino también, mirando al futuro, en atención a lo establecido en la estrategia europea para luchar contra la trata de seres humanos 2021-2025. *Vid.* EUROPEAN COMMISSION: *Communication from the Commission to the European Parliament, the Council, the European Economic and Social Committee and the Committee of the Regions on the EU Strategy on Combatting Trafficking in Human Beings 2021-2025*, Brussels, 14.4.2021, COM (2021) 171 final, pp. 12 y ss., que todavía centra mucho las medidas de protección en las mujeres y niños víctimas de trata sexual, pese a poner también el acento en las líneas de distribución y la trata laboral y plantear la incriminación del uso de servicios prestados por las víctimas en otras partes del documento.

[10]   VILLACAMPA, C. y TORRES, N.: "Mujeres víctimas de trata en prisión en España", en *Revista de Derecho Penal y Criminología*, 2012, 8, pp. 411 y ss.

[11]   *Vid.* COUNCIL OF EUROPE: *Explanatory Report to the Council of Europe Convention on Action against Trafficking in Human Beings*, Warsaw, 2005, p. 16.

Con todo, no fue hasta la aprobación de la Directiva 2011/36/UE, relativa a la prevención y la lucha contra la trata de seres humanos y a la protección de las víctimas, en que un instrumento normativo supranacional la incluyó explícitamente como una manifestación de este fenómeno, concretamente en su artículo 2.3. En efecto, fue la Directiva 2011/36/UE la que por primera vez otorgó carta de naturaleza a esta manifestación de la trata de seres humanos, al incluir la explotación de las víctimas para la realización de actividades delictivas entre las que puede entrañar la trata de seres humanos. Sin embargo, la concepción de la trata para explotación criminal que la Directiva contempla está ciertamente muy circunscrita a determinados tipos de delitos, esto porque en el considerando 11 del preámbulo de la Directiva se indica que la expresión «explotación para realizar actividades delictivas» debe entenderse como la explotación de una persona para que cometa, por ejemplo, carterismo, hurtos en comercios, tráfico de estupefacientes y otras actividades similares que están castigadas con penas e implican una ganancia económica. A lo que añade el considerando 14 que las actividades delictivas en las que se está pensando son el uso de documentación falsa o infracciones contempladas en la legislación sobre prostitución o inmigración que se hayan visto obligadas a cometer como consecuencia directa de ser objeto de la trata. Como veremos seguidamente en los datos con que se cuenta sobre esta forma de trata, las conductas delictivas que las víctimas pueden verse forzadas a cometer van más allá que las imaginadas por el legislador europeo.

II. DATOS SOBRE ESTE TIPO DE TRATA DE SERES HUMANOS

1. La prevalencia de la trata de seres humanos para explotación criminal: datos cuantitativos

Pese a su relativamente reciente reconocimiento normativo internacional, la presencia de esta manifestación de la TSH en los informes técnicos emitidos en la materia ha ido creciendo con el tiempo, aunque de momento tenemos todavía escasos datos estadísticos sobre esta forma de trata. En el informe global de la Oficina de Naciones Unidas contra la Droga y el Delito (en adelante, UNODC) sobre TSH no apareció referida hasta 2014, incluida entre las otras formas de trata[12]. Entonces se estimaba que afectaba al 7% de las víctimas cuando se consideraba que la trata para explotación sexual representaba el 53% de los supuestos, para explotación laboral el 40% y para extracción de órganos el 0,7%. En el informe global sobre TSH publicado por esta organi-

---

[12] UNODC: *Global Report on Trafficking in Persons 2014*, United Nations, New York, 2014, pp. 9 y 33 y ss.

zación internacional en 2018, que cuenta con datos de hasta 2016, la misma se continuaba incluyendo en la categoría residual de otras formas de trata, que afectaba a un 7% de las víctimas, frente al 59% de víctimas que lo son de trata para explotación sexual y el 34% para explotación laboral[13]. Sin embargo, en el último informe global publicado por esta organización internacional, el de 2020, con datos de hasta 2018, aunque la TSH para explotación criminal se continúa computando entre las otras formas de trata, que afectan ya a un 12% de las víctimas, esta modalidad se ha medido específicamente, constituyendo la tercera manifestación de este fenómeno, que afecta al 6% de las víctimas, lejos de la afectación que supone la trata para explotación sexual (50% víctimas) y laboral (38%)[14].

Algo semejante ha sucedido hasta épocas recientes con los informes que ha emitido Eurostat sobre el tema[15] o en el ulterior informe de la Comisión Europea de 2018[16], en que la trata para explotación criminal también aparece referida entre las otras formas de trata. Hasta ahora se ha contabilizado junto a la servidumbre doméstica, la mendicidad forzada y el uso para mendicidad, la extracción de órganos o el fraude de prestaciones. En el informe Europeo de 2018, se estimaba que esta amalgama de formas menos prevalentes de trata afectaba a un 18% de las víctimas, frente al 56% de los casos, que eran de trata para explotación sexual. Sin embargo, en el último informe europeo, que incluye datos de 2017 y 2018, la TSH para explotación criminal aparece ya contabilizada singularmente[17]. Afecta a un 11% de las víctimas, situándose en tercer lugar en incidencia, tras la trata sexual (46%) y la laboral (22%), como sucedía con el informe de Naciones Unidas.

En España, los datos con que cuenta el Centro Español contra el Terrorismo y la Delincuencia Organizada (CITCO), que es el organismo español que recopila cifras oficiales sobre TSH desde 2012 –y sobre otras formas de trata al margen de la sexual desde 2015- sí sitúan en términos absolutos a esta forma de trata como la tercera en incidencia según datos oficiales desde que estos se

---

13   UNODC: *Global Report on Trafficking in Persons 2018*, United Nations, New York, 2018, pp. 29 y ss.

14   UNODC: *Global Report on Trafficking in Persons 2020*, United Nations, New York, 2020, pp. 33 y ss.

15   EUROSTAT-EUROPEAN COMMISSION: *Trafficking in human beings: 2013 Edition*, Publications Office of the European Union, Luxembourg. 2013, pp. 41 y ss.; EUROSTAT-EUROPEAN COMMISSION, *Trafficking in Human Beings: 2014 Edition*, Publications Office of the European Union, Luxembourg, 2014, pp. 29 y ss.; EUROSTAT-EUROPEAN COMMISSION: *Trafficking in Human Beings: 2015 Edition*, Publications Office of the European Union. Luxembourg, 2015, pp. 29 y ss.

16   EUROPEAN COMMISSION: *Data Collection on Trafficking in Human Beings in the EU*, Brussels, 2018, pp. 54 y ss.

17   EUROPEAN COMMISSION: *Data Collection on Trafficking in Human Beings in the EU*, Brussels, 2020, pp. 15-16.

recogen, tras la trata sexual y la laboral. Por años, consideró que esta manifestación del fenómeno se situaba, efectivamente, en tercer lugar -con 15 víctimas identificadas- en 2016, en 2019 –con 31 víctimas identificadas- y en 2020 –con 7 víctimas identificadas-, no así en 2017, en que con 1 víctima identificada, esta forma de trata se hallaría en quinto lugar en términos de incidencia –tras la sexual, laboral, para matrimonio forzado y mendicidad forzada-, ni tampoco en 2018, en que, con 3 víctimas identificadas, la trata para explotación criminal se situaría en cuarto lugar en términos de incidencia, tras la sexual, laboral y la orientada a la mendicidad forzada -con 12 víctimas identificadas ese año-. Sin embargo, en una reciente estimación de víctimas efectuada en nuestro país, se constata que este tipo de trata se halla muy por detrás de otras manifestaciones de este fenómeno[18] (0,76% de las víctimas detectadas en 2017 y 2018, frente al 92,5% trata sexual, 5,22% laboral y 1,53% para otras formas de explotación, fundamentalmente para matrimonio forzado).

Con todo, no cabe duda de que esta forma de trata comienza a ganar clara relevancia en documentos que a nivel internacional describen cuantitativamente el fenómeno de la trata, sobre todo por el influjo ejercido en el ámbito regional europeo en esta concreta manifestación de la trata.

De hecho, en Europa, donde sin duda se ha prestado más atención a esta manifestación del fenómeno hasta el momento, la presencia de TSH para mendicidad y criminalidad forzada se ha detectado, al menos, en 15 países. Entre ellos Austria, Bélgica, Bulgaria, Croacia, Chequia, Dinamarca, Francia, Alemania, Lituania, Eslovaquia, Polonia, Holanda, Grecia, España y Reino Unido[19]. Se observa como esta forma de trata se está incrementando en algunos países del Este europeo, como Bulgaria, Croacia o Polonia, pero también en Grecia u Holanda. En cuanto al tipo de delitos cometidos, normalmente las víctimas se usan en distintas formas de criminalidad menor, como delitos contra la propiedad o hurtos callejeros, si bien también en manifestaciones del delito más complejas, como hurtos cualificados o estafas, en países como Austria, Francia o Croacia. También en delitos relacionados con el tráfico de drogas en Austria, Lituania, España u Holanda[20]. En este sentido, los datos de la Unión son semejantes a los de Europol, que indica que la mayor parte de casos de TSH para

---

[18] VILLACAMPA, C., GÓMEZ, M.J., TORRES, C. y MIRANDA, X.: "Trata de seres humanos: dimensión y características en España", en *Revista General de Derecho Penal*, 2021, 35, p. 12.

[19] EUROPEAN COMMISSION: *Commission Staff Working Document. Accompanying the document Report from the Commission to the European Parliament and to the Council. Third report on the progress made in the fight against trafficking in human beings (2020) as required under Article 20 of the Directive 2011/36/EU on preventing and combating trafficking in human beings and protecting its victims*, Brussels, 20.10.2020, SWD (2020) 226 final, pp. 30-31.

[20] EUROPEAN COMMISSION: *Ibidem*.

criminalidad forzada están relacionados con el tráfico de drogas, así el cultivo de cannabis, o en la criminalidad contra la propiedad organizada en actividades como el carterismo o los hurtos en tiendas[21]. En relación con el perfil de las víctimas que padecen este tipo de conductas, los países europeos reportan que tienden a ser más jóvenes que las de otras formas de trata, e incluso menores de edad, incluyendo, según los casos, más hombres y chicos (Austria y Grecia) o mujeres y chicas (Austria y Eslovaquia), detectándose en algunos estados un incremento de víctimas del Magreb, sobre todo de Marruecos, y África, fundamentalmente de Nigeria, como informan Austria, Dinamarca, Suecia y Grecia, así como objetivándose también que son víctimas de este tipo de conductas personas pertenecientes a minorías étnicas, incluyendo comunidades gitanas marginalizadas de Bosnia, Herzegovina y Rumanía[22].

En España, el estudio cuantitativo sobre victimización mencionado, permite determinar que en esta forma de trata el sexo de las víctimas está bastante equilibrado, aunque hay más mujeres que hombres mayores de edad (45,28% vs. 35,85%), mientras en el caso de los menores las víctimas son más varones que mujeres (13,21% vs. 5,66%)[23]. Con todo, en estos casos, el porcentaje de víctimas menores escala casi al 19%, cuando en el resto de las manifestaciones de la trata no supera el 13% de las víctimas. En cuanto a su procedencia, en los años a los que se refiere el estudio -2017 y 2018-, destacan las víctimas que proceden de la Europa del Este, que generalmente son captadas oralmente por familiares o amigos, aunque también a través de recursos online, y que son objeto de trata sobre todo empleando medios como el fraude, el engaño e incluso la amenaza. Finalmente, estas víctimas son empleadas fundamentalmente en actividades relacionadas con la delincuencia patrimonial callejera (31.4%), en conductas relacionadas con el tráfico de drogas –ya sea cultivo o producción, 14,3%, ya siendo usadas como mulas o correos, 14.3%- y en tercer término en la comisión de defraudaciones, la falsificación de documentos/comisión de delitos para aparentar la entrada legal en España y otros países, y finalmente en el fraude de pensiones/subsidios/prestaciones/subvenciones (2,9% de las víctimas en cada uno de estos 3 últimos supuestos).

Tal es la presencia que esta forma de trata está ganando en instancias internacionales que hasta el Tribunal Europeo de Derechos Humanos (TEDH) le ha

---

[21]   EUROPOL-EUROPEAN MIGRANT SMUGGLING CENTER: *European Migrant Smuggling Center 4th Annual Report 2020*, 2020, pp. 22-23.

[22]   EUROPEAN COMMISSION: *Commission Staff Working Document. Accompanying the document Report from the Commission to the European Parliament and to the Council. Third report on the progress made in the fight against trafficking in human beings (2020) as required under Article 20 of the Directive 2011/36/EU on preventing and combating trafficking in human beings and protecting its victims*, op. cit., pp. 30-31.

[23]   *Vid.* VILLACAMPA, C., GÓMEZ, M.J., TORRES, C., y MIRANDA, X.: "Trata de seres humanos: dimensión y características en España", *op. cit.*, pp. 11 y ss.

dedicado una reciente resolución, la sentencia del TEDH de 26 de febrero de 2021, relativa al Caso V.C.L. y A.N. contra el Reino Unido.

2. Estudios cualitativos sobre este tipo de trata de seres humanos: los análisis que han provocado que la atención se acabase también centrando en esta manifestación de la trata

Pese a hallarnos frente a una manifestación todavía poco conocida de la TSH, algunos estudios específicamente orientados a analizar esta manifestación del fenómeno en Europa demostraron su existencia ya desde principios de la década pasada, con lo que provocaron que la atención de la comunidad internacional acabase también por focalizarse en esta modalidad. Así, un estudio efectuado por Hales y Gelsthorpe en 2012 demostró como mujeres encarceladas en el Reino Unido por delitos como la entrada ilegal en el territorio del país no habían sido detectadas como víctimas de trata[24] y otro llevado a cabo por Villacampa y Torres el mismo año mostró como mujeres encarceladas en España por la comisión de delitos patrimoniales o por actuar como mulas portando drogas eran víctimas de este tipo de trata no detectadas por el sistema[25].

A finales de 2014, el informe del proyecto europeo RACE ofreció evidencias de la existencia de este tipo de trata en Gran Bretaña –como análisis posteriores han confirmado[26]-, Irlanda, República Checa u Holanda en relación con la explotación para la comisión de delitos relacionados con el cultivo ilegal de cannabis o la delincuencia patrimonial callejera[27]. En este informe, elaborado por un equipo coordinado por *Anti-slavery International* en septiembre de 2014, se calcula que de las 2.225 víctimas de trata de seres humanos identificadas en 2012 en el Reino Unido, 362 lo serían de trata para explotación criminal, sobre todo de dos tipos: a) vietnamitas traficados para hacerlos trabajar forzadamente en el cultivo de cannabis, supuesto de hecho al que precisamente se refiere la mencionada sentencia del TEDH; b) ciudadanos del este obligados a mendigar y cometer pequeños robos[28].

Bastante más contemporáneamente, en diciembre de 2020, la UNODC publicó el informe *Female victims of trafficking for sexual exploitation as de-*

---

[24]   HALES, L. y GELSTHORPE, L.: *The Criminalisation of Migrant Women*. Institute of Criminology, University of Cambridge. Cambridge, 2012, passim.

[25]   VILLACAMPA, C. y TORRES, N.: "Mujeres víctimas de trata en prisión en España", en *Revista de Derecho Penal y Criminología*, 2012, 8, pp. 411-494.

[26]   STONE, N.: "Child Criminal Exploitation: 'County Lines', Trafficking and Cuckooing", en *Youth Justice*, vol. 18, núm. 3, pp. 285 y ss.

[27]   RACE: *Trafficking for Forced Criminal Activities and Begging in Europe: Exploratory Study and Good Practice Examples*, 2014, passim.

[28]   RACE: *Trafficking for Forced Criminal Activities and Begging in Europe: Exploratory Study and Good Practice Examples, op. cit.*, pp. 14 y ss.

fendants. En el mismo, sobre la base del análisis de 53 casos judiciales de 16 jurisdicciones distintas (entre ellas, de Argentina, Australia, Bélgica, Bosnia Herzegovina, Brasil, Canadá, Colombia, Alemania, Italia, Holanda, Filipinas, Sudáfrica, Gran Bretaña, Estados Unidos y del TEDH) se muestra como muchas mujeres condenadas por la comisión de delitos relacionados con la TSH son usadas efectivamente por los tratantes, a menudo miembros de su familia o entorno, como escudos para hacerlas cometer delitos mientras ellos permanecen impunes y siguen explotando a estas mujeres sexualmente[29]. En este documento se pone de manifiesto el componente de género de la trata, tanto para forzar a estas mujeres como para explicar las formas de explotación a las que son sometidas. No nos hallamos propiamente frente a un estudio específico sobre TSH para explotación criminal, puesto que se desarrolla en torno a los supuestos de explotación sexual; no obstante, en realidad se refiere a víctimas de trata para explotación sexual poliexplotadas, pues son obligadas a cometer delitos. En definitiva, nos hallamos frente a un informe en el que se pone de manifiesto lo que anteriores estudios habían ya evidenciado, al poner el acento en la delgada línea que separa la condición de víctima y la de ofensor en algunos supuestos de trata sexual[30].

Una característica común a estos análisis es que todos ellos evidencian que a las víctimas de este tipo de trata se las victimiza doblemente. Esto no solo porque han sido ya victimizadas por el propio proceso conducente a su esclavización, sino porque además no han sido detectadas como víctimas por el sistema, que las ha considerado ofensoras y las ha hecho responder jurídico-penalmente de los hechos cometidos en la fase de explotación del proceso de trata. En consecuencia, la ausencia de detección de este tipo de víctimas supone la inobservancia de los mandatos derivados de una aproximación victimocéntrica, holística o con una perspectiva de Derechos humanos a la trata, que exige colocar a las víctimas y su protección en el centro del sistema[31]. Que víctimas de TSH pasen por el sistema de justicia penal sin ser detectadas y sean tratadas como ofensoras es claramente contradictorio con el abordaje victimocéntrico de la trata.

---

[29]   UNODC: *Female victims of trafficking for sexual exploitation as defendants*, United Nations, New York, 2020, pp. 11 y ss.

[30]   *Vid.* ANDERSON BAXTER, A.L.: "When the line between victimization and criminalization blurs: The victim-offender overlap observed in female offenders in cases of trafficking in persons sexual exploitation in Australia, *Journal of Human Trafficking*, vol. 6. Núm. 3, 2020, pp. 327 y ss.; LO IACONO, E., "Victims, sex workers and perpetrators; gray areas in the trafficking of Nigerian women", en *Trends in Organised Crime*, 17, pp. 110 y ss.

[31]   OBOKATA, T.: *Trafficking of Human Beings from a Human Rights Perspective: Towards a Holistic Approach*, Martinus Nijhoff Publishers, Leiden y Boston, 2006, passim; VILLACAMPA, C.: *El delito de trata de seres humanos. Una incriminación dictada desde el Derecho Internacional*, Thomson Reuters-Aranzadi, Cizur Menor, 2011, pp. 145 y ss.

En 2011 un par de investigadoras españolas intuimos la posibilidad de que internas en centros penitenciarios en nuestro país podían estar cumpliendo condenas por la comisión de delitos perpetrados en la fase de explotación de un proceso de trata de seres humanos. Entrevistamos a 45 mujeres internas extranjeras en 2 centros penitenciarios españoles que estaban en prisión por su intervención en la comisión de delitos compatibles con un proceso de trata para explotación criminal y les preguntamos cómo habían acabado en prisión[32]. De ellas, 25 estaba relacionadas con la comisión de delitos contra la salud pública, 11 por delitos patrimoniales, 1 por lesiones, 1 por trata y 1 por detención ilegal. Analizamos las historias de vida que nos expusieron estas mujeres y comprobamos cuántas de ellas cumplían con los tres elementos que integran el concepto internacional de la trata que contiene el Protocolo de Palermo -que incluye la acción, los medios comisivos y la finalidad de explotación, que aunque no debe acontecer para que la trata se considere delito, sí analizamos si había concurrido-.

Los resultados obtenidos (*vid.* figura 1) nos permitieron constatar que de las 45 mujeres entrevistadas, 10 podían ser clasificadas indubitadamente como víctimas de trata de seres humanos[33]. La mayoría fueron usadas como mulas (n=8) y una minoría (n=2) en delitos patrimoniales. Entre estos últimos, robar para un familiar durante casi un año o el uso fraudulento de tarjetas de débito y crédito de clientes en un negocio donde la víctima prestaba sus servicios. Las informaciones ofrecidas por 2 mujeres más eran compatibles con una situación de trata, pero la falta de datos determinantes nos condujo a no considerarlas como tratadas de forma indubitada. Junto a estas, concluimos que 2 adicionales entrevistadas habían sido víctimas de trata en un momento anterior de su vida, pero no estaban en prisión por haber cometido un delito en la fase de explotación de un proceso de trata. Las restantes entrevistadas habían cometido el delito sin haber sido tratadas, pese a que 8 de esas 31 afirmaron que habían sido engañadas.

Las 10 víctimas de trata, comprendidas en un rango de edad entre los 19 y los 47 años, tenían un amplio abanico de nacionalidades. Procedían de países tan dispares como Bélgica y Rumanía, en Europa; Méjico, Ecuador, Aruba,

---

[32]   VILLACAMPA, C. y TORRES, N.: "Mujeres víctimas de trata en prisión en España", *op. cit.*, pp. 411-494; VILLACAMPA, C. y TORRES, N.: "Trafficked Women in Prison: The Problem of Double Victimisation", en *European Journal of Criminal Policy and Research*, 2015, 21 (1), pp. 99-115.

[33]   VILLACAMPA, C. y TORRES, N.: "Mujeres víctimas de trata en prisión en España", *op. cit.*, pp. 446 y ss.; VILLACAMPA, C. y TORRES, N.: "Trafficked Women in Prison: The Problem of Double Victimisation", *op. cit.*, pp. 102 y ss.

República Dominicana, Venezuela y Brasil, en América del Sur y Centroamérica, y China[34].

Figura 1. Resultados del estudio con mujeres encarceladas en España.

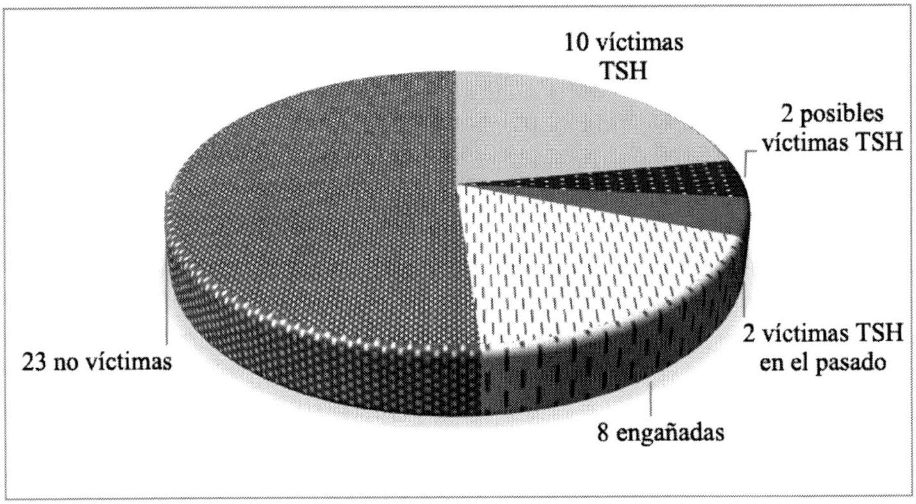

Fuente: elaboración propia

En relación con la dinámica de victimización que padecieron estas mujeres, encontramos, en primer lugar, ejemplos de traba abusiva, pues constatamos que los tratantes se habían aprovechado de la situación de necesidad o vulnerabilidad de la víctima. En ocasiones aprovecharon su situación de absoluta necesidad económica o las habían convertido en deudoras ofreciéndoles un préstamo para generar intencionadamente dicha situación. En otras ocasiones habían empleado el método del *loverboy*, amparándose en una relación sentimental abusiva para conseguir que las víctimas delinquieran para ellos. En estos supuestos, encontramos que la captadora fue al menos en 5 casos una mujer que generó algún tipo de relación de confianza con la víctima (familiar, supuesta amiga, etc.). En segundo término, hallamos ejemplos de trata fraudulenta en que se engañaba a las víctimas indicándoles que transportarían dinero o componentes eléctricos, no droga, o que venían a España a trabajar en una tienda o negocio legal. Finalmente, nos topamos con casos de trata coactiva, en algún caso en que directamente la víctima o algún familiar cercano habían sido secuestrados, de manera que el viaje portando

---

[34]   VILLACAMPA, C. y TORRES, N.: "Mujeres víctimas de trata en prisión en España", *op. cit.*, pp. 450 y ss.; VILLACAMPA, C. y TORRES, N.: "Trafficked Women in Prison: The Problem of Double Victimisation", *op. cit.*, pp. 102-103.

droga a España era la única manera de comprar su libertad o la de sus seres queridos[35].

La situación de dependencia de estas mujeres se iba haciendo más evidente conforme el viaje avanzaba. Lo habitual fue la retención de la documentación (en 7 de los 10 casos) y el cambio de tratante, de manera que las personas que habían captado a la víctima y con las que esta tenía alguna relación desaparecían durante el periplo.

El miedo por lo que fuera a pasarles a ellas o a sus familiares fue el sentimiento que más prevalentemente acompañó a estas mujeres, junto a la impotencia por no ser capaces de controlar la situación[36]. Prácticamente la única interacción que las autoridades españolas tuvieron con estas mujeres fue pedirles información para detener a más ofensores que hubiesen intervenido en aquellos delitos por los que estaban encarceladas, lo que se tradujo en su paso por el sistema de justicia penal únicamente en calidad de ofensoras[37].

Pero es que la implicación de las víctimas de trata para explotación criminal va más allá de su empleo en delitos relacionados con el tráfico de drogas o la delincuencia patrimonial callejera. Alcanza incluso a personas que pueden haber llegado a cometer delitos violentos. Tanto es así que de cada vez se analiza con mayor intensidad la relación existente entre las situaciones de conflicto armado y la TSH, hasta el punto de que en 2018 el informe global de Naciones Unidas sobre TSH le dedica una atención muy especial a dicha interacción[38]. Ha llegado incluso a publicarse un subinforme específico sobre trata en situaciones de conflicto armado que alerta de las formas de explotación a que pueden verse sometidos menores y adultos civiles tanto en zonas de conflicto como cuando intentan escapar de dichas zonas de conflicto[39]. Entre las formas de explotación que se evidencian están la trata para explotación sexual, para esclavitud sexual, para matrimonio forzado, pero también la recluta de niños soldado[40].

Precisamente la aproximación a combatientes guerrilleras colombianas como posibles víctimas de TSH para explotación criminal que podían haber

---

[35]   VILLACAMPA, C. y TORRES, N.: "Mujeres víctimas de trata en prisión en España", *op. cit.*, pp. 457 y ss.; VILLACAMPA, C. y TORRES, N.: "Trafficked Women in Prison: The Problem of Double Victimisation", *op. cit.*, p. 105 y ss.

[36]   VILLACAMPA, C. y TORRES, N.: "Mujeres víctimas de trata en prisión en España", *op. cit.*, pp. 474 y ss.

[37]   VILLACAMPA, C. y TORRES, N.: "Mujeres víctimas de trata en prisión en España", *op. cit.*, pp. 479 y ss.; VILLACAMPA, C. y TORRES, N.: "Trafficked Women in Prison: The Problem of Double Victimisation", *op. cit.*, p. 108 y ss.

[38]   UNODC: *Global Report on Trafficking in Persons 2018, op. cit.*, p. 9.

[39]   UNODC: *Trafficking in persons. In the context of armed conflicts*, United Nations, New York, 2018.

[40]   UNODC: *Trafficking in persons. In the context of armed conflicts, op. cit.*, pp. 9-13.

sido captadas siendo menores de edad fue lo que nos condujo a efectuar, ya en 2015, un segundo estudio con 20 internas en una prisión colombiana[41]. Se trataba de una muestra compuesta por 20 excombatientes de diversos grupos guerrilleros colombianos que habían ingresado a la guerrilla en las edades indicadas en la figura 2 y que se habían desmovilizado estando en prisión postulándose a la Ley 975 de 2005, de Justicia y Paz colombiana.

Figura 2. Edad de ingreso a la guerrilla.

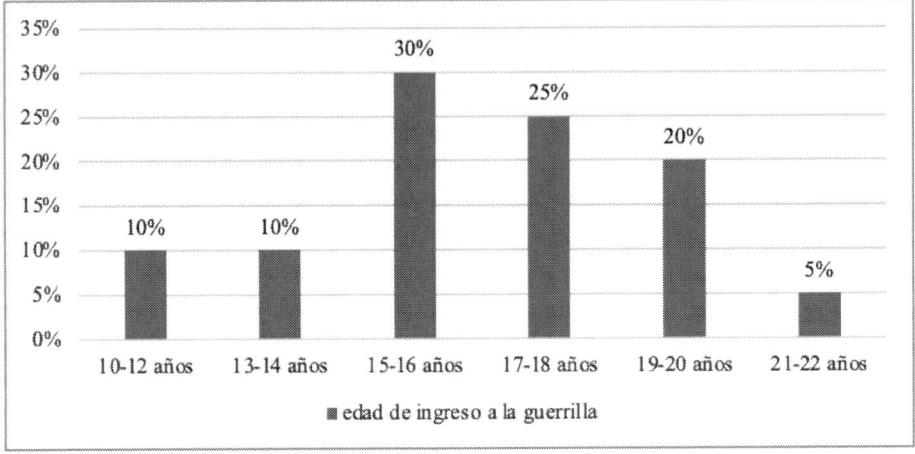

Fuente: VILLACAMPA, C. y FLÓREZ, K.: "Guerrilleras víctimas de trata de seres humanos en prisión en Colombia", *op. cit.*

Seguimos la misma metodología que habíamos seguido en el estudio con internas en España. Esto es, les efectuamos una entrevista en profundidad en que les pedimos cómo habían ingresado a la guerrilla y cómo se había desenvuelto su vida como guerrilleras hasta acabar en prisión, cotejando las historias de vida de estas mujeres con los tres elementos que integran el concepto internacional de la trata de seres humanos[42].

De los relatos pudimos deducir que 16 de las 20 entrevistadas activa en algún grupo armado fueron víctimas de trata de personas, lo cual equivale al 80% del total de la muestra (figura 3). De forma semejante, un posterior

---

[41]   VILLACAMPA, C. y FLÓREZ, K.: "Guerrilleras víctimas de trata de seres humanos en prisión en Colombia", *op. cit.* pp. 87-119; VILLACAMPA, C. y FLÓREZ, K., "Human trafficking for criminal exploitation and participation in armed conflicts: the Colombian case", en *Crime, Law and Social Change*, 2018, 69, pp. 421-445.

[42]   VILLACAMPA, C. y FLÓREZ, K.: "Guerrilleras víctimas de trata de seres humanos en prisión en Colombia", *op. cit.*, pp. 93-96; VILLACAMPA, C. y FLÓREZ, K., "Human trafficking for criminal exploitation and participation in armed conflicts: the Colombian case", *op. cit.*, pp. 425-427.

estudio efectuado en Colombia ha concluido que un relevante porcentaje de combatientes colombianos menores podrían hallarse en semejante situación[43].

Figura 3. Guerrilleras víctimas de trata de seres humanos.

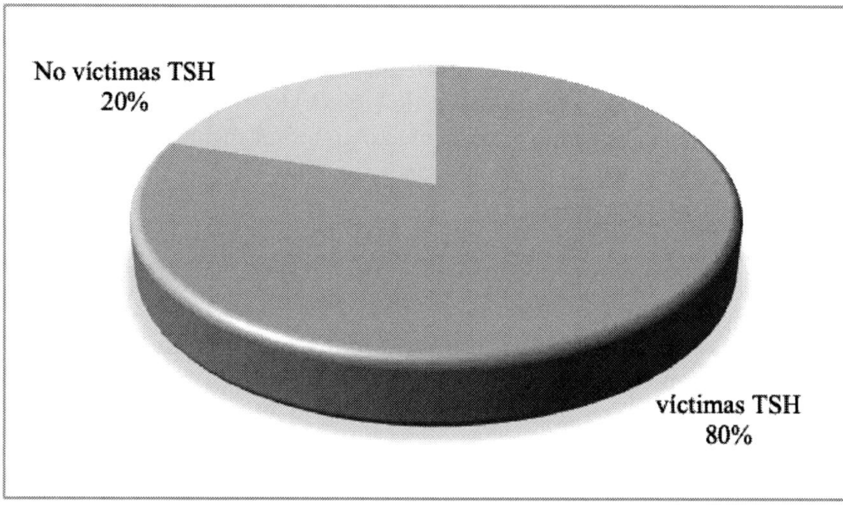

Fuente: elaboración propia

En estas historias de vida pudimos comprobar que tanto la acción, cuanto los medios comisivos –necesarios en el caso de las que ingresaron siendo mayores de edad y constatando su concurrencia generalmente, aunque sin resultar exigibles, en el de las menores-, cuanto finalmente la explotación estaban presentes en su proceso de inclusión a la guerrilla[44]. El recurso a medios comisivos propios de la trata se evidenció tanto en el momento de la captación, como durante su traslado a la selva, momento en que se produce un total cambio de identidad y las víctimas pasan a tener que olvidarse de su pasado y de su familia, como finalmente durante la fase de explotación[45]. Esta última consistió tanto en la realización de actividades de intendencia en el campamento guerrillero o de abastecimiento, que no serían delictivas por sí mismas si no fueran

---

[43] HURTADO, M., IRANZO DOSDAD, A. y GÓMEZ HERNÁNDEZ, S.: "The relationshiop between human trafficking and child recruitment in the Colombian armed conflict", en *Third World Quarterly*, 2018, vol. 39, núm. 5, pp. 941-958.

[44] VILLACAMPA, C. y FLÓREZ, K.: "Guerrilleras víctimas de trata de seres humanos en prisión en Colombia", *op. cit.*, pp. 96 y ss.; VILLACAMPA, C. y FLÓREZ, K., "Human trafficking for criminal exploitation and participation in armed conflicts: the Colombian case", *op. cit.*, pp. 427 y ss.

[45] VILLACAMPA, C. y FLÓREZ, K., "Guerrilleras víctimas de trata de seres humanos en prisión en Colombia", *op. cit.*, pp. 102 y ss.; VILLACAMPA, C. y FLÓREZ, K.: "Human trafficking for criminal exploitation and participation in armed conflicts: the Colombian case", *op. cit.*, pp. 433 y ss.

realizadas a favor de la guerrilla (e g. cocinar, hacer mercados -ir a abastecerse- o montar guardias), como en intervenir directamente en actividades delictivas, que implicaban cuanto menos empuñar armas, hacer guardias y batallar en caso de necesidad[46].

El medio más empleado en la fase de reclutamiento o captación fue el abuso de la situación de vulnerabilidad; claramente en el 47% de los casos, ofreciéndoles dinero, salvarlas de una situación de violencia familiar o de la amenaza que representaban otros grupos armados. Lo siguió el recurso al engaño, evidenciado al menos en el 32% de los casos, mediante falsas promesas de un salario o de ofrecerles estudios. Finalmente, observamos también el uso de la fuerza en un 11% de los casos, incluso llegando a secuestrar a alguna combatiente a causa de sus conocimientos de enfermería para asistir a guerrilleros heridos.

Observamos que estos medios comisivos se fueron tornando más coactivos conforme avanzaba el proceso de esclavización. Ya en el campamento guerrillero se comprobó que se aislaba a los guerrilleros y se los controlaba física y psicológicamente. La amenaza del consejo de guerra y del fusilamiento u obligar a los guerrilleros a presenciar ejecuciones se deducía de extractos de entrevista en que las mujeres referían como al escaparse unos compañeros de 16 o 17 años "ni un consejo de guerra les hicieron; donde los encontraron los mataron" o que veían como "a las mujeres que se escapaban, las cogían y las fusilaban"[47].

En el caso de las mujeres, la violencia empleada se limitó no solo a la física y psicológica, sino también a la sexual. Algunas de ellas sufrieron violencia sexual de sus superiores, sin que tampoco fuera descartable la procedente de compañeros de tropa. El máximo exponente de la violencia sexual y reproductiva que sufrieron estas mujeres fue, sin embargo, que les impusieron métodos de control de natalidad forzados e inadecuados y abortos forzados, práctica que afectó a 9 de las 16 víctimas[48].

Tampoco estas combatientes fueron detectadas como víctimas de trata ni han sido tratadas de forma distinta a otros combatientes voluntarios por el sistema de justicia penal colombiano.

---

[46]   VILLACAMPA, C. y FLÓREZ, K.: "Guerrilleras víctimas de trata de seres humanos en prisión en Colombia", *op. cit.*, pp. 105 y ss.; VILLACAMPA, C. y FLÓREZ, K.: "Human trafficking for criminal exploitation and participation in armed conflicts: the Colombian case", *op. cit.*, pp. 436 y ss.

[47]   VILLACAMPA, C. y FLÓREZ, K.: "Guerrilleras víctimas de trata de seres humanos en prisión en Colombia", *op. cit.*, p. 105.

[48]   VILLACAMPA, C. y FLÓREZ, K.: "Guerrilleras víctimas de trata de seres humanos en prisión en Colombia", *op. cit.*, pp. 107 y ss.; VILLACAMPA, C. y FLÓREZ, K.: "Human trafficking for criminal exploitation and participation in armed conflicts: the Colombian case", *op. cit.*, pp. 437 y ss.

En definitiva, los estudios existentes muestran como institucionalmente se victimiza en grado sumo a las víctimas de esta forma de trata, que no responden al estereotipo de víctima ideal. Junto a ello, permiten evidenciar que el fenómeno de la trata para explotación criminal no solo abarca conductas ilícitas que podían estar en mente del legislador regional europeo cuando incorporó específicamente esta forma de explotación entre las que constituyen trata, así la comisión de delitos patrimoniales o la intervención en conductas relacionadas con el tráfico de drogas. El mismo también abarca conductas criminales de mayor gravedad, tanto violentas cuanto de intervención misma en el fenómeno de la trata como traficantes[49].

III. REGULACIÓN JURÍDICO-PENAL DE LA TRATA DE SERES HUMANOS PARA EXPLOTACIÓN CRIMINAL

Analizada fenomenológicamente la trata para explotación criminal o criminalidad forzada, veamos brevemente cómo esta forma de trata halla acomodo normativo tanto a nivel internacional como en el marco de la regulación interna desde una perspectiva comparada.

Ya se ha indicado que esta manifestación de la TSH ha ganado carta de naturaleza mediante su inclusión específica en el art. 2.3 de la Directiva 2011/36/UE. Hasta ese momento, aun cuando cabía incluirla en el amplio concepto de servicios forzados de la definición de trata contenida en el art. 3 del Protocolo de Palermo y el *Model Law against Trafficking in Persons* de la Oficina de Naciones Unidas contra la Droga y el Delito de 2010 establecía que los Estados parte debían tomar en consideración la posibilidad de incluir otras formas de explotación al tipificar el delito, entre ellas el uso de actividades ilícitas o criminales de las víctimas, incluyendo el tráfico y la producción de drogas[50], no fue hasta la aprobación de la mencionada Directiva Europea cuando esta forma de trata ganó relevancia normativa internacional. Incluso en el concepto de trabajo forzoso que incluye la Convención núm. 29 de la OIT sobre trabajo forzoso de 1930 cabría pensar que cabe la criminalidad forzada, puesto que este instrumento internacional permite interpretar que el concepto de trabajo es suficientemente amplio como para incluir cualquier servicio prestado con contenido económico, esté o no reconocido normativamente como trabajo, sobre todo a raíz de la indudable conexión entre trabajo forzoso y esclavitud contemporánea establecida mediante la aprobación del Protocolo OIT de 2014. Con todo, sigue siendo la aprobación de la Directiva 2011/36/UE la que

---

[49]   Sobre los posibles delitos que se ha evidenciado cometen las víctimas de este tipo de trata, *vid.* RODRÍGUEZ-LÓPEZ, S.: "Telling Victims from Criminals: Human Trafficking for the Purposes of Criminal Exploitation", *op. cit.*, pp. 307-310.

[50]   UNODC: *Model Law against Trafficking in Persons*, New York, 2010, p. 28.

marcó el punto de inflexión en punto al reconocimiento normativo explícito de esta forma de trata.

Fue precisamente como consecuencia de la transposición de la misma cuando diversos países europeos han incluido específicamente entre las finalidades de explotación que contempla el correspondiente delito de TSH la finalidad de explotar a las víctimas forzándolas a cometer delitos. Así sucedió en el Código Penal español, que mediante la reforma operada por la Ley Orgánica 1/2015 introdujo en el art. 177 bis.1.c) "la explotación para realizar actividades delictivas".

Otros países europeos que han incluido específicamente esa forma de explotación han sido, por ejemplo, Alemania, que modificó por última vez el delito de trata que contempla en el § 232 StGB en 2016 y que incluye en el párrafo 1.d) del referido precepto la explotación para "la comisión de actos sancionados con una pena". También Austria, que al tipificar el delito de TSH en el § 104a, cuyo párrafo 3 incluye entre las formas de explotación "la explotación para cometer actividades delictivas". De igual forma, Bélgica incluye en el art. 433 quinquies.1.5º de su Código Penal, modificado en 2013, la trata con el "propósito de que dicha persona cometa un delito o una falta, en contra de su voluntad". Muy similar a la regulación belga es la francesa, puesto que el art. 225-4-1 del Código Penal francés también fue modificado en 2013 para que su párrafo I in fine incluyese entre las formas de explotación "obligar a la víctima a cometer un delito o falta". También Holanda, cuyo Código Penal fue modificado en 2014 para incluir esta manifestación de la trata, dado que su art. 273f.1, párrafo segundo, incluye como última de las posibles formas de explotación que enumera ejemplificativamente la que tiene por fin la de las actividades delictivas cometidas por las víctimas. En semejantes términos, Portugal modificó en 2013 su Código Penal para incluir la explotación de las víctimas en "otras actividades delictivas" en su art. 160.1.

Italia también se incluye entre los países europeos que han incriminado específicamente esta forma de trata, e incluso de manera más amplia que otros Códigos penales europeos, pues su art. 601 incrimina desde 2014 no ya la trata que tiene por fin explotar a la víctima en la comisión de actividades delictivas, sino la que tiene por objeto la explotación de la víctima en la realización de "actividades ilícitas".

Aun cuando entre los países de la Europa del Este tal reconocimiento normativo explícito parece que no está todavía tan generalizado, algunos de ellos han comenzado ya a incluir esta forma de trata específicamente en sus códigos penales. Este es, por ejemplo, el caso de Moldavia, cuyo Código Penal contempla en su art. 165 el uso de las víctimas en conflictos armados o en la realización de actividades delictivas.

Como se ha observado, no todos los países europeos han incluido específicamente esta concreta manifestación de la trata en su articulado interno. Sin embargo, ello no es óbice para incriminar estas conductas en la mayor parte de supuestos, dado que muchas regulaciones internas del delito de trata tipifican tan ampliamente las posibles formas de explotación, incluyendo el trabajo o los servicios forzados, que permiten considerar implícitamente incluidos en la definición los casos de trata que tienen por fin explotar a las víctimas en la realización de actividades delictivas. Así sucede, por ejemplo, con el concepto de explotación que incluye el art. 3 de la *Modern Slavery Act 2015* inglesa, art. 3 de la *Human Trafficking and Exploitation (Scotland) Act 2015*, art. 3 de la *Human Trafficking and Exploitation (Criminal Justice and Support for Victims) Act (Northern Ireland) 2015*. Lo mismo puede decirse de los arts. 257 Código Penal noruego o Capítulo 4, 1 a §, Código Penal sueco. También Códigos penales de países de la Europa del Este, como el Código Penal rumano –art. 210 que incrimina el delito de trata, en relación con el art. 182, que caracteriza el concepto de explotación- o el polaco –art. 189a, que tipifica lacónicamente la trata, en relación con el art. 115, párrafos 22 y 23, que define las formas de explotación- regulan este delito de manera que pueda comprender supuestos en que las víctimas son destinadas a la explotación criminal.

En conclusión, gran parte de países europeos permiten normativamente, bien de manera explícita, bien implícita, incriminar supuestos de TSH para explotación criminal o para criminalidad forzosa. Sin embargo, esta manifestación de la trata tiene todavía escasa presencia judicial. Sin ir más lejos, pese a que en España se halla explícitamente incriminada desde 2015, solo se tiene constancia de un par de resoluciones de Audiencias Provinciales que hayan abordado este tipo de TSH, una de ellas condenatoria (SAP Barcelona 31-07-2019, Roj: SAP B 14547/2021) y la otra absolutoria (SAP Sevilla 10-05-2017, Roj: SAP SE 2889/2017) para con los traficantes.

IV. APROXIMACIÓN A ESTA MANIFESTACIÓN DE LA TRATA DE SERES HUMANOS POR PARTE DEL SISTEMA DE JUSTICIA PENAL: EFECTOS SOBRE LAS VÍCTIMAS

Toda vez que se ha comprobado que existen víctimas de TSH para explotación criminal no detectadas y que se ha visto como normativamente esta forma de trata está explícita o implícitamente tipificada en múltiples códigos penales europeos aunque no se estén produciendo condenas, cabe preguntarse cómo es que estas víctimas pasan por el sistema de justicia penal sin ser detectadas y qué efectos dicha ausencia de detección a su paso por el indicado sistema.

Para responder a estas dos cuestiones, en 2014 efectuamos un estudio con 37 profesionales que eventualmente podían haber entrado en contacto con víctimas de TSH para criminalidad forzada, que se seleccionaron intencionalmente y fueron entrevistados por las investigadoras[51]. La muestra estuvo compuesta por 28 profesionales del sistema de justicia penal y 9 del ámbito asistencial, de los que 16 podían considerarse especialistas en trata de seres humanos y 21 no.

En cuanto a las razones por las que no se detectaron este tipo de víctimas, en las entrevistas afloraron los siguientes condicionantes negativos para la identificación[52]:

- En primer término, el escaso conocimiento constatado entre los profesionales acerca del fenómeno de la TSH para la explotación de las víctimas en la comisión de delitos. Los profesionales estaban familiarizados con la trata sexual (97%) y laboral (64%), no tanto con la criminal (40%). La ausencia de conocimiento de esta realidad entre los profesionales y, en particular, entre los policías especializados, que son los que en España tienen atribuida la competencia para identificar, se observó que comportaba que las estrategias desarrolladas en el ámbito policial no se orientaban a la búsqueda de víctimas de este fenómeno, sino de forma casi exclusiva a las de la trata sexual. Como mucho identificaban a víctimas de este tipo de trata cuando las prostitutas eran obligadas a cometer delitos, esto es, en supuestos de poliexplotación, en que la explotación criminal se sumaba a la sexual de las víctimas.

- En segundo lugar, observamos la existencia entre los profesionales de estereotipos acerca de quiénes pueden ser consideradas víctimas del delito de trata. La imagen construida de la víctima estaba vinculada a la idea de una mujer, básicamente extranjera y en situación irregular que había sido forzada a ejercer la prostitución. Se trata de un estereotipo de víctima ideal alejada de la víctima-delincuente propia de la trata para explotación criminal.

- En tercer lugar, la atribución en exclusiva de la competencia para identificar a las víctimas a los agentes de policía especializados establecida por la normativa interna española –tanto por la Ley Orgánica 4/2000, sobre

---

[51]   VILLACAMPA, C. y TORRES, N.: "Trata de seres humanos para explotación criminal: ausencia de identificación de las víctimas y sus efectos", en *Estudios Penales y Criminológicos*, 2016, 36, pp. 771-829; VILLACAMPA, C. y TORRES, N.: "Human Trafficking for Criminal Exploitation: the Failure to Identify Victims", en *European Journal on Criminal Policy and Research*, 2017, 23 (3), pp. 393-408; VILLACAMPA, C. y TORRES, N.: "Human trafficking for criminal exploitation: effects suffered by victims in their passage through the criminal justice system", en *International Review of Victimology*, 2019, 25 (1), pp. 3-18.

[52]   VILLACAMPA, C. y TORRES, N.: "Trata de seres humanos para explotación criminal: ausencia de identificación de las víctimas y sus efectos", *op. cit.*, pp. 790 y ss.; VILLACAMPA, C. y TORRES, N.: "Human Trafficking for Criminal Exploitation: the Failure to Identify Victims", *op. cit.*, pp. 400 y ss.

derechos y libertades de los extranjeros en España y su integración social, como a través del protocolo marco para proteger a las víctimas de la trata de seres humanos de 2011- vimos que tenía como consecuencia la traslación casi exclusiva de la responsabilidad en la identificación a estos profesionales por parte del resto de operadores. Muy críticos con esta atribución absoluta de competencia en la identificación a la policía se mostraron algunos profesionales del ámbito asistencial, aduciendo que "a pesar de todo el buen trabajo que está haciendo la policía, va a haber casos en que solo por el hecho de tener que hablar con un policía, la víctima se echa para atrás"[53].

- En cuarto lugar, pudimos constatar que el propio marco en el que se procede a la identificación de la víctima dificultaba esa operación. El primer contacto solía hacerse en dependencias policiales y en ambiente poco propicio a ofrecer información. Entrevistados que actuaban en nombre de ONGs (n=10) indicaron que la identificación no debería limitarse a una simple entrevista, sino que debería tratarse de un proceso en el que paulatinamente se ganase la confianza de la víctima, en que diese tiempo a la víctima para poder recuperarse, sin plantearse en clave de contraprestación, a cambio de la colaboración con las autoridades.

- En quito término, algunos de los signos que los profesionales admitían tener en cuenta en mayor medida para valorar la condición de víctimas podía llevar a equívocos. La narración de la trayectoria personal es uno de los principales extremos de los que los profesionales reconocieron inferir la condición de víctima. Sin embargo, en ocasiones pueden producirse incoherencias en la narración de las víctimas a consecuencia del proceso de despersonalización vivido. De tal manera que la presencia de lapsus y la fragmentación del relato, cuando el profesional es desconocedor de que puede producirse y de las razones que lo motivan, podía conducir a falsos negativos.

- Finalmente, una de las dificultades mayormente apuntadas por los profesionales (n=10) para la identificación de las víctimas es que estas no se identificaban como tales. La falta de autoconciencia de su condición de víctima se acentúa en el caso de los individuos obligados a cometer delitos. Los mismos se perciben a sí mismos como infractores, ya porque saben que han cometido un delito, ya porque los tratantes explotan esa idea para dificultar su colaboración con las autoridades.

Respecto de los efectos que tiene la ausencia de identificación de estas víctimas de trata que han cometido algún delito, el fundamental consiste en que

---

[53]   VILLACAMPA, C. y TORRES, N.: "Trata de seres humanos para explotación criminal: ausencia de identificación de las víctimas y sus efectos", *op. cit.*, pp. 792-793.

son tratadas generalmente como ofensoras desde el momento de su detección y a lo largo de todo su periplo por el sistema de justicia penal[54]. No encajan en el estereotipo de víctima ideal. Ello salvo en el caso de ser víctimas de trata para explotación sexual obligadas a delinquir, en que se les dispensa trato como víctimas. En el estudio con profesionales que llevamos a cabo, observamos que el trato dado a las mulas, que puede emplearse como ejemplo paradigmático de víctimas de esta forma de trata, consistió en que ya desde el inicio se consideró por parte de los agentes que no actúan forzadas. Los mismos indicaron que lo hacían por dinero, para retornar una deuda pendiente o que sabían a lo que venían. Pudimos observar que este maltrato institucional se evidenciaba en las distintas fases del proceso penal que acostumbraba a instrumentarse contra ellas[55].

Así, comenzando por el ámbito policial, la intervención con la víctima –presunta ofensora- estaba focalizada en conseguir su colaboración en la investigación policial. El reconocimiento de la condición de víctima acostumbraba a vincularse a su colaboración con los agentes. El interés que suscitaron estas personas en los primeros estadios de su paso por el sistema de justicia penal fue en cuanto que ofensoras, como integrantes de una estructura criminal de las que podía obtenerse información[56].

Si se había salido del ámbito policial sin haberse detectado a la víctima como tal, ya en un contexto judicial, el resto de los profesionales del sistema de justicia penal entendieron que el caso estaba ya judicializado y que debía seguir el procedimiento penal habitual. De tal forma, por ejemplo, que los fiscales mostraron sus reticencias a considerar como víctimas a las mulas, apelando generalmente a las dificultades para admitir que había habido explotación, además de a la gravedad del delito[57].

Finalmente, los profesionales del ámbito penitenciario recibían a las mulas una vez se había decretado prisión provisional para las mismas o cuando ya estaban condenadas. La existencia de resolución condenatoria o de auto en el que se acuerda la prisión parecía a los profesionales de la ejecución penal lo suficientemente definitivo como para que estos pusiesen en duda la condición

---

[54]   VILLACAMPA, C. y TORRES, N.: "Trata de seres humanos para explotación criminal: ausencia de identificación de las víctimas y sus efectos", *op. cit.*, pp. 800 y ss.; VILLACAMPA, C. y TORRES, N.: "Human trafficking for criminal exploitation: effects suffered by victims in their passage through the criminal justice system", *op. cit.*, pp. 6 y ss.

[55]   VILLACAMPA, C. y TORRES, N.: "Human trafficking for criminal exploitation: effects suffered by victims in their passage through the criminal justice system", *op. cit.*, pp. 9 y ss.

[56]   VILLACAMPA, C. y TORRES, N.: "Trata de seres humanos para explotación criminal: ausencia de identificación de las víctimas y sus efectos", *op. cit.*, pp. 802 y ss.

[57]   VILLACAMPA, C. y TORRES, N.: "Trata de seres humanos para explotación criminal: ausencia de identificación de las víctimas y sus efectos", *op. cit.*, pp. 804-806.

de la persona que ingresaba a prisión, caracterizando a la interna fundamentalmente como autora del delito, no como víctima, a su vez[58].

En conclusión, la ausencia de detección de estas personas como víctimas, el hecho de que hayan entrado en contacto con el sistema de justicia penal como ofensoras, les imprime un rol que la práctica forense no acostumbra a permitir que mute durante las distintas fases del proceso penal.

V. EL PRINCIPIO DE NO PUNICIÓN (DE NO PENALIZACIÓN O DE AUSENCIA DE RESPONSABILIDAD): RECONOCIMIENTO NORMATIVO INTERNACIONAL Y NACIONAL Y GRADO DE APLICACIÓN

Sin embargo, el trato institucional que se dispensa a las víctimas de TSH para explotación criminal contrasta con los dictados del principio de no punición o de no penalización que, entendido en sentido amplio –como principio de no responsabilidad o de ausencia de responsabilidad de las víctimas de trata-, puede conceptuarse como la prohibición de arrestar, imputar, detener, acusar, penalizar o sancionar de cualquier otra forma a las víctimas de TSH por las conductas ilegales en las que han intervenido como consecuencia directa situación de trata vivida. Siendo este un principio aplicable a cualquier forma de TSH, por las conductas antinormativas que las víctimas se hayan visto forzadas a cometer durante el proceso conducente a su esclavización, halla su máxima expresión y potencial aplicativo en los supuestos de trata que aquí analizamos, en que la finalidad de los tratantes es precisamente explotar a las víctimas en la comisión de actividades delictivas.

1. Reconocimiento normativo internacional

En este sentido, se considera una manifestación del abordaje victimocéntrico de la TSH no hacer responder a las víctimas por los delitos u otras conductas antinormativas que han sido obligadas a cometer por los tratantes o en que puedan haber incurrido como consecuencia del padecimiento de una situación de trata; sin que ello signifique dotarlas de una patente de corso para evitar incurrir en responsabilidad cualquiera que sea la gravedad del delito cometido y con independencia de las circunstancias en las que se cometa. De hecho, se indica que es obligación del Estado proveer los mecanismos jurídicos y de aproximación necesarios para garantizar que no se haga responder penalmente –o de otra forma- a las víctimas, que constituye una obligación

---

[58]   VILLACAMPA, C. y TORRES, N.: "Trata de seres humanos para explotación criminal: ausencia de identificación de las víctimas y sus efectos", *op. cit.*, pp. 807-808.

positiva del Estado derivada del principio de diligencia debida[59]. Tanto es así que la sentencia del TEDH de 16 de febrero de 2021, caso V.C.L y A.N. contra el Reino Unido, antes mencionada, ha condenado a este país por haber incumplido sus obligaciones positivas en relación con lo dispuesto en el art. 4 del Convenio Europeo de Derechos Humanos al no proteger a dos menores vietnamitas obligados a cultivar cannabis en territorio británico que habían sido condenados por la jurisdicción penal de menores de dicho país.

Entre las razones aducidas para el reconocimiento de dicho principio, además del implícitamente referido respeto a los derechos humanos de las víctimas, se cuentan, en primer término, mantener los intereses de la justicia asegurándoles a estas que no serán punidas por conductas que si no hubiera sido por su victimización no hubiesen cometido. En segundo lugar, incentivar la denuncia del delito de trata por parte de las víctimas y de otros injustos cometidos contra ellas sin miedo a ser criminalizadas ellas mismas. Finalmente, evitar hacer responder a las víctimas por los delitos cometidos por los traficantes[60].

En el plano normativo internacional, el principio de no punición se previó por primera vez en un instrumento normativo *hard-law* a través del Convenio de Varsovia. El mismo lo contempla en su art. 26 como eximente de pena – principio de no punición en sentido estricto-, al prever que los estados parte provean la posibilidad de no imponer penas a las víctimas por su participación en las actividades ilícitas en la medida en que se hayan visto obligadas a intervenir en ellas[61]. Parece que este instrumento adopta una posición amplia de aplicación del principio en tanto considera que su reconocimiento debe conducir a la ausencia de responsabilidad de la víctima por cualquier conducta ilícita realizada, no solo con relevancia penal, si bien al referirse a la posibilidad solo de no imponer penas parece considerar que el principio opera solo como una eximente de sanción, no ya de no procesamiento. Posteriormente, el art. 8 de la Directiva 2011/36/UE lo contempla no solo como eximente de sanción, como sucede en el convenio de Varsovia, sino también como causa de no procesa-

---

[59]   PIOTROWICZ, R.W y SORRENTINO, L.: "Human Trafficking and the Emergence of the Non-Punishment Principle", en *Human Rights Law Review*, 2016, 16 (4), pp. 669 y ss.; GIAMMARINARO, M.M.: *The importance of implementing the non-punishment provision: the obligation to protect victims. Mandate of the Special Rapporteur on trafficking in persons, especially women and children*, United Nations, New York, 2020, pp. 5 y 10. UNITED NATIONS. HUMAN RIGHTS COUNCIL: *Implementation of the non-punishment principle. Report of the Special Rapporteur on trafficking in persons, especially, women and children, Siobhán Mullally*, New York, 2021, p. 6.

[60]   UNODC: *Model Legislative Provisions Against Trafficking in Persons*, New York, 2020, p. 45.

[61]   Dispone el art. 26 (disposición de no sanción) del Convenio de Varsovia "Cada Parte, de conformidad con los principios básicos de su ordenamiento jurídico, preverá la posibilidad de no imponer penas a las víctimas por su participación en actividades ilícitas en la medida que se hayan visto obligadas a tomar parte en ellas".

miento, al establecer que los estados miembros adoptarán "las medidas necesarias para garantizar que las autoridades nacionales competentes puedan optar por no enjuiciar ni imponer penas a las víctimas de trata de seres humanos por su implicación en actividades delictivas que se hayan visto obligadas a cometer como consecuencia directa de haber sido objeto de un delito de los actos contemplados en el art 2". Esto es, aquí los estados pueden optar ya directamente por no enjuiciar, con lo que en este sentido la previsión del principio es más amplia que en el Convenio de Varsovia, en que los estados son exhortados a prever solo la no imposición de sanción[62]. Sin embargo, la Directiva contempla una aplicabilidad más estricta del principio de no punición que el Convenio de Varsovia, al referirla solo a las conductas con relevancia penal cometidas por las víctimas, y no a cualquier conducta antinormativa que las mismas realicen.

También la Organización Internacional del Trabajo, a través del art 4 del Protocolo de 2014 relativo al Convenio sobre trabajo forzoso de 1930, contempla la posibilidad de que se incluyan las medidas necesarias para "velar por que las autoridades competentes puedan decidir no enjuiciar ni imponer sanciones a las víctimas de trabajo forzoso u obligatorio por su participación en actividades ilícitas que se hayan visto obligadas a cometer como consecuencia directa de estar sometidas a trabajo forzoso u obligatorio". De tal manera que prevé que este principio puede operar como causa eximente de la responsabilidad criminal pero también como causa de no procesamiento, además de interpretarlo en términos amplios, pues no solo debería evitar la imposición de penas, sino de sanciones de cualquier naturaleza jurídica y por la comisión no solo de ilícitos penales, sino de cualquier tipo de ilícito –penal, civil o administrativo-.

---

[62]   SCHLOENHARDT, A. y MARKEY-TOWLER, R.: "Non-Criminalisation of Victims of Trafficking in Persons- Principles, Promises, and Perspectives", *op. cit.*, pp. 32 y 33, reconocen 3 niveles de amplitud de reconocimiento de este principio, el nivel más amplio, el de *non-criminalisation* (según el cual la responsabilidad criminal ni siquiera surgiría sin hacer depender esta cuestión de cuestiones de oportunidad o de la aplicación de circunstancias), el nivel de *non-prosecution* (más restringido y referido a la posibilidad de que no se presenten cargos contra la víctima) y el de *non-punishment*, que sería el más restringido, limitado a la no imposición de sanciones a las víctimas, sin valorar si la conducta por ellas realizada debe tener la consideración de ilícito. En mi opinión, la gradación que proponen estos autores parte del error de considerar que la previsión del principio de no procesamiento es más restringido que el de no criminalización, puesto que es perfectamente compatible defender que no debe ya ni siquiera imputarse o procesarse a una víctima por la realización de conductas antinormativas de manera que, en caso de que dicha imputación o procesamiento llegue indebidamente a producirse, debe conducir al sobreseimiento de las actuaciones cuando se detecta una situación de trata si el derecho procesal interno lo permite o a una sentencia absolutoria por eximente de sanción en caso de no ser así, esto es, en todo caso, a la no imposición de sanción alguna por efecto de la aplicación del principio de no criminalización, no ya solo de no punición.

El Protocolo de Palermo no dice nada específicamente al respecto, aunque se ha considerado que, dado que entre sus finalidades está la de asistir y proteger a las víctimas de trata con pleno respeto a sus derechos humanos (art. 2), tal exigencia debe considerarse ínsita a este documento y a la forma en que aborda esta realidad, como ha manifestado el Grupo de Trabajo sobre Trata de Seres Humanos de Naciones Unidas[63]. Tanto es así que el seno de Naciones Unidas se ha adoptado posiblemente la concepción más amplia en punto al entendimiento de este principio, a juzgar por el contenido del UNODC *Model Law against Trafficking in Persons* de 2010, configurándolo como un auténtico principio de no responsabilidad, que impide ya el propio surgimiento de la misma para las víctimas de trata por las conductas antinormativas que hayan podido cometer como consecuencia del sometimiento a una situación de trata. Esto porque el art. 10 de este modelo de cuerpo normativo indica que las víctimas no deben ser consideradas responsables penal o administrativamente por los delitos o actos ilícitos cometidos como consecuencia directa de su situación de personas traficadas junto al hecho de que no se las puede hacer criminal o administrativamente responsables de las conductas que infrinjan las normas de extranjería establecidas por el Derecho nacional[64]. Hasta el punto de que este entendimiento amplio del principio no solo impide el surgimiento de cualquier tipo de responsabilidad, sino incluso de cualquier manifestación del castigo, lo que comportaría la contracción con el mismo de aspectos como: la exclusión de la exclusión de la condición de refugiado o la denegación de otros recursos relacionados con la inmigración; la privación arbitraria de la nacionalidad; la finalización de las prestaciones sociales o la denegación de los pagos de la seguridad social; las restricciones a la circulación, la reclusión u otras restricciones indebidas de la libertad, incluso la ausencia de repatriación; medidas administrativas como la prohibición de viajar, la confiscación de documentos de viaje o la denegación de la entrada o tránsito en países, entre otros[65].

---

[63]   PIOTROWICZ, R.W y SORRENTINO, L.: "Human Trafficking and the Emergence of the Non-Punishment Principle", *op. cit.*, pp. 674-675.

[64]   UNODC: *Model Law against Trafficking in Persons, op. cit.*, p. 34. *Art 10. Non-liability [non-punishment] [non-prosecution] of victims of trafficking in persons: 1. A victim of trafficking in persons shall not be held criminally or administratively liable [punished] [inappropriately incarcerated, fined or otherwise penalized] for offences [unlawful acts] committed by them, to the extent that such involvement is a direct consequence of their situation as trafficked persons. 2. A victim of trafficking in persons shall not be held criminally or administratively liable for immigration offences established under national law. 3. The provisions of this article shall be without prejudice to general defences available at law to the victim. 4. The provisions of this article shall not apply where the crime is of a particularly serious nature as defined under national law.*

[65]   UNITED NATIONS. HUMAN RIGHTS COUNCIL: *Implementation of the non-punishment principle. Report of the Special Rapporteur on trafficking in persons, especially, women and children, Siobhán Mullally, op. cit.*, p. 13.

El reconocimiento del principio de no punición goza cada vez de más respaldo a nivel internacional, habiéndose igualmente visto reconocido en instrumentos *soft law*. Así ya en el Plan de acción para combatir la trata de seres humanos que la OSCE emitió en 2013[66], que adoptaba un concepto amplio de principio de punición, identificado como principio de no responsabilización y de no procesamiento por la realización de cualquier tipo de ilícito, no solo penal. También los *Recommended Principles and Guidelines on Human Rights and Human Trafficking* adoptados por la Oficina del Alto Comisionado para los Derechos Humanos de Naciones Unidas (principio 7) asumieron esa concepción más amplia del principio. Después, esta recomendación se ha visto reforzada por la resolución de 2020 de la conferencia de partes de la Convención de Naciones Unidas contra la criminalidad organizada transnacional para la implementación efectiva del Protocolo de Palermo y por la entonces Relatora Especial de Naciones Unidas en TSH en su recomendación de julio 2020 sobre "la importancia de la implementación del principio de no punición: la obligación de proteger a las víctimas"[67], en que nuevamente vuelve a mostrarse proclive a la adopción de la referida concepción más amplia de dicho principio. Y lo mismo puede decirse del posterior informe emitido al respecto por la actual Relatora Especial sobre trata de personas de Naciones Unidas, Siobhán Mullally, en 2021[68]. Sin embargo, en la edición de 2020 del *Model legislative provisions against Trafficking in Persons* de la UNODC, pese a que se otorga gran importancia al principio de no punición y a la necesidad de prever una eximente específica, el art. 13 efectúa una propuesta de redactado que comprende distintas amplitudes[69].

Tanto el Derecho convencional como distintos instrumentos normativos *soft law*, como se ha visto, reconocen el principio de no punición en materia

---

[66]   OSCE: *Policy and legislative recommendations towards the effective implementation of the non punishment provision with regard to victims of trafficking*, op. cit., passim.

[67]   GIAMMARINARO, M.M.: *The importance of implementing the non-punishment provision: the obligation to protect victims. Mandate of the Special Rapporteur on trafficking in persons, especially women and children*, op. cit., passim.

[68]   *Vid.* UNITED NATIONS. HUMAN RIGHTS COUNCIL: *Implementation of the non-punishment principle. Report of the Special Rapporteur on trafficking in persons, especially, women and children, Siobhán Mullally*, op. cit., passim.

[69]   *Vid.* UNODC: *Model Legislative Provisions Against Trafficking in Persons*, op. cit., pp. 44-49. Respecto del concreto redactado de las *statutory defences* que habrían de tener los estados, el art. 13 contempla dos opciones. Opción 1: "*A person is not guilty of an offence if: a) They committed the act that constitutes the offence because they were compelled to do it and the compulsion was attributable to trafficking in persons, or b) The act that constitutes the offence was committed as a direct consequence of their situation as a trafficked person*". Opción 2: "*A victim of trafficking in persons shall not be held criminally or administratively liable or liable under civil laws [punished] [inappropriately incarcerated, fined or otherwise penalized] for offences [unlawful acts] committed by them, to the extent that such involvement is a direct consequence of their situation as trafficked persons*".

de TSH. Sin embargo, lo hacen, en primer lugar, con una amplitud que no es coincidente. Mientras algunos de estos instrumentos se limitan a reconocerlo como un principio de no punición en sentido estricto (Convenio de Varsovia), otros lo reconocen como un principio no solo de no punición, sino también de no procesamiento (Directiva 2011/36/UE, Protocolo 2014 OIT relativo al Convenio sobre trabajo forzoso) y finalmente los hay que lo conceptúan ya directamente como principio de no punición en el sentido más amplio, identificado con un principio de ausencia de responsabilidad (posición sostenida desde distintos instrumentos normativos *soft-law* emanados por Naciones Unidas y desde la OSCE). En segundo lugar, tampoco existe unanimidad en estos instrumentos acerca de si la ausencia de responsabilidad se limita a la penal o también a aquella en que la víctima haya podido incurrir por la realización de cualquier conducta ilícita. Mientras la Directiva 2011/36/UE se refiere solo a la responsabilidad por la realización de actividades delictivas, el Convenio de Varsovia, el Protocolo 2014 OIT relativo al Convenio sobre trabajo forzoso y los instrumentos *soft-law* tanto de Naciones Unidas como de la OSCE entienden que este principio resulta aplicable a cualquier tipo de ilícito.

Finalmente, en cuanto a discordancias entre los distintos reconocimientos internacionales del principio, tampoco está claro en qué términos debe entenderse vinculada la conducta al menos ilícita realizada por la víctima con la situación de trata vivida. Esto es, no está claro si internacionalmente el estándar adoptado es el propio del denominado *duress- based approach*[70] o *compulsion model*[71] que, sobre la base de la eximente de *duress*, exige para poder afirmar la ausencia de responsabilidad que las víctimas hayan sido forzadas, compelidas o coaccionadas para cometer estas conductas antinormativas o directamente

---

[70]   OSCE: *Policy and legislative recommendations towards the effective implementation of the non punishment provision with regard to victims of trafficking, op. cit.*, pp. 13 y ss; UNITED NATIONS. WORKING GROUP ON TRAFFICKING IN PERSONS: *Guidance on the Issue to appropriate justice responses to victims who have been compelled to commit offences as a result of their being trafficked*, Vienna, 2020, p. 10; GIAMMARINARO, M.M.: *The importance of implementing the non-punishment provision: the obligation to protect victims. Mandate of the Special Rapporteur on trafficking in persons, especially women and children, op. cit.*, p. 7-8; UNITED NATIONS. HUMAN RIGHTS COUNCIL, *Implementation of the non-punishment principle. Report of the Special Rapporteur on trafficking in persons, especially, women and children, Siobhán Mullally, op. cit.*, pp. 14-16.

[71]   SCHLOENHARDT, A. y MARKEY-TOWLER, R.: "Non-Criminalisation of Victims of Trafficking in Persons- Principles, Promises, and Perspectives", *op. cit.*, p. 35.

delictivas, o bien el *causation-based approach*[72] o *causation model*[73], para el que basta a efectos de exonerar de responsabilidad con que la víctima haya realizado estas conductas como consecuencia directa de la situación de trata. Esto es, respectivamente, no está claro si se requiere que la víctima sea compelida o forzada a cometer el delito o conducta antinormativa de que se trate o basta con que su comisión sea una consecuencia directa de la situación de trata vivida para que pueda evitarse que incurra en responsabilidad. La primera de estas aproximaciones es la que parecen adoptar tanto el Convenio de Varsovia y la Directiva 2011/36/UE como el Protocolo 2014 OIT relativo al Convenio sobre trabajo forzoso, porque, aunque los dos últimos se refieren a las acciones que son consecuencia de la situación de trata, exigen que las víctimas se hayan visto obligadas a cometerlas. Esta primera aproximación entraña el riesgo de constreñir demasiado la operatividad del principio de no punición, sobre todo si las formas de forzamiento se interpretan restrictivamente, sin dejar margen para que mecanismos sutiles de coerción –como el control coercitivo-, que además pueden ser más que suficientes para amedrentar a las víctimas en contextos coactivos que estén bien instalados, puedan ganar relevancia a efectos de exoneración. La segunda de las aproximaciones, que se adopta en los instrumentos *soft-law* aprobados por Naciones Unidas y la OSCE, es más amplia, casa mejor con una aproximación victimocéntrica a la trata, pero entraña el riesgo de ser demasiado inclusiva y difícil de operar en la práctica.

2. Reconocimiento normativo a nivel interno: el art. 177 bis.11 CP español

Fruto de este reconocimiento internacional no homogéneo del principio de no punición, distintos países, entre ellos estados de la UE, incluyen cláusulas específicas de exoneración de responsabilidad criminal -o *statutory defences*- para las víctimas de trata forzadas a cometer delitos o realizar conductas antinormativas. Esto no quita que eximentes tradicionales en países del *common law*, como la de *duress* o *necessity*, lo mismo algunas de las ya previstas en la

---

[72]   OSCE: *Policy and legislative recommendations towards the effective implementation of the non punishment provision with regard to victims of trafficking, op. cit.*, pp. 13 y ss.; UNITED NATIONS. WORKING GROUP ON TRAFFICKING IN PERSONS, *Guidance on the Issue to appropriate justice responses to victims who have been compelled to commit offences as a result of their being trafficked*, Vienna, 2020, p. 10; GIAMMARINARO, M.M.: *The importance of implementing the non-punishment provision: the obligation to protect victims. Mandate of the Special Rapporteur on trafficking in persons, especially women and children, op. cit.*, p. 7-8; UNITED NATIONS. HUMAN RIGHTS COUNCIL, *Implementation of the non-punishment principle. Report of the Special Rapporteur on trafficking in persons, especially, women and children, Siobhán Mullally, op. cit.*, pp. 14-16.

[73]   SCHLOENHARDT, A. y MARKEY-TOWLER, R.: "Non-Criminalisation of Victims of Trafficking in Persons- Principles, Promises, and Perspectives", *op. cit.* pp. 35-36.

mayor parte de códigos penales que siguen un sistema de *civil law*, esto es, la de estado de necesidad o miedo insuperable, no puedan ser aplicadas a estos supuestos[74]. Sin embargo, en cumplimiento de los mandatos internacionales antes indicados, al menos con el aparente objetivo de incrementar las posibilidades de exención de responsabilidad en los supuestos de trata en que las víctimas podrían incurrir en responsabilidad, algunos países occidentales han incorporado a su ordenamiento interno una causa de exención de responsabilidad penal específica.

En Estados Unidos no hay a nivel federal una causa eximente específica para las víctimas de trata que han cometido delitos como consecuencia de padecer dicha situación. Eso pese a que la exposición de motivos –sección 102 (b)- de la *Trafficking Victims Protection Act* de 2000, que es la norma que regula este delito a nivel federal, establece que "las víctimas de las formas severas de trata no deberían ser indebidamente encarceladas, multadas o penalizadas de cualquier otra forma por actos ilícitos cometidos como consecuencia directa de haber sido traficadas tales como usar documentos falsos, entrar en el territorio de un estado sin documentación o trabajar sin documentación". Sin embargo, a nivel estatal sí hay numerosos ejemplos de *statutory defences* incorporadas a al ordenamiento interno de diversos estados. Así sucede, por ejemplo, en Wisconsin -*section 939.46 (1m) Wisconsin's Statutes, Chapter 939: Crimes-General Provisions*-, Pennsylvania –*section 3019 (b) Consolidated Statutes, Title 18: Crimes and Offenses, Chapter 30: Human Trafficking*- o Nueva York –*section 440.10(1) (i) (Criminal Procedure) Laws of New York*-.

En Europa, de los 42 países que componen el Consejo de Europa, en el momento en que se produjo la segunda evaluación del Grupo de Expertos en Trata de Seres Humanos del Consejo de Europa (GRETA), 17 habían aprobado previsiones legales específicas relativas a la no punición de las víctimas de TSH. Entre ellos, Albania, Armenia, Azerbaiyán, Bosnia-Herzegovina, Bulgaria, Chipre, Finlandia, Alemania, Georgia, Latvia, Lituania, Luxemburgo, Malta, Rumanía, Eslovaquia, España y Reino Unido[75], a los que al menos cabe sumar Bélgica, que en 2019 modificó su Código Penal para introducir una cláusula de no punición.

La ausencia de homogeneidad en la previsión de esta eximente a nivel internacional se traslada también a nivel interno de los estados. De tal forma que

---

[74]   De hecho, así reconoce que debe hacerse el informe de la Relatora Especial de Naciones Unidas en la materia en aquellos países que todavía no han introducido una causa eximente específica. *Vid.* UNITED NATIONS. HUMAN RIGHTS COUNCIL: *Implementation of the non-punishment principle. Report of the Special Rapporteur on trafficking in persons, especially, women and children, Siobhán Mullally, op. cit.*, p. 18.

[75]   *Vid.* GRETA: *9th General Report on GRETA's Activities. Covering the period from 1 January to 31 December 2019, op. cit.* pp. 62-63.

con solo comparar las eximentes introducidas en el Reino Unido, por un lado, y Bélgica, por otro, puede observarse como la primera contempla un escenario más restringido de aplicación, que parece asumir el *duress-based model* y que limita los delitos a los que la eximente resulta aplicable, mientras que la segunda asume el *causation-based model*, sin restringir su aplicabilidad según el tipo de delito cometido por la víctima de trata. Así, por un lado, la *section 45 (Defence for slavery or trafficking victims who commit an offence)* de la *Modern Slavery Act 2015* británica indica que la persona mayor de edad que comete un delito "compelida" por una situación de esclavitud o explotación relevante cuando una persona razonable en esa misma situación y con sus mismas características no hubiese tenido otra alternativa realista más que realizar dicho hecho no será considerada culpable[76], aunque esta previsión no se aplica a los delitos contemplados en el *Schedule 4* de la misma norma, que incluye una larga lista de ofensas entre las que se cuentan la mayor parte de delitos contra las personas, tanto delitos *common law* como tipificados en concretas leyes mencionadas en dicho anexo. Entre ellos, delitos como el homicidio, el asesinato, secuestro o delitos contra la libertad sexual. Por otro lado, el art. 433 quinquies.5 CP Belga, en vigor desde julio de 2019, se limita a establecer que "la víctima de la trata de seres humanos que participe en delitos como consecuencia directa de su explotación no será castigada por esos delitos", lo que la convierte en una eximente con ámbito de aplicación claramente más amplio que la contemplada para Inglaterra y Gales.

En España, una eximente de este tipo se contempla en el art. 177 bis. 11 CP español desde que el delito de trata se introdujese en nuestro ordenamiento

---

[76]   Dispone exactamente la *section 45* "*(1) A person is not guilty of an offence if— (a) the person is aged 18 or over when the person does the act which constitutes the offence, (b) the person does that act because the person is compelled to do it, (c) the compulsion is attributable to slavery or to relevant exploitation, and (d) a reasonable person in the same situation as the person and having the person's relevant characteristics would have no realistic alternative to doing that act. (2) A person may be compelled to do something by another person or by the person's circumstances. (3) Compulsion is attributable to slavery or to relevant exploitation only if— (a) it is, or is part of, conduct which constitutes an offence under section 1 or conduct which constitutes relevant exploitation, or (b) it is a direct consequence of a person being, or having been, a victim of slavery or a victim of relevant exploitation. (4) A person is not guilty of an offence if— (a) the person is under the age of 18 when the person does the act which constitutes the offence, (b) the person does that act as a direct consequence of the person being, or having been, a victim of slavery or a victim of relevant exploitation, and (c) a reasonable person in the same situation as the person and having the person's relevant characteristics would do that act. (5) For the purposes of this section— "relevant characteristics" means age, sex and any physical or mental illness or disability; "relevant exploitation" is exploitation (within the meaning of section 3) that is attributable to the exploited person being, or having been, a victim of human trafficking. (6) In this section references to an act include an omission. (7) Subsections (1) and (4) do not apply to an offence listed in Schedule 4. (8) The Secretary of State may by regulations amend Schedule 4*".

jurídico, esto es, ya en 2010 y, por tanto, con carácter anterior a que la observancia del principio de no punición centrase la atención a nivel internacional.
En su virtud, sin perjuicio de la aplicación de las reglas generales del Código, la
víctima de TSH se declara exenta de pena por las infracciones penales que haya
cometido en la situación de explotación sufrida, siempre que su participación
en ellas haya sido consecuencia directa de la situación de violencia, intimidación, engaño o abuso a que haya sido sometida y que exista una adecuada
proporcionalidad entre dicha situación y el hecho criminal realizado.

Se ha discutido en nuestro país la naturaleza de esta cláusula[77]. En los inicios se había dudado acerca de si se trataba de una excusa absolutoria, de una
cláusula personal de levantamiento de pena basada en razones político criminales –facilitar la colaboración de la víctima de trata con la administración de
justicia- o de una eximente fundada en la inexigibilidad de conducta adecuada
a la norma. Tanto es así que en la investigación cualitativa que llevamos a cabo con profesionales antes citada se vio que esos estaban un tanto torturados
con la cuestión de la naturaleza de dicha eximente, hasta el punto de que los
integrantes del Ministerio Fiscal, seguramente por influjo de la Circular de la
Fiscalía General del Estado (FGE) 5/2011, de 2 de noviembre, sobre criterios
para la unidad de actuación especializada del Ministerio Fiscal en materia de
extranjería e inmigración, manifestaron no tener clara la naturaleza de la eximente[78]. Con todo, parece que se va imponiendo la idea de que se trata de una
excusa absolutoria que beneficia solo a quien la padece, aunque no excluye
la posibilidad de que se apliquen otras causas de justificación –como el estado de necesidad- o de exculpación por ausencia de exigibilidad de conducta
adecuada a la norma –como el miedo insuperable-, que se prevé en atención
a consideraciones político criminales incidentes que informan acerca de la au-

---

[77]   Acerca de las dudas que su naturaleza y elementos configuradores presentaban ya en el mo-
        mento en que fue introducida en el Código Penal, *vid.* VILLACAMPA, C.: *El delito de trata
        de seres humanos. Una incriminación dictada desde el Derecho Internacional, op. cit.,* pp.
        474 y ss. También, FISCALÍA GENERAL DEL ESTADO: *Circular 5/2011 sobre criterios
        para la unidad de actuación especializada del Ministerio Fiscal en materia de extranjería e
        inmigración,* 2011, pp. 1576 y ss. Más recientemente, VILLACAMPA, C. y TORRES, N.:
        "Trata de seres humanos para explotación criminal: ausencia de identificación de las vícti-
        mas y sus efectos", *op. cit.,* pp. 810 y ss.; CONSEJO GENERAL DEL PODER JUDICIAL:
        Guía de criterios de actuación judicial frente a la trata de seres humanos, Madrid, 2018,
        pp. 60 y ss y 113 y ss.; ECHARRI, F.J., "La excusa absolutoria en el delito de trata de seres
        humanos como mecanismo de protección de las víctimas", en *Diario La Ley,* nº 9434,
        sección doctrina, 2019, pp. 1-13; VALLE, M.: "La víctima de trata como autora de delitos:
        dificultades para la exención de su responsabilidad penal", en *Revista Crítica Penal y Poder,*
        2019, 19, pp. 124-133.
[78]   *vid.* VILLACAMPA, C. y TORRES, N.: "Trata de seres humanos para explotación crimi-
        nal: ausencia de identificación de las víctimas y sus efectos", *op. cit.,* pp. 814 y ss.; VILLA-
        CAMPA, C. y TORRES, N.: "Human trafficking for criminal exploitation: effects suffered
        by victims in their passage through the criminal justice system", *op. cit.,* pp. 12 y ss.

sencia de necesidad de imposición de pena tanto por razones de prevención general como especial. De prevención general porque si los delitos cometidos por las víctimas no son graves, no se habrá producido la conmoción social que conduciría a requerir la imposición de pena para que su ausencia no se viese como muestra de impunidad, atendidas las circunstancias en que la víctima comete el delito. De prevención especial porque la rehabilitación social de la víctima-ofensora no depende tanto del cumplimiento de la pena como de que se la libere del yugo que la situación de trata/explotación le impone y recupere el dominio de su voluntad[79].

Se prevé solo como estricta cláusula de no punición, y no como cláusula de no procesamiento, que es lo que habían solicitado algunos de los profesionales entrevistados en nuestro estudio y lo que en su momento demandamos, también con fundamento en lo dispuesto en normativa internacional[80]. En algunos casos, los profesionales que entrevistamos se referían a lo que había sucedido en casos en que se había decidido directamente no acusar a víctimas de trata sexual obligadas a delinquir y en otros se apelaba a que sería deseable que no se las procesara directamente, lo que se evidenció en 10 de las entrevistas. Pero junto a la limitación en su ámbito aplicativo circunscrito al Derecho penal sustantivo, en el sentido de que se prevé solo como principio de no punición en sentido estricto, no ya como de no procesamiento, se añade que en el ordenamiento español no existe una proclamación genérica del principio de no responsabilidad o de no penalización de las víctimas de trata. Esto es, nuestro ordenamiento no contempla una disposición que impida que nazca cualquier forma de responsabilidad jurídica, no solo penal, de las víctimas por la realización de conductas antinormativas que sean consecuencia directa de la situación de trata. Una tal proclamación sería pertinente y debería ir más allá de la declaración de la posibilidad de exención de responsabilidad administrativa por infracción de la normativa de extranjería que el núm. 4 del art. 59 bis Ley Orgánica 4/2000, de 11 de enero, sobre derechos y libertades de los extranjeros en España y su integración social, contempla en los casos en que la víctima colabore con las autoridades en la investigación penal por el delito de trata o en que, en atención a su situación personal, se considere pertinente.

Retornando a la estrechez de la cláusula contemplada en el art. 177 bis.11 CP, que está lejos de garantizar el reconocimiento de un auténtico principio de

---

[79]   En este sentido, VALLE, M.: "La víctima de trata como autora de delitos: dificultades para la exención de su responsabilidad penal", *op. cit.*, p. 128; ECHARRI, F.J., "La excusa absolutoria en el delito de trata de seres humanos como mecanismo de protección de las víctimas", *op. cit.*, pp. 1 y 2.

[80]   *vid.* VILLACAMPA, C. y TORRES, N.: "Trata de seres humanos para explotación criminal: ausencia de identificación de las víctimas y sus efectos", *op. cit.*, pp. 814 y ss.; VILLACAMPA, C. y TORRES, N., "Human trafficking for criminal exploitation: effects suffered by victims in their passage through the criminal justice system", *op. cit.*, pp. 12 y ss.

no responsabilidad o de no penalización, sin llegar a asumir abiertamente el *duress-based model* –puesto que admite que el delito se haya cometido concurriendo cualquiera de los medios comisivos que integran el delito de trata- sí contiene requisitos que plantean claros problemas de aplicabilidad. Entre ellos, ya para concluir con este repaso por el reconocimiento del principio de no punición a nivel interno, se han destacado los siguientes[81]:

- El primero consiste en que se aplica solo a las víctimas, lo que supone que la persona tiene que tener la consideración de víctima de trata. Esto implica al menos que se la haya identificado como tal, cuando no que se haya procesado primero a los tratantes. Sin embargo, esto no suele suceder si los profesionales que se aproximan a ella como ofensora no son capaces de identificarla como víctima; de manera que en estos casos ni siquiera se plantearán la aplicabilidad de la eximente.

- El segundo tiene que ver con la exigencia de que los delitos se hayan cometido en la fase de explotación, no durante el proceso de trata, lo que podría dejar fuera del ámbito aplicativo de la eximente los delitos cometidos durante el proceso de trata mismo.

- El tercero se refiere a que el delito tiene que ser consecuencia directa de la situación de violencia, intimidación, engaño o abuso a que haya sido sometida la víctima, lo que si se interpreta restrictivamente -exigiendo la relación directa del empleo de uno de estos medios con el concreto delito- puede dejar fuera de su ámbito de aplicación los casos de coerción en sentido amplio, de coerción ambiental, conseguida por el recurso reiterado durante el proceso a esos medios. Este, efectivamente, se observa que no es problema exclusivo de la legislación española, porque en el análisis de casos judiciales referidos a mujeres traficadas procesadas efectuado en 2020 por la UNODC ha podido observarse como en algunos casos se exige para la aplicación del principio las mismas condiciones que para las eximentes de *duress* y *necessity*, sin relajarlas. También se ha comprobado como en los casos en que se incorporan cláusulas de exoneración próximas al *duress-based model*, como la que aquí nos ocupa, se han identificado dificultades para admitir la concurrencia de

---

[81]   *Vid.* VILLACAMPA, C.: *El delito de trata de seres humanos. Una incriminación dictada desde el Derecho internacional, op. cit.*, pp. 747 y ss.; VILLACAMPA, C. y TORRES, N.: "Trata de seres humanos para explotación criminal: ausencia de identificación de las víctimas y sus efectos", *op. cit.*, pp. 814 y ss.; ECHARRI, F.J.: "La excusa absolutoria en el delito de trata de seres humanos como mecanismo de protección de las víctimas", *op. cit.*, pp. 3 y ss.; VALLE, M.: "La víctima de trata como autora de delitos: dificultades para la exención de su responsabilidad penal", *op. cit.*, pp. 128 y ss.

compulsión en los casos de recurso a formas de forzamiento más sutiles, como el control coercitivo[82].

- Finalmente, se exige proporcionalidad entre el delito cometido y los medios empleados para doblegar la voluntad de la víctima. En definitiva, se mide a la víctima de trata por un rasero semejante al de otros ofensores que no se encuentran sometidos a un similar proceso de despersonalización; esto cuando además la exigencia de proporcionalidad es consustancial a la justificación, pero no a las eximentes basadas en la inexigibilidad de conducta adecuada a la norma. En algunas legislaciones, como hemos visto, un juicio normativo de proporcionalidad se expresa en la exclusión de la aplicación de la eximente de no punición a determinados delitos, los violentos y graves, como hace la *Modern Slavery Act* Británica, lo mismo que en su limitación a que se aplique solo a las *status-related offences*, así la posesión de documentos falsos o la contravención de leyes inmigración. No obstante, es evidente que la limitación de la operatividad de esta eximente mediante la inclusión de la referida exigencia de proporcionalidad le hurta gran parte de su aplicabilidad material. Esto precisamente es lo que ha conducido a la Relatora Especial sobre la trata de personas de las Naciones Unidas a demandar que se suprima dicha exigencia allí donde se prevea, sin que se limite la aplicabilidad de este principio en función de la gravedad del delito cometido[83].

3. Reconocimiento práctico del principio de no punición

El hecho de que el principio de no punición pueda ser implementado no solo mediante la inclusión de eximentes específicas y otro tipo de recursos normativos, sino que tenga que venir también acompañado de la adopción de políticas y protocolos de actuación que favorezcan su reconocimiento y aplicación hace que sea complejo monitorizar su grado de implementación. Al respecto, sin embargo, sí debe subrayarse que, al margen de los problemas aplicativos que la forma en que se regula la eximente de responsabilidad penal para las víctimas pueda tener, como se ha visto en el caso español, uno de los indicadores del escaso reconocimiento de este principio es que este tipo de cláusulas apenas se han aplicado jurisprudencialmente, ni internacionalmente ni a nivel español.

---

[82]   *Vid.* UNODC: *Female victims of trafficking for sexual exploitation as defendants*, *op. cit.*, pp. 66 y ss.

[83]   *Vid.* UNITED NATIONS. HUMAN RIGHTS COUNCIL: *Implementation of the non-punishment principle. Report of the Special Rapporteur on trafficking in persons, especially, women and children, Siobhán Mullally, op. cit.*, pp. 11 y 18.

Una de las primeras ocasiones en que se ha hecho referencia a este principio en jurisprudencia internacional ha sido en la referida sentencia del TEDH de 21 de febrero de 2021 (caso V.C.L y A.N. contra Reino Unido). En lo tocante a España, solo una sentencia del Tribunal Supremo –la STS 14 mayo 2020; Roj: STS 1935/2020- se refiere a la excusa absolutoria, pero lo hace no para eximir de responsabilidad penal a una víctima, sino para responder a una recurrente en casación que había sido condenada por la correspondiente Audiencia Provincial por delito de TSH. La misma pretendía atacar la verosimilitud del testimonio incriminatorio de la víctima aduciendo que tenía motivos espurios para declarar contra ella, pues quería conseguir que se la condenara por TSH para después, eventualmente, beneficiarse de la aplicación de esta eximente en caso en que de futuro la víctima fuese acusada de la comisión de cualquier delito durante el proceso. La única excepción hasta ahora constatada en nuestro país a la ausencia de aplicación de esta cláusula la constituye la sentencia de la AP de Barcelona de 20 de junio de 2020 (Roj: SAP B 9057/2020), confirmada por el Tribunal Superior de Justicia de Cataluña en noviembre de 2021 en resolución del correspondiente recurso de apelación interpuesto por el Ministerio Fiscal. Dicha resolución absolvió a una mula en situación paupérrima, captada por los tratantes tras pedir desesperadamente trabajo en una red social en su país de origen, que portó desde Lima a Barcelona introducidos en su cuerpo, en bolas, casi 500 g. de cocaína. A esta víctima inicialmente no detectada por el sistema, la droga le fue interceptada inmediatamente después de aterrizar en el aeropuerto de El Prat, lo que comportó que se acordara su privación provisional de libertad, siendo finalmente liberada tras dictarse sentencia absolutoria. La resolución dictada en alzada ha sido nuevamente recurrida en casación por parte del Ministerio Fiscal, hallándose actualmente pendiente de dictado la correspondiente sentencia del Tribunal Supremo.

Constatada su escasa aplicación jurisprudencial, analizar el grado de consciencia sobre la existencia de este principio y los límites aplicativos de esta cláusula nos sirve para determinar el trato dispensado a las víctimas de TSH para criminalidad forzada a su paso por el sistema de justicia penal. Un bajo nivel de respeto y aplicación del referido principio puede servir para afianzar las conclusiones relativas a que estas víctimas son tratadas como infractoras, dado que la culpabilización institucional de las mismas puede considerarse inversamente proporcional al grado de conocimiento y aplicación de este principio.

El GRETA confirma que esta cláusula no suele aplicarse en la práctica en la mayoría de países europeos, bien por la falta de consciencia de los profesionales, por la ausencia de identificación de las víctimas de trata o por la ausencia de identificación de la racionalidad o ámbito aplicativo de la eximente[84]. Algo semejante se constata en el informe sobre mujeres víctimas de trata sexual acusadas de delitos emitido por UNODC en 2020[85]. El mismo refiere problemas de prueba para aplicarlo, lo mismo que interpretaciones muy exigentes de la idea de la coerción, para las que no basta el control coercitivo, lo que impide su aplicación a determinados delitos en algunas jurisdicciones. Constata, pues, que el referido principio se ha aplicado solo tímidamente en casos judiciales analizados en USA, Holanda, Bélgica, UK -en Europa- y Argentina -en América del Sur-, siendo la jurisdicción argentina la que se ha mostrado un poco más generosa con la aplicación de esta cláusula.

En el estudio cualitativo con profesionales antes referido antes mencionado, se confirma que los déficits aplicativos identificados por el GRETA concurren en España[86]. En primer lugar, pudo observarse la ausencia de consciencia acerca de la existencia de dicha eximente por parte de los profesionales. Llama la atención que de las 37 entrevistas realizadas, la cuestión del principio de no punición solo se abordó ampliamente en 5 (13%) y de forma sucinta en 19 (51%), sin que ni siquiera se mencionase en 13 (36%). Y eso solo sucedió cuando las investigadoras comenzamos a preguntar específicamente por dicha cuestión, ya que antes no lo habíamos hecho por entender que al preguntar por los efectos que la identificación de estas víctimas debería tener en el procedimiento penal, la absolución o la disminución de responsabilidad criminal afloraría espontáneamente. Lo más chocante es que de 13 de las entrevistas en que la cuestión ni siquiera afloró, 7 correspondían a profesionales del sistema de justicia penal que deberían conocer la existencia de la cláusula, entre los que había agentes de policía, jueces y fiscales[87].

En segundo lugar, ya se ha indicado como las víctimas de TSH para explotación criminal pasan normalmente sin identificar como víctimas por el sistema.

---

[84]   *Vid.* GRETA: *9th General Report on GRETA's Activities. Covering the period from 1 January to 31 December 2019, op. cit.,* pp. 62-63; PIOTROWICZ, R.W y SORRENTINO, L.: "Human Trafficking and the Emergence of the Non-Punishment Principle", *op. cit.,* pp. 689 y ss.

[85]   UNODC: *Female victims of trafficking for sexual exploitation as defendants, op. cit.,* pp. 66 y ss.

[86]   VILLACAMPA, C. y TORRES, N.: "Trata de seres humanos para explotación criminal: ausencia de identificación de las víctimas y sus efectos", *op. cit.,* pp. 814 y ss.; VILLACAMPA, C. y TORRES, N.: "Human trafficking for criminal exploitation: effects suffered by victims in their passage through the criminal justice system", *op. cit.,* pp. 12 y ss.

[87]   VILLACAMPA, C. y TORRES, N.: "Trata de seres humanos para explotación criminal: ausencia de identificación de las víctimas y sus efectos", *op. cit.,* pp. 815-816; VILLACAMPA, C. y TORRES, N.: "Human trafficking for criminal exploitation: effects suffered by victims in their passage through the criminal justice system", *op. cit.,* p. 13.

En tercer lugar, para concluir, en la mayoría de casos en que esta cuestión afloró en las entrevistas se constata como en muchas ocasiones los profesionales adujeron ausencia de identificación de la racionalidad o ámbito aplicativo de la eximente. En este sentido, observamos una clara diferencia entre los profesionales del ámbito asistencial y del sistema de justicia penal en cuanto a los límites de aplicación de la eximente[88]. Para los del ámbito asistencial, la exoneración de responsabilidad criminal debería producirse cualquiera que fuese la gravedad del delito cometido si se probaba que la víctima había sido obligada a cometerlo. Por el contrario, los del sistema de justicia penal se mostraron menos generosos con la aplicabilidad de la eximente; recurrían generalmente a la idea de la proporcionalidad –al equilibrio del delito cometido y la gravedad de la presión ejercida para cometerlo- para considerar no aplicable la eximente. Algunos solo admitían su aplicación en el caso de las mujeres explotadas sexualmente obligadas eventualmente a cometer delitos por los proxenetas, pero no a las mulas que portaban mayores cantidades de droga, en línea con la exclusión de la aplicabilidad de esta eximente que plantean algunas legislaciones. En ningún caso se planteó la aplicabilidad de dicha excusa absolutoria en caso de que el delito cometido fuese contra las personas.

VI. CONCLUSIONES Y PROPUESTAS DE FUTURO

A la vista de lo expuesto en las páginas precedentes, pueden formularse algunas reflexiones conclusivas que incluyen varias propuestas de futuro tanto en relación con la TSH para explotación criminal cuanto al reconocimiento y aplicación del principio de no punición. En primer lugar, el presupuesto para abordar eficazmente la TSH para explotación criminal y proteger a sus víctimas es detectarla. Para ello es necesaria la formación global en trata de los profesionales, en especial los del sistema de justicia penal, que les permita ampliar el foco y detectar como víctimas de trata no solo a las que lo son para explotación sexual o preferentemente para este tipo de explotación. Ciertamente, la aprobación del Plan Estratégico Nacional contra la Trata y la Explotación de Seres Humanos 2021-2023 (PENTRA), dado a conocer públicamente el día 12 de enero de 2022, y la aprobación, en cumplimiento del mismo, del Plan de Acción Nacional contra el Trabajo Forzoso: Relaciones laborales obligatorias y otras actividades humanas forzadas, aprobado por el acuerdo del Consejo de Gobierno de 10 diciembre de 2021, constituyen decididos pasos en esta dirección. Esto sobre todo atendiendo a que, más allá de las prioridades y líneas de

---

[88]   VILLACAMPA, C. y TORRES, N.: "Trata de seres humanos para explotación criminal: ausencia de identificación de las víctimas y sus efectos", *op. cit.*, pp. 819-821; VILLACAMPA, C. y TORRES, N.: "Human trafficking for criminal exploitation: effects suffered by victims in their passage through the criminal justice system", *op. cit.*, p. 15.

acción incluidas en el PENTRA, el Plan de Acción se declara aplicable no solo a las relaciones laborales obligatorias, sino también a las actividades humanas forzadas, con lo que puede entenderse que incluye también los supuestos de criminalidad forzada. Puesto que se trata de documentos que acaban justo de ser aprobados, habrá que esperar a ver si su implementación comporta que otras manifestaciones hasta ahora consideradas menores de la trata más allá de la laboral, como la que aquí nos ocupa, ganan efectivamente visibilidad. Además, deberían articularse procesos de identificación que no corrieran solo a cargo de las fuerzas y cuerpos de seguridad del estado, puesto que se constata que los países más eficientes en la detección de víctimas de trata en general son aquellos que permiten identificar o registrar víctimas a un conjunto de profesionales. Sin embargo, no parece que el sistema policial de identificación seguido en España vaya a modificarse sustancialmente atendiendo al texto de los dos documentos programáticos antedichos.

Habiendo incrementado la capacidad del sistema para identificar a las víctimas de este tipo de trata, deberían articularse medidas para disminuir los efectos adversos que se ha confirmado padecen estas a su paso no solo por el sistema de justicia penal, sino también en sus contactos institucionales en general. Deberían arbitrarse instrumentos que permitieran la real vigencia del principio de no punición entendido en sentido amplio, como principio de ausencia de responsabilidad de las víctimas. Esto último pasa por la inclusión de determinadas reformas normativas y por la articulación de medidas de tipo más operativo, relativas a determinadas prácticas profesionales que permitan hacer efectivo el reconocimiento de dicho principio. De nuevo en relación con este aspecto, ni de las medidas contempladas en el PENTRA ni de las que incluye el Plan de Acción Nacional contra el Trabajo Forzoso puede deducirse que esta cuestión sea una prioridad.

En este sentido, en el plano normativo, una eventual ley integral contra la trata, en caso de que finalmente se aprobase, debería contener una disposición en que se proclamase el reconocimiento de dicho principio, a ser posible en su entendimiento más comprensivo. Conforme propone el *Model Legislative Provisions against Trafficking in Persons* de 2020, debería contener una disposición en virtud de la cual se afirmase que las víctimas de TSH no serán detenidas, acusadas o procesadas por su participación en actividades ilegales en tanto dicha participación sea consecuencia directa de su situación como personas traficadas.

Hecho esto, deberían incluirse las modificaciones pertinentes, de un lado, en la Ley Orgánica 4/2000, sobre derechos y libertades de los extranjeros en España y su integración social, en virtud de las cuales se clarificase que las víctimas de trata ni pueden ser detenidas ni se les debería siquiera incoar un expediente administrativo sancionador por vulneración de la normativa de extranjería. De manera que, si por desconocimiento de la condición de víctima de la persona infractora, dicho expediente llegara a incoarse o llegara a recaer sanción, se arbitrasen los mecanismos normativos necesarios tanto para evitar la prosecución del expediente cuanto para el levantamiento de la sanción impuesta si fuera el caso. Junto a las infracciones de la normativa de extranjería como las más habituales, las víctimas de trata pueden cometer quizá más puntualmente otras conductas antinormativas a las que eventualmente pueden ser impulsadas por los tratantes, como infracciones de circulación, de normativa laboral, e incluso de seguridad ciudadana, en cuyos respectivos ámbitos normativos convendría articular medidas que evitasen el mismo surgimiento de dicha responsabilidad.

De otro lado, deberían articularse las modificaciones pertinentes en la Ley de Enjuiciamiento Criminal para clarificar que las víctimas de TSH no deberían ser ni arrestadas ni privadas provisionalmente de libertad por su envolvimiento en actividades delictivas derivadas de su situación de trata. Además, deberían articularse mecanismos procesales que previesen la operatividad del principio de no punición también como principio de no procesamiento[89], de manera que se evitase la formulación misma de la acusación o se permitiese el acuerdo del sobreseimiento de las actuaciones en cuanto la persona sospechosa o acusada fuese detectada como víctima de trata.

Esto debería venir acompañado de la previsión de una excusa absolutoria más amplia que la actualmente prevista en el art. 177 bis.11 CP, más próxima al *causation-based model*, que no requiriese para su aplicabilidad que el delito se haya cometido concurriendo los medios comisivos propios del delito de TSH y que no estableciese un requerimiento estricto de proporcionalidad entre el delito cometido y la situación experimentada cual se exige en la actual redacción del precepto.

Finalmente, si la víctima de trata fuese considerada como tal una vez ya ha recaído sentencia condenatoria, debería facilitarse, más allá del posible recurso al derecho de gracia a través del indulto, la posibilidad de revisar la sentencia, anulando el indebido fallo condenatorio dictado, ya de oficio[90], ya a través del recurso extraordinario de revisión[91], acompañando tal anulación de la correspondiente cancelación de antecedentes penales.

---

[89]   Ya en este sentido, VILLACAMPA, C. y TORRES, N.: "Trata de seres humanos para explotación criminal: ausencia de identificación de las víctimas y sus efectos", *op. cit.*, pp. 818 y ss. Insiste en la necesidad de evitar el procesamiento de las víctimas, UNITED NATIONS. HUMAN RIGHTS COUNCIL: *Implementation of the non-punishment principle. Report of the Special Rapporteur on trafficking in persons, especially, women and children, Siobhán Mullally, op. cit.*, pp. 17 y ss.

[90]   Ya en este sentido, VILLACAMPA, C. y TORRES, N.: "Mujeres víctimas de trata en prisión en España", *op. cit.*, pp. 489-490.

[91]   *Vid.* CONSEJO GENERAL DEL PODER JUDICIAL, *Guía de criterios de actuación judicial frente a la trata de seres humanos, op. cit.*, pp. 113 y ss.; ECHARRI, F.J., "La excusa

Hasta aquí se han expuesto sucintamente las modificaciones de tipo normativo que de futuro quien esto suscribe considera que deberían introducirse. En cuanto a las medidas de carácter operativo a las que antes se ha hecho referencia que también deberían incorporarse, para finalizar, tendría que comenzar por formarse a los profesionales, no solo activos en el sistema de justicia penal, sino también en todos aquellos ámbitos de actuación en que las víctimas de trata pueden llegar a incurrir en actividades antinormativas –fronteras y extranjería o inspección de trabajo, entre otros- en la posibilidad de que víctimas de trata se vean envueltas en actividades antinormativas en sus respectivos ámbitos de actuación, así como en el principio de no punición. Esto les debería permitir reconocer estas situaciones, capacitándoles también para reconocer la posible aplicabilidad del principio de no punición, si bien no aplicando de momento reformas normativas necesarias no articuladas, sí por los menos dejando materialmente de perseguir la comisión de determinadas infracciones administrativas cometidas por víctimas de trata cuando ello sea legalmente posible. Tal formación, mientras no se modifique el tenor de la cláusula de exención del art. 177 bis.11 CP tendría que permitir también la promoción de una interpretación de la proporcionalidad entre la gravedad del delito cometido y los medios de forzamiento e incluso de la exigencia de concurrencia de la coacción menos exigentes que las hasta ahora sostenidas.

VII. BIBLIOGRAFÍA

ANDERSON BAXTER, A. L.: "When the line between victimization and criminalization blurs: The victim-offender overlap observed in female offenders in cases of trafficking in persons sexual exploitation in Australia, en *Journal of Human Trafficking*, vol. 6. Núm. 3, 2020, pp. 327-338. https://doi.org/10.1080/23322705.2019.1578579.

CONSEJO GENERAL DEL PODER JUDICIAL: *Guía de criterios de actuación judicial frente a la trata de seres humanos*, Madrid, 2018. Accesible en: https://www.poderjudicial.es/cgpj/es/Poder-Judicial/En-Portada/El-CGPJ-presenta-una-Guia-de-criterios-de-actuacion-judicial-para-detectar-e-investigar-la-trata-de-seres-humanos-con-fines-de-explotacion (visitado el 10 septiembre 2021).

COUNCIL OF EUROPE: *Explanatory Report to the Council of Europe Convention on Action against Trafficking in Human Beings*, Warsaw, 2005. Accesible en: https://rm.coe.int/16800d3812 (visitado el 10 septiembre 2021).

ECHARRI CASI, F. J.: "La excusa absolutoria en el delito de trata de seres humanos como mecanismo de protección de las víctimas", en *Diario La Ley*, nº 9434, sección doctrina, 2019, pp. 1-13.

absolutoria en el delito de trata de seres humanos como mecanismo de protección de las víctimas", *op. cit.*, pp. 8-9.

EUROPEAN COMMISSION: *Commission Staff Working Document. Accompanying the document Report from the Commission to the European Parliament and to the Council. Third report on the progress made in the fight against trafficking in human beings (2020) as required under Article 20 of the Directive 2011/36/EU on preventing and combating trafficking in human beings and protecting its victims*, Brussels, 20.10.2020, SWD (2020) 226 final. Accesible en: https://eur-lex.europa.eu/legal-content/ES/ALL/?uri=CELEX:52020SC0226 (visitado el 10 septiembre 2021).

EUROPEAN COMMISSION: *Communication from the Commission to the European Parliament, the Council, the European Economic and Social Committee and the Committee of the Regions on the EU Strategy on Combatting Trafficking in Human Beings 2021-2015*, Brussels, 14.4.2021, COM (2021) 171 final. Accesible en: https://ec.europa.eu/home-affairs/sites/default/files/pdf/14042021_eu_strategy_on_combatting_trafficking_in_human_beings_2021-2025_com-2021-171-1_en.pdf (visitado 10 septiembre 2021).

EUROPEAN COMMISSION: *Data Collection on Trafficking in Human Beings in the EU*, Brussels, 2018. Accesible en: https://ec.europa.eu/home-affairs/sites/default/files/what-we-do/policies/european-agenda-security/20181204_data-collection-study.pdf (visitado el 10 septiembre 2021).

EUROPEAN COMMISSION: *Data Collection on Trafficking in Human Beings in the EU*, Brussels, 2020. Accesible en: https://ec.europa.eu/anti-trafficking/sites/antitrafficking/files/study_on_data_collection_on_trafficking_in_human_beings_in_the_eu.pdf (visitado el 10 septiembre 2021).

EUROPOL-EUROPEAN MIGRANT SMUGGLING CENTER: *European Migrant Smuggling Center 4th Annual Report 2020*, 2020. Accesible en: file:///C:/Users/usuari/Downloads/emsc_4th_annual_activity_report_-_2020.pdf. (visitado el 10 septiembre 2021).

EUROSTAT: *Trafficking in human beings: 2013 Edition*, Publications Office of the European Union, Luxembourg. 2013. Accesible en https://ec.europa.eu/eurostat/documents/3888793/5856833/KS-RA-13-005-EN.PDF/a6ba08bb-c80d-47d9-a043-ce538f71fa65 (visitado el 10 septiembre 2021).

EUROSTAT: *Trafficking in Human Beings: 2014 Edition*, Publications Office of the European Union, Luxembourg, 2014. Accesible en https://ec.europa.eu/eurostat/documents/3888793/5858781/KS-TC-14-008-EN.PDF/3c9da893-54a6-41c7-b3b8-8aba03ef2595 (visitado el 10 septiembre 2021)

EUROSTAT: *Trafficking in Human Beings: 2015 Edition*, Publications Office of the European Union. Luxembourg, 2015. Accesible en https://ec.europa.eu/eurostat/documents/3888793/6648090/KS-TC-14-008-EN-1.pdf/b0315d39-e7bd-4da5-8285-854f37bb8801 (visitado el 10 septiembre 2021).

FISCALÍA GENERAL DEL ESTADO: *Circular 5/2011 sobre criterios para la unidad de actuación especializada del Ministerio Fiscal en materia de extranjería e inmigración*, 2011. Accesible en https://www.fiscal.es/ (visitado el 10 septiembre 2021).

GIAMMARINARO, M.M.: *The importance of implementing the non-punishment provision: the obligation to protect victims.* Mandate of the Special Rapporteur on trafficking in persons, especially women and *children*, United Nations, New York, 2020.

GRETA: *9th General Report on GRETA's Activities. Covering the period from 1 January to 31 December 2019*, Council of Europe, Strasbourg, 2019. Accesible en https://www.coe.int/en/web/anti-human-trafficking/general-reports (visitado el 10 septiembre 2021).

HALES, L. y GELSTHORPE, L.: *The Criminalisation of Migrant Women*. Institute of Criminology, University of Cambridge. Cambridge, 2012.

HURTADO, M., IRANZO DOSDAD, A. y GÓMEZ HERNÁNDEZ, S.: "The relationshiop between human trafficking and child recruitment in the Colombian armed conflict", en *Third World Quarterly*, 2018, vol. 39, núm. 5, pp. 941-958. https://doi.org/10.1080/01436597.2017.1408404.

LO IACONO, E.: "Victims, sex workers and perpetrators; gray areas in the trafficking of Nigerian women", en *Trends in Organised Crime*, 17, 110-128. https://doi.org/10.1007/s12117-014-9212-1

OBOKATA, T.: *Trafficking of Human Beings from a Human Rights Perspective: Towards a Holistic Approach*, Martinus Nijhoff Publishers, Leiden y Boston, 2006.

OSCE: *Policy and legislative recommendations towards the effective implementation of the non-punishment provision with regard to victims of trafficking*, OSCE Office of the Special Representative and Co-ordinator for Combating Trafficking in Human Beings, 2013. Accesible en http://www.osce.org/secretariat/101002?download=true (visitado el 10 septiembre 2021).

PIOTROWICZ, R. W y SORRENTINO, L.: "Human Trafficking and the Emergence of the Non-Punishment Principle", en *Human Rights Law Review*, 2016, 16 (4), pp. 669-699. https://doi.org/10.1093/hrlr/ngw028.

RACE: *Trafficking for Forced Criminal Activities and Begging in Europe: Exploratory Study and Good Practice Examples*, 2014. Accesible en http://www.antislavery.org/wp-content/uploads/2017/01/trafficking_for_forced_criminal_activities_and_begging_in_europe.pdf (visitado el 10 septiembre 2021).

RODRÍGUEZ-LÓPEZ, S.: "Telling Victims from Criminals: Human Trafficking for the Purposes of Criminal Exploitation", en WINTERDICK, J., JONES, J. (eds.), *The Palgrave International Handbook of Human Trafficking*, Volume 1, Palgrave-Macmillan, Cham, 2020, pp. 303-318.

SCHLOENHARDT, A. y MARKEY-TOWLER, R.: "Non-Criminalisation of Victims of Trafficking in Persons- Principles, Promises, and Perspectives", en *Groningen Journal of Internacional Law*, vol. 4 (1), pp. 10-36.

SKRIVANKOVA, K.: "Defining exploitation in the context of trafficking- what is a crime and what is not", en PIOTROWICZ, R., RIJKEN, C. y UHL. B.H. (eds.), *Routledge Handbook of Human Trafficking*, Routledge, London y New York, 2018, pp. 109-119.

STONE, N.: "Child Criminal Exploitation: 'County Lines', Trafficking and Cuckooing", en *Youth Justice*, vol. 18, núm. 3, pp. 285-293. https://doi.org/10.1177/1473225418810833.

UNITED NATIONS. HUMAN RIGHTS COUNCIL: *Implementation of the non-punishment principle. Report of the Special Rapporteur on trafficking in persons, especially, women and children, Siobhán Mullally*, New York, 2021. Accesible en: https://www.ohchr.org/EN/Issues/Trafficking/Pages/annual.aspx (visitado 10 septiembre 2021).

UNITED NATIONS. WORKING GROUP ON TRAFFICKING IN PERSONS: *Guidance on the Issue to appropriate justice responses to victims who have been compelled to commit offences as a result of their being trafficked*, Vienna, 2020. Accesible en: https://undocs.org/CTOC/COP/WG.4/2020/2 (visitado 10 septiembre 2021).

UNODC: *Female victims of trafficking for sexual exploitation as defendants*, United Nations, New York, 2020. Accesible en https://www.unodc.org/documents/human-trafficking/2020/final_Female_victims_of_trafficking_for_sexual_exploitation_as_defendants.pdf (visitado el 10 septiembre 2021).

UNODC: *Global Report on Trafficking in Persons 2014*, United Nations, New York, 2014. Accesible en https://www.unodc.org/unodc/en/human-trafficking/publications.html#Reports (visitado el 10 septiembre 2021).

UNODC: *Global Report on Trafficking in Persons 2018*, United Nations, New York, 2018. Accesible en https://www.unodc.org/documents/data-and-analysis/glotip/2018/GLOTiP_2018_BOOK_web_small.pdf (visitado el 10 septiembre 2021).

UNODC: *Global Report on Trafficking in Persons 2020*, United Nations, New York, 2020. Accesible en https://www.unodc.org/unodc/data-and-analysis/glotip.html (visitado el 10 septiembre 2021).

UNODC: *Model Law against Trafficking in Persons*, New York, 2010. Accesible en: https://www.unodc.org/documents/human-trafficking/UNODC_Model_Law_on_Trafficking_in_Persons.pdf (visitado 10 septiembre 2021).

UNODC: *Model Legislative Provisions Against Trafficking in Persons*, New York, 2020. Accesible en: https://www.unodc.org/documents/human-trafficking/2020/TiP_ModelLegislativeProvisions_Final.pdf. (visitado el 10 de septiembre de 2021).

UNODC: *Trafficking in persons. In the context of armed conflicts*, United Nations, New York, 2018. Accesible en https://www.unodc.org/documents/data-and-analysis/glotip/2018/GloTIP2018_BOOKLET_2_Conflict.pdf (visitado el 10 septiembre 2021).

VALLE, M.: "La víctima de trata como autora de delitos: dificultades para la exención de su responsabilidad penal", en *Revista Crítica Penal y Poder*, 2019, 19, pp. 124-133.

VILLACAMPA, C. y TORRES, N.: "Trafficked Women in Prison: The Problem of Double Victimisation", en *European Journal of Criminal Policy and Research*, 2015, 21 (1), pp. 99-115. https://doi.org/10.1007/s10610-014-9240-z.

VILLACAMPA, C. y FLÓREZ, K.: "Guerrilleras víctimas de trata de seres humanos en prisión en Colombia", en *Revista de Victimología/Journal of Victimology*, núm. 3, 2016. pp. 87-119. DOI 10.12827/RVJV.3.04.

VILLACAMPA, C. y FLÓREZ, K.: "Human trafficking for criminal exploitation and participation in armed conflicts: the Colombian case", en *Crime, Law and Social Change*, 2018, 69, pp. 421-445. https://doi.org/10.1007/s10611-017-9765-4.

VILLACAMPA, C. y TORRES, N.: "Human Trafficking for Criminal Exploitation: the Failure to Identify Victims", en *European Journal on Criminal Policy and Research*, 2017, 23 (3), pp. 393-408. https://doi.org/10.1007/s10610-017-9343-4.

VILLACAMPA, C. y TORRES, N.: "Human trafficking for criminal exploitation: effects suffered by victims in their passage through the criminal justice system", en *International Review of Victimology*, 2019, 25 (1), pp. 3-18. https://doi.org/10.1177/0269758018766161.

VILLACAMPA, C. y TORRES, N.: "Mujeres víctimas de trata en prisión en España", en *Revista de Derecho Penal y Criminología*, 2021, 8, pp. 411-494.

VILLACAMPA, C. y TORRES, N.: "Trata de seres humanos para explotación criminal: ausencia de identificación de las víctimas y sus efectos", en *Estudios Penales y Criminológicos*, 2016, 36, pp. 771-829.

VILLACAMPA, C., GÓMEZ, M.J., TORRES, C., MIRANDA, X.: "Trata de seres humanos: dimensión y características en España", en *Revista General de Derecho Penal*, 2021, 35, pp. 1-34.

VILLACAMPA, C.: *El delito de trata de seres humanos. Una incriminación dictada desde el Derecho Internacional*, Thomson Reuters-Aranzadi, Cizur Menor, 2011.

Capítulo XVIII

VISUALIZANDO LAS PRÁCTICAS DE ESCLAVITUD MODERNA EN ESPAÑA. ESTADO DE LA CUESTIÓN, PRIMER PLAN DE ACCIÓN NACIONAL CONTRA EL TRABAJO FORZOSO Y PROPUESTAS[1]

ESTHER POMARES CINTAS
Profesora Titular de Derecho Penal
Universidad de Jaén

Sumario: I. EL NAUFRAGIO DE LA AGENDA POLÍTICA INTERNACIONAL Y EUROPEA ANTE LA NECESIDAD DE ERRADICAR LAS PRÁCTICAS DE SOMETIMIENTO FORZOSO A EXPLOTACIÓN DEL SER HUMANO; 1. Veinte años después del Protocolo de Palermo sobre la trata de personas; 2. Hacia un nuevo enfoque preventivo de las formas más severas de explotación humana; II. ESTADO DE LA CUESTIÓN EN ESPAÑA: AUSENCIA DE INSTRUMENTOS DE VISUALIZACIÓN DE LAS PRÁCTICAS DE ESCLAVITUD MODERNA E IMPACTO DEL PLAN DE ACCIÓN NACIONAL CONTRA EL TRABAJO FORZOSO; III. VISUALIZANDO LAS PRÁCTICAS DE SOMETIMIENTO FORZOSO A EXPLOTACIÓN DEL SER HUMANO; 1. Claves para identificar e incriminar el sometimiento forzoso a explotación del ser humano; 1.1 Los términos del desafío; 1.2 El papel protagonista de los tribunales regionales de derechos humanos: las directrices del Tribunal Europeo de Derechos humanos ante la esclavitud moderna; 2. Fenomenología y perfil de la esclavitud moderna en Europa; IV. PROPUESTAS DE VISUALIZACIÓN DE LAS PRÁCTICAS DE ESCLAVITUD MODERNA EN ESPAÑA; 1. Supuestos de perfil similar a los condenados por el TEDH bajo el eje de la esclavitud moderna; 2. Respuestas del Código penal vigente: ¿delitos laborales?; 3. Afrontar la incriminación de las formas más severas de explotación del ser humano; 3.1 Vectores de incriminación; 3.2 Propuesta de incriminación; A) Ubicación sistemática; B) Elementos esenciales del tipo; C) Factores que gradúan la gravedad del estado de sometimiento forzoso de la víctima; D) Circunstancias agravantes específicas; E) Penalidad; F) Cláusula concursal; G) Persecución extraterritorial del delito; 3.3 Enfoque integral: erradicar la vulnerabilidad institucional ante las prácticas de esclavitud moderna; V. BIBLIOGRAFÍA.

---

[1]   Este trabajo se enmarca en los Proyectos de investigación *"Esclavitud contemporánea y trata de personas en el contexto internacional, nacional y andaluz: un estudio jurídico multidisciplinar y transversal"* (P18-RT-2253P), Universidad de Granada; *Derecho penal y distribución de la riqueza en la sociedad tecnológica* (PID2019-107974RB-I00), Universidad de Cantabria.

I. EL NAUFRAGIO DE LA AGENDA POLÍTICA INTERNACIONAL Y EUROPEA ANTE LA NECESIDAD DE ERRADICAR LAS PRÁCTICAS DE SOMETIMIENTO FORZOSO A EXPLOTACIÓN DEL SER HUMANO

A menudo se reprocha a los juristas y a las instituciones de persecución penal hablar con la estructura de un lenguaje poco comprensible para la sociedad. Y es que no se debe olvidar nuestra función comunicativa de transmitir con precisión y rigor el alcance de los problemas y las posibles herramientas para encauzar las respuestas más adecuadas. Particularmente, en la materia que se analiza en este trabajo, el desafío es hacer conciencia social visualizando realidades que aparecen disfrazadas con filtros de distintas fuentes que miran sin querer ver el sufrimiento humano.

Es hora de hablar, en puridad, de las más severas formas de explotación del ser humano, las que giran en torno a las nociones de esclavitud, servidumbre y trabajos forzados, que cobran hoy otros rostros porque discurren por hilos estructurales que logran, por distintos métodos, atrapar y reducir al ser humano a la categoría de cosa, bajo un ruido desapercibido para la ciudadanía.

1. Veinte años después del Protocolo de Palermo sobre la trata de personas

Los escenarios de sometimiento forzoso a explotación han cambiado de modo paralelo a las formas que facilitan hacer cautivo al ser humano y explotarlo, hoy mucho más baratas, más rentables y a mayor escala que en la era de la esclavitud como sistema de producción económica[2] (así, basta aprovecharse de la ausencia de estatuto protector del inmigrante ilegal abusado en sectores de actividad no cualificados, desregulados o precariamente regulados, en el contexto de la economía sumergida, como veremos). Es lo que ha determinado, lamentablemente, la necesidad de revitalizar la proscripción universal de la esclavitud, la servidumbre y los trabajos forzados[3], que hoy cobran nueva vida. Y la necesidad de ponerlas en evidencia a los ojos de la sociedad en todos sus registros.

Recientemente, después de 20 años del Protocolo de Naciones Unidas para prevenir, reprimir y sancionar la trata de personas, de 15 de noviembre de

---

[2]   Cfr. LENGELLÉ-TARDY, M.: *La esclavitud*, Oikos-Tau, Barcelona, 1971; LENGELLÉ-TARDY, M.: *La esclavitud moderna*, Bellaterra, Barcelona, 2002.

[3]   Art. 8 Pacto Internacional de Derechos Civiles y Políticos de 19-12-1966, art. 4 Convenio Europeo para la Protección de los Derechos Humanos y de las Libertades Fundamentales de 4-11-1950, art. 6 Convención Americana sobre Derechos Humanos de 22-11-1969, art. 5 Carta Africana sobre los Derechos Humanos y de los Pueblos de 27-7-1981.

2000, el enmascaramiento de realidades a través de un modelo de mirar sin avanzar en la erradicación del sufrimiento que hay tras ellas, se ha puesto de relieve en el Informe presentado por la Relatora Especial sobre la trata de personas, Maria Grazia Giammarinaro, a la Asamblea General de la ONU el 17 de julio de 2020 (A/75/169).

Este excepcional Informe marca un punto de inflexión y reflexión sobre las preguntas y posibles respuestas para encarar hoy, no sólo la Trata de personas, sino, particularmente, la prevención de las formas de sometimiento efectivo a situaciones de explotación forzosa. Se señala, con razón, que la intervención del derecho penal en el contexto de la trata de personas es sólo la punta del iceberg, que impide ir a las raíces de los abusos sobre el ser humano.

La virtualidad del Informe, a mi juicio, se centra en una cuestión más profunda: afirmar y contextualizar el "carácter sistémico de la explotación" del ser humano. Reconoce que, en los últimos 20 años, "ha quedado cada vez más claro" que las prácticas de explotación más severa, la que se proscribe como norma de *ius cogens* por la jurisprudencia de los tribunales internacionales y regionales de derechos humanos -esclavitud, servidumbre y trabajos forzados-, "son componentes sistémicos de las economías y los mercados de todo el mundo".

Combatir el *dumping* social, o la llamada competencia *desleal* empresarial, ha conseguido el efecto de desplomar, como un gran tsunami global, el techo de los derechos laborales y económicos, que se han visto gravemente filtrados también por el eje de la mercantilización[4]. El paradigma de la rentabilidad económica del ser humano, el hilo conductor del modelo de producción neoliberal hegemónico, han inspirado también la gestión represiva y políticas de contención de flujos migratorios de sectores empobrecidos hacia las regiones más industrializadas que han acentuado la vulnerabilidad institucional del inmigrante ante la explotación más extrema[5].

---

[4]		Transformando la protección de los derechos colectivos de los trabajadores en otra cosa. *Vid.* TRAPERO BARREALES, M.: "La transformación del derecho penal laboral. De protector de los derechos de los trabajadores a garante de la competencia empresarial y de las políticas migratorias", *Cuadernos de Política criminal*, nº 114, 2014; HORTAL IBARRA, J. C.: "Tutela de las condiciones laborales y reformas penales: ¿el ocaso del Derecho Penal del Trabajo?", *Revista de Derecho Penal y Criminología*, nº 20, 2018; TERRADILLOS BASOCO, J. M.: "Delitos contra los derechos de los trabajadores: veinticinco años de política legislativa errática", *Estudios Penales y Criminológicos*, nº 41, 2021; NAÏR, S.: *El desengaño europeo*, Galaxia Gutenberg, Barcelona, 2014.

[5]		*Vid.* PORTILLA CONTRERAS, G.: *El Derecho Penal entre el cosmopolitismo universalista y el relativismo posmodernista*, Tirant lo Blanch, Valencia, 2007; ÁLVAREZ GARCÍA, F. J.: "Criterios de armonización de la legislación penal centroamericana en materia de trata de personas", en PÉREZ ALONSO, E. y POMARES CINTAS, E. (coords.), *La trata de seres humanos en el contexto penal iberoamericano*, Tirant lo Blanch, Valencia, 2019 pp. 371 ss.

El Protocolo de 2000, como sostiene el mencionado Informe, "no puede hacer frente al carácter sistémico de la explotación" porque no nació con ese objetivo ni con un enfoque contextualizador de los efectos del sistema económico global. No es un tratado de derechos humanos. Porque, a pesar de hablar de "Trata de seres humanos", entre sus objetivos no consta el de obligar a los Estados parte a contrarrestar los factores que contribuyen a someter al ser humano a formas extremas de explotación. Llama la atención, pues, que la noción internacional de la *Trata de esclavos*, cuya prohibición legal se hace efectiva a partir del Pacto Internacional de Derechos Civiles y Políticos de 19 de diciembre de 1966 (art. 8)[6], haya sido actualizada, bajo una voz menos contundente–*trata de personas*-, por instrumentos convencionales ajenos a la naturaleza de los tratados de derechos humanos, que la han sumido a otros objetivos. En efecto, el Protocolo de 2000 aparece vinculado a un Convenio para combatir la criminalidad organizada *transnacional* en materia de desplazamientos de personas. El epicentro se sitúa en reprimir y frenar comportamientos que favorecen o facilitan desplazamientos migratorios de sectores empobrecidos y no cualificados, cualquiera que sea la finalidad que los inspiren. En esta línea, no cabe olvidar que dicho instrumento surgió, en la misma fecha, hermanado con otra herramienta represiva que garantiza la criminalización del entorno de las operaciones migratorias de personas procedentes de esos mismos sectores: el Protocolo contra el Tráfico Ilícito de Migrantes por Tierra, Mar y Aire[7], que complementa la Convención contra la Delincuencia Organizada Transnacional. Como armas *penales*, sendos Protocolos nacen huérfanos de compromisos que atajen las causas de esos desplazamientos, y menos aún, que neutralicen los factores que contribuyen hoy a someter al ser humano a condiciones de significación análoga a la esclavitud.

El concepto de Trata se actualizó, pues, con *letra pequeña*. La agenda internacional institucionaliza una visión de la Trata asociada a la contención de movimientos transnacionales de personas y separada de las modalidades más severas de explotación, que no están llamadas a integrar su vertiente principal[8].

---

6   *Cfr.* ALLAIN, J.: "125 años de abolición: el derecho de la esclavitud y la explotación humana", en PÉREZ ALONSO, E. (dir.), *El Derecho ante las formas contemporáneas de esclavitud*, Tirant lo Blanch, Valencia, 2017, p. 149.

7   Resolución 55/25 de la Asamblea General de Naciones Unidas.

8   Véase, UNODC: *Travaux Préparatories de las negociaciones para la elaboración de la Convención de las Naciones Unidas contra la Delincuencia Organizada Transnacional y sus Protocolos*, 2008. *Cfr.* BALES, K., TRODD, Z. y WILLIAMSON, A. K.: *Modern Slavery. The secret World of 27 million people*, Oneworld, Oxford, 2009, pp. 35 y ss.; MONTOYA VIVANCO, Y.: "El delito de trata de personas como delito complejo y sus dificultades en la jurisprudencia peruana", *Derecho PUCP, Revista de la Facultad de Derecho*, nº 76, 2016, pp. 393 ss.

Esta evidencia se muestra, aún más claramente, en el Derecho de la Unión Europea que implementa el Protocolo de Palermo de 2000, primero en 2002 -Decisión Marco del Consejo, 2002/629/JAI, de 19 de julio de 2002, relativa a la lucha contra la trata de seres humanos- y luego en 2011, con la aprobación de la Directiva 2011/36/UE del Parlamento Europeo y del Consejo, de 5 abril de 2011, relativa a la prevención y lucha contra la trata de seres humanos y a la protección de las víctimas. Cierto es que la Directiva añadió una dimensión *victimocéntrica* a la regulación de la Trata[9], pero quedará, en la práctica, en un segundo plano porque este instrumento normativo no se puede entender al margen de los objetivos comunitarios. Así pues, la lucha contra la *trata de seres humanos* se inscribe estructuralmente en el marco de la política común de control de las fronteras exteriores de la UE, dirigida, al igual que la lucha contra la inmigración ilegal, a *"garantizar, en todo momento, una gestión eficaz de los flujos migratorios"* (art. 79, apartados 1 y 2 d) Tratado de Funcionamiento de la Unión Europea[10]). Téngase en cuenta que la política comunitaria ha sobrepasado los objetivos del Protocolo de Naciones Unidas (2000) contra el Tráfico Ilícito de Migrantes por Tierra, Mar y Aire, hasta el extremo de permitir criminalizar la ayuda humanitaria en la acogida de inmigrantes ilegales (art. 1.2 Directiva 2002/90/ CE, del Consejo, de 28 de noviembre de 2002, destinada a definir la ayuda a la entrada, a la circulación y a la estancia irregulares)[11].

En territorio europeo asistimos exponencialmente a una grave restricción de las vías de migración regular y del reconocimiento del estatuto de los solicitantes de asilo. La Unión Europea ha ido paulatinamente blindando sus fronteras frente a los movimientos migratorios externos y desplazamientos de los demandantes de protección internacional que llaman a sus puertas. El *acervo Schengen* ha diseñado y endurecido una política que ha condicionado severamente los canales legales de la migración en todas sus etapas y registros[12], extendiendo la etiqueta de la inmigración ilegal.

---

9   PÉREZ ALONSO, E.: "Marco normativo y política criminal contra la trata de seres humanos en la Unión europea", en PÉREZ ALONSO, E. y POMARES CINTAS, E. (coords.), *La trata de seres humanos en el contexto penal iberoamericano*. Tirant lo Blanch, Valencia, 2019, pp. 63 ss.

10   Tratado de Lisboa firmado el 13 de diciembre de 2007. Entró en vigor el 1 de diciembre de 2009.

11   POMARES CINTAS, E.: "Reforma del Código penal español en torno al delito de tráfico ilegal de migrantes como instrumento de lucha contra la inmigración ilegal en la Unión Europea", *Revista de Estudios Jurídicos UNESP*, Universidad Estatal Paulista, n. 29, 2015, pp. 1 y ss.

12   POMARES CINTAS, E.: "La Unión europea ante la inmigración ilegal: la institucionalización del odio", *Eunomía. Revista en Cultura de la Legalidad*, nº 7, 2014, pp. 158 y ss.; POMARES CINTAS, E.: "La generalizzazione della privazione di libertà dei richiedenti protezione internazionale nello spazio giuridico europeo", *Rivista Altre Modernitá*, Universitá degli Studi di Milano, 2019, pp. 1 y ss.

Ha logrado con ello aumentar la población inmigrante irregular y aquella que se encuentra en la inacabable espera de análisis y resolución de sus expedientes de tutela humanitaria[13], fomentando la economía sumergida de quienes están confinados a la clandestinidad y al desamparo[14]. Sobre ellos pesa un *estatus de desprotección jurídica* institucionalizado desde la Directiva 2008/115/CE del Parlamento Europeo y del Consejo, relativa a normas y procedimientos comunes en los Estados miembros para el retorno de los nacionales de terceros países en situación irregular[15]: el temor a ser descubiertos, detenidos, encerrados y luego expulsados es una amenaza cierta y constante, los *inocuiza*, y los coloca en grave riesgo de ser transformados en mercancías ante situaciones extremas de explotación[16]. La vulnerabilidad institucional ante el abuso queda apuntalada. En esta línea, el Tribunal Europeo de Derechos Humanos, en el *Asunto Siliadin Vs. Francia* (véase *infra* *Tabla 1*), ha declarado que alimentar el temor de la víctima a ser detenida, encerrada y expulsada del territorio, constituye una "situación equivalente a la de una amenaza de pena", elemento esencial que fundamenta el concepto de sometimiento a explotación a través de los trabajos forzosos. Por otro lado, esa *espada de Damocles* alcanza también al inmigrante "provisionalmente" legal, cuya estabilidad administrativa descansa sobre bases frágiles[17].

En síntesis, tras 21 años de los "Protocolos-tándem" de la ONU relativos a la persecución del tráfico ilícito de migrantes y la trata de personas, y su correlativa y reforzada variante europea [Directiva 2002/90/ CE, Decisión marco 2002/946/JAI, relativas a la represión de la ayuda a la entrada, tránsito y estancia irregulares, Directiva 2011/36/UE, relativa a la prevención y lucha contra la trata de seres humanos, que sustituye a la Decisión marco 2002/629/ JAI], se han mezclado cuestiones conceptuales distintas, en aras de la prioridad de políticas de control de fronteras y de contención de los flujos migratorios

---

[13]   NAÏR, S.: "Jugándose la vida en las fronteras", Diario *El País*, 5 de noviembre de 2021.
[14]   GRUPO DE EXPERTOS CONTRA EL TRÁFICO DE SERES HUMANOS DEL CONSEJO DE EUROPA (GRETA): *Cuarto Informe General*, 2014.
[15]   Reforzado por la Directiva 2009/52/CE, del Parlamento Europeo y del Consejo, de 18 de junio de 2009, por la que se establecen normas mínimas sobre las sanciones y medidas aplicables a los empleadores de nacionales de terceros países en situación irregular. Véase, POMARES CINTAS, E.: "La Unión europea ante la inmigración ilegal: la institucionalización del odio", *op. cit.*, pp. 125 y ss.
[16]   Cfr. POMARES CINTAS, E.: *El Derecho penal ante la explotación laboral y otras formas de violencia en el trabajo*. Tirant lo Blanch, Valencia, 2013, pp. 98 y ss.; MIÑARRO YANINI, M.: "Formas esclavas de trabajo y servicio del hogar familiar: delimitación conceptual, problemática específica y propuestas", *Relaciones Laborales*, 10, 2014, pp. 71 y ss.
[17]   Informe ACCEM: *La Trata de Personas con Fines de Explotación Laboral. Un estudio de aproximación a la realidad en España*, 2006, pp. 33 y 40; *Cfr.* POMARES CINTAS, E.: *El Derecho penal ante la explotación laboral y otras formas de violencia en el trabajo, op. cit.*, pp. 98 y ss.

contemporáneos[18], creando globalmente una maquinaria represiva de las operaciones migratorias que revierte drásticamente contra los derechos de los migrantes y desplazados forzosos[19] que los pone en riesgo permanente de Trata y explotación.

Las instituciones de la UE son conscientes de esta visión instrumental de la lucha contra la Trata de personas. Como advierte el Parlamento Europeo (2016), en el campo de batalla terrestre o marítimo, la maquinaria policial (*Frontex*) y militar (*Eunavfor Sophia*, incluso barcos de la *OTAN*) no buscan de forma sistemática indicios de peligro de explotación de las personas desplazadas, sino que el objetivo es detectar a inmigrantes de modo indistinto, sin ofrecerles la oportunidad de ejercer sus derechos[20].

El caldo de cultivo de la vulnerabilidad institucional de la humanidad migrante, y sus elevados costes humanos, se han recrudecido con el ingrediente de la pandemia de la *Covid-19*. En el territorio de la UE se ha reforzado la nacionalización del cierre y gestión de fronteras interiores[21] y confinado como rehenes el derecho internacional humanitario y la necesidad de elaborar otro modelo de política común migratoria a medio y largo plazo[22].

Tras la era de los Protocolos de Palermo, los factores que contribuyen a fundar canteras humanas de la esclavitud contemporánea no se han debilitado, sino que han crecido conforme aumenta la estela de los excedentes humanos del sistema económico global[23], y, asimismo, las necesidades de migrar: los factores que impulsan el perfil contemporáneo de los flujos migratorios "tienen

---

[18]　ÁLVAREZ GARCÍA, F. J.: "Criterios de armonización de la legislación penal centroamericana en materia de trata de personas", *op. cit.*, pp. 371 ss.; MESTRE i MESTRE, R. M.: "La jurisprudencia del TEDH en materia de trata de seres humanos y la necesidad de regresar a las categorías jurídicas de esclavitud, servidumbre y trabajo forzado", *RELIES: Revista del Laboratorio Iberoamericano para el Estudio Sociohistórico de Las Sexualidades*, 4, 2020, pp. 20 y ss.; DE LA MATA BARRANCO, N.: "Trata de personas y favorecimiento de la inmigración ilegal, dos conductas de muy distinto desvalor", *Revista electrónica de ciencia penal y criminología*, n° 23, 2021, pp. 1 y ss.

[19]　POMARES CINTAS, E.: "La generalizzazione della privazione di libertà dei richiedenti protezione internazionale nello spazio giuridico europeo", *op. cit.*, pp. 1 y ss.

[20]　Resolución del Parlamento Europeo, de 5 de julio de 2016, sobre la lucha contra la trata de seres humanos en las relaciones exteriores de la Unión, apartados 33 y 68. *Vid.* también, Resolución del Parlamento Europeo, de 12 de mayo de 2016, sobre la aplicación de la Directiva 2011/36/UE.

[21]　NAÏR, S.: "Jugándose la vida en las fronteras", *op. cit.*

[22]　NAÏR, S.: "Los inmigrantes, ¿otra vez olvidados?", Diario *El País*, 22 de junio de 2020; NAÏR, S.: "Jugándose la vida en las fronteras", *op. cit.*

[23]　*Vid.* ARCOS RAMÍREZ, F.: "Globalización, pobreza y esclavitud contemporánea: una mirada cosmopolita", en PÉREZ ALONSO, E. (dir.), *El Derecho ante las formas contemporáneas de esclavitud*. Tirant lo Blanch, Valencia, 2017, pp. 83 y ss.; PÉREZ MACHÍO, A. I.: "Trata de personas con fines de explotación laboral: la globalización del delito y su incidencia en la criminalización de la victimización irregular", *Estudios Penales y Criminológicos*, n° 36, 2016.

vocación de permanencia"[24] y las afluencias de refugiados prolongadas "se han vuelto habituales"[25]. Y, mientras tanto, como denuncia el extraordinario Informe de 2020 de la Relatora Giammarinaro, "Las legislaciones y políticas nacionales siguen estando firmemente ancladas en el enfoque original del Protocolo y prestan poca atención a la dimensión de derechos humanos" para erradicar la explotación como eje sistémico.

2. Hacia un nuevo enfoque preventivo de las formas más severas de explotación humana

El sobrecogedor escenario global desmitifica, por sí solo, los efectos de un Protocolo vinculado a un Convenio de Naciones Unidas para combatir la delincuencia organizada transnacional y su variante europea atada a los objetivos comunitarios de control de fronteras exteriores y gestión eficaz de los flujos migratorios.

El Informe de la Relatora Especial, Giammarinaro, de 17 de julio de 2020, propone otra orientación, otro modelo de afrontar las diversas problemáticas. Es hora de mirar al fondo. La era del Protocolo de Palermo de 2000 sobre trata de personas no ha satisfecho el enfoque del Derecho Internacional humanitario ni los deberes de diligencia de los Estados parte.

El epicentro debe colocarse, directamente, en la elaboración de un régimen jurídico que permita identificar, perseguir y prevenir las formas más severas de explotación humana que se conducen por los ejes de la esclavitud, la servidumbre o los trabajos forzosos. Pero sin reducir esta grave fenomenología de la explotación a un asunto penal. Porque las dimensiones del modelo económico actual han conducido a la significativa expresión del Tribunal Europeo de Derechos humanos que habla de una "reminiscencia de los primeros años de la revolución industrial" (2017, *Asunto Chowdury y otros v. Grecia*, véase *infra* la *Tabla 1*).

Al mandato de incriminación y persecución autónoma (y proactiva) de la explotación en condiciones análogas a las formas de esclavitud, que proviene de los instrumentos del derecho internacional humanitario[26], hay que sumar, ante todo, la premisa de prevenirla como "una cuestión de justicia social" (Informe Giammarinaro de 2020), en otras palabras, la implementación de políticas públicas que neutralicen los factores que contribuyen a esos estados abusi-

---

[24]   Comunicación de la Comisión europea (2016) sobre el Primer informe de situación sobre el Marco de Asociación con terceros países en el contexto de la Agenda Europea de Migración.

[25]   Declaración de la ONU para los Refugiados y los Migrantes, de 19 de septiembre de 2016.

[26]   UNODC: *Ley modelo contra la trata de personas*, 2010.

vos del ser humano. Esas políticas deberían incluir, asimismo, una perspectiva de género y particularmente un enfoque sobre las víctimas menores de edad.

Dado que se requiere una óptica de fondo, el Informe hace un llamamiento para que se adopte un "nuevo modelo", incluso la elaboración de "un posible instrumento internacional nuevo", que permita también hacer frente a las características estructurales de la explotación. Es un enfoque alternativo integral para abordar la Trata de personas y la reducción del ser humano hoy a condiciones de significación análoga a la esclavitud.

II. ESTADO DE LA CUESTIÓN EN ESPAÑA: AUSENCIA DE INSTRUMENTOS DE VISUALIZACIÓN DE LAS PRÁCTICAS DE ESCLAVITUD MODERNA E IMPACTO DEL PLAN DE ACCIÓN NACIONAL CONTRA EL TRABAJO FORZOSO

Una política criminal solvente en esta materia ha de proporcionar un *Enfoque integral* que apueste, de un lado, por una visión estricta de la Trata de personas acorde con la visión del derecho internacional humanitario y, de otro lado, por una definición e incriminación de las formas de explotación relativas a la esclavitud contemporánea.

En contraste con los modelos penales de Italia, Alemania, Reino Unido, Francia o Portugal[27], el Código penal español no cuenta con herramientas suficientes ni apropiadas para perseguir, como tal, la explotación efectiva asimilada a la esclavitud, bien de modo autónomo, o como objetivo explotador de una víctima previa del delito de Trata de seres humanos (art. 177 bis CP). Fue una tarea olvidada por la Ley Orgánica 5/2010, de 22 de junio, cuando incorporó el delito de Trata, y tampoco se aprovechó la coyuntura de la reforma de la LO 1/2015, que se redujo a aspectos formales[28].

---

[27]   PÉREZ ALONSO, E.: "Tratamiento jurídico-penal de las formas contemporáneas de esclavitud", *El Derecho ante las formas contemporáneas de esclavitud*, Valencia, 2017, pp. 339 y ss.

[28]   VILLACAMPA ESTIARTE, C.: "El delito de trata de seres humanos", en QUINTERO OLIVARES, G. (dir.), *Comentario a la reforma penal de 2015*, Thompson Reuters-Aranzadi, Madrid, 2015. pp. 399 ss.; VILLACAMPA ESTIARTE, C.: "El delito de trata de seres humanos en el derecho penal español tras la reforma de 2015", PÉREZ ALONSO, E. (dir.), *El Derecho ante las formas contemporáneas de esclavitud*, Tirant lo Blanch, Valencia, 2017, pp. 461 y ss.; MAQUEDA ABREU, Mª L.: "Demasiados artificios en el discurso jurídico sobre la trata de seres humanos", en DE LA CUESTA, P. *et al.*, (coords.), *Liber Amicorum en Homenaje al Prof. Juan María Terradillos Basoco*, Tirant lo Blanch, Valencia, 2018, pp. 1197 y ss.; GUISASOLA LERMA, C.: "Formas contemporáneas de esclavitud y trata de seres humanos: una perspectiva de género", *Estudios penales y criminológicos*, 39, 2019, pp. 175 y ss.

Una de las objeciones principales que señala el Informe Giammarinaro de 2020 se puede proyectar sobre España: la legislación y la política nacional siguen estando "firmemente ancladas" en el enfoque del control migratorio "y prestan poca atención a la dimensión de derechos humanos". Es lo que explica que, en España, que ha asumido el papel de gendarme de la frontera sur europea, se integren "*la lucha contra la inmigración irregular y la persecución del tráfico ilícito de personas*", y "*la persecución de la trata de seres humanos*" como "*principios de la política inmigratoria*" [Artículo 2 bis, g), h) Ley Orgánica 4/2000, de 11 enero, sobre derechos y libertades de los extranjeros en España y su integración social (LOEX, en adelante)]. Y es lo que explica también que la persecución de la Trata de seres humanos se atribuya a mecanismos especializados en *extranjería*: Unidad de Extranjería de la Fiscalía General del Estado, y la Unidad de la Policía nacional contra las Redes de Inmigración Ilegal y flujos migratorios (UCRIF). A ello cabe añadir el mantenimiento del sistema de condicionamientos "premiales" (art. 59 *bis* LOEx.) como forma discriminatoria de instrumentalizar la protección de las víctimas de trata que reúnen la condición de ser inmigrantes ilegales[29]. Es el lema discriminatorio del acceso a las medidas de protección -la ley solo protege a estas víctimas si denuncian y, además, colaboran con las autoridades policiales y judiciales de modo eficiente-, que hace unos años se publicitaba camuflada como medida humanitaria -"*Denuncia y Testifica, la Ley te protege*". No es tampoco una medida compatible con la obligación de los Estados de llevar a cabo una *investigación proactiva*, es decir, que no dependa de la denuncia de la víctima [TEDH, *Asunto Rantsev Vs. Chipre y Rusia, Asunto V.C.L. y A.N. vs. Reino Unido*. Véase *infra* la *Tabla 1*].

El Legislador español se ha limitado a trasladar, en la tipificación del delito de Trata, términos acuñados por instrumentos internacionales que aluden a la *imposición de trabajo o servicios forzados, la esclavitud o la servidumbre* (art. 177 bis.1 CP), sin ofrecer una necesaria definición que permita identificar las prácticas en que hoy se manifiestan aquellas nociones, es decir, el delito-fin del delito de Trata. Y ésta no es una cuestión baladí, por varias razones.

La primera razón responde al compromiso -no cumplido- de observar las garantías del principio de legalidad.

La segunda razón incide en el compromiso internacional -hasta hoy no cumplido- de incriminar, de modo separado, el estado de sometimiento a for-

---

[29]   Cfr. ACNUDH, ACNUR, UNICEF, UNODC, ONU MUJERES y OIT: *La trata de seres humanos: prevenir, combatir, proteger. Comentario conjunto de las Naciones Unidas a la Directiva de la Unión Europea. Un enfoque basado en los derechos humanos*, Edición en español por la Delegación de ACNUR en España, 2011.

mas de explotación forzosa[30], que implica, a su vez, el deber de ofrecer protección también a las víctimas de tales prácticas degradantes que no han sido previamente víctimas de Trata (o sin que sea posible acreditar este extremo). El Protocolo de la OIT, de 11 de junio de 2014, relativo al Convenio núm. 29 sobre el Trabajo Forzoso, que entró en vigor en España el 20 de septiembre de 2018, ratifica estas obligaciones. Una situación reconocida por el *Plan de Acción Nacional contra el Trabajo Forzoso* (Diciembre 2021)[31], en el surge la voluntad política de incriminar específicamente el estado de sometimiento forzoso a una situación de explotación.

Hay otra razón que, sumada a las anteriores, dibuja un escenario aún más preocupante y, sobre todo, inquietante: la grave y pertinaz vulneración del principio de legalidad en la definición del eje conceptual sobre el que debe gravitar toda modalidad de explotación en el contexto de la Trata ha desembocado en un profundo mar de especulaciones terminológicas que convierten la Trata en instrumento para otros objetivos[32]. El Cuarto Informe General del Grupo de Expertos contra el Tráfico de Seres Humanos del Consejo de Europa (GRETA, 2015) constata "que algunos países se centran casi en exclusiva en la trata de seres humanos para fines de explotación sexual y no realizan lo suficiente para adoptar medidas de prevención de la trata para otros fines"[33], señalando expresamente a España en el abandono de la persecución de la Trata laboral[34].

Lo más inquietante es que, hasta hoy, se sigue sin definir la premisa que fundamenta el concepto de Trata desde el Derecho internacional humanitario y la doctrina de los tribunales internacionales y regionales de Derechos humanos. Como si los términos –*esclavitud, servicio forzado, servidumbre*- fueran predi-

---

[30]   Abundando en esta línea, VILLACAMPA ESTIARTE, C.: "El delito de trata de seres humanos", *op. cit.*, pp. 416-418; VILLACAMPA ESTIARTE, C.: "¿Es necesaria una ley integral contra la trata de seres humanos?", *Revista General de Derecho Penal*, 33, 2020; VALVERDE CANO, A. B.: "Ausencia de un delito de esclavitud, servidumbre y trabajos forzosos en el Código penal español", en PÉREZ ALONSO, E. (dir.), *El Derecho ante las formas contemporáneas de esclavitud*, Tirant lo Blanch, Valencia, 2017, pp. 430 y ss.

[31]   Resolución de 20 de diciembre de 2021, de la Secretaría de Estado de Empleo y Economía Social, por la que se publica el Acuerdo del Consejo de Ministros de 10 de diciembre de 2021, por el que se aprueba el Plan de Acción Nacional contra el Trabajo Forzoso: relaciones laborales obligatorias y otras actividades humanas forzadas (BOE, Núm. 308, 24 de diciembre de 2021).

[32]   MAQUEDA ABREU, Mª L.: "Trata y esclavitud no son lo mismo, pero ¿qué son?", en SUÁREZ LÓPEZ, J.M. *et al.*, (dirs.), *Estudios jurídico penales y criminológicos: En Homenaje al Prof. Dr. H. C. M. Lorenzo Morillas Cueva*, vol. II, Dykinson, Madrid, 2018, pp. 1251 y ss. Véase la STS 298/2015, de 13 de mayo.

[33]   RELATORA ESPECIAL SOBRE LA TRATA DE PERSONAS: *Informe de la Relatora Especial sobre la trata de personas, especialmente mujeres y niños, Maria Grazia Giammarinaro, de 6 de abril de 2020 (A/HRC/44/45)*, 2020.

[34]   GRUPO DE EXPERTOS CONTRA EL TRÁFICO DE SERES HUMANOS DEL CONSEJO DE EUROPA (GRETA): *Cuarto Informe General, op. cit.*, p. 38.

cables exclusivamente de las modalidades de explotación de la Trata *laboral*, y no constituyeran el rasgo cualitativo que debe acompañar a *todas* las modalidades de explotación personal en el contexto de la Trata (véanse, abundando en estas lagunas pendientes, las Memorias de la Fiscalía General del Estado, Unidad de Extranjería, 2019).

Precisamente la ausencia de definición previa de la explotación en condiciones asimiladas a la esclavitud, y ese mar abierto de especulaciones a que ha conducido, han sido ingredientes que han abonado el postulado fundamentalista -*la Trata existe porque existe la prostitución*[35]-, pretendiendo separar la Trata sexual del eje *conceptual* del objetivo de "esclavización sexual" (que no menciona, ni se define ni se regula), con la finalidad última de utilizar el nombre de la Trata para cuestionar el ejercicio voluntario de la prostitución[36] y reprimir la prostitución (véase el Proyecto de Ley Orgánica de Garantía Integral de la Libertad sexual de 6 de julio de 2021). Porque tras ese discurso se encuentra otro: desterrar la idea de que la prostitución puede ser una vía para migrar a Europa y dentro de Europa (Resolución del Parlamento Europeo, de 26 de febrero de 2014, sobre explotación sexual y prostitución y su impacto en la igualdad de género).

La "visión de túnel" a que ha conducido la política gubernamental hasta hoy presenta otras graves repercusiones, que han sido asumidas, y que serán corregidas por el bienvenido y recién estrenado *Plan de Acción Nacional contra el Trabajo Forzoso*:

- La diversidad y magnitud de las prácticas de sometimiento forzoso a una situación de explotación que tienen lugar en territorio español no se reflejan con nombre propio -formas de esclavitud, o de análoga significación- en las estadísticas oficiales.

---

[35]   Véase el IV Informe de seguimiento del Plan integral de lucha contra la trata de mujeres y niñas con fines de explotación sexual (2019), que "plantea la necesidad de aumentar el conocimiento por parte de la sociedad española sobre el problema de la trata y su vinculación con la prostitución".

[36]   HAVA GARCÍA, E.: "Trata de personas, prostitución y políticas migratorias", *Estudios penales y criminológicos*, nº 26, 2006, pp. 84 y ss.; VILLACAMPA ESTIARTE, C.: "¿Es necesaria una ley integral contra la trata de seres humanos?", *op. cit.*; MAQUEDA ABREU, Mª L.: ¿"Cómo construir «víctimas ficticias» en nombre de las libertades sexuales de las mujeres"?, *Mientras Tanto*, 196, 2020; GARCÍA ARÁN, M.: "Trata de personas y regulación de la prostitución", en PÉREZ ALONSO, E. (dir.), *El Derecho ante las formas contemporáneas de esclavitud*, Tirant lo Blanch, Valencia, 2017, pp. 655 y ss.; POMARES CINTAS, E.: "La prostitución, rehén histórico de la trata de personas: la conformación política de una nueva victimización de mujeres", en CARRASCO ANDINO, M. (dir.), *Víctimas de delitos: modelos de actuación integral*, Tirant lo Blanch, Valencia, 2020, pp. 117 y ss.

- Deja en punto muerto las víctimas de estas modalidades de explotación que no son víctimas previas de trata[37].

- Se entorpece analizar el rostro y las aristas de estas prácticas por la ausencia de indicadores armonizados y cifras fiables que garanticen el rigor en la recogida y sistematización de datos empíricos[38] sobre las conductas encuadrables en la proscripción de la esclavitud, la servidumbre y los trabajos o servicios forzosos[39].

- Se ha eclipsado la atención específica que merecen otros escenarios de la trata de seres humanos, como ha denunciado el Cuarto Informe General GRETA 2015. En España, el Informe de la Oficina del Relator Nacional contra la Trata en España había advertido, en 2017, que la lucha contra la Trata laboral apenas ha comenzado. Esa realidad sesgada se registra con claridad en las Memorias de la Fiscalía General del Estado de 2018 y 2019 (Unidad de Extranjería)[40].

- Se ha eclipsado una atención específica de las herramientas penales de protección de menores ante las formas más severas de explotación fuera del contexto sexual. La Ley Orgánica 8/2021, de 4 de junio, de protección integral a la infancia y la adolescencia frente a la violencia, que pretende proteger a los menores también de la explotación (art. 1. 2), no ha incidido en esta perspectiva.

- No existe un Plan de implementación, a medio y largo plazo, de políticas públicas coherentes y eficaces para erradicar las formas más severas y degradantes de explotación humana, o, en palabras del *Plan de Acción Nacional contra el Trabajo Forzoso,* "que permitan abordar las múltiples modalidades que puede adoptar el trabajo forzoso". Es hora de

---

[37]　VILLACAMPA ESTIARTE, C.: "El delito de trata de seres humanos", *op. cit.*, p. 418; RODRÍGUEZ MONTAÑÉS, T.: "Trata de seres humanos y explotación laboral. Reflexiones sobre la realidad práctica", *La Ley Penal,* n. 109, 2014; LÓPEZ RODRÍGUEZ, J.: *Conceptualización jurídica de la trata de seres humanos con fines de explotación laboral,* Lex Nova, 2016; LÓPEZ RODRÍGUEZ, J. y ARRIETA IDIAKEZ, F. J.: "La trata de seres humanos con fines de explotación laboral en la legislación española", *Icade. Revista de la Facultad de Derecho,* 107, 2019. Véase, *Plan de Acción Nacional contra el Trabajo Forzoso.*

[38]　*Cfr.* OIT: *Intensificar la lucha contra el trabajo forzoso,* 2014; Resolución del Parlamento Europeo, de 26 de febrero de 2014, sobre explotación sexual y prostitución y su impacto en la igualdad de género, apartado 4. Véase, *Plan de Acción Nacional contra el Trabajo Forzoso.*

[39]　MAQUEDA ABREU, Mª L.: "Demasiados artificios en el discurso jurídico sobre la trata de seres humanos", *op. cit.*, pp. 1197 y ss.

[40]　En palabras del *Plan de Acción Nacional contra el Trabajo Forzoso,* que las "actuaciones relacionadas con la trata de seres humanos" se hayan centrado "de modo esencial en la trata con fines de explotación sexual", "ha traído como consecuencia" que tanto el trabajo forzoso, como la trata en el ámbito laboral, no hayan recibido "hasta el momento la atención necesaria, ni desde el punto de vista de su regulación, ni desde la perspectiva de la actuación de las Administraciones Públicas".

preguntarse por los sectores productivos de riesgo y otros factores que contribuyen a estas modalidades de explotación.

En síntesis, la pregunta sobre si se reconocen en España, como tales, las prácticas de sometimiento forzoso a una situación de explotación (no sexual), y sus respuestas, permanecen pendientes, a la espera de la aplicación de las medidas previstas en el *Plan de Acción Nacional contra el Trabajo Forzoso* (diciembre de 2021). La necesidad de reconducir la pregunta, de cubrir las lagunas pendientes, y de ofrecer respuestas, requieren un nuevo enfoque capaz de brindar una visión rigurosa y adecuada que huya de especulaciones terminológicas y reduccionistas.

III. VISUALIZANDO LAS PRÁCTICAS DE SOMETIMIENTO FORZOSO A EXPLOTACIÓN DEL SER HUMANO

1. Claves para identificar e incriminar el sometimiento forzoso a explotación del ser humano

1.1. Los términos del desafío

El primer paso consiste en identificar -con sus elementos característicos- las prácticas de explotación más severas del ser humano. Un paso clave pendiente en el ordenamiento jurídico español, que debe provenir del Derecho internacional humanitario para brindar respuestas uniformes.

De la misma manera que no toda forma de maltrato se integra, según el derecho internacional humanitario, dentro de la proscripción, como categoría de norma de *ius cogens*, de la tortura, trato inhumano o trato degradante, la incriminación de las formas más severas de explotación del ser humano tampoco puede cubrir cualquier modalidad de explotación. Asimismo, desde este prisma, la explotación como finalidad de la Trata se vincula estrictamente a formas de degradación-cosificación del ser humano cuyo eje conceptual se reconduce a través de las figuras de la esclavitud, o formas de similar significación como la servidumbre y los trabajos o servicios forzosos. Admitir otro alcance desvirtuaría la prohibición de la Trata de personas como *derecho humano absoluto*, al tiempo que equipararía la prohibición de las formas de explotación en condiciones análogas a la esclavitud a cualquier otra modalidad de explotación que no atienda a esas coordenadas. Por esta razón, no se considera oportuna la propuesta que apunta el *Plan de Acción Nacional contra el Trabajo Forzoso* de ampliar -es decir, desvirtuar- el concepto de trata de seres humanos más allá de los márgenes del derecho internacional humanitario que se restringen a proscribir la esclavitud, la servidumbre y los trabajos forzosos

(Art. 8 Pacto Internacional de Derechos Civiles y Políticos de 1966, art. 4 Convenio Europeo de Derechos Humanos de 1950): la "trata" con fin de "*explotación laboral*" se asimila más a los comportamientos de tráfico ilícito de inmigrantes porque recuerda al derogado (en 2010) tipo penal de inmigración laboral ilícita (art. 313.1 CP[41]), que acabó fundido en el art. 318 bis, el precepto vigente que regula el delito de colaboración en la inmigración ilegal. Es, por tanto, una propuesta que no se concilia con el objetivo del Plan de adaptarse a los términos "que exige el derecho internacional" en este ámbito.

En otras palabras, todas las vertientes de explotación que específicamente se mencionan en el delito de Trata -explotación sexual, celebración de matrimonios forzados, explotación para realizar actividades delictivas, la extracción de órganos corporales de la víctima-, deben compartir ese eje común (sin perjuicio de sus particularidades): no aluden a un aprovechamiento del ser humano cualitativamente distinto al significado de la esclavitud, servidumbre o servicios forzosos[42]. Así, la "*explotación sexual*", bajo este parámetro, trasciende el ejercicio de la prostitución ajena para transformarse en un escenario equivalente a la "Explotación sexual en condiciones de análoga significación a la esclavitud (servicios forzados, servidumbre)", cobrando el sentido de "esclavización sexual"[43]. Por las mismas razones, el *matrimonio forzado* debe tener como objetivo sujetar a la víctima de esa unión a elementos de explotación personal[44] que cobren el significado equivalente a una práctica de servidum-

---

[41]   Con el Código Penal de 1995, surge el artículo 313.1, dentro del Título XV dedicado a los "delitos contra los derechos de los trabajadores". Castigaba con la pena de prisión de 2 a 5 años y multa de seis a doce meses, al que "promoviere o favoreciere por cualquier medio la inmigración clandestina de *trabajadores* a España o a otro país de la Unión Europea". *Cfr.* POMARES CINTAS, E., "La inmigración laboral del extranjero en el Derecho penal", *Cuadernos de Política Criminal*, n° 86, 2005, pp. 31 ss.; sobre la evolución de este delito, PORTILLA CONTRERAS, G. y POMARES CINTAS, E.: "Los delitos relativos al tráfico ilegal o la inmigración clandestina de personas (arts. 313 y 318 bis)", en, ÁLVAREZ GARCÍA, J. y GONZÁLEZ CUSSAC, J. L. (dirs.), *Comentarios a la Reforma Penal de 2010*, Tirant lo Blanch, Valencia, 2010, pp. 355 ss.

[42]   En esta línea, FISCALÍA GENERAL DEL ESTADO: *Memoria elevada al Gobierno de S. M.*, 2019.

[43]   RELATORA ESPECIAL SOBRE LA TRATA DE PERSONAS: *Informe temático de la Relatora Especial sobre la trata de personas, de 3 de mayo de 2016, sobre la protección de las víctimas de la trata de personas y las personas en riesgo de ser objeto de trata en situaciones de conflicto y posteriores a conflictos* (A/HRC/32/41), 2016; UNODC: *Ley modelo contra la trata de personas, op. cit.*; Resolución del Parlamento Europeo, de 5 de julio de 2016, sobre la lucha contra la trata de seres humanos en las relaciones exteriores de la Unión; Sentencia del Tribunal Europeo de Derechos Humanos de 7 de enero de 2010, *Asunto Rantsev Vs. Chipre y Rusia.*

[44]   VILLACAMPA ESTIARTE, C.: "El delito de trata de seres humanos", *op. cit.*, pp. 407 y ss.

bre en el plano doméstico (servidumbre doméstica) y/o sexual (servidumbre sexual) o para otras modalidades de servidumbre[45].

Ahora bien, el entendimiento que deben cobrar hoy las formas más severas de explotación humana no ha discurrido por efecto ni voluntad de nuevos instrumentos convencionales. El Protocolo de la OIT, de 11 de junio de 2014, relativo al Convenio núm. 29 sobre el Trabajo Forzoso, reconoce que "el contexto y las formas del trabajo forzoso han cambiado", de tal modo que se evidencian hoy "lagunas" en la aplicación de los Convenios. Lo cierto es que se barajó, en la Reunión de Expertos de febrero de 2013, la posibilidad de abordar las deficiencias a través de instrumentos normativos convencionales. Sin embargo, no se alcanzó un consenso al respecto[46].

En consecuencia, se han mantenido inalterables y encorsetadas las definiciones tradicionalmente acuñadas en torno a la *esclavitud*, que sigue girando en torno al ejercicio de atributos del derecho de propiedad (art. 1.1 Convención de Ginebra sobre la Esclavitud, de 25 de septiembre de 1926, Convención suplementaria de Ginebra, de 7 de septiembre de 1956, sobre la abolición de la Esclavitud, la Trata de esclavos y las instituciones y prácticas análogas a la Esclavitud), y los *trabajos o servicios forzosos*, cuya característica se centra en la imposición de una prestación, actividad o servicio a través de la "amenaza de una pena" para doblegar la voluntad de la víctima (art. 2.1 del Convenio n° 29 de la OIT sobre el Trabajo Forzoso de 1930).

Esta paralización del plano convencional ha conducido a un sistema jurídico en la esfera internacional "funcionalmente inoperante como herramienta para mitigar la explotación"[47], como si estuviera aún en suspenso.

La actualización conceptual se hace, pues, imprescindible, como así reconoce también el *Plan de Acción Nacional contra el Trabajo Forzoso*, no sólo para comprender y restringir el alcance de los comportamientos de trata de personas, sino, aún más importante, para afrontar los perfiles de los nuevos métodos que logran atrapar y sujetar a las personas a una situación de explotación forzosa y que no se explican recurriendo, en puridad, al ejercicio de *atributos*

---

[45]   RELATORA ESPECIAL SOBRE LA TRATA DE PERSONAS: Informe temático de la Relatora Especial sobre las formas contemporáneas de esclavitud, Gulnara Shahinian, sobre el matrimonio servil, de 10 de julio de 2012 (A/HRC/21/41), 2012; RELATORA ESPECIAL SOBRE LA TRATA DE PERSONAS: *Informe temático de la Relatora Especial sobre la trata de personas, de 3 de mayo de 2016, sobre la protección de las víctimas de la trata de personas y las personas en riesgo de ser objeto de trata en situaciones de conflicto y posteriores a conflictos, op. cit.*; Recomendación núm. 1663 del Consejo de Europa, de 22 de junio de 2004, sobre esclavitud doméstica. Véase el art. 577. 2 *in fine* CP.

[46]   *Vid.* OIT: *Intensificar la lucha contra el trabajo forzoso, op. cit.*

[47]   *Cfr.* ALLAIN, J.: "125 años de abolición: el derecho de la esclavitud y la explotación humana", *op. cit.*, p. 181.

del derecho de propiedad que se ejercía antaño sobre el esclavo[48], ni a la *amenaza de una pena*, en relación con el concepto de trabajos forzosos[49]. Se hace necesario, en definitiva, revitalizar y apuntalar la vigencia de la proscripción de las formas de significación análoga a la esclavitud reconocida en los tratados internacionales y regionales de derechos humanos.

1.2. El papel protagonista de los tribunales regionales de derechos humanos: las directrices del Tribunal Europeo de Derechos humanos ante la esclavitud moderna

La revisión de la definición de las formas de aprovechamiento del ser humano en condiciones asimiladas a la esclavitud se ha hecho posible, en primera instancia, a partir de la línea emprendida por el Tribunal Penal Internacional Ad Hoc para la ex-Yugoslavia en los casos contra *Dragoljub Kunarac, Radomir Kovac y Zoran Vukovic* (Sentencias de 22 de febrero de 2001 y de 12 de junio de 2002) y contra *Milorad Krnojelac* (Sentencia de 15 de marzo de 2002). Paulatinamente, la jurisprudencia del Tribunal Europeo de Derechos humanos (TEDH, en adelante) y de la Corte Interamericana de Derechos humanos han ido consolidando una *doctrina viva* en torno a la delimitación de las características esenciales de la esclavitud contemporánea a la luz de las condiciones de vida y trabajo en el contexto económico actual[50].

El desafío consiste, pues, en revitalizar, de modo efectivo, un *papel de garantía de la proscripción absoluta* del sometimiento forzoso del ser humano a un régimen degradante de explotación, que, como subraya el TEDH, constituye uno de los pilares fundamentales de las sociedades democráticas (*Asuntos Siliadin vs. Francia; Rantsev vs. Chipre y Rusia; C.N. y V. vs. Francia*, véase *infra Tabla 1*). Porque, cuanto mayor sea el "nivel (...) de exigencia en materia de protección de los derechos humanos y de las libertades fundamentales", mayor será la "firmeza en la apreciación de los ataques a los valores fundamentales de las sociedades democráticas". El TEDH abre en Europa una nueva fase de protección de las víctimas ante las formas de *esclavitud moderna* en la que ha

---

[48]   BELLAGIO-HARVARD: *Directrices Bellagio-Harvard de 2012 sobre Parámetros Jurídicos de la Esclavitud*, 2012, va en esa dirección, actualizando las claves relacionadas con los atributos del derecho de propiedad.

[49]   OIT: *Estimaciones mundiales sobre la esclavitud moderna: trabajo forzoso y matrimonio forzoso*, Resumen Ejecutivo, 2017. Véase, *Plan de Acción Nacional contra el Trabajo Forzoso*.

[50]   *Cfr.* BONET PÉREZ, J.: "La interpretación de los conceptos de esclavitud y de otras prácticas análogas a la luz del ordenamiento jurídico internacional: aproximación teórica y jurisdiccional", en PÉREZ ALONSO, E. (dir.), *El Derecho ante las formas contemporáneas de esclavitud*, Tirant lo Blanch, Valencia, 2017, pp. 184 y ss.

removido obstáculos terminológicos. Se inicia a partir de la Sentencia de 26 de octubre de 2005 (*Asunto Siliadin Vs. Francia).*

Huyendo de conceptos encorsetados para escenarios que han mutado, la doctrina del TEDH, en el marco del art. 4 del Convenio europeo de Derechos humanos (CEDH), se ha guiado por la siguiente directriz: traducir el sustrato identitario de las formas más severas de explotación humana hoy a partir de elementos *valorativamente equivalentes* a los que han caracterizado en la vía convencional (Convenios de 1926, 1930, 1956 y 1957) la *esclavitud, servidumbre* y los *servicios forzados*[51]. Esa equivalencia valorativa confluye en un eje común y esencial: un estado de sometimiento de la víctima a la esfera de disponibilidad de otra persona, que ejerce sobre ella un poder fáctico de control o disposición, y la realización de actividades, prestaciones o servicios *forzosos*, cualquiera que sea su naturaleza[52]. A partir de ese denominador común, la gravedad de la situación fluctúa, no de modo cualitativo, sino en función de la intensidad y el alcance del grado de sujeción de la víctima (de sus esferas de libertad) a la esfera de control fáctico de quien o quienes la explotan[53]. Así, se valora el estado de sometimiento que trasciende la realización de la prestación o servicio, comprometiendo otros espacios de libertad personal de la víctima; la precariedad o insalubridad de las condiciones de vida o manutención, el grado de impedimento de emancipación económica, la duración del estado de sometimiento forzoso, o el grado de percepción de la víctima sobre la (im-) posibilidad de cambiar la situación que sufre. De otro lado, la intensidad del estado de sometimiento puede acentuarse en los contextos en los que la víctima está determinada también a vivir en el lugar en el que presta los servicios o actividad, es decir, en los dominios de quien la explota, así, puede percibir un mayor control de sus movimientos, un estado de exclusión del mundo exterior, sin la posibilidad de franquearlo salvo huyendo o enfrentando riesgos para su integridad personal. Estas características sobre el régimen de *servidumbre*, como forma *agravada* de

---

[51]   Sentencias TEDH de 26-10-2005 (*Asunto Siliadin Vs. Francia*); de 7-1-2010 (*Asunto Rantsev vs. Chipre y Rusia*); de 11-10-2012 (*Asunto C.N. y V. Vs. Francia*); de 13-11- 2012 (*Asunto C.N. Vs. Reino Unido*); de 30-3-2017 (*Asunto Chowdury y otros v. Grecia*); Sentencia Corte Interamericana de Derechos Humanos de 20-10- 2016 (*Caso Trabajadores de la Hacienda Brasil Verde Vs. Brasil*).

[52]   POMARES CINTAS, E.: "Cuestiones pendientes del tratamiento internacional de la trata de seres humanos: lagunas del Protocolo de Palermo de 2000", en RUIZ-RICO RUÍZ, G. *et al.*, (coords.), *Derecho penal y garantías constitucionales. Una perspectiva iberoamericana*, Tirant lo Blanch, Valencia, 2020, pp. 201 y ss.

[53]   *Cfr.* ALLAIN, J.: *Slavery in International Law: Of Human Exploitation and Trafficking*, Brill Nijhoff, 2013, p. 311. El TEDH avanza este elemento de control fáctico en el *Asunto Rantsev Vs. Chipre y Rusia* (2010), si bien no alcanza el desarrollo que ha reflejado la doctrina de la Corte Interamericana de Derechos humanos en la Sentencia de 20 de octubre de 2016, *Asunto Trabajadores de la Hacienda Brasil Verde vs. Brasil*.

trabajos o servicios forzoso, se apuntan en el *Asunto Siliadin Vs. Francia*, y son desarrolladas posteriormente en los *Asuntos C.N. y V. Vs. Francia; C.N. Vs. Reino Unido*; y *Asunto Chowdury y otros v. Grecia*[54] *(véase infra Tabla 1)*. En esta línea, es significativa la Sentencia de la Corte Interamericana de Derechos Humanos de 20 octubre de 2016 *(Caso Trabajadores de la Hacienda Brasil Verde Vs. Brasil)*.

El TEDH sitúa los trabajos o servicios forzosos como figura de base[55] y la contextualiza en una *dimensión fenomenológica compleja* [en el ámbito de los servicios domésticos, *Asuntos Siliadin vs. Francia (2005)*; *C.N. y V. vs. Francia (2012)*; en el sector de la agricultura temporera, *Asunto Chowdury y otros v. Grecia (2017)*; en la prostitución forzada, *Asunto S.M. vs. Croacia (2020)*; en la obligación de realizar actividades delictivas como el tráfico de drogas, *Asunto V.C.L. y A.N. vs. Reino Unido (2021)*]. No requiere necesariamente el recurso a la violencia o coacción física para doblegar la voluntad de la víctima[56] en torno a la realización de una prestación, servicio o actividad, de cualquier naturaleza, ni se vincula necesariamente a servicios o actividades de carácter temporal. Como premisa, la actividad o prestación a la que se sujeta a la víctima no cobra la naturaleza jurídica de "trabajo" precisamente por su falta de voluntariedad. El desvalor de los trabajos o servicios forzosos no puede reconducirse al solo lenguaje de una transgresión de derechos y garantías laborales, porque trasciende esta esfera. En otras palabras, el concepto de trabajos forzosos no se reduce a un asunto de "explotación por el trabajo y la sumisión a unas condiciones laborales" ilícitas (TEDH, *Asunto Siliadin Vs. Francia*). Dado que se encuadra en el mismo precepto que proscribe la esclavitud y la servidumbre (art. 4 CEDH), debe adquirir un significado equivalente al de una cosificación humana que encarne el aprovechamiento, más allá del trabajo, del ser humano como objeto (Preámbulo del Convenio de la OIT sobre abolición del trabajo forzoso de 1957).

---

[54]   Así, la OIT: *Estimaciones mundiales sobre la esclavitud moderna: trabajo forzoso y matrimonio forzoso, op. cit.*, ha señalado que la servidumbre por deudas es también un supuesto -y frecuente- de trabajo forzoso.

[55]   En esta línea, RIVAS VALLEJO, P.: "Aproximación laboral a los conceptos de esclavitud, trabajo forzoso y explotación laboral en los tratados internacionales", *Revista de Estudios Jurídico Laborales y de Seguridad Social*, nº 2, 2021, p. 131.

[56]   Véase *Asuntos Chowdury y otros vs. Grecia (2017); V.C.L. y A.N. vs. Reino Unido (2021)*. Por ejemplo, en las circunstancias concretas, son elementos a considerar, la retención de documentos de identificación personal, amenazas con denuncias a las autoridades administrativas de la situación de inmigración ilegal, o la imposición de deudas indebidas y fluctuantes al albur del explotador. Se aplican los criterios de la OIT: *El Costo de la Coacción*, 2009, informe global con arreglo al seguimiento de la Declaración relativa a los Principios y Derechos fundamentales en el trabajo. Véase, detenidamente, el estudio realizado por VALVERDE CANO, A. B.: "It's all about control: el concepto de trabajos forzosos", *Revista de Derecho Penal y Criminología*, nº 22, 2019, pp. 239 y ss., y p. 287.

Esta doctrina de tutela reforzada por el TEDH se ha ido elaborando, a golpe de caso, desde 2005 a 2021, a través de estas resoluciones en las que se constatan vulneraciones del artículo 4 del Convenio Europeo de Derechos humanos:

Tabla 1

Asunto Siliadin vs. Francia. Sentencia condenatoria de 26 de octubre de 2005 (núm. 73316/01). *Servidumbre doméstica y trabajos forzados.* Niña inmigrante ilegal procedente de Togo.
Asunto Rantsev vs. Chipre y Rusia. Sentencia condenatoria de 7 de enero de 2010 (núm. 25965/04). Trata y Explotación sexual *forzada.* Inmigrante ilegal. Mujer de nacionalidad rusa.
Asunto C.N. y V. vs. Francia. Sentencia condenatoria de 11 de octubre de 2012 (núm. 67724/09). *Servidumbre doméstica- trabajos forzados.* Inmigrante ilegal. Huérfana de 16 años burundesa (trabajo en el seno de la familia).
Asunto Kawogo vs. Reino Unido (archivado): 3 de septiembre de 2013. Reino Unido reconoce la vulneración de sus obligaciones positivas ante una situación de *servidumbre* doméstica-*trabajos forzados.* Inmigrante ilegal. Mujer tanzana.
Asunto C.N. vs. Reino Unido. Sentencia condenatoria de 13 de noviembre de 2012 (núm. 4239/08). *Servidumbre* doméstica- *trabajos forzados.* Inmigrante ilegal. Mujer senegalesa a la que se deniega la solicitud de asilo.
Asunto L.E. vs. Grecia. Sentencia condenatoria de 21 de enero de 2016 (núm. 71545/12). Trata y Explotación sexual *forzada.* Mujer nigeriana solicitante de asilo.
Asunto Chowdury y otros vs. Grecia. Sentencia condenatoria de 30 de marzo de 2017 (núm. 21884/15). Sector de la agricultura temporera: recogida de la fresa. Trata y *Trabajos forzados.* Inmigrantes ilegales bangladeshíes.
Asunto S.M. vs. Croacia. Sentencia condenatoria de 25 de junio de 2020 (núm. 60561/14). ¿Trata interna y/o prostitución *forzada?*[57]. Mujer nacional croata.
Asunto V.C.L. y A.N. vs. Reino Unido. Sentencia condenatoria de 16 de febrero de 2021 (núms. 77587/12, 74603/12). *Trata interna de menores con finalidad de explotación forzada en actividades delictivas*[58]. Menores inmigrantes ilegales de nacionalidad vietnamita, uno de ellos tratado como adulto.

En síntesis, la doctrina del TEDH ha removido obstáculos terminológicos en la medida en que muestra que la distinción entre *esclavitud, servidumbre,* y *trabajos o servicios forzosos* no está cualitativamente delimitada porque apa-

---

[57]   Véase, sobre las particularidades objetables de este pronunciamiento, MESTRE i MESTRE, R. M.: "La jurisprudencia del TEDH en materia de trata de seres humanos y la necesidad de regresar a las categorías jurídicas de esclavitud, servidumbre y trabajo forzado", *op. cit.,* pp. 14 y ss.

[58]   Véase sobre la *Aplicación del principio de no penalización* de las víctimas de trata, especialmente en relación con las víctimas forzadas a cometer actividades delictivas, RELATORA ESPECIAL SOBRE LA TRATA DE PERSONAS: Informe de la Relatora Especial sobre la trata de personas, Siobhán Mullally, de 17 de mayo de 2021 (A/HRC/47/34), 2021, pp. 9 ss.; art. 4 Protocolo OIT, de 11 de junio de 2014, relativo al Convenio núm. 29 sobre el Trabajo Forzoso; TEDH, *Asunto V.C.L. y A.N. vs. Reino Unido* (2021). *Vid.* VILLACAMPA ESTIARTE, C. y TORRES ROSELL, N.: "Trata de seres humanos para explotación criminal: ausencia de identificación de las víctimas y sus efectos", *Estudios Penales y Criminológicos,* 36, 2016.

recen como una suerte de figuras interrelacionadas en la práctica[59]. No son excluyentes entre sí, como compartimentos estancos, en la fenomenología de la esclavitud contemporánea (*Asunto Siliadin vs. Francia; Asunto C.N. y V. vs. Francia; Asunto C.N. vs. Reino Unido, Asunto Kawogo vs. Reino Unido*). En esta línea, véase la Sentencia de la Corte Interamericana de Derechos humanos de 20 de octubre de 2016, *Asunto Trabajadores de la Hacienda Brasil Verde vs. Brasil*.

Se ha apostado, a la luz de las condiciones de trabajo y de vida del sistema económico hegemónico, por una interpretación dinámica de esas tres nociones, que varían en función de la intensidad del grado de sometimiento fáctico de la víctima, de espacios de libertad personal comprometidos, y de la entidad de los métodos capaces de anular o doblegar su voluntad[60]. Todas comparten la dimensión cosificadora del ser humano que funda la proscripción absoluta del art. 4 CEDH, que no depende, en cambio, de la naturaleza de la actividad o prestación a la que se sujete a la víctima.

Al tiempo, se han destacado nuevos protagonistas: el papel de la empresa privada, tanto para facilitar como para dificultar las formas más severas de explotación humana. Se lanza un nuevo desafío: promover medidas preventivas para garantizar, en la cadena de suministros, bienes, productos y servicios libres de condiciones análogas a la esclavitud, libres de abusos (TEDH, 2010, *Asunto Rantsev vs. Chipre y Rusia*)[61].

Por eso, el planteamiento doctrinal que traslada a otro plano cualitativo la prohibición de los trabajos o servicios forzosos con el argumento formal (y controvertido) de no integrar la categoría de norma internacional de *ius*

---

[59]   TEDH (*Asunto Siliadin Vs. Francia; Asunto C.N. y V. Vs. Francia; Asunto C.N. Vs. Reino Unido*). También entienden que estas figuras están interrelacionadas, UNODC: *Ley modelo contra la trata de personas, op. cit.*; OIT: *Trata de Seres Humanos y Trabajo Forzoso como Forma de Explotación. Guía sobre la Legislación y su Aplicación*, 2006; CUENCA CURBELO, S.: "Crónica de jurisprudencia del Tribunal Europeo de Derechos Humanos, mayo-agosto 2020", *Revista de Derecho Comunitario Europeo*, 67, 2020, pp. 1140 y 1141.

[60]   OIT: *Una alianza global contra el trabajo forzoso*, 2005; OIT: *Trata de Seres Humanos y Trabajo Forzoso como Forma de Explotación. Guía sobre la Legislación y su Aplicación, op. cit.*; también, UNODC: *Ley modelo contra la trata de personas, op. cit.*

[61]   EUROPEAN COMISION: *REPORT FROM THE COMMISSION TO THE EUROPEAN PARLIAMENT AND THE COUNCIL Report on the progress made in the fight against trafficking in human beings (2016) as required under Article 20 of Directive 2011/36/EU on preventing and combating trafficking in human beings and protecting its victims*, 2006. Véanse, también, RELATORA ESPECIAL SOBRE LA TRATA DE PERSONAS: Informe temático de la Relatora Especial sobre las formas contemporáneas de esclavitud, Maria Grazia Giammarinaro, sobre el fortalecimiento de las normas voluntarias de las empresas destinadas a prevenir y combatir la trata de personas y la explotación laboral, especialmente en las cadenas de suministro, 28 de marzo de 2017 (A/HRC/35/37), 2017.

cogens o imperativa por reconocer excepciones[62], supondría entender que, en su núcleo esencial, la tutela frente a los servicios forzosos no se encuentra en el mismo eje de protección de las personas ante la esclavitud o la servidumbre, a pesar de regularse en el mismo precepto[63]. En casos como el valorado en el *Asunto Chowdury y otros v. Grecia* (2017), en el que las víctimas sometidas a actividades forzosas se reducían al solo valor de mercancía "reponible", la clave estriba también en proscribir un estado de sometimiento del ser humano traducible en un régimen de tratamiento como cosa bajo la esfera de control y disponibilidad fáctica de otra persona, y ello con independencia de la naturaleza de la prestación o actividad[64], que puede ser lícita o no (incluso ser inicialmente obligatoria como tal).

Por tanto, cuestionar hoy el carácter absoluto del art. 4 CEDH para los trabajos o servicios forzosos conduciría materialmente a una indeseable jerarquía de protección jurídica de las víctimas, según sean de esclavitud, servidumbre o servicios forzados, mientras que, como víctimas de un delito de Trata de personas, en tanto comportamiento previo objetivamente encaminado a cualquiera de esas prácticas de explotación, sí recibirían el mismo tratamiento y la tutela de una norma internacional imperativa, no siendo necesario identificar de modo preciso si el destino cobrará la forma de esclavitud, servidumbre o servicios forzosos [TEDH, *Asunto Rantsev vs. Chipre y Rusia* (2010), *Asunto V.C.L. y A.N. vs. Reino Unido* (2021)].

Partiendo de los hilos estructurales del modelo económico hegemónico[65], se apuesta por no expulsar la prohibición del trabajo forzoso de la proscripción absoluta de las formas más severas, no de explotación del trabajo, sino de explotación-cosificación de los seres humanos como tales (como también reconoce el *Plan de Acción Nacional contra el Trabajo Forzoso*, que subraya aquí la "negación" de la "dignidad y personalidad" de la víctima). En consecuencia, el reto hoy no está en degradar protecciones sino en universalizar y revitalizar el amparo jurídico ante una fenomenología que admite plurales registros de

---

62   Véase el análisis de la controversia, ALLAIN, J.: "125 años de abolición: el derecho de la esclavitud y la explotación humana", *op. cit.*, pp. 160 y ss., autor que desafía el planteamiento que había sostenido la OIT concibiendo la protección del trabajo forzoso como norma imperativa de Derecho internacional, pp. 161 ss.

63   "La prohibición absoluta e inderogable de sometimiento de personas a esclavitud, servidumbre o trabajo forzoso está también consagrada" en la Convención Americana de Derechos humanos (Sentencia de la Corte Interamericana de Derechos Humanos, de 20 octubre de 2016, *Caso Trabajadores de la Hacienda Brasil Verde Vs. Brasil*).La OIT, en el Preámbulo del Convenio sobre abolición del trabajo forzoso, 1957, estima que "el trabajo obligatorio o forzoso puede dar lugar a condiciones análogas a la esclavitud".

64   UNODC: *Ley modelo contra la trata de personas, op. cit.*; OIT: *Una alianza global contra el trabajo forzoso, op. cit.*

65   Véanse los criterios de la OIT: *El Costo de la Coacción, op. cit.*

usar y tirar seres humanos por el carácter fungible y cuantitativo del valor del ser humano como mercancía.

2.   Fenomenología y perfil de la esclavitud moderna en Europa

La consigna de los Tribunales regionales de derechos humanos es la de remover obstáculos terminológicos, romper moldes conceptuales para garantizar la vigencia de la protección de los derechos humanos ante las nuevas formas de sometimiento forzoso a explotación humana. El artículo 4 del CEDH acoge en su seno formas de "esclavitud moderna", permitiendo visualizar los perfiles que cobran hoy.

Los escenarios y los métodos se han ido transformando al albur de las formas o procedimientos que facilitan hoy atrapar al ser humano, confinarlo y explotarlo[66]. Son prácticas de cosificación humana más rentables y baratas porque los gastos de recluta y mantenimiento de la víctima serán sufragados por ella misma hasta su agotamiento, siendo reemplazada por otra (véase TEDH, 2017, *Asunto Chowdury y otros v. Grecia*).

Los nuevos escenarios en Europa fueron alertados y reflejados en las Recomendaciones núm. 1523, de 26 de junio de 2001, y núm. 1663, de 22 de junio de 2004, de la Asamblea parlamentaria del Consejo de Europa, sobre esclavitud doméstica. Y, posteriormente, en la Resolución núm. 1922, de 25 de enero de 2013, sobre la trata de inmigrantes con el fin de someterlos a trabajos forzados, que se proyecta sobre diferentes sectores productivos. Del análisis de las resoluciones del TEDH en las que se estima la vulneración del art. 4 del CEDH, podemos extraer los perfiles más característicos de las formas más severas de explotación humana que han ido etiquetando en Europa la "esclavitud moderna".

En primer lugar, el TEDH se ha pronunciado sobre prácticas de cosificación humana en sectores no cualificados de actividades productivas por cuenta ajena (en la empresa privada), que se encuentran precarizados y escasa o deficientemente controlados (una alta incidencia se asocia particularmente al trabajo doméstico, y también se detecta en la agricultura temporera) o no regulados (como el trabajo sexual), todos vinculados a la economía sumergida[67] (véase

---

[66]   Cfr. OIT: *El Costo de la Coacción*, *op. cit.*; OIT: *Estimaciones mundiales sobre la esclavitud moderna*, 2017; Recomendaciones núm. 1523, de 26 de junio de 2001, y núm. 1663, de 22 de junio de 2004, de la Asamblea parlamentaria del Consejo de Europa, sobre esclavitud doméstica.

[67]   Áreas consideradas de riesgo de formas extremas de explotación. Así lo considera el TEDH, *Asunto Chowdury y otros v. Grecia* (2017); también, Protocolo OIT, de 11 de junio de 2014, relativo al Convenio núm. 29 sobre el Trabajo Forzoso; RELATORA ESPECIAL SOBRE LA TRATA DE PERSONAS: *Informe anual de la Relatora Especial sobre las formas contemporáneas de esclavitud, Urmila Bhoola, presentado el 10 de septiembre de 2014*

supra Tabla 1). Asimismo, novedosa es la última (por ahora) de las sentencias condenatorias: el Asunto V.C.L. y A.N. vs. Reino Unido (2021), describe un supuesto de Trata de menores con la finalidad de someterlos a una situación de explotación forzosa de actividades delictivas en el contexto del tráfico ilegal de drogas (producción de cannabis), como modalidad de servicios forzosos.

Las víctimas son, mayoritariamente, inmigrantes en situación de irregularidad administrativa[68]. Un importante porcentaje está representado por mujeres y niñas, especialmente en el sector del trabajo doméstico, y también en el contexto de la explotación sexual.

En segundo lugar, es una característica reclutar a personas inmigrantes ilegales mediante engaño. Facilitarles el desplazamiento con promesas que, de antemano, no se cumplirán: la regularización de su situación migratoria, remuneración suficiente y condiciones de trabajo dignas tanto relativas al lugar de trabajo como a las jornadas. La promesa es el señuelo; el escenario de destino, una forma degradante de explotación que los confina y atrapa.

Significativos son los métodos utilizados hoy para reducir a las víctimas a un estado forzoso de explotación[69]:

- Confiscación de sus documentos personales. Encarna una forma de retención, un significativo quebranto y menoscabo de la libertad de determinación y movimientos. Es un factor desamparo y confinamiento en el lugar de trabajo.

- Aprovechamiento del estatuto denegatorio del inmigrante ilegal: se advierte y alimenta el miedo a ser detenidos, encerrados y expulsados del país. Contribuye a anular la libertad de determinación. Es un factor de desamparo y confinamiento en la situación de explotación.

- Condiciones de vida: se suelen imponer jornadas continuadas de 12 horas, que pueden llegar a 15. Se les obliga a vivir en los dominios del explotador, computándose la manutención y alojamiento (precarios) al escaso sueldo que percibirán, hasta ser suprimido o retenido. Se llega al punto de no alcanzar a cubrir los costos iniciales ni los sobrevenidos por

---

al *Consejo de Derechos Humanos de la ONU*, 2014; GRUPO DE EXPERTOS CONTRA EL TRÁFICO DE SERES HUMANOS DEL CONSEJO DE EUROPA (GRETA): *Cuarto Informe General, op. cit.*,

[68] Véase también GRUPO DE EXPERTOS CONTRA EL TRÁFICO DE SERES HUMANOS DEL CONSEJO DE EUROPA (GRETA): *Ibidem*. Véase la Resolución del Consejo de Europa núm. 1922, de 25 enero 2013, sobre la trata de inmigrantes con el fin de someterlos a trabajos forzados; Protocolo de la OIT, de 11 de junio de 2014, relativo al Convenio núm. 29 sobre el Trabajo Forzoso.

[69] Véase también al respecto, OIT: *El Costo de la Coacción, op. cit.*; detenidamente, GALLO, P. y GARCÍA SEDANO, T.: *Formas modernas de esclavitud y explotación laboral*, BdF, 2020.

la manutención en el lugar de trabajo. Por ello es frecuente la imposición de deudas que quedan al arbitrio del explotador. Estas condiciones aumentan sobremanera el poder de control fáctico sobre la víctima porque facilitan proyectarlo también sobre sus tiempos de vida, otras esferas de libertad personal, y en la medida en que también desvanecen toda posibilidad de emancipación económica (factor de desamparo económico). De modo paralelo, puede aumentar también la percepción de confinamiento forzoso en la red de dominio de quien la explota.

- En las actividades agrícolas forzadas, así como en los servicios sexuales forzados, es frecuente el empleo de vigilancia y la fuerza para controlar la movilidad y evitar la salida del lugar de trabajo. En el servicio doméstico forzoso, es característica la prohibición de salir de la casa, excepto para determinadas actividades que también son controladas bajo amenazas.

IV. PROPUESTAS DE VISUALIZACIÓN DE LAS PRÁCTICAS DE ESCLAVITUD MODERNA EN ESPAÑA

Como la *tortura* o la *trata de seres humanos*, hay fenómenos del derecho internacional humanitario que deben contemplarse en los ordenamientos internos con nombre propio. Es la única forma de visualizar su gravedad, de analizar sus aristas y articular un tratamiento adecuado tendente a su persecución y prevención.

Por las razones mencionadas en los apartados precedentes, no basta tipificar la Trata de seres humanos sin criminalizar y visualizar los abusos más extremos de explotación enmarcables hoy en el art. 4 CEDH, procedan o no de un comportamiento de trata previo. Ésta es la gran cuestión pendiente en España.

Por tanto, hoy por hoy, situaciones efectivas de reducción del ser humano a un régimen de explotación similar a la esclavitud que han tenido lugar o tienen lugar en España no se registran en las estadísticas oficiales con esa denominación, como si la "reminiscencia de los primeros años de la revolución industrial" de la que habla el TEDH (2017, *Asunto Chowdury y otros v. Grecia*) no se proyectara también en territorio español.

Y, sin embargo, existen, y las víctimas también. La voluntad de visualizarlas finalmente ha venido de la mano del *Plan de Acción Nacional contra el Trabajo Forzoso* (diciembre 2021).

Lamentablemente, como veremos y ha reconocido el mencionado Plan, las víctimas han seguido (en los casos detectados y perseguidos) el mismo destino desapercibido que se le atribuye en la *praxis* a los delitos laborales (arts. 311,

312.2 *in fine* CP)[70], a cualquier modalidad de explotación laboral que gravita sobre el desempeño de un trabajo (voluntario) pero que se desenvuelve bajo la imposición de condiciones ilícitas. Es el tratamiento que han recibido gravísimos abusos del ser humano que responden al perfil que se desprende de las formas de *esclavitud moderna* condenadas como tales por el TEDH. El *Plan de Acción Nacional contra el Trabajo Forzoso* es un paso importante para incriminar en España estas situaciones, definiéndolas y castigándolas con semblante propio.

Los supuestos más severos de explotación humana en España están hoy conectados con la economía sumergida en contextos que están adquiriendo cada vez mayor protagonismo, como también señala el *Plan de Acción Nacional contra el Trabajo Forzoso*. Áreas productivas que utilizan mano de obra no cualificada, en los sectores de servicios, primarios (agricultura estacionaria[71]) y secundarios. Y las víctimas, también en España, suelen ser inmigrantes, la gran mayoría en situación de irregularidad administrativa[72]. Muchas son mujeres, especialmente en el trabajo doméstico[73], en talleres textiles, y también en el sector de la agricultura temporera, en este último caso, entre otros factores alusivos a las deficientes condiciones y el escaso control de la Inspección de trabajo, cabe barajar la precariedad del sistema de contratación (perimetral) de mujeres en el origen[74]. En el siguiente apartado analizaremos sus patrones más significativos.

---

[70]   POMARES CINTAS, E.: *El Derecho penal ante la explotación laboral y otras formas de violencia en el trabajo*, op. cit., pp. 33 y ss.

[71]   Véanse, Diligencias de Seguimiento del Ministerio Fiscal en torno al Delito de Trata de Seres Humanos en el ámbito laboral tramitadas en el periodo 2013 a 2020, destacadas en el *Plan de Acción Nacional contra el Trabajo Forzoso*. Véase el interesante trabajo de CORREA DA SILVA, W. y CINGOLANI, C.: *Labour Trafficking and Exploitation in Rural Andalusia*, 2020.

[72]   Reconocen expresamente los efectos perniciosos del estatus denegatorio del inmigrante ilegal, entre otras, Sentencias de las Audiencias Provinciales de Sevilla, Secc. 7ª, 216/2003, de 14 de mayo; de Zaragoza, Secc. 3ª, 64/2003, de 29 de septiembre; de Girona, Secc. 3ª, 630/2004, de 14 de julio.

[73]   MIÑARRO YANINI, M.: "Formas esclavas de trabajo y servicio del hogar familiar: delimitación conceptual, problemática específica y propuestas", op. cit., pp. 71 y ss.; VV.AA.: "*I thought I was applying as a care giver*", *Combating Trafficking in Women for Labour Exploitation in Domestic Work*, University of Nicosia Press, Cyprus, 2015: ALEXANIAN, A., SALES GUTIÉRREZ, L., CAMARASA I. y CASALS, M.: *Fronteras difusas, víctimas invisibles. Aproximación a la trata de seres humanos con fines de explotación laboral en el servicio doméstico en España*, Fundació SURT, 2015; BERASALUZE GERRIKAGOITIA, L.: *Trata de seres humanos con fines de explotación laboral y protección de las víctimas: con especial atención al fenómeno en el ámbito del servicio doméstico*, tesis doctoral, Universidad del País Vasco, 2020.

[74]   CORREA DA SILVA, W. y CINGOLANI, C.: *Labour Trafficking and Exploitation in Rural Andalusia*, op. cit. Este extremo ha resultado desapercibido por el *Plan de Acción Nacional contra el Trabajo Forzoso*, que deberá reconsiderar.

1. Supuestos de perfil similar a los condenados por el TEDH bajo el eje de la esclavitud moderna

- En el Sector de servicios (trabajo doméstico y de limpieza de locales):

Servicios forzosos en régimen de Servidumbre: Sentencia del Tribunal Supremo 995/2000, 30 de junio (caso del contrato de esclavo). Se obliga a un hombre inmigrante ilegal de nacionalidad argelina a prestar servicios domésticos como interno para el empresario y su pareja. Se le retiene su documentación personal bajo el pretexto de la gestión de la regularización de su situación de ilegalidad administrativa en España (que nunca se tramitó). Realizaba su actividad sometido por un "contrato de esclavo": sin sueldo, sin sujeción a horario fijo, debía servir desnudo y decir a sus empleadores "*sí amo*", recibiendo el nombre de "esclavo". La sentencia pone de manifiesto un estado de sometimiento forzado a explotación bajo el dominio de los explotadores. Se reconoce el "trato humillante" a que fue sometida la víctima. Pena aplicada por un delito laboral según la regulación anterior al CP 1995: 2 meses de prisión.

Trata y *Servicios forzosos en régimen de Servidumbre*: Sentencia de la Audiencia Provincial de Madrid, 100/2002, 13 de diciembre. Se obliga a mujer inmigrante ilegal de nacionalidad ucraniana a prestar servicios domésticos y de limpieza de locales. La víctima también es prestada a diferentes empleadores, sin remuneración económica y sin sujeción a horario fijo, determinada como "garantía personal" de una deuda cuyo importe no es proporcional al viaje de entrada en España, que fluctúa al arbitrio de los explotadores. Se le retiene la documentación personal (pasaporte), y se le advierte el significado de ser inmigrante ilegal. Pena aplicada por un delito laboral (art. 312.2 *in fine*, con anterioridad a la reforma de 2000): 1 año de prisión y multa de 6 meses (cuota de 6 €). Se impone también la pena de multa de 12 meses (cuota de 6 €) por un delito de coacciones (art. 172).

- En el Sector secundario:

Servicios forzosos en régimen de Servidumbre-Esclavitud en el ámbito de la construcción: Sentencia de la Audiencia Provincial de Madrid, 63/2004, de 12 de julio. Se obliga a ciudadanos portugueses, entre los que se encuentran menores de edad entre 14 y 15 años, a realizar actividades de preparación de palés de madera durante jornadas de más de 12 horas diarias, sin descansos, y sin retribución. Se les confina en condiciones insalubres bajo los dominios de los explotadores (se encuentran alojados en el lugar de trabajo, en chabolas y caravanas en la M-30 de Madrid). Se les proporciona alimentación diaria escasa a base de arroz, y se les encierra de noche con un candado en un cobertizo dentro del asentamiento del que no podían salir bajo amenaza con escopetas. También se realizan labores de vigilancia de las víctimas para el cumplimiento del trabajo encomendado. Pena aplicada por un solo delito laboral (art. 311.1): 1 año de prisión y 6 meses de multa. Se impone también la pena de 7 años de prisión por delitos de detención ilegal (art. 163 CP).

Trata y *Servicios forzosos en régimen de Servidumbre* en taller textil: STS 348/2017, de 1 de mayo. Se reconoce el sometimiento de inmigrantes ilegales de nacionalidad china a un "régimen de casi esclavitud" en un taller textil clandestino de Mataró (entre mayo de 2008 y junio de 2009), en jornadas de hasta 15 horas diarias. Las víctimas se encuentran alojadas en los dominios de los explotadores: en el propio taller textil. Debían sufragar con su escaso sueldo los gastos de comidas y pernoctación en los propios talleres, en condiciones insalubres. Se las somete a estricto control y vigilancia en sus escasas salidas de los talleres. Pena aplicada por un solo delito laboral (art. 312.2 *in fine*): 3 años y 6 meses de prisión y multa de 9 meses (cuota de 10 €).

- En el Sector primario: trabajo agrícola:

Trata y *Servicios forzosos en régimen de Servidumbre*: Sentencia de la Audiencia Provincial de Huelva, 77/2006, de 23 de marzo. Se reconoce el sometimiento de inmigrantes ilegales de nacionalidad rumana (no eran todavía ciudadanos comunitarios) en "régimen de semiesclavitud". Las víctimas se encuentran alojadas en los dominios de los explotadores, bajo un estado constante de coacciones y amenazas. Se les detrae del escaso sueldo los gastos desproporcionados de alojamiento (en condiciones deplorables e insalubres) y manutención. Esos gastos se añaden a las deudas leoninas del viaje de entrada a España. Pena aplicada por un solo delito laboral (art. 312.2 *in fine*): 3 años y 6 meses de prisión y multa de 9 meses (cuota de 6 €). Se impone también la pena de 6 años de prisión (una pena mayor que la que corresponde al sometimiento forzado a explotación) por un delito de colaboración en la inmigración ilegal (art. 318 *bis* en el formato vigente en el momento de los hechos).

Trata y *Servicios forzosos en régimen de Servidumbre*: Sentencia de la Audiencia Provincial de Albacete, 190/2004, 27 de mayo. Se reconoce el sometimiento de inmigrantes ilegales en régimen de semiesclavitud. "Condiciones de trabajo infrahumanas, por el número de horas invertidas en el citado trabajo agrícola (…) sin apenas dinero alguno que percibir por su actividad laboral, dado que los descuentos, por el viaje que realizaban desde sus países de origen, así como el alojamiento que realizaban en pisos alquilados por la citada organización de la empresa, en unas condiciones de habitabilidad muy precarias y, las cantidades de dinero que les descontaban por el importe de los vehículos y gastos de gasolina efectuados para el transporte de los trabajadores del lugar de trabajo a las distintas localidades donde residían en

España". Se les somete a constante vigilancia. Pena aplicada derivada de un concurso ideal entre un delito de colaboración en la inmigración clandestina (art. 318 bis) y un solo delito laboral (art. 312.2 *in fine*): 3 años y 6 meses de prisión y multa de 9 meses.

Véase, aplicando un delito de trato degradante (art. 173.1 CP) a supuestos similares, SAP de Huelva, 142/2014, 24 de abril, que, en cambio, absuelve del delito laboral del art. 311.

Véanse los supuestos analizados en el interesante estudio de W. CORREA DA SILVA y C. CINGOLANI, (2020) *Labour Trafficking and Exploitation in Rural Andalusia*[75].

Todas estas prácticas efectivas de sometimiento forzoso a explotación (no sexual), que son modalidades de degradación del ser humano, se han encontrado hasta ahora, en España, relegadas del discurso oficial de la Trata de seres humanos, como denuncia el Cuarto Informe General GRETA (2015) y se reconoce por el *Plan de Acción Nacional contra el Trabajo Forzoso*, que anuncia un tratamiento distinto y adecuado a su gravedad. Porque su diversidad y magnitud no se reflejan aún en las estadísticas oficiales como formas de esclavitud en España. Discurren, en realidad, camufladas en el efecto de la tolerancia de los valores del mercado y en el seno de la empresa privada[76].

2.   Respuestas del Código penal vigente: ¿delitos laborales?

Hoy no existe en el Código Penal español una respuesta adecuada para responder, de modo coherente y proporcionado, al sustrato esencial y común a las formas de sometimiento forzoso a explotación humana que la doctrina del TEDH ha ido consolidando.

En primer lugar, los delitos laborales regulados en los arts. 311 y 312.2 *in fine* se proyectan sobre una fenomenología cualitativamente distinta[77]: persi-

---

[75]   CORREA DA SILVA, W. y CINGOLANI, C.: *Labour Trafficking and Exploitation in Rural Andalusia, op. cit.*

[76]   Véase RELATORA ESPECIAL SOBRE LA TRATA DE PERSONAS: *Informe anual de la Relatora Especial sobre las formas contemporáneas de esclavitud, Urmila Bhoola, presentado el 10 de septiembre de 2014 al Consejo de Derechos Humanos de la ONU, op. cit.*; VILLACAMPA ESTIARTE, C.: "La moderna esclavitud y su relevancia jurídico-penal", *Revista de Derecho Penal y Criminología*, nº 10, 2013, pp. 305 y 325; PÉREZ MACHÍO, A. I.: "Trata de personas con fines de explotación laboral: la globalización del delito y su incidencia en la criminalización de la victimización irregular", *op. cit.*, pp. 371 y ss.

[77]   En esta dirección, POMARES CINTAS, E.: *El Derecho penal ante la explotación laboral y otras formas de violencia en el trabajo, op. cit.*, pp. 139 y ss.; VILLACAMPA ESTIARTE, C.: "El delito de trata de seres humanos", *op. cit.*, p. 416. Sobre esta cuestión, ante diferentes hipótesis, TERRADILLOS BASOCO, J. M.: "Delitos contra los derechos de los trabajadores: veinticinco años de política legislativa errática", *op. cit.*, pp. 48 ss. Véase, en esta línea, *Plan de Acción Nacional contra el Trabajo Forzoso* (diciembre 2021).

guen situaciones de explotación consistentes en la realización de un trabajo o de un servicio que se presta voluntariamente pero bajo la imposición de condiciones ilícitas o abusivas que vulneran garantías socio-laborales. No cubren el desvalor de una cosificación que no parte del sustrato de un trabajo voluntario, sino de la imposición a la víctima de la condición, no ya de "trabajadora", sino también de esclava, sierva o similar. Por esta razón, recurrir conjuntamente al delito de trato degradante del art. 173 CP tampoco sería una solución totalmente satisfactoria para suplir las deficiencias de los delitos laborales[78].

Tabla 2

Art. 311. Imposición de condiciones ilícitas laborales o de Seguridad Social	Art. 312. 2. in fine. Imposición de condiciones ilícitas laborales o de Seguridad Social (inmigrantes ilegales)
Conducta (art. 311.1º): imponer, mediante engaño o abuso de situación de necesidad, a los trabajadores por cuenta ajena (nacionales, comunitarios o inmigrantes legales) condiciones laborales o de Seguridad Social que perjudiquen, supriman o restrinjan los derechos reconocidos por disposiciones legales, convenios colectivos o contrato individual. Penas: prisión de 6 meses a 6 años y multa de 6 a 12 meses. Modalidad agravada (art. 311. 4º): Pena superior en grado cuando la conducta se lleva a cabo con violencia o intimidación. No se aplica.	Conducta: Emplear a "súbditos extranjeros sin permiso de trabajo" en condiciones que perjudiquen, supriman o restrinjan los derechos que tuviesen reconocidos por disposiciones legales, convenios colectivos o contrato individual. Penas: prisión de 2 años a 5 años y multa de 6 a 12 meses. *Desde la LO 2/2009, de 11 de diciembre, se restringen severamente las garantías laborales del trabajador inmigrante ilegal, aun cuando pudieran corresponderle, en la medida en que no "sean compatibles con su situación" de irregularidad migratoria (art. 36.5 LOEx.)

En segundo lugar, como se desprende del tratamiento penal del perfil de los supuestos que se han descrito, la regulación de los delitos laborales no permitiría aplicar al autor (o autora) un delito por víctima, como ocurre, en cambio, con el delito de Trata (Acuerdo del Pleno no Jurisdiccional del TS de 31 de mayo de 2016), porque tutelan bienes jurídicos colectivos. Por tanto, ante estados de sometimiento forzoso a explotación, se contemplará un solo delito laboral con independencia del número de víctimas abusadas, a pesar de sufrir, cada una de ellas, individualmente, formas de cosificación que lesionan la integridad moral como bien jurídico personalísimo (véanse, reconociendo un régimen de casi esclavitud, STS 348/2017, de 1 de mayo; SAP de Huelva, 77/2006, de 23 de marzo; SAP de Albacete, 190/2004, 27 de mayo).

Se plantea otra objeción. Los delitos laborales castigan, de modo separado, con distintas exigencias y tratamiento punitivo, situaciones de explotación ilícita atendiendo exclusivamente a la condición migratoria de la víctima, así, si es inmigrante irregular (art. 312.2 *in fine* CP) o inmigrante legal o comunitario

---

[78]   Véanse, SAP de Huelva, 142/2014, de 24 de abril; STS 196/2017, de 24 de marzo.

(art. 311. 1º). ¿Cómo justificar un tratamiento penal distinto, cuando el delito de Trata no lo hace? El *Plan de Acción Nacional contra el Trabajo Forzoso* subraya, asimismo, estas objeciones.

Por último, en la tutela penal frente a la explotación no sexual, los menores son los grandes olvidados (tampoco los menciona específicamente el *Plan de Acción Nacional contra el Trabajo Forzoso* a propósito de la propuesta de reforma de los delitos laborales). Los delitos laborales no arbitran una protección específica a la víctima menor de edad, contraviniendo diametralmente el Convenio nº 182 de la OIT, de 17 de junio de 1999, sobre la prohibición de las peores formas de trabajo infantil y la acción inmediata para su eliminación, en vigor en España desde el 2 de abril de 2002. La política de tutela dirigida al menor cuando es víctima de Trata (art. 177 *bis*. 2 CP, recién agravado por Ley Orgánica 8/2021, de 4 de junio, de protección integral a la infancia y la adolescencia frente a la violencia) o víctima de imposición coactiva de prestaciones sexuales (art. 188.2 CP), se desvanece inexplicablemente cuando es objeto de explotación abusiva no sexual.

Significativa es la Sentencia de la Audiencia Provincial de Girona, Secc. 3ª, 630/2004, de 14 de julio, que valora formas severas de explotación ejercidas sobre 2 hermanos marroquíes de 14 y 16 años, que realizaban la actividad de limpieza en un restaurante en jornadas diarias que se extendían más de 12 horas, con períodos de descanso breves y limitados a las horas de comer, y sin ser garantizada la escasa remuneración que en un principio se les ofrecía. Fueron sometidos a continuos insultos, golpes y vejaciones por el explotador. La Sentencia reconoce que fueron objeto de trato degradante, pero el caso se ventiló con la aplicación exclusiva de un solo delito laboral correspondiente a la condición migratoria de las víctimas (art. 312.2 *in fine*). Se impuso la pena de 2 años de prisión y multa de 9 meses (cuota diaria de 18 €). Ahora bien, como pena *accesoria* (extraordinariamente excepcional en este contexto), se estimó adecuada la inhabilitación para el ejercicio de la profesión.

El Convenio de la OIT de 1999 distingue también entre explotación de menores en condiciones similares a la esclavitud y la esfera del abuso laboral. La primera se refiere a las formas más severas de explotación, que abarca formas de sometimiento forzoso a explotación en todos los ámbitos, incluido el reclutamiento forzoso de menores para utilizarlos en conflictos armados o en actividades delictivas, particularmente, en el tráfico de drogas (art. 3). Las situaciones de explotación laboral de menores no reconducibles a la esfera de los servicios forzosos se enmarcan en "el trabajo que, por su naturaleza o por las condiciones en que se lleva a cabo, es probable que dañe la salud o la seguridad (...) de los menores" (art. 3.d). Definir el abuso laboral de menores dependerá de la edad, tomando como punto de referencia la edad mínima laboral, del tipo de trabajo en cuestión, el sector de actividad, la jornada laboral y otras condiciones de realización del trabajo.

En el contexto de los delitos laborales, el Código penal no prevé ni la responsabilidad penal de las personas jurídicas, ni sanciones privativas de derechos como pena principal, ni tampoco una circunstancia de agravación de la pena, como se procede en el ámbito de la explotación sexual de menores, coactiva o no [art. 188.3 a)], cuando la víctima sea "especialmente vulnerable" por razón de su edad, así, por debajo de la edad laboral, o por cualquier otra circunstancia que fundamente una mayor desprotección, así, particulares situaciones de menores sin referente familiar (menores no acompañados[79]).

Cuesta pensar que la Ley Orgánica 8/2021, de 4 de junio, de protección integral a la infancia y la adolescencia frente a la violencia, no aprovechara la coyuntura para impulsar una agravación de los delitos laborales para tutelar a los menores. Se ha reducido a la esfera *separada* del delito de Trata, sin responder tampoco a la tarea pendiente de definir e incriminar las formas de sometimiento forzoso a situaciones de explotación, imponiendo al autor de un delito de trata de menores (art. 177 *bis*. 2 CP) la pena de inhabilitación especial para cualquier profesión, oficio o actividades, sean o no retribuidos, que conlleve contacto regular y directo con personas menores de edad, por un tiempo superior entre seis y veinte años al de la duración de la pena de privación de libertad impuesta. Se desatiende, por tanto, a los menores explotados que no son víctimas de Trata.

3.   *Afrontar la incriminación de las formas más severas de explotación del ser humano*

Ninguno de los tipos penales vigentes es suficiente para aprehender -ni visualizar- el desvalor cualitativo que identifica el sustrato esencial de las formas más severas de explotación del ser humano. Tampoco ofrecen criterios de política criminal encaminados a su prevención.

3.1.   Vectores de incriminación

Como se ha señalado, la doctrina jurisprudencial del TEDH ha ido actualizando los conceptos de *esclavitud, servidumbre* y *trabajos* o *servicios forzados*, que surgieron vinculados a un modelo socioeconómico distinto del actual, a partir de elementos de significación *equivalente* a su respectiva incidencia en las esferas de libertad e integridad moral de la víctima, e integrables en los mé-

---

[79]   Véase la Resolución de 13 de octubre de 2014, de la Subsecretaría de Presidencia, por la que se publica el Acuerdo para la aprobación del Protocolo Marco sobre determinadas actuaciones en relación con los Menores Extranjeros No Acompañados, protocolo que "también se aplica a menores extranjeros que se hallaren en situación de patente desamparo o desprotección, significadamente por padecer riesgo de sometimiento a redes de trata de seres humanos". *Vid. Plan de Acción Nacional contra el Trabajo Forzoso.*

todos actuales idóneos para atrapar y confinar a seres humanos en estados de sometimiento a explotación forzosa. En la actual fenomenología, y en la línea del TEDH, ninguno de esos tres conceptos se concibe como compartimentos estancos, porque sus elementos no aparecen claramente delimitados cualitativamente entre sí, ni son excluyentes entre sí, en la medida en que comparten la dimensión cosificadora del ser humano que fundamenta la naturaleza de *ius cogens* del art. 4 CEDH. Sin alterar sus ejes cualitativos esenciales, esa dimensión es susceptible de ser graduada en función de la intensidad del control fáctico sobre la víctima, de la incidencia en espacios de libertad personal, o la duración del estado de sometimiento forzado.

Desde este prisma, la doctrina del TEDH ha formulado el sustrato común que identifica cualitativamente, en la fenomenología actual, las formas más severas de explotación susceptibles de encuadrarse en el art. 4 CEDH. De un lado, el ejercicio de un poder de control-disposición de carácter fáctico sobre la víctima; de otro, los métodos o procedimientos para sumirla en un *estado* de sometimiento, capaces de constreñir su voluntad y obligarla a realizar una prestación, actividad o servicio, cualquiera que sea su naturaleza, lícita o no[80]. Este planteamiento dinámico permitiría apostar, como mejor alternativa, por una incriminación que aglutine las notas comunes y esenciales que caracterizan estas formas de cosificación, arbitrando, al tiempo, la posibilidad de graduar su intensidad o gravedad, en función del alcance del control o disposición que se ejerce sobre la víctima, o esferas de libertad comprometidas que van más allá de la realización forzosa de la prestación, actividad o servicio.

Estos son los criterios que abonarían una incriminación única:

• El desvalor de las formas de *esclavitud moderna* no radica, en sí, en la naturaleza del servicio, prestación o tipo de actividad, sino en reducir a la víctima, doblegando su voluntad, a un estado de sometimiento-disponibilidad-control de otra u otras personas[81].

• Todas comparten la dimensión cosificadora y degradante del ser humano que justifica la proscripción del art. 4 CEDH como norma de *ius cogens*. No se reducen a un asunto de transgresión de garantías laborales.

---

[80] OIT: *Una alianza global contra el trabajo forzoso, op. cit.*; OIT: *Trata de Seres Humanos y Trabajo Forzoso como Forma de Explotación. Guía sobre la Legislación y su Aplicación,* 2006, *op. cit.*; también, UNODC: *Ley modelo contra la trata de personas, op. cit.* Véase, en esta línea, *Plan de Acción Nacional contra el Trabajo Forzoso.*

[81] En esta línea, UNODC: *Ley modelo contra la trata de personas, op. cit.*; OIT: *Una alianza global contra el trabajo forzoso,* cit., 2005; Protocolo OIT 2014; Recomendación núm. 1523 de la Asamblea parlamentaria del Consejo de Europa, de 26 de junio de 2001; Resolución núm. 1922 (2013) del Consejo de Europa, sobre la trata de inmigrantes con el fin de someterlos a trabajos forzados. *Cfr.* BEATE, A.: *El trabajo forzoso y la trata de personas. Manual para los inspectores de trabajo,* Organización Internacional de Trabajo, Ginebra, 2008. Véase, *Plan de Acción Nacional contra el Trabajo Forzoso.*

- No se distinguen cualitativamente sino en función de su grado de incidencia en esferas de libertad de la víctima, de modo paralelo al grado de control fáctico que se ejerce sobre ella.

- Una regulación penal que opte por la diversificación penal de los conceptos de esclavitud, servidumbre y trabajos o servicios forzosos, como compartimentos estancos, a través de formulaciones que los encorseten, puede ser obstáculo para su persecución pues, en la práctica, en la fenomenología actual, sus elementos se presentan entrelazados. En otras palabras, se haría "difícil detectar la forma exacta de explotación a la que se somete a las víctimas" (Comunicación de la Comisión europea sobre la *Estrategia de la Unión Europea para la erradicación de la trata de seres humanos*, 2012-2016).

- Separar las figuras de esclavitud, servidumbre y trabajos forzosos defendiendo una ubicación sistemática distinta, o la tutela de bienes jurídicos distintos, es fundar una jerarquía de protección jurídico-penal de sus respectivas víctimas ante una misma dimensión cualitativa cosificadora.

- Como criterio de política criminal, permitiría uniformar el tratamiento de las víctimas del delito de Trata de personas que lo son también de explotación forzosa, sin perjuicio de las cuestiones derivadas del concurso de delitos.

3.2. Propuesta de incriminación

A)   Ubicación sistemática

Desde el punto de vista sistemático, y por las razones mencionadas, se sugiere abrir un Capítulo II en el Título VII del Código penal dedicado a los delitos contra la integridad moral, es decir, a la proscripción de cosificación o instrumentalización del ser humano como un objeto. El Capítulo comprenderá, junto al delito de Trata de seres humanos, la incriminación de las formas más severas-degradantes de explotación humana. Es una sistemática, en cierto modo, inspirada en el texto del art. 5 de la Carta Africana sobre los Derechos Humanos y de los Pueblos (27-7-1981): "(...) Todas las formas de explotación y degradación del hombre, especialmente la esclavitud, el comercio de esclavos, la tortura, el castigo y el trato cruel, inhumano o degradante, serán prohibidos".

B)   Elementos esenciales del tipo penal

En lugar de diversificar los conceptos de esclavitud, servidumbre y servicios o trabajos forzados contenidos en el art. 4 CEDH, y en el art. 177 *bis*.1

CP, se propone una formulación capaz de englobar el sustrato esencial que fundamente el relieve penal de todo sometimiento forzoso a una situación de explotación, cualquiera que sea la naturaleza de la prestación, servicio o actividad, sea económica o no, esté o no regulada, sea lícita o no[82].

Los ejes comunes estriban en el aprovechamiento de la víctima (no necesariamente económico), que se asocia "con condiciones de trabajo/vida particularmente duras y abusivas a las que se somete a una persona, lesivas de su dignidad como persona"[83], bajo los siguientes elementos que describen el comportamiento:

- La imposición forzada de la condición de prestadora de una actividad o servicio mediante el ejercicio de un poder de control fáctico sobre la víctima.

- La reducción de la víctima, como un objeto, a un *estado* de sometimiento fáctico a la esfera de control y disposición de otra persona, que le restringe, priva o arrebata significativamente su libertad de decisión/actuación. Es inherente el carácter continuado de esa situación de control-sujeción[84].

- Se requiere, asimismo, para reducir, o, en su caso, mantener a la víctima en un estado de sometimiento, el recurso a métodos idóneos para doblegar o anular su voluntad: violencia, intimidación, engaño o abuso de una situación de superioridad o vulnerabilidad[85] (que, en este caso, debe ser equivalente a la gravedad y eficacia de los restantes métodos). Estos procedimientos se encuentran mencionados precisamente en el art. 177 *bis.* 11 CP cuando identifica la *"situación de explotación sufrida"* por

---

[82]   Véase, en esta línea, *Plan de Acción Nacional contra el Trabajo Forzoso*, que afirma, como se ha insistido en estas líneas, que "lo decisivo es que sea exigido por un tercero y prestado bajo su dependencia", "abarcando en su definición cualquier servicio prestado en situación de dominación o ausencia de libertad de decisión del prestatario del servicio como ocurre con los sometidos a esclavitud, servidumbre...".

[83]   UNODC, *Ley modelo contra la trata de personas, op. cit.*

[84]   *Cfr.* COMISIÓN INTERAMERICANA DE DERECHOS HUMANOS: *Informe Núm. 169/11, Caso Trabajadores de la Fazenda Brasil Verde*, 2011; Sentencia de la Corte Interamericana de Derechos Humanos de 20 octubre de 2016 (*Caso Trabajadores de la Hacienda Brasil Verde Vs. Brasil*). En esta línea, VALVERDE CANO, A. B.: "It's all about control: el concepto de trabajos forzosos", *op. cit.*, p. 288.

[85]   Sentencia de 12 de junio de 2002 de la Cámara de Apelaciones del Tribunal Penal Internacional Ad-Hoc para la ex-Yugoslavia (*Caso Prosecutor Vs. Dragoljub Kunarac, Radomir Kovac y Zoran Vukovic*, núm. IT-96-23-A); BELLAGIO-HARVARD: *Directrices Bellagio-Harvard de 2012 sobre Parámetros Jurídicos de la Esclavitud, op. cit.*, directriz 2; UNODC: *Ley modelo contra la trata de personas, op. cit.*; POMARES CINTAS, E.: "Cuestiones pendientes del tratamiento internacional de la trata de seres humanos: lagunas del Protocolo de Palermo de 2000", *op. cit.*, pp. 201 y ss. Véase, *Plan de Acción Nacional contra el Trabajo Forzoso*.

la víctima de Trata. La integración expresa en el tipo penal de los medios comisivos que anulan o arrebatan el consentimiento de la víctima evitaría también generar la problemática de un concurso de delitos, o un concurso aparente de normas penales, con las coacciones o las amenazas -en el caso de que se recurra a la violencia o métodos coactivos o intimidatorios para reducir a la víctima-. Quedarán así absorbidos en el desvalor de la conducta de este tipo penal, por ende, en el marco punitivo que se contemple.

Ejemplo de un supuesto calificado por el TEDH como trabajos o servicios forzosos subsumibles en el art. 4 CEDH (2017, *Asunto Chowdury y otros v. Grecia*). Al llegar al lugar de destino (un asentamiento en una finca griega para la recogida de la fresa), a los trabajadores se les confisca sus documentos personales. No tenían permiso de residencia ni de trabajo, condición de la que se aprovechaban los explotadores, dueños de la finca. Los salarios son reducidos, y en ocasiones inexistentes, de modo que no alcanzaban para cubrir los costos iniciales ni los sobrevenidos por la manutención en el lugar de trabajo. Fueron obligados a detraer de sus ya escasos sueldos el arrendamiento de improvisadas chozas de cartón, nylon y bambú y sin baños o agua corriente, un rudimentario servicio de agua y a veces de electricidad, así como la alimentación básica en las propias instalaciones. Trabajaban diariamente en invernaderos desde las 7 am hasta las 7 pm, recogiendo fresas bajo la supervisión de guardas armados contratados por los explotadores. Les recordaban su estatus de inmigrantes ilegales en suelo griego, hasta el punto de denunciarlos a la policía para evitar pagarles sus salarios. Siempre contaban con una "nueva remesa" de inmigrantes ilegales en las mismas condiciones. Estaban, además, sujetos a la permanente vigilancia de "guardias" armados que controlaban sus movimientos.

En tales situaciones, las víctimas perciben, como única vía posible de interrumpir la continuidad de ese estado de sometimiento fáctico, enfrentarse a la maquinaria coactiva del explotador, con riesgo grave para la integridad o la vida. Y así lo hicieron. Uno de los explotadores desenfundó su arma de fuego e hirió gravemente a varias de ellas.

C)   *Factores que gradúan la gravedad del estado de sometimiento forzoso de la víctima*

Por otro lado, sin alterar los ejes nucleares que fundan el desvalor penal de todo estado de sometimiento forzoso a explotación como vulneración del derecho de la persona a no ser tratada como un objeto, la gravedad de dicho estado puede fluctuar en función de la intensidad que cobren, en el caso concreto, los elementos básicos: grado y alcance del control o disposición fáctica que se ejerce sobre la víctima, duración de la situación forzosa degradante, entidad de los medios utilizados para doblegar o anular su voluntad, espacios de libertad afectados y su grado de restricción. O circunstancias personales de la víctima. El tipo penal ha de ofrecer un marco punitivo que permita atender a todas las posibles variables que gradúan la gravedad del comportamiento.

Así, el grado de control que se proyecta sobre espacios de libertad personal de la víctima se acentuará, particularmente, cuando se le determina a permanecer en los dominios del explotador porque sus tiempos de vida pueden también quedar a merced del mismo, hasta el punto de percibir un estado de exclusión del mundo exterior[86], en cuyo caso, estaríamos ante hipótesis de *trabajos forzosos* en régimen de *servidumbre*[87]. Piénsese en los supuestos en los que la víctima debe vivir, sin poder salir sin vigilancia o bajo amenazas, en el domicilio de quien la explota en las condiciones descritas (en el contexto del servicio doméstico forzoso), o en el propio lugar de trabajo (en asentamientos próximos a plantaciones agrícolas) o dentro de la nave industrial (ámbito de la construcción) o en el taller textil.

Estas notas sobre los elementos esenciales de la incriminación del sometimiento forzoso a explotación, sin perjuicio de su grado de intensidad, permitirían deslindar con mayor certeza las situaciones de abuso laboral consistentes en la realización de un trabajo por cuenta ajena que se desarrolla bajo condiciones vulneradoras de las garantías socio-laborales, pero que no encarna la imposición misma de un estado de servicios forzosos. Estas hipótesis de explotación de un trabajo voluntario se sitúan extramuros de las formas análogas a la esclavitud, sin perjuicio de su incriminación por la vía de los delitos laborales.

D)   Circunstancias agravantes específicas

Se propone incorporar criterios agravantes alusivos a las circunstancias de la víctima: minoría de edad, discapacidad, mujeres embarazadas, o víctimas que lo han sido también de un delito de trata de personas, sin que el explotador haya intervenido en el comportamiento de Trata.

E)   Penalidad

Se propone contemplar penas de prisión, multa proporcional a las ganancias conseguidas con la actividad o servicios forzosos e inhabilitación especial para el ejercicio del oficio o profesión utilizados en el delito.

---

[86]   *Vid.* este criterio, TEDH, *Asunto Chowdury y otros v. Grecia*, 2017. Véase *Tabla 1*.
[87]   TEDH, *Asuntos Siliadin Vs. Francia; C.N. y V. Vs. Francia; C.N. Vs. Reino Unido*. Véase *Tabla 1*. La OIT ha señalado que la servidumbre por deudas es también un supuesto -y frecuente- de trabajo forzoso. *Cfr.* OIT: *Estimaciones mundiales sobre la esclavitud moderna, op. cit.*

Desde criterios de proporcionalidad y coherencia con el sistema de penas interno, el marco punitivo de los estados de sometimiento forzoso a explotación debe garantizar mayor gravedad en contraste con la penalidad del delito de trata de seres humanos (son el delito-fin), y, en las hipótesis de prestación forzada de actividades o servicios productivos, debe poder distinguirse del tratamiento punitivo contemplado para los delitos laborales porque estas hipótesis trascienden los asuntos de transgresión de garantías socio-laborales, como se ha señalado (TEDH, 2005, *Asunto Siliadin Vs. Francia*).

F)   *Cláusula concursal*

Debe incorporarse una cláusula concursal que remita, en su caso, a las penas correspondientes por delitos contra la vida, la integridad física, salud o la libertad sexual de la víctima cometidos en la situación de sometimiento forzoso a explotación.

G)   *Persecución extraterritorial del delito*

Por último, habría que añadir al art. 23. 4 LOPJ una disposición que permita la persecución extraterritorial del delito que se propone[88], en virtud de la naturaleza de *ius cogens* de la norma que garantiza la proscripción de esclavitud y sus formas análogas.

Propuesta de tipificación

> Capítulo II. Título VII. De la Trata de seres humanos y formas degradantes de explotación humana relativas a la esclavitud
> * Tipo básico: Quien, ejerciendo sobre otra persona un poder de disposición o control, la obliga a realizar prestaciones, servicios o actividades, de cualquier naturaleza, reduciéndola o manteniéndola en un estado de sometimiento, será castigado con las penas de prisión de…, multa de…, e inhabilitación especial para el ejercicio del oficio o profesión utilizados en el delito por un tiempo de…
> La reducción o el mantenimiento del estado de sometimiento de la víctima a que se refiere el párrafo anterior tendrá lugar cuando la conducta se realiza mediante violencia, intimidación, engaño, o abusando de una situación de superioridad o vulnerabilidad de la misma.
> Para valorar la gravedad de dicho estado de sometimiento forzado se tendrá en cuenta el grado de control o disposición que se ejerce sobre la víctima, los espacios de libertad personal restringidos, y la entidad de los medios utilizados para doblegar o anular su voluntad.
> * Circunstancias agravantes específicas: víctima menor de edad, discapacitada, o mujer embarazada.
> La puesta en peligro grave de la vida, integridad física o salud de la víctima. Asimismo, si la víctima lo es también de un delito de trata de personas, a sabiendas de que lo es, siempre que el culpable no haya intervenido en el mismo.

---

[88]   La Resolución del Parlamento Europeo, de 5 de julio de 2016, cit., pide a los Estados miembros "que tipifiquen penalmente el hecho de recurrir a los servicios de víctimas de la trata de seres humanos (…) cuando dichas actividades se cometan fuera de un Estado miembro y/o fuera de la Unión".

> • Las penas previstas se impondrán sin perjuicio de las que correspondan, en su caso, por los delitos contra la vida, la integridad física, salud, integridad moral, o la libertad sexual de la víctima, cometidos en la situación de sometimiento forzoso a explotación.

3.3. Enfoque integral: erradicar la vulnerabilidad institucional ante las prácticas de esclavitud moderna

Volviendo la mirada al extraordinario Informe de la Relatora Especial sobre la trata de personas, Maria Grazia Giammarinario, de 17 de julio de 2020, abordar un modelo integral en materia de Trata y proscripción de las formas más severas de explotación del ser humano no significa sólo concebirlas como asunto penal, sino, antes bien, visualizarlas como *cuestión de justicia social*. Se requiere, pues, implementar políticas públicas de erradicación de los factores que favorecen canteras humanas de esclavitud.

En este contexto, es hora de contrarrestar uno de los más importantes factores que favorecen estas modalidades de abusos degradantes: la existencia, y su aprovechamiento, de una situación de vulnerabilidad *institucional*. A este respecto, el citado Informe Giammarinaro de 2020 huye de nociones de vulnerabilidad que desvían la atención hacia lo que sería un deber de diligencia de los Estados. En un Estado Social y Democrático de derecho, no cabe identificar la vulnerabilidad con una idea de "debilidad" de las víctimas porque forjaría y apuntalaría actitudes y políticas paternalistas. No existen estatutos de debilidad si las personas cuentan con herramientas jurídicas para defenderse y blindarse de todo abuso, de modo que construyan a su alrededor un *cordón de protección* en calidad de "titulares de derechos con capacidad para llevar adelante sus propios proyectos de vida". Sin un estatuto jurídico protector, hay vulnerabilidad, oscuridad, desamparo, aislamiento ante el abuso, también el más extremo. Y obligación estatal de reconocerlo y garantizarlo.

Analizar con rigor y neutralizar los factores que contribuyen a las formas más severas de explotación, atendiendo a los patrones que se han puesto de relieve en este trabajo, ya no es una tarea que puede ser excusada por trascender las competencias en relación con la agenda política contra la trata de personas. Reconocer las raíces de los problemas es siempre un paso que deberá guiar la actuación en el futuro. Cierto es que debe acompañar a este reto, a este cambio de orientación, un entorno político favorable al paradigma de la justicia social. Y, a este respecto, deben afrontarse las siguientes cuestiones:

- La acusada precarización estructural, además de un deficiente servicio de inspección laboral, en sectores de actividades no cualificadas:

la agricultura, especialmente la estacionaria[89], los talleres textiles vinculados a la economía sumergida, y particularmente, el trabajo doméstico, que es una inmensa fuente constatada de formas de *esclavitud moderna*[90], como lo afirma el Convenio 189 sobre el Trabajo Decente para las trabajadoras y los trabajadores domésticos, de 16 de junio 2011, que entró en vigor el 5 de septiembre de 2013 y no se ha ratificado aún por España (pero se espera, como avanza el *Plan de Acción Nacional contra el Trabajo Forzoso*).

- La ausencia de reconocimiento de condiciones, derechos laborales y garantías sociales en torno al trabajo sexual subraya su vulnerabilidad institucional, conduce al desamparo legal y la clandestinidad. El *Plan de Acción Nacional contra el Trabajo Forzoso* excluye, en cambio, de su marco de actuación los servicios sexuales forzosos, para señalar "un ámbito propio de políticas públicas" probablemente de tinte abolicionista del ejercicio de la prostitución (véase, el Proyecto de Ley Orgánica de Garantía Integral de la Libertad sexual de 6 de julio de 2021), que acentuará la situación de abuso. Reivindicar una situación de defensa frente a los abusos ha sido iniciativa de las trabajadoras sexuales (sindicato *OTRAS*) en el ejercicio del derecho a la libertad sindical restituido finalmente por la Sentencia del Tribunal Supremo 584/2021, de 1 de junio.

- En otro nivel, a medio y largo plazo, flexibilizar los sistemas de migración laboral, permitiendo la regularización en el territorio del país de destino[91], subsanar la reducción o precariedad de las opciones laborales y recursos para las mujeres migrantes[92], que las colocan en una posición de desventaja en los sectores de actividades no cualificadas.

---

[89]   En el ámbito de los trabajos estacionales o temporeros en la agricultura, véase CORREA DA SILVA, W. y CINGOLANI, C.: *Labour Trafficking and Exploitation in Rural Andalusia*, *op. cit.*

[90]   Véanse las Recomendaciones en torno a las condiciones dignas del trabajo doméstico y el perfil de las contrataciones en origen en este sector, Recomendación núm. 1663, de 22 de junio de 2004, de la Asamblea parlamentaria del Consejo de Europa, sobre esclavitud doméstica. Véase OIT: *Desarrollo de sistemas de inspección del trabajo modernos y eficaces*, Inspección de trabajo y trabajo doméstico, 2014

[91]   GRUPO DE EXPERTOS CONTRA EL TRÁFICO DE SERES HUMANOS DEL CONSEJO DE EUROPA (GRETA): *Cuarto Informe General, op. cit.*; TEDH, *Asunto Chowdury y otros v. Grecia* (2017). RELATORA ESPECIAL SOBRE LA TRATA DE PERSONAS: *Informe de la Relatora Especial sobre la trata de personas, especialmente mujeres y niños, Maria Grazia Giammarinaro, de 6 de abril de 2020, op. cit.*; en el ámbito del trabajo doméstico, véase la Recomendación núm. 1663, de 22 de junio de 2004, de la Asamblea parlamentaria del Consejo de Europa, sobre esclavitud doméstica; en el sector de la agricultura, CORREA DA SILVA, W. y CINGOLANI, C.: *Labour Trafficking and Exploitation in Rural Andalusia*, *op. cit.* Por ejemplo, retomar la vigencia del visado temporal de búsqueda de empleo.

[92]   Resolución del Parlamento Europeo, de 5 de julio de 2016, sobre la lucha contra la trata de seres humanos en las relaciones exteriores de la Unión, Considerandos E, U. En la misma

En definitiva, "Los Estados deberían velar por que la implementación de la reglamentación laboral se centre siempre en los derechos de los trabajadores, más que en la aplicación de las leyes de inmigración, y establecer un cortafuegos entre los controles migratorios y las inspecciones de trabajo" (Informe Giammarinaro 2020).

V. BIBLIOGRAFÍA

ACCEM: *La Trata de Personas con Fines de Explotación Laboral. Un estudio de aproximación a la realidad en España*, 2006.

ACNUDH, ACNUR, UNICEF, UNODC, ONU MUJERES y OIT: *La trata de seres humanos: prevenir, combatir, proteger. Comentario conjunto de las Naciones Unidas a la Directiva de la Unión Europea. Un enfoque basado en los derechos humanos*, Edición en español por la Delegación de ACNUR en España, 2011.

ALEXANIAN, A., SALES GUTIÉRREZ, L., CAMARASA I. y CASALS, M.: *Fronteras difusas, víctimas invisibles. Aproximación a la trata de seres humanos con fines de explotación laboral en el servicio doméstico en España*, Fundació SURT, 2015.

ALLAIN, J.: "125 años de abolición: el derecho de la esclavitud y la explotación humana", en PÉREZ ALONSO, E. (dir.), *El Derecho ante las formas contemporáneas de esclavitud*, Tirant lo Blanch, Valencia, 2017.

ALLAIN, J.: *Slavery in International Law: Of Human Exploitation and Trafficking*, Brill Nijhoff, 2013.

ÁLVAREZ GARCÍA, F. J.: "Criterios de armonización de la legislación penal centroamericana en materia de trata de personas", en PÉREZ ALONSO, E. y POMARES CINTAS, E. (coords.), *La trata de seres humanos en el contexto penal iberoamericano*, Tirant lo Blanch, Valencia, 2019, pp. 371 y ss.

ARCOS RAMÍREZ, F.: "Globalización, pobreza y esclavitud contemporánea: una mirada cosmopolita", en PÉREZ ALONSO, E. (dir.), *El Derecho ante las formas contemporáneas de esclavitud*. Tirant lo Blanch, Valencia, 2017, pp. 83 ss.

BALES, K., TRODD, Z. y WILLIAMSON, A. K.: *Modern Slavery. The secret World of 27 million people*, Oneworld, Oxford, 2009.

BEATE, A.: *El trabajo forzoso y la trata de personas. Manual para los inspectores de trabajo*, Organización Internacional de Trabajo, Ginebra, 2008.

BELLAGIO-HARVARD: *Directrices Bellagio-Harvard de 2012 sobre Parámetros Jurídicos de la Esclavitud*, 2012.

---

línea, RELATORA ESPECIAL SOBRE LA TRATA DE PERSONAS: *Informe temático de la Relatora Especial sobre la trata de personas, de 3 de mayo de 2016, sobre la protección de las víctimas de la trata de personas y las personas en riesgo de ser objeto de trata en situaciones de conflicto y posteriores a conflictos, op. cit.* Cfr. DAUNIS RODRÍGUEZ, A.: "Cuestiones clave de la prostitución y trata de personas. Aproximación al caso andaluz", en IGLESIAS SKULJ, A. y PUENTE ABA, L. Mª. (coords.), *Sistema penal y perspectiva de género: trabajo sexual y trata de personas*, Comares, Granada, 2012, p. 94.

BERASALUZE GERRIKAGOITIA, L.: *Trata de seres humanos con fines de explotación laboral y protección de las víctimas: con especial atención al fenómeno en el ámbito del servicio doméstico*, tesis doctoral, Universidad del País Vasco, 2020.

BONET PÉREZ, J.: "La interpretación de los conceptos de esclavitud y de otras prácticas análogas a la luz del ordenamiento jurídico internacional: aproximación teórica y jurisdiccional", en PÉREZ ALONSO, E. (dir.), *El Derecho ante las formas contemporáneas de esclavitud*, Tirant lo Blanch, Valencia, 2017, pp. 184 y ss.

COMISIÓN INTERAMERICANA DE DERECHOS HUMANOS: *Informe Núm. 169/11, Caso Trabajadores de la Fazenda Brasil Verde*, 2011.

CORREA DA SILVA, W. y CINGOLANI, C.: *Labour Trafficking and Exploitation in Rural Andalusia*, 2020. Disponible en: https://www.intechopen.com/online-first/labour-trafficking-and-exploitation-in-rural-andalusia.

CUENCA CURBELO, S.: "Crónica de jurisprudencia del Tribunal Europeo de Derechos Humanos, mayo-agosto 2020", *Revista de Derecho Comunitario Europeo*, 67, 2020.

DAUNIS RODRÍGUEZ, A.: "Cuestiones clave de la prostitución y trata de personas. Aproximación al caso andaluz", en IGLESIAS SKULJ, A. y PUENTE ABA, L. Mª. (coords.), *Sistema penal y perspectiva de género: trabajo sexual y trata de personas*, Comares, Granada, 2012.

DE LA MATA BARRANCO, N.: "Trata de personas y favorecimiento de la inmigración ilegal, dos conductas de muy distinto desvalor", *Revista electrónica de ciencia penal y criminología*, nº 23, 2021.

EUROPEAN COMISION: *REPORT FROM THE COMMISSION TO THE EUROPEAN PARLIAMENT AND THE COUNCIL: Report on the progress made in the fight against trafficking in human beings (2016) as required under Article 20 of Directive 2011/36/EU on preventing and combating trafficking in human beings and protecting its victims*, 2006.

FISCALÍA GENERAL DEL ESTADO: *Memoria elevada al Gobierno de S. M.*, 2019

GALLO, P. y GARCÍA SEDANO, T.: *Formas modernas de esclavitud y explotación laboral*, BdF, 2020.

GARCÍA ARÁN, M.: "Trata de personas y regulación de la prostitución", en PÉREZ ALONSO, E. (dir.), *El Derecho ante las formas contemporáneas de esclavitud*, Tirant lo Blanch, Valencia, 2017.

GRUPO DE EXPERTOS CONTRA EL TRÁFICO DE SERES HUMANOS DEL CONSEJO DE EUROPA (GRETA): *Cuarto Informe General*, 2014.

GUISASOLA LERMA, C.: "Formas contemporáneas de esclavitud y trata de seres humanos: una perspectiva de género", *Estudios penales y criminológicos*, 39, 2019.

HAVA GARCÍA, E.: "Trata de personas, prostitución y políticas migratorias", *Estudios penales y criminológicos*, nº 26, 2006.

HORTAL IBARRA, J. C.: "Tutela de las condiciones laborales y reformas penales: ¿el ocaso del Derecho Penal del Trabajo?", *Revista de Derecho Penal y Criminología*, nº 20, 2018.

LENGELLÉ-TARDY, M.: *La esclavitud moderna*, Bellaterra, Barcelona, 2002.

LENGELLÉ-TARDY, M.: *La esclavitud*, Ed. Oikos-Tau, Barcelona, 1971.

LÓPEZ RODRÍGUEZ, J. y ARRIETA IDIAKEZ, F. J.: "La trata de seres humanos con fines de explotación laboral en la legislación española", *Icade. Revista de la Facultad de Derecho*, 107, 2019.

LÓPEZ RODRÍGUEZ, J.: *Conceptualización jurídica de la trata de seres humanos con fines de explotación laboral,* Lex Nova, 2016.

MAQUEDA ABREU, Mª L.: ¿"Cómo construir «víctimas ficticias» en nombre de las libertades sexuales de las mujeres"?, *Mientras Tanto,* 196, 2020.

MAQUEDA ABREU, Mª L.: "Demasiados artificios en el discurso jurídico sobre la trata de seres humanos", en DE LA CUESTA, P. *et al.,* (coords.), *Liber Amicorum en Homenaje al Prof. Juan María Terradillos Basoco,* Tirant lo Blanch, Valencia, 2018.

MAQUEDA ABREU, Mª L.: "Trata y esclavitud no son lo mismo, pero ¿qué son?", en SUÁREZ LÓPEZ, J.M. *et al.,* (dirs.), *Estudios jurídico penales y criminológicos: En Homenaje al Prof. Dr. H. C. M. Lorenzo Morillas Cueva,* vol. II, Dykinson, Madrid, 2018.

MESTRE i MESTRE, R. M.: "La jurisprudencia del TEDH en materia de trata de seres humanos y la necesidad de regresar a las categorías jurídicas de esclavitud, servidumbre y trabajo forzado", *RELIES: Revista del Laboratorio Iberoamericano para el Estudio Sociohistórico de Las Sexualidades,* 4, 2020.

MIÑARRO YANINI, M.: "Formas esclavas de trabajo y servicio del hogar familiar: delimitación conceptual, problemática específica y propuestas", *Relaciones Laborales,* 10, 2014, pp. 71 ss.

MONTOYA VIVANCO, Y.: "El delito de trata de personas como delito complejo y sus dificultades en la jurisprudencia peruana", *Derecho PUCP, Revista de la Facultad de Derecho,* nº 76, 2016.

NAÏR, S.: "Jugándose la vida en las fronteras", en *El País,* 5 de noviembre de 2021.

NAÏR, S.: "Los inmigrantes, ¿otra vez olvidados?", en *El País,* 22 de junio de 2020

NAÏR, S.: *El desengaño europeo,* Galaxia Gutenberg, Barcelona, 2014.

OIT: *Desarrollo de sistemas de inspección del trabajo modernos y eficaces,* Inspección de trabajo y trabajo doméstico, 2014.

OIT: *El Costo de la Coacción,* 2009.

OIT: *Estimaciones mundiales sobre la esclavitud moderna,* 2017.

OIT: *Estimaciones mundiales sobre la esclavitud moderna: trabajo forzoso y matrimonio forzoso,* Resumen Ejecutivo, 2017.

OIT: *Intensificar la lucha contra el trabajo forzoso,* 2014.

OIT: *Trata de Seres Humanos y Trabajo Forzoso como Forma de Explotación. Guía sobre la Legislación y su Aplicación,* 2006.

OIT: *Una alianza global contra el trabajo forzoso,* 2005.

PÉREZ ALONSO, E.: "Marco normativo y política criminal contra la trata de seres humanos en la Unión europea", en PÉREZ ALONSO, E. y POMARES CINTAS, E. (coords.), *La trata de seres humanos en el contexto penal iberoamericano.* Tirant lo Blanch, Valencia, 2019

PÉREZ ALONSO, E.: "Tratamiento jurídico-penal de las formas contemporáneas de esclavitud", *El Derecho ante las formas contemporáneas de esclavitud,* Valencia, 2017.

PÉREZ MACHÍO, A. I.: "Trata de personas con fines de explotación laboral: la globalización del delito y su incidencia en la criminalización de la victimización irregular", *Estudios Penales y Criminológicos,* nº 36, 2016.

POMARES CINTAS, E., "La inmigración laboral del extranjero en el Derecho penal", *Cuadernos de Política Criminal,* nº 86, 2005.

POMARES CINTAS, E.: "Cuestiones pendientes del tratamiento internacional de la trata de seres humanos: lagunas del Protocolo de Palermo de 2000", en RUIZ-RICO RUÍZ, G. et al., (coords.), *Derecho penal y garantías constitucionales. Una perspectiva iberoamericana*, Tirant lo Blanch, Valencia, 2020, pp. 201 y ss.

POMARES CINTAS, E.: "La generalizzazione della privazione di libertà dei richiedenti protezione internazionale nello spazio giuridico europeo", *Rivista Altre Modernitá*, Universitá degli Studi di Milano, 2019, pp. 1 y ss.

POMARES CINTAS, E.: "La prostitución, rehén histórico de la trata de personas: la conformación política de una nueva victimización de mujeres", en CARRASCO ANDINO, M. (dir.), *Víctimas de delitos: modelos de actuación integral*, Tirant lo Blanch, Valencia, 2020, pp. 117 y ss.

POMARES CINTAS, E.: "La Unión europea ante la inmigración ilegal: la institucionalización del odio", *Eunomía. Revista en Cultura de la Legalidad*, n° 7, 2014, pp. 158 y ss.

POMARES CINTAS, E.: "Reforma del Código penal español en torno al delito de tráfico ilegal de migrantes como instrumento de lucha contra la inmigración ilegal en la Unión Europea", *Revista de Estudios Jurídicos UNESP*, Universidad Estatal Paulista, n. 29, 2015, pp. 1 y ss.

POMARES CINTAS, E.: *El Derecho penal ante la explotación laboral y otras formas de violencia en el trabajo*, Tirant lo Blanch, Valencia, 2013.

PORTILLA CONTRERAS, G. y POMARES CINTAS, E.: "Los delitos relativos al tráfico ilegal o la inmigración clandestina de personas (arts. 313 y 318 bis)", en, ÁLVAREZ GARCÍA, J. y GONZÁLEZ CUSSAC, J. L. (dirs.), *Comentarios a la Reforma Penal de 2010*, Tirant lo Blanch, Valencia, 2010.

PORTILLA CONTRERAS, G.: *El Derecho Penal entre el cosmopolitismo universalista y el relativismo posmodernista*, Tirant lo Blanch, Valencia, 2007.

RELATORA ESPECIAL SOBRE LA TRATA DE PERSONAS: *Informe anual de la Relatora Especial sobre las formas contemporáneas de esclavitud, Urmila Bhoola, presentado el 10 de septiembre de 2014 al Consejo de Derechos Humanos de la ONU*, 2014.

RELATORA ESPECIAL SOBRE LA TRATA DE PERSONAS: *Informe de la Relatora Especial sobre la trata de personas, Siobhán Mullally, de 17 de mayo de 2021 (A/HRC/47/34)*, 2021.

RELATORA ESPECIAL SOBRE LA TRATA DE PERSONAS: *Informe temático de la Relatora Especial sobre la trata de personas, de 3 de mayo de 2016, sobre la protección de las víctimas de la trata de personas y las personas en riesgo de ser objeto de trata en situaciones de conflicto y posteriores a conflictos (A/HRC/32/41)*, 2016.

RELATORA ESPECIAL SOBRE LA TRATA DE PERSONAS: *Informe temático de la Relatora Especial sobre las formas contemporáneas de esclavitud, Gulnara Shahinian, sobre el matrimonio servil, de 10 de julio de 2012 (A/HRC/21/41)*, 2012.

RELATORA ESPECIAL SOBRE LA TRATA DE PERSONAS: *Informe temático de la Relatora Especial sobre las formas contemporáneas de esclavitud, Maria Grazia Giammarinaro, sobre el fortalecimiento de las normas voluntarias de las empresas destinadas a prevenir y combatir la trata de personas y la explotación laboral, especialmente en las cadenas de suministro, 28 de marzo de 2017 (A/HRC/35/37)*, 2017.

RELATORA ESPECIAL SOBRE LA TRATA DE PERSONAS: *Informe de la Relatora Especial sobre la trata de personas, especialmente mujeres y niños, Maria Grazia Giammarinaro, de 6 de abril de 2020 (A/HRC/44/45)*, 2020.

RIVAS VALLEJO, P.: "Aproximación laboral a los conceptos de esclavitud, trabajo forzoso y explotación laboral en los tratados internacionales", *Revista de Estudios Jurídico Laborales y de Seguridad Social*, n° 2, 2021.

RODRÍGUEZ MONTAÑÉS, T.: "Trata de seres humanos y explotación laboral. Reflexiones sobre la realidad práctica", *La Ley Penal*, n. 109, 2014.

TERRADILLOS BASOCO, J. M.: "Delitos contra los derechos de los trabajadores: veinticinco años de política legislativa errática", *Estudios Penales y Criminológicos*, n° 41, 2021.

TRAPERO BARREALES, M.: "La transformación del derecho penal laboral. De protector de los derechos de los trabajadores a garante de la competencia empresarial y de las políticas migratorias", *Cuadernos de Política criminal*, n° 114, 2014.

UNODC: *Ley modelo contra la trata de personas*, 2010.

UNODC: *Travaux Préparatories de las negociaciones para la elaboración de la Convención de las Naciones Unidas contra la Delincuencia Organizada Transnacional y sus Protocolos*, 2008.

VALVERDE CANO, A. B.: "Ausencia de un delito de esclavitud, servidumbre y trabajos forzosos en el Código penal español", en PÉREZ ALONSO, E. (dir.), *El Derecho ante las formas contemporáneas de esclavitud*, Tirant lo Blanch, Valencia, 2017, pp. 430 y ss.

VALVERDE CANO, A. B.: "It's all about control: el concepto de trabajos forzosos", *Revista de Derecho Penal y Criminología*, n° 22, 2019.

VILLACAMPA ESTIARTE, C. y TORRES ROSELL, N.: "Trata de seres humanos para explotación criminal: ausencia de identificación de las víctimas y sus efectos", *Estudios Penales y Criminológicos*, 36, 2016.

VILLACAMPA ESTIARTE, C.: "¿Es necesaria una ley integral contra la trata de seres humanos?", *Revista General de Derecho Penal*, 33, 2020.

VILLACAMPA ESTIARTE, C.: "El delito de trata de seres humanos en el derecho penal español tras la reforma de 2015", PÉREZ ALONSO, E. (dir.), *El Derecho ante las formas contemporáneas de esclavitud*, Tirant lo Blanch, Valencia, 2017, pp. 461 y ss.

VILLACAMPA ESTIARTE, C.: "El delito de trata de seres humanos", en QUINTERO OLIVARES, G. (dir.), *Comentario a la reforma penal de 2015*, Thompson Reuters-Aranzadi, Madrid, 2015, pp. 399 y ss.

VILLACAMPA ESTIARTE, C.: "La moderna esclavitud y su relevancia jurídico-penal", *Revista de Derecho Penal y Criminología*, n° 10, 2013.

VV. AA.: *"I thought I was applying as a care giver": Combating Trafficking in Women for Labour Exploitation in Domestic Work*, University of Nicosia Press, Cyprus, 2015.

Capítulo XIX

NECESIDAD DOGMÁTICA Y CONVENIENCIA POLÍTICO-CRIMINAL DE INCRIMINAR LOS DELITOS DE ESCLAVITUD, SERVIDUMBRE Y TRABAJO FORZOSO EN EL CÓDIGO PENAL ESPAÑOL: UNA PROPUESTA DE REGULACIÓN PENAL (CON BREVES CONSIDERACIONES DE URGENCIA SOBRE EL NUEVO PLAN DE ACCIÓN NACIONAL CONTRA EL TRABAJO FORZOSO)[1]

ESTEBAN PÉREZ ALONSO
Catedrático de Derecho Penal
Universidad de Granada

Sumario: I. INTRODUCCIÓN; II. FORMAS CONTEMPORÁNEAS DE ESCLAVITUD: UNA DURA Y CRUEL REALIDAD ESTIMABLE A NIVEL MUNDIAL Y CONTRASTABLE A NIVEL NACIONAL; 1. Estimación mundial de las formas contemporáneas de esclavitud; 2. Constatación judicial de la moderna esclavitud en España; III. AUSENCIA DE REGULACIÓN Y NECESIDAD DE INTERVENCIÓN PENAL EN EL CÓDIGO PENAL ESPAÑOL; 1. Regulación penal insuficiente e inadecuada de las formas contemporáneas de esclavitud; 2. Necesidad de intervención penal; IV. PROPUESTA DE REGULACIÓN PENAL; 1. Perspectiva político-criminal y de técnica legislativa; 1.1 ¿Legislación penal común o especial?; 1.2 ¿Protección penal diversificada o unitaria?; 1.2.1 Tutela diversificada y fragmentada; 1.2.2. Tutela unitaria y de conjunto; 2. Propuesta de *lege ferenda*; V. BIBLIOGRAFÍA.

I. INTRODUCCIÓN

La expresión *formas contemporáneas de esclavitud* es la fórmula que se ha convenido en utilizar para referirse a las situaciones de explotación extrema del

[1] Este trabajo se enmarca en los Proyectos de investigación: *"Esclavitud contemporánea y trata de personas en el contexto internacional, nacional y andaluz: un estudio jurídico multidisciplinar y transversal"*. Ref. P18-RT-2253. Consejería de Economía, Conocimiento, Empresas y Universidad de la Junta de Andalucía; *"La trata de seres humanos, un reto global, en el contexto de Andalucía"*. Programa operativo FEDER-Andalucía 2014-2020. Ref. B-SEJ-429-UGR18. Y en la actividad investigadora de la *Red Iberoamericana de Investigación sobre Formas Contemporáneas de Esclavitud y Derechos Humanos* (AUIP).

ser humano que se están produciendo en la actualidad y que resultan equivalentes a la vieja esclavitud o a prácticas similares, como la servidumbre y el trabajo forzado.[2] Se trata de una atroz violación de los derechos humanos más básicos, donde se produce una degradación y deshumanización extrema del ser humano, que pasa directamente a ser considerado y tratado como una cosa, despojándolo absolutamente de su personalidad jurídica, pues se le niega su condición de persona. Al mismo tiempo que se produce también una limitación severa, si no una privación, de su libertad general para desenvolverse en la vida en las cuestiones más cotidianas hasta las más trascendentales.

De este modo, se produce una situación de sometimiento extremo y dependencia respecto de la persona o personas que la explotan, que se aprovechan de su vulnerabilidad personal o estructural. En unos casos se provocan las circunstancias generadoras de tal vulnerabilidad y en otros se aprovechan de tales circunstancias de carácter estructural que están presentes en el nuevo sistema-mundo que ha derivado de la globalización económica y del dominio brutal del poder económico. El último y demoledor Informe de la Relatora Especial de Naciones Unidas sobre la trata de personas, especialmente mujeres y niños, de 17 de julio de 2020, señala que "en los dos últimos decenios ha quedado cada vez más claro que la trata, la esclavitud, el trabajo forzoso y otras formas de explotación son componentes sistémicos de las economías y los mercados de todo el mundo y deberían afrontarse principalmente como una cuestión de derechos humanos y justicia social".[3] Este escenario de dominación y explotación sólo opera con la razón y la utilidad económica, situando en un segundo plano a la persona, lo que permite hablar sin ambages de residuos humanos carentes de personalidad.[4] Sí, de personas que, por tanto, dejan de ser sujetos de derechos para convertirse en objetos de explotación que reportan una rentabilidad económica y nada más. En este contexto, la persona solo tiene un valor instrumental como objeto capaz de reportar utilidad y rentabilidad económica, es un bien fungible de usar -mientras sea útil- y tirar -cuando deja de serlo-, sin ninguna otra consideración adicional[5].

---

[2]   Sobre las formas contemporáneas de esclavitud, *vid.* AA.VV.: *El Derecho ante las formas contemporáneas de esclavitud*, Tirant lo Blanch, Valencia, 2017; AA.VV.: *Formas contemporáneas de esclavitud y derechos humanos en clave de globalización, género y trata de personas*, Tirant lo Blanch, Valencia, 2020; AA.VV.: "Formas contemporáneas de esclavitud", *Revista de la Facultad de Derecho de la Universidad Andina del Cusco*, año 4, nº 6, Monográfico, 2021.

[3]   *Cfr.* A/75/169, p. 18.

[4]   *Vid.* FERNÁNDEZ VÍTORES, R.: *Teoría del residuo*, Ediciones Endymion, 1997; ESPÓSITO, R.: *El dispositivo de la persona*, Amorrortu Editores, Buenos Aires, 2011.

[5]   Además de las obras citadas en la primera nota, *vid.* POMARES CINTAS, E.: *El Derecho Penal ante la explotación laboral y otras formas de violencia en el trabajo*, Tirant lo Blanch, Valencia, 2013, pp. 121 y ss.; VILLACAMPA ESTIARTE, C.: "La moderna esclavitud y su relevancia jurídico-penal", *Revista de Derecho Penal y Criminología*, 3ª Época, nº 10, 2013,

Frente a estas situaciones de extrema explotación personal equiparables a la esclavitud el Código Penal español no da una respuesta específica ni completa, sino que sólo se ocupa de algunos aspectos tangenciales de este fenómeno criminal. Pero, desde perspectivas sectoriales y parciales que no permiten ofrecer una respuesta integral y homogénea de este fenómeno y que claramente suponen una clamorosa laguna legal. Así lo reconoce también, sin ambages, el recientísimo Plan de Acción Nacional contra el Trabajo Forzoso: relaciones laborales obligatorias y otras actividades humanas forzadas, aprobado por el Gobierno el 10 de diciembre de 2021 (en adelante, PANTF).[6] Parece que hasta ahora el legislador español vive o ha vivido ajeno a la realidad cotidiana de nuestro país y que no le preocupan en absoluto las situaciones de extrema explotación de la persona que se están produciendo a diario en nuestro país. Al tiempo que hay factores vinculados a supuestos intereses generales -como el control de los flujos migratorios/mercado laboral/producción económica- y otros relacionados con valores culturalmente enraizados en una sociedad machista y patriarcal -como la sexualidad/prostitución/género- que mantienen un

---

pp. 293 y ss.; PÉREZ ALONSO, E.: "Prohibición universal de la esclavitud y de sus formas contemporáneas", en MAQUEDA ABREU, M. L., MARTÍN LORENZO, M., y VENTURA PÜSCHEL, A. (coords.), *Derecho Penal para un estado social y democrático de derecho. Estudios penales en homenaje al profesor Emilio Octavio de Toledo y Ubieto*, Servicio de publicaciones de la facultad de derecho de la Universidad Complutense, Madrid, 2016, pp. 791 y ss.; VALVERDE CANO, A.: *La protección jurídico-penal de las víctimas de las formas contemporáneas de esclavitud a la luz del Derecho internacional, europeo y nacional*, Ed. Universitaria Ramón Areces, Madrid, 2017; VALVERDE CANO, A.: "Ausencia de un delito de esclavitud, servidumbre y trabajos forzosos en el Código Penal español", en PÉREZ ALONSO E. (dir.), MERCADO PACHECO, P., OLARTE ENCABO, S., LARA AGUADO, A., RAMOS TAPIA, I., POMARES CINTAS, E. y ESQUINAS VALVERDE, P. (coords.), *El derecho frente a las formas contemporáneas de esclavitud*, Tirant lo Blanch, Valencia, 2017, pp. 426 y ss.; VALVERDE CANO, A.: "It's all about control: el concepto de trabajos forzosos". *Revista de Derecho Penal y Criminología*, 3º Época, nº 22, 2019, pp. 139 y ss.; TERRADILLOS BASOCO, J.: "Explotación laboral, trabajo forzoso, esclavitud, ¿retos político-criminales para el siglo XXI?", en DEMETRIO CRESPO, E. y NIETO MARTÍN, A. (dirs.), Maroto Calatayud, M. y Marco Francia, M. P. (coords.), *Derecho penal económico y derechos humanos*, Tirant lo Blanch, Valencia 2018, pp. 210 y ss.; GUISASOLA LERMA, C.: "Formas contemporáneas de esclavitud y trata de seres humanos: una perspectiva de género", *Estudios Penales y Criminológicos*, vol. 39, 2019, pp. 175 y ss.; GALLO, P. y GARCÍA SEDANO, T.: *Formas modernas de esclavitud y explotación laboral. Talleres textiles clandestinos, explotación sexual y trata de personas*, BdeF, Montevideo-Buenos Aires, 2020. No ha podido ser tomado en consideración, por encontrarse este trabajo ya en prensa, el capítulo de libro de POMARES CINTAS, E.: "Necesidad de una respuesta incriminadora de las prácticas de sometimiento forzoso a explotación del ser humano como formas de esclavitud moderna", en *El Derecho Penal del siglo XXI. Liber Amicorum en honor al Profesor José Miguel Zugaldía Espinar*, Tirant lo Blanch, Valencia, 2021, pp. 547 y ss.

6 Publicado en el BOE de 24 de diciembre de 2021. También hay que tomar en consideración el nuevo Plan Estratégico Nacional contra la Trata y la Explotación de Seres Humanos 2021-2023 (en adelante PENTRAESH), aunque curiosamente ha sido presentado por el Ministerio del Interior el 12 de enero de 2022.

velo social y no permiten ver la brutal violación de derechos que se esconde detrás. Todo ello hace muy difícil que la sociedad pueda tomar conciencia real de la ilicitud y de la gravedad de tales conductas y que, en consecuencia, pueda abrirse un debate público y generarse una demanda social que abogue por la prevención y erradicación de este fenómeno (criminal), así como por la asistencia y protección de las víctimas, de tal modo que el nivel de tolerancia social con este tipo de comportamientos sea igual a cero.

El primero de los aspectos de este fenómeno que sí ha encontrado regulación penal es la trata de seres humanos, tipificada como delito a través de la LO 5/2010, de 22 de junio en el art. 177 bis CP.[7] Delito que también supone una grave violación de los derechos humanos y donde se viene a afectar el mismo bien jurídico que en el resto de formas contemporáneas de esclavitud, aunque la situación es ciertamente diferente. Como es sabido, "la trata consiste, en esencia, en un proceso mediante el cual se arranca y segrega a una persona de su hábitat natural y social, de forma forzada, fraudulenta o abusiva, pasando a estar sometida por el tratante que dispone de ella como si de una cosa se tratara con el propósito final de explotarla en beneficio ajeno".[8] La trata es un proceso que lleva a la explotación final, pero no es dicha explotación en sí misma considerada, por más que también deshumaniza a la persona y restringe o anula su libertad personal. Por ello, también constituye en sí misma una explotación instrumental y transitoria como vía para alcanzar el objetivo de una ex-

---

[7]   Sobre el delito de trata, *vid.* por todos, AA.VV.: *Trata de personas y explotación sexual*, Comares, Granada, 2006 AA.VV.: *La trata sexual de mujeres. De la represión del delito a la tutela de la víctima*, Ministerio de Justicia, Madrid, 2007; PÉREZ ALONSO, E.: *Tráfico de personas e inmigración clandestina (Un estudio sociológico, internacional y jurídico-penal)*, Tirant lo Blanch, Valencia, 2008; VILLACAMPA ESTIARTE, C.: *El delito de trata de seres humanos. Una incriminación dictada desde el Derecho Internacional*, Aranzadi, Pamplona, 2011; AA.VV.: *Nuevos retos en la lucha contra la trata de personas con fines de explotación sexual. Un enfoque interdisciplinar*, Cívitas, Thomson Reuters, Pamplona, 2012; AA.VV.: *La delincuencia organizada: un reto a la política criminal actual*, Thomson Reuters Aranzadi, Pamplona, 2013; DÍAZ MORGADO, C.: *El delito de trata de seres humanos. Su aplicación a la luz del Derechos Internacional y Comunitario*, tesis doctoral, Dispositivo Digital de la Universidad de Barcelona, Barcelona, 2014; LÓPEZ RODRÍGUEZ, J.: *Conceptualización jurídica de la trata de seres humanos con fines de explotación laboral*, Aranzadi, Pamplona, 2016; AA.VV.: *La trata de seres humanos en el contexto penal iberoamericano*, Tirant lo Blanch, Valencia, 2019; AA.VV.: "Trata de seres humanos", *Revista de la Facultad de Derecho de la Universidad Andina del Cusco*, año 3, n° 5, Monográfico, 2019; MOYA GUILLEM, C.: *La trata de seres humanos con fines de extracción de órganos. Análisis criminológico y jurídico-penal*, Tirant lo Blanch, Valencia, 2020; BERASALUCE GEURRI-CAGOITIA, L.: *Trata de seres humanos con fines de explotación laboral y protección de las víctimas: con especial atención al fenómeno en el ámbito del servicio doméstico*, tesis doctoral (trabajo inédito), Universidad del País Vasco, Donosti, 2020.

[8]   *Cfr.* PÉREZ ALONSO, E.: "El bien jurídico protegido en el delito de trata de seres humanos", en MARÍN DE ESPINOSA CEBALLOS, E. (dir.), *Liber Amicorum al Profesor José Miguel Zugaldía Espinar*, Tirant lo Blanch, Valencia, 2021, p. 521.

plotación (económica) de la persona de carácter más permanente. Pero, como se advierte en la doctrina, "el concepto de trata no se focaliza específicamente en la fase de explotación, que constituye la finalidad del proceso y que a menudo es la fase que más se dilata en el tiempo, sino que se circunscribe al tránsito de una situación de no sometimiento a la de sometimiento".[9] La trata es el proceso que conduce a la explotación extrema del ser humano (esclavitud), pero no incluye en su definición la consumación de dicha explotación. Además, no toda explotación extrema del ser humano trae su causa en la trata, sino que la gran mayoría de las formas contemporáneas de esclavitud que se producen en la actualidad se llevan a cabo en el propio país y lugar de la víctima, que es explotada en su propia tierra sin necesidad de ser segregada y desplazada a ningún otro lugar. El informe de la Relatora Especial lo viene a reconocer de forma expresa cuando señala que "el Protocolo se concibió para ocuparse de las personas víctimas de la trata en el contexto de actividades delictivas y no puede hacer frente al carácter sistémico de la explotación".[10] De todo ello cabe inferir, claramente, que la trata se ocupa del proceso de sometimiento de la persona, pero no de la explotación extrema posterior a dicho proceso o de las situaciones de explotación extrema en las que no hay trata, que son la mayoría. Por ello, el art. 177 bis CP no puede, en modo alguno, ofrecer un tratamiento adecuado y completo de las formas contemporáneas de esclavitud. Deja fuera de su ámbito de aplicación las situaciones de extrema explotación del ser humano que resultan equivalentes a la esclavitud, servidumbre o trabajo forzado y que, precisamente, constituyen una de las finalidades de la trata. La trata *arranca y segrega* a la persona de su habitat natural mediante un proceso de sometimiento a la voluntad de un tercero, mientras que la esclavitud *atrapa y explota* a la persona que también es controlada y sometida a la voluntad de otro. El PANTF lo deja bien claro también cuando concluye que "no todo el trabajo forzoso se produce en el marco de situaciones de trata de seres humanos. Además, el delito de trata es un delito de consumación anticipada y de mera actividad, mientras que el trabajo forzoso implica una conducta de explotación y de resultado".[11]

Entrando ya en el contexto de la explotación extrema del ser humano, el segundo de los aspectos de este fenómeno que también ha encontrado tradicionalmente regulación expresa en el Código Penal es el relativo a la explotación sexual mediante el ejercicio de la prostitución. Que aparece tipificada como delito en el art. 187.1 CP, cuando se trata de la prostitución involuntaria de adultos, y en el art. 188.1 CP cuando se refiere a menores o incapaces. Sin duda

---

[9]   *Cfr.* VILLACAMPA ESTIARTE, C.: *El delito de trata de seres humanos. Una incriminación dictada desde el Derecho Internacional, op. cit.*, p. 57.

[10]   *Cfr.* A/75/169, p. 12. También lo reconoce el Plan de Acción Nacional contra el Trabajo Forzoso adoptado por el Gobierno español el 10 de diciembre de 2021.

[11]   *Cfr.* BOE de 24 de diciembre de 2021, p. 162211.

que se trata de la situación más grave de explotación extrema del ser humano prevista como delito en el Código penal hasta la fecha, aunque se aborda sólo desde la perspectiva de la lesión de la libertad e indemnidad sexual de las víctimas -incluso, aunque no en todos los casos previstos legalmente llegue a resultar afectado de forma real el bien jurídico supuestamente protegido-.[12] Pero, no hay un abordaje completo y proporcionado de la prostitución en nuestro Código Penal que permita dar una respuesta adecuada a las muy diferentes situaciones que se pueden incluir bajo el concepto de prostitución, aunque sea entendida en un sentido muy amplio. Situaciones que van desde la explotación extrema de la persona, donde falta un consentimiento libre (por empleo de violencia o intimidación), pasando por situaciones abusivas o fraudulentas, donde hay un vicio en el consentimiento (abuso o engaño), hasta situaciones de voluntariedad, en donde puede haber una explotación abusiva y lesiva de otros derechos de menor calado (como los derechos laborales) producida por abuso o engaño, y otras en las que no hay explotación abusiva de la prostitución, sino concierto y acuerdo entre las partes, donde lógicamente la intervención penal carece de todo sentido, al menos, desde el punto de vista del bien jurídico protegido.[13] Pero la denominada "prostitución forzada o coactiva" que, como tendremos ocasión de ver, en la mayoría de casos se trata de supuestos de extrema explotación del ser humano equivalentes a la esclavitud, servidumbre o trabajo forzoso, no tiene un tratamiento punitivo adecuado a la crueldad, sometimiento, control y desprecio absoluto de la persona prostituida que lleva implícito y que queda absolutamente desdibujado por el velo social de la palabra *prostitución*. Pareciera que se tratara de un simple intercambio comercial de carácter sexual por precio, cuando realmente en estos casos extremos no hay prostitución sino esclavitud pura y dura. Aquí hay un tercero que obtiene un provecho económico del contacto sexual mantenido por el que paga y la víctima, que es tratada como objeto y obligada a prestar su cuerpo, para que

---

[12]   *Vid.* al respecto, TAMARIT SUMALLA, J. M.: *La protección penal del menor frente al abuso y la explotación sexual. Análisis de las reformas penales en materia de abusos sexuales, prostitución y pornografía de menores*, 2ª ed. Aranzadi, 2002; RAMÓN RIVAS, E.: *Minoría de edad, sexo y derecho penal*, Aranzadi, 2013; AA.VV.: *Delitos sexuales contra menores. Abordaje psicológico, jurídico y policial*, Tirant lo Blanch, Valencia, 2014; AA.VV.: *Delitos contra la libertad e indemnidad sexual de los menores. Adecuación del Derecho español a las demandas normativas supranacionales de protección*, Aranzadi, Pamplona, 2015; RAMOS VÁZQUEZ, J. A.: *Política criminal, cultura y abuso sexual de menores. Un estudio sobre los artículos 183 y siguientes del Código Penal*, 2016; PÉREZ ALONSO, E.: "Tratamiento penal del cliente en la prostitución infantil y en otras actividades sexualmente remuneradas con menores", *RDPCrim.*, nº 17, 2017; PÉREZ ALONSO, E.: "Concepto de abuso sexual: contenido y límite mínimo del delito de abusos sexuales", *Indret Penal*, 3, 2019.

[13]   Así lo advierte también María Grazia Giammarinaro en su informe de 2020, A/75/169, p. 20, donde recomienda que "los Estados deberían despenalizar los servicios sexuales y todas las conductas conexas que no equivalen a explotación".

sea poseído y usado por el pagador en contra de su voluntad, quebrantada por la violencia o intimidación ejercida por el explotador sexual, es decir, por el tercero esclavista que obtiene el beneficio económico. Pero, *esto no es prostitución, sino esclavitud.*

Es claro, por tanto, que con el delito de trata de personas y con los delitos relativos a la prostitución -aunque sumásemos también los delitos contra los derechos de los trabajadores y contra la integridad moral- nuestro Código Penal no da la respuesta adecuada y proporcionada a la complejidad y gravedad de las nuevas formas de esclavitud, ni logra trasladar un mensaje claro y contundente contra dicha realidad criminal. A diferencia de lo que sucede en la mayor parte de países europeos e iberoamericanos que, prácticamente, en la última década han modificado sus legislaciones penales para introducir los delitos de sometimiento a esclavitud, servidumbre y trabajo forzado, normalmente junto al delito de trata de seres humanos, o bien han optado por la aprobación de una ley integral contra la trata de personas, donde también se incluyen los delitos relativos a las formas contemporáneas de esclavitud.[14]

Por todo ello, ante la gravedad de la violación de los derechos humanos más básicos que suponen las formas contemporáneas de esclavitud, ante la existencia de una clamorosa laguna legal en el Código Penal español y ante la política criminal europea e iberoamericana de incriminación de este fenómeno que se está llevando a cabo en la última década, con el apoyo de organismos internacionales, considero que el Estado español no puede estar ajeno a esta cruel realidad y ha de ofrecer una respuesta penal específica, integral y proporcionada en la línea de los países de nuestro entorno. De hecho, en el reciente PANTF del Gobierno español parece abrirse una propuesta de regulación penal en este sentido, que lógicamente aún está por desarrollar y mejorar. Iniciativa que también aparece apuntada en el Plan Estratégico Nacional contra la Trata y la Explotación de Seres Humanos 2021-2023. Por ello, con este trabajo se pretende ahondar en la propuesta de incriminación penal de los delitos de

---

[14]   *Vid.* VILLACAMPA ESTIARTE, C.: "La moderna esclavitud y su relevancia jurídico-penal", *op. cit.*, pp. 331 y ss.; CORREA BORGES, P.: "La trata de personas como expresión de las formas contemporáneas de esclavitud en América del Sur", en PÉREZ ALONSO, E. (dir.), MERCADO PACHECO, P., OLARTE ENCABO, S., LARA AGUADO, A., RAMOS TAPIA, I., POMARES CINTAS, E. y ESQUINAS VALVERDE, P. (coords.), *El Derecho ante las formas contemporáneas de esclavitud*, Tirant lo Blanch, Valencia, 2017, pp. 369 y ss.; AA.VV.: *La trata de seres humanos en el contexto penal iberoamericano, op. cit., passsim;* SALMÓN GÁRATE, E.: "Legislación iberoamericana sobre formas contemporáneas de esclavitud", en PÉREZ ALONSO, E. y OLARTE ENCABO, S. (dirs.), MERCADO PACHECO, P. y RAMOS TAPIA, I. (coords.), *Formas contemporáneas de esclavitud y derechos humanos en clave de globalización, género y trata de personas*, Tirant lo Blanch, Valencia, 2020, pp. 759 y ss.

esclavitud, servidumbre y trabajo forzado ya realizada.[15] Aunque nuevamente hay que insistir en que la necesaria intervención penal ante este fenómeno global no va a lograr su prevención y erradicación, debido a su complejidad y expansión, por lo que su eficacia será muy limitada. Por ello realmente habría que analizar y debatir sobre las causas y consecuencias de esta nueva realidad mundial, en la línea que está proponiendo la Relatora Especial de UN sobre la trata de personas, en su informe de 2020,[16] donde apuesta claramente por la necesidad de abrir un debate público para la elaboración de un nuevo instrumento jurídico internacional para hacer frente a las formas contemporáneas de esclavitud, dada la vulnerabilidad estructural que ha generado el nuevo sistema de explotación económica en la era de la globalización, donde hay que enfrentar de una vez por todas la responsabilidad social y jurídica de las empresas y las cadenas transnacionales de suministro por la violación de derechos humanos, y dado que el Protocolo de Palermo contra la trata de personas se ha mostrado claramente insuficiente.

II. FORMAS CONTEMPORÁNEAS DE ESCLAVITUD: UNA DURA Y CRUEL REALIDAD ESTIMABLE A NIVEL MUNDIAL Y CONTRASTABLE A NIVEL NACIONAL

Suele ser habitual, cuando se habla de las formas contemporáneas de esclavitud, que se piense en algo anacrónico que pertenece al pasado de la humanidad, carente de actualidad y trascendencia social, más allá de su interés histórico. Desde la perspectiva jurídica, parece una materia más propia de la Historia del Derecho que del Derecho Penal, incluso los propios especialistas en la disciplina punitiva son muy reacios a aceptar este fenómeno criminal como actual y, por tanto, como materia de investigación. Parecería que la propia sociedad no quiere ver lo que tiene delante y vive de espaldas a esta dura y cruel realidad, que es más propia de la barbarie del pasado que de la civilización del presente. De hecho, una de las características propias de este fenómeno es su invisibilidad social, junto a su utilidad económica y social, por lo que nos negamos a aceptar una realidad muy incómoda, a veces muy relacionada y determinada por nuestra zona de confort en el primer mundo y, por ello, no estamos dispuestos a cuestionar nada.

---

[15]   Vid. PÉREZ ALONSO, E.: "Tratamiento jurídico-penal de las formas contemporáneas de esclavitud", en PÉREZ ALONSO E. (dir.), MERCADO PACHECO, P., OLARTE ENCABO, S., LARA AGUADO, A., RAMOS TAPIA, I., POMARES CINTAS, E. y ESQUINAS VALVERDE, P. (coords.), El Derecho ante las formas contemporáneas de esclavitud, Tirant lo Blanch, Valencia, 2017, pp. 333 y ss.

[16]   Vid. A/75/169, passsim.

Sin embargo, la realidad y actualidad de este fenómeno nos desborda por completo, como indican las estimaciones a nivel mundial sobre la moderna esclavitud y como nos muestra a diario la actuación judicial en nuestro país. La esclavitud existe, en su versión moderna, disfrazada de nuevas formas y métodos, pero "si despojamos al fantasma de su sábana para mostrar su verdadero rostro, siempre encontraremos a alguien que somete y explota a otra persona para obtener algún tipo de provecho, sobre todo, económico".[17] Así, como señala K. Bales de un modo muy gráfico la nueva esclavitud "no es solo robar el trabajo de alguien, sino su vida entera. Está más próxima a los campos de concentración que a las malas condiciones laborales. La esclavitud no admite discusión: tiene que acabar".[18] En suma, *la moderna esclavitud consiste en quitar la vida a la persona, pero sin matarla físicamente.*

1. Estimación mundial de las formas contemporáneas de esclavitud

La magnitud mundial de la moderna esclavitud es ciertamente alarmante si atendemos al Índice Mundial de Esclavitud (IME) que elabora la Fundación Free Walk desde el año 2011 hasta la actualidad, tomando como referencia los datos de 167 países.[19] El último Índice de 2018 ha sido elaborado conjuntamente con la Organización Internacional del Trabajo (OIT) y ha contado con la colaboración de la Organización internacional para las Migraciones (OIM), habiendo llevado a cabo algunos cambios significativos en la metodología de trabajo, que ha hecho que la obtención de datos y criterios aplicados para la elaboración del índice sean más sólidos y fiables, además de ofrecer información sobre aspectos más novedosos no tratados anteriormente.[20] Así, el Índice de 2018 señala que hay 40,3 millones de personas esclavizadas en el mundo, de las cuales aproximadamente 25 millones son víctimas de trabajos forzados, mientras que 15 millones de personas sin víctimas de matrimonios forzosos. Esto significa que 5,4 por cada 1.000 personas son víctimas de esclavitud moderna, de las que el 71% son mujeres y niñas, al tiempo que el 25% son menores de edad, es decir, 1 de cada 4 víctimas.

---

[17]   *Cfr.* PÉREZ ALONSO, E.: "La nuova schiavitú del XXI secolo: il traffico illegale di persone" (traducción al italiano por Eloísa Celico), en CASADEI, T. y MATTARELLI, S. (coords.), *Il senso della repubblica. Schiavitú*, Franco Angeli, Milán, 2009, p. 163.

[18]   *Cfr.* BALES, K.: *La nueva esclavitud en la economía global* (trad. Fernando Borrajo Castañedo), Siglo Veintiuno de España Editores, Madrid, 2000, p. 8.

[19]   Es una fundación australiana protectora de los derechos humanos, que se ha propuesto como objetivo acabar con la moderna esclavitud, *vid.* www.walkfreefoundation.org.

[20]   *Vid.* www.globalslaveryindex.org y www.ilo.org (https://www.ilo.org/wcmsp5/groups/public/@dgreports/@dcomm/documents/publication/wcms_651915.pdf).

De los 25 millones de víctimas de trabajo forzoso 16 millones corresponden a la economía privada, 4 millones al trabajo impuesto por el Estado y casi 5 millones están sometidos a explotación sexual comercial forzosa. Hay más mujeres que hombres sometidos a trabajo forzoso, el 57,6% frente al 42,4%. La mitad de víctimas están sometidos al régimen de servidumbre por deudas como medio de coacción al trabajo.

La explotación sexual comercial forzada alcanza a casi 4 millones de adultos y 1 millón de menores, donde el 99% de las víctimas son mujeres y niñas, y el 21% son menores de edad,

Por otro lado, el 84% de las víctimas de matrimonios forzados también son mujeres y niñas, y más de un tercio (37%) de las personas obligadas a casarse son menores de edad. Entre las víctimas infantiles el 44% fueron obligadas a casarse antes de los 15 años de edad.

Finalmente señalar, en cuanto a las regiones, que hay dos grandes polos de trabajo forzoso en el mundo representados por Asia-Pacífico, con casi 25 millones de víctimas y una prevalencia de 6,1 por cada 1.000 personas, lo que supone el 62% del total, y África, con más de 9 millones de víctimas y una prevalencia superior de 7,6 por cada 1.000, lo que supone el 23% del total. En tercera posición de este macabro ranking se sitúa Europa-Asia Central, con más de 3 millones y medio de personas y una prevalencia de 3,9 por cada 1.000, lo que representa el 9% del total, del que el 91% son víctimas de trabajo forzoso y el 9% restante de matrimonios forzados. España ocupa la posición 35 con una prevalencia del 2.3 por cada 1.000, lo que permite estimar que en nuestro país hay 105.000 personas víctimas de trabajo forzoso.

2. *Constatación judicial de la moderna esclavitud en España*

Pero, si nos aproximamos un poco más a estas estimaciones en España, y no solo nos fijamos en las cifras, sino en la dura y cruel realidad que encierran y que se puede observar atónitos a través de la aplicación judicial de los escasos tipos penales recogidos en el Código Penal español, que pueden resultar de aplicación al fenómeno de la moderna esclavitud, podremos ver y comprobar que en nuestro país hay situaciones de extrema explotación del ser humano que resultan equivalentes a la vieja esclavitud y que configuran situaciones típicas de la moderna esclavitud, aunque legalmente no se quieran ver así, ni se traten así. Y todo ello, sin necesidad de desplazarse a Asia o África para verificar este fenómeno: está *aquí* entre nosotros, vive con nosotros, pero no lo queremos ver. Hay lugares de España, como Almería y Huelva, donde encontramos un inframundo de personas que viven en auténticos campos de concentración y en condiciones extremas de absoluta deshumanización y sometimiento, donde nadie ajeno a esa realidad puede ni quiere entrar, ni incluso las propias fuerzas de seguridad del Estado. Son auténticos ghettos vinculados a la producción agrícola en nuestro país. Pero no me estoy refiriendo solo a situaciones de explotación laboral en la agricultura, ni de trabajo forzoso (agrícola), sino a situaciones de pleno sometimiento y explotación personal, donde la vida de los sometidos está bajo el control absoluto de otra persona en todas sus dimensiones, de donde no hay posibilidad de salir, porque el Estado no está dispuesto a hacer nada, tan solo hay una salida: la muerte física, tras la muerte social y civil que están sufriendo las víctimas.[21]

Pero, mejor, comprobar ahora la existencia de las formas contemporáneas de esclavitud en nuestro país a través de la jurisprudencia reciente del Tribunal Supremo español, aunque sin tratarla legalmente como merece. Pero, *insisto, sí en nuestro país hay esclavitud, servidumbre y trabajo forzoso:*

a) En nuestro país hay *compraventa de personas* para el ejercicio de la prostitución o mejor dicho para su sometimiento a esclavitud sexual, tras un proceso de trata. Así, por ejemplo, el caso de una mujer lituana que fue vendida por su explotador al dueño de un local donde se ejercía la prostitución en Almería, por el precio de 1.100 euros (STS 372/2005, de 17 de marzo);[22] los arrendatarios de otro local que pagaban 1.500 euros a un tercero por cada mujer que enviara de Venezuela para prostituirla en Olite (STS 461/2010, de 19 de mayo);[23] el caso de una mujer nigeriana que no estaba ofreciendo colaboración

---

[21]   Hay informes de la ONG Mujeres en zona de conflicto que se han acercado a estos enclaves en Almería y Huelva, que detallan y denuncian estas situaciones de extrema explotación del ser humano.

[22]   Destacar del relato de hechos probados que "Esteban pese a haber expresado Virginia su oposición a dedicarse a la prostitución, se prevalió de la situación de ésta, extranjera, sin conocer a nadie en nuestro país, ni hablar nuestro idioma, en situación irregular en España y medios de vida, para conseguir que la misma se prostituyera. Y así, llevó a Virginia a un club de alterne, sito en Gandía, en donde permaneció ésta dos o tres semanas, en el curso de las cuales Esteban le dijo que tenía contraída una deuda con él que ascendía a 300.000 pesetas, que la debía abonar ejerciendo la prostitución.
Posteriormente, Esteban trasladó a Virginia al club de alterne Cleopatra, de Alicante, en donde ésta por las mismas razones hubo de ejercer la prostitución durante, aproximadamente, un mes. Tras ello, Esteban se personó un día en ese local y le dijo a Virginia que recogiera sus cosas, que iba a trabajar para otras personas, y tras llevar a donde esperaban otros dos hombres, también lituanos, fue trasladada al club de alterne Carmen, de la localidad de Almería, en donde se le dijo que había sido vendida al dueño del local y que debía ejercer la prostitución en el mismo hasta saldar una deuda de 1.100 euros.
Tras ello, Virginia fue trasladada nuevamente a Oliva, estando en una vivienda de esa localidad unas dos semanas, custodiada por hombres lituanos. Tras ello, fue trasladada por Esteban al club de alterne L'Amour, de la localidad de Vergel, en donde siguió viéndose forzada a ejercer la prostitución".

[23]   Destacar de los hechos probados que "una vez que Mari Luz fue trasladada al mencionado Club "Mónaco", se la obligó a ponerse a trabajar, ejerciendo la prostitución, a pesar de haber mostrado sus reticencias, para poder pagar la deuda de 3.500 euros que le exigía Tomás (...). Posteriormente y como consecuencia de un problema que sufrió, Mari Luz fue trasladada al club "Bellavista", sito en la localidad de Olite, regentado por los también procesados Ángel Jesús, arrendatario del mismo, y su hijo Rubén, quienes abonaban a Tomás una

ni el suficiente rendimiento, por lo que decidieron venderla a otra explotadora, que mostró su interés en quedarse con ella por 8.000 euros (STS 144/2018, de 22 de marzo);[24] el caso de una mujer rumana que es secuestrada de forma violenta y obligada a trasladarse a España, donde fue vendida por 3.000 euros y obligada con violencia a ejercer la prostitución para el pago de la deuda (STS 910/2013, de 3 de diciembre);[25] en otro caso, un hombre que tuvo conocimiento y amistad con una mujer esclavizada en la prostitución coactiva, se ofreció a pagar los 20.000 euros que le exigieron la pareja de esclavistas para rescatarla

---

cantidad de, aproximadamente, 1.500 € por cada chica que les proporcionaba, dinero que luego ellos se encargaban de cobrar a las chicas mediante su trabajo ejerciendo la prostitución. Las condiciones de Mari Luz mientras permaneció en este club hasta que consiguió escapar, el 3 de febrero de 2004, fueron similares a las descritas anteriormente respecto del Club Mónaco; ejerciendo la prostitución sin ningún tipo regulación laboral y sin disponer de dinero, dado que eran los procesados Ángel Jesús y Rubén quienes lo recaudaban, no proporcionándole cantidad alguna para sus propios gastos, y cobrándole igualmente una cantidad diaria por manutención y alojamiento".

[24]   Señala el relato de hechos probados que "al llegar Cándida a Nimes, Victoria la condujo a su domicilio y una vez allí le dijo que no había ningún trabajo en ninguna tienda y que el único modo para ganar el dinero necesario para pagar la deuda por aquel viaje era dedicándose a la prostitución, actividad a la que Cándida tuvo que dedicarse, pese a su negativa inicial, ya que no tenía dinero ni recurso alguno, de modo que de lo que así obtenía debía entregar la mayor parte a Victoria. Sin embargo, ante la poca colaboración de Cándida durante aquellos días, Victoria le pidió a Eduardo que se la llevara de allí, sugiriéndole que la trasladara a Lleida donde podría estar más controlada. Por este motivo Eduardo contactó con "Picarona" que resultó ser la acusada Herminia, mayor de edad y sin antecedentes penales, quien mostró su interés en quedarse con ella por la cantidad de 8000 euros".

[25]   Así, el relato de hechos probados señala que una vez que la víctima llegó a Madrid, le informaron que "una persona identificada como " Corsario ", conocido de la familia de ésta, y al que no afecta el presente procedimiento por no haber sido localizado, había vendido a la testigo a los acusados y al resto de sus colaboradores a cambio de 3000 euros, siendo así que, hasta que ella no les satisficiera la citada cantidad, debía ejercer la prostitución entregándoles todo el dinero que con esta actividad obtuviera hasta el pago total de la deuda, y le decían que si no ejercía la prostitución iban a hacerle daño a su familia, a su hijo, y a ella la iban a matar (…) Durante su estancia en el piso de la DIRECCION000 de Madrid, los acusados le daban puñetazos golpeándola en la cabeza reprochándola no trabajar lo suficiente y no ganar mucho dinero, obligándola como castigo a "sentarse en una botella de plástico". Así las cosas, la testigo protegida, atemorizada por la actuación descrita, hallándose en un país cuyo idioma desconocía, sin documentación ni recursos económicos y careciendo en España de contacto alguno social o familiar, contra su voluntad, permaneció en el ejercicio de la actividad referida, hasta que, el día 24-7-2011, auxiliada por un cliente y ante la insoportabilidad de la situación, logró escapar en un descuido de Juana, denunciando lo acaecido ante las fuerzas del orden público.
La situación vivida ha causado un grave daño moral y psicológico a la testigo protegida presentando un Trastorno por Estrés Post-Traumático, caracterizado, entre otros, por síntomas de depresión, ansiedad muy acentuada y extrema (dolores de cabeza, palpitaciones, insomnio, fatiga, pesadillas, llanto, nerviosismo, irritabilidad, dificultades de concentración y problemas de memoria), así como confusión interna, aturdimiento y estrés situacional, con reacciones físicas emocionales muy bruscas cuando recuerda los sucesos vividos".

de tal situación (ATS 912/2019, de 10 de octubre).[26] Incluso hay un caso en el que llegó a firmarse un "contrato de esclavo" para dar "formalidad" al trabajo ofrecido a un inmigrante en situación irregular por parte de una pareja, para la que estuvo prestando servicios en el ámbito doméstico como interno, viéndose obligado a aceptar tal situación mientras esperaba su regularización administrativa, que finalmente no llegó (STS 995/2000, de 30 de junio).[27]

b) En nuestro país hay *cesión de menores por parte de sus progenitores* para el ejercicio de la prostitución o mejor dicho para su sometimiento a esclavitud sexual, tras un proceso de trata. Así, por ejemplo, el caso de una madre rumana que acordó a cambio de precio la entrega y traslado de sus dos hijas mellizas de 16 años de edad a España para que fueran explotadas sexualmente en el ejercicio de la prostitución, terminando la madre por trasladarse también aquí para vivir a expensas de la esclavitud sexual (prostitución) de sus hijas (STS 270/2016, de 5 de abril);[28] otra madre que acuerda con sus hijos mayores, que se encuentran en España, el traslado de su hija menor con el objeto de dedicar-

---

[26]   Así, se declara probado que una vez que la víctima llegó a Gijón, "fue informada por Joaquín y Beatriz, los cuales estaban de acuerdo en lucrarse con los ingresos que consiguiera la testigo, de que debía pagar la deuda contraída ejerciendo la prostitución, estando por ello obligada a abonar a Beatriz 400 euros semanales, así como a pagar 200 euros por la habitación, 40 euros por la comida y parte de la factura de luz. Para ello la testigo ejercía la prostitución en la calle a diario desde las 22:30 horas hasta las 6:00 horas, siendo controlada por los dos procesados Joaquín y Beatriz, y especialmente por ésta, la cual la amenazaba y la golpeaba si no pagaba lo adeudado.
Tras un tiempo en esta situación, sin saber cómo salir de ella dado que se encontraba indocumentada, sin conocer el idioma, bajo la amenaza del "yuyu" y en situación de ilegalidad en España, le confesó lo que le ocurría a un hombre con el que llegó a trabar amistad, identificado como NUM001, y éste le ofreció que se fuera a su casa a vivir decidiendo ayudarla, pero al llegar esto al conocimiento de Beatriz, le exigió al NUM001, a modo de rescate de la NUM000, el pago de 20.000 euros, con el compromiso de tramitarle el pasaporte. El NUM001 accedió a la petición pidiendo un préstamo para abonar 10.000 euros, quedando aplazado el pago de la otra mitad a la entrega efectiva del pasaporte a la testigo NUM000. Asimismo, el NUM001 abonó al procesado Joaquín 1.400 euros para realizar las gestiones y conseguir la documentación de la NUM000, documentación que llegó caducada e incompleta.

[27]   En este caso los dos hombres con los que firmó el contrato de esclavo le retuvieron la documentación con el pretexto del pago de los honorarios de uno de ellos por la tramitación de su regularización legal, dado que se trataba de un inmigrante argelino que estaba en situación irregular en nuestro país. Estaba, por tanto, en una situación de incertidumbre administrativa, esperanzado en la regularización prometida, mientras trabajaba para la pareja en el servicio doméstico, como interno, sin cobrar nada, sin horario fijo, viéndose obligado a firmar dicho contrato de esclavo, a servir desnudo a sus señores, a los que llamaba "sí amo", que podía disponer de él "como tuviese a bien, para la flagelación o los trabajos forzados, la sodomía o hacer la comida".

[28]   Los hechos probados señalan que "a principios del año 2.011 Luis Urbano, mayor de edad y sin antecedentes penales y su compañera sentimental Elena Isabel, mayor de edad y sin antecedentes penales, acordaron con Juana Crescencia, mayor de edad y sin antecedentes penales, que traerían desde Rumanía a España a las hijas de estas, menores de edad, Aman-

la al ejercicio de la prostitución en beneficio de la familia, hasta que dos meses después la propia madre se trasladó también a España para encargarse de la gestión directa de la explotación sexual de su propia hija (STS 860/2015, de 23 de diciembre).[29]

---

da Graciela y Ana Clara, mellizas, nacidas el día NUM000 de 1995, a cambio de un precio, con la finalidad de ser explotadas sexualmente.

Las obligaron a ejercer la prostitución, con disposición las 24 horas del día. Todo el dinero que recibían a cambio de sus servicios se lo entregaban a Luis Urbano y Elena Isabel, las cuales las controlaban constantemente y el único día libre que tenían a la semana salían para ir a su casa". No ha quedado probado en el juicio que "fueran obligadas a ingerir importantes cantidades de alcohol y drogas y a mantener relaciones sexuales completas de forma simultánea con Luis Urbano y Elena Isabel y Placido Olegario, siendo golpeadas si se negaban. En dicho domicilio se intervinieron 3.000 euros en efectivo (…).

La madre de las menores Juana Crescencia se trasladó desde Rumanía a España a vivir con ellas en Torre del Mar, controlando el dinero que cobraban en el ejercicio de la prostitución, hasta que su hija Amanda Graciela acudió a la policía y denunció los hechos, y se procedió a la detención de Juana Crescencia".

[29]   Destacar de los hechos: "PRIMERO. En fecha no determinada, pero a principios del año 2012, cuando la procesada Visitación Gloria , mayor de edad y sin antecedentes penales, madre de la menor Rosalía Celestina, nacida el NUM000 de 1997, se encontraba en Rumania, acordó con sus hijos, los procesados, Alfonso Bienvenido , Segundo Federico (también conocido como " Zapatones ") y Nicanor Modesto, (también conocido como " Gamba "), todos ellos mayores de edad y sin antecedentes penales, que estaban en España, el traslado de la citada menor a nuestro país con el objeto de dedicarla al ejercicio de la prostitución bajo el control y vigilancia de sus hermanos, y en el beneficio económico de todos ellos (…) Cuando Rosalía Celestina llegó a España, comenzó a dedicarse a ejercer la prostitución en el Polígono Industrial Marconi de Villaverde (Madrid), inicialmente inducida y determinada por sus hermanos Alfonso Bienvenido, Segundo Federico y Nicanor Modesto, y después de su llegada, también por su madre Visitación Gloria. Todos ellos aprovecharon la situación de superioridad que ostentaban y las circunstancias de encontrarse en un país desconocido para ella, y sin otros vínculos familiares sociales. Los procesados ejercieron el control y una estrecha vigilancia de la actividad de prostitución que realizaba, determinando el lugar, el horario, el precio de los servicios y las demás circunstancias, y se quedaban con la totalidad del dinero obtenido en el desarrollo de la dicha actividad. Rosalía Celestina, permaneció en esta situación hasta el día 12 de junio de 2012, fecha en la que fue hallada por agentes del Cuerpo Nacional de Policía.

SEGUNDO.- Además, y actuando de común acuerdo los procesados Alfonso Bienvenido, Nicanor Modesto, Segundo Federico y Visitación Gloria, en fecha no determinada pero próxima al mes de marzo de 2012, se aprovecharon del ejercicio de la prostitución por parte de Cándida Florencia, menor de edad en cuanto nacida el NUM006 de 1995, especialmente en el Polígono Marconi, aprovechando la situación de enamoramiento en la que la menor se hallaba con respecto al procesado Alfonso Bienvenido, con el que mantenía una relación sentimental. Alfonso Bienvenido la obligaba a acudir al citado lugar, aunque la menor no quisiera, y a mantenerse en el ejercicio de tal actividad, si no había obtenido el suficiente dinero, dirigiendo contra la misma expresiones insultantes y advirtiendo con causarle daño físico en caso de que desobedeciera sus instrucciones, llegando incluso a agredirla físicamente en varias ocasiones (…)

Cándida Florencia era vigilada y controlada en todo momento por los hermanos Nicanor Modesto Alfonso Bienvenido Segundo Federico Visitación Gloria y por la madre de estos, todos ellos conocedores y consentidores de la situación antes descrita, siendo los procesados

c) Además de los actos descritos que muestran el ejercicio de los atributos del derecho de propiedad sobre otras personas (esclavizadas), especialmente la posesión, en nuestro país hay supuestos de *traslado constante y reiterado de personas para un mejor y más rentable aprovechamiento económico de su explotación personal.* Supuestos que expresan de forma palmaria que hay sujetos que tienen un poder y control absoluto sobre la vida de otras personas, que están sometidas y a plena disposición del esclavista para su explotación sexual. Entre las múltiples sentencias que reflejan esta realidad, baste con destacar el caso de una organización criminal que captaba a personas transexuales en Venezuela para que ejercieran la prostitución en España, con traslados permanentes entre Barcelona y Madrid, bajo un control continuo y férreo, que luego ampliaban a otras ciudades españolas, como Zaragoza, Valencia y Palma de Mallorca, también en las Canarias, volviendo de nuevo en muchos casos a comenzar en Barcelona o Madrid (SAP Madrid 471/2020, de 27 de noviembre);[30] o el caso de otra organización que explotó a una mujer nigeriana en Madrid, Oslo, Madrid y París, y a dos menores también de origen nigeriano que fueron explotadas en Madrid, Bilbao, Almería y nuevamente en Madrid (STS 77/2019, de 12 de febrero).[31]

d) En la mayoría de los casos analizados hay situaciones de *violencia extrema e intimidación* para mantener el dominio y sometimiento de las víctimas bajo el control absoluto de los explotadores, sin escrúpulo alguno que merme su afán de lucro. Así, por ejemplo, el caso de una mujer que vino engañada a España

---

quienes determinaban el lugar, horario, precio y demás circunstancias del servicio, quedándose los mismos con la totalidad del dinero obtenido.

TERCERO. La procesada Visitación Gloria, además de lo anterior, se encargaba de concertar citas entre las menores Cándida y su hija Rosalía, con terceras personas de avanzada edad a cambio de dinero."

[30]   En este caso son seis las víctimas y la dinámica comisiva era prácticamente la misma: "Con el fin de que accedieran a ello les ocultaban en la mayor parte de los casos que la finalidad era el ejercicio de la prostitución como transexuales en condiciones de auténtico abuso y explotación, con plena disponibilidad todos los días de la semana, con una deuda arbitraria que aumentaban continuamente por diferentes conceptos, sin poder salir de casa libremente, sometidos a un control permanente, siéndoles retirados sus teléfonos personales y documentación, debiendo consumir drogas con los clientes si éstos así lo pedían, siendo amenazados con causarles daño a ellos o a sus familias en su país de origen, siendo agredidos en ocasiones por los acusados, y debiendo entregar a éstos todo el dinero que obtenían con dicha actividad".

[31]   En ambos casos la situación vivida por las víctimas fue similar: "Las testigos protegidas, durante su estancia en las diferentes localidades de España, no tuvieron otra opción posible, que aceptar el ejercicio de la prostitución y las condiciones que los procesados las imponían, toda vez que se veían obligadas a satisfacer la deuda contraída, cada vez mas extensa que se veía incrementada por el alojamiento y la manutención, encontrándose avalada mediante juramentos de "vudú", hallándose en una situación de máxima vulnerabilidad dada su minoría de edad y la circunstancia de hallarse en un país extranjero del que desconocían su idioma y costumbres, careciendo de dinero propio y contactos que pudieran auxiliarlas".

con su hija de tres años y que fue obligada a ejercer la prostitución, tras haberla separado de su hija -durante 4 meses- y conminarla a ello si quería volver a ver a su hija (STS 108/2018, de 6 de marzo);[32] el caso de una organización criminal rumana que empleaba una brutalidad extrema en los actos de violencia, intimidación y agresión sobre diversas mujeres -alguna menor de edad- que las tenían esclavizadas y explotadas sexualmente, llegando incluso a tatuar a dos de ellas con un código de barras o con el nombre de uno de los esclavistas, como signo de pertenencia (STS 827/2015, de 15 de diciembre).[33]

---

[32]   Así señala que "el mismo día de la llegada o al día siguiente, las procesadas Elvira y Mónica, diciendo la testigo protegida que era preciso para que la cuidasen mientras ella trabajaba, se llevaron a su hija fuera de la vivienda a un lugar no determinado, donde ambas procesadas, obrando de común acuerdo, la mantuvieron durante cuatro meses apartada de todo contacto o comunicación con su madre.
E. Tras llevarse a la hija de la testigo protegida, las procesadas hicieron saber a aquella que el trabajo que había de realizar no era en un supermercado, sino que tenia que dedicarse a la prostitución y que, con el rendimiento económico que obtuviese, estaba obligada a satisfacer la deuda de 50.000 euros que, en virtud del viaje, había contraído con ellas. Ante la negativa inicial de la testigo protegida, las procesadas le dijeron que, si no aceptaba lo que le proponían, podían sufrir daño ella o su hija y que no volvería a ver a ésta hasta que no satisficiese la deuda, Además, las procesadas fotografiaron desnuda a la testigo y le cortaron porciones de uñas y mechones de cabello, diciéndole que iban a mandar todo ello a Nigeria para practicar vudú contra ella, en caso de que no se plegase a sus designios. Ante el temor de que su hija o ella sufriesen daño, la testigo protegida aceptó ejercer la prostitución, cosa que, previamente aleccionada por las procesadas sobre la forma en que debía actuar, hizo ese mismo día en las inmediaciones de la Casa de Campo de Madrid, adonde la condujeron las procesadas".

[33]   El terrible relato de hechos probados describe, entre otros aspectos, que cuando una de las mujeres intentó escapar la encontraron y la obligaron a volver al piso en que se alojaba, "donde fue agredida por el acusado Higinio Dámaso, alias " Orejas ", quién la azotó repetidamente con un cable doblado en dos por todo el cuerpo, propinándole puñetazos en la cara y clavándola levemente la punta de un cuchillo en diversas partes de su cuerpo, como cuello, piernas y manos, golpeándola también con una barra de hierro en ambos brazos. Así mismo la realizó un tatuaje en la cara interna de la muñeca derecha, consistente en un código de barras y debajo la cifra 2000, con la misma máquina de tatuar con agujas utilizó para para tatuar a la testigo protegida NUM007. Con una máquina de afeitar la rasuró el cuero cabelludo y las cejas y la pulverizó harina en el rostro con un secador de pelo, mientras se reía, a continuación se la colocó una peluca de color rojo que había adquirido la acusada Tania Susana, alias "Jade" por indicación del acusado Higinio Dámaso, alias " Orejas". Igualmente la golpeó con guantes de boxeo y la roció la cara con un spray con intención de causarle irritación de carácter leve pero molesta en la mucosa ocular, nariz y garganta.
A la mañana siguiente la testigo protegido protegida NUM000 fue exhibida, en las condiciones referidas, al resto de las mujeres que se hallaban en la vivienda, con el propósito de que esta conocieras las consecuencias que conllevaría en caso de desobedecer las indicaciones de los acusados y/o huir, con ello lograron intimidar gravemente a las mismas que impidió que denunciaran los hechos descritos".
En relación con otra víctima, señala que sentencia que "la testigo protegida NUM007 manifestó a los acusados su deseo de abandonar el ejercicio de la prostitución al que estaba siendo obligada, momento en el acusado Higinio Dámaso, alias "Orejas", la agredió y la trasladó junto con el acusado Ildefonso Valeriano, alias "Bicho", a un hotel de Madrid (…),

e) En nuestro país hay situaciones de *auténtica servidumbre por deudas*, de hecho en la mayoría de casos analizados se induce y genera una deuda arbitraria a la víctima, normalmente ocasionada por los gastos del viaje a España, a la que se unen los gastos de alojamiento, manutención, etc. Deuda que es fijada e incrementada arbitrariamente por los esclavistas para mantener *sine die* la situación de sometimiento y dependencia de la víctima, que no tiene opción alguna para salir de esa situación. De hecho, aunque hay algún supuesto aislado, son pocos los casos en los que la víctima consigue saldar la deuda totalmente, por lo que la exigencia de pago se convierte en el principal medio intimidatorio empleado para poder recuperar plenamente la libertad y volver a ser tratada como persona. Así, por ejemplo, una organización criminal española con contactos en Nigeria, consiguió captar y trasladar a España a seis mujeres, algunas de ellas menores de edad, para explotarlas sexualmente en el ejercicio de la prostitución coactiva, mediante el empleo de violencia extrema, sometimiento a rituales de vudú, amenazas de muerte, etc., al tiempo que establecían y exigían el pago de deudas absolutamente desorbitadas para salir de tal situación. Deudas que ascendían a 50.000 euros, 60.000 euros en dos casos y a una cuarta víctima le fue entregado su pasaporte tras el pago de 35.000 euros (STS 396/2019, de 24 de julio).[34] Hay otras resoluciones muy similares en donde,

---

fue trasladada de nuevo a la vivienda antes dicha, siendo de nuevo agredida y conminada con causarle graves daños físicos a ella y a su familia, a fin de obligarla a continuar con el ejercicio de la prostitución, habiéndosele practicado por el acusado Higinio Dámaso , alias " Orejas ", y contra su voluntad un tatuaje consistente en la inscripción de " Orejas ", con una máquina de tatuar con agujas que dicho acusado guardaba en el domicilio.

Como consecuencia de tal tatuaje la testigo protegida NUM007 sufrió lesión dérmica que necesitará de tratamiento quirúrgico dérmico para su eliminación".

34   Del relato de hechos se puede destacar el caso de una menor que vino engañada con la falsa promesa de seguir sus estudios en España, per se encontró con una realidad bien distinta cuando los explotadores "informaron a la testigo protegida NUM012 las condiciones reales de su estancia: no podía salir sola a la calle, ni comunicarse con terceros, estando controlada en todo momento por la acusada Tomasa , alias "Espinela", y el acusado Dámaso, alias "Chiquito" y "Zurdo", y también por el acusado Cipriano. En alguna ocasión después de la llegada de la testigo protegida NUM012 al domicilio del acusado David, alias "Nota", este y la acusada Tomasa, alias "Espinela" golpearon fuertemente a la testigo para que comprendiera que debía obedecerles, causándola así lesiones de las que no fue atendida facultativamente, también la hicieron creer que tenía con ellos una deuda de 60.000 euros y que debía pagarlos ejerciendo la prostitución (…).

Durante el tiempo que estuvo en el ejercicio de la prostitución siendo menor de edad, la testigo protegida n° NUM012 tenía que entregar todo el dinero que ganaba, descontada la cantidad correspondiente al club en concepto de alojamiento y comida, a los acusados (…).

La testigo protegida NUM012 trabajaba todos los días de la semana de 18.00 horas a 3.00 horas, saliendo del club solo a efectuar ingresos de dinero.

Para mantener a la testigo protegida NUM012 atemorizada y por tanto sometida a ellos y a la actividad descrita, el acusado David, alias "Nota", a través de su familia y colaboradores en Nigeria, contacto con la familia de la testigo protegida NUM012, asegurándoles que si ella no cumplía, la familia pagaría las consecuencias, llegando a ser agredida en Nigeria la

además de la fijación arbitraria de la deuda, se produce también un incremento igualmente arbitrario. Así, por ejemplo, en un caso fijan la deuda en 50.000 euros a una menor y a otra menor en 55.000 euros, pero como algunos de sus explotadores pensaban que había intentado huir le incrementaron la deuda en 5.000 euros, asegurando dicho incremento con un nuevo ritual de vudú (STS 77/2019, de 12 de febrero).[35]

f) Estas últimas resoluciones, sobre todo la primera de ellas, destacan otro aspecto importante de las situaciones de extrema explotación que estamos describiendo, relativo a *su extensión en el tiempo*, que ciertamente también resulta alarmante. Por regla general, el proceso de trata es mucho más corto que el de la explotación posterior a la misma, aunque cierto es que hay situaciones de trata que se alargan semanas e incluso meses, en algún caso ha llegado a 3 años,[36] y en otro el traslado a España se extiende a casi 14 meses, pero, entre medias, la víctima fue obligada a ejercer la prostitución en Libia durante 8 o 9 meses.[37] Aunque, lo preocupante ciertamente es la extensión temporal tan dilata en el tiempo que se produce en la esclavización sexual, sobre todo, por las condiciones tan duras y brutales en que se lleva a cabo. Así, por ejemplo, en la citada STS 396/2019, de 24 de julio, la primera víctima fue objeto de explotación por más de 3 años, la segunda fue esclavizada casi durante 3 años, la tercera durante 18 meses y la cuarta también por un período similar.[38]

g) En nuestro país no solo hay esclavitud y servidumbre, sino también *trabajo forzoso*, que es la situación menos grave y que puede ir referido tanto a la explotación sexual como a la laboral. En este contexto, como caso de

---

madre de la testigo protegida NUM012, por la familia del acusado. Así mismo durante la estancia en los Club de dicha testigo protegida la acusada Virtudes, alias " Antonia " llamaba repetidamente por teléfono para amenazarla y amedrentarla para que pagara la deuda al acusado David, alias " Nota ", dado que si no lo hacía su familia iba a morir, ello mantenía la testigo protegida en estado de temor y sumisión.

[35]   En la STS 564/2019, de 19 de noviembre, también se incrementa la deuda de forma arbitraria a una persona transexual de origen venezolano que fue trasladada a España para ejercer la prostitución, pero el mismo día que llegó fue informado que "los 8.000 euros iniciales habían devenido en 15.000, incremento con el que se aseguraba el total control de la víctima que se vería obligada, dada su situación en España, a prestar servicios sexuales en los términos y bajo las condiciones que se le impusieren".

[36]   De espera en Marruecos tras salir de Nigeria, hasta que llegó en patera a Algeciras con su hijo, por cuyo viaje pagó 18.000 euros, trasladándose a Madrid y de ahí viajó a la isla de Gran Canaria, donde fue obligada a ejercer la prostitución para pagar dicha deuda, incrementada por otros gastos adicionales (STS 807/2016, de 27 de octubre). En otro caso, el viaje duró dos meses (STS 108/2018, de 6 de marzo)

[37]   *Vid.* ATS 912/2019, de 10 de octubre.

[38]   Es también relevante a estos efectos la STS 554/2019, de 13 de noviembre, donde entre las múltiples víctimas de la organización criminal, dos de ellas fueron explotadas sexualmente durante más de un año, otra más de año y medio y otra por cinco meses debido a que enfermó gravemente de tuberculosis.

explotación extrema que sobrepasa la simple explotación laboral,[39] porque se impone la condición de trabajador, hay que destacar el caso de dos parejas de desaprensivos y extorsionadores de nacionalidad española que buscaban a personas desvalidas, necesitadas o con algún grado de discapacidad para tenerlas a su exclusiva disposición en las tareas que les interesara en cada momento, al tiempo que de forma fraudulenta pudieran apropiarse y lucrarse de las pensiones o ayudas sociales de las que fueran beneficiarias, sometiendo y aprovechándose económicamente al menos de cuatro víctimas, algunas de las cuales también fue obligada a ejercer la mendicidad (STS 196/2017, de 24 de marzo).[40]

---

[39]   Como casos de explotación laboral, es decir, de imposición de condiciones ilegales de trabajo o contratación ilegal de trabajadores extranjeros, *vid.* por ejemplo, la STS 348/2017, de 17 de abril (de aplicación del art. 312 CP) y el ATS 70/2021, de 3 de noviembre (de aplicación del art. 311 CP).

[40]   Hay que relatar con más detalle lo padecido por las cuatro víctimas de este caso, en el que "Fernando y Herminio procedieron a buscar a personas desvalidas o por circunstancias económicas, o por padecer problemas de salud o enfermedad mental, a las que inicialmente convencían para que colaboraran con ellos, en unas condiciones que nunca se llegaban a precisar, en diferentes tareas y actividades, como la limpieza y la construcción de los recintos destinados a sus respectivas viviendas, o las relacionadas con las atracciones de ferias que gestionaban. Sin embargo, el verdadero propósito que Fernando y Herminio perseguían era el de tener a su exclusiva disposición a estas personas, no solo para realizar para ellos, sin recibir a cambio ninguna remuneración, estas tareas, sino también para lucrarse en su propio beneficio de las pensiones o ayudas sociales de las que fueran o pudieran ser beneficiarios, generando para ello un ambiente de agresividad, tanto física como verbal, y de hostigamiento, con una condiciones de vida absolutamente precarias y carentes de la mínima dignidad (teniendo que dormir en cajas de camiones o en galpones, sin acceso a un cuarto de baño, no disponiendo de agua caliente para lavarse), para lograr así doblegar la voluntad de estas personas, generando en ellas una situación de miedo que les impedía no solo negarse a realizar las tareas que les encomendaba sino también tomar la decisión de marcharse, ante el temor a las represalias que podrían sufrir de hacerlo".
En ejecución de este plan, contactaron con "Constantino, nacido en 1956, tiene un grado de minusvalía reconocido por la Xunta de Galicia del 67%, con un diagnóstico de esquizofrenia paranoide, por lo que fue declarado incapaz judicialmente (…). Se vio obligado a trabajar para Fernando en su casa, en las ferias o en la recogida de cartones, sin recibir a cambio ninguna remuneración, llegando a ser golpeado por Fernando para mantener su situación de dominio sobre él y evitar que se pudiese marchar (…). En este periodo de tiempo Constantino llegó a ejercer la mendicidad, viéndose obligado a entregar a Fernando casi la totalidad de lo que conseguía recaudar.
Tanto en el periodo inicial como en el que tuvo lugar a partir del año 2014, los acusados Fernando y Herminio se quedaron en su propio beneficio con el dinero de la pensión de Constantino, sin que pueda concretarse exactamente el importe que hicieron suyo, pero que en todo caso era superior a 400 euros".
Algo similar le ocurrió a Conrado, que "padecía diversas patologías físicas y psíquicas derivadas de un accidente laboral acaecido en los años 2006-2007, entre ellas atrofia cerebral, encefalomalacia frontotemporal, epilepsia focal sintomática, síndrome orgánico de la personalidad y demencia postraumática, siendo dependiente a sustancias psicoactivas, presentando por ello una cierta dificultad para secuenciar los actos propios más elaborados, y

h) Y es que, en efecto, *el ejercicio mendicidad* también se considera como una forma de trabajo forzado cuando se imponga tal condición por la fuerza, el engaño o el abuso. En este sentido, hay que destacar el caso de una pareja de origen rumano que animó y engañó a una pareja para que viniera a España a

una cierta limitación para regular las emociones, controlar su comportamiento y equilibrar sus motivaciones, siendo altamente influenciable y muy fácilmente convencible. Una vez en el Lugar de DIRECCION001–DIRECCION002 -Culleredo, Conrado tuvo que ponerse a trabajar para Fernando y Herminio, ayudándolos en las ferias, sin recibir nada a cambio. No disponía de cuarto de baño ni de agua caliente y tenía que pernoctar en un remolque en el que en muchas ocasiones lo dejaban encerrado. Al menos en dos ocasiones trató de escaparse, sin lograr su propósito, siendo golpeado por ello por Herminio. Esta situación finalizó el 21 de febrero de 2013, fecha en la que, tras haber sufrido una crisis epiléptica de la que fue atendido en un centro hospitalario de esta ciudad, Conrado se fue a vivir con su madre".

Los acusados también encontraron ejerciendo la mendicidad a "Mateo, nacido en 1948, que sufre de enfermedad de Parkinson, y, en relación con ella, de discreta merma en las capacidades de atención y concentración, con límites a la elaboración de análisis de circunstancias de moderada complejidad, lo que condiciona su conducta y su capacidad de respuesta ante situaciones estresantes o en entornos difíciles. Nada más llegar a este lugar, Mateo fue agredido por Fernando y por Herminio, llegando a retirarle tanto su cartilla de ahorros como un reloj que portaba, viéndose obligado a facilitarles el número del pin de su cartilla. A partir de ese momento Mateo se vio obligado a trabajar y a colaborar en diversas tareas, sin remuneración alguna, tanto para Fernando y su esposa María Rosario, como para Herminio, sufriendo malos tratos tanto físicos como verbales por parte de los tres. Al menos en dos ocasiones intentó Mateo escaparse del lugar, sin lograr su propósito, siendo agredido por Fernando para recordarle lo que le podría pasar si se trataba de marcharse, llegando, con esa misma finalidad, a exhibirle una pistola y a disparar delante de él. Las condiciones de vida de Mateo eran penosas, careciendo de cuarto de baño, de agua caliente para ducharse, pernoctando en la caja de un camión en la que muchas veces permanecía encerrado. En una de las ocasiones en las que Mateo trató de escaparse, María Rosario, la mujer de Fernando, tras darle alcance, lo golpeó. Así mismo en otra ocasión María Rosario, quien más de una vez se dirigió a Mateo con el calificativo de "perro", lo golpeó también con una escoba".

La última víctima conocida fue "Dámaso, nacido en 1948, quien además de carecer en ese momento de recursos económicos propios y de hogar, tenía limitaciones físicas como una cojera y una sordera importante, por lo que presentaba limitaciones importantes tanto para la comunicación fluida verbal como para la conexión con el medio que le rodeaba, lo que lo hacía de él una persona manipulable y con escasa capacidad de respuesta pronta y fluida. Acto seguido Herminio y Fernando agarraron entre los dos a Dámaso por el saco en el que dormía y lo introdujeron en el interior del vehículo, trasladándolo en contra de su voluntad hasta el Lugar de DIRECCION001–DIRECCION002 -Culleredo. Una vez allí, Dámaso fue duchado con una manguera, despojado de sus ropas y golpeado en varias partes de su cuerpo, viéndose obligado a dormir en la caja de un camión y a realizar determinados trabajos, como acarrear leña y escombros, para Fernando y Herminio, sin obtener a cambio remuneración alguna. En los días posteriores, y con el propósito de apoderarse en su beneficio de la pensión cuyo cobro por Dámaso se estaba tramitando, Herminio lo trasladó a una entidad bancaria y a las oficinas de diversos organismos, entre ellos, el día 20 de enero, a la Cruz Roja, circunstancia esta última que Dámaso pudo aprovechar para poner en conocimiento de dos de sus trabajadoras lo que le había sucedido, no permitiendo éstas que Dámaso se marchara con Herminio".

mejorar sus condiciones de vida trabajando en la venta ambulante, pero realmente fueron obligados, entre otras cosas, a ejercer la mendicidad en las calles de Cádiz (ATS 164/2014, de 13 de febrero).[41] Otra pareja de explotadores, también de origen rumano, no solo trasladaron a mujeres para esclavizarlas sexualmente, sino que también esclavizaron a su propio tío -y su pareja-, que fueron víctimas de trata de personas con fines de mendicidad, siendo efectivamente obligados a ejercerla en nuestro país por parte de su sobrino (STS 132/2018, de 20 de marzo).[42]

i) En último término, hay que señalar que la explotación personal equivalente a la esclavitud que se está produciendo en nuestro país va acompañada, además, de la comisión de *otros delitos graves que afectan a bienes jurídicos personalísimos* como la salud, la libertad ambulatoria, la libertad sexual, la libertad reproductiva, etc. Así, son muy frecuentes actos de violencia extrema que terminan causando lesiones graves, agresiones sexuales y violaciones como medio de atemorizar a las víctimas, secuestros, detenciones ilegales, incluso abortos. Quizá el caso más paradigmático de toda esta amalgama de delitos que acompañan a las formas contemporáneas de esclavitud, como situaciones extremas de degradación de la persona y limitación de la libertad, que además conllevan la violación de otros derechos fundamentales, en cuanto que realmente la vida de la víctima está literalmente en manos del explotador, sea el

---

[41]   La sentencia declara que "los acusados contactaron telefónicamente con Rogelio que vivía en Rumanía, para que se viniera a España con su pareja Lucía, ofreciéndoles trabajo en la venta ambulante. Para ello enviaron dinero a la madre de Socorro y vinieron a la localidad de San Fernando donde les recogió Doroteo. Una vez llegaron, se les obligó a salir a la calle a pedir dinero, siendo mentira que los acusados se dedicaran a la venta ambulante. Los acusados les trasladaron a puntos concretos de la localidad de Cádiz para ejercer la mendicidad y una vez acabada la jornada, debían entregar todo lo recaudado. Tan sólo se les facilitaba una comida al día y el alojamiento que se les dio fue en una terraza con sólo una parte cubierta. Además, se le retiraron los pasaportes, con el pretexto de que iban a regularizar su situación. Los acusados les agredían con tirones de pelo, cachetes y patadas cada vez que entendían que traían poco dinero".

[42]   Así, señala la sentencia que "el acusado Miguel, tras una nueva estancia en su país, voló desde Bucarest a Barcelona en el vuelo NUM009 y de Barcelona a Gran Canaria en el vuelo NUM010 junto a una persona llamada Sixto, a la que convenció para que viniera a España prometiéndole un cambio de aires y mejor oportunidad y calidad de vida a la que éste tenía en Rumania. Sixto es tío del acusado y vivía en un ambiente rural, ejerciendo de pastor en Rumania con escasos medios económicos. Una vez que éste aceptó la oferta de su sobrino en la creencia de una mejor vida, el acusado le compró los billetes de avión y una vez en Gran Canaria lo alojó en el domicilio que compartía con Patricia. Sin embargo, una vez que Sixto estuvo a merced de Miguel, éste lo obligó a ejercer la mendicidad. Miguel le retiró la documentación a Sixto procediendo a guardarla bajo llave en el dormitorio que compartía con Patricia, y controlaba en todo momento el trabajo que realizaba Sixto, bien llamándolo por teléfono, bien vigilándolo. El dinero que recaudaba Sixto, debía ser entregado a Miguel, sin que éste pudiera disponer del mismo; incluso Miguel, lo zarandeaba e insultaba si no traía suficiente dinero al final del día".

caso enjuiciado en la STS 214/2017, de 29 de marzo. Se trata de dos hermanos -hombre y mujer- que captan mediante engaño a una mujer en Nigeria para que venga a España, tras un viaje de 3 meses por Marruecos, para realmente ejercer la prostitución y así poder pagar la deuda de 70.000 euros que le exigían. Se le practicó un ritual de vudú para tenerla intimidada todo el tiempo en el que fue explotada sexualmente, por más de 4 años, sometida constantemente a golpes, palizas y agresiones sexuales, que llegaron a la violación, todo ello con el propósito de que pagara la deuda, quedando incluso embarazada, tras las repetidas violaciones de su captor, que la obligó a abortar para que siguiera sometida a esclavitud sexual y así seguir obteniendo un aprovechamiento económico de tal situación. Similar situación que también sufrió una menor de edad de origen nigeriano, que tardó dos meses en llegar a España en patera vía Marruecos y, posteriormente, ser explotada en el ejercicio de la prostitución durante más de 2 años. También fue objeto de la práctica de vudú y fue sometida a golpes, amenazas diarias, incluso a reiteradas agresiones sexuales y violaciones mientras duró su situación de esclavización, y todo ello como medio para asegurarse el pago de la deuda.[43] Otro supuesto, también grave, de

---

43   Tan solo destacar un extracto del relato de hechos probados, en el que la sentencia declara que "una vez en Gandía, el procesado, junto con su hermana Melisa , abusando de la situación de necesidad de TP NUM000 por encontrarse ésta en un país extranjero y desconocido, sin pasaporte, sin dinero, ni recursos, ni relaciones de ningún tipo en nuestro país, la compelió a ejercer la prostitución para saldar la deuda contraída por su traslado a España, deuda que, según fue informada en ese momento TP NUM000, ascendía a la cantidad de 70.000 euros. Ante la negativa de TP NUM000, en el que, valiéndose de la creencia que en el rito vudú tenía TP NUM000 y la consiguiente constricción de su voluntad que tal ritual ejercía, TP NUM000 fue conminada a ejercer la prostitución para reintegrar el total importe de la deuda contraída para su traslado a España, bajo la advertencia de que, en otro caso, matarían a TP NUM000 o harían daño a los familiares de ésta que quedaban en Nigeria. Seguidamente, ante la insistencia de TP NUM000 en su negativa a ejercer la prostitución, el procesado, en el domicilio sito en la C/ DIRECCION000 n° NUM001, NUM002, NUM003 de la localidad de Gandía, con ánimo de colocar a TP NUM000 en una situación de temor que anulase su resistencia, comenzó a propinar diversos golpes a TP NUM000, y, con ánimo libidinoso, y bajo la situación de temor que había causado en TP NUM000 como consecuencia de la violencia contra ella ejercida, la obligó a mantener con él relaciones sexuales, penetrándola vaginalmente, con lo que consiguió que TP NUM000 finalmente accediera a ejercer la prostitución.
De este modo, desde el mes de Septiembre del año 2008, y hasta el mes de Abril del año 2011, TP NUM000 ejerció la prostitución, prácticamente todos los días, tanto en la vía pública de la localidad de Gandía como en la citada vivienda sita en la C/ DIRECCION000 n° NUM001, NUM002, NUM003 de dicha localidad, tras haber sido instruida por la hermana del procesado sobre cómo hacerlo y sobre las cantidades dinerarias que había de requerir por sus servicios a los clientes, y bajo la vigilancia y control efectivo de tal ejercicio casi diario de la prostitución por parte del procesado, quien supervisaba que TP NUM000 efectivamente se hallase en las zonas de prostitución que previamente le había indicado captando clientes, y controlaba el cumplimiento de los horarios durante los cuales le había ordenado permanecer en las zonas de prostitución, golpeándola si no los cumplía, y, poste-

aborto y violaciones, junto al ejercicio forzado de la mendicidad se produjo en el caso ya citado y enjuiciado por el ATS 164/2014, de 13 de febrero.[44] Otro supuesto grave de amenazas, maltrato, violencia extrema, con agresiones que terminaban en lesiones graves, es el enjuiciado por la STS 554/2019, de 13 de noviembre.[45]

III. AUSENCIA DE REGULACIÓN Y NECESIDAD DE INTERVENCIÓN PENAL EN EL CÓDIGO PENAL ESPAÑOL

riormente, exigía a TP NUM000 la entrega de la integridad de las sumas obtenidas con el ejercicio de la prostitución (…).

Durante dicho período, "con la intención de que la voluntad de TP NUM000 continuase constreñida y, así, siguiera sometiéndose al ejercicio de la prostitución para el pago de la deuda de 70.000 euros, propinó frecuentes golpes y palizas a TP NUM000, y, en muchas de dichas ocasiones, con ánimo libidinoso, y en tal situación de violencia, obligó a TP NUM000 a mantener con él relaciones sexuales con penetración vaginal. Como consecuencia, en el mes de Febrero de 2011, TP NUM000 quedó embarazada, por lo que el procesado, prevaliéndose de la constricción de su voluntad a la que tenía sometida a TP NUM000 por la violencia que ejercía sobre la misma, la obligó, en fecha 21 de Marzo de 2011, a interrumpir su embarazo en el Centro Médico Mediterránea, sito en la ciudad de Valencia".

Posteriormente, en el mes de Abril del año 2011, el procesado obligó a desplazarse a TP NUM000 a Palma de Mallorca, con el propósito de que allí obtuviese mayores beneficios económicos con el ejercicio de la prostitución (…). Una vez transcurrido el verano, fue obligada con violencia a volver a Gandía para seguir ejerciendo la prostitución, hasta que en enero de 2013 pudo refugiarse en la casa de una conocida y así huir de la situación de extrema explotación en que se encontraba. "En dicho periodo comprendido entre el mes de Septiembre de 2008 y el mes Enero de 2013, durante el cual el procesado obligó a TP NUM000 a someterse a la prostitución, ésta le entrego un total de 40.000 euros, aproximadamente, como cantidades obtenidas en el ejercicio de la prostitución".

[44]   Señala el auto que "Lucía se sometió a un aborto de forma voluntaria y comenzó a sufrir fuertes hemorragias, negándose los acusados a llevarla al médico y a comprarle medicinas, argumentando que eran muy caras. Aún en este estado, la obligaban a salir a la calle para pedir dinero. Finalmente, Rogelio pudo escapar un día y denunciar estos hechos ante la policía. Cuando los agentes policiales entraron en la vivienda, encontraron a Lucía tumbada en un colchón con la entrepierna sangrando y al lado el acusado sentado en una silla. En una ocasión, en fecha no determinada, Doroteo, aprovechado que Socorro se llevó a Rogelio a ejercer la mendicidad, obligó a Lucía, golpeándola y con un cigarro en la mano, a que le hiciera una felación que concluyó con una eyaculación en el interior de su boca. Los denunciantes tenían miedo de que los acusados tuvieran algún tipo de represalia contra su familia de Rumanía, con quienes no contactaron más que en una ocasión con la vigilancia del acusado".

[45]   Donde a una de las víctimas, cuando "los hermanos Adrián y Pedro Jesús advirtieron que trataba de fugarse, la amenazaron de muerte y la golpearon, provocándole Pedro Jesús un corte en un brazo con una espada, ocasionándole lesiones para cuya curación hubo de ser trasladada al Hospital y precisó la aplicación de puntos de sutura. Tardó en curar 20 días, durante los que estuvo 4 días incapacitada, actuación que tuvo lugar en presencia del resto de las mujeres a modo de correctivo general y con el fin de mantenerlas intimidadas e impedir que marcharan. La Testigo consiguió escapar en el año 2011 y regresó a Rumania".

1. Regulación penal insuficiente e inadecuada de las formas contemporáneas de esclavitud

Es claro que el Código Penal español, como ya se ha advertido y reconoce el propio PANTE, no está en condiciones de ofrecer una respuesta criminalizadora y punitiva adecuada y proporcionada a las situaciones extremas de explotación humana equivalentes a la esclavitud, que suponen una degradación absoluta de la persona y una limitación severa o privación de su libertad general. Situaciones como las que acabamos de describir y que han sido enjuiciadas por los tribunales españoles no están suficientemente tratadas y castigadas en nuestro país. Donde, en todo caso, puede haber un enfoque muy parcial y sesgado de esta realidad, con una desproporción a la baja de la respuesta punitiva ciertamente alarmante, como consecuencia principal de haberlo vinculado casi exclusivamente a la libertad sexual y a la prostitución, que en nuestro país tiene un nivel de tolerancia social bastante elevada. En definitiva, no hay una perspectiva holística en el abordaje de esta materia, lo que ha provocado una laguna legal ciertamente escandalosa, que requiere de una modificación urgente, como se intentará poner de manifiesto.

En realidad, casos como los enjuiciados por nuestros tribunales se "han salvado" mínimamente, como puede constatarse, porque en la mayoría ha habido un concurso de delitos, de carácter medial, donde la inmigración clandestina (art. 318 bis CP), en un primer momento, y la trata de personas después (art. 177 bis CP), sola o conjuntamente con la inmigración clandestina, y con el juego de los tipos agravados que ambas figuras delictivas tienen previstos, ha permitido castigar con penas que se aproximaban mínimamente a los umbrales de la gravedad que suponen las formas contemporáneas de esclavitud.[46] Pero, de no haberse producido estos delitos en el caso concreto, sobre todo el de trata, y existir, por tanto, una situación de explotación extrema de la persona sin trata, la respuesta punitiva sería y es bastante inadecuada, por no decir irrisoria. Como se advierte en la doctrina, "el que nuestro ordenamiento penal regule separadamente la trata de la explotación puede haber favorecido la inflación de las penas correspondientes a la trata, en detrimento de las que corresponderían a los delitos cometidos en fase de explotación, que no se han

---

[46] Lo advierten también VILLACAMPA ESTIARTE, C.: "La moderna esclavitud y su relevancia jurídico-penal", *op. cit.* p. 338; TERRADILLOS BASOCO, J.: "Explotación laboral, trabajo forzoso, esclavitud, ¿retos político-criminales para el siglo XXI?", en DEMETRIO CRESPO, E. y NIETO MARTÍN, A. (dirs.), Maroto Calatayud, M. y Marco Francia, M. P. (coords.), *Derecho penal económico y derechos humanos*, Tirant lo Blanch, Valencia 2018, pp. 236 y ss.

visto generalmente modificadas a causa de la incriminación de dicho fenómeno, y que por ello pueden tener menor penalidad".[47]

Así, no olvidemos que *el delito de trata de personas* es el proceso que lleva a la explotación posterior, que constituye su finalidad, pero que queda al margen de la misma. Por ello, la trata nos permite castigar el proceso de sometimiento y control de la víctima, que va desde su captación, traslado y recepción, por medios coactivos, fraudulentos o abusivos, hasta la puesta a disposición de la víctima para ser explotada, pero sin incluir dicha explotación. Por tanto, aunque el delito de trata es también una grave violación de la libertad y personalidad jurídica de la víctima, nos sitúa ante el umbral de la explotación posterior, pero no llega a dicha explotación, por lo que deja fuera de su ámbito de aplicación las situaciones de extrema explotación del ser humano a que nos venimos refiriendo. Situaciones que pueden presentarse con un proceso previo de trata o bien sin dicho proceso, por lo que este delito no da respuesta a la moderna esclavitud, que queda aún sin regulación específica o sin un tratamiento adecuado.

En efecto, las situaciones de extrema explotación, posteriores a la trata o sin un proceso previo de trata, como hemos constatado, se producen en *el contexto sexual*, mediante la determinación coactiva, fraudulenta o abusiva a *la prostitución* de adultos (art. 187.1 CP) o la inducción o mantenimiento en la prostitución de menores o incapaces (art. 188.1 CP). Por tanto, este tipo de explotación se ve sólo desde la perspectiva de afección a la libertad e indemnidad sexual de las víctimas que, sin duda, configura un aspecto fundamental del derecho a la libertad o a la autodeterminación personal y libre desarrollo de la personalidad. Aspectos ambos que, sin duda, también se ven inmersos en el proceso y situación de esclavización sexual a las que se ven sometidas las víctimas de estos delitos, pero no son los únicos afectados. En los ejemplos expuestos, no solo se afecta la libertad sexual de la mujer a la que se le obliga a ejercer la prostitución o al libre desarrollo personal de los menores de edad, sino que hay mucho más en juego. Hay un proceso de cosificación brutal del ser humano, que se le degrada hasta tratarlo como una cosa, con una limitación significativa, si no privación, de su libertad personal (de decidir, obrar, deambular, etc.), que en modo alguno es tomado en consideración en los delitos sexuales. De castigar solo por estos delitos, como viene sucediendo hasta ahora, se estaría produciendo un desenfoque bastante considerable que llevaría a la ceguera de la realidad descrita, pues no se trata solo de un problema relativo a la prostitución, como se nos quiere hacer ver, sino de un problema de esclavización (sexual) de la persona. Por ello, no deja de ser un grave desacierto que el PANTF haya excluido la explotación sexual de su ámbito de aplicación,

---

[47]   Cfr. VILLACAMPA ESTIARTE, C.: *El delito de trata de seres humanos. Una incriminación dictada desde el Derecho Internacional, op. cit.,* p. 478.

pues ciertamente la regulación vigente de los delitos relativos a la prostitución resulta bastante desafortunada y desenfocada.

Desenfoque que está muy presente también en la respuesta punitiva de estos delitos, pues la prostitución involuntaria de adultos (art. 187.1 CP) y la prostitución de menores (art. 188.1 CP) se castigan con pena de prisión de 2 a 5 años y multa de 12 a 24 meses. Sanciones que muestran una clara desproporción a la baja en comparación a la gravedad de las conductas de esclavización a que se están aplicando en la mayoría de casos, por lo que casi resultan irrisorias y una grave falta de respeto a las víctimas. Hay todavía una considerable falta de concienciación social de la extrema gravedad de la prostitución forzada, que es tanto como decir de la esclavización sexual. Posiblemente, debido todavía a factores culturales ancestrales de carácter patriarcal y machistas, que deben ser erradicados cuanto antes. Se hace necesario un cambio de perspectiva en el enfoque de esta cuestión, donde se distinga claramente entre aquello que no puede ser considerado como prostitución (la coactiva) y que cae dentro de la extrema explotación (sexual) del ser humano, es decir, del crimen de esclavización (sexual), de aquello otro que podemos considerar prostitución con consentimiento viciado (la fraudulenta o abusiva) que puede suponer un ataque a la libertad sexual y a los derechos laborales de los trabajadores, y de aquello otro que se puede considerar como prostitución libre y voluntaria, donde por principio el Derecho Penal no debe intervenir, salvo que se produjera algún abuso en las condiciones laborales. Todo ello obliga a proponer cambios legislativos importantes en esta materia, como tendremos ocasión de hacer más adelante. Por ello, la exclusión de la explotación sexual y de la trata con fines de explotación sexual que propone el PANTF parece un error mayúsculo por parte del gobierno, si esta exclusión va referida a la regulación penal de esta materia. Aunque más bien parece una exclusión referida al ámbito competencial de los diversos ministerios implicados en la regulación e intervención administrativa en esta materia, sobre todo pensando en el sistema de asistencia y protección especial ya existente para las víctimas de explotación sexual y trata estos fines. Pero, en todo caso, aunque fuera así, sin duda que sería mucho más apropiado ofrecer una respuesta integral y holística de este fenómeno criminal. Es claro que todavía hay tiempo y margen de mejora.

Además, el desenfoque punitivo señalado está condicionado por el enfoque trafiquista que todavía encierra el delito de trata de seres humanos del art. 177 bis CP. Precepto que realmente está más preocupado de que las víctimas de trata no sean trasladadas a territorio español que de su explotación posterior una vez que ya se encuentren en territorio nacional. Por ello, la trata se castiga con pena de prisión de 5 a 8 años (art. 177 bis CP), mientras que la prostitución forzada, fraudulenta o abusiva de adultos (art. 187.1 CP) y la de menores (art.

188.1 CP) se castigan con pena de prisión de 2 a 5 años (¡!),[48] o el ejercicio de la mendicidad de menores en circunstancias similares se castiga con pena de prisión de 1 a 4 años (art. 232.2 CP), o el matrimonio forzado de igual modo se castiga con pena de prisión de 6 meses a 3 años (art. 172.1 bis CP). Cómo justificar tan grave disparidad punitiva. Creo que la única explicación está en la clave migratoria del fenómeno, pues nuestro legislador se muestra ciertamente tozudo en seguir utilizando la trata, junto a la inmigración clandestina, como medio de control de los flujos migratorios.[49] De hecho, según parece, esta fue la finalidad perseguida por los convenios internacionales de principios del siglo pasado frente a la llamada trata de blancas.[50] Es claro, por tanto, que los delitos relativos a la prostitución no dan respuesta a la moderna esclavitud, que queda aún sin regulación específica o sin un tratamiento legal y punitivo adecuado.

Cabría pensar todavía, en este contexto de *los delitos sexuales* -o conexos- en la posibilidad de castigar cada uno de los actos realizados individualmente como un delito de agresión o abuso sexual, en función de los medios emplea-dos en cada caso -u otros delitos, como detenciones ilegales, lesiones, etc.- Así se ha venido haciendo hasta ahora, aunque en pocos casos, cuando han podido probarse tales delitos cometidos como medios intimidatorios de la prostitu-ción forzada o cuando se han podido individualizar los diversos actos sexuales realizados con conocimiento de la falta de libertad de la víctima durante el ejercicio de la prostitución. Pero, nuevamente, con esta solución parcial, que atiende solo a la libertad sexual, no se valora ni se da un tratamiento adecuado y proporcionado a la gravedad que suponen las formas contemporáneas de esclavitud. Incluso, aunque se pretendiera hacer una sumatoria de todos estos actos individuales mediante la ficción jurídica de la continuidad delictiva, pues seguiría ofreciendo una visión muy sesgada de esta realidad criminal, centrada solo en el aspecto sexual. Además, supondría un trato discriminatorio a las víctimas, que se verían obligadas a probar cada uno de los actos sexuales de los que han sido víctimas mientras eran obligadas al ejercicio de la prostitución,

---

[48]   *Vid.* POMARES CINTAS, E.: "El delito de trata de seres humanos con finalidad de explo-tación laboral", *Revista Electrónica de Ciencia Penal y Criminología*, Nº 13-15, 2011, pp. 24 y 25; VILLACAMPA ESTIARTE, C.: "La moderna esclavitud y su relevancia jurídico-penal", *op. cit.*, p. 337; PÉREZ ALONSO, E.: "La trata de seres humanos en el Derecho Penal español", en VILLACAMPA ESTIARTE, C. (coord.), *La delincuencia organizada: un reto a la política criminal actual*, Thomson Reuters Aranzadi, Pamplona, 2013, pp. 103 y ss.

[49]   *Vid.* nota anterior.

[50]   POMARES CINTAS, E.: "La metamorfosis del concepto de trata de blancas en el seno de la Sociedad de Naciones como paradigma del control de los flujos migratorios contemporá-neos", en PÉREZ ALONSO, E. y OLARTE ENCABO, S. (dirs.), MERCADO PACHECO, P. y RAMOS TAPIA, I. (coords.), *Formas contemporáneas de esclavitud y derechos humanos en clave de globalización, género y trata de personas*, Tirant lo Blanch, Valencia, 2020, pp. 625 y ss.

es decir, mientras eran sometidas a esclavitud sexual. Con ello se debilita su estatus de víctima, que a la postre dependerá de cuantos delitos sean capaces de probar.[51]

Por otra parte, *el delito de trato degradante* tipificado en el art. 173.1 CP por sí solo también resulta insuficiente para dar una respuesta adecuada, a pesar de que protege el derecho fundamental a la integridad moral que, en efecto, también se ve afectado en las situaciones de esclavitud moderna a que nos estamos refiriendo. Cierto es que se produce una situación de instrumentalización de la persona en beneficio ajeno, dejando de ser un fin en sí misma, por lo que se niega su dignidad y se le degrada a la mera condición de cosa. Pero, en las formas contemporáneas de esclavitud la situación de degradación personal llega a situaciones extremas, muy graves, que no están suficientemente valoradas y castigadas por el simple delito de trato degradante, que está reservado para casos de degradación grave, pero no extrema, que se llevan a cabo mediante un acto individual de vejación grave. Pero en la dinámica comisiva de la moderna esclavitud, por regla general, hay una reiteración de actos y continuidad en el control y explotación de la persona que son ajenos totalmente a la dinámica del delito de trato degradante. Además, la esclavitud requiere un poder de disposición fáctico y de control absoluto sobre la persona que afecta también y de forma primordial a su libertad personal, y este aspecto esencial del injusto esclavista no está presente en el delito de trato degradante. Por ello, el art. 173.1 CP resulta insuficiente para dar una respuesta completa y proporcionada a la moderna esclavitud,[52] por más que pudiera entrar en concurso con los delitos laborales.[53]

Y es que, en efecto, *los delitos contra los derechos de los trabajadores* de los arts. 311.1 y 312.2 CP también resultan insuficientes para cubrir el injusto esclavista. Estos delitos van referidos a situaciones de explotación laboral de los trabajadores en el contexto de una relación de trabajo, sea formal o informal, en la que la víctima acepta tal relación y, por tanto, quiere trabajar, pero se produce una situación de abuso en las condiciones de prestación del trabajo.

---

[51]   *Vid.* VALVERDE CANO, A.: "Ausencia de un delito de esclavitud, servidumbre y trabajos forzosos en el Código Penal español", *op. cit.*, pp. 438 y 443.

[52]   En este sentido, *vid.* BORONAT TORMO, M. y GRIMA LIZANDRA, V.: "La esclavitud y la servidumbre en el derecho español. A propósito de la STEDH de 26 de julio de 2005 ("Siliadin c/ Francia"): un caso de trabajo doméstico servil", en CARBONELL MATEU, J. C., GONZÁLEZ CUSSAC, J. C., ORTS BERENGUER, E. y CUERDA ARNAU, M. L. (coords.), *Constitución, derechos fundamentales y sistema penal, Semblanzas y estudios con motivo del setenta aniversario del Profesor Tomás Salvador Vives Antón*, Tomo I, Tirant lo Blanch, Valencia, 2009, pp. 284 y 285.

[53]   *Vid.* VILLACAMPA ESTIARTE, C.: *El delito de trata de seres humanos. Una incriminación dictada desde el Derecho Internacional, op. cit.*, p. 480; VILLACAMPA ESTIARTE, C.: "La moderna esclavitud y su relevancia jurídico-penal", *op. cit.*, p. 338; POMARES CINTAS, E.: "El delito de trata de seres humanos con finalidad de explotación laboral", *op. cit.*, p. 27.

En cambio, en la situación de trabajo forzado lo que se impone ilegalmente no son las condiciones de trabajo, sino la propia condición de trabajador, dado que se obliga a trabajar a aquel que no quiere trabajar, actuando en contra de su libertad personal para decidir si realiza o no la prestación laboral. Por tanto, como advierte la doctrina, "no es sólo atropellar derechos laborales o sociales del trabajador como tal, también es la violación de su libertad de decidir ser o no trabajador, pues es sometido a la condición de esclavo, siervo o similar".[54] Como se viene insistiendo en las formas contemporáneas de esclavitud estamos ante situaciones de explotación extrema del ser humano donde se niega su propia condición de persona y su libertad personal más básica, mientras que los delitos laborales se refieren solo a los trabajadores y no a todas las personas, en la medida que tiene que haber una relación laboral de la que se abusa para obtener un provecho explotando su fuerza de trabajo y vulnerando con ello los derechos reconocidos al colectivo de trabajadores. Por ello, la aplicación de los arts. 311.1 y 312.2 CP no agotaría el total contenido del injusto esclavista,[55] en cuanto que no están presentes "las notas de apropiación ilícita del valor del trabajo o servicio y sometimiento de la persona que lo realiza a una situación de disponibilidad del empleador".[56]

Desde el punto de vista punitivo la disparidad de penas con que se castigaban estos dos delitos se resolvió e invirtió la regla mediante la reforma llevada a cabo por la LO 7/2012, de 27 de diciembre.[57] Ahora, la imposición de condiciones ilegales de trabajo a nacionales o extranjeros en situación regular se castiga con una pena de prisión de 6 meses a 6 años y multa de 6 a 12 meses (art. 311.1 CP), mientras que la contratación ilegal de extranjeros en situación irregular se castiga con pena de prisión de 2 a 5 años y multa de 6 a 12 meses (art. 312.2 CP). Ahora el máximo de pena es mayor en el primer caso que en el segundo, mientras que el mínimo sigue siendo mayor en el segundo que en el primero, por lo que el legislador parece que no termina

---

54   Cfr. POMARES CINTAS, E.: *El Derecho Penal ante la explotación laboral y otras formas de violencia en el trabajo*, op. cit., p. 139. *Vid.* también, TERRADILLOS BASOCO, J.: "Explotación laboral, trabajo forzoso, esclavitud, ¿retos político-criminales para el siglo XXI?", op. cit., pp. 219 y ss.

55   *Vid.* BORONAT TORMO, M. y GRIMA LIZANDRA, V.: "La esclavitud y la servidumbre en el derecho español. A propósito de la STEDH de 26 de julio de 2005 ("Siliadin c/ Francia"): un caso de trabajo doméstico servil", op. cit., pp. 281 y 282; *Vid.* también, VALVERDE CANO, A.: "It's all about control: el concepto de trabajos forzosos", *Revista de Derecho Penal y Criminología*, op. cit., pp. 278 y ss., y 286 y ss.; TERRADILLOS BASOCO, J.: "Explotación laboral, trabajo forzoso, esclavitud, ¿retos político-criminales para el siglo XXI?", op. cit., p. 236.

56   Cfr. POMARES CINTAS, E.: *El Derecho Penal ante la explotación laboral y otras formas de violencia en el trabajo*, op. cit., p. 134.

57   Disparidad de penas que solo cabía justificar en el fin oculto del control de los flujos migratorios, como denuncia POMARES CINTAS, E.: *Ibidem*, p. 108.

de aclararse con respecto a dichas conductas. Pero, lo que interesa destacar ahora es que se produce también un incremento considerable de la pena en el art. 311 CP cuando las condiciones ilegales de trabajo se impongan mediante violencia o intimidación, en cuyo caso la pena aplicable será la superior en grado (art. 311.4 CP), es decir, que la pena de prisión será de 6 a 9 años. Podría pensarse que en esta modalidad delictiva del art. 311.1 CP en relación con el apartado 4° del mismo precepto legal, en atención a la elevada pena prevista, en realidad se está tipificando el delito de sometimiento a trabajo forzoso, en la medida que se imponen condiciones laborales de forma violenta o intimidatoria. Pero, esta plausible interpretación no permite alcanzar los casos realmente subsumibles en el concepto de trabajo forzoso y que no están presentes en el art. 311.4 CP, pues este precepto va referido a la imposición de condiciones ilícitas de trabajo en el marco de una relación laboral y no a la imposición de la condición de trabajador en sí misma considerada. Por tanto, ha de estar presente una relación laboral, sea formal o informal, cosa que falta en el trabajo forzoso como tal y, además, el art. 311 CP va referido a la protección penal de los trabajadores, mientras que el trabajo forzoso va referido a la protección de todas las personas, sean o no trabajadores, a las que se les quiere imponer una condición que no aceptan.[58]

Adviértase, por otra parte, que la explotación laboral de nacionales o extranjeros, estén en situación regular o no, se castiga con más pena o igual pena que la explotación sexual forzada, fraudulenta o abusiva de adultos (art. 187.1 CP) y la prostitución infantil (art. 188.1 CP), que en ambos casos prevén una pena básica de prisión de 2 a 5 años. Se produce aquí un claro e injustificado dislate penológico que está pendiente de alguna explicación, pues claramente la explotación sexual tipificada en los arts. 187.1 y 188.1 CP es mucho más grave que la explotación laboral de los arts. 311.1 y 312.2 CP. Hay una diferencia de injusto abismal entre obligar a una persona a que trabaje más horas de la cuenta y que no las cobre realmente, por la situación de abuso a que lo somete el empresario, ya sea la víctima nacional (art. 311.1 CP) o extranjero en situación irregular (art. 312.2 CP), que obligar de forma abusiva o fraudulenta una mujer a ejercer la prostitución (art. 187.1 CP) o a una persona menor de edad o incapaz (art. 188.1 CP). Incluso, el dislate punitivo es todavía mayor si tal situación de explotación laboral o sexual se produce mediante el empleo de violencia o intimidación, pues en tal caso la imposición de condiciones ilegales de trabajo se castigarían con pena de prisión de 6 a 9 años (art. 311.4 CP), mientras que la determinación coactiva a la prostitución, en las condiciones que ya hemos descrito, de extremo sometimiento y explotación personal, es decir, de esclavización sexual, se seguiría castigando con pena de prisión de

---

58   Vid. TERRADILLOS BASOCO, J.: "Explotación laboral, trabajo forzoso, esclavitud, ¿retos político-criminales para el siglo XXI?", op. cit., pp. 229 y ss.

2 a 5 años, si se trata de adultos (art. 187.1 CP), y con la pena de prisión de 4 a 6 años si se trata de menores (art. 188.2 CP).[59] Insisto en que el desenfoque que ofrece el Código Penal de la esclavitud contemporánea es ciertamente considerable, alarmante y preocupante, y esperemos que el PANTF haya sido aprobado con la pretensión de cambiar la regulación penal mediante un enfoque holístico e integral y no a empecinarse y persistir en el error, carencias y defectos de la regulación vigente.

Discrepancia que también se observa, ahora a la inversa, en el tratamiento penal que se ofrece a *los menores de edad* víctimas de explotación laboral o, mejor dicho, a la ausencia total de dicho tratamiento. En el caso de la trata de personas y de la prostitución sí hay previsiones expresas de tutela de los menores de edad, bien sea considerando delito de trata el tráfico de menores con independencia de los medios comisivos (arts. 177 bis, 2 CP), bien sea ofreciendo un régimen protector especial a los menores frente a la prostitución, no exigiendo ningún medio comisivo para su incriminación (art. 188.1 CP), castigando con más pena cuando estén presentes dichos medios comisivos (art. 188.2 CP) u otras circunstancias de agravación (art. 188.3 CP) o bien diferenciando la franja de edad en el límite de los 16 años para castigar con más pena cuando están por dejado de dicho límite que cuando lo superan (art. 188.1 CP, en su segundo párrafo). Sin embargo, como se ha advertido, la minoría de edad está huérfana de tutela especial cuando se trata de la explotación laboral de los menores.[60] Orfandad en la que parece persistir desgraciadamente el PANTF, que no ofrece un tratamiento específico para el trabajo forzoso de menores de edad.

En último término, señalar que también ser produce otra discrepancia considerable en materia de *responsabilidad penal a las personas jurídicas*, pues inexplicablemente no está prevista para los delitos laborales. Sin embargo, sí se prevé con buen criterio para el delito de trata de seres humanos (art. 177 bis, 7 CP) y para los delitos relativos a la prostitución (art. 189 bis CP). Así, como se advierte en la doctrina, "resulta singular que por ejemplo pudiera responder penalmente la organización que capta a las personas objeto de trata, pero no la responsable de los delitos de explotación cometidos a través de ella".[61] Situación que sí parece pretender resolver el PANTF en el caso del trabajo forzoso.

---

[59]   Pena que será incrementada en el caso de que se trate de menores de 16 años a prisión de 5 a 10 años.

[60]   *Vid.* POMARES CINTAS, E.: "El delito de trata de seres humanos con finalidad de explotación laboral", *op. cit.*, pp. 23 y ss.; VALVERDE CANO, A.: "Ausencia de un delito de esclavitud, servidumbre y trabajos forzosos en el Código Penal español", *op. cit.*, p. 437.

[61]   *Cfr.* GUISASOLA LERMA, C.: "Formas contemporáneas de esclavitud y trata de seres humanos: una perspectiva de género", *op. cit.*, p. 211.

2. Necesidad de intervención penal

Tras la descripción de los casos judiciales constatados de esclavización en nuestro país y tras la exposición de los delitos que resultarían aplicables conforme al Código Penal español para hacer frente a este fenómeno criminal, no cabe duda de la conveniencia y necesidad de la intervención penal en esta materia. Fundamentalmente, como acabamos de exponer, porque la regulación penal vigente se muestra absolutamente insuficiente, sin ofrecer una visión global y completa de este fenómeno, ocupándose solo de aspectos muy parciales, con distorsiones penológicas considerables y sobre todo con vacíos de punibilidad difícilmente justificables. Pero, a decir verdad, no se trata solo de una deficiente técnica legislativa, sino de una falta de atención y consideración hacia un fenómeno criminal clásico, que nos ha mostrado su nuevo rostro en la era de la globalización económica y al que hasta la fecha no se la ha sabido ni querido dar respuesta. A diferencia de lo que ha sucedido en la mayor parte de países europeos e iberoamericanos en la última década, el Estado español sigue de espaldas a esta realidad, como si se tratara de algo que se pudiera ocultar y hacerlo pasar por algo que no es real. Y todo ello, pese a los compromisos internacionales y regionales que obligan al Estado español a enfrentar esta nueva realidad criminal, siguiendo la estela del incumplimiento sistemático que se ha venido produciendo en nuestro país en temas íntimamente vinculados como el de la inmigración clandestina y el de la trata de seres humanos. Ahora, con las modernas formas de esclavitud, según parece, sucederá lo mismo: llegaremos nuevamente tarde y seguramente mal, como está sucediendo en la actualidad. Aunque, como se ha apuntado, el Gobierno español acaba de aprobar el PANTF, en diciembre de 2021, con lo que parece que se empieza a tomar conciencia de esta dura y cruel realidad. En dicho plan se realizan propuestas de diversa índole para enfrentar este fenómeno, incluidas las de reforma penal para incriminar las formas contemporáneas de esclavitud, aunque esperemos finalmente que sea un plan integral en materia penal y no excluyente y sesgado en materia de explotación sexual, como parece advertirse, y que sea sólo una exclusión a efectos administrativos de delimitación clara de competencias ministeriales.

Así, en el plano internacional, se está tomando conciencia de la situación existente a nivel mundial sobre las formas contemporáneas de esclavitud, sobre todo, del trabajo forzoso en el contexto actual. Por ello, el Protocolo de la OIT, de 11 de junio de 2014, relativo al Convenio núm. 29 sobre el trabajo forzoso de 1930, reitera el compromiso universal de la prohibición y tipificación penal del trabajo forzado. Declara que el trabajo forzoso constituye una violación de los derechos humanos, que ha cambiado en las últimas décadas y que ha suscitado una creciente preocupación a nivel internacional que requiere la adopción de medidas urgentes para su efectiva eliminación, como que los Estados se cercioren de que el trabajo forzoso es objeto de sanciones penales.

Por ello, en su art. 1.1, el Protocolo establece que "al dar cumplimiento a sus obligaciones en virtud del Convenio de suprimir el trabajo forzoso u obligatorio, todo Miembro deberá adoptar medidas eficaces para prevenir y eliminar su utilización, proporcionar a las víctimas protección y acceso a acciones jurídicas y de reparación apropiadas y eficaces, tales como una indemnización, y sancionar a los autores del trabajo forzoso u obligatorio". Obligaciones que por el momento no está cumpliendo el Estado español, aunque las mismas son las que le han llevado a aprobar el PANTF, como se reconoce en el propio plan.

Además, en el plano regional europeo, no debe olvidarse que esta exigencia de tipificación penal expresa de las formas contemporáneas de esclavitud se deriva directamente del art. 4 CEDH, tal y como ha puesto de manifiesto el TEDH en su jurisprudencia, desde el *caso Siliadin* hasta la actualidad. Según el TEDH hay dos tipos de obligaciones positivas que emanan del precepto que prohíbe la esclavitud, la servidumbre, el trabajo forzoso y también la trata de seres humanos: a) penalizar y perseguir efectivamente la situación de violación del artículo 4 CEDH; b) investigar efectivamente las situaciones de explotación potencial cuando el asunto llama la atención de las autoridades[62]. Jurisprudencia y legislación europea que como venimos denunciado sigue incumpliendo de forma sistemática el Estado español. Por ello, se ha podido afirmar, con toda razón, que "la legislación española no se adecúa a los estándares exigidos por el TEDH que son necesarios para cumplir las obligaciones positivas del artículo 4 CEDH, ya que la estructura legislativa y administrativa española que prohíbe y castiga la esclavitud, servidumbre y trabajo forzoso es muy similar a la francesa, que ya fue considerada por el TEDH inadecuada y poco efectiva".[63]

En último término, señalar que también se pronuncia en este mismo sentido con carácter general la Relatora de UN contra la trata de personas en su valioso, esclarecedor y crítico informe de 2020, cuando habla de las obligaciones positivas de los Estados para proteger a las víctimas de violación de los derechos humanos cometidas por agentes privados. Así, para cumplir con las obligaciones de diligencia debida, derivadas del art. 4 CEDH y el art. 6 CADH, advierte que "los Estados deben adoptar todas las medidas apropiadas que permitan poner fin a la esclavitud y prevenirla, lo que significa contar con un marco jurídico adecuado que se aplique de forma efectiva. El marco debe

---

[62]   *Vid.* la sentencia del TEDH no. 73316/01, 26 julio 2005, del *caso Siliadin contra Francia*, párr. 112 y 89; la sentencia del TEDH no. 25965/04, 1 julio 2010, del *caso Rantsev contra. Chipre y Rusia*, párr. 288; la sentencia del TEDH no. 4239/08, 13 febrero 2013, del *caso C.N. v. Reino Unido*, párr. 65 y ss.

[63]   *Cfr.* VALVERDE CANO, A.: "Ausencia de un delito de esclavitud, servidumbre y trabajos forzosos en el Código Penal español", *op. cit.*, p. 441. Sobre las obligaciones positivas de los Estados en el Convenio y Corte Interamericana de Derechos Humanos, *vid.* SALMÓN GÁRATE, E.: *Introducción al Sistema Interamericano de Derechos Humanos*, Fondo Editorial de la Pontificia Universidad Católica del Perú, Lima, 2019, pp. 178 y ss.

ser amplio, abordar los factores de riesgo y mejorar la respuesta institucional. Además, los Estados deben adoptar medidas preventivas en casos concretos en que determinados grupos sean vulnerables a la trata".[64]

IV. PROPUESTA DE REGULACIÓN PENAL

La doctrina que se ha ocupado del estudio de las formas contemporáneas de esclavitud, como se ha señalado, denuncia la falta de un delito específico de sometimiento a tales prácticas y la insuficiencia de la regulación penal vigente para hacer frente a esta nueva realidad criminal. Destaca la importancia de la introducción del delito de trata de seres humanos en el art. 177 bis CP y de cómo se está aplicando por parte de los órganos jurisdiccionales. Con ello, en principio, el proceso que lleva a la degradación extrema del ser humano y al sometimiento pleno por parte de los tratantes estaría bien cubierto por el delito de trata. Pero, no sucede lo mismo con la explotación posterior a la trata o incluso con la explotación que no va precedida de trata, pues en tal caso la víctima esclavizada ha sido explotada en su propia tierra o en otra extraña a la que llegó de forma voluntaria. Es aquí donde se denuncia la falta de regulación legal y la insuficiencia de la existente para hacer frente a las situaciones de explotación extrema del ser humano que resultan equivalentes a la vieja esclavitud,[65] como reconoce además el propio PANTF de 2021.

Y es aquí también donde se coincide en propugnar la necesaria y proporcionada intervención penal, mediante la introducción de un nuevo delito en el Código Penal referido a las formas contemporáneas de esclavitud. Aunque, lógicamente se ofrecen diversas perspectivas político-criminales, de técnica legislativa y de carácter sustantivo para llevar a cabo dicha propuesta de *lege fe-*

---

[64]   *Cfr.* A/75/169, p. 4.

[65]   *Vid.* BORONAT TORMO, M. y GRIMA LIZANDRA, V.: "La esclavitud y la servidumbre en el derecho español. A propósito de la STEDH de 26 de julio de 2005 ("Siliadin c/ Francia"): un caso de trabajo doméstico servil", *op. cit.*, pp. 277 y ss.; VILLACAMPA ESTIARTE, C.: "El delito de trata de seres humanos en el Derecho Penal español tras la reforma de 2015", en PÉREZ ALONSO E. (dir.), MERCADO PACHECO, P., OLARTE ENCABO, S., LARA AGUADO, A., RAMOS TAPIA, I., POMARES CINTAS, E. y ESQUINAS VALVERDE, P. (coords.), *El Derecho Penal ante las formas contemporáneas de esclavitud*, Tirant lo Blanch, Valencia, 2017, pp. 465 y 466; PÉREZ ALONSO, E.: "La trata de seres humanos en el Derecho Penal español", *op. cit.*, pp. 101 y ss.; MIÑARRO YANINI, M.: "Formas esclavas de trabajo y servicio del hogar familiar: delimitación conceptual, problemática específica y propuestas", *Relaciones laborales: Revista crítica de teoría y práctica*, núm. 10, Wolters Kluwer, 2014, p. 10; TERRADILLOS BASOCO, J.: "Explotación laboral, trabajo forzoso, esclavitud, ¿retos político-criminales para el siglo XXI?", *op. cit.*, pp. 236 y ss.

renda.[66] Perspectivas que serán tomadas en cuenta para elaborar la propuesta de incriminación legal del delito de sometimiento a esclavitud, servidumbre y trabajo forzado que ahora se pretende desarrollar.[67]

1. *Perspectiva político-criminal y de técnica legislativa*

Así, en primer término, conviene insistir en que el Derecho Penal tiene una eficacia bastante moderada para prevenir y erradicar el fenómeno general de las formas contemporáneas de esclavitud, por lo que hay que partir de una posición de modestia y prudencia a la hora de fijar las expectativas que cabe esperar de la intervención penal. Siquiera sea por la complejidad del fenómeno, su expansión a nivel mundial, las propias limitaciones del Derecho Penal nacional ante un fenómeno global, su funcionalidad económica y social, así como tantos otros factores que habría que tomar en consideración para llevar a cabo un abordaje holístico de este fenómeno. Por ello, sin duda, lo primero que habría que hacer es analizar las causas y consecuencias de este fenómeno para abrir un gran debate público sobre el mismo, que permita atajarlo de raíz de forma pluridimensional, donde se tome conciencia social de la ilicitud del mismo y se visibilicen las miles de víctimas que genera y las condiciones de vida en las que se encuentran. Todo ello requiere, sin duda, un cambio de paradigma en el abordaje holístico de este fenómeno que debería llevar, en todo caso, a una transformación social y cultural importante si realmente se pretende conseguir su prevención y erradicación, al tiempo que ofrecer a las víctimas la asistencia y protección que merecen en un Estado como el que se autodefine el nuestro. En este contexto, cabe reclamar y ubicar en su justa y

---

[66]   *Vid.* VILLACAMPA ESTIARTE, C.: "La moderna esclavitud y su relevancia jurídico-penal", *op. cit.*, pp. 340 y ss.; MIÑARRO YANINI, M.: "Formas esclavas de trabajo y servicio del hogar familiar: delimitación conceptual, problemática específica y propuestas", *op. cit.*, pp. 9 y ss.; POMARES CINTAS, E.: "Directrices para el análisis y persecución penal de la explotación económica en condiciones de esclavitud o similares", en PÉREZ ALONSO, E. J., MERCADO PACHECO, P., OLARTE ENCABO, S., LARA AGUADO, A., RAMOS TAPIA, M. I., POMARES CINTAS, E. y ESQUINAS VALVERDE, P. (coords.), *El derecho ante las formas contemporáneas de esclavitud*, Tirant lo Blanch, Valencia, 2017, pp. 785 y ss.; BEDMAR CARRILLO, E.: "Concepción jurisprudencial de las formas contemporáneas de esclavitud", en PÉREZ ALONSO E. (dir.), MERCADO PACHECO, P., OLARTE EN-CABO, S., LARA AGUADO, A., RAMOS TAPIA, I., POMARES CINTAS, E. y ESQUINAS VALVERDE, P. (coords.), *El Derecho ante las formas contemporáneas de esclavitud*, Tirant lo Blanch, Valencia, 2017, pp. 239 y ss.; VALVERDE CANO, A.: "Ausencia de un delito de esclavitud, servidumbre y trabajos forzosos en el Código Penal español", *op. cit.*, pp. 427 y ss.; TERRADILLOS BASOCO, J.: "Explotación laboral, trabajo forzoso, esclavitud, ¿retos político-criminales para el siglo XXI?", *op. cit.*, pp. 229 y ss.; GUISASOLA LERMA, C.: "Formas contemporáneas de esclavitud y trata de seres humanos: una perspectiva de género", *op. cit.*, pp. 210 y 211.

[67]   Sobre la propuesta inicial, *vid.* PÉREZ ALONSO, E.: "Tratamiento jurídico-penal de las formas contemporáneas de esclavitud", *op. cit.*, pp. 359 y ss.

útil medida la intervención del Derecho Penal que, en todo caso, debe tener carácter subsidiario y fragmentario, al tiempo que responder a las exigencias penales de certeza y proporcionalidad para que, a la postre, pueda cumplir con su función comunicativa y trasladar a la sociedad un mensaje claro y contundente en contra de la moderna esclavitud.

1.1. ¿Legislación penal común o especial?

En segundo lugar, surge el debate político-criminal y legislativo de determinar si resulta más adecuada la regulación de esta materia a través de una ley penal especial o bien mediante la legislación penal común. A nuestro juicio, la función comunicativa y protectora del Derecho Penal se alcanza mejor desde el Código Penal que regulando los delitos relativos a la esclavitud en una ley penal especial. No se trata de una materia específica que por su peculiaridad requiera un tratamiento legal extramuros del Código Penal, con una rígida intervención y control por parte de la administración pública, con peculiaridades en cuanto a los sujetos activos del delito. Más bien al contrario, se trata de una materia que afecta a derechos fundamentales básicos, que pueden ser violados por cualquiera y de gran trascendencia social, y que deben ser protegidos por los órganos jurisdiccionales. Una regulación prolija de esta materia podría ser un nuevo ejemplo de inflación penal de carácter simbólico, contraria a la mínima intervención del Derecho Penal. Aunque lo dicho no impediría que al mismo tiempo que se tipifican las infracciones más graves contra el estado de libertad de las personas en el Código Penal, pueda y deba haber una regulación administrativa de esta materia, fundamentalmente de carácter laboral, donde se incluyeran las infracciones menos graves en la LISOS. Aunque también podrían preverse otras infracciones en materia tributaria y fiscal, mercantil, de seguridad social, de actividades productivas y de distribución de bienes en sectores de la economía donde pudiera tener más incidencia la explotación económica de las personas. Incluso, por qué no, en una futura y necesaria ley o normativa que regularizada y reglamentara el ejercicio voluntario de la prostitución, donde también cabría pensar en infracciones de menor gravedad que pudieran estar bajo su ámbito de aplicación.

No obstante, el que se propugne una regulación intramuros del Código Penal de esta materia no sería óbice para que se aprobara una ley integral contra la trata de personas o contra las formas contemporáneas de esclavitud, donde se regularan los aspectos ajenos al Derecho Penal sustantivo. De hecho, en muchos países iberoamericanos se ha aprovechado la aprobación de una ley integral contra la trata de personas para introducir también medidas contra las modernas formas de esclavitud. Aunque normalmente en dicha legislación especial se ha terminado incluyendo los delitos relativos a la trata y a las formas contemporáneas de esclavitud, como ha sucedido, por ejemplo, en México.[68] Considero, sin duda, que una ley integral sería el mejor mecanismo para establecer las medidas de asistencia y protección a las víctimas, junto a las medidas de prevención, coordinación y cooperación interinstitucional, pero las normas incriminadoras de este fenómeno criminal deben ubicarse en el Código Penal común. Lo contrario podría suponer un caso más de inflación penal y de máxima intervención penal, como precisamente ha sucedido a la postre con la legislación mexicana, que termina regulando de forma prolija y expansiva cualquier forma de explotación del ser humano.[69]

1.2.   ¿Protección penal diversificada o unitaria?

Ahora bien, una vez ubicados en el lugar más adecuado, es decir, en el Código Penal, se plantea a su vez una doble posibilidad: bien se puede acudir a una tipificación agravada o singular dentro de los delitos ya existentes en el Código Penal que protegen bienes jurídicos vinculados o próximos a la moderna esclavitud, otorgándole, por tanto, una tutela penal diversificada y fragmentada; o bien se puede acudir, como segunda posibilidad, a una tipificación expresa de un capítulo o título específico sobre los delitos relativos a las modernas formas de esclavitud, proporcionando, por tanto, una tutela penal unitaria y orgánica. Ambos caminos han sido explorados por la doctrina española.

1.2.1.   Tutela diversificada y fragmentada

La primera opción, de abogar por una tutela parcial y diversificada entre los delitos que directa o indirectamente pueden verse afectados por el fenómeno de la moderna esclavitud, es quizá la que cuenta con menos apoyo. Pues, no deja de suponer una visión parcial y sesgada que no alcanza a comprender en toda su dimensión la globalidad, entidad y gravedad de las formas contemporáneas de esclavitud que, sin duda, le otorgan una autonomía propia y que requiere, por ello, de un tratamiento penal unitario con visión de conjunto. En

---

[68]   *Vid.* la Ley General para prevenir, sancionar y erradicar los delitos en materia de trata de personas y para la protección y la asistencia a las víctimas de estos delitos, de 14 de junio de 2012.

[69]   Así, esta ley termina incluyendo 11 modalidades delictivas bajo el concepto de explotación personal (art. 10), pero con diferencias de injusto abismales entre unas y otras, como por ejemplo desde la más grave y correcta definición que ofrece de esclavitud (art. 11) hasta la explotación laboral (art. 21), la adopción ilegal de menores (art. 27) o la experimentación biomédica (art. 31). Todo ello acompañado al mismo tiempo del castigo de delitos conexos a los anteriores como la contratación de publicidad engañosa para favorecer dichos delitos (art. 32) o la dirección o gestión de los medios donde se publiciten los anuncios (art. 33), el alquiler de locales a sabiendas de que se utilizarán para la comisión de estos delitos (art. 34), etc.

realidad, esta primera posibilidad legislativa no deja de ahondar y persistir en la visión tan desenfocada e insuficiente que ofrece el Código Penal en la actualidad, alejada totalmente de las directrices político criminales y legislativas que se están siguiendo en los países de nuestro entorno europeo e iberoamericano.

Así, desde esta opción legislativa, habría una primera alternativa de *legislar el fenómeno sólo desde la perspectiva laboral*, más concretamente desde la explotación laboral, considerando el trabajo forzado como un supuesto agravado del delito de imposición de condiciones ilegales de trabajo del art. 311.1 CP o en su caso del art. 312.2 CP. Por ello, en un momento muy inicial de este debate se propuso, como posible alternativa, "introducir en los delitos contra los derechos de los trabajadores un tipo agravado relacionado con la explotación de la víctima de trata laboral".[70] O bien que "se tipifique un delito específico que castigue la esclavitud laboral, definida a tenor de las notas características identificadas previamente en este trabajo, como las conductas de disposición del trabajador por su empleador, coartación coactiva de su libertad, cuando éste ejercite un poder de control absoluto sobre la vida de aquél, con fines de explotación laboral, cubriendo de este modo la desafortunada laguna que actualmente existe en relación a la sanción penal de estas conductas".[71]

Pero este tipo de propuestas no serían las más acertadas, pues centrarían el foco de atención en la perspectiva laboral, diluyendo nuevamente otros aspectos esenciales de este fenómeno. Es más, si bien se piensa, este tipo de propuestas ya están implícitamente previstas en el art. 311.4 CP, pero no son la solución más adecuada por los motivos ya expuestos. Pero, además, estarían en contradicción con la jurisprudencia del Tribunal Supremo, pues a pesar de la vigencia de la figura más grave por el empleo de violencia o intimidación para imponer las condiciones ilegales de trabajo, a que se refiere el apartado 4° del art. 311 CP en relación con su apartado 1°, nuestro más alto tribunal tiene declarado que en el Código Penal español no está tipificada de forma expresa la finalidad legal del delito de trata de seres humanos consistente en el sometimiento a esclavitud, servidumbre y trabajo forzado, a que se refiere el art. 177 bis, 1 CP.[72] Por tanto, si el trabajo forzado no está previsto aún como delito

---

[70]   Cfr. POMARES CINTAS, E.: *El Derecho Penal ante la explotación laboral y otras formas de violencia en el trabajo*, *op. cit.*, p. 141.

[71]   Cfr. MIÑARRO YANINI, M.: "Formas esclavas de trabajo y servicio del hogar familiar: delimitación conceptual, problemática específica y propuestas", *op. cit.*, p. 10.

[72]   Así *vid.* las SSTS 538/2016, de 17 de junio y 196/2017, de 24 de marzo, así como la SAP de la Coruña /2016, de 29 de julio, que resultó confirmada por la última STS citada, donde lo expresa de forma meridiana cuando señala, en relación al delito de trata de seres humanos, que "no puede mantenerse que se esté penando una especie de delito de peligro respecto a otras conductas que no están propiamente incluidas en el vigente Código Penal, como el delito de esclavitud. Pero, de todos modos, tenemos que tomar en consideración que las finalidades que se describen en el tipo que interpretamos, se encuentran de un modo u otro

expreso debe ser porque no está previsto en el art. 311.4 CP, y debe ser por ello que el Tribunal Supremo no haya acudido al art. 311.4 CP para castigar por esta vía el trabajo forzado, cuando lo tiene a su alcance. Si realmente se estuviera tipificando el trabajo forzado en el art. 311.4 CP la mayor parte de los casos expuestos al comienzo de este trabajo de explotación sexual en el ejercicio involuntario de la prostitución, es decir, de esclavización sexual, se hubieran resuelto por parte de nuestros tribunales por vía del art. 311.4 CP y no por vía del art. 187 CP, siquiera sea porque la esclavitud sexual o el trabajo sexual no consentido no deja de ser como mínimo una modalidad de trabajo forzado. A lo que habría que añadir también la considerable diferencia de pena entre un precepto y otro: prisión de 2 a 5 años si se considera como explotación sexual forzada, fraudulenta o abusiva (art. 187 CP), y prisión de 6 a 9 años si se considera como imposición violenta o intimidatoria de condiciones ilícitas de trabajo (art. 311.4 CP). Ciertamente que el legislador penal español tiene que hacérselo ver, pues aquí hay una evidente distorsión punitiva de la realidad.

Hay una segunda alternativa de *legislar el fenómeno sólo desde la perspectiva sexual*, más concretamente desde los delitos sexuales que individualmente puedan probarse en cada uno de los actos sexuales realizados durante el ejercicio de la prostitución no consentida de la víctima y que muestran una continuidad delictiva. Este tipo de casos de explotación sexual por determinación coactiva, fraudulenta o abusiva a la "prostitución forzada", cuya extrema gravedad ya hemos expuesto al inicio, se consideran que son realmente supuestos de violencia sexual más que de prostitución. Y lo más próximo a la violencia sexual sería el delito de agresión sexual, por lo que habría que atender a la reiteración y continuidad de actos sexuales, que configuran en cada caso el ejercicio de la prostitución no consentida, para tomarlos en consideración de forma individualizada como actos de agresión sexual que, dada su continuidad delictiva, deberían dar lugar a una nueva figura delictiva que se podría denominar como "agresión sexual continuada". Propuesta con la que se quiere hacer frente, entre otras cosas, a la disparidad penológica y dislate valorativo que encierra el hecho de que la "prostitución forzada" se castigue con pena de prisión de 2 a 5 años (art. 187.1 CP) mientras que un solo acto individual de agresión sexual equivalente se castiga con pena de prisión de 6 a 12 años (art. 179 CP).[73] Por ello, en la doctrina se propone

---

todas ellas incorporadas a algún precepto penal, por lo que el riesgo citado de tal penalización de peligro sin delito como tal, no puede darse".

[73]   En efecto, esta disparidad punitiva entre el delito de violación y el delito de prostitución forzada da mucho que pensar, pues "en realidad este último caso es una violación múltiple y permanente, donde el precio lo recibe un tercero que obliga y utiliza a la víctima a mantener tal contacto sexual: ¿cómo explicar esta disparidad penológica desde el punto de vista de la protección del mismo bien jurídico (libertad sexual)?, ¿es que hay víctimas de violación más *decentes y honestas* que otras?, ¿es que hay violadores más perversos que otros?", cfr.

un cambio legislativo que pase por la supresión del delito de "prostitución forzada" y dichas prácticas coactivas pasen a considerarse como lo que son, según se afirma, "puro ejercicio de violencia sexual. La anunciada reforma de los delitos sexuales, hoy en marcha en el Estado español, ofrece una ocasión propicia para transformarlas en *agresiones sexuales continuadas* que merecerían una respuesta sensiblemente agravada por parte el ordenamiento jurídico penal. Al modo en que otras circunstancias elevan el desvalor de injusto característico del cualquier atentado a la autodeterminación sexual, debiera sumarse a ellas la de "imponer, en el contexto de una relación de dominio y sometimiento, la realización de actos sexuales continuados con el afán de obtener un beneficio económico".[74]

Pese a la coincidencia en la necesidad de valorar y castigar en su justa medida los casos extremos de explotación sexual que suponen la "prostitución forzada", expuestos anteriormente, y pese a que puedan ser considerados como actos de violencia sexual, no se puede compartir esta propuesta, sin duda bienintencionada, para superar los déficits de la regulación vigente, porque adolece de diversos inconvenientes de carácter valorativo y técnico dignos de mención. Así, se habla de *violencia sexual* para llamar a las cosas por su nombre, de una vez por todas, cuando nos referimos a los actos y situaciones descritas de "prostitución forzada". Pero, realmente en esta propuesta no se llama a las cosas por su verdadero nombre, por más que en alguna ocasión termina deslizándose su expresión (esclavitud), pues, como se viene insistiendo en este trabajo estamos en presencia de esclavitud (sexual) y no sólo de violencia sexual: ésta puede estar implícita en aquélla, pero no al contrario. Las palabras esclavitud o formas contemporáneas de esclavitud recogen una realidad mucho más dura y cruel que la violencia sexual, pues están vinculadas a un bien más primario, básico y preciado del ser humano como es el respeto y trato debido a su personalidad jurídica y a su libertad general, y no solo al aspecto relativo al derecho a la autodeterminación sexual. Aspecto sexual que, sin duda, podrá verse afectado en las situaciones de sometimiento y control absoluto que hemos dado en llamar formas contemporáneas de esclavitud, y que lógicamente también deberá tener una valoración y tratamiento punitivo especial en el marco regulatorio de la moderna esclavitud, siempre y cuando la dimensión

---

[74] PÉREZ ALONSO, E. (coord.), AGUADO CORREA, T., CARUSO FONTÁN, V., GONZÁLEZ SIERRA, P., POMARES CINTAS, E., RAMOS TAPIA, I. y VALVERDE CANO, A.: *Derecho Penal. Parte General. Manual*, BdeF, Buenos Aires-Montevideo-Madrid, 2022, p. 10. *Cfr.* MAQUEDA ABREU, M.L.: "La prostitución forzada es una forma agravada de agresión sexual: propuesta para una reforma imprescindible", en REMESAL, V., DÍAZ, M., GARCÍA CONLLEDO, J. M., PAREDES CASTAÑÓN, I., OLAIZOLA NOGALES, M. A., TRAPERO BARREALES, R., ROSO CAÑADILLAS, J. A. y LOMBANA VILLALBA, J. A. (dirs.), *Libro homenaje al profesor Diego-Manuel Luzón Peña con motivo de su 70º aniversario*, Volumen II, Reus Editorial, Madrid, 2020, p. 1760.

sexual resulte especialmente afectada -como tendremos ocasión de exponer-. En realidad, si se analiza con detenimiento el contenido de la propuesta no se distancia demasiado del concepto de esclavitud (sexual) que ofrece el art. 7. 2, c) del Estatuto de la Corte Penal Internacional cuando considera a la esclavitud y a la esclavitud sexual como crímenes de lesa humanidad (art. 7. 1, c y g). Por ello, esta propuesta merece la misma crítica que la anterior, en la medida que centra el foco de atención en la perspectiva sexual, escamoteando nuevamente otros aspectos esenciales de las situaciones de explotación extrema del ser humano objeto de debate regulatorio. La esclavitud (sexual) no es en absoluto solo la resultante de una sumatoria de actos sexuales individualizados contrarios a la voluntad de la víctima.

En efecto, como bien señala la CIDH en el Caso López Soto y otros vs. Venezuela,[75] la esclavitud sexual es una forma particularizada de esclavitud a la que también alcanza la prohibición del art. 6 CADH, "en la que la violencia sexual ejerce un rol preponderante en el ejercicio de los atributos del derecho de propiedad sobre una persona. Por tal motivo, en estos casos los factores relacionados con limitaciones a la actividad y a la autonomía sexual de la víctima constituirán fuertes indicadores del ejercicio del dominio. La esclavitud sexual se diferencia así de otras prácticas análogas a la esclavitud que no contienen un carácter sexual. Asimismo, el elemento de la esclavitud es determinante para diferenciar estos actos de otras formas de violencia sexual".[76] Por ello, los casos de prostitución coactiva expuestos, como advertíamos no son solo casos de violencia sexual, sino algo más, son casos de esclavitud sexual. En esta línea, sigue señalando la sentencia que "la Corte considera que para catalogar una situación como esclavitud sexual es necesario verificar los siguientes dos elementos: i) el ejercicio de atributos del derecho de propiedad sobre una persona, y ii) la existencia de actos de naturaleza sexual que restringen o anulan la autonomía sexual de la persona".[77] Elementos que estaban presentes en el caso enjuiciado, por lo que responsabilizó a Venezuela, por su grosera omisión, de posibilitar la esclavitud sexual a la que fue sometida la víctima.[78]

---

[75]   *Vid.* Sentencia de la CIDH de 26 de septiembre de 2018.
[76]   *Cfr.* párr. 176.
[77]   *Cfr.* párr. 179.
[78]   En este caso la Corte constata que no solo se ejerció los atributos del derecho de propiedad, sino que se combinó con la ejecución de diversos actos de violencia sexual y de dimensiones pavorosas. Así, Linda Loaiza López Soto no solo fue amarrada o esposada y encerrada en los diversos lugares a los que fue trasladada, sino que además "la Corte constata que el agresor constantemente la amenazaba y resaltaba su poder relativo tanto por su posición social como política. El ejercicio del dominio por parte del agresor se tradujo no solo en un control sobre su movimiento, sino sobre cada aspecto de su vida, incluida su alimentación, ida al baño para hacer sus necesidades fisiológicas y sexualidad, lo que la condujo a un estado de indefensión absoluto. Asimismo, la utilización de una violencia extrema y, en particular, de actos de violencia de carácter sexual de forma reiterada denota un especial

Pero, esta propuesta tiene además algún inconveniente de técnica jurídica, en la medida en que se refiere a "*la realización de actos sexuales continuados*" para configurar esta nueva figura de agresión sexual continuada, lo que no deja de resultar artificiosa, como el propio concepto de delito continuado del art. 74 CP. Como es sabido, el delito continuado no deja de ser una ficción jurídica que permite transformar el concurso real de delitos en una unidad delictiva a castigar con una pena que resulta más beneficiosa para el reo. La prueba de la continuidad de actos de carácter sexual obligaría a la víctima a demostrar cada uno de los actos individuales para configurar la mayor gravedad de la continuidad delictiva, lo que puede resultar discriminatorio y considerarla de peor condición, como ya se ha advertido. Además, esta propuesta entraría en contradicción valorativa con el significado y alcance del delito continuado que expresamente se excepcionó a sí mismo de los delitos sexuales. No en vano, en supuestos de trata de personas y prostitución involuntaria, a los que estamos intentando buscar la solución más razonable, el propio Tribunal Supremo tiene declarado que no cabe admitir la continuidad delictiva del art. 74 CP.[79]

Por otra parte, la propuesta contempla que la realización de actos sexuales continuados se lleve a cabo con "*el afán de obtener un beneficio económico*". Cierto es que lo normal será que exista ánimo de lucro en el autor como finalidad principal de la explotación de la persona -sea de carácter sexual o de otra índole-, como muestra la práctica judicial. Se trata de un elemento subjetivo que es inherente al propio concepto de explotación personal, como también sucede en la trata o en la prostitución, aunque los respectivos tipos penales no lo exijan en forma expresa. Y es bueno que no lo hagan porque puede haber situaciones excepcionales donde la trata o la explotación personal no se lleven a cabo por un interés crematístico, y no por ello dejaremos de aplicar el tipo relativo a la trata o el futuro tipo relativo a la explotación personal. Ejemplos ha habido a lo largo de la historia, como el caso de las "mujeres de Solaz" en la Segunda Guerra mundial, donde se organizó todo un entramado para la recluta y puesta a disposición de mujeres para la satisfacción sexual de las tropas japonesas, donde no hubo interés económico en la trata y explotación sexual de las víctimas; situación que lamentablemente se ha repetido después en la guerra de los Balcanes o en algunos conflictos armados más recientes en el continente africano. Por ello, esta limitación subjetiva del concepto de explotación

---

ensañamiento del agresor, lo que provocó la anulación de la autonomía de la víctima, tanto en el aspecto general como en el de la sexualidad. La violencia de carácter sexual abarcó agresiones físicas, verbales y psicológicas dirigidas a las características sexuales de Linda Loaiza, tales como obligarla a que estuviera desnuda o quemar sus pezones, así como actos de grave humillación dirigidos a que mirara pornografía y recreara las escenas junto al agresor". *Cfr.* párr. 180.

[79]   *Vid.* entre otras, las SSTS 853/2015, de 18 de diciembre y 77/2019, de 12 de febrero (con referencias a otras anteriores).

personal lo encorseta demasiado, sin necesidad de ello, puesto que el especial ánimo de lucro del autor se puede valorar de otro modo menos restrictivo, como se propondrá a través de una agravación de la pena.

De hecho, hemos de tener en cuenta también que la legislación internacional y regional sobre trata de seres humanos y esclavitud, servidumbre y trabajo forzoso tampoco establecen tal exigencia subjetiva, por más que sea un elemento inherente. De hecho, en las discusiones y trabajos previos al Protocolo de Palermo, como es sabido, de forma consciente y deliberada se dejó fuera del concepto de trata el ánimo de lucro. Y es que, en efecto, siempre habrá supuestos de explotación personal sin ánimo de lucro y no por ello dejará de existir una situación de sometimiento y control absoluto sobre la vida de una persona de la que se dispone como si de un objeto se tratara; por ejemplo, para la satisfacción sexual diaria del hombre -o la familia- que ha obligado a una mujer a contraer matrimonio en contra de su voluntad o porque es menor de edad y la somete a todo tipo de actividades y servicios en el hogar, especialmente de carácter sexual, pero también laboral, a cambio de alojamiento, vestido y manutención. Este caso y otros similares quedarían fuera del ámbito de aplicación del delito de agresión sexual continuado propuesto, pese a que el contenido de injusto del hecho es el mismo que en los casos expuestos. Por ello, no hay fundamento para que quede fuera de la protección penal especial que requieren estas situaciones, con independencia del móvil económico del autor, que debe ser valorado, en todo caso, como un elemento accidental agravatorio del delito, cuando tenga especial relevancia, pero no como un elemento esencial del mismo.

Finalmente, esta propuesta de derogación del delito de "prostitución forzada" del art. 187.1 CP para transformarlo en el nuevo delito de "agresión sexual continuada" plantea, al menos, *tres inconvenientes más*. Primero, porque propone *la derogación in totum* del art. 187.1 CP donde no solo se castiga la prostitución forzada, sino también la fraudulenta y abusiva, ofreciendo el mismo tratamiento para todas ellas, aunque su gravedad sea distinta. En el art. 187.1 CP hay situaciones más graves de falta de consentimiento porque se ha empleado violencia o intimidación para doblegar la voluntad sexual de la víctima y otras situaciones, por principio menos graves, donde hay un vicio del consentimiento por el engaño producido sobre la víctima o por el abuso de la situación de superioridad o de necesidad o vulnerabilidad de la víctima. Sin embargo, se igualan todas y se les ofrece el mismo tratamiento, cuando quizá sería oportuno establecer una valoración y tratamiento diferenciado en función de la gravedad de las distintas situaciones de prostitución (explotación).

En segundo término, no se hace propuesta alguna en relación a *la prostitución de menores e incapaces* (art. 188 CP), que también pueden ser explotados de forma extrema en el contexto sexual, como muestra la realidad diaria de nuestros tribunales. Sin embargo, no se propone que tal continuidad de actos sexuales sobre menores, en coherencia con la explotación sexual de adultos, también pasen a engrosar el nuevo delito de agresión sexual continuada. Cuando, además, la disparidad penológica es palmaria también y se reproduce en la regulación actual de la prostitución de menores.

Y, en último término, la propuesta objeto de análisis no parece guardar coherencia tampoco con *las finalidades típicas del delito de trata de seres humanos* del art. 177 bis CP, pues la derogación del art. 187.1 CP, con la correspondiente introducción de la agresión sexual continuada, dejaría vacía de contenido prácticamente la segunda finalidad delictiva de la trata, es decir, la explotación sexual, que quedaría solo reservada para la pornografía. Sería difícil afirmar que la finalidad de "explotación sexual, incluyendo la pornografía" a que se refiere el art. 177 bis CP, alcanza también a los supuestos típicos de agresiones sexuales, por más que sean continuados y con ánimo de lucro. Lo cierto es que el concepto de trata, como es bien sabido, está pensando en primera línea en el ejercicio de la prostitución cuando se refiere a la finalidad de explotación sexual, pues las situaciones extremas de explotación personal ya están previstas en forma específica en la primera finalidad de la trata, es decir, en la imposición de trabajo o de servicios forzados, la esclavitud o prácticas similares a la esclavitud, a la servidumbre o a la mendicidad. Parece haber, por tanto, cierta incompatibilidad entre esta propuesta y las finalidades del delito de trata. Por ello, la propuesta formulada debería ir acompañada de alguna propuesta adicional que hiciera compatible la derogación del art. 187.1 CP con las finalidades del delito de trata de personas, por ejemplo, en la línea que propondremos.

1.2.2. Tutela unitaria y de conjunto

La segunda opción político-criminal y legislativa propone una regulación unitaria mediante la introducción de un nuevo capítulo o título en el Código Penal dedicado específicamente a los delitos relativos a las formas contemporáneas de esclavitud, donde se ofrezca un tratamiento penal completo e integral de este fenómeno criminal. Aunque desde esta nueva óptica se plantean a su vez varias opciones de técnica legislativa, que pasan por ofrecer un concepto único de explotación extrema del ser humano equivalente a la esclavitud, o bien un concepto diferenciador que atienda ya legalmente a las definiciones internacionales de esclavitud, servidumbre y trabajo forzoso para trasladarlas al ámbito penal como situaciones que tienen una distinta gravedad y que requieren, por tanto, de una respuesta punitiva diferenciada y proporcionada.

Pero es claro, en cualquier caso, que la doctrina especializada en la materia se ha inclinado por esta segunda opción legislativa de ofrecer una tutela penal unitaria de este fenómeno, para comprender y valorar mejor en toda su dimensión la globalidad, entidad y gravedad del mismo y dispensarle, en consecuencia, un tratamiento penal autónomo y de conjunto, unido al delito de trata de seres humanos, en la línea mayoritaria seguida por las legislaciones penales de nuestro entorno europeo e iberoamericano.[80] No se hace aquí cuestión de principio de la regulación conjunta del delito de trata de personas y del delito de explotación personal extrema equivalente a la esclavitud, que se propone y acepta de forma unánime. Lo que sí es objeto de debate es determinar si la mejor forma de regulación de la moderna esclavitud es a través de una definición única de las situaciones de explotación personal o más bien a través de una definición diferenciada que acoja los conceptos acuñados internacionalmente de esclavitud, servidumbre y trabajo forzado, como se propone de forma mayoritaria, si quiera sea por su potente poder comunicativo y de atracción social. Lo que iría acompañado lógicamente de una interpretación actualizada y modernizada de estos conceptos que permita adaptarlos de forma adecuada y proporcionada a la nueva realidad criminal que está suponiendo en las últimas décadas el fenómeno que hemos dado en llamar *formas contemporáneas de esclavitud*.

Pero, en cualquier caso, es conveniente advertir que sea por una vía o por otra lo importante, sin duda, es que la doctrina penal española está de acuerdo en la necesidad de intervención penal en esta materia, con la introducción de un nuevo capítulo o título en el Código Penal español que ofrezca un tratamiento unitario y completo desde una óptica global e integrada en el abordaje de este fenómeno, incluyendo también la trata de seres humanos por su proximidad, si no identidad, en la violación de los derechos humanos más básicos. Esta visión de conjunto y holística de las propuestas de intervención penal llevará aparejada una modificación legal de otras figuras delictivas del Código Penal español, para darle coherencia y mayor eficacia a las propuestas de reforma.

Así, desde esta segunda opción legislativa, la primera alternativa propone *legislar el fenómeno conjuntamente ofreciendo un concepto único de explotación extrema del ser humano.*[81] Se considera que los conceptos internacionales

---

[80]   En este sentido, *vid.* VILLACAMPA ESTIARTE, C.: "La moderna esclavitud y su relevancia jurídico-penal", *op. cit.*, pp. 340 y 341; VILLACAMPA ESTIARTE, C.: "El delito de trata de seres humanos en el Derecho Penal español tras la reforma de 2015", *op. cit.*, pp. 465 y 466; BEDMAR CARRILLO, E.: "Concepción jurisprudencial de las formas contemporáneas de esclavitud", *op. cit.*, pp. 239 y ss.; PÉREZ ALONSO, E.: "Tratamiento jurídico-penal de las formas contemporáneas de esclavitud", *op. cit.*, pp. 359 y ss.; VALVERDE CANO, A.: "Ausencia de un delito de esclavitud, servidumbre y trabajos forzosos en el Código Penal español", *op. cit.*, p. 443; POMARES CINTAS, E.: "Directrices para el análisis y persecución penal de la explotación económica en condiciones de esclavitud o similares", *op. cit.*, pp. 775 y ss.; TERRADILLOS BASOCO, J.: "Explotación laboral, trabajo forzoso, esclavitud, ¿retos político-criminales para el siglo XXI?", *op. cit.*, pp. 219 y ss.

[81]   *Vid.* POMARES CINTAS, E.: "Directrices para el análisis y persecución penal de la explotación económica en condiciones de esclavitud o similares", *op. cit.*, pp. 785 y ss. Aunque posteriormente ha defendido otro planteamiento, como ya se ha analizado, también

de esclavitud, servidumbre y trabajo forzoso, empleados en la definición de trata de personas que ofrece el Protocolo de Palermo, no contribuyen a visibilizar la trata laboral ni las formas modernas de trabajo esclavo. Al tiempo que se afirma que tales conceptos han quedado obsoletos y resultan insuficientes para abordar correctamente la nueva "explotación económica de nuevo cuño que discurre de modo más sutil (e invisible), ajena a la noción de propiedad como derecho que se ejercita sobre el esclavo, pero fácticamente equiparable al mismo," por lo que las convenciones internacionales "son incapaces de aglutinar y responder a todas las manifestaciones de la moderna esclavitud".[82] Por ello, se apuesta "por una sola definición comprensiva de los supuestos de esclavitud moderna, un concepto único que aglutine las notas comunes y esenciales que los caracterizan".[83]

Desde esta perspectiva, se propone la incriminación en el Código Penal español de un delito de sometimiento a explotación en condiciones de esclavitud, atendiendo a las notas de: a) explotación económica bajo las notas de ajenidad y productividad; b) sometimiento continuado de la víctima a una situación de disponibilidad al empleador como si tuviera un derecho de disposición sobre ella; y c) empleo de medios con coarten o dobleguen la libertad de decisión o de obrar de la víctima en relación a su voluntad de prestación del trabajo.[84] Delito que no encajaría entre los delitos laborales, pues trasciende la transgresión de derechos y garantías laborales, cuyo bien jurídico "persigue una situación "determinante de un control y disposición que se proyecta, más allá de la esfera del trabajo, sobre la vida del trabajador", en la medida en que se le *cosifica*, se dispone *fácticamente* de su persona, queda al albur de otro, al igual que en las tradicionales formas de esclavitud. Hablamos del derecho de toda persona a no ser instrumentalizada como un objeto a manos de otro, a no ser sometida a trato degradante, en este caso, con fines mercantilistas. Debería regularse, por ello, dentro de los *delitos contra la integridad moral* (Título VII del Código Penal)".[85] En un segundo capítulo que englobaría la trata de seres humanos y las formas de explotación asimiladas a la esclavitud.

---

apuntaba la idea de ofrecer un concepto de explotación unitario, MAQUEDA ABREU, M. L.: "Trata y esclavitud no son lo mismo, pero ¿qué son?", en SUÁREZ LÓPEZ, J. M., BARQUÍN SANZ, J., BENÍTEZ ORTÚZAR, I., JIMÉNEZ DÍAZ, M. J. y SAIZ-CANTERO CAPARRÓS J. E. (dirs.), *Estudios jurídico penales y criminológicos, homenaje al Prof. Dr. Dr. H.C. Mult. Lorenzo Morillas Cueva*, Volumen II, Dykinson, Madrid, 2018, pp. 1261 y ss. Se manifiesta contraria a un concepto de explotación único, sin embargo, GALLO, P. y GARCÍA SEDANO, T.: *Formas modernas de esclavitud y explotación laboral. Talleres textiles clandestinos, explotación sexual y trata de personas, op. cit.*, p. 143.

[82]   *Cfr.* POMARES CINTAS, E.: "Directrices para el análisis y persecución penal de la explotación económica en condiciones de esclavitud o similares", *op. cit.*, p. 787.

[83]   *Cfr. Ibidem*, p. 788.

[84]   *Vid. Ibidem*, pp. 788 y ss.

[85]   *Cfr. Ibidem*, p. 790.

Pese a esta interesante propuesta legislativa que por fin empieza a dar una respuesta sólida al tratamiento penal de la moderna esclavitud, surge, no obstante, otra opción político criminal y legislativa que también propone un abordaje unitario e integral de este fenómeno. Pero, a diferencia de la primera, propone un *concepto diversificado de explotación extrema del ser humano mediante los clásicos conceptos de esclavitud, servidumbre y trabajo forzado en una versión moderna y actualizada de su alcance y contenido,* adaptada a las formas contemporáneas de esclavitud. Propuesta que se realiza, sí en efecto, de conformidad a la legislación internacional y a la reciente jurisprudencia internacional y regional que se está asentando sobre la prohibición universal y regional de la esclavitud, servidumbre y trabajo forzado, junto a la trata de seres humanos. Propuesta que ya está siendo defendida de forma mayoritaria en la doctrina,[86] aunque lógicamente no está exenta de críticas.[87] Pero lo más importante, según creo, es que está siendo objeto de desarrollos posteriores, con aportaciones significativas y constructivas, guiadas por el loable propósito de ofrecer una propuesta de regulación penal articulada y bien fundada, que permita hacer alcanzable y practicable la imperiosa necesidad de intervención penal para hacer frente a las formas contemporáneas de esclavitud.[88]

---

[86] Así, *vid.* VILLACAMPA ESTIARTE, C.: *El delito de trata de seres humanos. Una incriminación dictada desde el Derecho Internacional, op. cit.,* pp. 570 y 571; VILLACAMPA ESTIARTE, C.: "La moderna esclavitud y su relevancia jurídico-penal", *op. cit.,* pp. 340 y 341; BEDMAR CARRILLO, E.: "Concepción jurisprudencial de las formas contemporáneas de esclavitud", *op. cit.,* pp. 359 y ss.; VALVERDE CANO, A.: "Ausencia de un delito de esclavitud, servidumbre y trabajos forzosos en el Código Penal español", *op. cit.,* p. 443; TERRADILLOS BASOCO, J.: "Explotación laboral, trabajo forzoso, esclavitud, ¿retos político-criminales para el siglo XXI?", *op. cit.,* pp. 219 y ss.; GUISASOLA LERMA, C.: "Formas contemporáneas de esclavitud y trata de seres humanos: una perspectiva de género", *op. cit.,* pp. 210 y 211.

[87] Así, *vid.* MAQUEDA ABREU, M. L.: "Trata y esclavitud no son lo mismo, pero ¿qué son?", *op. cit.,* pp. 1261 y ss. Aunque más que una crítica se trata una descalificación general de esta propuesta por su formalismo jurídico, por la confusión que genera, que la convierte en un objetivo inalcanzable, por plegarse a la legalidad internacional, por establecer artificiosas escalas graduales llamadas a medir los niveles de degradación, cosificación y de afección a la libertad, que a la postre terminan recortando la realidad para adaptarla a sus definiciones previas, de tal modo que terminan destruyendo el objeto mismo que intentan aprehender, al tiempo que generan elevadas dosis de inseguridad jurídica que habrán de soportar nuestros jueces, etc.

[88] *Vid.* las tesis doctorales dirigidas sobre esta temática y que están pendientes de publicación, VALVERDE CANO, A.: *Regulación legal y tratamiento penal de las formas contemporáneas de esclavitud,* tesis doctoral (trabajo inédito), Universidad de Granada, Granada, 2020; BEDMAR CARRILLO, E.: *El Derecho Penal ante las formas contemporáneas de esclavitud,* tesis doctoral (trabajo inédito), Universidad de Granada, Granada, 2021. También pueden verse los trabajos contenidos en los dos libros colectivos publicados como resultados de los proyectos de investigación dirigidos sobre esta temática, ya citados: *El Derecho ante las formas contemporáneas...,* passim; y *Formas contemporáneas de esclavitud y...,* passim.

Incluso, el propio Gobierno español está tomando conciencia de esta situación y de las carencias y déficits de la regulación penal española y, por ello, en el reciente PANTF hace también una propuesta en el sentido que se está indicando ahora. Así, declara abiertamente que "en España no están tipificados específicamente los delitos de esclavitud, servidumbre y trabajos forzados en los términos que exige el derecho internacional con relevancia penal y llevado a cabo en muchos ordenamientos de nuestro entorno".[89] Concluye que el trabajo forzoso se ha confundido a veces con la trata de seres humanos y otras figuras afines de explotación laboral. Pero, deja bien claro que "el trabajo forzoso es más grave que la explotación laboral, porque conlleva necesariamente una amenaza o coerción de la víctima", al tiempo que "no todo el trabajo forzoso se produce en situaciones de trata de seres humanos". Por ello, "la confusión con estas figuras afines, unido al hecho de que no se haya abordado de forma específica el fenómeno del trabajo forzoso y a la ausencia de tipificación penal del trabajo forzoso como *delito autónomo* ha impedido perseguir y combatir estas conductas e identificar y proteger correctamente a las víctimas".[90] Por todo ello, entre los ejes básicos del PANTF, señala como segundo objetivo que: "entre las medidas a adoptar se debe incluir *la tipificación específica y diferenciada* de los delitos finales de esclavitud, servidumbre y trabajos forzados en el sentido que proclama el Protocolo de 2014".[91] También establece la misma previsión específica el PENTRAESH 2021-2022, cuando señala en la prioridad 3, relativa a la persecución del delito, en la línea de acción 3.1, sobre respuesta legislativa: "promover la tipificación de los delitos de esclavitud, servidumbre y trabajo forzado con la extensión y sentido que exige el derecho internacional de relevancia penal vinculante para España, y, significativamente el Convenio sobre trabajo forzoso (1930) y el Protocolo de 2014 relativo al Convenio sobre el trabajo forzoso (1930)".[92]

La dificultad de esta empresa es ciertamente considerable, por múltiples factores, como las nuevas formas de manifestación de la extrema explotación humana, por la globalización del fenómeno, por la tardía respuesta legal, tanto a nivel internacional, regional como nacional, por el desinterés y falta de atención por parte de la doctrina penal, que ha comenzado a ocuparse de este tema en la última década, al menos en nuestro país. En definitiva, la complejidad del fenómeno hace que su tratamiento jurídico-penal sea también complejo y no "una tarea relativamente fácil", por lo que exige de un esfuerzo importante, serio y constructivo que parta de una realidad cruel, disfrazada de sutiles arti-

---

[89]   *Cfr.* BOE de 24 de diciembre de 2021, p. 162209.
[90]   *Cfr.* BOE de 24 de diciembre de 2021, pp. 162211 y 162212.
[91]   *Cfr.* BOE de 24 de diciembre de 2021, p. 162222.
[92]   *Cfr.* PENTRAESH 2021-2023, p. 38.

ficios y constructos socio-culturales y económicos que tejen un velo social que termina por hacerla invisible, como algo que no existe.

Hay que tomar conciencia, por tanto, de esta realidad y partir de una cierta dosis de escepticismo y humildad, sin pretensiones de ofrecer la "única" propuesta posible ni estar en posesión de la "verdad", al tiempo que nuevamente hay que apartarse del excesivo formalismo jurídico y apostar por dotar de contenido material los conceptos jurídicos, desde una perspectiva garantística, pluralista y flexible, racional y sistemática al tiempo que crítica y explicativa, con vocación de transformar la realidad.[93] En este contexto, como se advirtió, la problemática conceptual del fenómeno objeto de estudio es ciertamente considerable, tanto por la legislación internacional existente al respecto, como por la jurisprudencia de los tribunales internacionales y regionales, a lo que hay que añadir la equivocidad de los conceptos y el uso -o mal uso, consciente o no- que se pueda hacer de los mismos.[94] Pero, todo ello, no puede hacer que aquel que busca una solución legal a un problema social de primer orden cese en su empeño cuando surgen las dificultades. Al contrario, hay que tomar conciencia de la complejidad y buscar alternativas de solución plausibles y practicables.

En este empeño, sin duda que hay que partir de la legalidad internacional y regional sobre esta materia, para determinar en qué medida puede servir de base para la propuesta de solución o si ello no es posible en la actualidad. Es propio de los juristas que partan de los textos legales vigentes, sea a nivel internacional o nacional, que suelen representar el acuerdo y consenso en el modo de regulación jurídica de una cuestión social determinada en un momento histórico, a la hora de analizar dicha cuestión desde la perspectiva jurídica y hacer una propuesta de regulación legal. El propio PANTF así lo hace, cuando tras reconocer las carencias y déficits en esta materia, señala que "esta carencia debe ser inmediatamente solventada no sólo porque es una exigencia impuesta a nuestro Estado tras la firma del Protocolo 2014, sino también porque -en congruencia con el Plan de Acción del Gobierno para la implementación de la Agenda 2030- *el trabajo forzoso no puede tener cabida en España*".[95] En realidad, como también se ha destacado en la doctrina con rotundidad, "la criminalización del sometimiento a trabajo forzoso y el recurso a penas disuasorias no es una opción para los Estados que ratificaron los Convenios OIT, sino una

---

[93]   Cuestiones todas ellas que deben estar presentes en los propios presupuestos metodológicos de la dogmática penal. Así, *vid.* PÉREZ ALONSO, E.: *Teoría general de las circunstancias: especial consideración de las agravantes "indeterminadas" en los delitos contra la propiedad y el patrimonio*, Edersa, Madrid, 1995, pp. 49 a 93.

[94]   *Vid.* PÉREZ ALONSO, E.: "Prohibición universal de la esclavitud y de sus formas contemporáneas", *op. cit.*, pp. 803 y ss.; PÉREZ ALONSO, E.: "Tratamiento jurídico-penal de las formas contemporáneas de esclavitud", *op. cit.*, pp. 339 y ss.

[95]   *Cfr.* BOE de 24 de diciembre de 2021, p. 162215.

obligación solemnemente asumida".[96] Además, estos conceptos no son ajenos a la legislación penal vigente en nuestro país, pues basta con recordar que precisamente una de las finalidades de explotación personal del delito de trata de seres humanos tipificado en el art. 177 bis CP es "la imposición de trabajo o de servicios forzados, la esclavitud o prácticas similares a la esclavitud, a la servidumbre o a la mendicidad". Por ello, con esta diferenciación conceptual que se propone se estaría en lógica y armónica correspondencia con dichos fines de explotación de la trata, dado que se castigaría tanto la trata con dichos fines como la explotación en si misma considerada. Tampoco debe olvidarse que la esclavitud está contemplada también como delito de lesa humanidad en el art. 607 bis 2, 10° CP, donde se ofrece un concepto legal bastante correcto de la misma, incluyendo la esclavitud de hecho. Este precepto está siguiendo claramente la estela del art. 7.2,c) del Estatuto de la Corte Penal Internacional, que también recoge a la esclavitud como un delito de lesa humanidad (art. 7.1,c), incluyendo también en su definición la trata de seres humanos y haciendo una mención aparte de la esclavitud sexual, como forma de violencia sexual extrema (art. 7.1,g).

Lo mismo cabe decir de la jurisprudencia internacional y regional, encargada de interpretar los convenios protectores de los derechos humanos, fundamentalmente en el ámbito europeo y americano, de forma garantista y progresiva en la protección y desarrollo del contenido material de los mismos. La moderna esclavitud, sin duda, es un excelente banco de pruebas sobre la actualización y dinamismo de la evolución de los conceptos objeto de análisis en la jurisprudencia europea y americana, que no se puede desdeñar ni por supuesto ignorar. Jurisprudencia que además está tomando muy en consideración las propuestas doctrinales que van marcando una interpretación progresiva y adecuada a la realidad de nuestro tiempo en esta materia.[97] Jurisprudencia y doctrina van paralelamente de la mano y, sin duda alguna, produciendo avances sociales y científicos considerables.

---

[96]   Cfr. TERRADILLOS BASOCO, J.: "Explotación laboral, trabajo forzoso, esclavitud, ¿retos político-criminales para el siglo XXI?", op. cit., p. 231. Así lo reconoce también, como se ha apuntado, el PENTRAESH 2021-2023, p. 38.

[97]   En el plano doctrinal hay que tomar en consideración, sobre todo, el esfuerzo de Jean Allain que ha tenido, además, una influencia muy directa también en la jurisprudencia de la Corte Interamericana de Derechos Humanos, a través del informe evacuado para la resolución del caso Trabajadores de la Hacienda Brasil Verde versus Brasil en la Sentencia de 20 de octubre de 2016. Vid. ALLEIN, J.: La definición de esclavitud en el derecho internacional y el Delito de esclavitud en el Estatuto de Roma, Conferencia pronunciada en el Ciclo de Conferencias de la Oficina del Fiscal en La Haya, 2007; ALLEIN, J.: "Conceptualización legal de las formas contemporáneas de esclavitud", en PÉREZ ALONSO E. (dir.), MERCADO PACHECO, P., OLARTE ENCABO, S., LARA AGUADO, A., RAMOS TAPIA, I., POMARES CINTAS, E. y ESQUINAS VALVERDE, P. (coords.), El Derecho ante las formas contemporáneas de esclavitud, Tirant lo Blanch, Valencia, 2017.

Así, desde la sentencia del Caso Siliadin vs. Francia, de 26 de octubre de 2005, hasta la más reciente del Caso V.C.L. y A.N. vs. Reino Unido, de 16 de febrero de 2021,[98] el TEDH ha venido sosteniendo que existe una gradación entre los conceptos de referencia en función de la graduación de la explotación de la persona que puede hacerse atendiendo al grado de control que se ejerce sobre ella.[99] Lo que permite considerar que el trabajo forzado es la forma de control menos grave, pasando por la servidumbre que sería una forma agravada del trabajo forzado hasta llegar a la esclavitud que sería la más grave, en donde hay un poder absoluto de disposición sobre la persona, que se muestra en el ejercicio de los atributos del derecho de propiedad. Propiedad que en un principio fue entendida en sentido legal (esclavitud de derecho), pero que posteriormente se fue matizando en el Caso Ransev vs. Chipre y Rusia, siguiendo la estela de la Sentencia del Caso Kunarac del Tribunal Penal Internacional para la antigua Yugoslavia que mantuvo un concepto más amplio (esclavitud de hecho). De este modo, el TEDH terminó incluyendo en la prohibición del art. 4 de CEDH no solo el ejercicio de un derecho legal sobre la persona, sino también el ejercicio fáctico de tales atributos, llegando incluso a incluir en tal prohibición la trata de seres humanos.[100]

Esta misma gradación y opción interpretativa en cuanto a la inclusión en el concepto de esclavitud tanto la de iure como la de facto, se encuentra plasmada en las *Directrices Bellagio-Harvard de 2012*, sobre los parámetros jurídicos de la esclavitud, que fueron elaboradas por los máximos

---

[98]   Pasando por las Sentencias del Caso Rantsev vs. Chipre y Rusia, de 7 de enero de 2010; del Caso C.N. y V. vs. Francia, de 11 de octubre 2012; del Caso C.N. vs. Reino Unido, de 13 de noviembre de 2012; del Caso *L.E. vs. Grecia*, de 21 de enero de 2016; del Caso Chowdury y otros vs. Grecia, de 30 de marzo 2017; y del Caso *S.M. vs. Croacia*, de 25 de junio de 2020.

[99]   Lo que, por cierto, no es algo nuevo en la jurisprudencia del TEDH, pues como es bien sabido en relación a la prohibición de las torturas y los tratos inhumanos y degradantes del art. 3 CEDH, ha establecido una gradación y diferenciación de estos tres conceptos que el legislador español no ha tenido problemas en trasladarlos a los arts. 173, 174 y 175 CP, como modalidades delictivas diferenciadas, aunque englobadas en el mismo Título VII, referido a los delitos contra la integridad moral, en la medida que todos ellos lesionan el mismo bien jurídico. En este aspecto, por tanto, la propuesta que hacemos no es tan novedosa, pues hay precedentes significativos en materias muy próximas, con muchos signos de identidad, a la esclavitud. Jurisprudencia que los especialistas en torturas conocen muy bien y así lo han defendido.

[100] *Vid.* ESPALIÚ BERDUD, C.: "La definición de esclavitud en el derecho internacional a comienzos del Siglo XIX", *Revista Electrónica de Estudios Internacionales*, nº 28, 2014, pp. 4 y ss.; BONET PÉREZ, J.: "La interpretación de los conceptos de esclavitud y otras prácticas análogas a la luz del ordenamiento jurídico internacional: aproximación teórica y jurisdiccional", en PÉREZ ALONSO E. (dir.), MERCADO PACHECO, P., OLARTE EN-CABO, S., LARA AGUADO, A., RAMOS TAPIA, I., POMARES CINTAS, E. y ESQUINAS VALVERDE, P. (coords.), *El Derecho antes las formas contemporáneas de esclavitud*, Tirant lo Blanch, Valencia, 2017, pp. 183 y ss.

expertos a nivel internacional sobre la materia integrados en la Red de Investigación sobre los Parámetros Jurídicos de la Esclavitud. Estas directrices reservan la situación más grave de esclavitud para cuando es factible constatar la presencia de cualquier atributo del derecho de propiedad, fundamentalmente el más básico y esencial, la posesión, como medio de determinar la existencia real de un poder de disposición y control sobre otra persona. Hay un nivel inferior de control, en el que no hay posesión, pero si hay una limitación importante de la libertad de la persona que está sometida a otro, en una relación de dependencia material de la que no tiene ni ve oportunidad de salir de ella, por lo que no hay solo un control sobre su trabajo sino sobre su propia vida. Mientras que en último término está la situación de trabajo forzoso, en el que también falta la libertad para la prestación del servicio laboral, donde se impone la condición de trabajador. Señala la Directriz 10 que "la manera de proceder consiste en hacer referencia *al fondo de la relación y no simplemente a la forma*, siendo la primera pregunta que se debe plantear la de saber si se han ejercido atributos del derecho de propiedad. De ser así, estaremos en presencia del delito más grave de esclavitud. En caso contrario, se debe hacer referencia a la definición jurídica de la servidumbre menor que se corresponda en sustancia con la particular circunstancia en cuestión".

Quizá el caso más paradigmático de la evolución y consolidación jurisprudencial y doctrinal que se está produciendo en cuanto a la interpretación y aplicación de los conceptos de referencia lo encontremos en la reciente jurisprudencia de la CIDH. Fundamentalmente en la Sentencia del Caso Trabajadores de la Hacienda Brasil Verde vs. Brasil de 2016 y también en la más reciente Sentencia del Caso López Soto y otros vs. Venezuela de 2018.[101] La Corte Interamericana reconoce que el concepto de esclavitud ha ido evolucionando, de modo que no se limita ya a la esclavitud de derecho sino que incluye también la esclavitud de hecho, que se manifiesta en el ejercicio de alguno de los atributos del derecho de propiedad, fundamentalmente en la posesión, que es la máxima expresión del poder de control de una persona sobre otra.[102] A tal efecto, acude a los criterios aportados en la Sentencia del Caso Kunarac, "de modo que para determinar una situación como esclavitud en los días actuales, se deberá evaluar, con base en los siguientes elementos, la manifestación de los llamados "atributos del derecho de propiedad": a) restricción o control de la autonomía individual; b) pérdida o restricción de la libertad de movimiento de una persona; c) la obtención de un provecho por parte del perpetrador; d)

---

[101]   *Vid.* SALMÓN GÁRATE, E.: *Introducción al Sistema Interamericano de Derechos Humanos, op. cit.*, pp. 157 y ss.

[102]   *Vid.* Sentencia de la CIDH del caso Trabajadores de la Hacienda Brasil Verde versus Brasil, de 20 de octubre de 2016, párrs. 270 y 271.

la ausencia de consentimiento o de libre albedrío de la víctima, o su imposibilidad o irrelevancia debido a la amenaza de uso de la violencia u otras formas de coerción, el miedo de violencia, el engaño o las falsas promesas; e) el uso de violencia física o psicológica; f) la posición de vulnerabilidad de la víctima; g) la detención o cautiverio, i) la explotación".[103] En cuanto a la servidumbre, aceptando expresamente el concepto evolutivo propuesto por el TEDH,[104] la CIDH termina afirmando que "debe ser interpretada como "la obligación de realizar trabajo para otros, impuesto por medio de coerción, y la obligación de vivir en la propiedad de otra persona, sin la posibilidad de cambiar esa condición".[105] Y, en último término, en cuanto al concepto de trabajo forzado acude a los dos elementos definitorios del art. 2.1 del Convenio N°. 29 de la OIT, conforme a la jurisprudencia ya establecida al respecto por la Corte en el Caso de las Masacres de Ituango vs. Colombia de 2006.[106] Así, señala que "respecto a la "amenaza de una pena", puede consistir, entre otros, en la presencia real y actual de una intimidación, que puede asumir formas y graduaciones heterogéneas, de las cuales las más extremas son aquellas que implican coacción, violencia física, aislamiento o confinación, así como la amenaza de muerte dirigida a la víctima o a sus familiares. Y en lo que atañe a la "falta de voluntad para realizar el trabajo o servicio", esta consiste en la ausencia de consentimiento o de libre elección en el momento del comienzo o continuación de la situación de trabajo forzoso. Esta puede darse por distintas causas, tales como la privación ilegal de libertad, el engaño o la coacción psicológica".[107] De este modo, en el caso enjuiciado llega a la conclusión de que no hay solo

---

[103] *Cfr.* párr. 272.

[104] El TEDH ya había dicho en el Caso Siliadin Vs. Francia que la servidumbre consiste en "la obligación de realizar trabajo para otros, impuesto por medio de coerción, y la obligación de vivir en la propiedad de otra persona, sin la posibilidad de cambiar esa condición" (párr. 123). Más tarde, en el Caso C.N. y V. vs. Francia, consideró la servidumbre como "una forma agravada de trabajo forzoso o compulsorio", en el sentido de que la víctima siente que su condición es permanente y no hay posibilidad de cambios (párr. 91) Asimismo, las formas de coerción pueden ser tanto explicitas como sutiles (párr. 80 del Caso C.N vs. Reino Unido).

[105] *Cfr.* párr. 280.

[106] Sentencia de la CIDH del caso de las Masacres de Ituango vs. Colombia, de 1 de julio de 2006.

[107] *Cfr.* párr. 293.

trabajo forzado y servidumbre,[108] sino que también se llegó a una situación de esclavitud.[109]

En último término, tan solo señalar que los códigos penales europeos e iberoamericanos, así como las legislaciones penales especiales al respecto, en su inmensa mayoría también acogen esta misma opción político-criminal y legislativa de ofrecer una regulación unitaria, pero con un concepto diversificado de las formas de explotación acuñadas en el ámbito internacional, que alcanza a la esclavitud y sus formas análogas de explotación personal. Así, acogen los tres conceptos de referencia países como Alemania, Francia, Reino Unido, Brasil, México, Perú y Uruguay. Acogen dos de estos conceptos países como Austria, Croacia, Italia, Argentina, Costa Rica, Ecuador y Panamá.

---

[108]   Vid. párr. 303, donde señala que "de la reseña de hechos contenidos en los párrafos anteriores, es notable la existencia de un mecanismo de reclutamiento de trabajadores a través de fraudes y engaños. Además, la Corte considera que, en efecto, los hechos del caso indican la existencia de una situación de servidumbre por deuda, visto que a partir del momento en que los trabajadores recibían el adelanto de dinero por parte del gato, hasta los salarios irrisorios y descuentos por comida, medicamentos y otros productos, se generaba una deuda impagable para ellos. Como agravante a ese sistema conocido como truck system, peonaje o sistema de barracão en algunos países, los trabajadores eran sometidos a jornadas extenuantes de trabajo bajo amenazas y violencia, viviendo en condiciones degradantes. Asimismo, los trabajadores no tenían perspectiva de poder salir de esa situación en razón de: i) la presencia de guardias armados; ii) la restricción de salida de la Hacienda sin el pago de la deuda adquirida; iii) la coacción física y psicológica de parte de gatos y guardias de seguridad, y iv) el miedo de represalias y de morir en la selva en caso de fuga. Las condiciones anteriores se potencializaban por la condición de vulnerabilidad de los trabajadores, los cuales eran en su mayoría analfabetos, de una región muy distante del país, que no conocían los alrededores de la Hacienda Brasil Verde y estaban sometidos a condiciones inhumanas de vida".

[109]   Vid. párr. 304, señala que "es evidente para la Corte que los trabajadores rescatados de la Hacienda Brasil Verde se encontraban en una situación de servidumbre por deuda y de sometimiento a trabajos forzosos. Sin perjuicio de lo anterior, el Tribunal considera que las características específicas a que fueron sometidos los 85 trabajadores rescatados el 15 de marzo de 2000 sobrepasaban los extremos de servidumbre por deuda y trabajo forzoso, para llegar a cumplir con los elementos más estrictos de la definición de esclavitud establecida por la Corte (supra párr. 272), en particular el ejercicio de control como manifestación del derecho de propiedad. En ese sentido, la Corte constata que: i) los trabajadores se encontraban sometidos al efectivo control de los gatos, gerentes, guardias armados de la hacienda, y en definitiva también de su propietario; ii) de forma tal que se restringía su autonomía y libertad individuales; iii) sin su libre consentimiento; iv) a través de amenazas, violencia física y psicológica, v) para explotar su trabajo forzoso en condiciones inhumanas. Asimismo, las circunstancias de la fuga emprendida por los señores (…) y los riesgos enfrentados hasta denunciar lo ocurrido a la Policía Federal demuestran: vi) la vulnerabilidad de los trabajadores y vii) el ambiente de coacción existente en dicha hacienda, los cuales viii) no les permitían cambiar su situación y recuperar su libertad. Por todo lo anterior, la Corte concluye que la situación verificada en la Hacienda Brasil Verde en marzo de 2000 representaba una situación de esclavitud".

2. Propuesta de lege ferenda

En vista de todo lo expuesto, se propone de *lege ferenda* la creación de un nuevo título en el Código Penal, el Título V Bis, bajo la rúbrica "Delitos contra la libertad general y la personalidad jurídica". En este título deberían incluirse junto al delito de trata de seres humanos, los delitos de sometimiento a trabajo forzoso, servidumbre y esclavitud.[110] De este modo se ofrecería una visión conjunta e integral de esta materia, para dar satisfacción a lo establecido en el art. 4 DUDH y en el art. 4 CEDH, o quizá como acoge con mejor criterio el art. 5 CDFUE, que se refiere a la prohibición conjunta de la esclavitud, la servidumbre, el trabajo forzado y la trata de seres humanos.

Se trata de la violación de cuatro derechos humanos en cuya esencia se encuentra la falta de libertad general y la degradación extrema del ser humano, aunque con un distinto grado de intensidad en la situación de sometimiento y control de la persona. Por ello, el atentado básico a estos derechos lo constituye el delito de trabajo forzoso, seguido del delito de sometimiento a servidumbre hasta llegar al más grave de sometimiento a esclavitud, contando como delito instrumental de estas tres figuras esclavistas con la trata de seres humanos, que también constituye una grave atentado a la libertad e integridad moral. Se propone, por tanto, ofrecer un tratamiento penal unitario y autónomo de las manifestaciones más importantes de las formas contemporáneas de esclavitud.

La ubicación sistemática de este nuevo Título V Bis debe ser anterior al Título VI referido a los delitos contra la libertad, pues en este nuevo título se trata de proteger un estadio previo al ejercicio de otros derechos y a las concretas facetas de la libertad que se protegen en el vigente título relativo a los delitos contra la libertad. Lo que se protege en el nuevo título es el estado de libertad de la persona, es decir, las condiciones mínimas del ser humano para poder ser considerado jurídicamente como tal y poder actuar en consecuencia ejerciendo libremente el resto de derechos fundamentales.

La propuesta de incriminación de las formas contemporáneas de esclavitud se podría articular, en esencia, del siguiente modo:

1º. El primer delito a tipificar en el nuevo título sería el de *la trata de seres humanos* con la configuración actual que tiene en el art. 177 bis CP, aunque con algunas mejoras de carácter técnico-jurídico que cabría proponer. No obstante, la propuesta de conjunto que se hace requeriría no tanto una redefinición

---

[110] Proponen una intervención penal similar en esta materia, VILLACAMPA ESTIARTE, C.: *El delito de trata de seres humanos. Una incriminación dictada desde el Derecho Internacional, op. cit.,* pp. 477 y ss., 570 y 571; VILLACAMPA ESTIARTE, C.: "La moderna esclavitud y su relevancia jurídico-penal", *op. cit.,* pp. 340 y 341; BEDMAR CARRILLO, E.: "Concepción jurisprudencial de las formas contemporáneas de esclavitud", *op. cit.,* pp. 239 y ss.;

sino una interpretación diferente a la realizada hasta ahora de la finalidad de explotación sexual a que se refiere el art. 177 bis CP. Dicha finalidad de explotación sexual iría referida prioritariamente al ejercicio fraudulento o abusivo de la prostitución, junto a la pornografía, pero no incluiría aquí la explotación de la prostitución forzada, por las razones que se expondrán más adelante. Al mismo tiempo habría que propugnar también una disminución de la pena del delito de trata de personas para que su punibilidad resulte proporcionada a la que correspondería a los delitos de explotación posterior a la trata. Quizá, conforme a la Directiva 2011/36/EU, la pena del delito de trata debería oscilar entre los 4 a 7 años de prisión.[111]

2°. A continuación, se tipificaría el delito de sometimiento o mantenimiento en situación de *trabajo forzado*, castigado con la pena de 5 a 8 años de prisión, como atentado básico a la libertad y personalidad jurídica. El delito de sometimiento o mantenimiento en situación de *servidumbre* constituye el siguiente escalón en la lesión de este bien jurídico, por lo que merece una mayor penalidad, que podría oscilar entre los 6 a 9 años de prisión. Y el atentado más grave contra el *status libertatis*, sin duda, lo constituye el delito de sometimiento o mantenimiento en situación de *esclavitud*, que debe ser castigado con una pena de 8 a 12 años de prisión.

Por razones de certeza, seguridad jurídica y prevención general, la tipificación de estos tres delitos debería ir acompañada de una definición legal de los conceptos de trabajo forzado, servidumbre y esclavitud, donde queden expresamente clarificados sus elementos consustanciales y diferenciadores, de tal modo que se facilite la labor al intérprete en su aplicación práctica.

3°. De igual modo, por razones político-criminales y de conformidad a las directrices internacionales y regionales en esta materia,[112] habría que incriminar también las conductas concomitantes o posteriores a la explotación consistentes en el *uso de los servicios* de una persona esclavizada o en el *aprovechamiento económico o de otra índole* material de una persona esclavizada, a sabiendas de su situación de sometimiento y explotación. Estas conductas, que revisten una menor gravedad, por principio, deberían castigarse con la pena de prisión de 1 a 5 años.

4°. Este tipo de comportamientos están muy relacionados con el aprovechamiento económico por parte de las empresas, por lo que habrá que establecer de forma expresa la cláusula de exigencia de *responsabilidad penal a*

---

[111]   Teniendo en cuenta las exigencias punitivas establecidas en el art. 4.1 y 2 de la Directiva 2011/36/UE, del Parlamento europeo y del Consejo, de 5 de abril de 2011.

[112]   *Vid.* el art. 19 del Convenio del Consejo de Europa sobre la lucha contra la trata de seres humanos de 16 de mayo de 2005, el art. 9.1, e) de la Directiva 2009/52/ CE, del Parlamento europeo y del Consejo, de 18 de junio de 2009, y el art. 18.4 de la Directiva 2011/36/UE, del Parlamento europeo y del Consejo, de 5 de abril de 2011.

las personas jurídicas en el contexto de la regulación completa de las formas contemporáneas de esclavitud. Aunque lógicamente no irá referida solo a esta última figura delictiva relativa al uso de los servicios de las víctimas o aprovechamiento económico de su explotación personal, sino también a los actos de sometimiento o mantenimiento en tal situación que les puedan ser imputables en el ejercicio directo o indirecto de su actividad empresarial.

5º. Sobre la base de las figuras delictivas propuestas habría que establecer también diversos *tipos agravados* que tomen en consideración la mayor gravedad del injusto esclavista por la concurrencia de diversos motivos o factores de agravación. Circunstancias que tendrán que ver fundamentalmente: a) con la puesta en peligro de otros bienes jurídicos de carácter personal; b) con la especial gravedad que las conductas puedan suponer para aspectos parciales e inherentes al bien jurídico protegido; c) con la especial protección que puedan merecer las víctimas; d) con el especial ánimo de lucro de los autores; e) y, en último término, con la situación de superioridad o facilidad para la comisión de estos delitos en la que se encuentren los autores. De este modo habría que considerar como circunstancias de agravación de la pena: a) la puesta en peligro grave de la vida o salud personal de la víctima; b) la especial gravedad del trato degradante e inhumano a que se someta a la víctima; la especial gravedad de la explotación sexual a la que se someta a la víctima, mediante actos reiterados y continuados, especialmente, si se realizan a cambio de un precio pagado en todo o en parte al explotador; la especial gravedad de los actos de violencia empleados, de la situación de extremo sometimiento o de la duración de la privación o restricción de la libertad de la víctima.[113]; c) la especial vulnerabilidad de las víctimas por razón de enfermedad, estado gestacional, discapacidad o situación personal, o minoría de edad; d) el especial ánimo de lucro del autor; e) el prevalimiento del carácter público del funcionario o autoridad que cometa tales hechos, así como la pertenencia a una organización criminal dedicada a la comisión de estos delitos esclavitas y, de manera especial, a quien ejerza la dirección, gestión o administración de dichas organizaciones o asociaciones.

---

[113]   Mediante estos motivos de agravación se valoraría el plus de desvalor y gravedad de la lesión de la integridad moral, la libertad de decisión, de obrar o ambulatoria de la víctima, pues los delitos protectores de dichos bienes estarían en concurso aparente de normas con los nuevos delitos propuestos. Pero ello no obsta a que en los casos especialmente graves de lesión de esos otros bienes jurídicos pueda tomarse en consideración mediante los tipos agravados propuestos. En el caso de los atentados a la libertad sexual habría que apreciar un concurso de delitos por cada uno de los actos individuales de lesión de la libertad sexual y los de sometimiento a trabajo forzado, servidumbre o esclavitud. No obstante, los supuestos de prostitución forzada, como se defiende en esta propuesta, pasarían a engrosar los injustos esclavistas, aunque en caso de una explotación sexual especialmente grave, como se propone, había que aplicar el tipo agravado sobre los delitos relativos a la esclavitud.

En caso de múltiple concurrencia de las circunstancias descritas, se aplicará la pena superior en grado a la prevista en cada caso, en la extensión que estime conveniente el juzgador, que en todo caso será en su mitad superior si concurren más de tres.

6º. Se propone la inclusión de una regla concursal específica, que permita dejar claro la autonomía del bien jurídico protegido en este delito, y que permita castigar de forma separada los atentados a otros bienes jurídicos como la vida, la salud, la libertad sexual o bienes de la víctima o incluso de un tercero, cuando los actos de sometimiento y explotación típicos del injusto esclavista supongan, además, un ataque diferenciado e individualizado a la vida, salud, libertad sexual o bienes materiales o personalísimos de la víctima o de su entorno personal. Es decir, cuando excedan lo necesario para imponer y mantener la situación de sometimiento y supongan un plus de injusto por la especial gravedad de la conducta de que se trate; por ejemplo, que tenga una naturaleza excesivamente degradante o abusiva.

7º. Se propone la *derogación del delito de prostitución forzada* contenido en el art. 187.1 CP, referido a la determinación a la prostitución de adultos mediante violencia o intimidación. Toda "prostitución forzada" es un claro y específico supuesto cuando menos de trabajo forzoso, que puede llegar a la situación de servidumbre o de esclavitud, tal y como se ha venido insistiendo a lo largo de este trabajo, y tal y como ponen de manifiesto claramente los ejemplos expuestos al comienzo. Por tanto, la prostitución forzada pasaría a llamarse por su nombre, sin subterfugios, y a tipificarse en alguno de los tres delitos propuestos relativos a las formas contemporáneas de esclavitud. De este modo, el régimen punitivo se incrementaría de forma considerable, dando un salto cualitativo en la medida que la mínima pena de prisión que resultaría aplicable bajo el nuevo régimen penal de la esclavización (sexual) humana coincidiría con el máximo de prisión aplicable en la actualidad por vía del art. 187.1 CP.

De este modo, el actual delito de determinación involuntaria a la prostitución del art. 187.1 CP quedaría reservado para tipificar y castigar solamente, como también ha venido haciendo hasta ahora, la prostitución fraudulenta o abusiva, es decir, la determinación al ejercicio de la prostitución llevada a cabo con un vicio del consentimiento por engaño o por abuso de la situación de superioridad, necesidad o vulnerabilidad de la víctima. Se trataría de supuestos de *explotación sexual abusiva o fraudulenta*, cuyos medios comisivos estarían en correlación con el propio concepto de explotación laboral del art. 311.1 CP, que también se refiere a la imposición de condiciones de trabajo ilegales mediante engaño o abuso de la situación de necesidad, y que se mantiene por ello fuera del concepto de trabajo forzado. Además, esta propuesta también mantendría su correlación con la explotación sexual abusiva definida legalmente en el art. 187.1, 2 CP, cuando exige la concurrencia de algunas de "las siguientes circunstancias: a) que la víctima se encuentre en una situación de vulnerabilidad personal o económica; b) que se le impongan para su ejercicio condiciones gravosas, desproporcionadas o abusivas". La referencia que se hace en este precepto al consentimiento de la víctima carece realmente de sentido desde la perspectiva del bien jurídico protegido, pues si no hay vicio en la voluntad se trata de la prestación libre de un servicio sexual a cambio de precio, lo que no deja de ser una manifestación más de la libertad sexual. Por el contrario, si hay un vicio de la voluntad no habría libertad sexual ni para el ejercicio de dicha actividad, ni por supuesto para su explotación económica, por lo que en tal caso se trataría de una conducta típica de determinación a la prostitución involuntaria (abusiva) (art. 187.1 CP) o de explotación de la prostitución ajena también involuntaria (abusiva) (art. 187.1.2 CP).

En todo caso conviene advertir que, si por las circunstancias de la situación dada en un supuesto de prostitución abusiva, en el que no se ha empleado violencia ni intimidación, el hecho pudiera tener mayor gravedad hasta considerarlo como un supuesto de sometimiento y control continuo y absoluto sobre la vida de la víctima para iniciarla o mantenerla en situación de explotación sexual, habría que valorarlo y tipificarlo por vía de las nuevas figuras delictivas relativas a la esclavitud.

Una *proporcionalidad* en la respuesta punitiva de la trata abusiva y de la prostitución abusiva requeriría, además, de una igualación al menos de ambas penas. Por ello, se propone también que la prostitución abusiva del art. 187.1 CP se castigue con la misma pena propuesta para el delito de trata de seres humanos del art. 177 bis CP, es decir, con la pena de prisión de 4 a 7 años.

8º. Como se advirtió, esta propuesta de derogación y redefinición de la prostitución forzada y abusiva lleva también, en coherencia, a una modificación de las *finalidades típicas de la trata*. De este modo, la trata con fines de prostitución forzada pasaría a engrosar la primera finalidad típica prevista en el art. 177 bis CP, referida a la imposición de trabajos o servicios forzados, la esclavitud o la servidumbre, dado que la prostitución forzada la hemos categorizado y tipificado como un supuesto de esclavización (sexual). Por el contrario, la trata con fines de prostitución abusiva o fraudulenta se seguiría manteniendo, como hasta ahora y en lógica correspondencia, en la segunda modalidad típica del art. 177 bis CP, referida a "la explotación sexual, incluyendo la pornografía".

9º. El delito de *prostitución forzada de menores* del art. 188.2 CP también debería ser derogado y pasar a considerarlo como una modalidad agravada de los delitos de trabajo forzoso, servidumbre o esclavitud, por lo motivos ya expuestos en relación a la prostitución forzada de adultos, dado que se trata de situaciones equivalentes, pero agravadas ahora por recaer sobre menores. De este modo, se mantendría la prostitución abusiva de menores a que se refiere el art. 188.1 CP, puesto que los menores no tienen capacidad para consentir válidamente en el contexto sexual. Por ello, el consentimiento de un menor para ejercer la prostitución hay que considerarlo como viciado, sin validez, por lo que merece la consideración de un delito de prostitución abusiva, tipificable por vía del art. 188.1 CP. Aunque en estos casos, en coherencia con lo propuesto para la prostitución abusiva de adultos, la pena aplicable debería ser igual que la propuesta para la trata y la prostitución abusiva de adultos, es decir, una pena de prisión de 4 a 7 años.

No obstante, como la edad de consentimiento sexual está establecida en los 16 años, lo que significa tanto como afirmar que los mayores de 16 años tienen plena libertad de autodeterminación sexual, consideramos que a partir de dicha edad deberían ser tratados como si fueran adultos, de modo que habría que determinar en cada caso si se vulnera o no su libertad sexual.[114] Por ello, si son mayores de 16 años y víctimas de engaño o abuso de una situación de superioridad o de necesidad o vulnerabilidad la conducta de prostitución habría que tipificarla por vía del art. 187.1 CP, como los adultos, y si no hay engaño ni abuso la conducta no sería típica, como tampoco lo es la prostitución voluntaria de adultos, puesto que no resulta afectada la libertad de autodeterminación sexual. Y como se ha apuntado, si las víctimas son menores de 16 años y hay violencia o intimidación se trataría de un supuesto de esclavización sexual de menores y si faltan estos medios comisivos se trataría siempre de un supuesto de prostitución abusiva de menores del art. 188.1 CP.

10º. En último término, en relación a la *explotación laboral*, hay que realizar dos propuestas más. La primera pasa por ofrecer también una protección especial a los *menores* víctimas de explotación laboral, otorgando una mayor protección a los menores de 16 años que a los mayores de dicho límite de edad, que coincide precisamente con el límite de edad para poder trabajar. Al tiempo que debería propugnarse también la *derogación del art. 311.4 CP*, relativo a la explotación laboral con violencia o intimidación, que raramente podrá tener lugar por sí sola sin llegar a tener la consideración de trabajo forzoso, aparte de que prevé una pena de prisión ciertamente elevada. Por ello, de existir algún episodio violento o intimidatorio en el contexto de una relación laboral que no llegue a considerarse como trabajo forzado, bastaría con la grave pena que ya prevé el delito de imposición de condiciones ilegales de trabajo en el art. 311.1 CP.

En suma, de esta forma finalizo este trabajo reiterando que, a modo de conclusión, cabría señalar que la propuesta de regulación penal realizada puede ser considerada como punto de partida adecuado para abrir la discusión social y académica sobre la necesidad y conveniencia político criminal de elaborar una propuesta legislativa razonable y eficaz para la lucha jurídico-penal contra las formas contemporáneas de esclavitud. Aunque, insisto, siendo muy cons-

---

[114]   *Vid.* PÉREZ ALONSO, E.: "Tratamiento penal del cliente en la prostitución infantil y en otras actividades sexualmente remuneradas con menores", *op. cit., passim*.

cientes de las muchas limitaciones que el Derecho Penal tiene en esta materia y abogando, por ello, por una discusión pública sobre las causas reales y consecuencias más graves de este fenómeno con el propósito de su prevención y erradicación, así como de la asistencia y protección a las víctimas. Ojalá que el PANTF permita tomar conciencia real de este fenómeno, que abra un debate público a todos los niveles, que ofrezca un abordaje holístico e integral, que no solo vaya referido a la faceta de prevención, control, asistencial y organizativa de su gestión, tan necesaria, sino que también se mantenga un enfoque integrado, unitario y de conjunto en su tratamiento jurídico-penal, como, por ejemplo, en la línea que se ha propuesto en este trabajo.

V. BIBLIOGRAFÍA

AA.VV.: "Formas contemporáneas de esclavitud", *Revista de la Facultad de Derecho de la Universidad Andina del Cusco*, año 4, n° 6, Monográfico, 2021.

AA.VV.: "Trata de seres humanos", *Revista de la Facultad de Derecho de la Universidad Andina del Cusco*, año 3, n° 5, Monográfico, 2019.

AA.VV.: *Delitos contra la libertad e indemnidad sexual de los menores. Adecuación del Derecho español a las demandas normativas supranacionales de protección*, Aranzadi, Pamplona, 2015.

AA.VV.: *Delitos sexuales contra menores. Abordaje psicológico, jurídico y policial*, Tirant lo Blanch, Valencia, 2014.

AA.VV.: *El Derecho ante las formas contemporáneas de esclavitud*, Tirant lo Blanch, Valencia, 2017.

AA.VV.: *Formas contemporáneas de esclavitud y derechos humanos en clave de globalización, género y trata de personas*, Tirant lo Blanch, Valencia, 2020.

AA.VV.: *La delincuencia organizada: un reto a la política criminal actual*, Thomson Reuters Aranzadi, Pamplona, 2013.

AA.VV.: *La trata de seres humanos en el contexto penal iberoamericano*, Tirant lo Blanch, Valencia, 2019.

AA.VV.: *La trata sexual de mujeres. De la represión del delito a la tutela de la víctima*, Ministerio de Justicia, Madrid, 2007.

AA.VV.: *Nuevos retos en la lucha contra la trata de personas con fines de explotación sexual. Un enfoque interdisciplinar*, Cívitas, Thomson Reuters, Pamplona, 2012.

AA.VV.: *Trata de personas y explotación sexual*, Comares, Granada, 2006.

ALLEIN, J.: "Conceptualización legal de las formas contemporáneas de esclavitud", en PÉREZ ALONSO E. (dir.), MERCADO PACHECO, P., OLARTE ENCABO, S., LARA AGUADO, A., RAMOS TAPIA, I., POMARES CINTAS, E. y ESQUINAS VALVERDE, P. (coords.), *El Derecho ante las formas contemporáneas de esclavitud*, Tirant lo Blanch, Valencia, 2017.

ALLEIN, J.: *La definición de esclavitud en el derecho internacional y el Delito de esclavitud en el Estatuto de Roma*, Conferencia pronunciada en el Ciclo de Conferencias de la Oficina del Fiscal en La Haya, 2007.

BALES, K.: *La nueva esclavitud en la economía global* (trad. Fernando Borrajo Castañedo), Siglo Veintiuno de España Editores, Madrid, 2000.

BEDMAR CARRILLO, E.: "Concepción jurisprudencial de las formas contemporáneas de esclavitud", en PÉREZ ALONSO E. (dir.), MERCADO PACHECO, P., OLARTE ENCABO, S., LARA AGUADO, A., RAMOS TAPIA, I., POMARES CINTAS, E. y ESQUINAS VALVERDE, P. (coords.), *El Derecho ante las formas contemporáneas de esclavitud,* Tirant lo Blanch, Valencia, 2017.

BEDMAR CARRILLO, E.: *El Derecho Penal ante las formas contemporáneas de esclavitud,* tesis doctoral (trabajo inédito), Universidad de Granada, Granada, 2021.

BERASALUCE GEURRICAGOITIA, L.: *Trata de seres humanos con fines de explotación laboral y protección de las víctimas: con especial atención al fenómeno en el ámbito del servicio doméstico,* tesis doctoral (trabajo inédito), Universidad del País Vasco, Donosti, 2020.

BONET PÉREZ, J.: "La interpretación de los conceptos de esclavitud y otras prácticas análogas a la luz del ordenamiento jurídico internacional: aproximación teórica y jurisdiccional", en PÉREZ ALONSO E. (dir.), MERCADO PACHECO, P., OLARTE ENCABO, S., LARA AGUADO, A., RAMOS TAPIA, I., POMARES CINTAS, E. y ESQUINAS VALVERDE, P. (coords.), *El Derecho antes las formas contemporáneas de esclavitud,* Tirant lo Blanch, Valencia, 2017.

BORONAT TORMO, M. y GRIMA LIZANDRA, V.: "La esclavitud y la servidumbre en el derecho español. A propósito de la STEDH de 26 de julio de 2005 ("Siliadin c/ Francia"): un caso de trabajo doméstico servil", en CARBONELL MATEU, J. C., GONZÁLEZ CUSSAC, J. C., ORTS BERENGUER, E. y CUERDA ARNAU, M. L. (coords.), *Constitución, derechos fundamentales y sistema penal, Semblanzas y estudios con motivo del setenta aniversario del Profesor Tomás Salvador Vives Antón,* Tomo I, Tirant lo Blanch, Valencia, 2009.

CORREA BORGES, P.: "La trata de personas como expresión de las formas contemporáneas de esclavitud en América del Sur", en PÉREZ ALONSO, E. (dir.), MERCADO PACHECO, P., OLARTE ENCABO, S., LARA AGUADO, A., RAMOS TAPIA, I., POMARES CINTAS, E. y ESQUINAS VALVERDE, P. (coords.), *El Derecho ante las formas contemporáneas de esclavitud,* Tirant lo Blanch, Valencia, 2017.

DAUNIS RODRÍGUEZ, A.: *El delito de trata de seres humanos,* Tirant lo Blanch, Valencia, 2013.

DÍAZ MORGADO, C.: *El delito de trata de seres humanos. Su aplicación a la luz del Derechos Internacional y Comunitario,* tesis doctoral, Dispositivo Digital de la Universidad de Barcelona, Barcelona, 2014.

ESPALIÚ BERDUD, C.: "La definición de esclavitud en el derecho internacional a comienzos del Siglo XIX", *Revista Electrónica de Estudios Internacionales,* nº 28, 2014.

ESPÓSTIO, R.: *El dispositivo de la persona,* Amorrortu Editores, Buenos Aires, 2011.

FERNÁNDEZ VÍTORES, R.: *Teoría del residuo,* Ediciones Endymion, 1997.

GALLO, P. y GARCÍA SEDANO, T.: *Formas modernas de esclavitud y explotación laboral. Talleres textiles clandestinos, explotación sexual y trata de personas,* BdeF, Montevideo-Buenos Aires, 2020.

GUISASOLA LERMA, C.: "Formas contemporáneas de esclavitud y trata de seres humanos: una perspectiva de género", *Estudios Penales y Criminológicos,* vol. 39, 2019.

LÓPEZ RODRÍGUEZ, J.: *Conceptualización jurídica de la trata de seres humanos con fines de explotación laboral,* Aranzadi, Pamplona, 2016.

MAQUEDA ABREU, M. L.: "Trata y esclavitud no son lo mismo, pero ¿qué son?", en SUÁREZ LÓPEZ, J. M., BARQUÍN SANZ, J., BENÍTEZ ORTÚZAR, I., JIMÉNEZ DÍAZ, M. J. y SAIZ-CANTERO CAPARRÓS J. E. (dirs.), *Estudios jurídico penales y criminológicos, homenaje al Prof. Dr. Dr. H.C. Mult. Lorenzo Morillas Cueva*, Volumen II, Dykinson, Madrid, 2018.

MAQUEDA ABREU, M.L.: "La prostitución forzada es una forma agravada de agresión sexual: propuesta para una reforma imprescindible", en REMESAL, V., DÍAZ, M., GARCÍA CONLLEDO, J. M., PAREDES CASTAÑÓN, I., OLAIZOLA NOGALES, M. A., TRAPERO BARREALES, R., ROSO CAÑADILLAS, J. A. y LOMBANA VILLALBA, J. A. (dirs.), *Libro homenaje al profesor Diego-Manuel Luzón Peña con motivo de su 70º aniversario*, Volumen II, Reus Editorial, Madrid, 2020.

MIÑARRO YANINI, M.: "Formas esclavas de trabajo y servicio del hogar familiar: delimitación conceptual, problemática específica y propuestas", *Relaciones laborales: Revista crítica de teoría y práctica*, núm. 10, Wolters Kluwer, 2014.

MOYA GUILLEM, C.: *La trata de seres humanos con fines de extracción de órganos. Análisis criminológico y jurídico-penal*, Tirant lo Blanch, Valencia, 2020.

PÉREZ ALONSO, E. (coord.), AGUADO CORREA, T., CARUSO FONTÁN, V., GONZÁLEZ SIERRA, P., POMARES CINTAS, E., RAMOS TAPIA, I. y VALVERDE CANO, A.: *Derecho Penal. Parte General. Manual*, BdeF, Buenos Aires-Montevideo-Madrid, 2022.

PÉREZ ALONSO, E.: "Concepto de abuso sexual: contenido y límite mínimo del delito de abusos sexuales", *Indret Penal*, 3, 2019.

PÉREZ ALONSO, E.: "El bien jurídico protegido en el delito de trata de seres humanos", en MARÍN DE ESPINOSA CEBALLOS, E. (dir.), *Liber Amicorum al Profesor José Miguel Zugaldía Espinar*, Tirant lo Blanch, Valencia, 2021.

PÉREZ ALONSO, E.: "La nuova schiavitú del XXI secolo: il traffico illegale di persone" (traducción al italiano por Eloísa Celico), en CASADEI, T. y MATTARELLI, S. (coords.), *Il senso della repubblica. Schiavitú*, Franco Angeli, Milán, 2009.

PÉREZ ALONSO, E.: "La trata de seres humanos en el Derecho Penal español", en VILLACAMPA ESTIARTE, C. (coord.), *La delincuencia organizada: un reto a la política criminal actual*, Thomson Reuters Aranzadi, Pamplona, 2013.

PÉREZ ALONSO, E.: "Prohibición universal de la esclavitud y de sus formas contemporáneas", en MAQUEDA ABREU, M. L., MARTÍN LORENZO, M., y VENTURA PÜSCHEL, A. (coords.), *Derecho Penal para un estado social y democrático de derecho. Estudios penales en homenaje al profesor Emilio Octavio de Toledo y Ubieto*, Servicio de publicaciones de la facultad de derecho de la Universidad Complutense, Madrid, 2016.

PÉREZ ALONSO, E.: "Tratamiento jurídico-penal de las formas contemporáneas de esclavitud", en PÉREZ ALONSO E. (dir.), MERCADO PACHECO, P., OLARTE ENCABO, S., LARA AGUADO, A., RAMOS TAPIA, I., POMARES CINTAS, E. y ESQUINAS VALVERDE, P. (coords.), *El Derecho ante las formas contemporáneas de esclavitud*, Tirant lo Blanch, Valencia, 2017.

PÉREZ ALONSO, E.: "Tratamiento penal del cliente en la prostitución infantil y en otras actividades sexuales remuneradas con menores", *RDPCrim.*, nº 17, 2017.

PÉREZ ALONSO, E.: *Teoría general de las circunstancias: especial consideración de las agravantes "indeterminadas" en los delitos contra la propiedad y el patrimonio*, Edersa, Madrid, 1995.

PÉREZ ALONSO, E.: *Tráfico de personas e inmigración clandestina (Un estudio socio-lógico, internacional y jurídico-penal)*, Tirant lo Blanch, Valencia, 2008.

POMARES CINTAS, E.: "Necesidad de una respuesta incriminadora de las prácticas de sometimiento forzoso a explotación del ser humano como formas de esclavitud moderna", en *El Derecho Penal del siglo XXI. Liber Amicorum en honor al Profesor José Miguel Zugaldía Espinar*, Tirant lo Blanch, Valencia, 2021.

POMARES CINTAS, E.: "Directrices para el análisis y persecución penal de la explotación económica en condiciones de esclavitud o similares", en PÉREZ ALONSO, E. J., MERCADO PACHECO, P., OLARTE ENCABO, S., LARA AGUADO, A., RAMOS TAPIA, M. I., POMARES CINTAS, E. y ESQUINAS VALVERDE, P. (coords.), *El derecho ante las formas contemporáneas de esclavitud*, Tirant lo Blanch, Valencia, 2017.

POMARES CINTAS, E.: "El delito de trata de seres humanos con finalidad de explotación laboral", *Revista Electrónica de Ciencia Penal y Criminología*, Nº 13-15, 2011.

POMARES CINTAS, E.: "La metamorfosis del concepto de trata de blancas en el seno de la Sociedad de Naciones como paradigma del control de los flujos migratorios contemporáneos", en PÉREZ ALONSO, E. y OLARTE ENCABO, S. (dirs.), MERCADO PACHECO, P. y RAMOS TAPIA, I. (coords.), *Formas contemporáneas de esclavitud y derechos humanos en clave de globalización, género y trata de personas*, Tirant lo Blanch, Valencia, 2020.

POMARES CINTAS, E.: *El Derecho Penal ante la explotación laboral y otras formas de violencia en el trabajo*, Tirant lo Blanch, Valencia, 2013.

RAMÓN RIVAS, E.: *Minoría de edad, sexo y derecho penal*, Aranzadi, 2013.

RAMOS VÁZQUEZ, J. A.: *Política criminal, cultura y abuso sexual de menores. Un estudio sobre los artículos 183 y siguientes del Código Penal*, 2016.

SALMÓN GÁRATE, E.: "Legislación iberoamericana sobre formas contemporáneas de esclavitud", en PÉREZ ALONSO, E. y OLARTE ENCABO, S. (dirs.), MERCADO PACHECO, P. y RAMOS TAPIA, I. (coords.), *Formas contemporáneas de esclavitud y derechos humanos en clave de globalización, género y trata de personas*, Tirant lo Blanch, Valencia, 2020.

SALMÓN GÁRATE, E.: *Introducción al Sistema Interamericano de Derechos Humanos*, Fondo Editorial de la Pontificia Universidad Católica del Perú, Lima, 2019.

TAMARIT SUMALLA, J. M.: *La protección penal del menor frente al abuso y la explotación sexual. Análisis de las reformas penales en materia de abusos sexuales, prostitución y pornografía de menores*, 2ª ed. Aranzadi, 2002.

TERRADILLOS BASOCO, J.: "Explotación laboral, trabajo forzoso, esclavitud, ¿retos político-criminales para el siglo XXI?", en DEMETRIO CRESPO, E. y NIETO MARTÍN, A. (dirs.), Maroto Calatayud, M. y Marco Francia, M. P. (coords.), *Derecho penal económico y derechos humanos*, Tirant lo Blanch, Valencia 2018.

VALVERDE CANO, A.: "Ausencia de un delito de esclavitud, servidumbre y trabajos forzosos en el Código Penal español", en PÉREZ ALONSO E. (dir.), MERCADO PACHECO, P., OLARTE ENCABO, S., LARA AGUADO, A., RAMOS TAPIA, I., POMARES CINTAS, E. y ESQUINAS VALVERDE, P. (coords.), *El derecho frente a las formas contemporáneas de esclavitud*, Tirant lo Blanch, Valencia, 2017.

VALVERDE CANO, A.: "It's all about control: el concepto de trabajos forzosos", *Revista de Derecho Penal y Criminología*, 3º Época, nº 22, 2019.

VALVERDE CANO, A.: *La protección jurídico-penal de las víctimas de las formas con-temporáneas de esclavitud a la luz del Derecho internacional, europeo y nacional*, Ed. Universitaria Ramón Areces, Madrid, 2017.

VALVERDE CANO, A.: *Regulación legal y tratamiento penal de las formas contem-poráneas de esclavitud*, tesis doctoral (trabajo inédito), Universidad de Granada, Granada, 2020.

VILLACAMPA ESTIARTE, C.: "El delito de trata de seres humanos en el Derecho Penal español tras la reforma de 2015", en PÉREZ ALONSO E. (dir.), MERCADO PACHECO, P., OLARTE ENCABO, S., LARA AGUADO, A., RAMOS TAPIA, I., POMARES CINTAS, E. y ESQUINAS VALVERDE, P. (coords.), *El Derecho Penal ante las formas contemporáneas de esclavitud*, Tirant lo Blanch, Valencia, 2017.

VILLACAMPA ESTIARTE, C.: "La moderna esclavitud y su relevancia jurídico-pe-nal", *Revista de Derecho Penal y Criminología*, 3ª Época, nº 10, 2013.

VILLACAMPA ESTIARTE, C.: *El delito de trata de seres humanos. Una incriminación dictada desde el Derecho Internacional*, Aranzadi, Pamplona, 2011.

Capítulo XX

APROXIMACIÓN A LA TRATA DE SERES HUMANOS DESDE SU CONSIDERACIÓN COMO DELITO ECONÓMICO

CLÀUDIA TORRES FERRER

Investigadora predoctoral FPU de Derecho Penal
Universitat de Lleida

I. INTRODUCCIÓN

Es innegable la creciente atención que ha ido ganando el fenómeno de la trata de seres humanos -tanto por los legisladores nacionales e internacionales como por la academia- en las últimas décadas, especialmente desde que se aprobara en el seno de las Naciones Unidas el Protocolo para Prevenir, Reprimir y Sancionar la Trata de Personas, especialmente Mujeres y Niños[1], más conocido como Protocolo de Palermo. Sin embargo, siguiendo la estela criminocéntrica de dicho instrumento normativo, los esfuerzos por afrontarlo se han focalizado en la persecución y sanción del delito. Esto sin perjuicio de que, más recientemente, tras la aprobación del Convenio del Consejo de Europa sobre la Lucha contra la Trata de Seres Humanos –también conocido como Convenio de Varsovia- y la posterior Directiva 2011/36/UE, el punto de mira y los esfuerzos de gobiernos, ONG y organizaciones internacionales, especialmente en cuanto al ámbito europeo se refiere, parecen haberse dirigido más hacia las víctimas y su necesaria protección[2].

---

[1]   Dicho protocolo, en vigor desde el 23 de diciembre de 2003, complementa la Convención de las Naciones Unidas contra la delincuencia organizada transnacional del año 2000.

[2]   Más ampliamente sobre el viraje victimocéntrico que supuso el Convenio del Consejo de Europa sobre la lucha contra la trata de seres humanos, *vid.* VILLACAMPA ESTIARTE,

Del mismo modo, tradicionalmente dos de las manifestaciones de este fenómeno, la trata con fines de explotación sexual y la trata con fines de explotación laboral, han venido acaparando el foco de atención. Han devenido con ello más visibles y, por lo tanto, identificables, en perjuicio de otras formas de trata, como las que tienen por fin la explotación criminal, la extracción de órganos o la celebración de matrimonios forzados, como reiteradamente se ha denunciado[3].

De la misma forma, sintetizando la descripción del proceso, puede decirse que el enfoque que se ha dado a la trata de seres humanos ha pasado de afrontarlo como una cuestión o problema transfronterizo y de seguridad nacional a analizarlo desde una perspectiva de derechos humanos, por la violación de derechos fundamentales como la libertad y la dignidad que supone[4]. Ampliamente identificado este fenómeno como forma de servidumbre y muchas veces apodado como la esclavitud del siglo XXI[5], tampoco resulta extraña su consideración como manifestación de la violencia de género, en tanto que afecta desproporcionadamente a mujeres y niñas, especialmente cuando hablamos de trata con fines de explotación sexual, lo que también puede afirmarme en relación con los sectores laborales más feminizados[6]. En el caso de España, esta aproximación se ha traducido en la previsión en el Pacto de Estado contra

---

C.: *El Delito de Trata de Seres Humanos. Una Incriminación Dictada desde el Derecho Internacional*, Thomson Reuters-Aranzadi, Cizur Menor, 2011, pp. 159 y ss.

[3]   *Vid.* DEFENSOR DEL PUEBLO: La trata de seres humanos en España: Víctimas Invisibles, 2012, pp. 95 y ss., 273-274; VILLACAMPA ESTIARTE, C.: *El delito de trata de seres humanos. Una Incriminación Dictada desde el Derecho Internacional, op. cit.*, pp. 551 y ss.; VILLACAMPA ESTIARTE, C., GÓMEZ ADILLÓN, M.J. y TORRES FERRER, C.: "Trafficking in human beings in Spain: What do the data on detected victims tell us?", *European Journal of Criminology*, 2021, p. 2.

[4]   Un análisis pormenorizado sobre la consideración de la trata de seres humanos desde un enfoque de derechos humanos, *vid.* VILLACAMPA ESTIARTE, C.: *El Delito de Trata de Seres Humanos. Una Incriminación Dictada desde el Derecho Internacional, op. cit.*, pp. 230-245.

[5]   A modo de ejemplo, este es el tratamiento que se deriva de las resoluciones del Tribunal Europeo de Derechos Humanos, como la sentencia Rantsev v. Chipre y Rusia, de 7 de julio de 2010.

[6]   Según los últimos datos ofrecidos por la UNODC, el sexo femenino representaría el 65% de las víctimas (46% serían mujeres adultas y el 19% se correspondería a las víctimas niñas). *Vid.* UNITED NATIONS OFFICE ON DRUGS AND CRIME (UNODC): *Global Report on Trafficking in Persons 2020*, United Nations, New York, 2020, pp. 12, 31. Según los datos europeos, si se excluyen las cifras referentes a Reino Unido, la cifra de mujeres víctimas de trata escalaría hasta el 72%. *Vid.* EUROPEAN COMMISSION-MIGRATION AND HOME AFFAIRS: *Data collection on trafficking in human beings in the EU. 2020, Publications Office of the European Union, Luxembourg*, 2020, p. 18; VILLACAMPA ESTIARTE, C., GÓMEZ ADILLÓN, M.J. y TORRES FERRER, C.: "Trafficking in human beings in Spain: What do the data on detected victims tell us?", European Journal of Criminology, 2021, p. 10.

la Violencia de Género de aprobar una ley de lucha integral y multidisciplinar contra la trata de seres humanos con fines de explotación sexual[7].

En los últimos años, sin embargo, cada vez es más frecuente encontrar referencias al fenómeno de la trata como uno de los negocios criminales más rentables a escala mundial, junto al tráfico de drogas y el de armas[8]. Esa vinculación del fenómeno con un evidente componente lucrativo ha comportado que se alcen algunas voces que defienden la necesidad de adoptar nuevos enfoques del mismo que lo aborden como un negocio criminal, situando las ganancias que reporta en el centro de la investigación del delito en aras a dar una respuesta más eficaz en términos de prevención y persecución[9]. No obstante, pocos son los estudios dedicados a analizar ese componente económico del fenómeno y los ingresos derivados del mismo, así como infrecuentes las prácticas de este tipo de investigaciones económico-patrimoniales que, por el momento, siempre han estado más focalizadas en acreditar los elementos constitutivos del tipo que permitan encarcelar a los responsables que en comprender los mecanismos financieros que envuelven estas conductas.

De este nuevo enfoque pueden encontrarse algunos ejemplos en la literatura especializada. Algunos autores se han dedicado a analizar como ciertos determinantes macroeconómicos como la libertad de mercado, los niveles de renta, de desempleo o los flujos migratorios se erigen en factores que pueden incidir en la prevalencia de la trata[10]. También se ha abordado la trata de seres

---

[7]   En concreto, se contempla en la medida nº 257 del Documento refundido de medidas del Pacto de Estado en Materia de Violencia de Género, y que se correspondería con las medidas nº 189 y las nº 157, 159 y 161 del Congreso y del Senado, respectivamente. *Vid.* SECRETARÍA DE ESTADO DE IGUALDAD-DELEGACIÓN DEL GOBIERNO PARA LA VIOLENCIA DE GÉNERO: *Documento refundido de medidas del Pacto de Estado en Materia de Violencia de Género*. *Congreso + Senado*, Madrid, 2019, p. 46.

[8]   *Vid.* GUIA, M. J.: *The Illegal Business of Human Trafficking*, Springer International Publishing Switzerland, Cham, 2015, p. vii. Así se reconoce también en el recién publicado Plan Estratégico Nacional contra la Trata y la Explotación de Seres Humanos 2021-2023, coordinado por la Secretaría de Estado de Seguridad, que define la TSH como *"una de las actividades criminales más lucrativas a nivel mundial, sólo por detrás del tráfico de drogas y al mismo nivel que el tráfico de armas"*.

[9]   Entre otros, *vid.* CENTER FOR THE STUDY OF DEMOCRACY (CSD): *Financing of Organised Crime. Human Trafficking in Focus*, Center for the Study of Democracy, Sofia, 2019, p. 7; EUROPEAN COMMISSION: *Third report on the progress made in the fight against trafficking in human beings (2020) as required under Article 20 of Directive 2011/36/EU on preventing and combating trafficking in human beings and protecting its victims*, Bruselas, 2020, pp. 11 y 12. Esta necesidad incluso fue puesta de manifiesto durante las Jornadas de Fiscales Delegados de Extranjería, celebrada en Bilbao el pasado febrero de 2020. Al respecto, *vid.* FISCALÍA DE EXTRANJERÍA: *Conclusiones de las Jornadas de Fiscales delegados de Extranjería* [en línea], 5 de enero de 2021, p. 4.

[10]   Un estudio sobre la delincuencia, los patrones de migración económica y el nivel de ingresos como factores que explican la trata de seres humanos puede encontrarse en CHO, S. Y.: "Modeling for determinants of human trafficking–An empirical analysis", *Social Inclusion*,

humanos como si de una industria monopolísticamente competitiva se tratara, en la que los consumidores serían los empleadores de mano de obra traficada y los productos serían seres humanos, con el fin de explicar cuáles son las motivaciones que mueven a víctimas, tratantes y explotadores a formar parte de este negocio[11]. Particular interés parece haber despertado en este ámbito el examinar como el modelo de externalización de la producción y subcontratación favorece la presencia de trata de seres humanos a lo largo de la cadena de suministro y cuál debería ser el modelo de responsabilidad aplicable a las personas jurídicas[12]. Más centrado en desentrañar las finanzas inherentes a la trata de personas, se realizó un análisis de 378 expedientes policiales relativos a casos de trata de seres humanos, en el que se detallan algunos aspectos financieros –como los costes operativos y de infaestructura- y las transacciones asociadas a este fenómeno[13]. Aunque muy relacionado con este último, tal vez una de las investigaciones publicadas más completas centradas en analizar las ganancias y los costes que comporta la trata de seres humanos es la llevada a cabo por el *Center for the Study of Democracy* que, además de analizar los mecanismos financieros de los mercados ilegales y de la trata de seres humanos, incluye informes sobre la financiación de este fenómeno delictivo en 9 países europeos[14].

Sin prejuicio de estos primeros avances en la materia, este es sin duda un campo de investigación y de acción que se halla aún en una fase muy incipiente

---

vol. 3, Special Issue, 2015, pp. 2-21. Por otro lado, se examina si el libre mercado exacerba o atenúa la incidencia de la trata de personas en HELLER, L.R., LAWSON, R.A, MURPHY, R.H. y WILLIAMSON, C. R.: "Is human trafficking the dark side of economic freedom?", *Defence and Peace Economics*, vol. 29 (4), 2018, pp. 355-382.

[11]   Dicho análisis basado en el enfoque de la elección racional, esto es, partiendo de la premisa que los individuos toman sus decisiones en base a la información a su alcance y una vez han comparado los costes y beneficios asociados a dicha acción, puede hallarse en WHEATON, E.M., SCHAUER, E.J. y GALLI, T.V.: "Economics of Human Trafficking", *International Migration*, núm. 48 (4), 2010, pp. 114-141.

[12]   En este sentido, *vid.* VAN BUREN, H.J., SCHREMPF-STIRLING, J. y WESTERMANN-BEHAYLO, M.: "Business and Human Trafficking: A Social Connection and Political Responsibility Model", *Business & Society*, vol. 60 (2), 2021, pp. 341-375; SCHUMANN, S.: "Corporate Criminal Liability on Human Trafficking", en WINTERDYK, J. y JONES, J. (coords.), *The Palgrave International Handbook of Human Trafficking*, Palgrave Macmillan, London, 2020, pp. 1651-1669; LLOYD, D.: "Human Trafficking in Supply Chains and the Way Forward", en WINTERDYK, J. y JONES, J. (coords.), *The Palgrave International Handbook of Human Trafficking, op. cit.*, pp. 815-837.

[13]   *Vid.* BROAD, R., LORD, N. y DUNCAN, C.: "The financial aspects of human trafficking: A financial assessment framework", *Criminology & Criminal Justice*, december 2020, 2020, pp. 1-20. También sobre el modelo de negocio financiero de la trata de seres humanos, *vid.* EUROPOL: *The THB Financial Business Model. Assessing the Current State of Knowledge. July 2015*, Europol, La Haya, 2015.

[14]   CENTER FOR THE STUDY OF DEMOCRACY (CSD): *Financing of Organised Crime. Human Trafficking in Focus, op. cit., passim.*

y que, aunque llamado a tener una clara incidencia en la manera de afrontar la trata de seres humanos, también lleva aparejados nuevos retos y dificultades que deben ser afrontados.

II. LA TRATA DE SERES HUMANOS COMO FENÓMENO ECONÓMICO

Sin perjuicio de los factores que favorecen y explican el fenómeno de la trata de seres humanos –más conocidos como *push* y *pull* factors[15]-, es innegable el componente económico de esta conducta delictiva. La obtención de lucro o beneficio es el objetivo final y la principal motivación de los tratantes[16]. Como si de empresarios se tratara, estos buscan minimizar el riesgo maximizando los beneficios de su "negocio", con el que pretenden dar respuesta a un mercado globalizado cuyos productores y consumidores demandan servicios a bajo coste.

Aunque de objetable rigor dada la dificultad de cuantificación y la falta de datos al respecto, algunas instituciones y organizaciones se han aventurado a estimar el beneficio derivado de la trata de seres humanos. En este sentido, instituciones como el *US Department of State*, la *Finantial Task Force* (FATF) o la *International Labour Organization* (ILO) establecen que el lucrativo negocio de la trata de seres humanos generaría alrededor de 150 billones de dólares anuales a nivel mundial[17], convirtiéndolo en uno de los negocios criminales más rentables. También Europol ofreció en 2015 una estimación sobre los beneficios derivados de este negocio ilegal, cifrándolos en 29,4 billones de euros, de los cuales 25,8 billones se corresponderían con la trata con fines de explotación sexual y 3,5 billones provendrían de la trata laboral[18]. Pero, como cualquier otro negocio, la trata de seres humanos también precisa de una cierta inversión que permita sufragar los costes inherentes al desarrollo de esta actividad.

---

[15]   Más ampliamente, VILLACAMPA ESTIARTE, C. y TORRES FERRER, C.: "Aproximación institucional a la trata de seres humanos en España: valoración crítica", *Estudios Penales y Criminológicos*, núm. 41, 2021, p. 191; EUROPOL: *Situation report. Trafficking in human beings in the EU*, Europol, La Haya, 2016, pp. 10-12; CENTER FOR THE STUDY OF DEMOCRACY (CSD): *Financing of Organised Crime. Human Trafficking in Focus, op. cit.*, pp. 18, 45; GUIA, M. J.: *The Illegal Business of Human Trafficking, op. cit.*, pp. 9 y 10.

[16]   *Vid.* WHEATON, E.M., SCHAUER, E.J. y GALLI, T.V.: "Economics of Human Trafficking", *op. cit.*, p. 117.

[17]   *Vid.* U.S. DEPARTMENT OF STATE: *Trafficking in Persons Report. June 2021*, U.S. Department of State, 2021, p. 36; FINANCIAL ACTION TASK FORCE (FATF): *Financial Flows from Human Trafficking*, FATF, Paris, France, 2018, p. 3.

[18]   *Vid.* EUROPOL: *The THB Financial Business Model. Assessing the Current State of Knowledge. July 2015, op. cit.*, p. 12.

Del mismo modo que no requiere de la misma inversión el pequeño empresario que decide iniciar un negocio de consultoría online sobre hábitos saludables que el que pretende liderar una multinacional en el sector energético, los costes de la trata de seres humanos pueden ser igualmente muy diversos en función de una pluralidad de factores, como la composición o la estructura de la que se sirva el tratante en cuestión. En este sentido, a pesar de la tradicionalmente asociada vinculación entre la trata de seres humanos y la delincuencia organizada, como se evidencia por el hecho de que el protocolo de Palermo forme parte de la Convención contra el Crimen Organizado, cada vez es más cuestionable la preponderancia de estas estructuras delictivas organizadas como responsables del fenómeno de la trata, donde podemos encontrar perfiles de tratantes con diferentes niveles de estructuras organizativas. Así, junto a los grupos que encajan en la definición de grupo u organización criminal, también encontramos tratantes "independientes" y oportunistas que operan solos o en cooperación con unos pocos individuos –como ocurre en los casos en que los tratantes son la pareja o los propios familiares de la víctima-[19].

Sin embargo, aun no siendo los grupos y organizaciones criminales el perfil de tratante preponderante (45% de los casos)[20], son los que aglutinan un mayor número de víctimas de trata (75%)[21]. Siendo estas estructuras organizativas las que comercian con un mayor número de víctimas y lo hacen durante más tiempo (45 meses de promedio), no es de extrañar que sean también las que obtienen un mayor rendimiento económico con el delito de trata de seres humanos[22].

Por otro lado, atendiendo a las funciones llevadas a cabo por cada sujeto, pueden distinguirse hasta 8 perfiles de tratantes diferentes: los organizadores, los reclutadores, los transportistas o acompañantes, los ejecutores –encargados

---

[19]   Un análisis más exhaustivo sobre los perfiles de tratantes puede encontrarse en *Vid.* UNITED NATIONS OFFICE ON DRUGS AND CRIME (UNODC): *Global Report on Trafficking in Persons 2020*, United Nations, New York, 2020, pp. 40 y ss.; CENTER FOR THE STUDY OF DEMOCRACY (CSD): *Financing of Organised Crime. Human Trafficking in Focus*, *op. cit.*, pp. 39 y ss.

[20]   En un mismo sentido, algunos autores afirman que dichas empresas de delincuencia organizada altamente estructuradas y jerarquizadas no serían tan comunes como aquellas redes de delincuencia organizada de carácter más flexible y empresarial. Al respecto, *vid.* ARONOWITZ, A.A.: *Human Trafficking, Human Misery. The Global Trade in Human Beings*, Praeger Publishers, Westport, 2009, p. 66.

[21]   *Vid.* UNITED NATIONS OFFICE ON DRUGS AND CRIME (UNODC): *Global Report on Trafficking in Persons 2020*, *op. cit.*, pp. 13, 41-44.

[22]   *Vid.* UNITED NATIONS OFFICE ON DRUGS AND CRIME (UNODC): *Global Report on Trafficking in Persons 2020*, *op. cit.*, pp. 13-14. Al respecto, ha llegado a hacerse un análisis económico que permite al tratante determinar cuando el coste de suministrar una víctima de trata es mayor que los ingresos recibidos por la venta de la misma, reduciéndose su beneficio. *Vid.* WHEATON, E.M., SCHAUER, E.J. y GALLI, T.V.: "Economics of Human Trafficking", *op. cit.*, pp. 125, 127.

de supervisar a las víctimas en el lugar de explotación-, los funcionarios públicos corruptos, los propietarios de los lugares donde se produce la explotación de las víctimas, los facilitadores –como abogados o contables, que ofrecen su asesoramiento a los responsables-, y los autónomos, vinculados de forma más indirecta pero que igualmente contribuyen al proceso de trata –por ejemplo, el taxista encargado de trasladar a las víctimas y/o los "clientes"-[23]. Evidentemente, como más funciones sea capaz de aglutinar un mismo individuo, menor será el coste; y viceversa. Así, el capital inicial que precisa un individuo para captar una víctima mediante la técnica del *lover boy* dista mucho de las sumas de dinero necesarias por la organización que regenta un club de alterne en el que decenas de víctimas "ofrecen" sus servicios sexuales. Vemos, por lo tanto, como el modelo de negocio que se pretende adoptar tiene gran repercusión en los costes y beneficios asociados al mismo[24].

No obstante lo anterior, se ha apuntado que la trata de personas no requiere necesariamente de una gran inversión inicial, siendo uno de los principales costes el transporte de las posibles víctimas[25]. El mismo, además de poder ser relativamente barato –especialmente si este se produce dentro de una misma región que goce de libertad de movimiento como ocurre dentro del espacio Schengen-, en algunas ocasiones vendrá sufragado por las propias víctimas[26]. Pero, a los únicos efectos de analizar con mayor detenimiento cuales podrían ser los costes asociados a la trata de personas, resulta conveniente considerarla como un proceso compuesto de tres fases: la recluta o captación, el transporte o traslado y la posterior explotación[27].

---

[23]   *Vid.* CENTER FOR THE STUDY OF DEMOCRACY (CSD): *Financing of Organised Crime. Human Trafficking in Focus*, op. cit., p. 44.

[24]   Precisamente sobre el modelo de negocio de la trata de seres humanos, en su último informe, la UNODC identifica tres tipos: aquel en que el tratante es el encargado de realizar todo el proceso, desde la captación a la explotación de las víctimas; otro en el que los tratantes encargados de la recluta de las víctimas se hallan en contacto con aquellos encargados de la explotación de las mismas; y, por último, aquel en el que la conexión entre el sujeto encargado de la captación y el sujeto encargado de la explotación se realiza a través de un intermediario. *Vid.* UNITED NATIONS OFFICE ON DRUGS AND CRIME (UNODC): *Global Report on Trafficking in Persons 2020*, op. cit., p. 46.

[25]   *Vid.* CENTER FOR THE STUDY OF DEMOCRACY (CSD): *Financing of Organised Crime. Human Trafficking in Focus*, Center for the Study of Democracy, op. cit., pp. 18-19.

[26]   *Vid.* CENTER FOR THE STUDY OF DEMOCRACY (CSD): *Financing of Organised Crime. Human Trafficking in Focus*, Center for the Study of Democracy, op. cit., pp. 22, 61.

[27]   Además de categorizar los costes en función de esas tres etapas, hay quien también ha clasificado dichos desembolsos en gastos operativos y gastos estructurales, teniendo en cuenta también otros parámetros como del alto o bajo coste de los mismos o la frecuencia en la que se producen. *Vid.* BROAD, R., LORD, N. y DUNCAN, C.: "The financial aspects of human trafficking: A financial assessment framework", op. cit., pp. 8-10.

La recluta, sin perjuicio de la inversión de tiempo en identificar y atraer a las potenciales víctimas, es una fase de bajo coste en términos económicos[28], principalmente por la predisposición y disponibilidad de una parte de la población que, movida por su deseo de migrar, se halla en una situación de vulnerabilidad para terminar siendo explotada[29]. Sin embargo, en otras ocasiones, será necesario incurrir en determinados costes adicionales. Especialmente en aquellos casos en que no existe una relación previa entre víctima y tratante y, por tanto, la captación no puede realizarse mediante la técnica del "boca a boca"[30]. En estos casos suele recurrirse a la publicidad, cuyo coste no acostumbra a ser elevado, principalmente si dichos anuncios se difunden a través de internet[31]. Otra forma de propagar las supuestas ofertas de trabajo pasa por hacer uso de agencias de empleo o trabajo temporal, si bien este mecanismo suele relacionarse más con los casos de trata con fines de explotación laboral[32]. Ciñéndonos a la captación realizada según el método del *lover boy*, también se han señalado como posibles gastos la compra de regalos para la víctima o la inversión de dinero en la propia apariencia con el fin de vender una imagen de vida lujosa y acomodada capaz de impresionar a su público objetivo[33]. Finalmente, otros eventuales desembolsos asociados con esta primera etapa de captación pueden consistir en la contratación de los servicios de un tercero que se encargue de la identificación y recluta de las víctimas, o bien, en la compra directa de las mismas mediante pago a los familiares u otros tratantes[34]. En este último caso, se produciría un encarecimiento sustancial del proceso de captación, aunque dicho coste puede llegar a ser muy dispar, habiéndose dado casos en que las víctimas son vendidas desde 36$ hasta 23.600$, siendo el promedio de 3.662$[35].

---

28   *Vid.* CENTER FOR THE STUDY OF DEMOCRACY (CSD): *Financing of Organised Crime. Human Trafficking in Focus*, Center for the Study of Democracy, *op. cit.*, p. 66

29   *Vid.* BROAD, R., LORD, N. y DUNCAN, C.: "The financial aspects of human trafficking: A financial assessment framework", *op.cit.*, p. 11; KARA, S: *Sex Trafficking. Inside the Business of Modern Slavery*, Columbia University Press, New York, 2009, pp. 1 y ss.

30   El cual sería el mecanismo más empleado para reclutar a las víctimas de trata en cualquiera de sus modalidades, de conformidad con los resultados expuestos en VILLACAMPA ESTIARTE, C., GÓMEZ ADILLÓN, M.J. y TORRES FERRER, C.: "Trafficking in human beings in Spain: What do the data on detected victims tell us?", *op. cit.* pp. 14-15.

31   Entre otros, *vid.* ANTONOPOULOS, G.A., DI NICOLA, A., RUSEV, A. y TERENGHI, F.: *Human Trafficking Finances: Evidence from Three European Countries*, Springer Nature Switzerland, Cham, 2019, p. 69.

32   *Vid.* BROAD, R., LORD, N. y DUNCAN, C.: "The financial aspects of human trafficking: A financial assessment framework", *op. cit.*, p. 11.

33   *Vid.* CENTER FOR THE STUDY OF DEMOCRACY (CSD): *Financing of Organised Crime. Human Trafficking in Focus*, Center for the Study of Democracy, *op. cit.*, p. 67.

34   En este sentido, *vid.* ANTONOPOULOS, G.A., DI NICOLA, A., RUSEV, A. y TERENGHI, F.: *Human Trafficking Finances: Evidence from Three European Countries*, *op. cit.*, p. 69.

35   Así, lo establece la UNODC en relación con la información relativa a los años 2007 a 2017 aportada por 15 Estados. *Vid.* UNITED NATIONS OFFICE ON DRUGS AND CRIME

En la fase de traslado el principal coste a sufragar es el correspondiente a los billetes de avión, bus, tren o barco por el trayecto que deba hacer la víctima hasta el país de destino o el emplazamiento donde vaya a tener lugar la explotación. En este caso, el coste dependerá de la distancia a recorrer, habiéndose estimado entre 40€ y 250€ el desembolso para trasladar una víctima dentro de Europa, precio que se situaría entre los 5.000€ y los 15.000€ para aquellas víctimas procedentes de África subsahariana, entre los 3.000€ y 4.000€ si el origen es Latino-América, o para el caso de las víctimas asiáticas ese coste oscilaría entre 10.000€ y 15.000€ al que se le tendrían que sumar, en este último caso, otros 2.000€ para pagar al sujeto encargado de acompañar a estas víctimas durante el trayecto[36]. Otro dispendio a tener en cuenta durante esta etapa, especialmente en relación con aquellas víctimas que no proceden de países de la Unión Europea, es el coste asociado a la elaboración de documentación o de visados falsos[37], que puede implicar además el pago de sobornos a las autoridades encargadas de autorizar las entradas y salidas a través de una determinada frontera. Finalmente, y aunque de menor envergadura, también se han identificado como gastos propios de esta fase el coste de las comunicaciones –normalmente a través de móviles desechables- entre los implicados, así como los derivados del transporte de la víctima una vez en el país de destino –como el combustible, las tarifas del taxi, etc.-[38]. En definitiva, a pesar de que esta segunda fase se presenta como más costosa que la anterior, no debe olvidarse que frecuentemente la totalidad o una gran parte de los pagos derivados del transporte son sufragados por las propias víctimas[39], ya sea por adelantado o mediante la posterior imposición de una deuda por parte del tratante.

(UNODC): *Global Report on Trafficking in Persons 2020, op. cit.*, p. 47. Igualmente, pueden verse las estimaciones por los costes derivados de la compra de víctimas en función de su país de origen, en CENTER FOR THE STUDY OF DEMOCRACY (CSD): *Financing of Organised Crime. Human Trafficking in Focus, op. cit.*, p. 68. También Antonopoulos reporta un caso en que una víctima procedente de Europa central fue vendida por sus progenitores por 8$. *Vid.* ANTONOPOULOS, G.A., DI NICOLA, A., RUSEV, A. y TERENGHI, F.: *Human Trafficking Finances: Evidence from Three European Countries, op. cit.*, p. 69. A modo de ejemplo, en la sentencia de la Audiencia Provincial de Madrid núm. 567/2019, de 18 de septiembre, en una de las conversaciones mantenidas por los acusados durante la intervención telefónica, se reconoce que el coste de una de las chicas fue de unas 400.000 nairas, equivalentes a 1.000€.

[36]   Dichas estimaciones pueden encontrarse en CENTER FOR THE STUDY OF DEMOCRACY (CSD): *Financing of Organised Crime. Human Trafficking in Focus, op. cit.*, pp. 69-70.

[37]   El coste mínimo por cada documento falsificado en Reino Unido sería de 850 libras, de acuerdo con ANTONOPOULOS, G.A., DI NICOLA, A., RUSEV, A. y TERENGHI, F.: *Human Trafficking Finances: Evidence from Three European Countries, op. cit.*, p. 69.

[38]   En este sentido, *vid.* BROAD, R., LORD, N. y DUNCAN, C.: "The financial aspects of human trafficking: A financial assessment framework", *op. cit.*, pp. 12 y 13.

[39]   *Vid.* nota al pie de página número 26.

Por último, en la tercera fase de la trata es donde puede encontrarse una mayor diversidad de gastos, especialmente si se tiene en cuenta la concreta modalidad de explotación a la que la víctima es sometida. Algunos de los costes que pueden entenderse comunes a todas las víctimas de trata serían el pago de un "salario" –en muchas ocasiones, irrisorio y en otras, directamente inexistente- o los costes derivados del alojamiento y alimentación de las mismas. Al respecto, cobra especial relevancia la servidumbre por deudas a la que asiduamente quedan sujetas las víctimas y por la que se le repercuten tanto los gastos de transporte como de manutención en los que supuestamente se ha incurrido, aunque significativamente acrecentados. Así, la servidumbre por deudas no sólo permite a los tratantes recuperar su inversión por tales conceptos, sino que es utilizada como un mecanismo de control destinado a prolongar la dependencia de la víctima, manteniéndola en esa situación de explotación sin necesidad de recurrir a medios físicos de coerción[40].

Junto a los anteriores, también pueden señalarse como gastos los servicios de seguridad y control –bien sea a través de la contratación de personal o mediante la instalación de sistemas de video vigilancia-. A estos se suman la compra de drogas y alcohol, la adquisición de ropa, herramientas y enseres varios para desarrollar la actividad en cuestión –esto es, desde herramientas para acometer las labores agrícolas hasta el maquillaje o preservativos para ejercer la prostitución-. En relación específicamente con la trata con fines de explotación sexual, cabe mencionar los pagos relacionados con la publicación de anuncios donde se ofrecen distintos servicios sexuales o la contratación de fotógrafos para la elaboración de dichos anuncios con las imágenes de las víctimas, entre otros[41].

A pesar de los costes referidos, partiendo de la premisa de que los traficantes se enrolan en este negocio para obtener beneficios económicos, debe analizarse a continuación de donde proceden éstos y cómo o a qué se destinan. En cuanto a los beneficios derivados de la trata de personas, éstos provienen

---

[40]   Vid. UNITED NATIONS OFFICE ON DRUGS AND CRIME (UNODC): *Global Report on Trafficking in Persons 2020, op. cit.*, p. 72. Entre muchas otras, es reveladora la sentencia de la Audiencia Provincial de Madrid núm. 166/2017, de 13 de marzo, en la que se recoge como la víctima "estaba obligada a satisfacer la deuda de 50.000 euros que, en virtud del viaje, había contraído con ellas (las acusadas)" quienes "la obligaban a pagar otras sumas en concepto de alquiler, gastos de manutención de ella y su hija y generales de la vivienda". Además de los anteriores costes, a la víctima también se le repercutieron 300€ por la solicitud de la autorización de asilo y 100€ mensuales por vigilar a su hija menor mientras aquella trabajaba.

[41]   Vid. BROAD, R., LORD, N. y DUNCAN, C.: "The financial aspects of human trafficking: A financial assessment framework", *op. cit.*, pp. 13-14; ANTONOPOULOS, G.A., DI NICOLA, A., RUSEV, A. y TERENGHI, F.: *Human Trafficking Finances: Evidence from Three European Countries, op. cit.*, pp. 70-71; CENTER FOR THE STUDY OF DEMOCRACY (CSD): *Financing of Organised Crime. Human Trafficking in Focus, op. cit.*, pp. 70-75.

fundamentalmente de la venta de las víctimas a otros tratantes o a los ulteriores explotadores, por un lado, y del resultado de la propia explotación de la víctima, por el otro[42]. En relación con el primer grupo, la UNODC alerta que los ingresos obtenidos por los captadores de víctimas podrían no ser mayores que los obtenidos por el desempeño de un trabajo medio. Así, el traficante que recluta víctimas en Europa del Este para posteriormente venderlas a grupos de Europa Occidental necesitaría reclutar como mínimo a 20 mujeres al año para alcanzar el salario mínimo anual de su propio país[43]. Precisamente, esa función de intermediario o "proveedor" de mujeres a distintos clubs de alterne se recoge en la sentencia de la Audiencia Nacional núm. 1/2015, de 26 de enero, en que uno de los acusados cobraba por cada mujer proporcionada 1.500€ además del 20% de sus ganancias.

Por cuanto se refiere a los beneficios derivados de la propia explotación –esto es, de la venta a terceros de los productos o servicios elaborados u ofrecidos por la víctima–, siendo esta tercera etapa la más lucrativa, estos van a depender de una pluralidad de factores y, especialmente, del tipo de explotación al que se someta a la víctima. En los casos de trata sexual, por ejemplo, deben tenerse en cuenta aspectos como el país de destino, el segmento de mercado en el que se "trabaja" –es decir, si se trata de prostitución callejera, en clubs de alterne, si se ofrece un servicio de escorts, etc.–, la duración de los servicios y, por tanto, la ratio de clientes diarios, pues todo ello va a influir en los rendimientos generados[44]. En este sentido, resulta ilustrativa la Sentencia de la Audiencia Provincial de Barcelona, núm. 947/2015, de 23 de noviembre que, de los 65.000€ que reconoce como indemnización a la víctima, 35.000€ se le atribuyen a razón de las ganancias generadas durante un período inferior a 6 meses mediante el ejercicio de la prostitución callejera, durante jornadas de 10-12 horas y a una media de 30 servicios diarios por los que percibía unos 300-400€ al día[45].

---

[42]   Vid. KARA, S.: Sex Trafficking. Inside the Business of Modern Slavery, op. cit., pp. 1 y ss.

[43]   De hecho, según los datos proporcionados por la UNODC en su último informe, la cantidad pagada por los tratantes para comprar una víctima oscilaría entre los 36 dólares y los 23.600 dólares –con un promedio de 3.662 dólares–, siendo la trata doméstica más barata que la internacional con un precio medio de 250 dólares por víctima. Según se apunta, el precio medio que obtendría un tratante por captar a una víctima destinada a su posterior explotación sexual en Europa del Este se situaría entre los 1.500 y 2.000 dólares, esto es, el mismo valor que obtendría de la venta de una pistola en el mercado negro, o de la venta de unos 100g de metanfetaminas o, incluso, de 2kg de anguilas vivas. Vid. UNITED NATIONS OFFICE ON DRUGS AND CRIME (UNODC): Global Report on Trafficking in Persons 2020, op. cit., pp. 47-48.

[44]   Vid. CENTER FOR THE STUDY OF DEMOCRACY (CSD): Financing of Organised Crime. Human Trafficking in Focus, op. cit., p. 76.

[45]   Esta resolución judicial ofrece una estimación más modesta que las apuntadas por otros estudios en los que se habla de unos beneficios que oscilarían entre los 2.000€ y 8.000€ semanales por trabajador sexual, o entre los 15.000€ y 45.000€ mensuales. Al respecto, vid. CENTER FOR THE STUDY OF DEMOCRACY (CSD): Financing of Organised Crime.

En el caso de la trata laboral, el beneficio obtenido por los tratantes y explotadores guarda especial relación con el bajo coste que supone este tipo de mano de obra. Pues, al no estar formalmente contratados en muchas ocasiones, los responsables no deben afrontar el pago de impuestos, tasas o cotizaciones a la Seguridad Social. Además, las víctimas de este tipo de trata suelen estar sometidas a jornadas laborales muy por encima de los estándares legales por las que reciben sueldos inferiores al salario mínimo interprofesional[46]. Especialmente en estos casos, suele estar muy presente la ya mencionada imposición de servidumbre por deudas no sólo como método de control y coerción respecto de las víctimas[47], sino como excusa para retener todo o parte de las ganancias obtenidas por el trabajador. Un ejemplo del incremento que se aplica a estas supuestas deudas, convirtiéndose en otra fuente de riqueza para los tratantes, lo constituye el caso informado por las autoridades belgas en que un grupo de 5 individuos al que se atribuye la trata de una cincuentena de personas en 2 años se estima que obtuvo un provecho de más de 450.000$, derivados de la deuda de 12.000$ que cada víctima debía afrontar cuando el coste real de recluta fue de 2.800$ por víctima[48].

Al respecto, se han realizado estimaciones acerca de los ingresos anuales derivados de la trata de seres humanos en España. Se ha indicado que la cifra

---

Human Trafficking in Focus, op. cit., p. 76. También la sentencia de la Audiencia Provincial de Oviedo núm. 5/2019, de 11 de enero, recoge como las mujeres ganaban entre 300 y 400€ diarios y no menos de 2.500€ semanales (pues, en caso contrario, recibían palizas) trabajando en prostíbulos todos los días sin ninguno de descanso, debiendo abonar 200€ diarios si por cualquier circunstancia no iban a trabajar.

[46]   Algunas investigaciones cifran el ingreso neto obtenido por una jornada laboral de 12 horas en unos 10€ diarios. *Vid.* CENTER FOR THE STUDY OF DEMOCRACY (CSD): *Financing of Organised Crime. Human Trafficking in Focus, op. cit.*, p. 78.

[47]   En este sentido, se ha establecido que en más del 25% de los casos los tratantes no requieren hacer uso de medios violentos, abusando de la situación de vulnerabilidad de la víctima que puede venir dada por su dependencia económica respecto del tratante. *Vid.* UNITED NATIONS OFFICE ON DRUGS AND CRIME (UNODC): *Global Report on Trafficking in Persons 2020, op. cit.*, p. 53. En un sentido similar, según la Organización Internacional del Trabajo, la servidumbre por deuda afectaría a un 50,9% de las víctimas de explotación laboral, siendo más prevalente este tipo de servidumbre entre los hombres (60,9%) que entre las mujeres (43,4%). *Vid.* INTERNATIONAL LABOUR OFFICE (ILO): *Global Estimates of Modern Slavery: Forced Labour and Forced Marriage*, International Labour Office, Geneva, 2017, p. 37.

[48]   *Vid.* UNITED NATIONS OFFICE ON DRUGS AND CRIME (UNODC): *Global Report on Trafficking in Persons 2020, op. cit.*, p. 49. Otros ejemplos sobre la servidumbre por deuda pueden encontrarse en ANTONOPOULOS, G.A., DI NICOLA, A., RUSEV, A. y TERENGHI, F.: *Human Trafficking Finances: Evidence from Three European Countries, op. cit.*, p. 73; *Vid.* CENTER FOR THE STUDY OF DEMOCRACY (CSD): *Financing of Organised Crime. Human Trafficking in Focus, op. cit.*, p. 80. También la Audiencia Provincial Palma de Mallorca, en su sentencia 346/2019, de 4 de junio, indemniza con 25.000€ a la mujer nigeriana obligada a ejercer la prostitución, cantidad que se corresponde con el importe de la deuda que se hizo contraer a la víctima.

de ingresos anuales generados únicamente por las víctimas de trata sexual procedentes de Latinoamérica –siendo esta la principal región de procedencia de este tipo de víctimas[49]- ascendería a los 23,1 millones de euros[50]. Igualmente, este estudio ofrece estimaciones sobre los beneficios derivados de la trata con fines de explotación laboral tanto en el caso de la recogida de fresa en Huelva como de la naranja en Sevilla, cifrando las ganancias en 3.600€ y 4.650€ por trabajador y temporada, respectivamente[51].

Para terminar con el *iter* seguido por estas ganancias, quedaría ver como se distribuye o a qué se destina el excedente generado por los tratantes. Al respecto, se apunta que la mayor parte de los beneficios obtenidos suelen reinvertirse en el propio negocio de la trata o en la consecución de un nivel de vida lujoso –mediante la compra de ropa, joyas, coches de alta gama, fiestas, etc.-, especialmente en los casos de trata a pequeña escala. No obstante lo anterior, suele ser habitual, si el tratante es de procedencia extranjera, que traslade parte de sus ingresos a su país de origen a través de distintos métodos[52]. No obstante, cuando son grupos y redes criminales de mayor envergadura, capaces de generar importantes sumas de dinero, la necesidad de blanquear esa riqueza se hace más acuciante, por lo que no es extraño que inviertan en empresas legales –ya

---

[49]   *Vid.* CITCO: *Trata y explotación de seres humanos en España. Balance estadístico 2016-20*, Ministerio del Interior, Secretaría de Estado de Seguridad, Madrid, 2021, p. 7. Según este informe, un total de 406 víctimas identificadas entre los años 2016 y 2020 procederían de América del Sud, siendo los países más frecuentes Colombia (141) y Venezuela (119). También se señala a América del Sud como principal región de procedencia de las víctimas de trata sexual en VILLACAMPA ESTIARTE, C., GÓMEZ ADILLÓN, M.J. y TORRES FERRER, C.: "Trafficking in human beings in Spain: What do the data on detected victims tell us?", *op. cit.*, pp. 11 y 12.

[50]   *Vid.* CENTER FOR THE STUDY OF DEMOCRACY (CSD): *Financing of Organised Crime. Human Trafficking in Focus*, *op. cit.*, p. 388.

[51]   *Vid.* CENTER FOR THE STUDY OF DEMOCRACY (CSD): *Financing of Organised Crime. Human Trafficking in Focus*, *op. cit.*, p. 391.

[52]   Así sucede en la ya referida sentencia de la Audiencia Provincial de Oviedo núm. 5/2019, que relata como los acusados, cuyas ganancias por la explotación sexual de las víctimas ascendería a un mínimo de 1.245.200€, "sacaron de España y llevaron a Rumania gran parte del dinero, que reintrodujeron en el circuito económico en dicho país adquiriendo terrenos, construyendo viviendas o adquiriendo bienes de alta gama, que pusieron a nombre de familiares como su madre o sus hermanas". Para trasladar ese dinero, cuando no podían hacerlo personalmente en sus frecuentes desplazamientos a Rumanía, realizaban envíos a través de la entidad Western Unión y de la oficina de Correos, valiéndose de terceras personas. Sobre las fases del blanqueo de capitales seguidas en los supuestos de trata y los métodos más utilizados para ello, como el uso del sistema bancario a través de cuentas bajo identidades falsas o a nombre de terceros, el recurso a empresas como Western Union para realizar dichas transferencias, o incluso la compra de criptomonedas como Bitcoin, entre otros. *Vid.* EUROPOL: *The THB Financial Business Model. Assessing the Current State of Knowledge. July 2015*, *op. cit.*, pp. 4, 6-9.

sea en el país de origen o de explotación- que actúan como sociedades pantalla y dan una apariencia de legitimidad a sus ingresos[53].

Este último sería el caso de la referida sentencia de la Audiencia Nacional, de 26 de enero de 2015. En ella se constata como una de las acusadas, además de destinar las ganancias ilícitas a la adquisición de vehículos y bienes inmuebles por valor de 1.224.827€ y a la realización de ingresos y transferencias en sus cuentas bancarias por un importe total de 866.442€, situaba tras cada burdel -a modo de pantalla- una sociedad interpuesta cuya verdadera actividad era "encubrir las ganancias de la explotación sexual de jóvenes traídas con visado turista con aprovechamiento de las circunstancias en que se encontraban en España y bajo el yugo de una pesada deuda". Siendo, por tanto, evidente el componente lucrativo inherente a estas conductas y el consecuente enriquecimiento patrimonial injusto de sus perpetradores, la persecución del delito de trata debe pasar por retornar a estos a su estado económico anterior a la infracción criminal mediante la confiscación de los beneficios generados con la misma[54].

III. DÉFICITS DEL ACTUAL ENFOQUE. EL NECESARIO PLANTEAMIENTO DE UNA NUEVA APROXIMACIÓN AL FENÓMENO

1. *El presente modelo de persecución de la trata de seres humanos y sus principales déficits*

Decir que el Derecho Penal es una herramienta principalmente retributiva no supone ninguna novedad, como tampoco lo es reconocer que las conductas constitutivas del delito de trata de seres humanos son merecedoras de sanción penal. Esa es precisamente la estela seguida a nivel internacional, especialmente desde que se aprobara el Protocolo de Palermo en noviembre del año 2000. Actualmente, estas conductas –o, al menos, algunas de sus manifestaciones-

---

[53]   Más ampliamente sobre el destino y la reinversión de los beneficios generados por la trata, *vid.* EUROPOL: *The THB Financial Business Model. Assessing the Current State of Knowledge. July 2015, op. cit.*, pp. 4 y ss.; CENTER FOR THE STUDY OF DEMOCRACY (CSD): *Financing of Organised Crime. Human Trafficking in Focus, op. cit.*, pp. 24, 25, 80 y ss.; ANTONOPOULOS, G.A., DI NICOLA, A., RUSEV, A. y TERENGHI, F.: *Human Trafficking Finances: Evidence from Three European Countries, op. cit.*, pp. 21-22, 74-76.

[54]   De esta misma opinión, aunque en referencia a los delitos económicos en general, *vid.* TRILLO NAVARRO, J. P.: *Delitos económicos. La respuesta penal a los rendimientos de la delincuencia organizada*, Dykinson, Madrid, 2008, p. 26.

han sido incriminadas por más del 90% de los Estados[55], y además con gran dureza, llegándose a contemplar la pena de cadena perpetua en países como Reino Unido[56] o Francia[57].

Esa severidad punitiva también es predicable del sistema de justicia español. Hay que recordar que el tipo básico del 177 bis CP parte de unas penas que oscilan entre los 5 a los 8 años de prisión, rebasando así las exigencias establecidas por el artículo 4.1 de la Directiva 36/2011 –que demandaba una duración máxima de al menos 5 años-, y ello sin perjuicio de la aplicación de los subtipos agravados que prevé aquel precepto. Además, muy frecuentemente se cometerán una pluralidad de delitos ya sea durante el proceso de trata (como amenazas, coacciones, detenciones ilegales, falsedad documental), o bien, durante el proceso de explotación de la víctima (por ejemplo, lesiones, determinación a la prostitución, delito contra los derechos de los trabajadores), dando lugar al correspondiente concurso de delitos[58], lo mismo que cuando se trafica con una pluralidad de víctimas.

Con el fin de observar si esa dureza o rigor penológico tiene su consecuente traslado en la práctica jurisprudencial, se ha procedido al análisis de las sentencias condenatorias por trata de seres humanos dictadas por la Audiencia Nacional y las Audiencias Provinciales españolas entre enero de 2012 y diciembre de 2019 –ambos inclusive-, cuyas reseñas se hallan publicadas por la Fiscalía de Extranjería[59]. Si bien la muestra inicial se componía de 98 sentencias condenatorias, tras examinar el fallo y el *iter* procesal de las mismas, se hizo una

---

[55]   En gran medida, como consecuencia del Protocolo de Palermo que, en vigor desde el 23 de diciembre de 2003, ha sido ratificado casi universalmente por 178 de los 193 Estados Miembros de la ONU, si bien las legislaciones de nueve de esos Estados firmantes solo criminalizan alguna de las manifestaciones del fenómeno, como la trata con fines de explotación sexual o la trata de menores. Bután, República del Congo, Irán, Corea del Norte, Islas Marshall, Paquistán, Papúa Nueva Guinea, Islas Salomón, Somalia, Sudán del Sur, Tonga, Uganda, Vanuatu y Yemen serían los Estados que a 2021 seguirían sin ser parte del Protocolo de las Naciones Unidas. *Vid.* U.S. DEPARTMENT OF STATE: *Trafficking in Persons Report. June 2021, op. cit.,* p. 60.

[56]   Tanto la trata de seres humanos como la esclavitud son sancionadas como delitos por las secciones 1 y 2 de la *Modern Slavery Act 2015* con penas máximas de cadena perpetua.

[57]   El Código Penal francés sanciona la trata de seres humanos con penas de prisión que oscilan desde los 7 años –para el tipo básico- hasta la cadena perpetua en aquellos casos en que se hayan cometido actos de tortura o barbarie.

[58]   En este sentido, algún sector doctrinal, en línea con la recomendación del CGPJ en su informe de 2008 sobre el Anteproyecto de reforma del Código Penal, abogó por la inclusión o de una cláusula de atenuación facultativa de la pena (similar a la del art. 318 bis 6), más acorde con el principio de proporcionalidad de la pena, especialmente en aquellos casos menos severos como el alojamiento provisional de la víctima. *Vid.* CONSEJO GENERAL DEL PODER JUDICIAL (CGPJ): *Guía de criterios de actuación judicial frente a la trata de seres humano,* Consejo General del Poder Judicial, Madrid, 2015, p. 97.

[59]   Al respecto, *vid.* FISCALÍA DE EXTRANJERÍA: *Sentencias condenatorias Audiencias Provinciales art. 177 bis. Enero 2012–Diciembre 2019* [en línea], 26 de octubre de 2020.

criba que dio lugar a una muestra real conformada por 81 sentencias, tal y como se recoge en la tabla siguiente:

Total sentencias condenatorias analizadas	98
Total sentencias excluidas	17
Sentencia anulada o casada	5
Condena por delito distinto a TSH	12
Total muestra real	81

Tipo de TSH	N	%
Sexual	70	86,4%
Laboral	1	1,2%
Mendicidad	4	4,9%
Criminal	1	1,2%
Matrimonio Forzado	1	1,2%
Múltiple	4	4,9%
	81	100,0%

Aun no siendo este aspecto el principal objetivo del análisis, no puede dejar de reseñarse el desmesurado peso que representa la trata con fines de explotación sexual en demérito de sus otras formas (que, en su conjunto, no llegan a abarcar ni el 15% del total de la muestra). Sin perjuicio de lo alarmante del dato, esa predilección por la trata sexual ya ha sido puesta de relieve en anteriores investigaciones[60] y, desafortunadamente, no se circunscribe únicamente a la práctica jurisprudencial[61].

Volviendo al propósito del presente estudio, en relación con las 81 sentencias condenatorias analizadas, fueron acusados por la comisión de, al menos,

---

[60] Al respecto, a raíz de un exhaustivo análisis de 221 sentencias relativas a supuestos de trata de seres humanos dictadas por las Audiencia Provinciales españolas durante los años 2011 a 2019, el autor constata no sólo la prevalencia de la trata sexual (85,1% de los casos) en relación con la totalidad de casos enjuiciados, sino también como el índice de condenas es superior en los casos de trata con fines de explotación sexual (68,1%) que en el resto de modalidades. *Vid.* SALAT PAISAL, M.: "Análisis descriptivo de sentencias sobre trata de personas: un estudio de casos judiciales entre 2011 y 2019", *Revista Española de Investigación Criminológica*, artículo 8, núm. 18, 2020, p. 16, 23; SALAT PAISAL, M.: "¿Qué influye en las condenas por el delito de trata de seres humanos? Un estudio a partir de un análisis de sentencias judiciales", *Revista General de Derecho Penal*, núm. 35, 2021, p. 20.

[61] *Vid.* VILLACAMPA ESTIARTE, C., GÓMEZ ADILLÓN, M.J. y TORRES FERRER, C.: "Trafficking in human beings in Spain: What do the data on detected victims tell us?", *op. cit.*, pp. 3, 9 y 10.

un delito de trata de seres humanos un total de 218 individuos[62], de los cuales acabaron siendo condenados 162 (esto es, el 82,89%). En promedio, la pena privativa de libertad aplicada a estos acusados fue de 116 meses –equivalentes a algo más de 9 años, 10 meses y 15 días-[63], si bien en muchas ocasiones la pena impuesta respondía a un delito de trata de seres humanos en concurso ideal con un delito de prostitución. De las resoluciones examinadas, la menor pena se impuso por la citada sentencia de la Audiencia Nacional, de 26 de enero de 2015, en la que se impuso a 4 de los 9 condenados por un delito de trata con fines de explotación sexual en el que había involucradas una veintena de víctimas una pena de 12 meses de prisión, si bien el tribunal consideró la confesión de los acusados como atenuante muy cualificada. En el otro extremo, en cambio, la sentencia de la Audiencia Provincial de Madrid núm. 321/2016, de 2 de junio, ante un supuesto también de trata con fines de explotación sexual en el que se identificaron 4 víctimas, el tribunal condenó a 4 de los 5 acusados a penas de 456 meses de prisión[64].

No obstante lo anterior, y a pesar del carácter disuasorio que pueda suponer la imposición de penas de semejante envergadura, indudablemente, una de las principales problemáticas que repercute en la eficacia de la función preventiva de las penas privativas de libertad es el bajo porcentaje de condenas en relación con los delitos de trata de seres humanos, tal y como se destaca en numerosos informes internacionales, así como por la propia doctrina[65]. A pesar de que las tasas de condenas habrían aumentado hasta 3 veces más respecto a las cifras de 2003[66], el número de condenas resulta a todas luces insuficiente si se compara ya no solo con el número de procesamientos, sino con el número

---

[62]   Debe reseñarse aquí que, a pesar de que frecuentemente había una pluralidad de sujetos acusados en una misma causa penal, a efectos de este cómputo únicamente se han incluido aquellos individuos que eran acusados por el Ministerio Fiscal o, en su caso, por la acusación particular por la comisión de un delito de trata de seres humanos.

[63]   Debe clarificarse en este punto que, para efectuar dicho cálculo, en relación con aquellas sentencias cuya pena fue modificada en ulteriores instancias, se ha tenido en cuenta la pena definitivamente aplicable a los condenados, y no la inicialmente fijada por la Audiencia Provincial, hecho que ha repercutido en una minoración de la cuantía media obtenida.

[64]   Ello no sorprende a la luz de otros estudios que señalan la Audiencia Provincial de Madrid como la más severa en cuanto a la imposición de penas se refiere. *Vid.* SALAT PAISAL, M.: "¿Qué influye en las condenas por el delito de trata de seres humanos? Un estudio a partir de un análisis de sentencias judiciales", *op. cit.*, pp. 16-17.

[65]   *Vid.* FARREL, A. y KANE, B.: "Criminal Justice System Responses to Human Trafficking", en WINTERDYK, J. y JONES, J. (coords.), *The Palgrave International Handbook of Human Trafficking*, *op. cit.*, p. 651; BROAD, R. y MURASZKIEWICZ, J.: "The investigation and Prosecution of Traffickers: Challenges and Opportunities", en WINTERDYK, J. y JONES, J. (coords.), *The Palgrave International Handbook of Human Trafficking*, *op. cit.*, p. 712.

[66]   *Vid.* UNITED NATIONS OFFICE ON DRUGS AND CRIME (UNODC): *Global Report on Trafficking in Persons 2020*, *op. cit.*, pp. 16-17, 63-64.

de casos que llegan al conocimiento de las autoridades que, como ya se ha alertado, sería sólo la punta del iceberg[67] y, por ende, poco representativo de la realidad fenomenológica. Así, en la siguiente tabla relativa a los años 2017 y 2018 puede observarse como, según el *Trafficking in Persons Report* elaborado por el Departamento de Estado de los Estados Unidos[68], poco más del 50% de los procedimientos por trata de seres humanos acabarían en condena, índice que disminuye preocupantemente si se compara con los datos obrantes a nivel europeo en el último informe elaborado por la Comisión Europea[69] y de las cifras nacionales reflejadas en las memorias de la Fiscalía General del Estado referentes al período analizado[70].

Número de procesamientos, condenas y víctimas identificadas (2017-2018)

	Procesamientos	Condenas		Víctimas identificadas
		N	%	
Global*	28.567	14.616	51,16	18.2573
UE-27**	6.163	2.426	39,36	14.145
España***	244	44	18,03	458-922

Fuente: Elaboración propia a partir de los datos del Departamento de Estado de los Estados Unidos*, la Comisión Europea** y las memorias de la Fiscalía General del Estado***.

Son muchas las dificultades entorno a la investigación y persecución del delito de trata de seres humanos que podrían explicar el bajo índice de condenas que se da en relación con esta modalidad delictiva[71]. A modo de ejemplo, se destaca la propia complejidad del fenómeno y de la estructura del tipo, la falta de formación y especialización de algunos profesionales del sistema de justicia

---

[67]　*Vid.* ARONOWITZ, A.A.: *Human trafficking, human misery. The global trade in human beings*, Praeger, Westport-Connecticut, London, 2009, p. 20; VILLACAMPA ESTIARTE, C., GÓMEZ ADILLÓN, M.J. y TORRES FERRER, C.: "Trafficking in human beings in Spain: What do the data on detected victims tell us?", *op. cit*, p. 19.

[68]　*Vid.* U.S. DEPARTMENT OF STATE: *Trafficking in Persons Report. June 2021, op. cit.*, p. 60.

[69]　*Vid.* EUROPEAN COMMISSION-MIGRATION AND HOME AFFAIRS: *Data collection on trafficking in human beings in the EU. 2020*, Publications Office of the European Union, Luxembourg, 2020, pp. 35-38.

[70]　*Vid.* FISCALÍA GENERAL DEL ESTADO: *Memoria elevada al Gobierno de S.M*, 2018, pp. 606-608; FISCALÍA GENERAL DEL ESTADO: *Memoria elevada al Gobierno de S.M*, 2019, pp. 819-820.

[71]　Dificultades que, según se alerta, no habrían hecho más que agravarse durante la pandemia originada por la Covid-19, debido a la imposibilidad de los investigadores de entrevistarse con las víctimas y recabar las pruebas suficientes para perseguir el delito en sede judicial, sin perjuicio del impacto que también tuvo la suspensión y dilación de muchos procedimientos como consecuencia de la clausura temporal de los tribunales. *Vid.* U.S. DEPARTMENT OF STATE: *Trafficking in Persons Report. June 2021, op. cit.*, p. 12.

penal, carencias que, a su vez, impiden la correcta delimitación entre el delito de trata y otros tipos delictivos, sin perjuicio de los casos de corrupción y complicidad de estos operadores con los traficantes. Otro aspecto fundamental con gran incidencia en el desarrollo y prosperidad de este tipo de investigaciones es la necesaria cooperación internacional que, en algunas ocasiones, deviene inviable por motivos varios como la falta de acuerdos bilaterales, la insuficiencia de medios o la desconfianza mutua. Del mismo modo, las propias características que envuelven a este tipo de víctimas, las hace poco proclives a colaborar con la administración de justicia, lo cual representa un grave problema especialmente teniendo en cuenta que frecuentemente el éxito del proceso depende de su declaración[72]. En definitiva, a pesar de la severidad de las penas privativas de libertad impuestas en los supuestos de trata, las referidas dificultades ponen en entredicho el alcance y la eficacia retributiva de las mismas y, por ende, su capacidad disuasoria, hasta el punto de que algunos datos señalan que el fenómeno podría mantenerse estable o, incluso, seguir una tendencia creciente[73], sin perjuicio de las dificultades de cuantificación señaladas por la doctrina[74].

2. *El necesario abordaje de la trata como delito económico y los principales mecanismos para contrarrestar su componente lucrativo*

Las deficiencias que presenta el sistema actual plantean la necesidad de adoptar un nuevo enfoque o aproximación en cuanto a la sanción de la trata de seres humanos se refiere. Habiéndose señalado en el epígrafe anterior el importante

---

[72]   Más detalladamente sobre las dificultades de investigación y persecución del delito de trata de personas, *vid.* CONSEJO GENERAL DEL PODER JUDICIAL (CGPJ): *Guía de criterios de actuación judicial frente a la trata de seres humano, op. cit.*, pp. 44-46; FARRELL, A. y KANE, B.: "Criminal Justice System Responses to Human Trafficking", en WINTERDYK, J. y JONES, J. (coords.), *The Palgrave International Handbook of Human Trafficking, op. cit.*, pp. 646-648, 650 y 653; BROAD, R. y MURASZKIEWICZ, J.: "The investigation and Prosecution of Traffickers: Challenges and Opportunities", en WINTERDYK, J. y JONES, J. (coords.), *The Palgrave International Handbook of Human Trafficking, op. cit.*, pp. 717 y ss.

[73]   Sin perjuicio de la mayor visibilidad y atención de la que goza el fenómeno, además de los esfuerzos en formación de los profesionales, según la UNODC el número de víctimas de trata de seres humanos detectadas no ha hecho más que crecer, situándose en 49.032 en 2018. *Vid.* UNITED NATIONS OFFICE ON DRUGS AND CRIME (UNODC): *Global Report on Trafficking in Persons 2020, op. cit.*, p. 25.

[74]   Entre las que pueden destacarse la propia naturaleza clandestina de la trata, la falta de conocimiento y de formación de los profesionales de primera línea que, en muchas ocasiones, conduce a una confusión de este fenómeno con otras actividades delictivas como el tráfico de inmigrantes o la explotación sexual, etc. Por todos, *vid.* VILLACAMPA ESTIARTE, C., GÓMEZ ADILLÓN, M.J. y TORRES FERRER, C.: "Trafficking in human beings in Spain: What do the data on detected victims tell us?", *op. cit.*, pp. 2-3; EUROPOL: *Situation report. Trafficking in human beings in the EU, op. cit.*, p. 9.

componente económico que fundamenta y envuelve estas conductas delictivas, una estrategia adecuada podría pasar por combatir este fenómeno precisamente desde un prisma económico, esto es, focalizando la atención y los esfuerzos en tratar de mitigar o suprimir el lucro obtenido a costa de las víctimas y, en su caso, de su explotación.

Al respecto, el Derecho penal ofrece una serie de mecanismos sustantivo-procesales que permiten abordar estas conductas delictivas desde una vertiente económica, que dan cuenta de su consideración como delincuencia de empresa y que buscan un efecto confiscatorio de ganancias. Entre estos, destacan la imposición de sanciones pecuniarias, el decomiso de los activos ilícitos, la persecución por el delito de blanqueo de capitales y el reconocimiento de la responsabilidad penal de las personas jurídicas, a los que se hará breve referencia en los epígrafes que siguen.

2.1.   La sanción pecuniaria en los supuestos de trata de seres humanos

Probablemente, la pena con dimensión económico-patrimonial más conocida sea la sanción pecuniaria o multa, regulada en los artículos 50 y siguientes del Código Penal. A pesar de ser generalmente considerada como pena menos grave, la multa tiene una valiosa capacidad confiscatoria indirecta, especialmente el sistema de multa proporcional contemplado en el artículo 52 CP[75]. Al establecerse en proporción al daño causado, al valor del objeto del delito o al beneficio reportado por el mismo, este tipo de multa se erige como una herramienta requisitoria eficaz frente a aquellas conductas delictivas capaces de generar importantes beneficios. En lo que al delito de trata se refiere, Estados como Países Bajos o Francia ya contemplan, junto a las correspondientes penas privativas de libertad, penas de multa por la comisión de este delito. Mientras que en el caso neerlandés se prevé una multa de quinta categoría (equivalente a un máximo de 83.000€ y aplicable tanto a personas físicas como jurídicas) como pena alternativa a la prisión en el tipo básico –art. 273f del *Wetboek van Strafrecht*-; en Francia, la multa se impone conjuntamente con la pena privativa de libertad y su montante oscilaría entre los 150.000€ para el tipo básico y los 4.500.000€ para los casos más graves de trata de seres humanos (arts. 225-4 y ss. *Code Pénal*). Este no es el caso, sin embargo, del Código Penal español, que únicamente prevé la imposición de multa en supuestos de trata cuando el delito es cometido por una persona jurídica, como posteriormente se analiza-

---

[75]   En este sentido, TRILLO defiende también la imposición de la multa proporcional como copena en función del valor o los beneficios obtenidos aplicable a todos los delitos que conlleven un aprovechamiento patrimonial ilícito, sirviendo la multa como instrumento indirecto de confiscación. *Vid.* TRILLO NAVARRO, J. P.: *Delitos económicos. La respuesta penal a los rendimientos de la delincuencia organizada*, *op. cit.*, p. 150.

rá, dejando el legislador escapar la oportunidad de neutralizar y sancionar ese enriquecimiento injusto experimentado por los tratantes[76].

Resulta, pues, discutible que no se recurra a la previsión en el artículo 177 bis de la pena de multa proporcional al beneficio obtenido mediante el delito que aquí nos ocupa, caracterizado por la potencial obtención de un sustancial lucro, en todo caso, esto es, con independencia de que el autor del mismo sea persona física o jurídica. Máxime teniendo en cuenta que el recurso a la multa proporcional junto a la pena privativa de libertad constituye un mecanismo tradicionalmente empleado por el legislador penal español para propiciar dicho efecto confiscatorio en delitos que pueden reportar sustanciosas ganancias, como la falsificación de moneda (art. 386 CP) o el tráfico de drogas (art. 368 CP), por citar algunos ejemplos. De futuro, debería plantearse la revisión de esta omisión.

2.2.   El decomiso como instrumento confiscatorio de ganancias

Junto a la imposición de multas proporcionales, también puede procederse a la confiscación de los beneficios obtenidos ilegalmente a través de instituciones como el decomiso. Esta figura ha recibido una atención creciente por los beneficios que reporta en la lucha contra ciertos delitos graves cuya comisión da lugar a importantes rendimientos económicos. Si bien la aplicación del decomiso vino inicialmente muy ligada a los delitos de narcotráfico[77], actualmente su uso se halla más generalizado, siendo también aplicable en relación con los delitos de trata. El legislador español considera el decomiso una consecuencia accesoria -sin perjuicio de poder adoptarse también como medida cautelar- y lo regula con carácter general en los arts. 127 a 128 CP y en los artículos 367 bis a 367 sexies de la LECrim, siendo aplicable en relación con los efectos provenientes del delito (*objectum sceleris*), los bienes, medios e instrumentos empleados (*instrumentum sceleris*) y, más recientemente, también a las ganancias o ventajas económicas derivadas del delito (*productum sceleris*)[78]. La variedad de activos que pueden

---

[76]   Resulta especialmente ilustradora la ya mencionada sentencia de la Audiencia Provincial de Oviedo núm. 1/2019, en la que dos de los condenados deben afrontar multas por importes de 22.680€, 1.260€ y 500.000€ cada uno por constituir los hechos, además de un delito de trata de seres humanos, los delitos de prostitución coactiva, contra los derechos de los trabajadores y blanqueo de capitales, respectivamente, los cuales sí contemplan la imposición de pena de multa.

[77]   De hecho, el decomiso aparece regulado por primera vez en la Convención de las Naciones Unidas contra el Tráfico ilícito de Estupefacientes y Sustancias Psicotrópicas, celebrada en Viena el 20 de diciembre de 1988, en cuyo artículo 1.f) es definido como *"la privación con carácter definitivo de algún bien por decisión de un tribunal o de otra autoridad competente"*.

[78]   Un análisis más pormenorizado sobre el decomiso de bienes relacionados con actividades criminales puede encontrarse en RODRÍGUEZ GARCÍA, N.: *El decomiso de activos ilícitos*, Thomson Reuters-Aranzadi, Cizur Menor, 2017.

ser objeto de decomiso convierten a esta figura en una herramienta indispensable para contrarrestar la virtualidad delictiva de ciertos bienes, evitando que con los mismos "vuelva a cometerse infracciones penales, así como que se consolide la situación ilícita creada por el delito", como bien reconoce la sentencia de la Audiencia Provincial de Madrid, núm. 67/2017, de 3 de febrero.

Se acuerda el decomiso	Frecuencia absoluta	Frecuencia relativa
Sí	14	17,3%
No	67	82,7%
	81	**100,0%**

Sin embargo, del anteriormente referido análisis jurisprudencial se constata que el decomiso es escasamente acordado en sede judicial, por cuanto sólo se dispuso en 14 de las 81 resoluciones analizadas, siendo 2017 el año en que mayormente se adoptó dicha medida en relación con el número de sentencias condenatorias (36,4%). Aun así, la evolución de las sentencias condenatorias por TSH que, a su vez, acuerdan el decomiso de los efectos intervenidos a los tratantes no arroja cifras especialmente esperanzadoras, atendiendo a su tímida tendencia creciente.

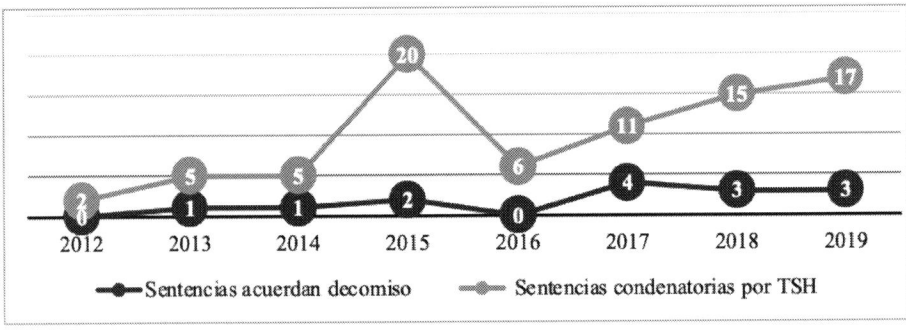

Los resultados tampoco son especialmente ilusionantes si se analizan con mayor profundidad los elementos que fueron objeto de decomiso en las 14 sentencias referidas. De hecho, se observa como el objeto intervenido en 3 de ellas (21,4%) carecía de valor económico alguno por tratarse de pasaportes falsos o elementos para la realización de prácticas de vudú; en 5 de los casos (35,7%), el dinero decomisado era inferior a 1.500€ y normalmente se trataba del efectivo que portaba el acusado en el momento de su detención; en 2 ocasiones el importe decomisado, aun siendo mayor de 1.500€, no llegaba a los 5.000€; y tan sólo en tres de las sentencias, lograron decomisarse, además de bienes muebles e inmuebles, dinero en efectivo por importes de 25.000€, 50.000€ y 150.000€; siendo en uno de los casos (7,1%) desconocidos los efectos intervenidos y su valor.

Así, la potencial eficacia neutralizadora que ha demostrado tener esta institución confiscatoria en países como Francia[79] no tiene su reflejo en la práctica jurisprudencial española, donde, además de ser inusual su acuerdo o adopción, no logra recuperar o confiscar gran parte de los beneficios derivados de esta actividad delictiva. Si bien no debe considerarse como la razón principal a tales déficits, debe recordarse que la operatividad del decomiso, según ha pronunciado la jurisprudencia, depende de su previa solicitud por parte del Ministerio Fiscal por exigencias del principio acusatorio. En este sentido, merece especial mención la sentencia de la Audiencia Provincial de Madrid, núm. 498/2019, de 30 de septiembre que, ante la imposibilidad de acordar el decomiso por falta de petición del Fiscal, procede a acordar el embargo del dinero intervenido a los condenados para destinarlo al pago de las indemnizaciones resultantes.

En cualquier caso, en aras a incrementar la aplicabilidad de esta institución, de futuro, debe incentivarse el uso del decomiso -probablemente aún muy asociado a los delitos de tráfico de drogas donde parece acordarse con mayor sistematicidad- también a los supuestos de trata de seres humanos. Sin perjuicio de la aparente falta de sensibilidad o concienciación de los profesionales u operadores jurídicos encargados de solicitar y aplicar el decomiso en estos casos, debe tenerse en cuenta que la operatividad y éxito del mismo dependerá en gran medida de la investigación patrimonial que se haya realizado previamente. En este sentido, sobra decir que si no se es capaz de localizar y hacer aflorar los activos derivados de la actividad ilícita en cuestión, el decomiso deviene imposible por falta de objeto.

2.3. La persecución de delitos económicos cometidos junto al de trata

Otra forma de dificultar el enriquecimiento de estos delincuentes es la persecución de ciertos delitos económicos que suelen estar tan vinculados o presentes en los procesos de trata que hay quien ya considera su comisión como el cuarto y último estadio de dicho fenómeno[80]. Además de los delitos de fraude fiscal, nos referimos especialmente al delito de blanqueo de capitales, regulado en los artículos 301 a 304 del CP, aplicable en aquellos supuestos en que se constata la existencia de bienes procedentes de un delito, que han sido adquiridos, utilizados o transmitidos con el fin de ocultar o encubrir su origen ilícito[81],

---

[79]   Que asegura haber incautado a los condenados por trata de seres humanos activos por valor de 10.000.000€ durante 2018 y de 250.000.000€ en 2019. *Vid.* U.S. Department of State: *Trafficking in Persons Report. June 2021, op. cit.,* p. 240.

[80]   En este sentido, *vid.* CENTER FOR THE STUDY OF DEMOCRACY (CSD): *Financing of Organised Crime. Human Trafficking in Focus, op. cit.,* p. 46.

[81]   Necesariamente debe concurrir ese afán de ocultar o encubrir el origen ilícito de las ganancias o de ayudar al autor de delito a eludir las consecuencias legales de sus actos, no siendo el mero disfrute o aprovechamiento de las ganancias o beneficios delictivos constitutivos del

cuya comisión también lleva aparejada la imposición de una multa proporcional del tanto al triplo del valor de los bienes en cuestión. En este punto resulta oportuno recordar que la misma Convención de las Naciones Unidas, en su artículo 6, conmina a los Estados parte a penalizar el blanqueo de capitales cuando el producto derive de la trata de personas, promoviendo la cooperación internacional en esta materia. También deben destacarse las recomendaciones elaboradas por la ya mencionada *Financial Action Task Force* –o Grupo de Acción Financiera Internacional-, que se encarga de establecer normas y políticas internacionales destinadas a prevenir el blanqueo de capitales y la financiación al terrorismo. Dichas recomendaciones, con las que se han comprometido más de 200 Estados, abogan por emprender investigaciones financieras proactivas, incluso colaborando con instituciones financieras públicas y privadas, como práctica habitual a la hora de investigar y perseguir los delitos de trata de seres humanos, con el fin de rastrear, congelar y confiscar las ganancias obtenidas a través de delitos como el presente[82].

Al hilo de lo anterior, es necesario poner de relieve la necesidad de realizar investigaciones financieras y patrimoniales de los tratantes, que posibiliten la imposición y la correcta eficacia de las medidas hasta ahora enunciadas. El resultado de estas investigaciones no sólo daría solución a una de las dificultades anteriormente enumeradas al servir como pruebas objetivas ajenas a la declaración de la víctima[83], sino que, al provocar que afloren los activos patrimoniales procedentes de la actividad ilícita, permitirían la aplicación de instituciones como la multa o el decomiso y/o de otros tipos delictivos, como el blanqueo de capitales.

Cabe decir, sin embargo, que este tipo de investigaciones patrimoniales presentan una especial dificultad en este campo en concreto. Esto porque generalmente la trata de seres humanos es una actividad en la que la mayoría de las

---

delito de blanqueo de capitales. Esta finalidad es apreciada en la sentencia de la Audiencia Provincial de Oviedo núm. 1/2019, entre otros extremos, por valerse los acusados de las identidades de terceras personas para realizar las transferencias de dinero que, además, se efectuaban fuera de los horarios habilitados para realizar este tipo de operaciones.

[82]   Al respecto, *vid.* FINANCIAL ACTION TASK FORCE (FATF): *International Standard son combating money laundering and the financing of terrorism & proliferation. The FATF Recommendations*, FATF, París, 2012-2021, p. 12.

[83]   Precisamente, en un intento de hacer depender menos el éxito de los procedimientos penales por este delito de la prueba consistente en la declaración de la víctima, el Borrador de Proyecto de Ley Integral contra la Trata de Seres Humanos y en particular con fines de Explotación Sexual plantea la inclusión de un nuevo artículo 325 bis en la LECrim en el que se incluyen como medios de investigación las evidencias orientadas a la investigación económico-patrimonial de los tratantes. *Vid.* VILLACAMPA ESTIARTE, C. y TORRES FERRER, C.: "La evolución del abordaje normativo de la trata de Seres Humanos en España: presente y previsible futuro", en LEÓN ALAPONT, J. (dir.), *Temas clave de Derecho Penal. Presente y futuro de la política criminal en España*, JM Bosch Editor, Barcelona, 2021, p. 612.

transacciones se realizan en efectivo[84], evitando así que las operaciones queden registradas, con la dificultad que ello conlleva cuando se pretenden rastrear el curso que ha seguido dicho dinero. Pensemos, por ejemplo, en el caso de la trata con fines de explotación sexual, en como los "clientes" suelen pagar a las víctimas en metálico y como del mismo modo ellas hacen entrega de esa cantidad –o parte de ella- a sus explotadores; o como en el caso de la trata laboral, los explotadores suelen pagar en mano el salario a su mano de obra; o como también acostumbra a pagarse en efectivo la compraventa de víctimas entre tratantes. Sin embargo y aunque menos frecuentes y más difíciles de detectar, también es posible encontrar situaciones en las que estas transacciones se realizan a través de circuitos legales y monitorizados. Esto puede ocurrir cuando el "cliente" acude a un salón de masajes y paga con tarjeta el servicio sexual, aunque sea bajo otro concepto; o en ciertos sectores económicos, en los que los tratantes ingresan las nóminas de sus víctimas en cuentas corrientes –las cuales, normalmente, se hallan controladas por los mismos; o como a veces se pagan los servicios o trabajos de los miembros de la organización a través de una sociedad pantalla[85].

Pese a lo dicho, es preciso buscar los mecanismos tanto normativos cuanto aplicativos necesarios para superar los obstáculos indicados si se quiere ser realmente eficaz en la persecución penal de la trata como fuente de ganancias. Además, sería deseable que la colaboración establecida en los últimos años con actores del sector privado, fundamentalmente con bancos y entidades de crédito, como mecanismo de lucha y prevención del blanqueo de capitales y la financiación del terrorismo, se hiciera extensiva también al delito de trata de seres humanos. En este sentido, facilitando a estos profesionales una serie de indicadores que les permitan activar la "voz de alarma"[86] ante la realización de transacciones u operaciones financieras que suelen ser habituales en los procesos de trata, no solo facilitaría el desempeño de la estrategia *"follow the money"*, sino que probablemente tendría un considerable impacto en el índice de detección de nuevos supuestos de trata.

---

[84]   *Vid.* CENTER FOR THE STUDY OF DEMOCRACY (CSD): *Financing of Organised Crime. Human Trafficking in Focus, op. cit.*, p. 62.

[85]   Más ampliamente sobre las distintas transacciones y el modo en que estas se realizan entre víctima y victimario, víctima y cliente, entre los distintos miembros de la organización o con actores externos, *vid.* CENTER FOR THE STUDY OF DEMOCRACY (CSD): *Financing of Organised Crime. Human Trafficking in Focus, op. cit.*, p. 62-65.

[86]   Ello podría llevarse a cabo a través del existente sistema de "comunicaciones por indicio" establecido por la Ley 10/2010, de 28 de abril, de prevención del blanqueo de capitales y de la financiación del terrorismo, mediante el cual los sujetos obligados deben comunicar al Sepblac -que actúa como Unidad de Inteligencia Financiera (UFI) en España- cualquier hecho u operación respecto al que exista indicio o certeza de que está relacionado con el blanqueo de capitales o la financiación del terrorismo.

2.4. La responsabilidad penal de las personas jurídicas en los supuestos de trata

Por último, debe tenerse en cuenta la creciente intervención de personas jurídicas en este proceso esclavizador, muchas veces mediante la creación de sociedades pantalla destinadas a ocultar el origen de estas ganancias ilícitas. Junto a lo anterior y como consecuencia de los procesos de externalización de la producción y subcontratación a los que recurren muchas corporaciones, es cada vez más evidente la existencia de situaciones de trata de seres humanos en las cadenas de suministro de algunas empresas –especialmente del sector agrícola, alimentario y textil-[87], fenómeno que ha llegado a considerarse como una verdadera "plaga"[88].

Precisamente sobre la responsabilidad penal de las personas jurídicas (en adelante, RPPJ) en relación con el delito de trata, cabe recordar que dimanan tanto del Consejo de Europa como de la Unión Europea[89] diversos instrumentos que requieren a los Estados miembros la incorporación en su sistema legal de la responsabilidad de las personas jurídicas, dejando en manos de cada Estado la decisión de sancionar dichas conductas a través del Derecho Penal o del Derecho administrativo, puesto que ambas opciones se consideran "efectivas, proporcionadas y disuasivas"[90]. Aunque la mayor parte de legisladores, como el español, hayan optado por otorgar a los entes jurídicos responsabilidad criminal[91], países como Alemania han optado por la imposición de sanciones administrativas en su lugar. Bajo la premisa del principio *"societas delinquere non potest"*, Alemania niega la responsabilidad penal de las personas jurídi-

---

[87]   Por todos, *vid.* U.S. DEPARTMENT OF STATE: *Trafficking in Persons Report. June 2021*, *op. cit.*, p. 36; UNITED NATIONS OFFICE ON DRUGS AND CRIME (UNODC): *Global Report on Trafficking in Persons 2020*, *op. cit.*, pp. 9, 69 y ss.; U.S. DEPARTMENT OF STATE: *Trafficking in Persons Report. June 2021*, *op. cit.*, p. 114; VAN BUREN, H.J., SCHREMPF-STIRLING, J. y WESTERMANN-BEHAYLO, M.: "Business and Human Trafficking: A Social Connection and Political Responsibility Model", *op.cit.*, p. 342.

[88]   En este sentido, *vid.* LIMONCELLI, S. A.: "Legal limits ending human trafficking in supply chains", *World Policy Journal*, vol. 34, 2017, p. 119.

[89]   Concretamente en lo que aquí interesa, se prevé tanto en el artículo 22 del Convenio de Varsovia como en el artículo 5 de la Directiva 2011/36/UE que las personas jurídicas respondan por la comisión de un delito de trata.

[90]   *Vid.* KEILER, J y DAVID ROEF, D. (eds.): *Comparative Concepts Of Criminal Law. 3rd Edition*, Intersentia, Cambridge, Antwerp, Chicago, 2019, p. 370; VILLACAMPA ESTIARTE, C.: "Libro II: Título VII bis (Art. 177 bis)", en QUINTERO OLIVARES, G. (dir.), *Comentarios a la Parte Especial del Derecho Penal (10ª Edición)*, Thomson Reuters-Aranzadi, Cizuer Menor, 2016, p. 294.

[91]   Por su parte, la última modificación de la *Trafficking Victims Protection Act* por parte del Congreso de los Estados Unidos también supone un avance al reconocer que los gobiernos también pueden actuar como tratantes, y no sólo las personas físicas y las empresas. En relación con este último dato, *vid.* U.S. DEPARTMENT OF STATE: *Trafficking in Persons Report. June 2021*, *op. cit.*, p. 28.

cas desarrollando, sin embargo, un mecanismo alternativo de responsabilidad a través de la *Administrative Offences Act (Ordnungswidrigkeitengesetz)* de 1968 capaz de sancionar a las corporaciones de forma muy similar a como lo hacen otros países que sí aceptan dicha responsabilidad de las entidades. De hecho, a tenor de las importantes sumas de dinero impuestas por los tribunales alemanes, se demuestra que etiquetar la responsabilidad de las personas jurídicas como "administrativa" no desmerece el evidente carácter punitivo de este tipo de sanciones[92].

Además de reconocerse responsabilidad penal a las personas jurídicas en la mayoría de los países de nuestro entorno jurídico, merece destacarse que algunos de ellos, como Reino Unido, han ido un paso más allá, intentando no sólo sancionar a las empresas y corporaciones que participen o permitan la trata de seres humanos, sino también tratando de prevenir que dichas situaciones lleguen a producirse. Así, se prevé expresamente en la sección 54 de la *Modern Slavery Act 2015* que las empresas británicas con un determinado volumen de negocio deban presentar una declaración en la que expongan cómo garantizan que la esclavitud moderna no tiene lugar en sus negocios o cadenas de suministro[93].

En España, como ya se ha anunciado en líneas precedentes, se reconoce la responsabilidad penal de las personas jurídicas[94] en el artículo 31 *bis* CP, a raíz de la reforma operada por la Ley Orgánica 5/2010, de 22 de junio, si bien previamente ya se contemplaban una serie de consecuencia accesorias en el anterior artículo 129 CP, además de la responsabilidad solidaria de las personas jurídicas en el pago de la multa impuesta a la persona física autora del delito[95].

---

[92]   *Vid.* KEILER, J y DAVID ROEF, D. (eds.): *Comparative Concepts Of Criminal Law. 3rd Edition, op. cit.*, pp. 365 y ss.

[93]   A pesar de que iniciativas de *due diligence*, como la que establece el gobierno británico, han sido tildadas por algunos como un "cumplimiento cosmético", dado que las corporaciones perciben estos mandatos como meros tecnicismos u obligaciones legales, y no como una verdadera responsabilidad hacia las víctimas. *Vid.* NOLAN, J. y BOTT, G.: "Global supply chains and human rights: Spotlight on forced labour and modern slavery practices", *Australian Journal of Human Rights*, 24, 2018, p. 3.

[94]   Principalmente, de las personas jurídico-privadas de Derecho civil y mercantil y determinadas personas jurídico-públicas, quedando expresamente excluidos el Estado, las Administraciones públicas, los Organismos Reguladores, las Agencias y Entidades públicas Empresariales, las organizaciones internacionales de derecho público y aquellas otras que ejerzan potestades públicas de soberanía o administrativas, de acuerdo con el artículo 31 quinquies CP. Inicialmente, también los partidos políticos y los sindicatos quedaron al margen del ámbito de aplicación del art. 31 bis CP, aunque este aspecto se subsanó tras la aprobación de la LO 7/2012, de 27 de diciembre.

[95]   *Vid.* FERNÁNDEZ TERUELO, J. G.: "Responsabilidad penal de las personas jurídicas", en BUSTOS RUBIO, M y ABADÍAS SELMA, A. (dir.), *Una década de reformas penales. Análisis de diez años de cambios en el Código Penal (2010-2020)*, JM Bosch Editor, Barcelona, 2020, p. 67.

En su configuración inicial, adoptando un sistema de atribución de RPPJ predominantemente vicarial o de hetero-responsabilidad[96], esta responsabilidad afloraba cuando determinados sujetos (directivos o sus empleados) cometían ciertos delitos catalogados y se cumplían determinadas condiciones (principalmente, que actuaran en nombre o por cuenta de la entidad y en su provecho o en el ejercicio de actividades sociales), como posteriormente se desarrollará. Al respecto, debe decirse que la naturaleza jurídica del sistema de atribución elegido por el legislador español fue y sigue siendo muy discutida a nivel doctrinal y jurisprudencial. De hecho, la reforma operada por la Ley Orgánica 1/2015, de 30 de marzo, que pretendía "poner fin a las dudas interpretativas que había planteado la anterior regulación, que desde algunos sectores había sido interpretada como un régimen de responsabilidad vicarial", tampoco logró acabar con ese debate. No obstante, lo que sí hizo la citada reforma de 2015 fue establecer expresamente una fórmula de exención de la responsabilidad basada en la implementación de modelos de organización y gestión empresarial (o *compliance programs*) cuyo objetivo es evitar la comisión de hechos delictivos en el seno de la persona jurídica, si bien esta circunstancia ya se valoraba como atenuante con carácter previo a la reforma en el artículo 31 bis.4.c) CP. Debe matizarse, sin embargo, que la mera adopción y desarrollo de un *compliance program* no da lugar a la exención de responsabilidad de la persona jurídica, sino que deben cumplirse las condiciones establecidas en el artículo 31 bis.2 CP. Así, el modelo de organización y gestión debe contener medidas idóneas para prevenir o reducir el riesgo de comisión de delitos; su eficacia, funcionamiento y cumplimiento debe ser supervisado por un órgano de vigilancia; los autores materiales del delito deben haberlo cometido eludiendo fraudulentamente dicho modelo; no siendo, en último término, consecuencia

---

[96]   Según este modelo, también conocido como "indirecto" o "de transferencia", se responsabiliza a la persona jurídica por los hechos delictivos perpetrados por la persona física, siempre que esta actúe en nombre y provecho de aquella y ostente una determinada posición dentro del ente jurídico o corporación. Por el contrario, el modelo de auto-responsabilidad, también llamado "de culpabilidad" o "de responsabilidad directa", entiende que la persona jurídica responde por hechos propios, por hechos delictivos que ella misma comete. Aunque también admite que sus integrantes puedan cometer delitos por nombre y cuenta de la corporación, para que esta resulte responsable se exige un injusto propio de la persona jurídica como, por ejemplo, un defecto organizativo o la falta de medidas de vigilancia y control. También se habla de modelos mixtos, que, según Cigüela y Ortiz de Urbina, son aquellos en los que, "*partiendo de la dependencia ineludible de la persona jurídica respecto de sus integrantes (elemento de hetero-responsabilidad), se intenta fundamentar y hacer operativa la atribución de la responsabilidad a partir de los elementos que caracterizan a la persona jurídica como organización colectiva: su defecto organizativo y su cultura corporativa (elemento de auto-responsabilidad)*". Vid. CIGÜELA SOLA, J. y ORTIZ DE URBINA GIMENO, Í.: "La responsabilidad penal de las personas jurídicas: fundamentos y sistema de atribución", en SILVA SÁNCHEZ, J.M. (dir.), *Lecciones de Derecho Penal Económico y de la Empresa. Parte general y especial*, Atelier, Barcelona, 2020, p. 78.

de una falta de diligencia en el cumplimiento de las funciones de supervisión y control otorgadas al referido órgano de vigilancia.

Al igual que no hay unanimidad en la determinación del modelo de atribución de responsabilidad adoptado por nuestro legislador, tampoco es pacífico el debate sobre la naturaleza dogmática de la referida exención. Una buena muestra de esas discrepancias la encarna la sentencia del Tribunal Supremo núm. 154/2016, de 29 de febrero[97], que, asumiendo un modelo de autorresponsabilidad, defiende "la ausencia de una cultura de respeto al Derecho manifestada en formas concretas de vigilancia y control" como elemento configurador del núcleo del injusto que, por tanto, debe ser probado por la acusación. En contraposición a dicha argumentación, se erigen 7 de los 15 magistrados a través de un voto particular sosteniendo que la inexistencia de esas medidas eficaces de prevención y control no puede calificarse "como el núcleo de la tipicidad o como un elemento autónomo del tipo objetivo definido en el art. 31 bis 1º CP", sino que, tratándose de una circunstancia eximente, debe ser acreditada por aquel que alega su concurrencia.

En cualquier caso, el modelo español únicamente atribuye responsabilidad a los entes jurídicos por aquellos delitos cometidos en su beneficio -directo o indirecto-[98] por determinados individuos, estableciéndose al respecto una doble vía de imputación. Así, los sujetos que pueden desencadenar la RPPJ por esta primera vía son los representantes legales o directivos –esto es, aquellos que ostenten "*leading positions*"- que cometen el ilícito en nombre o por cuenta de la persona jurídica; mientras que la segunda vía se refiere a las conductas delictivas cometidas por alguno de sus empleados en ejercicio de actividades sociales y que, por tanto, evidencian un incumplimiento de los deberes de supervisión, vigilancia y control que el ente corporativo debió adoptar para evitar la comisión del hecho delictivo.

Sin perjuicio de lo anterior, cabe recordar que las responsabilidades derivadas de la persona física y de la jurídica no son excluyentes, sino cumulativas. Así, la RPPJ es independiente y autónoma a la de la persona natural[99], hasta el punto de que, para que aflore la responsabilidad del ente jurídico, no será necesario la individualización de la persona física que ha cometido el delito, ni que se haya dirigido el procedimiento penal contra ella, incluso aunque hubiera fallecido o

---

[97]   En esta resolución, de gran importancia por ser de las primeras en pronunciarse sobre la RPPJ en España y por el debate doctrinal que plantea con carácter *obiter dicta*, el Alto Tribunal condena a 3 sociedades (2 de ellas, sociedades pantalla) involucradas en un delito contra la salud pública por la importación de cocaína desde Venezuela a España.

[98]   Aunque sin que sea necesario que el mismo se materialice, siendo suficiente con que la conducta sea idónea para producir ese resultado.

[99]   Así lo establece el Tribunal Supremo en sus sentencias núm. 516/2016, de 13 de junio o 455/2017, de 21 de junio, entre otras.

se hubiera sustraído a la acción de la justicia, tal y como establece el artículo 31 ter CP[100].

Sea como fuere, la RPPJ en España está circunscrita a la comisión de determinados delitos taxativamente establecidos en el Código Penal (sistema *numerus clausus*) y que, principalmente, guardan relación con los delitos societarios y económicos, de corrupción y los ilícitos asociados a la delincuencia organizada[101]. En lo que aquí nos ocupa, se prevé la RPPJ en relación con el delito de trata de seres humanos en el apartado 7 del artículo 177 bis CP. Dicho precepto establece como sanción principal la imposición de una multa proporcional del triple al quíntuple del beneficio obtenido, sin perjuicio de que el juez imponga, además, alguna de las penas contempladas en las letras b) a g) del apartado 7 del artículo 33. Estas consisten en la disolución de la persona jurídica, la suspensión de su actividad por plazo no superior a 5 años o la clausura de locales o establecimientos por idéntico período, entre otras, y deberán aplicarse de conformidad con el triple juicio del artículo 66 bis[102].

Sin embargo, la aplicación de este precepto en la práctica jurisprudencial constituye un hecho absolutamente excepcional, hasta el punto de que, tras más de una década de vigencia, solo en una ocasión se ha condenado a una persona jurídica por un delito de trata de seres humanos. Este el caso de la sentencia de la Audiencia Provincial de Pontevedra núm. 1342/2017, de 27 de junio, en la que se sanciona a la sociedad utilizada por los acusados para percibir los beneficios obtenidos de la actividad delictiva llevada a cabo en el club de alterne, a la multa de 3.000€ y la disolución de la misma, de conformidad con los artículos 177 bis 7, 66 bis y 33.7.b CP. Esta escasez de pronunciamientos condenatorios al respecto, además de alarmante, resulta sorprendente, por cuanto en diversas resoluciones judiciales se alude a la creación y uso por parte de los tratantes de sociedades pantalla que gestionan los ingresos derivados

---

[100]   Solución que ha sido tildada como un reconocimiento del fracaso de un sistema penal que, ante su incapacidad para castigar eficazmente a un determinado tipo de delincuentes, acepta conformarse con la responsabilidad propia del ente que, a su vez, presenta mayores posibilidades de hacer frente a la responsabilidad civil *ex delicto*. En este sentido, *vid*. FERNÁNDEZ TERUELO, J. G.: "Responsabilidad penal de las personas jurídicas", en BUSTOS RUBIO, M y ABADÍAS SELMA, A. (dir.), *Una década de reformas penales. Análisis de diez años de cambios en el Código Penal (2010-2020)*, op. cit., p. 76.

[101]   *Vid*. CIGÜELA SOLA, J. y ORTIZ DE URBINA GIMENO, Í.: "La responsabilidad penal de las personas jurídicas: fundamentos y sistema de atribución", en SILVA SÁNCHEZ, J. M. (dir.), *Lecciones de Derecho Penal Económico y de la Empresa. Parte general y especial*, op. cit., p. 86.

[102]   Según este precepto para determinar la imposición y extensión de las penas referidas deberá atenderse, en primer lugar, a un criterio preventivo-general en el sentido de que la pena resulte necesaria para evitar la continuidad delictiva; deberá valorarse en segundo lugar el impacto social de la pena, esto es, sus consecuencias económicas y sociales; y, finalmente, deberá examinarse el grado de implicación de la dirección en el fallo organizativo o el incumplimiento del deber de control.

de los burdeles o clubs de alterne. Sin embargo, en estos supuestos la jurisprudencia se muestra más proclive a declarar la clausura de dichos locales y establecimientos vía artículo 194 CP que a reconocer la responsabilidad penal de dichas entidades[103].

Otro aspecto que podría estar dificultando el reconocimiento de RPPJ en los supuestos de trata es el posicionamiento adoptado tanto por la Fiscalía General del Estado, en su Circular 1/2016, como por el Tribunal Supremo, en la referida sentencia 154/2016, en relación a las "sociedades pantalla". Aunque partiendo de argumentaciones distintas, la Fiscalía y el Alto Tribunal coinciden en que este tipo de sociedades meramente instrumentales deben quedar al margen del régimen de responsabilidad del artículo 31 bis CP. Ante estas situaciones en que se da un solapamiento total entre la sociedad y la persona física que se esconde detrás, la FGE entiende que debe recurrirse a la figura de la simulación contractual o a la doctrina del levantamiento del velo para imputar toda la responsabilidad a la persona física, solución que considera más respetuosa con el principio *non bis in idem*. Por su parte, el Tribunal Supremo apunta a la posibilidad de que dichas sociedades sean sancionadas directamente con la disolución por la vía del artículo 129 CP que, entre otras, contempla la posibilidad de aplicar esta "consecuencia accesoria" a los entes que carecen de personalidad jurídica[104].

En definitiva, por cuanto se refiere a la responsabilidad penal de las personas jurídicas en términos generales, es evidente que precisa de una reflexión

---

[103] Esta solución vía 194 CP se muestra inadecuada a todas luces tanto por su circunscrito ámbito de aplicación objetivo como por el escaso impacto de este tipo de sanción en aras a evitar la continuidad delictiva. Debe recordarse que el citado precepto solo es operativo ante la comisión de los ilícitos contemplados en el capítulo IV -relativo a los delitos de exhibicionismo y provocación sexual– y V – relativo a los delitos de prostitución, explotación sexual y corrupción de menores- del Título VIII del Código Penal. De este modo, su aplicabilidad no sólo queda vedada a los supuestos de trata que no tienen por finalidad la explotación sexual de la víctima, sino que ni siquiera en estos casos podría recurrirse al 194 CP a menos que la explotación sexual se hubiera materializado -condición que no se exige para que los hechos sean constitutivos del delito de TSH del 177 bis CP-. Por otro lado, la mera clausura de un determinado local o establecimiento no impide a los responsables comprar, alquilar o hacer uso de otro inmueble del que se disponga para continuar con el "negocio" o actividad delictiva en ese nuevo espacio.

[104] Dicho precepto, a pesar de hablar de "consecuencias accesorias", hace una remisión expresa a las penas contenidas en el artículo 33.7 CP, apartados c) a g), por lo que, *de facto*, a los entes sin personalidad jurídica le son aplicables las mismas sanciones que a las personas jurídicas a excepción de la pena de multa. De hecho, hay quien ve en el artículo 129 CP una suerte de cláusula de cierre que permite abarcar a todas las entidades, de modo que las que tengan personalidad jurídica, responderán vía 31 bis; mientras que las que no, lo harán mediante 129 CP. *Vid.* CIGÜELA SOLA, J. y ORTIZ DE URBINA GIMENO, Í.: "La responsabilidad penal de las personas jurídicas: fundamentos y sistema de atribución", en SILVA SÁNCHEZ, J.M. (dir.), *Lecciones de Derecho Penal Económico y de la Empresa. Parte general y especial, op. cit.,* p. 87.

profunda por parte de doctrina y jurisprudencia que permita dejar todas las discrepancias enunciadas científicamente resueltas, evitando así ocasionar mayores problemas a nivel práctico. Respecto a la RPPJ en los supuestos de trata, de futuro deberían articularse medidas que hagan efectiva la responsabilización ya normativamente prevista a las personas jurídicas por la comisión de este tipo de delitos y que no se están trasladando a la aplicación forense de este delito. Junto ello, cabría plantearse la posibilidad de incluir medidas como la contemplada en la sección 54 de la *Modern Slavery Act* británica, en el sentido de que las empresas con determinado volumen de negocio presentasen una declaración en la que expongan cómo garantizan que la esclavitud moderna no tiene lugar en sus negocios o cadenas de suministro, lo que bien podría exigirse que se contuviese en los modelos de organización y gestión a cuya confección alude el art. 31 bis.2 CP para evitar la responsabilidad penal en estos casos. Esto particularmente en los supuestos en que el delito frente al que se alega dicha causa de exoneración sea de trata de seres humanos u otra figura delictiva relacionada con la misma en la que quepa la responsabilización penal de las personas jurídicas.

IV. EL DERECHO A LA REPARACIÓN DE LAS VÍCTIMAS DE TRATA DE SERES HUMANOS, EL GRAN OLVIDADO

La aproximación económica al fenómeno de la trata de personas propuesta y su sanción mediante la confiscación del producto delictivo no sólo resulta más eficiente en términos retributivos y de prevención, sino que también se erige como una solución más respetuosa y justa con el derecho a la protección y a la reparación de las víctimas a quienes deben reintegrarse dichos beneficios delictivos previamente incautados.

No obstante, la conocida como política 3P instaurada por los principales instrumentos normativos internacionales de lucha contra la trata de seres humanos, que aboga por un abordaje del fenómeno que va más allá de la persecución de las conductas delictivas, incidiendo en la prevención de las mismas y la protección de sus víctimas[105], ha sido implementada parcialmente por el legislador español. Pues este se ha mostrado menos diligente en el cumplimiento de los compromisos internacionales referentes a la prevención del delito y a la protección de las víctimas[106].

---

[105]   Más ampliamente sobre dicha política 3P, *vid.* VILLACAMPA ESTIARTE, C.: *El Delito de Trata de Seres Humanos. Una Incriminación Dictada desde el Derecho Internacional, op. cit.*, pp. 184 y ss.

[106]   Sobre la evolución del abordaje normativo del fenómeno en España, *vid.* VILLACAMPA ESTIARTE, C.: "¿Es necesaria una ley integral contra la trata de seres humanos?", *Revista General de Derecho Penal*, vol. 33, 2020, pp. 1-57; VILLACAMPA ESTIARTE, C. y TO-

En relación con este último ámbito, si bien la aprobación de la Ley 4/2015, del Estatuto de la Víctima del Delito[107], supuso un avance importante en aras al reconocimiento de los derechos de las víctimas, las de trata de seres humanos entre ellas, el derecho de estas a una reparación integral sigue siendo el gran olvidado. A pesar de que el derecho a la compensación o reparación de la víctima de trata de seres humanos se halla ampliamente reconocido en diversos instrumentos normativos, en la práctica sigue siendo inusual que el mismo se haga efectivo.

Así, lo encontramos regulado a escala internacional en textos normativos como la Convención de las Naciones Unidas contra la Delincuencia Organizada Transnacional (art. 25.2), el Protocolo de Palermo (art. 6.3.6) o en las distintas Declaraciones de la Asamblea General sobre la Eliminación de la Violencia contra la Mujer (art. 4. d), sobre los Principios Fundamentales de Justicia para las Víctimas de Delito y abuso de poder (epígrafes 8 a 13) y sobre los Principios y Directrices Básicas sobre el Derecho a Interponer Recursos y Obtener Reparaciones (epígrafes VII y IX). A nivel europeo, dicho derecho se halla regulado, principalmente, en el Convenio de Varsovia del Consejo de Europa (art. 15) o en la posterior Directiva 2011/36/UE (art. 17); y a nivel nacional, en el Estatuto de la Víctima del Delito (art. 15) o en la Ley de Enjuiciamiento Criminal (arts. 109 y 110).

Aun cuando de las anteriores disposiciones se deriva la obligación de los Estados de prever en su legislación interna los mecanismos que garanticen una reparación integral a las víctimas, derecho del que deben ser debidamente informadas en el marco del procedimiento penal, este difícilmente llega a materializarse y hacerse efectivo en la práctica, aunque esta sea una dolencia compartida por la mayoría de países[108].

Centrándonos nuevamente en el sistema de justicia penal español, y en base a la misma muestra de sentencias condenatorias por el delito del artículo 177

RRES FERRER, C.: "La evolución del abordaje normativo de la trata de Seres Humanos en España: presente y previsible futuro", *op. cit.*, pp. 587-620.

[107]   Y ello con motivo de la transposición a España de la Directiva 2012/29/UE, el Parlamento Europeo y del Consejo, de 25 de octubre de 2012, por la que se establecen normas mínimas sobre los derechos, el apoyo y la protección de las víctimas de delitos, y por la que se sustituye la Decisión marco 2001/220/JAI.

[108]   A modo de ejemplo, en Reino Unido, si bien los tribunales pueden reconocer el derecho a la restitución de la víctima, siempre y cuando el tratante haya sido condenado y éste tenga medios suficientes, las ONG denuncian que los tribunales no suelen conceder dicha restitución y que muchas víctimas no llegan a solicitarlas debido al difícil acceso a la asistencia jurídica disponible para presentar dichas reclamaciones. Por su lado, los tratantes, además de poder apelar o impugnar estas órdenes de indemnización, frecuentemente trasladan sus bienes, lo que en la práctica se traduce en un elevado porcentaje de impago de estas indemnizaciones. *Vid.* U.S. DEPARTMENT OF STATE: *Trafficking in Persons Report. June 2021, op. cit.,* p. 583.

bis CP utilizada en el epígrafe anterior (N=81), se observa como en la práctica jurisprudencial se contempla el derecho de la víctima a ser reparada mediante el reconocimiento de una indemnización en la mayor parte de supuestos y en relación a la mayoría de víctimas[109], como se desprende de los datos reflejados en las respectivas tablas:

Reconocimiento de indemnización en relación al número de sentencias		
Indemnización	N	%
Sí	67	82,7%
No	12	14,8%
Parcial	2	2,5%
	81	100,0%

Reconocimiento de indemnización en relación al número de víctimas		
Indemnización	N	%
Sí	140	83,8%
No	27	16,2%
	167	100,0%

Nuevamente aquí debe destacarse que, tras la lectura de los pronunciamientos judiciales referentes a la responsabilidad civil, se detecta como en muchas ocasiones la fijación de esta indemnización va muy ligada, a veces exclusivamente, a la explotación sexual de la víctima. De hecho, ese proteccionismo que se ha instaurado en relación a las víctimas de trata con fines sexuales, en detrimento de las otras modalidades de trata, puede constatarse en la sentencia de la Audiencia Provincial de Huelva, núm. 229/2019, de 20 de diciembre, en la que, ante un caso de captación de una menor a cambio de una contraprestación económica a sus familiares con el fin de hacerla contraer matrimonio y destinarla a trabajar en labores domésticas y agrícolas, el tribunal establece que *"esta situación de trata que vivió xxx no puede equiparase a otras que padecen, especialmente mujeres, que son trasladadas a nuestro país, obligadas a prostituirse, encerradas, golpeadas, etc. Podríamos decir que estamos ante una situación de trata de menor"*.

En cualquier caso, en relación con las 140 víctimas cuyo derecho a la indemnización fue reconocido por sentencia judicial, la cuantía media (x) establecida por dicho concepto ascendería a los 22.581,07€ por víctima, siendo la suma más veces concedida (Mo) 6.000€. De entre las resoluciones analizadas, las mayores indemnizaciones fueron reconocidas por las Sentencias núm.

---

[109]   En Estados Unidos, los datos obrantes en el informe elaborado por el Human Trafficking Legal Center (HTLC) demuestran que, a pesar de que las víctimas tienen derecho a la restitución, sólo en el 27% de los casos de trata de seres humanos celebrados entre 2013 y 2016 los tribunales norteamericanos ordenaron al condenado a pagar dicha restitución. Ese dato es especialmente preocupante teniendo en cuenta que en los 3 años anteriores (2010-2013) esa cifra ascendía al 36% de los casos. *Vid.* GREER, B.T.: "How to Effectively Approach and Calculate Restitution for a Victim of Human Trafficking", en WINTERDYK, J. y JONES, J. (coords.), *The Palgrave International Handbook of Human Trafficking, op. cit.,* p. 1623.

109/2016, de 15 de febrero y núm. 367/2018, de 24 de septiembre, de las Audiencias Provinciales de Barcelona y las Palmas, respectivamente, fijando ambas indemnizaciones por valor de 100.000€ por víctima. En contraposición encontramos la Sentencia núm. 244/2018, de 26 de junio, dictada por la Audiencia Provincial de la Coruña que, con relación a un supuesto de trata de seres humanos en el que se obligaba a 5 niñas a ejercer la mendicidad en condiciones infrahumanas, no fija indemnización alguna, si bien consta en la resolución que los acusados abonaron 1.000€ para cada una de las víctimas, circunstancia que se tuvo en cuenta para estimar la atenuante de reparación del daño.

En definitiva, y sin perjuicio de lo poco acertados que se muestran algunos pronunciamientos a la hora de fundamentar y fijar el quantum de la responsabilidad civil *ex delicto*[110], se ha observado como el derecho a la reparación de la víctima asiduamente se reconoce en sede judicial. Así, parece que el problema de que muchas de esas víctimas nunca lleguen a percibir la totalidad de las cantidades reconocidas –si es que llegan a recibir algún tipo de compensación– hay que buscarlo en la fase de ejecución de esas sentencias. Desafortunadamente, la efectividad y materialización de dichas indemnizaciones deviene imposible con demasiada frecuencia dada la supuesta insolvencia declarada por el condenado. Es precisamente ahí donde la previa investigación económico-patrimonial en la que se habría efectuado un seguimiento de las riquezas y bienes del responsable se postula como esencial, reforzando la efectividad de instituciones como el ya enunciado decomiso, cuyo resultado, además de asegurar el cumplimiento de la responsabilidad civil *ex delicto* del condenado, podría destinarse a nutrir los fondos de compensación a víctimas o a cofinanciar políticas públicas de asistencia a las mismas.

Al respecto, no debe olvidarse la incidencia que podría tener tanto la aprobación de una eventual Ley Integral contra la Trata de Personas como del Proyecto de Ley Orgánica de Garantía Integral de la Libertad Sexual, caso que uno o ambos instrumentos normativos prosperasen, en cuanto al derecho de reparación de la víctima se refiere.

---

[110]   En un intento por establecer un sistema más paritario y beneficioso para las víctimas de trata –con independencia de la modalidad de explotación a la que fueron sometidas–, el Estado norteamericano de California ha creado un sistema de restitución flexible, facilitando al tribunal una serie de fórmulas opcionales entre las que elegir, según mejor convenga en cada caso. Así, el Código Penal californiano, en su artículo 1202.4-q, prevé que el tribunal, al determinar la restitución, lo haga en base al mayor de los siguientes valores: *"el valor bruto del trabajo o los servicios de la víctima basado en el valor comparable de servicios similares en el mercado laboral en el que se produjo el delito, o el valor del trabajo de la víctima garantizado por la ley de California, o los ingresos reales obtenidos por el acusado del trabajo o los servicios de la víctima o cualquier otro medio apropiado para proporcionar una reparación a la víctima"*. Vid. GREER, B.T.: "How to Effectively Approach and Calculate Restitution for a Victim of Human Trafficking", *op. cit.*, p. 1624.

Tras la aprobación del Pacto de Estado contra la Violencia de Género en noviembre de 2018, en virtud del cual el legislador se autoimponía la obligación de aprobar una ley integral contra la trata de seres humanos[111], se confeccionó el Borrador de Proyecto de Ley Integral contra la Trata de Seres Humanos y en particular con fines de Explotación Sexual[112]. Centrándonos en lo que aquí interesa, en el Título III del referido borrador encontramos un amplio abanico de derechos victimales, dedicándose específicamente el capítulo III a los derechos de reparación de las víctimas de trata. En este sentido, cabe destacar en relación con el derecho a la indemnización y restitución –cuyo goce no requiere la personación ni participación de la víctima en el proceso penal (art. 41.2)-, la posibilidad de que las víctimas sean indemnizadas por sus tratantes, preferentemente mediante los bienes y ganancias embargados o decomisados a los mismos (art. 42.2). Dicha indemnización incluye el resarcimiento tanto por los daños materiales y psicológicos, como los beneficios derivados de la explotación de la víctima (art. 42.3). Además, en aquellos casos en que no hubiera existido declaración sobre responsabilidad civil en el procedimiento penal ni se hubieran reservado las acciones civiles, a la víctima se le reconoce el derecho a ser restituida fuera del proceso judicial a través de la creación de un Fondo para la indemnización de las víctimas. De conformidad con el artículo 43, dicho Fondo se nutriría, principalmente, con las sumas asignadas en los presupuestos generales del Estado, las sumas confiscadas y el producto de la venta de los bienes o activos decomisados –tras satisfacerse las indemnizaciones establecidas en sede judicial-, los pagos voluntarios o donaciones, o los ingresos, intereses y beneficios derivados de las inversiones del Fondo.

Paralelamente, también el Proyecto de Ley Orgánica de Garantía Integral de la Libertad Sexual, popularmente conocido como Ley del "Solo sí es sí"[113], tendría un impacto parcial en el efectivo reconocimiento del derecho a la reparación de las víctimas de trata de seres humanos. Parcial, en tanto que, tratándose de una ley destinada a la persecución y prevención de las violencias sexuales y a la protección de sus víctimas, circunscribe su ámbito de aplicación a las víctimas de trata de seres humanos con fines de explotación sexual (art. 3). Este texto normativo, además de reconocer en su Título IV una batería de derechos a las víctimas de violencias sexuales –de modo muy similar a como

---

[111]   Vid. SECRETARÍA DE ESTADO DE IGUALDAD-DELEGACIÓN DEL GOBIERNO PARA LA VIOLENCIA DE GÉNERO: *Documento refundido de medidas del Pacto de Estado en Materia de Violencia de Género. Congreso + Senado, op. cit.*, p. 46.

[112]   Para un análisis más pormenorizado del contenido de dicho borrador, *vid.* VILLACAMPA ESTIARTE, C. y TORRES FERRER, C.: "La evolución del abordaje normativo de la trata de Seres Humanos en España: presente y previsible futuro", *op. cit.*, pp. 602 y ss.

[113]   Aprobada por el Consejo de Ministros en marzo de 2020 y por el Gobierno el pasado mes de julio de 2021, se somete ahora a debate en el Congreso tras las enmiendas a la totalidad presentadas por los partidos políticos PP y VOX.

ya lo hiciera el Estatuto de la Víctima del Delito-, dedica todo el Título VII al derecho a la reparación, que comprendería la compensación económica por los daños y perjuicios derivados de la violencia (art. 52), las medidas necesarias para su completa recuperación física, psíquica y social (art. 54), las acciones de reparación simbólica (art. 56), así como las garantías de no repetición (art. 54). A tenor del contenido de la indemnización establecida en el artículo 52[114], no se dilucidan claramente las diferencias entre esta y la indemnización de daños y perjuicio *ex delicto*, especialmente si se tiene en cuenta que, según el artículo 53, esta "nueva" indemnización también deberá ser satisfecha por la persona civil o penalmente responsable. Además, y en aparente contradicción con este último precepto, se prevé la creación de un Fondo para la recuperación de las víctimas, resultante de la ejecución de los bienes, efectos y ganancias decomisados a los condenados, destinado a financiar, entre otras, las ya mencionadas indemnizaciones del artículo 52 (art. 55)[115].

A pesar de las disfunciones y contradicciones que precisaran ser aclaradas, siendo deseable una mejor técnica legislativa –especialmente por lo que se refiere al Proyecto de Ley Orgánica de Garantía Integral de la Libertad Sexual-, estas iniciativas deben valorarse positivamente. La creación de esos eventuales Fondos de solidaridad a las víctimas –a la espera de que se defina su composición, funcionamiento y gestión- suponen un avance en el camino al reconocimiento y, especialmente, a la efectividad del derecho a la reparación de las víctimas de trata de seres humanos. Y es que estas no solo son plenamente merecedoras de una compensación económica que les permita rehacerse del trauma que acompaña la situación vivida[116], sino que puede ayudarles a obtener una cierta estabilidad que las mantenga alejadas de caer nuevamente en las redes de los tratantes, pues se ha señalado como en la mayoría de casos es la necesidad económica el factor desencadenante de la revictimización por trata[117].

---

[114] Que reza como sigue: "*1. La indemnización de los daños y perjuicios padecidos deberá garantizar una satisfacción económicamente evaluable de los siguientes conceptos: a) El daño físico y psicológico, incluido el daño moral. b) La pérdida de oportunidades, incluidas las oportunidades de educación, empleo y prestaciones sociales. c) Los daños materiales y la pérdida de ingresos, incluido el lucro cesante. d) El daño a la dignidad. e) El tratamiento terapéutico, social y de salud sexual y reproductiva*".

[115] De hecho, el Consejo Fiscal se mostró muy crítico en su informe con la redacción de los referidos preceptos 52 y 55 del Proyecto de Ley. En este sentido, *vid.* CONSEJO FISCAL: *Informe del Consejo Fiscal sobre el Anteproyecto de Ley Orgánica de Garantía Integral de la Libertad Sexual*, Fiscalía General del Estado, Madrid, 2021, pp. 32-33.

[116] Sobre los efectos de la trata de seres humanos sobre las víctimas, *vid.* VILLACAMPA ESTIARTE, C.: *El Delito de Trata de Seres Humanos. Una Incriminación Dictada desde el Derecho Internacional*, *op. cit.*, pp. 139-143.

[117] Siendo que en un 51% de los casos, según los últimos datos de la Oficina de las Naciones Unidas contra la Droga y el Delito, la necesidad económica es el factor del que se aprovechan mayoritariamente los tratantes para captar a sus víctimas, no es de extrañar que el

V. REFLEXIONES CONCLUSIVAS

Nadie pone en duda que reducir la incidencia de la trata de seres humanos debe ser una prioridad global. Si se parte de la base que la principal motivación de los ofensores para convertirse en tratantes es económica, cobra especial sentido que los esfuerzos se dirijan precisamente a combatir el evidente componente lucrativo de la trata, tanto en términos de prevención como de abordaje de estas conductas criminales. Con ese fin, junto a las tradicionales penas privativas de libertad, debe preverse y generalizarse el uso de medidas que permitan detectar, administrar y confiscar el producto del delito, neutralizando así el enriquecimiento experimentado por estos delincuentes, para lo cual instrumentos como la multa –en particular la proporcional-, el decomiso, la persecución del blanqueo de capitales o el reconocimiento de la responsabilidad de las personas jurídicas se erigen como mecanismos idóneos.

Para secundar tal propuesta, puede resultar ilustrativa la confrontación de algunos datos que se derivan del análisis jurisprudencial realizado con algunas cifras que se barajan en la literatura sobre la magnitud económica que podría adquirir el fenómeno. Así, de las resoluciones examinadas se desprende que la suma total de las indemnizaciones reconocidas a las 140 víctimas identificadas en las 67 sentencias condenatorias por trata de seres humanos dictadas por los tribunales españoles entre los años 2011 y 2019 ascendería a algo más de 3.160.000€. Teniendo en cuenta que, según algunas estimaciones, la cifra de ingresos anuales generados únicamente por las víctimas de trata sexual procedentes de Latinoamérica en España sería de 23,1 millones de euros[118], parece clara la utilidad que podría reportar la aplicación de instrumentos confiscatorios en los supuestos de trata, bien sea de forma directa a través del decomiso, o bien, indirectamente a través de la imposición de multas proporcionales.

En cualquier caso, la recuperación de solo una parte de esos activos ilícitos, además de ser beneficiosa en términos de retribución y prevención del delito, permitiría dotar a las víctimas de más justas y cuantiosas compensaciones, además de repercutir en un engrose de las arcas públicas. Ello, a su vez, abriría la puerta a la posibilidad de reinvertir ese capital en mejores políticas públicas de prevención del delito y de protección de las víctimas –en especial, por cuanto se refiere a medidas asistenciales a largo plazo- o en la creación de un fondo de compensación –como el que ya prevén algunas iniciativas legislativas-. In-

---

impacto socioeconómico de la pandemia global causada por la Covid-19 se haya traducido en un aumento de las tasas de paro y, por ende, en un crecimiento de la población en riesgo de devenir víctima de trata o de ser revictimizada. Al respecto, *vid.* UNITED NATIONS OFFICE ON DRUGS AND CRIME (UNODC): *Global Report on Trafficking in Persons 2020, op. cit.*, pp. 9, 69 y ss.; U.S. DEPARTMENT OF STATE: *Trafficking in Persons Report. June 2021, op. cit.*, pp. 4, 6 y 10.

[118]   *Vid.* nota al pie de página número 50.

cluso podría redundar en la dotación de mayores recursos y formación a las unidades encargadas de llevar a cabo las previas investigaciones financieras, asegurando así una mayor efectividad de mecanismos como las multas, el embargo preventivo y el decomiso de los activos ilícitos generados mediante esta actividad delictiva[119] o facilitando la persecución por el delito de blanqueo de capitales al que estas prácticas suelen dar lugar.

De hecho, además de la acabada de citar, son muchas las virtualidades que podrían llevar aparejadas este tipo de investigaciones. Entre ellas, hacer un seguimiento de las finanzas relacionadas con el negocio de la trata puede conducir a la detección de nuevos casos o de otros sujetos responsables que participan o se lucran de estas situaciones. Igualmente, los resultados de dichas investigaciones permitirían aportar nuevas pruebas objetivas que sustenten la acusación por tal delito, haciendo depender el proceso penal en menor medida de la declaración de la víctima, aspecto que frecuentemente se erige como problemático. No obstante, no debe olvidarse que llevar a cabo este tipo de indagaciones implica maximizar esfuerzos, por cuanto suelen requerir una inversión de tiempo considerable, especialmente si se tiene en cuenta la complejidad intrínseca del fenómeno y el preferente empleo de dinero en efectivo para la realización de movimientos y transacciones. Además, exige destinar recursos adecuados y efectivos para llevar a cabo dichas averiguaciones, así como la especialización y formación del personal responsable de conducirlas. Esto sin olvidar la indispensable coordinación que debe establecerse entre aquellos sujetos encargados de la tradicional investigación criminal y quienes se ocupan de examinar las finanzas y los flujos de efectivo aparejados a dicha conducta delictiva (en caso de no tratarse de una misma unidad), así como la necesaria cooperación con otros actores internacionales.

Al respecto, aunque de cada vez más se alerta sobre la relevancia que va cobrando la trata interna o doméstica, no debe olvidarse que este fenómeno suele tener un claro componente transfronterizo. Consecuentemente, muchas de estas investigaciones financieras y la operatividad de los mecanismos confiscatorios enunciados estarían destinados al fracaso si no se establecen previamente y se fomenta el uso de estructuras de cooperación internacional, bien sea a través de agencias como Europol o Interpol, o bien mediante los Equipos Conjuntos de Investigación. Ello, no sólo sería más respetuoso con los mandatos derivados de la Convención contra la Delincuencia Organizada, especialmente en lo referente a la cooperación internacional para fines de decomiso (art. 13), de extradición (art. 16) y de asistencia judicial recíproca (art. 18), sino que po-

---

[119]   Más exhaustivamente sobre los beneficios de la confiscación de los activos ilícitos y sobre la evolución de la estrategia de recuperación de activos en la Unión Europea, *vid*. FERNANDEZ-BERTIER, M.: "The confiscation and recovery of criminal property: a European Union state of the art", *ERA Forum*, vol. 17, 2016, pp. 323–342.

dría ser de gran utilidad en los casos en que los Estados involucrados no están directamente vinculados por tratados bilaterales o multilaterales en materia de extradición o asistencia judicial mutua.

Afortunadamente, el legislador español parece haber tomado consciencia de esa dimensión económica del delito de TSH a tenor de las actuaciones que se contemplan en los recientemente publicados Plan Estratégico Nacional contra la Trata y Explotación de Seres Humanos (PENTRA) y Plan de Acción Nacional contra el Trabajo Forzoso (PANTF). Ambos textos proyectan como medidas el fomento de la investigación financiera y patrimonial (medidas 3.2.C PENTRA y 20 PANTF) y la mejora de la respuesta judicial, principalmente en materia de decomiso, de satisfacción de la responsabilidad civil *ex delicto* y de RPPJ (medida 3.3.A PENTRA) con especial atención a los casos de contratación y subcontratación o aquellos en los que el ente jurídico no haya realizado comprobación alguna de las condiciones impuestas a los trabajadores de los que recibe servicios (medidas 24 y 25 PANTF). Finalmente, también se prevé la creación de un fondo económico y un fondo de compensación cuyos recursos se destinarán, respectivamente, a la atención y protección de las víctimas y a garantizar el cobro de las indemnizaciones reconocidas en sede judicial a favor de estas (medidas 2.4.B, 2.4.D y 2.4.E PENTRA). Sin embargo, teniendo en cuenta que la materialización de dichos propósitos dependerá de la correspondiente asignación presupuestaria, por el momento, debe reinar la cautela hasta constatar cuáles de las citadas medidas y en qué términos acaban prosperando.

VI. BIBLIOGRAFÍA

ANTONOPOULOS, G.A., DI NICOLA, A., RUSEV, A. y TERENGHI, F.: *Human Trafficking Finances: Evidence from Three European Countries*, Springer Nature Switzerland, Cham, 2019. DOI: 10.1007/978-3-030-17809-3

ARONOWITZ, A.A.: *Human Trafficking, Human Misery. The Global Trade in Human Beings*, Praeger Publishers, Westport, 2009.

BROAD, R. y MURASZKIEWICZ, J.: "The investigation and Prosecution of Traffickers: Challenges and Opportunities", en WINTERDYK, J. y JONES, J. (coords.), *The Palgrave International Handbook of Human Trafficking*, Palgrave Macmillan, London, 2020, pp. 707-723.

BROAD, R., LORD, N. y DUNCAN, C.: "The financial aspects of human trafficking: A financial assessment framework", *Criminology & Criminal Justice*, December 2020, 2020, pp. 1-20. DOI: 10.1177/1748895820981613

CENTER FOR THE STUDY OF DEMOCRACY (CSD): *Financing of Organised Crime. Human Trafficking in Focus*, Center for the Study of Democracy, Sofia, 2019. Disponible en: https://repositorio.comillas.edu/xmlui/bitstream/handle/11531/34296/FINOCA_2_WEB_ALL%202019.pdf?sequence=1&isAllowed=y. (últ. consulta 30 de octubre de 2021).

CHO, S. Y.: "Modeling for determinants of human trafficking–An empirical analysis", *Social Inclusion*, núm. 3, Special Issue, 2015, pp. 2-21.

CIGÜELA SOLA, J. y ORTIZ DE URBINA GIMENO, Í.: "La responsabilidad penal de las personas jurídicas: fundamentos y sistema de atribución", en SILVA SÁNCHEZ, J.M. (dir.), *Lecciones de Derecho Penal Económico y de la Empresa. Parte general y especial*, Atelier, Barcelona, 2020, pp. 73-95.

CITCO: *Trata y explotación de seres humanos en España. Balance estadístico 2016-20*, Ministerio del Interior, Secretaría de Estado de Seguridad, Madrid, 2021.

CONSEJO FISCAL: *Informe del Consejo Fiscal sobre el Anteproyecto de Ley Orgánica de Garantía Integral de la Libertad Sexual*, Fiscalía General del Estado, Madrid, 2021. Disponible en: https://www.otrosi.net/wp-content/uploads/2021/02/INFORME-CONSEJO-ALO-GARANTIA-INTEGRAL-DE-LIBERTAD-SEXUAL.pdf (últ. consulta 30 de octubre de 2021).

CONSEJO GENERAL DEL PODER JUDICIAL (CGPJ): *Guía de criterios de actuación judicial frente a la trata de seres humano*, Consejo General del Poder Judicial, Madrid, 2015. Disponible en: http://www.poderjudicial.es/cgpj/es/Poder-Judicial/En-Portada/El-CGPJ-presenta-una-Guia-de-criterios-de-actuacion-judicial-para-detectar-e-investigar-la-trata-de-seres-humanos-con-fines-de-explotacion (últ. consulta 30 de octubre de 2021).

DEFENSOR DEL PUEBLO: La trata de seres humanos en España: Víctimas Invisibles, 2012. Disponible en: https://www.defensordelpueblo.es/wp-content/uploads/2015/05/2012-09-Trata-de-seres-humanos-en-Espa%C3%B1a-v%C3%ADctimas-invisibles-ESP.PDF. (últ. consulta 30 de octubre de 2021).

EUROPEAN COMMISSION: *Third report on the progress made in the fight against trafficking in human beings (2020) as required under Article 20 of Directive 2011/36/EU on preventing and combating trafficking in human beings and protecting its victims*, Bruselas, 2020. Disponible en: https://eur-lex.europa.eu/legal-content/GA/TXT/?uri=CELEX:52020DC0661 (últ. consulta 30 de octubre de 2021).

EUROPEAN COMMISSION-MIGRATION AND HOME AFFAIRS: *Data collection on trafficking in human beings in the EU. 2020*, Publications Office of the European Union, Luxembourg, 2020. Disponible en: https://ec.europa.eu/anti-trafficking/sites/default/files/study_on_data_collection_on_trafficking_in_human_beings_in_the_eu.pdf. (últ. consulta 30 de octubre de 2021).

EUROPOL: *Situation report. Trafficking in human beings in the EU*, Europol, La Haya, 2016. Disponible en: file:///Users/Claudia23/Downloads/thb_situational_report_-_europol.pdf (últ. consulta 30 de octubre de 2021).

EUROPOL: *The THB Financial Business Model. Assessing the Current State of Knowledge. July 2015*, Europol, La Haya, 2015. Disponible en: https://www.europol.europa.eu/publications-documents/trafficking-in-human-beings-financial-business-model (últ. consulta 30 de octubre de 2021).

FARREL, A. y KANE, B.: "Criminal Justice System Responses to Human Trafficking", en WINTERDYK, J. y JONES, J. (coords.), *The Palgrave International Handbook of Human Trafficking*, Palgrave Macmillan, London, 2020, pp. 641-657.

FERNÁNDEZ TERUELO, J. G.: "Responsabilidad penal de las personas jurídicas", en BUSTOS RUBIO, M y ABADÍAS SELMA, A. (dir.), *Una década de reformas penales. Análisis de diez años de cambios en el Código Penal (2010-2020)*, JM Bosch Editor, Barcelona, 2020, pp. 67-83.

FERNANDEZ-BERTIER, M.: "The confiscation and recovery of criminal property: a European Union state of the art", *ERA Forum*, núm. 17, 2016, pp. 323–342. https://doi.org/10.1007/s12027-016-0436-1

FINANCIAL ACTION TASK FORCE (FATF): *International Standard son combating money laundering and the financing of terrorism & proliferation. The FATF Recommendations*, FATF, París, 2012-2021. Disponible en: https://www.fatf-gafi.org/media/fatf/documents/recommendations/pdfs/FATF%20Recommendations%20 2012.pdf (últ. consulta 30 de octubre de 2021).

FINANCIAL ACTION TASK FORCE (FATF): *Financial Flows from Human Trafficking*, FATF, Paris, France, 2018. Disponible en: www.fatf-gafi.org/publications/methodandtrends/documents/human-trafficking.html (últ. consulta 30 de octubre de 2021).

FISCALÍA DE EXTRANJERÍA: Conclusiones de las Jornadas de Fiscales delegados de Extranjería [en línea], 5 de enero de 2021. Disponible en: https://www.fiscal.es/documents/20142/6906e58d-36b8-09c2-43ec-b6673faed754 (últ. consulta 30 de octubre de 2021).

FISCALÍA DE EXTRANJERÍA: *Sentencias condenatorias Audiencias Provinciales art. 177 bis. Enero 2012–Diciembre 2019* [en línea], 26 de octubre de 2020. Disponible en: https://www.fiscal.es/documents/20142/b5e5bc0f-f02f-59d3-ddf0-53541202f7b6 (últ. consulta 30 de octubre de 2021).

FISCALÍA GENERAL DEL ESTADO: *Memoria elevada al Gobierno de S.M*, 2019. Disponible en: https://www.fiscal.es/documents/20142/a63c133c-dff3-6cf9-1a74-55d658be912a (últ. consulta 30 de octubre de 2021).

FISCALÍA GENERAL DEL ESTADO: *Memoria elevada al Gobierno de S.M*, 2018. Disponible en: https://www.fiscal.es/memorias/memoria2018/Inicio.html (últ. consulta 30 de octubre de 2021).

GREER, B. T.: "How to Effectively Approach and Calculate Restitution for a Victim of Human Trafficking", en WINTERDYK, J. y JONES, J. (coords.), *The Palgrave International Handbook of Human Trafficking*, Palgrave Macmillan, London, 2020, pp. 1619-1632. https://doi.org/10.1007/978-3-319-63058-8_87

GUIA, M. J.: *The Illegal Business of Human Trafficking*, Springer International Publishing Switzerland, Cham, 2015. DOI: 10.1007/978-3-319-09441-0

HELLER, L.R., LAWSON, R.A, MURPHY, R.H. y WILLIAMSON, C. R.: "Is human trafficking the dark side of economic freedom?", *Defence and Peace Economics*, vol. 29(4), 2018, pp. 355-382. DOI: 10.1080/10242694.2016.1160604

INTERNATIONAL LABOUR OFFICE (ILO): *Global Estimates of Modern Slavery: Forced Labour and Forced Marriage*, International Labour Office, Geneva, 2017. Disponible en: https://www.ilo.org/wcmsp5/groups/public/—-dgreports/—-dcomm/documents/publication/wcms_575479.pdf. (últ. consulta 30 de octubre de 2021).

KARA, S.: *Sex Trafficking. Inside the Business of Modern Slavery*, Columbia University Press, New York, 2009, pp. 1 y ss.

KEILER, J y DAVID ROEF, D. (eds.): *Comparative Concepts Of Criminal Law. 3rd Edition*, Intersentia, Cambridge, Antwerp, Chicago, 2019.

LIMONCELLI, S. A.: "Legal limits ending human trafficking in supply chains", *World Policy Journal*, vol. 34, 2017, p. 119-123.

LLOYD, D.: "Human Trafficking in Supply Chains and the Way Forward", en WINTERDYK, J. y JONES, J. (coords.), *The Palgrave International Handbook of Hu-*

man Trafficking, *The Palgrave International Handbook of Human Trafficking*, Palgrave Macmillan, London, 2020, pp. 815-837. https://doi.org/10.1007/978-3-319-63058-8_50

RODRÍGUEZ GARCÍA, N.: *El decomiso de activos ilícitos*, Thomson Reuters-Aranzadi, Cizur Menor, 2017.

SCHUMANN, S.: "Corporate Criminal Liability on Human Trafficking", en WINTERDYK, J. y JONES, J. (coords.), *The Palgrave International Handbook of Human Trafficking*, *The Palgrave International Handbook of Human Trafficking*, Palgrave Macmillan, London, 2020, pp. 1651-1669. https://doi.org/10.1007/978-3-319-63058-8_10

SECRETARÍA DE ESTADO DE IGUALDAD-DELEGACIÓN DEL GOBIERNO PARA LA VIOLENCIA DE GÉNERO: *Documento refundido de medidas del Pacto de Estado en Materia de Violencia de Género. Congreso + Senado*, Madrid, 2019. Disponible en: https://violenciagenero.igualdad.gob.es/pactoEstado/docs/Documento_Refundido_PEVG_2.pdf (últ. consulta 30 de octubre de 2021).

TRILLO NAVARRO, J. P.: *Delitos económicos. La respuesta penal a los rendimientos de la delincuencia organizada*, Dykinson, Madrid, 2008.

U.S. DEPARTMENT OF STATE: *Trafficking in Persons Report. June 2021*, U.S. Department of State, 2021. Disponible en: https://www.state.gov/wp-content/uploads/2021/09/TIPR-GPA-upload-07222021.pdf (últ. consulta 30 de octubre de 2021).

UNITED NATIONS OFFICE ON DRUGS AND CRIME (UNODC): *Global Report on Trafficking in Persons 2020*, United Nations, New York, 2020. Disponible en: https://www.unodc.org/documents/data-and-analysis/tip/2021/GLOTiP_2020_15jan_web.pdf. (últ. consulta 30 de octubre de 2021).

VAN BUREN, H.J., SCHREMPF-STIRLING, J. y WESTERMANN-BEHAYLO, M.: "Business and Human Trafficking: A Social Connection and Political Responsibility Model", *Business & Society*, vol. 60(2), 2021, pp. 341-375. DOI: 10.1177/0007650319872509

VILLACAMPA ESTIARTE, C. y TORRES FERRER, C.: "Aproximación institucional a la trata de seres humanos en España: valoración crítica", *Estudios Penales y Criminológicos*, núm. 41, 2021, pp. 189-232. DOI: https://doi.org/10.15304/epc.41.6979

VILLACAMPA ESTIARTE, C. y TORRES FERRER, C.: "La evolución del abordaje normativo de la trata de Seres Humanos en España: presente y previsible futuro", en LEÓN ALAPONT, J. (dir.), *Temas clave de Derecho Penal. Presente y futuro de la política criminal en España*, JM Bosch Editor, Barcelona, 2021, pp. 587-620.

VILLACAMPA ESTIARTE, C., GÓMEZ ADILLÓN, M.J. y TORRES FERRER, C.: "Trafficking in human beings in Spain: What do the data on detected victims tell us?", *European Journal of Criminology*, 2021, pp. 1-24. DOI: 10.1177/1477370821997334

VILLACAMPA ESTIARTE, C.: "¿Es necesaria una ley integral contra la trata de seres humanos?", *Revista General de Derecho Penal*, vol. 33, 2020, pp. 1-57.

VILLACAMPA ESTIARTE, C.: "Libro II: Título VII bis (Art. 177 bis)", en QUINTERO OLIVARES, G. (dir.), *Comentarios a la Parte Especial del Derecho Penal (10ª Edición)*, Thomson Reuters-Aranzadi, Cizuer Menor, 2016, pp. 267-298.

VILLACAMPA ESTIARTE, C.: *El Delito de Trata de Seres Humanos. Una Incriminación Dictada desde el Derecho Internacional*, Thomson Reuters-Aranzadi, Cizur Menor, 2011.

WHEATON, E.M., SCHAUER, E.J. y GALLI, T.V.: "Economics of Human Trafficking", *International Migration*, vol. 48(4), 2010, pp. 114-141. DOI:10.1111/j.1468-2435.2009.00592.x

Capítulo XXI

GARANTIZAR LA INDEMNIZACIÓN DE LAS VÍCTIMAS DE TRATA DE SERES HUMANOS A TRAVÉS DE LA RECUPERACIÓN DE ACTIVOS

TERESA AGUADO-CORREA
Profesora Titular de Derecho Penal
Universidad de Sevilla

Sumario: I. INTRODUCCIÓN; II. INDEMNIZACIÓN DE LAS VÍCTIMAS DE TRATA DE SERES HUMANOS EN EL MARCO INTERNACIONAL; 1. Introducción; 2. Marco normativo; 2.1 Naciones Unidas; 2.2 Consejo de Europa; 2.3 Unión Europea; III. TRATA DE SERES HUMANOS EN LA UE: BAJO RIESGO Y ALTA RENTABILIDAD; 1. Introducción; 2. Bajo riesgo y alta rentabilidad; IV. ACCESO DE LAS VÍCTIMAS DE TRATA DE SERES HUMANOS A LA INDEMNIZACIÓN: UN CAMINO LLENO DE OBSTÁCULOS; V. ALLANANDO EL CAMINO DEL ACCESO A LA INDEMNIZACIÓN: SEGUIR EL RASTRO DEL DINERO. VI. PRÓXIMOS RETOS EN LA POLÍTICA DE RECUPERACIÓN DE ACTIVOS EN LA UE; VII. RECUPERACIÓN DE ACTIVOS Y DECOMISO EN ESPAÑA; 1. Introducción; 2. Recuperación y gestión de activos en España: el papel de la ORGA; 3. Decomiso; VIII. INDEMNIZACIÓN A LAS VÍCTIMAS DE TRATAS DE SERES HUMANOS EN ESPAÑA; 1. Introducción; 2. Algunas iniciativas para garantizar la indemnización de las víctimas; 3. Recomendaciones; IX. CONCLUSIONES; X. BIBLIOGRAFÍA.

I. INTRODUCCIÓN

La trata de seres humanos, forma particular de la delincuencia organizada, implica una grave violación de los derechos humanos, siendo sus efectos devastadores para las víctimas debido a la naturaleza, las circunstancias, la duración, así como a las consecuencias del delito[1]. Frente a esta violación de derechos humanos, la indemnización desempeña un papel fundamental en la recuperación de las víctimas de trata de seres humanos a la vez que se erige en una herramienta crucial en la lucha contra la trata de seres humanos. La indemnización a la víctimas de trata de seres humanos posee "una función restaurativa, preventiva y punitiva"[2].

---

[1]   COMISIÓN EUROPEA: *Comunicación de la Comisión al Parlamento Europeo, al Consejo, al Comité Económico y Social Europeo y al Comité de las Regiones. Estrategia de la UE sobre los derechos de las víctimas 2020-2025*, Bruselas, 2020, p. 16.

[2]   La Strada International, *Justice at Last Policy Paper*, Ámsterdam, noviembre de 2018. Se cita conforme a la versión española, LA STRADA INTERNATIONAL: *Proyecto Justicia, Por Fin. Acción Europea para Compensar a Víctimas de Delitos. Documento de Análisis*

En este trabajo prestaremos especial atención a la importancia de la recuperación de activos para garantizar la recuperación de las víctimas por la vía de la indemnización, ya sea por parte del infractor o por el Estado. En particular, nos ocuparemos de la posibilidad de usar los instrumentos y productos del delito incautados y decomisados para apoyar la asistencia y la protección a las víctimas, incluida la indemnización[3]. Ello nos llevará a ocuparnos de las normas europeas[4] y españolas[5] que regulan las distintas fases o etapas de las que consta el proceso de recuperación de activos, así como de los proyectos de normativos que se están tramitando, en la medida en que pueden contribuir a garantizar el derecho a la indemnización de las víctimas de trata de seres humanos.

---

e incidencia política, 2018, p. 3; LA STRADA INTERNATIONAL: *COMP.ACT, Kit de herramientas sobre compensación para personas víctimas de trata*, 2012.

[3]   En COMISIÓN EUROPEA: *Recuperación y decomiso de activos: Garantizar que el delito no resulte provechoso*, 2020, pp. 13 y 14, se señala que a pesar del carácter no vinculante del artículo 10, apartado 3 de la Directiva, en diecinueve Estados miembros, entre los que se encuentra España, existe una legislación específica sobre el uso de bienes confiscados con fines de interés público o con fines sociales. En COMISIÓN EUROPEA: *Informe de la Comisión al Parlamento Europeo y al Consejo. Segundo informe sobre los progresos realizados en la lucha contra la trata de seres humanos (2018) con arreglo al artículo 20 de la Directiva 2011/36/UE relativa a la prevención y lucha contra la trata de seres humanos y a la protección de las víctimas*, Bruselas, 2018, se incluyen más detalles.

[4]   Sobre la recuperación de activos en UE, *vid.* FERNÁNDEZ VILLAREJO, F.: "La recuperación de activos en la Unión Europea", en BERDUGO GÓMEZ DE LA TORRE, I. y RODRÍGUEZ GARCÍA, N. (coords.), *Decomiso y recuperación de activos. Crime doesn't pay*, Tirant lo Blanch, Valencia, 2020, pp. 295- 398; AGUADO-CORREA, T.: "Embargo y decomiso en la Unión Europea: novedades legislativas y retos", en GUEDES VALENTE, M. M. (coord.), *Criminalidade Organizada Transnacional –Corpus delicti I*, Almedina, Coimbra (Portugal), 2020, pp. 99-123; AGUADO-CORREA, T.: "Siguiendo el rastro del dinero en la Unión Europea: hacia un enfoque global, operativo e integrado", en ZÚÑIGA RODRÍGUEZ, L. (dir.), BALLESTEROS SÁNCHEZ, J. (coord.), *Nuevos desafíos frente a la criminalidad organizada trasnacional y el terrorismo*, Dykinson, Madrid, 2021, pp. 187-215; AGUADO-CORREA, T.: "Criminalidad organizada en tiempos de pandemia en la UE: tolerancia cero con el dinero ilícito", en *Criminalidade Organizada Transnacional –Corpus delicti IV*, Coimbra, Coimbra (Portugal), 2022, pp. 141-175.

[5]   AGUADO-CORREA, T.: "Normas mínimas sobre decomiso de los instrumentos y del producto de la delincuencia organizada en la Unión Europea (Directiva 2014/42/UE) y su incorporación al derecho español", en ZÚÑIGA RODRÍGUEZ, L. (dir.), BALLESTEROS SÁNCHEZ, J. (coord.), *Criminalidad organizada transnacional: una amenaza a la seguridad de los estados democráticos*, Tirant lo Blanch, Valencia, 2017, pp. 551-590; AGUADO-CORREA, T.: "Cinco años después de las reformas del decomiso: does crime still pay?", en BERDUGO GÓMEZ DE LA TORRE, I. y RODRÍGUEZ GARCÍA, N. (coords.), *Decomiso y recuperación de activos. Crime doesn't pay*. Edit. Tirant lo Blanch, Valencia, 2020, pp. 55-82.

II. INDEMNIZACIÓN DE LAS VÍCTIMAS DE TRATA DE SERES HUMANOS EN EL MARCO INTERNACIONAL

1. *Introducción*

Las víctimas de trata de seres humanos tienen reconocidos una serie de derechos que se convierten en obligaciones para los Estados. Entre estas obligaciones del Estado se encuentra la de reparar las violaciones de los derechos humanos que hayan sufrido, mediante la puesta a disposición de las víctimas de vías de recurso efectivas y apropiadas. Los Estados están obligados a proporcionar a las víctimas una indemnización por "el perjuicio derivado de la vulneración de los derechos que el Estado tenía el deber de proteger pero que no pudo garantizar". La Declaración de los principios fundamentales de la justicia para las víctimas de delitos y abusos de poder (Resolución 40/34 de la Asamblea General)[6], contempla algunos principios relacionados con la restitución (8-11) e indemnización (12-13), para los casos en los que la indemnización procedente del delincuente o de otras fuentes no sea suficiente. En el derecho europeo se reconoce a las víctimas el derecho a un remedio efectivo, en el que se incluye la indemnización como forma de reparación (arts. 13 CEDH y art. 47 CDFUE).

El derecho de las víctimas de trata de seres humanos a obtener una indemnización se encuentra reconocido en los principales instrumentos internacionales y europeos dedicados a la lucha contra la trata de seres humanos. Así, y sin ánimo de ser exhaustivos, citaremos el Protocolo contra la Trata de Personas que complementa la Convención de Palermo (2000); el Convenio del Consejo de Europa sobre la Lucha contra la Trata de Seres Humanos (2005); la Directiva de la UE sobre la Trata de Personas (2011). También debe tenerse en cuenta, a nivel de la UE, la normativa sobre el derecho a la indemnización, contemplada tanto en la Directiva sobre el derecho de las víctimas (2012) como en la Directiva de la Unión Europea sobre indemnización (2004).

Además, el derecho a la indemnización está reconocido en otros instrumentos normativos que se ocupan de fenómenos delictivos íntimamente relacionados con la trata de seres humanos, como la explotación sexual y el trabajo forzado[7]. Así, en el ámbito de Naciones Unidas existen varios instrumentos

---

[6]   Doc. A/RES/40/34, de 29 de septiembre de 1985.

[7]   El 24 de diciembre de 2021, se publicó en el BOE, el Plan de Acción Nacional contra el Trabajo Forzoso: relaciones laborales obligatorias y otras actividades humanas forzadas, viniendo a colmar así la ausencia de planes o programas de actuación referidos a la trata en el ámbito laboral o al trabajo forzoso propiamente dicho, grandes olvidados, hasta ahora, por los poderes públicos de nuestro país, que se han centrado más en la trata con fines de explotación sexual, como se reconoce en el propio Plan de Acción. BOE núm. 308, de 24 de

que regulan el trabajo forzado que reconocen el derecho a la indemnización , entre ellos, el Protocolo a la Convención contra el trabajo forzoso (2014) de la OIT[8].Tampoco queremos dejar sin citar, por su importancia en un futuro próximo, el Convenio 190 de la OIT sobre violencia y acoso (2019), que se aplica a la violencia y el acoso en el mundo del trabajo, incluida la violencia y el acoso por razón de género, que aún no ha sido ratificado por España[9], en el cual se reconoce el derecho a la reparación.

2. Marco normativo

2.1. Naciones Unidas

El último párrafo del art. 6, dedicado a la "Asistencia y protección a las víctimas de la trata de personas", del Protocolo para prevenir, reprimir y sancionar la trata de personas, especialmente mujeres y niños, que complementa la Convención de las Naciones Unidas contra la delincuencia organizada transnacional (Nueva York, 15 de noviembre de 2000), obliga a los Estados Partes a velar por que en sus respectivos ordenamientos jurídicos se prevean medidas que brinden a las víctimas de la trata de personas, la posibilidad de obtener

---

diciembre de 2021, p. 162222. Uno de los ejes y principios fundamentales que han inspirado este Plan de Acción es la protección a las víctimas, habiendo sido diseñado el plan con el "objetivo último de mejorar la protección a las víctimas de trabajo forzoso, quienes han sido en todo momento el eje central del presente Plan de Acción".

[8]   Este Protocolo entró en vigor en España el 20 de septiembre de 2018. "Artículo 1. 1. Al dar cumplimiento a sus obligaciones en virtud del Convenio de suprimir el trabajo forzoso u obligatorio, todo Miembro deberá adoptar medidas eficaces para prevenir y eliminar su utilización, proporcionar a las víctimas protección y acceso a acciones jurídicas y de reparación apropiadas y eficaces, tales como una indemnización, y sancionar a los autores del trabajo forzoso u obligatorio". El art. 4, se ocupa de la reparación en los siguientes términos: "1. Todo Miembro deberá velar por que todas las víctimas de trabajo forzoso u obligatorio, independientemente de su situación jurídica o de que se encuentren o no en el territorio nacional, tengan acceso efectivo a acciones jurídicas y de reparación apropiadas y eficaces, tales como una indemnización". En la Recomendación 203 de la OIT, en el apartado relativo a las Acciones jurídicas y de reparación, tales como indemnización y acceso a la justicia, se establece que "12. Los Miembros deberían adoptar medidas para velar por que todas las víctimas de trabajo forzoso u obligatorio tengan acceso a la justicia y a otras acciones jurídicas y de reparación apropiadas y eficaces, tales como una indemnización por daños personales y materiales con inclusión de…".

[9]   Art. 10, letra e) Convenio OIT: "prever que las víctimas de violencia y acoso por razón de género en el mundo del trabajo tengan acceso efectivo a mecanismos de presentación de quejas y de solución de conflictos, asistencia, servicios y vías de recurso y reparación que tengan en cuenta las consideraciones de género y que sean seguros y eficaces". Entró en vigor el día 25 de junio de 2021, y en 2022 será de aplicación en Grecia (30 de agosto) e Italia (29 de octubre), los dos únicos países de la UE que lo ratificaron durante 2021.

indemnización por los daños sufridos[10]. Además, lo dispuesto en este párrafo 6 del art. 6 Protocolo se debe poner en relación con la previsión contenida en el párrafo 2 del art. 25 de la Convención, en el que se dispone que "Cada Estado Parte establecerá procedimientos adecuados que permitan a las víctimas de los delitos comprendidos en la presente Convención obtener indemnización y restitución".

2.2. Consejo de Europa

Al igual que en el Protocolo del Convenio de Palermo, en el Convenio del Consejo de Europa sobre la lucha contra la trata de seres humanos de 2005 (Convenio de Varsovia) se contempla el derecho de las víctimas de la trata de las personas a la indemnización por los responsables del delito (apartado 3 del art. 15)[11]. Además, y ante la frecuencia con la que los traficantes no compensan a las víctimas, bien porque el traficante no ha sido encontrado, bien porque ha desaparecido o porque no tiene activos realizables[12], en el art. 15.4 el Convenio se exige a las Partes que adopten medidas para garantizar la indemnización de las víctimas, ya sea mediante el establecimiento de un fondo para su indemnización o a través de medidas o programas dirigidos a la asistencia y a la integración social de las mimas, que podrían financiarse con los activos procedentes del decomiso de los instrumentos y de los productos de las infracciones penales de trata de seres humanos o de los bienes cuyo valor corresponda al producto del delito[13].

2.3. Unión Europea

En el marco del espacio europeo de libertad, seguridad y justicia, el art. 17 de la Directiva 2011/36/UE del Parlamento Europeo y del Consejo, de 5 abril de 2011, relativa a la prevención y lucha contra la trata de seres humanos y a la protección de las víctimas y por la que se sustituye la Decisión marco

---

[10]   "6. Cada Estado Parte velará por que su ordenamiento jurídico interno prevea medidas que brinden a las víctimas de la trata de personas la posibilidad de obtener indemnización por los daños sufridos".

[11]   "Artículo 15. Indemnización y reparación legal... 3. Cada Parte preverá, en su derecho interno, el derecho de las víctimas a ser indemnizadas por los infractores".

[12]   CONSEJO DE EUROPA: *GRETA, 9th. General Report on GRETA´s activities*, 2020, p. 60, parágrafo 169.

[13]   "4. Cada Parte adoptará las medidas legislativas u otras medidas necesarias para garantizar que las víctimas sean indemnizadas, en las condiciones previstas en su derecho interno, por ejemplo, mediante el establecimiento de un fondo para la indemnización de las víctimas, o mediante medidas o programas dirigidos a la asistencia y a la integración social de las mismas, que podrían financiarse con los activos procedentes de la aplicación de las medidas previstas en el artículo 23".

2002/629/JAI del Consejo[14], prevé que "Los Estados miembros garantizarán que las víctimas de la trata de seres humanos tengan acceso a los regímenes existentes de indemnización a las víctimas de delitos violentos cometidos intencionadamente". Además, en el considerando 13 de la citada Directiva 2011/36/UE, se alude a la necesidad de que los Estados miembros fomenten los instrumentos y productos del delito embargados y confiscados para apoyar la asistencia y protección a las víctimas, incluida su indemnización[15], en los siguientes términos:

> "En la lucha contra la trata de seres humanos deben aprovecharse plenamente los instrumentos en vigor sobre embargo y decomiso de los productos del delito, como la Convención de las Naciones Unidas contra la Delincuencia Organizada Transnacional y sus protocolos, el Convenio del Consejo de Europa, de 1990, relativo al blanqueo, seguimiento, embargo y decomiso de los productos del delito, la Decisión marco 2001/500/JAI del Consejo, de 26 de junio de 2001, relativa al blanqueo de capitales, la identificación, seguimiento, embargo, incautación y decomiso de los instrumentos y productos del delito (2), y la Decisión marco 2005/212/JAI del Consejo, de 24 de febrero de 2005, relativa al decomiso de los productos, instrumentos y bienes relacionados con el delito (3). Debe fomentarse el uso de los instrumentos y productos procedentes de las infracciones embargados y decomisados a que hace referencia la presente Directiva, para apoyar la asistencia y la protección a las víctimas, incluida la indemnización de las mismas y las actividades policiales transfronterizas de lucha contra la trata en la Unión".

III. TRATA DE SERES HUMANOS EN LA UE: BAJO RIESGO Y ALTA RENTABILIDAD

1. Introducción

La preocupación por el incremento del número de víctimas de trata de seres humanos detectadas en los últimos años en la Unión Europea y la grave amena-

---

[14]   Esta Directiva actualmente se encuentra sometida a un proceso de revisión, para poner fin a los problemas que se han detectado en los tres informes de situación sobre la aplicación de la Directiva 2011/36/UE, teniendo en cuenta un enfoque específico de género, sensible con los niños y centrado en las víctimas. Uno los objetivos de esta revisión es mejorar la protección y la ayuda a las víctimas de trata de seres humanos.

[15]   En el Informe "Recuperación y decomiso de activos: Garantizar que el delito resulte provechoso", COM (2020) 217 final, Bruselas, 2.6.2020, la Comisión, al abordar la adopción de medidas en los Estados miembros para dar cumplimiento a lo dispuesto en el art. 10 de la Directiva 2014/42/UE, relativo a la "Administración de bienes embargados preventivamente y decomisados", considera importante destacar que el considerando 13 de la Directiva 2011/36/UE, fomenta que los Estados miembros utilicen los instrumentos y productos del delito incautados y confiscados para apoyar la asistencia y protección a las víctimas, incluida su indemnización.

za que constituye para la Unión Europea, ha llevado a la Comisión Europea además de incluir la protección de la sociedad frente a la delincuencia organizada, y en particular, la lucha contra la trata de seres humanos, entre las prioridades de la nueva Estrategia de la Unión Europea para la Seguridad (2020)[16], a presentar conjuntamente, el pasado 14 de abril de 2021, las Estrategias de la Unión Europea contra la delincuencia organizada[17] y contra la trata de seres humanos[18]. Esta presentación conjunta por parte de la Comisión Europea, pone de relieve la patente relación que existe entre la delincuencia organizada y la trata de seres humanos: la trata de seres humanos constituye una forma especialmente grave de delincuencia organizada, siendo las redes de delincuencia organizada las que mayoritariamente trafican con seres humanos, obteniendo de la explotación de la vulnerabilidad de sus víctimas un gran beneficio económico[19]. Y para colmo, por si ya la situación no fuese realmente preocupante, la pandemia de COVID 19, lejos de contribuir a disminuir la actividad delictiva de los tratantes y con ello su beneficio económico, ha sido aprovechada por éstos para incrementar la actividad delictiva a la par que sus beneficios, agravando la situación de vulnerabilidad de las víctimas[20].

2. Bajo riesgo y alta rentabilidad

Según los datos oficiales comunicados a la UE por los países miembros, el número total de víctimas de la trata de seres humanos ha ido escalando progresivamente -en el bienio 2017-2018[21] fueron 14.145 las víctimas de tratantes detectadas en la UE, frente a las 13.461 del bienio anterior[22]-, si bien

---

[16]   COMISIÓN EUROPEA: *Primer informe de situación sobre la Estrategia de la UE para una Unión de la Seguridad*, 2020.

[17]   COMISIÓN EUROPEA: *Comunicación de la Comisión al Parlamento Europeo, al Consejo, al Comité Económico y Social Europeo y al Comité de las Regiones. Estrategia de la UE sobre los derechos de las víctimas 2020-2025, op. cit.*

[18]   COMISIÓN EUROPEA: *Ibidem.*

[19]   Aun cuando se reconoce la estrecha relación de ambas estrategias, siendo de aplicación las prioridades globales y las acciones clave de la p. 3, atiende a los aspectos específicos de la trata de seres humano.

[20]   COMISIÓN EUROPEA: *Informe de la Comisión al Parlamento Europeo y al Consejo. Tercer informe sobre los progresos realizados en la lucha contra la trata de seres humanos (2018) con arreglo al artículo 20 de la Directiva 2011/36/UE relativa a la prevención y lucha contra la trata de seres humanos y a la protección de las víctimas*, Bruselas, 2020, p. 1; COMISIÓN EUROPEA: *Comunicación de la Comisión al Parlamento Europeo, al Consejo, al Comité Económico y Social Europeo y al Comité de las Regiones. Estrategia de la UE sobre los derechos de las víctimas 2020-2025, op. cit.* p. 2.

[21]   COMISIÓN EUROPEA: *Ibidem, p. 1.*

[22]   COMISIÓN EUROPEA: *Informe de la Comisión al Parlamento Europeo y al Consejo. Tercer informe sobre los progresos realizados en la lucha contra la trata de seres humanos (2018) con arreglo al artículo 20 de la Directiva 2011/36/UE relativa a la prevención y lucha contra la trata de seres humanos y a la protección de las víctimas, op. cit., p. 3.*

debe tenerse en cuenta que, como sabemos, y reconoce la propia Comisión Europea, no se corresponden con la realidad al ser muy elevada la cifra negra, dado que muchas de las víctimas no son detectas[23]. Casi la mitad de estas víctimas de trata en la UE, son ciudadanos de la propia UE (49%)[24] que, en su mayoría, proceden de Rumanía, Hungría, Francia, los Países Bajos y Bulgaria[25], siendo un número considerable de víctimas objeto de trata en sus propios países (34%)[26]. El resto de víctimas de fuera de la UE, proceden principalmente de Nigeria, China, Ucrania, Marruecos e India. Igualmente cabe resaltar, por preocupante y alarmante, que la cuarta parte de las víctimas de trata de seres humanos en la UE son menores (22%), siendo la mayoría de ellas ciudadanas de la UE y víctimas de trata de seres humanos con fines de explotación sexual (78%)[27]. Por último, no podemos pasar por alto que el 92% de las víctimas de trata de seres humanos son mujeres y niñas.

---

[23]   Sobre la situación de la trata de seres humanos en España, la elevada cifra negra, los perfiles de las víctimas, así como las dinámicas comisivas y actividades en las que se explota a las víctimas en España, *vid.* los resultados del estudio de campo llevado a cabo por VILLA-CAMPA ESTIARTE, C., GÓMEZ ADILLON, M. J., TORRES FERRER, C. y MIRANDA RUCHE, X.: "Trata de seres humanos: dimensión y características en España", *RGDP*, 35, 2021, pp. 1-34. *Vid.* también VILLACAMPA ESTIARTE, C. y TORRES FERRER, C: "Aproximación institucional a la trata de seres humanos en España: valoración crítica", *EPyCr*, vol. XLI, 2021, pp. 189-232.

[24]   COMISIÓN EUROPEA: *Informe de la Comisión al Parlamento Europeo y al Consejo. Tercer informe sobre los progresos realizados en la lucha contra la trata de seres humanos (2018) con arreglo al artículo 20 de la Directiva 2011/36/UE relativa a la prevención y lucha contra la trata de seres humanos y a la protección de las víctimas, op. cit.,* p. 3. CO-MISIÓN EUROPEA: *Comunicación de la Comisión al Parlamento Europeo, al Consejo, al Comité Económico y Social Europeo y al Comité de las Regiones. Estrategia de la UE sobre los derechos de las víctimas 2020-2025, op. cit.* p.1.

[25]   COMISIÓN EUROPEA: *Informe de la Comisión al Parlamento Europeo y al Consejo. Tercer informe sobre los progresos realizados en la lucha contra la trata de seres humanos (2018) con arreglo al artículo 20 de la Directiva 2011/36/UE relativa a la prevención y lucha contra la trata de seres humanos y a la protección de las víctimas, op. cit.,* p. 10.

[26]   COMISIÓN EUROPEA: *Comunicación de la Comisión al Parlamento Europeo, al Consejo, al Comité Económico y Social Europeo y al Comité de las Regiones. Estrategia de la UE sobre los derechos de las víctimas 2020-2025, op. cit.* P. 1

[27]   COMISIÓN EUROPEA: *Informe de la Comisión al Parlamento Europeo y al Consejo. Tercer informe sobre los progresos realizados en la lucha contra la trata de seres humanos (2018) con arreglo al artículo 20 de la Directiva 2011/36/UE relativa a la prevención y lucha contra la trata de seres humanos y a la protección de las víctimas, op. cit.,* p. 3; CO-MISIÓN EUROPEA: *Comunicación de la Comisión al Parlamento Europeo, al Consejo, al Comité Económico y Social Europeo y al Comité de las Regiones. Estrategia de la UE sobre los derechos de las víctimas 2020-2025, op. cit.,* p. 15, n.p.p. 50: "En 2017 y 2018: el 78 % de las víctimas menores de edad fueron niñas; el 60 % de las víctimas menores fueron objeto de trata con fines de explotación sexual y tres cuartas partes de las víctimas menores de edad en la Unión (75 %) eran ciudadanos de la UE…". Por lo que respecta a las cifras relativas a los menores de edad no pertenecientes a la UE, las niñas representan el 69% de las víctimas.

En comparación con el número tan elevado de víctimas de trata de seres humanos, que representa más de un tercio de todas las víctimas de la Unión Europea, el número de enjuiciamientos y condenas de los autores sigue siendo bajo, prevaleciendo la cultura de la impunidad. Según los datos que nos ofrece la Comisión Europea, en el período 2017-2018 tan sólo hubo 2.426 condenas en la UE relacionadas con la trata de seres humanos, siendo 11788 los sospechosos y 6163 los enjuiciamientos, lo que indica que la condena, y por ende, la indemnización por parte de los infractores, aún representa un desafío[28]. La mayoría de los condenados son ciudadanos de la UE y tres cuartas parte de ellos son hombres[29].

La trata de seres humanos es una actividad delictiva muy lucrativa que, además de representar un elevado coste para la sociedad, genera ingentes beneficios a los delincuentes, como resultado de la grave violación de derechos fundamentales de las víctimas de los tratantes. Aun cuando las cifras son aproximadas, los beneficios anuales generados por la trata de seres humanos a nivel mundial se elevan, en una "estimación conservadora" [30] relativa al año 2015, a los 29.400 millones de euros[31]. En el ámbito de la UE, sólo los beneficios estimados procedentes de la trata de seres humanos con fines de explotación sexual se sitúan en torno a los 14.000 millones de euros[32]. En la otra cara de la moneda, el coste total anual de la trata de seres humanos en la UE en servicios adicionales en el ámbito policial, de la salud y de protección social, en los gastos en la coordinación de la lucha contra esta lacra de la sociedad, así como las pérdidas de producción económica, de calidad de vida, etc., se sitúa en torno a los 2.700 millones de euros[33].

---

[28]　COMISIÓN EUROPEA: *Informe de la Comisión al Parlamento Europeo y al Consejo. Tercer informe sobre los progresos realizados en la lucha contra la trata de seres humanos (2018) con arreglo al artículo 20 de la Directiva 2011/36/UE relativa a la prevención y lucha contra la trata de seres humanos y a la protección de las víctimas, op. cit.*, p. 12.

[29]　COMISIÓN EUROPEA: *Comunicación de la Comisión al Parlamento Europeo, al Consejo, al Comité Económico y Social Europeo y al Comité de las Regiones. Estrategia de la UE sobre los derechos de las víctimas 2020-2025, op. cit.*, p. 1

[30]　La Comisión Europea habla de una "estimación conservadora". COMISIÓN EUROPEA: *Informe de la Comisión al Parlamento Europeo y al Consejo. Tercer informe sobre los progresos realizados en la lucha contra la trata de seres humanos (2018) con arreglo al artículo 20 de la Directiva 2011/36/UE relativa a la prevención y lucha contra la trata de seres humanos y a la protección de las víctimas, op. cit.*, p. 1.

[31]　EUROPOL: *The trafficking in human beings financial business model*, 2015.

[32]　COMISIÓN EUROPEA: *Comunicación de la Comisión al Parlamento Europeo, al Consejo, al Comité Económico y Social Europeo y al Comité de las Regiones. Estrategia de la UE sobre los derechos de las víctimas 2020-2025, op. cit.* p. 7. *la prevención y lucha contra la trata de seres humanos y a la protección de las víctimas, op. cit.*, p. 1; COMISIÓN EUROPEA: *Study on the economic, social and human costs of trafficking in human beings within the EU*, 2020.

[33]　COMISIÓN EUROPEA: *Informe de la Comisión al Parlamento Europeo y al Consejo. Tercer informe sobre los progresos realizados en la lucha contra la trata de seres humanos*

Los grupos de delincuencia organizada que se dedican a la trata de seres humanos realizan además a otras actividades delictivas, entre otras, el tráfico ilícito de inmigrantes, el blanqueo de capitales[34], habiéndose constatado además, en los últimos años, una estrecha conexión con el tráfico de drogas[35]. Esta conexión se desarrolla de tres formas que, a veces, se solapan: a) los grupos de delincuencia organizada se dedican a ambas actividades delictiva, tanto al tráfico de drogas como a la trata de seres humanos; b) las víctimas de la trata de seres humanos son obligadas a traficar con drogas; c) las drogas juegan un papel relevante en el proceso de trata de seres humanos, al facilitar y mantener la explotación de personas vulnerables[36].

Siendo la obtención de un gran beneficio económico el motor que mueve a los grupos organizados dedicados a la trata de seres humanos, la localización, el embargo, el decomiso y la ejecución de los activos procedentes de las actividades delictivas, son claves garantizar que el delito no resulte rentable. No obstante, como ya hemos puesto de manifiesto en numerosas ocasiones, por diversos motivos, no están dando aún los resultados esperados[37], como lo confirman los datos de los embargos y decomisos que se realizan en la UE. Por lo que respecta a la trata de seres humanos, a pesar de millones de euros que se mueven en este negocio delictivo, tan sólo se embargaron 1,5 millones de euros de activos en cuentas bancarias, empresas y dominios web[38].

(2018) con arreglo al artículo 20 de la Directiva 2011/36/UE relativa a la prevención y lucha contra la trata de seres humanos y a la protección de las víctimas, op. cit., p. 1; COMISIÓN EUROPEA: *Study on the economic, social and human costs of trafficking in human beings within the EU, op. cit.* Disponible en: https://ec.europa.eu/anti-trafficking/sites/antitrafficking/files/study_on_the_economic_social_and_human_costs_of_trafficking_in_human_beings_within_the_eu.pdf.

[34]   COMISIÓN EUROPEA: *Primer informe de situación sobre la Estrategia de la UE para una Unión de la Seguridad, op. cit.*

[35]   COMISIÓN EUROPEA: *Informe de la Comisión al Parlamento Europeo y al Consejo. Tercer informe sobre los progresos realizados en la lucha contra la trata de seres humanos (2018) con arreglo al artículo 20 de la Directiva 2011/36/UE relativa a la prevención y lucha contra la trata de seres humanos y a la protección de las víctimas, op. cit.,* p. 2.

[36]   Comunicación de la Comisión al Parlamento Europeo, al Consejo Europeo, al Consejo, al Comité Económico y Social Europeo y al Comité de las Regiones. Agenda y Plan de Acción de la UE en materia de Lucha contra la Droga 2021-2025. Bruselas, 24.7.2020 COM (2020) 606 final, p. 5.

[37]   AGUADO-CORREA, T.: "Cinco años después de las reformas del decomiso: does crime still pay?", *op. cit.*; AGUADO-CORREA, T.: "Siguiendo el rastro del dinero en la Unión Europea: hacia un enfoque global, operativo e integrado", *op. cit.*

[38]   COMISIÓN EUROPEA: *Informe de la Comisión al Parlamento Europeo y al Consejo. Tercer informe sobre los progresos realizados en la lucha contra la trata de seres humanos (2018) con arreglo al artículo 20 de la Directiva 2011/36/UE relativa a la prevención y lucha contra la trata de seres humanos y a la protección de las víctimas, op. cit.,* p. 13.

IV. ACCESO DE LAS VÍCTIMAS DE TRATA DE SERES HUMANOS A LA INDEMNIZACIÓN: UN CAMINO LLENO DE OBSTÁCULOS

A pesar de la importancia de la indemnización en la lucha contra la trata de seres humanos y de su reconocimiento normativo, no son pocas las voces de la sociedad civil que, desde hace años[39], han denunciado las dificultades y obstáculos a los que tienen que hacer frente las víctimas para obtener una indemnización, provocando una victimización secundaria, que, a la postre, dificulta la recuperación de las mismas[40]. Entre ellas, caben destacar las denuncias formuladas por La Strada International[41] en el "Documento de Análisis e incidencia política" (Policy Paper), publicado en 2018, donde se pone de manifiesto que la existencia de barreras legales, procesales, financieras y prácticas, impiden a las víctimas de trata de seres humanos y de otros delitos conexos, a pesar del marco normativo que existe, obtener información y acceder a los medios para obtener la indemnización, siendo muy pocas las que finalmente reciben la misma[42]; situación que se ve agravada en el caso de los colectivos vulnerables, como los migrantes indocumentados o irregulares. Por lo que aquí nos interesa, cabe destacar que, además del problema del cálculo de la indemnización, agravado por la ausencia de directrices europeas, se denuncia las barreras a las que se enfrentan las víctimas para percibir la indemnización. En numerosas ocasiones no se encuentra a los tratantes, no se les procesa, o bien han trasladado sus activos al extranjero o se declaran en quiebra para evitar que sus bienes sean decomisados y pagar la compensación a las víctimas. También se señalan como barreras la falta de investigaciones financieras y patrimoniales y la fallida política de recuperación de activos. Por lo que respecta a los obstáculos para acceder a los fondos de compensación extrajudiciales del Estado, se destaca que puede venir limitado en función de los criterios que se prevean para acceder al mismo (residencia/tipo de delito…)[43]. Por último, al ser un deli-

---

[39]   El Proyecto europeo "Justice at Last- European action for compensation for victims of crime" (2018), refleja en gran medida los resultados de la investigación COMP.ACT de 2012.

[40]   LA STRADA INTERNATIONAL: *Proyecto Justicia, Por Fin. Acción Europea para Compensar a Víctimas de Delitos. Documento de Análisis e incidencia política, op. cit.* Ante esta realidad, en COMISIÓN EUROPEA: *Comunicación de la Comisión al Parlamento Europeo, al Consejo, al Comité Económico y Social Europeo y al Comité de las Regiones. Estrategia de la UE sobre los derechos de las víctimas 2020-2025, op. cit.,* pp. 19 y 20, se ha instado a los Estados miembros a garantizar la protección de las víctimas de cualquier delito frente a los riesgos de victimización secundaria a la hora de reclamar una indemnización, y no sólo durante los procesos penales, pp.19 y 20.

[41]   Es uno de los socios del consorcio Justice At Last. European Action for Compesation for Victims of Crime.

[42]   LA STRADA INTERNATIONAL: *Proyecto Justicia, Por Fin. Acción Europea para Compensar a Víctimas de Delitos. Documento de Análisis e incidencia política, op. cit.,* p. 3.

[43]   LA STRADA INTERNATIONAL: *Ibidem,* p. 6.

to normalmente de carácter trasnacional, la cooperación internacional es muy relevante, si bien se ha constatado una falta generalizada de concienciación entre los profesionales implicados, acerca de las posibilidades de derivación transfronteriza y las posibilidades de reclamar la indemnización en otro país de la UE[44].

De estas dificultades de las víctimas para obtener la indemnización por parte del delincuente o del Estado, que no son nuevas pues ya se aludía a ellas en la Directiva 2004/80/CE del Consejo, de 29 de abril de 2004, sobre indemnización a las víctimas de delitos[45], y que se han agravado con la pandemia del COVID-19[46], se han hecho eco tanto el Consejo de Europa como algunas instituciones de la Unión Europea.

En noviembre de 2016, en una reunión organizada por el Consejo de Europa, para mejorar el acceso a la justicia a las personas traficadas, en la que participaron abogados y representantes de ONGs procedentes de 26 Estados parte, se concluyó que la compensación de las víctimas de trata de seres humanos no se ha resuelto satisfactoriamente, poniéndose de manifiesto la considerable brecha que hay en esta materia entre la teoría y la práctica[47]. Y es que, a pesar de que, como hemos visto, en numerosos instrumentos internacionales y europeos se reconocen los derechos de las víctimas de trata en procedimientos penales y de otra naturaleza, entre ellos el derecho a la indemnización, en la práctica esa indemnización brilla por su ausencia. Para paliar esta situación, en este encuentro ya se apuntó, como una opción prioritaria, utilizar los bienes decomisados para indemnizar a las víctimas y, cuando dicha indemnización no pueda obtenerse del delincuente, sea satisfecha por el Estado. No obstante, se constató que muchos países carecían de una previsión legal que contemple la indemnización estatal, y, cuando existía, los procedimientos eran complicados, por lo que el tipo de daños que podían ser reclamados estaban limitados, o bien la reclamación de daños sólo podía realizarse una vez que la condena

---

44   LA STRADA INTERNATIONAL: *Ibidem*, p. 7.
45   Directiva 2004/80/CE del Consejo, de 29 de abril de 2004, sobre indemnización a las víctimas de delitos (DO L 261 de 6.8.2004, p. 15). En el considerando 10 de la Directiva 2004/80/CE del Consejo, de 29 de abril de 2004, sobre indemnización a las víctimas de delitos, ya se reconocía la dificultad de las víctimas del delito para obtener la indemnización del delincuente, bien por carecer de los medios necesarios para cumplir una sentencia por daños y perjuicios o porque no pudiese ser identificado o condenado.
46   COMISIÓN EUROPEA: *Informe de la Comisión al Parlamento Europeo y al Consejo. Tercer informe sobre los progresos realizados en la lucha contra la trata de seres humanos (2018) con arreglo al artículo 20 de la Directiva 2011/36/UE relativa a la prevención y lucha contra la trata de seres humanos y a la protección de las víctimas*, op. cit., p. 1.
47   WIJER, MARJAN: *Improving acces to justice for trafficked persons. Lawyers Networking Meeting*, 2016.

había devenido firme, lo cual podía llevar años[48]. En estas conclusiones también se denunció que incluso en aquellos casos en los que existe la posibilidad de embargar o confiscar los bienes de los sospechosos o condenados, rara vez tiene lugar, e incluso cuando se procede al decomiso, las cantidades decomisadas van a parar a las arcas del Estado y no se destinan a indemnizar a las víctimas[49]. También se reconoció el derecho a obtener el pago por el trabajo realizado, con independencia de su situación legal en el país y de la explotación a la que fue sometida (sexual o laboral).

Recientemente, en el 9º Informe General de GRETA (2020) se ha constatado la existencia de diversos obstáculos que impiden a la víctima la obtención de una indemnización por parte de los autores. Tan sólo algunos países informaron que se habían presentado con éxito solicitudes de indemnización[50].[51] Además, se ha constatado que diez Estados Parte no contaban con un mecanismo de indemnización estatal de las víctimas para los casos de imposibilidad o de no obtención de la indemnización por parte del autor[52]. Tal es la preocupación de GRETA por la indemnización de las víctimas que se ha incluido esta cuestión en el enfoque temático de la tercera ronda de evaluación de la Convención, actualmente en curso[53].

A nivel de la Unión Europea, en la Estrategia de la UE sobre los derechos de las víctimas (2020-2025), se reconoce la dificultad del acceso a las víctimas a la indemnización en los siguientes términos: "En muchos Estados miembros el acceso de las víctimas a indemnizaciones es difícil. Las víctimas pueden reclamar una indemnización estatal solo al final de un largo proceso, a menudo costoso y lento, que comienza con un proceso penal y va seguido de intentos de recibir una indemnización por parte del infractor. Tal y como se indica en el informe sobre indemnización de las víctimas, las razones subyacentes incluyen la falta de información sobre los derechos de las víctimas a percibir una indemnización,

---

[48] Se menciona el caso de Reino Unido, donde en una encuesta realizada en base a la Freedom Information Act de 2007.

[49] Se menciona el caso de Reino Unido, donde en una encuesta realizada en base a la Freedom Information Act de 2007.

[50] CONSEJO DE EUROPA: *GRETA, 9th. General Report on GRETA´s activities, op. cit.*, parágrafos 167 y 168. El informe se refiere a datos del año 2019.

[51] Para paliar esta situación, GRETA ha formulado a las Partes algunas recomendaciones, en CONSEJO DE EUROPA: *Ibidem*, parágrafo 168.

[52] Entre ellos no se cita España, pero sí Italia lo que nos llama la atención puesto que existe un Fondo desde el año 2017. *Vid.* n.p.p. 87. En relación con la indemnización por parte del Estado, GRETA ha formulado recomendaciones, constando una "urge partial" a España (parágrafo 171), relacionadas con las siguientes cuestiones: a) la indemnización estatal no es legalmente posible; b) los criterios de elegibilidad para la indemnización del Estado son demasiado restrictivos e impide su obtención; c) la compensación estatal depende de la imposibilidad constatada de recibir una indemnización por parte del delincuente; d) la financiación de la indemnización del Estado es insuficiente o no existe.

[53] CONSEJO DE EUROPA: *Ibidem*, p. 60, parágrafo 166.

numerosos obstáculos procesales que incluyen límites de tiempo restrictivos, asignaciones insuficientes de los presupuestos nacionales y normas complicadas que rigen la indemnización por parte del infractor y por parte del Estado. En el caso de las víctimas de situaciones transfronterizas, es aún más difícil recibir una indemnización por parte del Estado en el que sufrieron el delito, a pesar de la existencia de normas de la UE en este ámbito"[54].

A los obstáculos o dificultades a los que se enfrentan las víctimas en general para acceder a la indemnización, se añaden los obstáculos añadidos que se encuentran las víctimas de trata de seres humanos, por la diversidad y complejidad de los mecanismos de compensación nacionales y por las diferencias que existen entre los distintos Estados miembros por lo que respecta a los pagos[55]. En el Segundo informe sobre los progresos realizados en la lucha contra la trata de seres humanos, con arreglo al artículo 20 de la Directiva 2011/36/UE relativa a la prevención y lucha contra la trata de seres humanos y a la protección de las víctimas (2018), la Comisión señaló que, si bien algunos Estados miembros han informado que las víctimas han sido compensadas, los informes de la sociedad civil ponen de manifiesto las dificultades que afrontan las víctimas al no poder aportar pruebas de gastos verificables o bien de pérdida de empleo[56]. Previamente, en el Informe de la Comisión al Parlamento Europeo y al Consejo sobre la adopción por los Estados miembros de las disposiciones necesarias para dar cumplimiento a lo dispuesto en la Directiva 2011/36/UE relativa a la prevención y lucha contra la trata de seres humanos y a la protección de las víctimas, de conformidad con su artículo 23, apartado 1, fechado

---

[54]   COMISIÓN EUROPEA: *Comunicación de la Comisión al Parlamento Europeo, al Consejo, al Comité Económico y Social Europeo y al Comité de las Regiones. Estrategia de la UE sobre los derechos de las víctimas 2020-2025, op. cit.* p. 19; MILQUET, J.: *Strengthening victims' rights: from compensation to reparation – For a new EU victims' rights strategy 2020-2025,* 2019.

[55]   COMISIÓN EUROPEA: *Informe de la Comisión al Parlamento Europeo y al Consejo. Segundo informe sobre los progresos realizados en la lucha contra la trata de seres humanos (2018) con arreglo al artículo 20 de la Directiva 2011/36/UE relativa a la prevención y lucha contra la trata de seres humanos y a la protección de las víctimas, op. cit.,* p. 11. *Cfr.* también COMISIÓN EUROPEA: *INFORME DE LA COMISIÓN AL PARLAMENTO EUROPEO Y AL CONSEJO Segundo informe sobre los progresos realizados en la lucha contra la trata de seres humanos (2018) con arreglo al artículo 20 de la Directiva 2011/36/ UE relativa a la prevención y lucha contra la trata de seres humanos y a la protección de las víctimas,* 2018, pp. 37 y ss., en el que se ofrecen algunos datos de los que han aportado los Estados miembros, y en el que se destaca que algunos países como Austria, Italia o Alemania han informado del uso de los activos decomisados para satisfacer la indemnización a las víctimas y se remarca la creciente importancia de la cooperación internacional entre las AROS (Asset Recovery Office).

[56]   COMISIÓN EUROPEA: *Informe de la Comisión al Parlamento Europeo y al Consejo. Segundo informe sobre los progresos realizados en la lucha contra la trata de seres humanos (2018) con arreglo al artículo 20 de la Directiva 2011/36/UE relativa a la prevención y lucha contra la trata de seres humanos y a la protección de las víctimas, op. cit.,* p. 11.

en 2016, en relación con el art. 7 (Embargo y decomiso), se puso de manifiesto que aun cuando algunos Estados miembros, entre los que se encontraba España[57], habían introducido disposiciones específicas en materia de embargo y decomiso en relación con el delito de trata de seres humanos, el resto parecían recurrir a las normas generales sobre el embargo y decomiso del derecho penal, que se aplican a todos los delitos, incluida la trata de seres humanos[58]. En el Tercer informe (2020), la Comisión constata que a pesar del progreso que ha tenido lugar, el nivel de bienes embargados y decomisados procedentes del tráfico de seres humanos sigue siendo muy bajo, e incluso algunos países han comunicado que no han llevado a cabo ningún decomiso de bienes relacionados con la trata de seres humanos. También se ha constatado que hay algunos Estados miembros que no hacen un uso sistemático de las investigaciones financieras en los casos de trata de seres humanos[59].

V. ALLANANDO EL CAMINO DEL ACCESO A LA INDEMNIZACIÓN: SEGUIR EL RASTRO DEL DINERO

Para allanar el camino del acceso a la indemnización a las víctimas de trata de seres humanos, desde distintos ámbitos, y por diferentes actores implicados en la lucha contra la trata de seres humanos, se han formulado algunas propuestas relacionadas con la recuperación de activos, basadas en el mismo enfoque de "seguir el rastro del dinero", apelando a la utilización sistemática

---

[57]   No obstante, en realidad, España no ha incluido disposiciones específicas en relación con el embargo y el decomiso en relación con la trata de seres humanos, pues tan sólo se ha limitado a prever el decomiso ampliado en los casos de delito de tráfico de seres humanos, en cumplimiento de lo previsto en el artículo 5.1 de la Directiva 2014/42/UE, pero no ha aprobado "disposiciones específicas", más allá de esa previsión. Además, cita otros países como BE, EL, FR, CY y UK (Inglaterra y Gales). Bruselas, 2.12.2016 COM (2016) 722 final, p. 7.

[58]   COMISIÓN EUROPEA: *INFORME DE LA COMISIÓN AL PARLAMENTO EUROPEO Y AL CONSEJO sobre la adopción por los Estados miembros de las disposiciones necesarias para dar cumplimiento a lo dispuesto en la Directiva 2011/36/UE relativa a la prevención y lucha contra la trata de seres humanos y a la protección de las víctimas, de conformidad con su artículo 23, apartado 1*, 2016.

[59]   COMISIÓN EUROPEA: *Informe de la Comisión al Parlamento Europeo y al Consejo. Tercer informe sobre los progresos realizados en la lucha contra la trata de seres humanos (2018) con arreglo al artículo 20 de la Directiva 2011/36/UE relativa a la prevención y lucha contra la trata de seres humanos y a la protección de las víctimas, op. cit.*, p. 13; y COMISIÓN EUROPEA: *INFORME DE LA COMISIÓN AL PARLAMENTO EUROPEO Y AL CONSEJO. Tercer informe sobre el progreso en la lucha contra la trata de seres humanos (2020) con arreglo a lo exigido en virtud del artículo 20 de la Directiva 2011/36/UE relativa a la prevención y lucha contra la trata de seres humanos y la protección de las víctimas*, 2020, pp.64 y ss.

de las investigaciones financieras y el uso de los activos decomisados para indemnizar a las víctimas del delito.

Desde la sociedad civil, las organizaciones dedicadas a la lucha contra la trata de seres humanos, como La Strada International, SICAR cat y Proyecto Esperanza Adoratrices, socios del consorcio Justice at last, coordinado por la primera, recomiendan tanto asegurar que la investigación financiera y patrimonial se inicie desde el primer momento, como aumentar la limitada capacidad de identificar, rastrear, y embargar los activos. Ello permitiría obtener pruebas del delito, en concreto de los beneficios obtenidos, y, en última instancia, una vez decomisados, destinarlos a indemnizar directamente a las víctimas de la trata o, en su caso, que pasasen a integrarse un fondo de compensación de las víctimas[60].

En el marco del Consejo Europeo, también GRETA[61] ha instado a los Estados Parte a tomar medidas para mejorar la investigación de los casos de tráfico de seres humanos, destacando la necesidad de realizar investigaciones financieras en los casos de tráfico de seres humanos, al constatarse que en la mayoría de los países no se llevan a cabo y, si se llevan, estas no están dirigidas a la confiscación de bienes[62]. Además, advierte que los Estados Partes que no forman parte de la Unión Europea, se encuentran con más problemas para recuperar los activos al no aplicar la Orden Europea de Investigación ni el Reglamento (UE) 2018/1805 del Parlamento Europeo y del Consejo, de 14 de noviembre de 2018, sobre el reconocimiento mutuo de las resoluciones de embargo y decomiso [63].

En el ámbito de la Unión Europea, la Comisión señala que continúa promoviendo el uso de los instrumentos legales disponibles y considerando el uso de los instrumentos incautados y confiscados y el producto de los delitos de trata para apoyar la asistencia y protección de las víctimas, incluida la indemnización de las víctimas[64]. Pero lo cierto es que no parece que esté dando los

---

[60]   LA STRADA INTERNATIONAL: *Proyecto Justicia, Por Fin. Acción Europea para Compensar a Víctimas de Delitos. Documento de Análisis e incidencia política, op. cit.,* p. 9; SICAR cat y PROYECTO ESPERANZA: *Recomendaciones para el acceso efectivo de las víctimas de la trata de personas a la justicia y la compensación,* 2019, p. 4.

[61]   CONSEJO DE EUROPA: *GRETA, 9th. General Report on GRETA´s activities, op. cit.,* parágrafo 184.

[62]   Como fallo común se apuntan la ausencia de investigaciones proactivas así como la falta de especialización de los investigadores que se ocupan de los casos de trata. CONSEJO DE EUROPA: *Ibidem,* parágrafo 184.

[63]   CONSEJO DE EUROPA: *Ibidem,* parágrafo 184.

[64]   COMISIÓN EUROPEA: *INFORME DE LA COMISIÓN AL PARLAMENTO EUROPEO Y AL CONSEJO. Tercer informe sobre el progreso en la lucha contra la trata de seres humanos (2020) con arreglo a lo exigido en virtud del artículo 20 de la Directiva 2011/36/ UE relativa a la prevención y lucha contra la trata de seres humanos y la protección de las víctimas, op. cit.,* pp. 108 y 109, se refleja que los Estados miembros se refieren a la indem-

resultados deseados. Por ello, como viene poniendo de relieve la Comisión en sus últimos documentos, el elevado número de víctimas, en su mayoría mujeres y niñas, la alta rentabilidad de la trata, y el escaso número de condenas de los tratantes, exige "una respuesta firme de la justicia penal para acabar con la impunidad de los autores y hacer del delito de trata un delito de "alto riesgo y baja rentabilidad""[65]. Se insiste en la necesidad de adoptar medidas–tales como el embargo, el decomiso, la localización de activos, las investigaciones financieras y las investigaciones conjuntas-, que permitan que la trata de seres humanos se convierta en un delito de "baja rentabilidad y alto riesgo". Estas medidas, a la postre, contribuyen no sólo a desarticular el negocio de los tratantes al reducir los pingües beneficios económicos de los tratantes y garantizar que el delito no resulte rentable, sino que también contribuyen a garantizar la indemnización a las víctimas[66]. En la Estrategia de la Unión Europea en la lucha contra trata de seres humanos 2021-2025[67], la Comisión ha identificado las prioridades para combatir la trata de seres humanos de forma más eficaz y ha propuesto una serie de acciones concretas con el fin de: identificar y erradicar la trata desde la fase inicial; perseguir a los delincuentes mediante la transformación de la trata de seres humanos en una actividad delictiva con alto riesgo y bajo rendimiento; así como acciones para proteger a las víctimas y ayudarlas a reconstruir sus vidas[68]. Cabe destacar que, a pesar de reconocer expresamente en esta Estrategia que "El acceso a una indemnización para las víctimas de trata

---

nización como medio de reparar las violaciones de los derechos sufridos por las víctimas de la trata. Además, destaca cómo los procedimientos para obtener una indemnización, varían de unos países a otros, pudiendo encontrarnos con un fondo de indemnización creado por el Estado, procedimientos penales y / o civiles contra el autor. En algunos Estados miembros (por ejemplo, IT, NL, MT, FI, SK) existe un sistema mixto, en el que se puede obtener una indemnización de los infractores a través de procedimientos judiciales y / o acciones civiles y / o por parte del Estado a través de un fondo específico para las víctimas, como el que hay en Italia. La indemnización puede consistir en la reparación económica de cualquier daño material y / o inmaterial sufrido por una víctima.

[65]   COMISIÓN EUROPEA: *Informe de la Comisión al Parlamento Europeo y al Consejo. Tercer informe sobre los progresos realizados en la lucha contra la trata de seres humanos (2018) con arreglo al artículo 20 de la Directiva 2011/36/UE relativa a la prevención y lucha contra la trata de seres humanos y a la protección de las víctimas, op. cit.*, p. 12; COMISIÓN EUROPEA: *Comunicación de la Comisión al Parlamento Europeo, al Consejo, al Comité Económico y Social Europeo y al Comité de las Regiones. Estrategia de la UE sobre los derechos de las víctimas 2020-2025, op. cit.* p. 2.

[66]   COMISIÓN EUROPEA: *Informe de la Comisión al Parlamento Europeo y al Consejo. Tercer informe sobre los progresos realizados en la lucha contra la trata de seres humanos (2018) con arreglo al artículo 20 de la Directiva 2011/36/UE relativa a la prevención y lucha contra la trata de seres humanos y a la protección de las víctimas, op. cit.*, p. 12; COMISIÓN EUROPEA: *Comunicación de la Comisión al Parlamento Europeo, al Consejo, al Comité Económico y Social Europeo y al Comité de las Regiones. Estrategia de la UE sobre los derechos de las víctimas 2020-2025, op. cit.*, p. 11

[67]   COMISIÓN EUROPEA: *Ibidem.*

[68]   COMISIÓN EUROPEA: *Ibidem*, p. 2.

de seres humanos se ve obstruido por multitud de dificultades, especialmente la complejidad de los procedimientos"[69], a lo largo del documento no encontramos iniciativas concretas dirigidas a asegurar la indemnización del creciente número de víctimas, pero sí que anima a los Estados miembros a que empleen los instrumentos y enfoques previstos en la Estrategia de la UE para lucha contra la delincuencia organizada 2021-2025, dirigidos a suprimir los beneficios de la delincuencia organizada y a prevenir la infiltración en la economía legal y social. Entre ellos, destaca el uso sistemático de las investigaciones financieras y la creación y aplicación de un marco normativo sólido que permita identificar, incautar y decomisar los activos delictivos, ya que los activos recuperados pueden utilizarse tanto para indemnizar a las víctimas y prestarles atención, como para financiar las actividades transnacionales de los cuerpos y fuerzas de seguridad destinas a combatir la trata de seres humanos[70]. En la misma línea, el Parlamento Europeo, en su Resolución, de 10 de febrero de 2021, sobre la aplicación de la Directiva 2011/36/UE relativa a la prevención y lucha contra la trata de seres humanos y a la protección de las víctimas[71] destaca la importancia de las investigaciones financieras y del enfoque basado en "seguir la pista del dinero", como estrategia clave para investigar y perseguir las redes de la delincuencia organizada que se benefician de la trata de seres humanos, e insta a los Estados miembros a "que inicien investigaciones financieras y que trabajen con especialistas en blanqueo de capitales cuando comiencen una nueva investigación sobre trata de seres humanos"[72]. Además, "pide a los Estados miembros que refuercen la operación en cuanto al bloqueo y la confiscación de los activos de personas implicadas en la trata y en lo referente a la indemnización de las víctimas, entre otras vías, destinando ingresos decomisados a apoyar la asistencia y la protección de las víctimas, a lo que anima el considerando 13 de la Directiva sobre la trata de seres humanos;"[73].

---

[69]   COMISIÓN EUROPEA: *Informe de la Comisión al Parlamento Europeo y al Consejo. Tercer informe sobre los progresos realizados en la lucha contra la trata de seres humanos (2018) con arreglo al artículo 20 de la Directiva 2011/36/UE relativa a la prevención y lucha contra la trata de seres humanos y a la protección de las víctimas, op. cit.*, COMISIÓN EUROPEA: *Comunicación de la Comisión al Parlamento Europeo, al Consejo, al Comité Económico y Social Europeo y al Comité de las Regiones. Estrategia de la UE sobre los derechos de las víctimas 2020-2025, op. cit.* p. 16.

[70]   COMISIÓN EUROPEA: *Ibidem*, p. 11.

[71]   Resolución del Parlamento Europeo, de 10 de febrero de 2021, sobre la aplicación de la Directiva 2011/36/UE relativa a la prevención y lucha contra la trata de seres humanos y a la protección de las víctimas (2020/2029(INI)). Documento P9_TA (2021)0041.

[72]   Resolución del Parlamento Europeo, de 10 de febrero de 2021, Apartado 61.

[73]   "61.Destaca la importancia de la investigación financiera y del enfoque consistente en «seguirle la pista al dinero» como estrategia clave para investigar y perseguir a las redes de delincuencia organizada que se benefician de la trata de seres humanos; pide a los Estados miembros que inicien investigaciones financieras y que trabajen con especialistas en blanqueo de capitales cuando comiencen una nueva investigación sobre trata de seres humanos;

Debemos acudir a la Estrategia de la UE sobre el derecho a las víctimas (2020-2025), para encontrar algunas iniciativas dirigidas a facilitar el acceso de las víctimas a la indemnización. En esta Estrategia, se apunta a la necesidad de revisar tanto la Directiva sobre indemnización como la Decisión marco relativa a la aplicación del principio de reconocimiento mutuo de sanciones pecuniarias[74], con el fin de determinar cómo y en qué medida se puede mejorar la legislación para facilitar el acceso a la indemnización y, si fuese necesario, proponer medidas para complementar el marco para el año 2022[75]. Igualmente, en este documento la Comisión anunció que analizaría las distintas posibilidades para mejorar el acceso de las víctimas a recibir una indemnización en virtud de la Directiva 2014/42/UE sobre el embargo y decomiso de los instrumentos y los productos del delito, teniendo en cuenta que en el art. 8.10 (Garantías) Directiva 2014/42/UE, se exige a los Estados

---

pide a los Estados miembros que refuercen la cooperación en cuanto al bloqueo y la confiscación de los activos de personas implicadas en la trata y en lo referente a la indemnización de las víctimas, entre otras vías, destinando ingresos decomisados a apoyar la asistencia y la protección de las víctimas, a lo que anima el considerando 13 de la Directiva contra la trata de seres humanos; pide a la Comisión que evalúe y promueva el uso de la cooperación judicial y policial existente, así como los instrumentos disponibles, como el reconocimiento mutuo de las sentencias judiciales, los equipos conjuntos de investigación y la orden europea de investigación; pide, a este respecto, un enfoque integral reforzado que trate de fomentar el pensamiento unificado en todos los sectores, como son la migración, el empleo, la salud y la seguridad en el trabajo y otros muchos;".

[74]　Decisión Marco 2005/214/JAI del Consejo relativa a la aplicación del principio de reconocimiento mutuo de resoluciones penales. Entre las recomendaciones formuladas por LA STRADA INTERNATIONAL: *Proyecto Justicia, Por Fin. Acción Europea para Compensar a Víctimas de Delitos. Documento de Análisis e incidencia política*, op. cit., p. 9, con el fin de garantizar el pago de la compensación, se contempla la de alentar a los tribunales penales a utilizar su potestad de ordenar de oficio una multa económica adicional al tratante, para compensar a la víctima, en los casos en los que la propia víctima no reclame la compensación.

[75]　Como Acciones clave de los Estados miembros, COMISIÓN EUROPEA: *Comunicación de la Comisión al Parlamento Europeo, al Consejo, al Comité Económico y Social Europeo y al Comité de las Regiones. Estrategia de la UE sobre los derechos de las víctimas 2020-2025*, op. cit. p. 21, se proponen las siguientes: estudiar el sistema nacional de indemnizaciones y, si fuese necesario, eliminar los obstáculos procesales existentes; garantizar que se refleje en los presupuestos nacionales una indemnización justa y adecuada a las víctimas de delitos dolosos violentos, incluidas las víctimas del terrorismo; garantizar la plena aplicación del Reglamento sobre el reconocimiento mutuo de las resoluciones de embargo y decomiso, en concreto las disposiciones sobre la restitución de bienes a la víctima y la indemnización a la víctima; adoptar medidas para garantizar que las víctimas no estén expuestas a victimización secundaria durante los procedimientos de indemnización; facilitar un acceso homogéneo a información sobre los sistemas nacionales de indemnización (establecer sitios web interactivos, accesibles y de uso fácil); garantizar que el personal de las autoridades nacionales de indemnización conoce los derechos y las necesidades de las víctimas a fin de evitar riesgos de victimización secundaria; cooperar con otros Estados miembros en casos transfronterizos en el marco de las estructuras pertinentes de la UE.

miembros que garanticen que las resoluciones de decomiso no impedirán a las víctimas reclamar una indemnización.[76].

En esta Estrategia de la UE sobre los derechos de las víctimas (2020-2025), la Comisión expresó su confianza en que la entrada en vigor del Reglamento (UE) 2018/1805 del Parlamento Europeo y del Consejo, de 14 de noviembre de 2018, sobre el reconocimiento mutuo de las resoluciones de embargo y decomiso[77], de aplicación directa en los Estados miembros, contribuyese a facilitar el acceso de las víctimas a la indemnización en casos transfronterizos. Una de las grandes novedades de este Reglamento, en el que se contempla el delito de trata de seres humanos como uno de los delitos respecto de los cuales no es necesario verificar la doble incriminación para ejecutar una resolución de embargo o de decomiso (art. 3.1 Reglamento), está relacionada con la protección del derecho de las víctimas a la indemnización y restitución, con el fin de que no se vea menoscabado en los casos transfronterizos previstos en el mismo. En él se prevé un régimen nuevo en el que los derechos de las víctimas a la restitución y a la indemnización tienen prioridad frente al interés de los Estados de ejecución y emisión (arts. 29 y 30 Reglamento). Cabe destacar que en el considerando 47 del Reglamento, se recuerda a los Estados miembros que los bienes embargados y los bienes decomisados pueden destinarse, con carácter prioritario, a proyectos en materia de cumplimiento de la ley y de prevención de la delincuencia organizada, así como a otros proyectos de interés público y utilidad social; en tanto que en el considerando 48, se insta a los Estados miembros a considerar la posibilidad de crear un fondo nacional para garantizar una indemnización adecuada a las víctimas de delitos, pudiendo destinar los Estados miembros a tal fin parte de los bienes decomisados.

VI. PRÓXIMOS RETOS EN LA POLÍTICA DE RECUPERACIÓN DE ACTIVOS EN LA UE

La actual política de recuperación de activos de la Unión Europea, no está dando los resultados que de ella se esperaba en la lucha contra la delincuencia organizada y grave, a pesar de contar con un marco jurídico refundido, contemplado entre, otras, en las siguientes normas: a) Directiva 2014/42/UE del Parlamento Europeo y del Consejo, de 3 de abril de 2014, sobre el embargo y el decomiso de los instrumentos y del producto del delito en la Unión Europea;

---

[76]   "10. En caso de que, a raíz de una infracción penal, las víctimas tengan derechos de reclamación respecto de una persona sometida a una medida de decomiso establecida en virtud de la presente Directiva, los Estados miembros adoptarán todas las medidas necesarias para garantizar que la medida de decomiso no impida a las víctimas reclamar una indemnización"

[77]   Entró en vigor el 19 de diciembre de 2020.

b) Directiva (UE) 2017/1371 del Parlamento Europeo y del Consejo, de 5 de julio de 2017, sobre la lucha contra el fraude que afecta a los intereses financieros de la Unión a través del Derecho Penal; c) Directiva (UE) 2018/1673 del Parlamento Europeo y del Consejo, de 23 de octubre de 2018, relativa a la lucha contra el blanqueo de capitales mediante el derecho penal; d) Reglamento (UE) 2018/1805 del Parlamento Europeo y del Consejo, de 14 de noviembre de 2018, sobre el reconocimiento mutuo de las resoluciones de embargo y decomiso; e) Directiva (UE) 2019/1153 del Parlamento Europeo y del Consejo, de 20 de junio de 2019, por la que se establecen normas destinadas a facilitar el uso de información financiera y de otro tipo para la prevención, detección, investigación o enjuiciamiento de infracciones penales y por la que se deroga la Decisión 2000/642/JAI del Consejo.

Por ello, ante el fracaso de la recuperación de activos y la alta rentabilidad de los delitos, la Comisión está evaluando actualmente el potencial de una mayor armonización de los regímenes de recuperación de activos de la UE, que afecta a varias normas, y que contribuirán a garantizar la indemnización de las víctimas. En concreto, se está llevando a cabo la revisión conjunta de la Directiva 2014/42/UE y la Decisión 2007/845/JAI del Consejo, basada en los resultados del Informe al Parlamento y al Consejo, de 2 de junio de 2020, "Recuperación y decomiso de activos: Garantizar que el delito resulte provechoso", en el que se evaluó la aplicación de la Directiva 2014/42/UE del Parlamento Europeo y del Consejo, de 3 de abril de 2014, sobre el embargo y el decomiso de los instrumentos y del producto del delito en la Unión Europea. En este Informe, la Comisión avanzó que había margen para seguir avanzando en el ámbito de la recuperación de activos, citando, como ejemplos, entre otras, las siguientes propuestas de particular relevancia en el ámbito de la trata de seres humanos: la introducción de normas más eficaces sobre el decomiso no basado en condena; una mayor precisión en cuanto a la administración de los activos embargados; la introducción de disposiciones sobre la enajenación de activos, incluida la reutilización social de los activos decomisados; así como el establecimiento de normas sobre la indemnización de las víctimas de delitos; o el refuerzo la capacidad de los organismos de recuperación de activos para localizar e identificar los activos ilícitos[78].

Además, ante el escaso porcentaje de activos recuperados en comparación con los ingentes beneficios ilícitos procedentes de la delincuencia organizada, la Comisión ha presentado al Consejo y al Parlamento Europeo una Propuesta de Directiva[79], por la que se modifica la Directiva (UE) 2019/1153

---

[78]   *Vid.* AGUADO-CORREA, T.: "Criminalidad organizada en tiempos de pandemia en la UE: tolerancia cero con el dinero ilícito", *op. cit.*, 167 y ss.

[79]   Bruselas, 20.7.2021 COM (2021) 429 final 2021/0244 (COD). En la Exposición de Motivos se justifica la necesidad de esta reforma en los siguientes términos: "Tal como se señala

del Parlamento Europeo y del Consejo en lo que respecta al acceso de las autoridades competentes a los registros centralizados de cuentas bancarias a través del punto de acceso único, siendo el objetivo de la misma permitir que también puedan acceder al punto de acceso único a los registros de cuentas bancarias, establecido por la Directiva de lucha contra el blanqueo de capitales, las autoridades competentes para fines de prevención, detección, investigación o enjuiciamiento de infracciones penales designadas como autoridades competentes con arreglo al artículo 3, apartado 1, de la Directiva (UE) 2019/1153[80]. Debemos subrayar la importancia de esta Directiva 2019/1153 para "garantizar que el delito no resulte provechoso", en la medida en que otorga a los servicios de seguridad y a los organismos de recuperación de activos acceso directo a la información de las cuentas bancarias para combatir los delitos graves. Además, como ha destacado la Comisión, las medi-

---

en la Estrategia de la UE contra la Delincuencia Organizada 2021-2025, la Unión Europea debe intensificar la lucha contra las operaciones financieras delictivas. Los grupos de delincuencia organizada utilizan sus ingentes beneficios ilegales para infiltrarse en la economía lícita y las instituciones públicas, con lo que erosionan el Estado de Derecho y los derechos fundamentales y socavan el derecho de la población a la seguridad, así como su confianza en las autoridades públicas. Los ingresos ilegales generados por actividades delictivas en la Unión Europea en 2019 ascendieron a 139 000 millones EUR, lo que equivale al 1 % del producto interior bruto de la Unión. Pese al desarrollo de un marco jurídico destinado a recuperar activos tanto a escala de la UE como nacional, únicamente se decomisa un pequeño porcentaje de los instrumentos y del producto del delito.
Para llevar a cabo investigaciones financieras efectivas y conseguir localizar y decomisar los instrumentos y el producto del delito resulta esencial poder acceder sin trabas a la información financiera. En este sentido, es esencial saber quién dispone de una cuenta bancaria en un Estado miembro distinto del que lleva a cabo la investigación, no solo para poder determinar a qué Estado miembro han de remitirse las resoluciones de embargo y decomiso, sino también para proporcionar a los investigadores pistas que pueden ser cruciales. Actualmente, sin embargo, las autoridades responsables de la prevención, la detección, la investigación o el enjuiciamiento de infracciones penales en un Estado miembro que necesitan obtener información sobre personas investigadas que dispongan de cuentas bancarias en otro Estado miembro se ven obligadas a recabar la información a través de los canales de cooperación policial o judicial. A menudo se trata de un proceso oneroso y lento que impide acceder rápidamente a la información…".

[80]   Para ello se propone añadir un de nuevo apartado al art. 4 de la Directiva 2019/1153, con el siguiente tenor literal: «1 *bis*. Los Estados miembros garantizarán que las autoridades nacionales competentes designadas conforme al artículo 3, apartado 1, estén facultadas para, de manera directa e inmediata, acceder a la información relativa a las cuentas bancarias de otros Estados miembros disponible a través del punto de acceso único a los registros de cuentas bancarias establecido de conformidad con el artículo XX de la Directiva (UE) YYYY/XX [*nueva Directiva de lucha contra el blanqueo de capitales*], así como para consultar dicha información, cuando ello sea necesario para el desempeño de sus funciones a efectos de la prevención, la detección, la investigación o el enjuiciamiento de un delito grave o en apoyo de una investigación penal en relación con un delito grave, lo que incluye la identificación, la localización y la inmovilización de los activos relacionados con dicha investigación».

das previstas permitirán acelerar las investigaciones penales y luchar contra la delincuencia transfronteriza de forma más eficaz, debiéndose considerar prioritaria la interconexión entre las autoridades policiales y las UIF. También el Consejo de la UE destacó el papel de las investigaciones financieras, comenzando sus Conclusiones de 17 de junio de 2020, "HACIENDO HINCAPIÉ en que las investigaciones financieras son de vital importancia para la Unión Europea en la prevención y la lucha contra la delincuencia organizada y el terrorismo"; y reconociendo "la importancia del enfoque «sigue la pista al dinero» para abordar los aspectos financieros de la delincuencia organizada e identificar nuevas pistas a la hora de investigar la delincuencia organizada" [81].

VII. RECUPERACIÓN DE ACTIVOS Y DECOMISO EN ESPAÑA

1. *Introducción*

La aprobación de la Directiva 2014/42/UE, del Parlamento Europeo y del Consejo, de 3 de abril de 2014, sobre el embargo y el decomiso de los instrumentos y del producto del delito en la Unión Europea, trajo consigo en nuestro ordenamiento jurídico grandes cambios en materia de recuperación y decomiso de activos: se llevó a cabo una ambiciosa reforma de la regulación de las modalidades de decomiso en el CP, a la vez que se modificó la LECr con el fin de articular los cauces para permitir la efectividad de algunas figuras de decomiso, mediante la previsión de la intervención penal de los terceros afectados por el decomiso y con la incorporación de un nuevo procedimiento de decomiso autónomo. Además, se creó la Oficina de Recuperación y Gestión de Activos, dando así cumplimiento a lo previsto en el apartado 2 del art. 10 Directiva 2014/42/UE, en el que se instaba a los Estados miembros a adoptar las medidas necesarias para crear oficinas centrales "con objeto de garantizar la administración adecuada de los bienes embargados preventivamente con miras a su posible decomiso"[82].

A través de estas reformas legislativas se le daba, por fin[83], el respaldo normativo necesario a la recuperación de activos en nuestro país, facilitando que

---

[81]   CONSEJO DE LA UNIÓN EUROPEA: *Conclusiones sobre la mejora de las investigaciones financieras para luchar contra la delincuencia grave y organizada*, 2020.

[82]   AGUADO-CORREA, T.: "Normas mínimas sobre decomiso de los instrumentos y del producto de la delincuencia organizada en la Unión Europea (Directiva 2014/42/UE) y su incorporación al derecho español", *op. cit.*, pp. 551 y ss.

[83]   Aun cuando las ORA se crearon en España en 2010, nunca se desarrolló reglamentariamente el art. 367 septies LECrim. AGUADO-CORREA, T.: *Ibidem*, p. 585. Como afirma FERNÁNDEZ-VILLAREJO JIMÉNEZ, F.: "La nueva regulación del decomiso y la recupe-

los instrumentos legales fuesen más eficaces en la recuperación de activos procedentes de los delitos y en su gestión económica, y permitiendo hacer realidad el principio de que el delito que genera ganancias ilícitas nunca puede compensar al autor. Con estas reformas se pretendió "darle a la investigación patrimonial y al decomiso el protagonismo que merecen en la lucha contra la vertiente económica de la delincuencia grave desarrollada por las organizaciones y entramados criminales, logrando así su estrangulamiento financiero", pues "tan importante como el cumplimiento certero de la pena es la recuperación de estos activos" [84]. Además, el trabajo de la ORGA permite optimizar el valor del producto del delito, de manera que se pueda hacer frente a la indemnización pecuniaria de las víctimas, dando cumplimiento a lo dispuesto en el art. 8.10 Directiva 2014/42/UE. No obstante, pasados seis años desde que se aprobaron estas reformas en nuestro país, el delito sigue siendo rentable[85].

Además, en febrero de 2019, se aprobó la Estrategia Nacional contra el Crimen Organizado y la Delincuencia Grave (2019-2023)[86], en la que se reconoce que, ante los datos que se manejan[87], "se precisa potenciar los mecanismos

---

ración de activos delictivos en el ordenamiento jurídico español", *Revista Ministerio Fiscal*, n° 0, 2015, p. 94, "al producto del delito se llegaba, en ocasiones al final del procedimiento penal, siendo inusual que se tuviera en cuenta la investigación financiera y, se asegurara el patrimonio ilícito desde el comienzo del itinerario investigador, con lo que la ineficacia del decomiso era más que previsible…".

[84]   Exposición de Motivos, Apartado II, RD 948/2015, de 23 de octubre, por el que se regula la Oficina de Recuperación y Gestión de Activos. Del ámbito de aplicación de esta norma quedan excluidos los bienes y los frutos o intereses que éstos produzcan, que hayan sido previamente decomisados por sentencia judicial firme y que deban integrarse en el fondo regulado por la Ley 17/2003, de 29 de mayo, por la que se regula el Fondo de Bienes Decomisados por tráfico ilícito de drogas y otros delitos relacionados, los cuales quedarán sometidos al régimen específico establecido en dicha ley y en su normativa de desarrollo (Disp. Adicional 1ª.1° RD 948/2015). En esta DA 1ª se prevé que la ORGA pueda suscribir un acuerdo de colaboración con la Delegación del Gobierno para el Plan Nacional sobre drogas, acuerdo que fue suscrito el 29 de julio de 2016, disponible en https://pnsd.sanidad.gob.es/delegacionGobiernoPNSD/convenios/home.htm. Los convenios firmados por la ORGA con diversos organismos se pueden consultar en https://www.mjusticia.gob.es/es/AreaTematica/OficinaRecuperacion/Documents/Convenios%20suscritos.pdf. También quedan excluidos del ámbito de aplicación del RD 945/2018, los bienes decomisados por delito de contrabando, que se regularán por lo dispuesto en la Ley Orgánica 12/1995, de 12 de diciembre, de represión del contrabando (Disp. Adicional 1ª.2° RD 948/2015).

[85]   Sobre los motivos que pueden explicar, en parte, que aún sea rentable *vid.* AGUADO-CORREA, T.: "Cinco años después de las reformas del decomiso: does crime still pay?", *op. cit.*, pp. 55-82.

[86]   Orden PCI/161/2019, de 21 de febrero, por la que se publica el Acuerdo del Consejo de Seguridad Nacional, por el que se aprueba la Estrategia Nacional contra el Crimen Organizado y la Delincuencia Grave, BOE de 22.2.2019, p. 17048 y ss.

[87]   Según los datos ofrecidos en esta Estrategia Nacional, BOE 22.2.2019, p. 17059, las estimaciones consideradas viables por el Banco Central Europeo, acercan el movimiento mundial del blanqueo de capitales al 2,7% del PIB mundial, lo que supone unos 615 mil

dirigidos a localizar e intervenir los beneficios generados por el crimen organizado, creando sinergias coordinadas entre los sectores públicos y privados,
nacionales e internacionales"[88], pues "los capitales ilícitos generados por la
criminalidad organizada y grave continúan siendo una asignatura pendiente
a la hora de su incautación, lo que le convierten en un negocio muy lucrativo
para las organizaciones criminales". Esta Estrategia Nacional se ha estructurado en torno a diez ejes de actuación –siete troncales y tres transversales-
dirigidos a dar una respuesta global al crimen organizado y la delincuencia
grave. El segundo eje, "Neutralizar la economía del Crimen Organizado y de
los delincuentes. Continuar impulsando y desarrollando políticas más activas
de incautación de los beneficios obtenidos por el crimen organizado y la actividad criminal"[89], está dirigido "a impulsar la investigación de la estructura económica y financiera de los criminales y organizaciones delictivas para lograr la
incautación de los beneficios ilícitos como una de las respuestas más eficaces
para la neutralización de su actividad delictiva"[90].

2.　Recuperación y gestión de activos en España: el papel de la ORGA

La Oficina de Recuperación y Gestión de activos se creó para desarrollar
una importante función de asesoramiento de los órganos encargados de la
investigación, como órgano auxiliar de la Administración de Justicia, con el
propósito de asegurar que los embargos y decomisos acordados sean efectivos y eficaces, estando contemplado su régimen de funcionamiento en el RD
948/2015, de 23 de octubre, por el que se regula la Oficina de Recuperación y
Gestión de Activos[91] y en la Orden JUS/188/2016, de 18 de febrero, por la que
se determina el ámbito de actuación y la entrada en funcionamiento operativo
de la Oficina de Recuperación y Gestión de Activos y la apertura de su cuenta
de depósitos y consignaciones[92]. Como se dispone en el art. 1 RD 948/2015,
en su redacción dada por el RD 93/2018, de 2 de marzo, "...La Oficina de

---

millones de euros. De estas cifras, tan solo el 0,2 % de las ganancias del blanqueo, vía sistema financiero, son intervenidas por las autoridades. Según las estimaciones del Instituto
Nacional de Estadística, algunas de las actividades que considera ilegales suponen el 0,87
% del PIB nacional, unos 10.500 millones de euros en 2017, lo que da una idea del impacto
económico estimado que representan parte de las actividades ilegales en España.

[88]　BOE de 22.2.2019, p. 17059.
[89]　BOE de 22.2.2019, p. 17059.
[90]　BOE de 22.2.2019, p. 17050.
[91]　Como se reconoce en la Exposición de Motivos de este Real Decreto, en el diseño de la
ORGA y en su regulación, se tuvieron en cuenta tanto las guías de buenas prácticas internacionales como los modelos vigentes en otros países de nuestro entorno (Reino Unido,
Holanda, Bélgica y Francia) destacando la experiencia francesa en la gestión de activos,
supuso un cambio radical en la forma de entender el decomiso en los tribunales de nuestro
país vecino.
[92]　BOE núm. 44, de 20 de febrero de 2016.

Recuperación y Gestión de Activos actuará cuando se lo encomiende el juez o tribunal competente, de oficio o a instancia del Ministerio Fiscal o de la propia Oficina. Asimismo en fase de ejecución de sentencia su actuación podrá ser a instancia del Letrado de la Administración de Justicia. La Oficina de Recuperación y Gestión de Activos procederá, igualmente, a la localización de activos a instancia del Ministerio Fiscal en el ejercicio de sus competencias en el ámbito de las diligencias de investigación, de la cooperación jurídica internacional, del procedimiento de decomiso autónomo o en cualesquiera otras actuaciones en los términos previstos en las leyes penales o procesales".

Además, debe tenerse presente que, a través de la Orden JUS/188/2016, se ha ampliado el ámbito de actuación de la ORGA. Así, según se desprende de lo dispuesto en el art. 2 la Orden: a) cuando la ORGA actúe a instancia del Juez o Tribunal o del Ministerio Fiscal, lo hará además en el ámbito de las actividades delictivas del art. 127 bis CP, entre las que se encuentra la trata de seres humanos, y no sólo en el ámbito de las actividades delictivas cometidas en el marco de una organización criminal; b) cuando la ORGA actúe a iniciativa propia en el marco de cualquier actividad delictiva, cuando lo considere conveniente en atención a la naturaleza o especiales circunstancias de los bienes, previa autorización judicial, y de confirmada con la normativa vigente. Como podemos comprobar, la ORGA no actúa a instancia de otros órdenes jurisdiccionales distintos al penal, ni a petición de las Fuerzas y Cuerpos de Seguridad, instituciones públicas o privadas. Además, se excluye de su ámbito de actuación el pago de una multa y el resto de responsabilidades pecuniarias. Las funciones de la ORGA están reguladas en el art. 3 RD 948/2015.

En el ámbito de la delincuencia organizada, así como en el resto de actividades delictivas previstas en el art. 127 bis CP, entre las que se incluye la trata de seres humanos (art. 127 bis. 1. letra a) CP), la Oficina de Recuperación y Gestión de Activos juega un papel fundamental en el proceso de recuperación y decomiso de activos (art. 367 septies LECr)[93]. Además, la existencia de esta ORGA permite fomentar la cooperación internacional, tan importante cuando se trata de los delitos de trata de seres humanos, debiéndose estar a lo dispuesto en el Reglamento (UE) 2018/1805, sobre el reconocimiento mutuo de las resoluciones de embargo y decomiso, cuando las actuaciones que se soliciten tenga su origen en una solicitud de una autoridad judicial de la UE.

---

[93] El Plan de Acción 2018-2020 de la ORGA, disponible en https://www.mjusticia.gob.es/es/areas-tematicas/oficina-recuperacion-gestion, se configuró en torno a cuatro estrategias (pp. 24 y ss.): fortalecimiento de la localización y recuperación de activos; consolidación y de la gestión de bienes; puesta en marcha de la comisión de adjudicación de bienes producto del delito; e implementación de medios materiales y recurso humanos necesarios para el funcionamiento de la ORGA.

En cualquier delito, y especialmente en aquellos como el delito de trata de seres humanos en los que actualmente no se prevé una indemnización estatal que permita garantizar el derecho de todas las víctimas a una reparación integral por parte de las autoridades, se debe potenciar la investigación financiera no sólo antes, sino también durante e incluso después de la comisión del hecho delictivo. Para poder acordar las diversas modalidades de decomiso en los delitos de trata de seres humanos y garantizar que el delito no resulte provechoso para los tratantes así como la indemnización a las víctimas de trata, es imprescindible, como hemos venido constatando a lo largo de este trabajo, potenciar la investigación financiera[94]. Y así lo advirtió en el CGPJ en la Guía de criterios de actuación judicial frente a la trata de seres humanos[95], destacando la relevancia de las investigaciones económico-financieras en las causas por trata de seres humanos. En esta guía del CGPJ se destaca la necesidad de que la investigación financiera "corra paralela a la investigación del delito en sí"[96], y que conforme avance se vayan adoptando las medidas de aseguramiento de los bienes y activos oportunas, con vistas a su posterior decomiso, y permitir así, garantizar la indemnización a las víctimas. Abarca una secuencia metodológica de actuaciones que puede ser susceptible de aplicación con independencia del delito precedente o determinante que genere los beneficios ilícitos (por ejemplo, trata de seres humanos, tráfico de drogas o el propio delito de blanqueo de capitales), diferenciándose cuatro hitos principales: inicio de la investigación patrimonial; localización e identificación de los bienes; finalización de la investigación con el informe patrimonial; y, por último, bloqueo y embargo de los bienes[97]. En la fase de localización de bienes, la ORGA también puede auxiliar al Ministerio Fiscal, en algunos supuestos, como en los expedientes de cooperación judicial internacional; en la fase pre-procesal en las diligencias de investigación; y en el procedimiento de decomiso autónomo (art. 803 ter q LECr). No debemos olvidar la importancia de esta investigación patrimonial en todas las fases de la recuperación de activos, incluida la ejecución, pudiendo la ORGA actuar en cualquiera de las fases procesales, desde el inicio de la

---

[94]   Sobre los aspectos prácticos de la investigación patrimonial, *vid.* LORENTE PABLO, "La investigación patrimonial: aspectos prácticos del decomiso y de la recuperación de activos", en *Decomiso y recuperación de activos. Crime doesn't pay.* Edit. Tirant lo Blanch, Valencia, 2020, pp. 839 y ss.

[95]   CONSEJO GENERAL DEL PODER JUDICIAL: Guía de criterios de actuación judicial frente a la trata de seres humanos, 2018.

[96]   CGPJ: *Guía de criterios de actuación judicial para detectar e investigar la trata de seres humanos con fines de explotación,* 2018, p. 132. El CGPJ define la investigación patrimonial, p. 188, como el "Conjunto de actuaciones policiales y judiciales encaminadas a elaborar el catálogo nominal y real de bienes y derechos de una o varias personas físicas y o jurídicas, estableciendo su posible origen y su proceso de formación".

[97]   Para las fases de la investigación patrimonial en las causas por trata de seres humanos, *vid.* la CGPJ: *Ibidem,* pp.189 y ss.

instrucción hasta la finalización del procedimiento por sentencia condenatoria u otra resolución que le ponga fin, incluida la fase de ejecución[98].

A fin de garantizar la efectividad del decomiso, y por ende, garantizar que el delito no resulte provechoso y el derecho a indemnización de las víctimas, una vez localizados e identificados, la autoridad judicial, según dispone el apartado 1 del art. 127 octies del CP, puede acordar, desde las primeras diligencias, la aprehensión, embargo y la puesta en depósito de los bienes, medios, instrumentos y ganancias para evitar su desaparición, pérdida, transmisión o constitución de cargas sobre los mismos[99]. Al no venir especificadas ni en la LECr ni en el CP cuáles son las medidas cautelares que pueden adoptarse para el aseguramiento del decomiso, el CGPJ propone tomar como referencia, a título orientativo, los criterios previstos en atención a la naturaleza de los bienes, en el apartado 7.2 de la CFGE 4/2010, sobre las funciones del Ministerio Fiscal en la investigación patrimonial en el ámbito del proceso penal, y que ya fueron tratados en la Instrucción 6/2007[100].También con el fin de garantizar el decomiso, se contempla la realización anticipada de los bienes intervenidos a efectos de decomiso sin esperar al pronunciamiento o a la firmeza del fallo siempre que sean de lícito comercio (art. 127 octies apartado 2 CP y art. 367 quáter LECr), salvo los casos previstos en el art. 367 quáter apartado 2 LECr, y siempre no se trate de piezas de convicción que deban quedar a expensas del procedimiento.

El producto obtenido de la realización de los bienes, efectos e instrumentos, una vez se han sufragado los gastos de la conservación de los bienes y del procedimiento de realización, se destinará al pago de las responsabilidades civiles y costas procesales que se declaren el procedimiento. Una vez satisfechas éstas, el sobrante que pudiera restar podrá ser asignado, total o parcialmente, a la ORGA y a los órganos encargados de la represión de las organizaciones criminales, en virtud de lo dispuesto en el art. 367 quinquies apartado 3 LECr. El remanente, una vez deducidos los gastos de conservación y las indemnizaciones, se afecta hasta un 50% a la satisfacción de los fines previstos en el art. 2 (art. 13.2 RD 948/2015). Según dispone en este art. 2 RD 948/2015, la ORGA aplicará el producto de la gestión y realización de

---

[98] La redacción original del art. 1 del RD 948/2015 fue modificada en 2018, para incluir a los letrados de la Administración de Justicia entre los actores que podían solicitar la actuación de la ORGA en la fase de ejecución.

[99] CGPJ: *Ibidem*, p. 193. El CGPJ estima que las medidas cautelares reales para asegurar el decomiso pueden acordarse de oficio dado que garantizan el cumplimiento de responsabilidades pecuniarias de naturaleza penal, a diferencia de lo que sucede con las medidas cautelares reales tendentes a asegurar la efectividad de una eventual responsabilidad civil, que están sometidas al principio acusatorio por lo que requieren previa petición del MF o de la parte perjudicada, en virtud de la remisión que hace el art. 764.2 LECr al art. 721 LEC

[100] CGPJ: *Ibidem*, p. 194.

los efectos, bienes, instrumentos y ganancias del delito a los fines previstos en la LECr, con los objetivos prioritarios en él señalados, entre los que se encuentra el apoyo a programas de atención a víctimas del delito, tanto de las Administraciones públicas como de organizaciones no gubernamentales o entidades privadas sin ánimo de lucro, con especial atención a las víctimas de trata de seres humanos, además de a las víctimas de otros delitos (terrorismos, violencia de género, delitos violentos y contra la libertad sexual), así como víctimas con discapacidad necesitadas de especial protección y a las víctimas menores de edad (letra a) art. 2). Los beneficiarios de los recursos de la ORGA están relacionados en el art. 16 RD 948/2015, pudiendo éstos presentar, ante la Comisión de Adjudicación de Bienes Producto del Delito (CABID), propuestas de actuación que se enmarquen dentro de los fines previstos en el art. 2 RD 948/2015, entre los que está, como acabamos de ver, el apoyo a las víctimas de trata de seres humanos.

En el año 2020, la ORGA obtuvo 2.030.425 euros, de los cuales 603.382 euros se destinaron a proyectos de lucha contra la criminalidad organizada y de asistencia a las víctimas de delitos; 574.661euros, al pago de las indemnizaciones a las víctimas; y los 852.382 euros restantes se transfirieron al Tesoro Público[101]. En mayo de 2021, la CABID distribuyó los 603.382 euros, obtenidos por la Oficina de Recuperación y Gestión de Activos (ORGA), entre programas de atención a víctimas del delito y de lucha contra la criminalidad y demás fines previstos en la disposición adicional sexta de la Ley de Enjuiciamiento Criminal, correspondiéndoles a las Oficinas de Asistencia a las Víctimas de Delito, solamente la cantidad de 92.289,97 euros.

---

[101]   Los criterios de distribución de los recursos obtenidos por la ORGA para el año 2021 fueron aprobados en el Consejo de Ministros de 6 de abril de 2021, en ejecución de lo dispuesto en el apartado 4 de la disposición adicional sexta de la Ley de Enjuiciamiento Criminal. En concreto, con los 600.000 euros, la CABID ha aprobado financiar el sistema de inteligencia artificial para generación de contraseñas, un proyecto del Centro Nacional de Inteligencia (66.574,31 euros); el kit para la toma de muestras en delitos contra la libertad sexual (85.095 euros) y la Oficina de Asistencia a las Víctimas de Delito (92.289,97 euros), estos dos últimos dependientes del Ministerio de Justicia. Igualmente, se financiará el proyecto de agilización del sistema de seguimientos de las víctimas vulnerables de la Fiscalía General del Estado (73.199,50 euros); y el resto irá al Ministerio del Interior para trabajos de intervención telemática en medidas comunitarias (64.050 euros), tablets con lector DNI con contacto y NFC (61.824,30 euros), proyecto 'Kaiser' (50.000 euros), adquisición de motocicletas y sistema de vigilancia (64.599 euros) y proyecto 'Mituco' (45.750 euros). Leer más: https://www.europapress.es/nacional/noticia-orga-distribuye-mas-600000-euros-programas-atencion-victimas-delito-lucha-contra-criminalidad-20210513121550.html.

3. Decomiso

Como hemos avanzado, la regulación del decomiso sufrió una ambiciosa reforma en 2015 con motivo de la incorporación de la Directiva 2014/42/UE. Tras esta reforma, son nueve los preceptos que se ocupan de regular esta consecuencia accesoria en nuestro Código Penal: los artículos 127 a 127 sexies regulan las diferentes modalidades del decomiso; el art. 127 septies está dedicado a algunas cuestiones relativas a la ejecución; a fin de garantizar la efectividad del decomiso, el art. 127 octies CP, se ocupa de algunas medidas de carácter eminentemente procesal, como son la aprehensión o el embargo, o la realización anticipada y el uso provisional de los bienes o efectos intervenidos, reservando el apartado tercero de este artículo, a regular el destino de lo decomisado

En cuanto a las modalidades de decomiso, revisten particular interés en el ámbito de los delitos de trata de seres humanos, tanto el decomiso ampliado (art. 127 bis CP) como el decomiso sin condena (art. 127 ter CP). Esta última modalidad de decomiso adquiere siquiera, una mayor relevancia en estos casos de trata de seres humanos, pues, como hemos visto a lo largo de este trabajo, uno de los obstáculos que impedía a las víctimas acceder a la indemnización, era la huida de los tratantes. Al poder acordarse el decomiso aun cuando el sujeto no haya sido condenado, siempre que concurran los requisitos en él previstos, en aquellos casos en los que el sujeto se encuentre en una situación de rebeldía, se podrá acodar el decomiso previsto en este artículo 127 ter CP, y se podrá destinar los bienes, efectos y ganancias decomisados al pago de indemnizaciones a las víctimas (*vid.* arts. 803 ter e) y ss. LECr).

El destino de lo decomisado viene regulado en el apartado 3 del art. 127 octies CP, estableciéndose que salvo que deban destinarse al pago de indemnizaciones a las víctimas, los bienes, instrumentos y ganancias decomisados, serán adjudicados al Estado que les dará el destino que se disponga legal o reglamentariamente. Por consiguiente, en nuestro ordenamiento jurídico, el pago de la indemnización a las víctimas con el producto obtenido de la realización de los activos decomisados es prioritario, estando las víctimas legitimadas para "Facilitar al Juez o Tribunal cualquier información que resulte relevante para resolver sobre la ejecución de la pena impuesta, las responsabilidades civiles derivadas del delito o el comiso que hubiera sido acordado" (art. 13.2.b) Ley 4/2015, de 27 de abril, del Estatuto de la víctima del delito).

Debe tenerse presente que en la actualidad existen varias disposiciones legales en la que se contempla un destino de lo decomisado distinto al del pago de las indemnizaciones a las víctimas. En particular, y por lo que aquí nos interesa, cuando se trata de un delito de tráfico de drogas y de blanqueo de capitales del tráfico de drogas -que como vimos es una actividad delictiva a la que los grupos organizados se dedican cada vez más junto a la trata de seres humanos-, los bienes, medios, instrumentos y ganancias definitivamente decomisados por sentencia no podrán ser destinados a la satisfacción de las responsabilidades civiles derivadas del delito ni de las costas procesales, y serán adjudicados íntegramente al Estado, pasando a formar parte del Fondo de bienes decomisado por tráfico ilícito de drogas y otros delitos relacionados (art. 374. 2ª CP). Este Fondo está regulado por la Ley 17/2003, siendo, por ahora, el único Fondo de bienes decomisados que existe, porque como como tendremos ocasión de ver el siguiente apartado, está prevista la creación de otro Fondo de bienes decomisados por delitos contra la libertad sexual.

VIII. INDEMNIZACIÓN A LAS VÍCTIMAS DE TRATAS DE SERES HUMANOS EN ESPAÑA

1. Introducción

Garantizar la indemnización a las víctimas del delito de trata de seres humanos por parte de los tratantes, a pesar de contar con la normativa que la reconoce, es también una asignatura pendiente en nuestro país[102]. Así lo manifiesta el propio CGPJ, cuando afirma, "Lo cierto es que, en materia de trata de seres humanos, no suelen ser frecuentes las peticiones de indemnizaciones en favor de las víctimas. En ocasiones, las víctimas desaparecen o vuelven a sus países; en otras, sienten temor a las organizaciones delictivas y a las causas que influyen en su debilidad, como la posible represalia a sus familiares"[103].

En cuanto a la indemnización estatal, podría pensarse que la indemnización a las víctimas de trata de seres humanos está garantizada por la Ley 35/1995, de ayudas y asistencia a las víctimas de delitos violentos y contra la libertad sexual, "piedra angular de nuestro sistema de compensación estatal"[104], pero

---

[102] En el estudio realizado en los Países Bajos por CUSVELLER, J. y KLEEMANS, E.: "Fair compensation for victims of human trafficking? A case study of the Dutch injured party claim", *International Review of Victimology*, 24 (3), 2018, p. 307, se estima que sólo un 4% de las víctimas registradas solicitan la reclamación, planteándose que uno de los motivos puede ser que las víctimas comparten entre ellas sus malas experiencias con el sistema de justicia.

[103] CGPJ: *Guía de criterios de actuación judicial para detectar e investigar la trata de seres humanos con fines de explotación*, op. cit., p. 306. Ante esta cruda realidad, se insta a la acusación pública a que lleve a cabo las peticiones de indemnización en favor de las víctimas, siempre que no conste la renuncia expresa o que se ha pospuesto para su ejercicio en la acción civil.

[104] PÉREZ RIVAS, N.: "El modelo español de compensación estatal a las víctimas de delitos", *Lex*, nº 18, Año XIV-2016-II, p. 110. Como destaca VILLACAMPA ESTIARTE, C., "¿Es necesaria una ley integral contra la trata de seres humanos?", *RGDP*, 33, 2020, p. 47, el derecho a la indemnización no ha sido desarrollado en el Estatuto de la víctima (Ley 4/2015), por lo que la única regulación que tenemos es la contemplada en la Ley 35/1995.

nada más lejos de la realidad. Aparte del debate sobre la naturaleza jurídica de las ayudas públicas complementarias previstas en la misma -si tiene naturaleza indemnizatoria o es una ayuda pública concedida de manera graciosa por el Estado[105]-, el acceso a estas ayudas está plagada de obstáculos para las víctimas de trata de seres humanos, quedándose muchas de ellas fuera del ámbito de aplicación de esta Ley 35/1995. Entre los obstáculos para acceder a estas ayudas nos encontramos los relacionados con el ámbito de aplicación objetivo y subjetivo de esta Ley, destacándose los siguientes: se exige que el delito sea cometido con violencia -salvo que sea un delito contra la libertad sexual-, en tanto que en algunas formas de trata es frecuente el uso de la coacción o el engaño; se excluyen a las víctimas que no tenga nacionalidad española o de un Estado mimbro de la UE; no pueden acceder a las mismas personas en situación irregular en el país[106], etc.

2. *Algunas iniciativas para garantizar la indemnización de las víctimas*

A la vista de que en la actualidad la indemnización estatal a las víctimas de la trata de seres humanos no está suficientemente garantizada en nuestro país, queda plantearse cuáles pueden ser las opciones que deberían barajarse cuando se redacte la futura Ley integral contra la trata de seres humanos[107]. Para ello, echaremos la mirada hacia atrás y hacia delante: hacia atrás, pues revisaremos las previsiones contenidas en la Ley modelo contra la trata de personas (2010); y, en el documento del "Borrador del Proyecto de Ley integral contra la de trata de seres humanos y en particular con fines de explotación sexual" (2018)[108], en el que se tuvo presente la citada Ley modelo, aun cuando finalmente el Gobierno no aprobó el Proyecto; hacia delante, de la mano del Proyecto de Ley Orgánica de garantía integral de la libertad sexual (PLOGILS),

---

[105]   PÉREZ RIVAS, N.: "El modelo español de compensación estatal a las víctimas de delitos", *op. cit.*, p.113.

[106]   SICAR cat y PROYECTO ESPERANZA: *Recomendaciones para el acceso efectivo de las víctimas de la trata de personas a la justicia y la compensación*, *op. cit.*, p. 6; SAGRA GONZÁLEZ, E.: "La víctima del delito de trata de seres humanos e inmigración ilegal", en SOLETO H. y GRANÉ, A., *La reparación económica de la víctima en el sistema de justicia*, Dykinson, Madrid, 2019, p. 402.

[107]   Lo afirmado en el Plan de Acción ("En particular, la trata con fines de explotación sexual ha dado ya lugar, a dos planes integrales de actuación y será objeto de una Ley Integral contra la trata") induce a pensar que de nuevo se estaría pensando en una Ley integral contra la trata de seres humanos, con el foco puesto en la trata con fines de explotación sexual, como en 2018, lo cual constituiría un gran error.

[108]   Recuperado de http://www.cimcett.es/docs/documents/27-09-19_12-09-44_borrador-ley-trata-version-9-noviembre-2018.pdf. Sobre este borrador, *vid.* VILLACAMPA ESTIARTE, C., "¿Es necesaria una ley integral contra la trata de seres humanos?", *op. cit.*, pp. 1-57.

que actualmente se está tramitando en el Congreso de los Diputados[109], pues aun no disponemos del texto del anteproyecto de la anunciada Ley integral contra la trata de seres humanos.

En la Ley modelo contra la trata de personas, en base a lo dispuesto sobre la restitución e indemnización en la Declaración de los principios fundamentales de justicia para las víctimas de delitos y abusos de poder (Resolución 40/34 de la Asamblea General), se propone la regulación de la indemnización a las víctimas de la trata de personas en dos artículos: el art. 28 dedicado a la indemnización ordenada por el tribunal[110]; y el art. 29, que se ocupa de las medidas necesarias para asegurar el pago de la indemnización, con independencia de que se haya incoado o no una causa penal o de si el delincuente ha sido identificado,

---

[109]   BOCG. Congreso de los Diputados. Serie A núm. 62-1, de 26 de julio de 2021.

[110]   Art. 28. Indemnización ordenada por el tribunal.

1. Cuando un delincuente sea condenado por un delito tipificado en la presente Ley, el tribunal podrá ordenar que el delincuente pague una indemnización a la víctima, además de cualquier otra pena que imponga el tribunal, o en su lugar.

2. Cuando el tribunal dicte una orden de indemnización, tendrá en cuenta los medios y la capacidad del delincuente para pagar la indemnización y dará prioridad a la indemnización sobre la multa.

3. El objetivo de la orden de indemnizar será ofrecer a la víctima compensación por lesiones, pérdidas o daños causados por el delincuente. Una orden de indemnización puede incluir el pago total o en parte de:

a) El costo del tratamiento médico, físico, psicológico o psiquiátrico requerido por la víctima; *b)* El costo de la terapia o rehabilitación física u ocupacional requerida por la víctima; *c)* Los gastos necesarios de transporte, cuidado temporal de niños, vivienda temporal o desplazamientos de la víctima a un lugar de residencia provisional segura; *d)* El lucro cesante y el sueldo debido de conformidad con la ley y los reglamentos nacionales relativos a los sueldos; *e)* Las costas judiciales y otros gastos o costos, incluidos los gastos incurridos en relación con la participación de la víctima en la investigación penal y el proceso judicial; *f)* Los pagos por daños no materiales, resultantes de lesiones morales, físicas o psicológicas, el estrés emocional, el dolor y el sufrimiento de la víctima como resultado del delito cometido contra ella; y

g) Cualquier otro gasto o pérdida incurridos por la víctima como resultado directo de haber sido objeto de trata y determinados debidamente por el tribunal.

4. Toda orden de indemnización emitida en virtud del presente artículo podrá ser ejecutada por el Estado por todos los medios que prevean las leyes nacionales.

5. La situación de inmigración o el regreso de la víctima a su país de origen, u otra ausencia de la víctima de la jurisdicción, no impedirán al tribunal ordenar el pago de la indemnización en virtud del presente artículo.

6. Cuando el delincuente sea un funcionario público cuyas acciones, que constituyen un delito en virtud de la presente Ley, hubieran sido realizadas bajo la autoridad real o aparente del Estado, el tribunal podrá ordenar que el Estado pague una indemnización a la víctima [de conformidad con la legislación nacional]. Toda orden de indemnización por el Estado en virtud del presente artículo podrá incluir el pago total o en parte de los costos enunciados en los apartados a) a g) del párrafo 3 supra".

condenado y castigado[111]. En la Ley Modelo, se aclaraba que lo dispuesto en el art. 28 Ley Modelo, sólo se debería incluir si no estaba ya incluida en las leyes nacionales o en el CP, no obstante, como veremos a continuación, en el borrador del Proyecto de Ley no se tuvo en cuenta esta salvedad y se propuso una regulación de la indemnización que no se adecuaba a nuestra legislación vigente, pues ya tenemos prevista la declaración de la responsabilidad civil *ex delicto* en nuestro CP.

Antes de adentrarnos en la regulación de la indemnización en el borrador del Proyecto de Ley integral de trata de seres humanos con fines de explotación sexual de 2018, queremos sumarnos a quienes consideraron un completo desacierto tramitar una Ley integral contra la trata de seres humanos sólo con fines de explotación sexual[112]. Para garantizar la indemnización se debe aprobar

---

[111] "Artículo 29. Indemnización para las víctimas de la trata de personas
1. Sin perjuicio de las facultades del tribunal para ordenar que el delincuente pague una indemnización a la víctima de la trata de personas en virtud del artículo 28 de la presente Ley, la [autoridad competente] dispondrá lo necesario para que se pague la indemnización a las personas que han sido identificadas como víctimas de la trata de personas de conformidad con los procedimientos establecidos en virtud del artículo 18 de la presente Ley. Esas disposiciones especificarán, entre otras cosas:
a) Las circunstancias en que se pagará la indemnización; *b)* La base para calcular la indemnización y el monto pagadero, teniendo en cuenta las indemnizaciones recibidas o las sumas recuperadas en virtud del artículo 28 de la presente Ley; *c)* El fondo al que se cargarán los pagos; *d)* El procedimiento para solicitar el pago de la indemnización; y *e)* Un procedimiento para el examen y la apelación de las decisiones relativas a las reclamaciones de indemnización.
2. La [autoridad competente] velará por que las víctimas de la trata de personas puedan solicitar el pago de la indemnización establecida en virtud del presente artículo, aun cuando el delincuente no haya sido identificado, arrestado o condenado.
3. [Para los casos en que deba establecerse un fondo específico] A los fines del pago de la indemnización a las víctimas de la trata de personas de conformidad con el presente artículo, la [autoridad competente] establecerá un fondo para las víctimas y designará a los administradores de ese fondo. Los administradores
aceptarán pagos al fondo de:
a) Las sumas asignadas al fondo de conformidad con [ley fiscal pertinente]; *b)* Las sumas confiscadas y el producto de la venta de bienes o activos confiscados en virtud de las disposiciones de la ley nacional; *c)* Los pagos voluntarios o las donaciones al fondo; *d)* Los ingresos, intereses o beneficios derivados de las inversiones del fondo; y *e)* Cualesquiera otras fuentes designadas por los administradores del fondo.
4. [Para los casos en que ya exista un fondo apropiado de indemnización para las víctimas] La [autoridad competente] velará por que los administradores responsables [del fondo] estén autorizados para efectuar pagos a las víctimas de la trata de personas de conformidad con el presente artículo.
5. La situación de inmigración o el regreso de la víctima a su país de origen, o la ausencia de la víctima de la jurisdicción, no impedirán al tribunal ordenar el pago de la indemnización establecida en virtud del presente artículo.
[112] VILLACAMPA ESTIARTE, C., "¿Es necesaria una ley integral contra la trata de seres humanos?", *op. cit.*, pp. 1-57.

una ley integral de trata de seres humanos que proteja a todas las víctimas con independencia de la forma de explotación, no bastando para satisfacer el derecho a la restitución, tal y como se procedió en el citado borrador, con incluir una alusión a la posibilidad de "aplicar estas medidas a otras formas de trata sancionadas penalmente". Es cierto que, según los escasos datos de los de que se disponen en nuestro país, la mayoría de los casos detectados son de trata de seres humanos con fines de explotación sexual, pero no se puede desconocer que hay víctimas de trata con otros fines distintos a la explotación sexual, entre ellos el trabajo forzado[113], y no por ello deben ser relegadas en el reconocimiento y satisfacción de su derecho a la reparación, incluida la indemnización.

En este borrador de Proyecto de ley integral, la indemnización a las víctimas se regulaba en dos preceptos: el artículo 42, relativo al derecho a la indemnización y restitución en el marco de una acción judicial (indemnización por el tratante); y el art. 43, sobre el derecho a la indemnización y restitución fuera del proceso judicial (indemnización estatal).

En el primero de estos preceptos, el art. 42, se reconocía el derecho de la víctima a ser indemnizada por su tratante, así como la eficacia de la política de recuperación de activos para garantizar la indemnización, instándose a las Fuerzas y Cuerpos de Seguridad y al Ministerio Fiscal a adoptar las medidas urgentes para identificar y solicitar el embargo o decomiso de los bienes y ganancias de los tratantes, y así evitar que resultasen inaccesibles, previsión que, por otra parte, no aportaba nada nuevo. En el apartado 3, se preveía la utilización de los bienes y ganancias embargados o decomisados para indemnizar a la víctima con preferencia a cualquier otro pago que debe realizar el condenado a la responsabilidad civil, en los casos en los que el tribunal hubiese declarado penalmente responsable del delito de trata de personas o sus actividades conexas y se hubiese ejercido la acción civil resarcitoria por parte de la víctima. Esta previsión aparte de innecesaria, al estar ya contemplada en nuestro ordenamiento jurídico, estaba redacta en términos no muy acertados, pues parecía requerir una condena penal para poder exigir la indemnización, motivo por el que consideramos más correcta la redacción que se utiliza en el art. 52 PLOGILS (Cfr. infra). Los conceptos por los que se debía indemnizar a las víctimas de trata se contemplaban también en el apartado 3 del art. 42 del Borrador, reduciéndose a tres (daños materiales, daños psicológicos y beneficios obtenidos de su explotación) frente a los siete previstos en la Ley Modelo,

---

[113]   Como se pone de manifiesto en el Plan de Acción Nacional contra el Trabajo Forzoso, el hecho de que el trabajo forzoso no sea un hecho extendido en España, no quiere decir que no haya que luchar contra el mismo con todos los medios al alcance, debiéndose, mejorar la capacidad de las Fuerzas y Cuerpos de Seguridad del Estado para la detección, investigación y la lucha contra este delito, entre otras acciones, a través del fomento de la investigación financiera y patrimonial en los delitos relacionados con el trabajo forzoso (Acción 20), y que, a la postre, permitirá garantizar la indemnización a las víctimas del delito.

y que responden a las necesidades de las víctimas de trata para afrontar su recuperación integral, por lo que sería deseable que fuesen tenidos en cuenta en la futura Ley integral. Los apartados 4 y 5 del art. 42 del Borrador, se corresponden con los apartados 6 y 5 de la Ley Modelo, respectivamente.

En el segundo de los preceptos, dedicado a la indemnización fuera del proceso judicial (art. 43 Borrador Proyecto), se garantizaba la indemnización estatal a través de la creación de un Fondo de bienes decomisados para la indemnización de las víctimas de trata. Esta indemnización se preveía para los casos en los que no hubiese existido declaración sobre la responsabilidad civil en el procedimiento penal ni se hubiesen reservado las acciones civiles. En realidad, lo que se hacía era restringir considerablemente el número de víctimas con derecho a esta indemnización, pues no podrían optar a estas indemnizaciones las víctimas de tratantes no identificados, haciendo caso omiso a lo dispuesto en la Ley Modelo sobre esta indemnización estatal, en donde se señala que ese Fondo estatal debe garantizar la indemnización a las víctimas del delito, con independencia de "que se haya incoado una causa penal o de que el delincuente haya sido identificado, condenado y castigado"[114]. Por ello, se recomendaba incluir una previsión que garantizase la indemnización en estos casos, redacta en los siguientes términos: "Art. 29.2. La (autoridad competente) velará por que las víctimas de la trata de personas puedan solicitar el pago de la indemnización establecida en virtud del presente artículo, aun cuando el delincuente no haya sido identificado, arrestado o condenado".

En cuanto a la modalidad del Fondo, en el borrador del Proyecto se optaba, tal y como han hecho otros países de nuestro entorno como Italia[115], por la creación de un Fondo de bienes decomisados sólo para compensar a las víctimas de trata de seres humanos[116]. Pero no es esta la opción más idónea, pues tal y como se recomienda en la Ley modelo de trata de seres humanos[117], resulta preferible crear un Fondo único para las víctimas de delitos graves en

---

[114]   UNODC: *Ley modelo contra la trata de personas*, 2010, p. 72.

[115]   En el art. 12 de la Ley n 228 de 11 de agosto de 2003, "Misure contro la tratta di persone" se encuentra regulado el "Fondo per le misure anti-trata". En el apartado quater se prevé que la cuantía de la indemnización será de 1.500 euros, dentro de la disponibilidad financiera, detraídas las cantidades que la víctima haya podido recibir a cualquier título de los poderes públicos.

[116]   VILLACAMPA ESTIARTE, C., "¿Es necesaria una ley integral contra la trata de seres humanos?", *op. cit.*, pp. 32 y 47. En la Exposición de Motivos de este borrador, se aludía a la necesidad de creación de este Fondo en los siguientes términos: "La protección en el marco del proceso penal además complementa la Ley 4/2015 del Estatuto de la Víctima y se presta especial atención a los derechos de reparación, indemnización y restitución, creándose un Fondo estatal para garantizar estos derechos".

[117]   UNODC: *Ley modelo contra la trata de personas*, *op. cit.*, p. 73.

general[118], en orden a evitar los problemas que la administración de varios fondos pudiera generar, como han hecho Suiza y Francia. En la Ley modelo de trata de seres humanos se señala que estos Fondos podían destinarse a la asistencia e indemnización de las víctimas, o abarcar otros gastos relacionados con la prevención y la lucha contra la trata de personas[119].

Además, en el apartado 2 de este artículo 43, se señalaban las fuentes de financiación de este Fondo para la indemnización de las víctimas de trata, que deberían aceptar los administrados del Fondo designados por el Gobierno, siguiendo las pautas de la Ley modelo contra la trata[120]: sumas asignadas conforme a los Presupuestos Generales del Estado; sumas confiscadas y el producto de la venta de bienes o activos decomisados a los responsables de los delitos de trata o delitos conexos, una vez satisfechas las indemnizaciones civiles; los pagos voluntarios o donaciones al Fondo; los ingresos, intereses o beneficios derivados de las inversiones del Fondo; y, por último, cualesquiera otras fuentes designadas por los administradores del Fondo. En el apartado 3 del art. 43, se remitía a un desarrollo normativo posterior la regulación, de algunas de las cuestiones previstas en el art. 29.1 Ley Modelo, tales como: las circunstancias en las que se pagarían las indemnizaciones con cargo al Estado; la base para calcular la indemnización; y los procedimientos tanto para solicitar el pago de la indemnización como para el examen y recurso de las decisiones relativas a las reclamaciones de indemnización con cargo al Fondo.

Echando la vista hacia adelante, el análisis de las disposiciones contempladas en el título VII (Derecho a la reparación) del Proyecto de Ley Orgánica de garantía integral de la libertad sexual (PLOGILS), nos puede dar una idea de la regulación del derecho a la reparación que se podría contemplar, con las especificidades oportunas, en la futura Ley integral contra la trata de seres humanos. Además, debe tenerse presente que algunas de las previsiones sobre el derecho a la reparación previstas en este Proyecto, afectan a las víctimas de trata de seres humanos con fines de explotación sexual, como tendremos

---

[118] En este sentido también se ha pronunciado VILLACAMPA ESTIARTE, C., "¿Es necesaria una ley integral contra la trata de seres humanos?", *op. cit.*, p. 47; y, anteriormente, en VILLACAMPA ESTIARTE, C., CEREZO DOMÍNGUEZ, A. I. y GÓMEZ GUTIÉRREZ, M.: *Introducción a la Victimología*, Iustel, Madrid, 2019, pp. 167 y ss.

[119] Oficina de las Naciones Unidas contra la Droga y el Delito (UNODC), 2010, p. 73.

[120] "3. [Para los casos en que deba establecerse un fondo específico] A los fines del pago de la indemnización a las víctimas de la trata de personas de conformidad con el presente artículo, la [autoridad competente] establecerá un fondo para las víctimas y designará a los administradores de ese fondo. Los administradores aceptarán pagos al fondo de: *a)* Las sumas asignadas al fondo de conformidad con [ley fiscal pertinente]; *b)* Las sumas confiscadas y el producto de la venta de bienes o activos confiscados en virtud de las disposiciones de la ley nacional; *c)* Los pagos voluntarios o las donaciones al fondo; *d)* Los ingresos, intereses o beneficios derivados de las inversiones del fondo; y *e)* Cualesquiera otras fuentes designadas por los administradores del fondo".

ocasión de ver (art. 55 PLOGILS). En la Exposición de Motivos del Proyecto de PLOGILS, encontramos las siguientes afirmaciones relacionadas algunas de las cuestiones de las que nos estamos ocupando: "...se consagra el derecho a la reparación como un derecho fundamental en el marco de obligaciones de derechos humanos; derecho que comprende la indemnización por daños y perjuicios materiales y morales que corresponda a las víctimas de violencias sexuales de acuerdo con las normas penales sobre responsabilidad civil derivada de delito, las medidas necesarias para su completa recuperación física, psíquica y social y las garantías de no repetición, así como acciones de reparación simbólica. Asimismo, en aras de garantizar una completa recuperación y de establecer garantías de no repetición, se establece las Administraciones podrán garantizar ayudas complementarias destinadas a las víctimas que, por especificidad y/o gravedad de las secuelas derivadas de la violencia, no encuentren una respuesta adecuada o suficiente en la red de recursos de atención o recuperación. Para financiar dichas ayudas, se podrán emplear los bienes, efectos y ganancias decomisados por los jueces y tribunales a los condenados por los delitos previstos en el artículo 127 bis del Código Penal"[121].

1. El artículo 51 del PLOGILS, está dedicado al alcance y garantía del derecho a la reparación[122], que comprende la indemnización por daños y perjuicios materiales y morales por la responsabilidad civil *ex delicto*. En el art. 52 PLOGILS se regula la indemnización en dos apartados: en el primero de ellos se establecen, a modo indicativo, cuáles son los conceptos por los que, al menos, debe ser compensada económicamente la víctima[123]; en el segundo

---

[121]   BOCG. Congreso de los Diputados. Serie A núm. 62-1, de 26 de julio de 2021, p. 9.

[122]   "Artículo 51. Las víctimas de violencias sexuales tienen derecho a la reparación, lo que comprende la indemnización a la que se refiere el artículo siguiente, las medidas necesarias para su completa recuperación física, psíquica y social, las acciones de reparación simbólica y las garantías de no repetición.
Para garantizar este derecho se elaborará un programa administrativo de reparación a las víctimas de violencias sexuales que incluya medidas simbólicas, materiales, individuales y colectivas".
El uso de la expresión "reparación simbólica" fue criticado por el Consejo Económico y Social, al resultar ambigua. Dictamen 4/2020, p. 39. El Consejo Fiscal también se mostró crítico con la redacción del artículo dedicado a la reparación simbólica (art. 56 APOLOGILS). Vid. FISCALÍA GENERAL DEL ESTADO: *Informe del Consejo Fiscal sobre el Anteproyecto de Ley Orgánica de Garantía Integral de la Libertad Sexual*, 2020, p. 31.

[123]   "Artículo 52. Indemnización. 1. La indemnización por daños y perjuicios materiales y morales que corresponda a las víctimas de violencias sexuales de acuerdo con las leyes penales sobre la responsabilidad civil derivada del delito, deberá garantizar la satisfacción económicamente evaluable de, al menos, los siguientes conceptos: a) el daño físico y psicológico, incluido el daño moral y el daño a la dignidad. b) La pérdida de oportunidades, incluidas las oportunidades de educación, empleo y prestaciones sociales. c) Los daños materiales y la pérdida de ingresos, incluido el lucro cesante. d) El daño social, entendido como el daño al proyecto de vida. e) El tratamiento terapéutico, social y de salud sexual y reproductiva. 2.

apartado, se recuerda que dicha indemnización será satisfecha por las personas civil o penalmente responsables, de acuerdo con la normativa vigente.

El artículo 55 PLOGILS se ocupa de los Fondos para la reparación a las víctimas, previéndose que la Administración General del Estado y las Comunidades Autónomas con competencias en la materia reciban fondos para hacer efectivo el derecho a la reparación de las víctimas; fondos que proceden de la realización de los bienes, efectos y ganancias decomisados a los condenados por los delitos previstos en el art. 127 bis CP[124]. Cabe destacar que estos fondos también podrán ser destinados a financiar algunas ayudas complementarias a las víctimas que, "por la especificidad y/o gravedad de las secuelas derivadas de la violencia, no encuentren una respuesta adecuada o suficiente en la red de recursos de atención y recuperación"[125], así como medidas de inserción laboral y fomento de la autonomía económica, dirigidas de forma prioritaria a las víctimas de explotación sexual y trata con fines de explotación sexual, en coordinación con las Comunidades Autónomas y las entidades locales. En la Disposición final decimonovena se contempla la creación de un Fondo de bienes decomisados por delitos contra la libertad sexual, destinado a financiar las medidas de reparación previstas en el título VII del proyecto de ley. En esta Disposición Final, se otorga al Gobierno un plazo de un año desde la aprobación de la ley orgánica de garantía de la libertad sexual, para remitir a las Cortes Generales el proyecto de ley por la que se cree y regule dicho Fondo, como si las víctimas no hubiesen esperado ya demasiado tiempo a que se les garantice su derecho a la indemnización.

3. *Recomendaciones*

Actualmente, en España no contamos con un Fondo nacional para garantizar la indemnización a las víctimas de delitos para los casos en los que no sea suficiente la indemnización procedente del delincuente o de otras fuentes. Y ya es hora de que España cuente con Fondo estatal único para las víctimas de delitos graves, no considerando aconsejable la creación de Fondos especí-

---

La indemnización será satisfecha por la o las personas civil o penalmente responsables, de acuerdo con la normativa vigente".

[124] Se vuelve a utilizar la expresión "condenados por" cuando en realidad se puede proceder a decretar el decomiso previsto en el art. 127 ter CP: "El juez o tribunal podrá acordar el decomiso previsto en los artículos anteriores aunque no medie sentencia de condena, cuando la situación patrimonial ilícita quede acreditada...".

[125] "Artículo 54. Completa recuperación y garantías de no repetición. 2. Las administraciones públicas podrán establecer ayudas complementarias destinadas a las víctimas que, por la especificidad y/o gravedad de las secuelas derivadas de la violencia, no encuentren una respuesta adecuada o suficiente en la red de recursos de atención y recuperación, quienes podrán recibir ayudas adicionales para financiar los tratamientos sanitarios adecuados, incluyendo los tratamientos de reconstrucción genital femenina, si fueran necesarios".

ficos con bienes decomisados según el delito del que se trate (libertad sexual/ trata de seres humanos, etc.). No sólo es más fácil gestionar un fondo único como advirtió UNODC en la Ley Modelo, sino que permitiría ahorrar costes y maximizar los resultados; y, lo más importante, allanaría el camino a las víctimas para obtener la indemnización a la que tienen derecho. La dispersión de fondos, sobre todo cuando nos encontramos ante organizaciones criminales dedicadas a varias actividades delictivas conexas, puede generar más caos al ya existente. Las víctimas no sabrán a dónde acudir para reclamar su derecho a la indemnización, lo cual acabará por desincentivar la petición de las cantidades que les correspondan. Además, la creación de un Fondo estatal único, permitiría eliminar las barreras existentes en la actualidad relacionadas con los criterios de elegibilidad para el acceso de las víctimas a las ayudas estatales de compensación extrajudicial de víctimas de delitos violentos, de conformidad con las obligaciones derivadas de lo dispuesto tanto en el Convenio Europeo contra la Trata de personas (art. 15.3) y la Directiva de la UE sobre la trata de personas (art. 17).

De seguir con la idea de la creación de un Fondo especial para la indemnización de las víctimas de trata seres humanos, el Gobierno debería tener presente las recomendaciones contempladas en la Ley modelo contra la trata de seres humanos. En concreto, debería incluir algunas disposiciones detalladas para la gestión del fondo[126] o aprobar a la vez la Ley por la que se cree y regule el citado Fondo. No se puede esperar un año para remitir el Proyecto de Ley por el que se regule el Fondo de bienes decomisados por el delito de trata de seres humanos, como se prevé en la Disposición final decimonovena del PLOGLIS[127]. Las víctimas no deben esperar ni un minuto más para que se haga efectivo su derecho a la indemnización.

Se debería incluir la posibilidad de anticipo del pago de la indemnización a las víctimas del delito, en aquellos supuestos en los que el tratante no haga efectivo el pago de la indemnización en un plazo razonable desde que se haya dictado la resolución judicial. En Holanda se prevé el anticipo del pago una vez han trascurrido 8 meses[128].

---

[126]   En la Ley modelo contra la trata de seres humanos, se pone como ejemplo la regulación prevista en el Código penal de Israel, para incluir un Fondo especial de ese tipo en las leyes o el código penales.

[127]   "Fondo de bienes decomisados por delitos contra la libertad sexual. En el plazo de un año desde la entrada en vigor de la presente ley orgánica, el Gobierno remitirá a las Cortes Generales un proyecto de ley por la que se cree y se regule un Fondo de bienes decomisados por delitos contra la libertad sexual destinado a financiar las medidas de reparación a las víctimas previstas en el título VII de esta ley".

[128]   SICAR cat y PROYECTO ESPERANZA: *Recomendaciones para el acceso efectivo de las víctimas de la trata de personas a la justicia y la compensación, op. cit.*, p. 4. El sistema neerlandés se pone como ejemplo a seguir en la intervención con las víctimas, al existir un marco institucional que incorpora las estructuras de atención a las víctimas distinto nivel, tanto

Este fondo se podría financiar no sólo con los bienes decomisados, sino también con las multas impuestas por los jueces o tribunales por delitos de trata de seres humanos a las personas jurídicas (art. 177 bis apartado 7 CP)[129] y cualquier otra multa que se imponga a las personas físicas/jurídicas por los delitos conexos cometidos.

También consideramos que, a la hora de abordar la regulación de la indemnización a las víctimas de trata de seres en la futura Ley integral contra la trata de seres humanos, se deberían tener muy presentes las preguntas que GRETA ha incluido en relación con la indemnización, en la tercera ronda de evaluación de la Convención, actualmente en curso[130].

---

nacional como regional, así como los dispositivos técnicos y sociales necesarios para llevar a cabo la intervención. *Vid.* MIRANDA-RUCHE, X. y VILLACAMPA ESTIARTE, C.: "La atención a las víctimas de trata de seres humanos. Un análisis crítico del protocolo marco español desde una perspectiva comparada", *Alternativas. Cuadernos de Trabajo Social*, 28 (2), 2021.

[129]   Así se prevé en el Código penal de Israel, al que pone como ejemplo la Ley modelo, art. 377 E. Fondo Especial: "*b)* Toda multa impuesta por el tribunal como pena por un delito se depositará en el Fondo".

[130]   En el cuestionario se incluyen las siguientes preguntas: "a) Indemnización de los autores (artículo 15 Convenio de Varsovia) 3.1 ¿Qué medidas se han adoptado para que los tribunales puedan conceder una indemnización a las víctimas de la trata, incluidos los niños, por parte de los autores como parte de las actuaciones penales? ¿Cuál es la función de los fiscales a este respecto? 3.2 ¿Cómo se calcula el monto de la indemnización y existen criterios o modelos específicos para calcularlo? ¿Qué tipos de lesiones/daños y gastos están cubiertos? ¿Existe alguna circunstancia/condiciones que darían lugar a una reducción del monto de la indemnización? 3.3 ¿Cómo se ejecutan las órdenes/veredictos de indemnización? ¿Qué medidas se han adoptado para garantizar y asegurar el pago efectivo de la indemnización? 3.4 Cuando las víctimas extranjeras de la trata de personas son expulsadas del país en que se produjo la explotación o deciden abandonarlo, ¿qué medidas se han adoptado para que puedan obtener una indemnización y otros recursos? 3.5 ¿Qué procedimientos existen para garantizar el acceso efectivo a la indemnización de las víctimas del THB con fines de explotación laboral? ¿Pueden esas víctimas interponer demandas civiles de indemnización y/o recuperación de salarios y contribuciones sociales impagados sobre la base de leyes de responsabilidad civil, laborales, de empleo o de otro tipo? Sírvase especificar las medidas pertinentes. ¿Pueden las víctimas de la trata que trabajan en empleos irregulares o sin contrato reclamar el pago de salarios y otras indemnizaciones y, en caso afirmativo, cómo se establece la cuantía de los salarios y otras indemnizaciones impagados? 3.6 ¿Qué capacitación se imparte para fomentar la capacidad de los profesionales pertinentes, como abogados, funcionarios encargados de hacer cumplir la ley, fiscales y jueces, a fin de que las víctimas de la trata puedan obtener indemnización y otros recursos? b) Indemnización del Estado (artículo 15 Convenio de Varsovia). 4.1 ¿Excluyen los criterios de elegibilidad para los planes de indemnización del Estado a las víctimas de delitos a algunas víctimas de la trata (por ejemplo, debido a la situación de residencia irregular, la nacionalidad, la naturaleza del delito)? ¿Depende el acceso a la indemnización del Estado del resultado de la causa penal y de que no se obtenga una indemnización de los delincuentes? 4.2 ¿Cómo se calcula el monto de la indemnización estatal de manera que se tenga en cuenta la gravedad del daño sufrido por la víctima? 4.3 ¿Es posible que las víctimas extranjeras de la trata presenten solicitudes de indemnización estatal en su país después de haber sido devueltas o repatriadas

Por último, no podemos pasar por alto que, como hemos visto en este trabajo, un gran número de víctimas de la trata de seres humanos son niños, debiendo garantizarse también en estos casos su indemnización atendiendo a las particularidades de estas víctimas y los daños por los que deben ser indemnizados[131]. Por ello se deberían tener en cuenta las recomendaciones formuladas tanto en la Ley modelo la justicia en asuntos concernientes a menores víctimas y testigos de delitos y su comentario[132]; como en la Ley modelo de protección de los niños (2013)[133].

---

a sus países de origen? 4.4 ¿Responden las víctimas que solicitan una indemnización del Estado a los gastos y honorarios de los abogados? ¿Están sujetas al pago de impuestos las indemnizaciones estatales? ¿Tiene la recepción de la indemnización consecuencias para el acceso a la seguridad social u otras prestaciones?"

[131]   En el Preámbulo de la reciente Ley Orgánica 8/2021, de 4 de junio, de protección integral a la infancia y la adolescencia frente a la violencia, se afirma que "Esta ley orgánica se relaciona también con los compromisos y metas del Pacto de Estado contra la violencia de género, así como de la Agenda 2030 en varios ámbitos, y de forma muy específica con la meta 16.2: «Poner fin al maltrato, la explotación, la trata y todas las formas de violencia y tortura contra los niños.» dentro del Objetivo 16 de promover sociedades, justas, pacíficas e inclusivas. Las niñas, por su edad y sexo, muchas veces son doblemente discriminadas o agredidas. Por eso esta ley debe tener en cuenta las formas de violencia que las niñas sufren específicamente por el hecho de ser niñas y así abordarlas y prevenirlas a la vez que se incide en que solo una sociedad que educa en respeto e igualdad será capaz de erradicar la violencia hacia las niñas".

[132]   En el art. 29 LM se proponen varias opciones para regular el derecho al resarcimiento y a la indemnización, dependiendo de si existe o no fondo público y de si los tribunales penales tienen o no jurisdicción en las demandas civiles. Así para los casos en los que existe un fondo público para las víctimas se propone la siguiente redacción: "1. El tribunal informará al niño víctima, a sus padres o al tutor, y a su abogado acerca del procedimiento para pedir una indemnización.2. Todo niño víctima que no sea nacional del Estado tendrá derecho a pedir una indemnización. Para los países en los tribunales penales tienen jurisdicción en la demanda civil, se propone incluir las siguientes disposiciones: 3. El tribunal ordenará que el niño sea totalmente resarcido e indemnizado, cuando proceda, e informará al menor de la posibilidad de obtener asistencia para que la orden de resarcimiento e indemnización sea ejecutada. En el Comentario sobre la Ley Modelo, pp. 60 y ss., se advierte que en los casos de trata de personas los Principios y directrices básicos contemplados en Declaración sobre los principios fundamentales de justicia para las víctimas de delitos y del abuso de poder (Resolución 40/34 de la Asamblea General), a los cuales ya nos referimos, "podrían ser aplicables en gran medida y deberían tenerse en cuenta, pues muy a menudo los derechos fundamentales de las víctimas de la trata son violados en los procedimientos judiciales, debido a que suele considerarse que la víctima ha infringido las leyes nacionales, como, por ejemplo, las relativas a la condición jurídica de la víctima como inmigrante, en lugar de ser considerada una víctima".

[133]   CHILD PROTECTION MODEL LAW: *Best Practices: Protection of Children fron Neglect, Abuse, Maltreatment and Exploitation*, 2013. Artículo 24: Derecho a compensación total. (1) Un niño que ha sido víctima de una violación de esta Ley tiene derecho a recibir una compensación total por los daños sufridos. Esto deberá incluir la compensación justa y adecuada por:(a) Daños morales resultantes de lesiones físicas y daño psicológico. (b) Daños materiales, que incluyen el trabajo realizado durante el período de explotación. (c) Oportunidades perdidas de educación y formación profesional. (d) Cualquier otro gasto

Garantizar la indemnización de las víctimas de trata de seres humanos...

741

IX. CONCLUSIONES

No se pueden pasar por alto los obstáculos que las diferencias en las políticas y las normas aplicables a las víctimas, generan al acceder las víctimas a sus derechos. El número de enjuiciamientos y condenas de tratantes en la UE es bajo, lo que implica que, en un porcentaje muy elevado, las víctimas no pueden obtener la indemnización de los responsables del delito prevista en los instrumentos internacionales, debiendo ser indemnizadas por el Estado. De ahí la importancia de asegurar la creación de Fondos nacionales que permitan indemnizarlas.

Dado el carácter lucrativo de la actividad de trata de seres humanos a la que se dedican las redes de la delincuencia organizada, la recuperación de activos es uno de los mecanismos sobre el que tradicionalmente se ha puesto el foco de atención para luchar eficazmente contra esta lacra de la sociedad y contra otros fenómenos delictivos propios de la delincuencia organizada, y, así, "garantizar que el delito no resulte rentable o provechoso". Pero no podemos pasar por alto que la recuperación de activos permite no sólo reprimir y prevenir sino también compensar a las víctimas del delito, contribuyendo, no sólo a acabar con la cultura de la impunidad que prevalece en el mundo de los tratantes y el resto de eslabones de la cadena que se benefician de este delito y se aprovechan de la trata explotando a las víctimas, sino también a garantizar la indemnización de éstas. Se puede, y debe, "garantizar la indemnización de las víctimas, garantizando que el delito no resulte rentable".

---

que el niño pueda tener que pagar debido a una violación de esta Ley, por ejemplo, por tratamiento médico, físico, psicológico o psiquiátrico, que incluye terapia o rehabilitación a largo plazo; por servicios legales; vivienda y transporte. (2) Un niño cuyos derechos han sido violados de acuerdo con esta Ley tendrá derecho directo a hacer valer sus reclamos de compensación mediante procedimientos penales, civiles o administrativos. (3) El derecho del niño a recibir una compensación total no quedará sujeto al estatuto de limitación cuando el niño reclame compensación por un caso de abuso o explotación sexual. (4) Un niño víctima tendrá derecho a recibir una compensación total independientemente de su nacionalidad y condición de inmigración. (5) Se deberá informar al niño sobre el derecho a compensación total de una manera y en un idioma que sean comprensibles para él.
Artículo 25: Confiscación de bienes. (1) A toda persona que viole una disposición de esta Ley se le deberán confiscar todos los ingresos y bienes adquiridos por medio de tales actos u omisiones. Se deberá disponer de la posibilidad de confiscar los ingresos, así como la confiscación de cualquier bien obtenido producto de actos que violen esta Ley. (2) El Estado deberá destinar los bienes confiscados a un fondo que se utilizará para programas que prevean medidas de reintegración y rehabilitación para niños víctimas, según se expresa en el Artículo 26 de esta Ley.
Artículo 26: Fondo de compensación para víctimas. Si no es posible obtener una compensación total por parte del delincuente y los bienes confiscados, el Estado es responsable de garantizar una compensación total para el niño víctima. A estos efectos, deberá establecerse un fondo de compensación para víctimas que será administrado por la Máxima Agencia de Protección de Niños (MAPN).

No obstante, y a pesar de las cifras millonarias que la trata de seres humanos mueve al año, la indemnización a las víctimas de trata de seres humanos no está garantizada en muchos países, entre ellos, España. Y ello, a pesar de que los diversos instrumentos normativos que abordan el fenómeno de la trata de seres humanos, contemplan previsiones específicas para garantizar la indemnización; y, lo que es aún más grave, a pesar de encontrarnos ante una actividad delictiva de las más lucrativas para la delincuencia organizada, a costa de vulnerar gravemente, sin ningún escrúpulo, derechos humanos. De ahí la necesidad de que, en las normas que están en trámite de revisión en la UE y las de nueva creación en España, se incluyan normas sobre la indemnización a las víctimas de delitos.

No se debe perder de vista que nos encontramos ante una forma de delincuencia organizada de carácter transnacional, por lo se debe seguir trabajando para garantizar que los tratantes no se beneficien de la existencia de diversos enfoques en el territorio europeo y que las víctimas reciban la protección adecuada en la UE con independencia de dónde se encuentren. En nuestra opinión, este enfoque global debería abarcar también a la indemnización de las víctimas de trata de seres humanos, entre las que encuentran un considerable número de menores, y a pesar de lo cual, sigue siendo una asignatura pendiente a nivel de la UE y en España.

X. BIBLIOGRAFÍA

AGUADO-CORREA, T.: "Cinco años después de las reformas del decomiso: does crime still pay?", en BERDUGO GÓMEZ DE LA TORRE, I. y RODRÍGUEZ GARCÍA, N. (coords.), *Decomiso y recuperación de activos. Crime doesn't pay*. Edit. Tirant lo Blanch, Valencia, 2020, pp. 55-82.

AGUADO-CORREA, T.: "Criminalidad organizada en tiempos de pandemia en la UE: tolerancia cero con el dinero ilícito", en *Criminalidade Organizada Transnacional –Corpus delicti IV*, Coimbra, Coimbra (Portugal), 2022, pp. 141-175.

AGUADO-CORREA, T.: "Embargo y decomiso en la Unión Europea: novedades legislativas y retos", en GUEDES VALENTE, M. M. (coord.), *Criminalidade Organizada Transnacional –Corpus delicti I*, Almedina, Coimbra (Portugal), 2020, pp. 99-123

AGUADO-CORREA, T.: "Normas mínimas sobre decomiso de los instrumentos y del producto de la delincuencia organizada en la Unión Europea (Directiva 2014/42/UE) y su incorporación al derecho español", en ZÚÑIGA RODRÍGUEZ, L. (dir.), BALLESTEROS SÁNCHEZ, J. (coord.), *Criminalidad organizada transnacional: una amenaza a la seguridad de los estados democráticos*, Tirant lo Blanch, Valencia, 2017, pp. 551-590.

AGUADO-CORREA, T.: "Siguiendo el rastro del dinero en la Unión Europea: hacia un enfoque global, operativo e integrado", en ZÚÑIGA RODRÍGUEZ, L. (dir.), BALLESTEROS SÁNCHEZ, J. (coord.), *Nuevos desafíos frente a la criminalidad organizada trasnacional y el terrorismo*, Dykinson, Madrid, 2021, pp. 187-215.

CGPJ: *Guía de criterios de actuación judicial para detectar e investigar la trata de seres humanos con fines de explotación*, 2018

CHILD PROTECTION MODEL LAW: *Best Practices: Protection of Children fron Neglect, Abuse, Maltreatment and Explotation*, 2013. Disponible en: https://www. icmec.org/wp-content/uploads/2015/10/Annotated_CP_Model_Law_Jan_2013_ Final_w_cover.pdf

COMISIÓN EUROPEA: *Comunicación de la Comisión al Parlamento Europeo, al Consejo, al Comité Económico y Social Europeo y al Comité de las Regiones. Estrategia de la UE sobre los derechos de las víctimas 2020-2025*, Bruselas, 2020. Disponible en: https://eur-lex.europa.eu/legal-content/ES/TXT/PDF/?uri=CELEX:5 2021DC0171&qid=1620118796897&from=ES

COMISIÓN EUROPEA: *Informe de la Comisión al Parlamento Europeo y al Consejo. Segundo informe sobre los progresos realizados en la lucha contra la trata de seres humanos (2018) con arreglo al artículo 20 de la Directiva 2011/36/UE relativa a la prevención y lucha contra la trata de seres humanos y a la protección de las víctimas*, Bruselas, 2018.

COMISIÓN EUROPEA: *Informe de la Comisión al Parlamento Europeo y al Consejo. Tercer informe sobre los progresos realizados en la lucha contra la trata de seres humanos (2018) con arreglo al artículo 20 de la Directiva 2011/36/UE relativa a la prevención y lucha contra la trata de seres humanos y a la protección de las víctimas*, Bruselas, 2020.

COMISIÓN EUROPEA: *INFORME DE LA COMISIÓN AL PARLAMENTO EUROPEO Y AL CONSEJO sobre la adopción por los Estados miembros de las disposiciones necesarias para dar cumplimiento a lo dispuesto en la Directiva 2011/36/UE relativa a la prevención y lucha contra la trata de seres humanos y a la protección de las víctimas, de conformidad con su artículo 23, apartado 1*, 2016. Disponible en: https://eur-lex.europa.eu/legal-content/ES/TXT/PDF/?uri=CELEX:5 2016DC0722&from=SK

COMISIÓN EUROPEA: *INFORME DE LA COMISIÓN AL PARLAMENTO EUROPEO Y AL CONSEJO. Segundo informe sobre los progresos realizados en la lucha contra la trata de seres humanos (2018) con arreglo al artículo 20 de la Directiva 2011/36/UE relativa a la prevención y lucha contra la trata de seres humanos y a la protección de las víctimas*, 2018. Disponible en: https://eur-lex.europa.eu/ legal-content/ES/TXT/PDF/?uri=52018DC0777&from=en

COMISIÓN EUROPEA: *INFORME DE LA COMISIÓN AL PARLAMENTO EUROPEO Y AL CONSEJO. Tercer informe sobre el progreso en la lucha contra la trata de seres humanos (2020) con arreglo a lo exigido en virtud del artículo 20 de la Directiva 2011/36/UE relativa a la prevención y lucha contra la trata de seres humanos y la protección de las víctimas*, 2020. Disponible en: https://eur-lex.europa. eu/legal-content/ES/TXT/HTML/?uri=CELEX:52020DC0661&from=RO

COMISIÓN EUROPEA: *Primer informe de situación sobre la Estrategia de la UE para una Unión de la Seguridad*, 2020. Disponible en: communication_on_the_first_progress_report_on_the_eu_security_union_strategy.pdf (europa.eu)

COMISIÓN EUROPEA: *Recuperación y decomiso de activos: Garantizar que el delito no resulte provechoso*, 2020. Disponible en: https://eur-lex.europa.eu/legal-content/ ES/TXT/?uri=CELEX%3A52020DC0217

COMISIÓN EUROPEA: *Study on the economic, social and human costs of trafficking in human beings within the EU*, 2020. Disponible en: https://ec.europa.eu/anti-trafficking/sites/antitrafficking/files/study_on_the_economic_social_and_human_costs_of_trafficking_in_human_beings_within_the_eu.pdf.

CONSEJO DE EUROPA: *GRETA, 9th. General Report on GRETA´s activities*, 2020.

CONSEJO DE LA UNIÓN EUROPEA: *Conclusiones sobre la mejora de las investigaciones financieras para luchar contra la delincuencia grave y organizada*, 2020. Disponible en: https://data.consilium.europa.eu/doc/document/ST-8927-2020-INIT/es/pdf

CUSVELLER, J. y KLEEMANS, E.: "Fair compensation for victims of human trafficking? A case study of the Dutch injured party claim", *International Review of Victimology*, 24 (3), 2018, pp. 297-311.

EUROPOL: *The trafficking in human beings financial business model*, 2015. Disponible en: https://www.europol.europa.eu/publications-documents/trafficking-in-human-beings-financial-business-model.

FERNÁNDEZ VILLAREJO, F.: "La recuperación de activos en la Unión Europea", en BERDUGO GÓMEZ DE LA TORRE, I. y RODRÍGUEZ GARCÍA, N. (coords.), *Decomiso y recuperación de activos. Crime doesn't pay*, Tirant lo Blanch, Valencia, 2020, pp. 295- 398.

FERNÁNDEZ-VILLAREJO JIMÉNEZ, F.: "La nueva regulación del decomiso y la recuperación de activos delictivos en el ordenamiento jurídico español", *Revista Ministerio Fiscal*, n° 0, 2015.

FISCALÍA GENERAL DEL ESTADO: *Informe del Consejo Fiscal sobre el Anteproyecto de Ley Orgánica de Garantía Integral de la Libertad Sexual*, 2020. Disponible en: https://www.otrosi.net/wp-content/uploads/2021/02/INFORME-CONSEJO-ALO-GARANTIA-INTEGRAL-DE-LIBERTAD-SEXUAL.pdf

LA STRADA INTERNATIONAL: *COMP.ACT, Kit de herramientas sobre compensación para personas víctimas de trata*, 2012. Disponible en https://www.lastradainternational.org/wp-content/uploads/2009/12/Findings-and-results-of-Comp.Act_.pdf. (consultado por última vez el 15 de octubre de 2021).

LA STRADA INTERNATIONAL: *Proyecto Justicia, Por Fin. Acción Europea para Compensar a Víctimas de Delitos. Documento de Análisis e incidencia política*, 2018. Disponible en: https://www.proyectoesperanza.org/wp-content/uploads/2019/06/Documento_Analisis_Policy_Paper_Final.pdf (consultado por última vez el 15 de octubre de 2021).

MILQUET, J.: *Strengthening victims' rights: from compensation to reparation – For a new EU victims' rights strategy 2020-2025*, 2019. Disponible en: https://ec.europa.eu/info/sites/default/files/strengthening_victims_rights_-_from_compensation_to_reparation.pdf

MIRANDA-RUCHE, X. y VILLACAMPA ESTIARTE, C.: "La atención a las víctimas de trata de seres humanos. Un análisis crítico del protocolo marco español desde una perspectiva comparada", *Alternativas. Cuadernos de Trabajo Social*, 28 (2), 2021, pp. 141-161.

PÉREZ RIVAS, N.: "El modelo español de compensación estatal a las víctimas de delitos", *Lex*, n° 18, Año XIV-2016-II, pp. 110-128.

SAGRA GONZÁLEZ, E.: "La víctima del delito de trata de seres humanos e inmigración ilegal", en SOLETO H. y GRANÉ, A., *La reparación económica de la víctima en el sistema de justicia*, Dykinson, Madrid, 2019.

SICAR cat y PROYECTO ESPERANZA: *Recomendaciones para el acceso efectivo de las víctimas de la trata de personas a la justicia y la compensación*, 2019. Disponible en: https://www.proyectoesperanza.org/wp-content/uploads/2019/10/Declaracion_Dossier_15_Oct_version_digital.pdf

UNODC: *Ley modelo contra la trata de personas*, 2010. Disponible en: https://www.unodc.org/documents/human-trafficking/TIP-Model-Law-Spanish.pdf

VILLACAMPA ESTIARTE, C. y TORRES FERRER, C: "Aproximación institucional a la trata de seres humanos en España: valoración crítica", *EPyCr*, vol. XLI, 2021, pp. 189-232.

VILLACAMPA ESTIARTE, C., "¿Es necesaria una ley integral contra la trata de seres humanos?", *RGDP*, 33, 2020, pp. 1-57.

VILLACAMPA ESTIARTE, C., CEREZO DOMÍNGUEZ, A. I. y GÓMEZ GUTIÉRREZ, M.: *Introducción a la Victimología*, Iustel, Madrid, 2019.

VILLACAMPA ESTIARTE, C., GÓMEZ ADILLON, M. J., TORRES FERRER, C. y MIRANDA RUCHE, X.: "Trata de seres humanos: dimensión y características en España", *RGDP*, 35, 2021, pp. 1-34.

WIJER, MARJAN: *Improving acces to justice for trafficked persons. Lawyers Networking Meeting*, 2016. Disponible en: https://www.coe.int/en/web/anti-human-trafficking/-/improving-access-to-justice-for-trafficked-persons-lawyers-network-meeting (consultado por última vez el 30 de septiembre de 2021).

Parte IV
ANÁLISIS DE MEDIDAS DE PROTECCIÓN PROCESAL EN MATERIA DE TRATA Y EXPLOTACIÓN DE SERES HUMANOS

Capítulo XXII

EL ESTATUS DE LA VÍCTIMA DEL DELITO EN EL ORDENAMIENTO FRANCÉS. EN ESPECIAL, LA VÍCTIMA DEL DELITO DE TRATA DE SERES HUMANOS[1]

IÑAKI ESPARZA LEIBAR
Catedrático de Derecho Procesal
Universidad del País Vasco/EHU

I. INTRODUCCCIÓN

La trata de seres humanos (TSH es el acrónimo en español, mientras que TEH lo es en francés) se cuenta entre las actividades criminales más arraigadas, desarrolladas y lucrativas del planeta –hablamos de beneficios de decenas de millones de Euros cada año – que se materializa en desplazamientos de millones de personas, propiciados por vastas redes organizadas que, básicamente, abusan de la vulnerabilidad de las personas concernidas. Aparentemente se trata de una actividad delictiva de menor riesgo o impacto para las víctimas (también para los delincuentes) que, v. gr., el tráfico de drogas o los robos con

---

[1] Este capítulo tiene su origen en la conferencia titulada "La víctima del delito en Francia", pronunciada en la Universidad Jaume I de Castellón en el marco de la Jornada "Estatuto jurídico de la víctima del delito", el 20 de noviembre de 2014, y en la posterior publicación, ESPARZA LEIBAR, I.: "El estatus de la víctima del delito en el ordenamiento francés. El origen, las tendencias y las reformas procesales más recientes", en GÓMEZ COLOMER, J. L. (coord.), *El proceso penal en la encrucijada. Homenaje al Dr. César Crisóstomo Barrientos Pellecer*, Universitat Jaume I, Col·lecció "Estudis jurídics", vol. 1, nº 22, Castelló, 2015, pp. 455 y ss.

violencia pero, al fin y a la postre, vulnera gravemente los derechos humanos, explotando a las personas de múltiples formas[2].

El CP francés de 1990[3] regula el delito de trata de seres humanos en sus artículos 225-4-1 a 225-4-9, donde lo define como "el hecho de captar una persona, de transportarla, de trasladarla, albergarla o acogerla con el fin de explotarla (proxenetismo, agresión sexual, tráfico de migrantes, esclavitud, servicios forzados, extracción de órganos, mendicidad, etc.) en cualquiera de las circunstancias siguientes:…", que comportan amenazas, violencia, abuso, promesa de remuneración.., asignando a dichas conductas penas de "siete años de prisión y multa de 150 000 €"[4], que se incrementarán cuando la víctima sea menor o persona vulnerable, o se cometa por organización criminal, llegando a la reclusión a perpetuidad – y multa de 4.500.000€–cuando se haya cometido recurriendo a la tortura o a actos de barbarie.

---

[2]   Circular del 22 de enero de 2015 de política penal en materia de lucha contra la trata de seres humanos. BOMJ (Boletín Oficial del Ministerio de Justicia de Francia) nº 2015-01 de 30 de enero de 2015. Esta Circular es resultado del inicio de la aplicación del primer Plan de Acción Nacional contra la TEH, para el período 2014-2016, presentado ante el Consejo de Ministros de Francia el 14 de mayo de 2014. Con dichas iniciativas se comienzan a generar los instrumentos normativos que permitirán el despliegue de una política penal específica contra la TEH. Para conocer los datos a nivel global, *vid.*, UNODC: *Global Report on Trafficking in Persons 2018*, United Nations, Vienne, 2018. US STATE DEPARTEMENT: *Trafficking in Persons Report*, Office to Monitor and Combat Trafficking in Persons, Washington 2019.

[3]   Versión consolidada de noviembre 2021. En https://www.legifrance.gouv.fr/.

[4]   Article 225-4-1. Modifié par LOI n°2013-711 du 5 août 2013–art. 1
I.–La traite des êtres humains est le fait de recruter une personne, de la transporter, de la transférer, de l'héberger ou de l'accueillir à des fins d'exploitation dans l'une des circonstances suivantes: 1° Soit avec l'emploi de menace, de contrainte, de violence ou de manœuvre dolosive visant la victime, sa famille ou une personne en relation habituelle avec la victime; 2° Soit par un ascendant légitime, naturel ou adoptif de cette personne ou par une personne qui a autorité sur elle ou abuse de l'autorité que lui confèrent ses fonctions; 3° Soit par abus d'une situation de vulnérabilité due à son âge, à une maladie, à une infirmité, à une déficience physique ou psychique ou à un état de grossesse, apparente ou connue de son auteur; 4° Soit en échange ou par l'octroi d'une rémunération ou de tout autre avantage ou d'une promesse de rémunération ou d'avantage. L'exploitation mentionnée au premier alinéa du présent I est le fait de mettre la victime à sa disposition ou à la disposition d'un tiers, même non identifié, afin soit de permettre la commission contre la victime des infractions de proxénétisme, d'agression ou d'atteintes sexuelles, de réduction en esclavage, de soumission à du travail ou à des services forcés, de réduction en servitude, de prélèvement de l'un de ses organes, d'exploitation de la mendicité, de conditions de travail ou d'hébergement contraires à sa dignité, soit de contraindre la victime à commettre tout crime ou délit. La traite des êtres humains est punie de sept ans d'emprisonnement et de 150 000 € d'amende.
II.–La traite des êtres humains à l'égard d'un mineur est constituée même si elle n'est commise dans aucune des circonstances prévues aux 1° à 4° du I. Elle est punie de dix ans d'emprisonnement et de 1 500 000 € d'amende. »

Los datos recabados por los poderes públicos en Francia, muestran un perfil de criminalidad específico, en el que cabría destacar que la mayoría de las víctimas son mujeres, un número significativo de ellas (un 29% del total) son menores y un 59% son de nacionalidad extranjera. En cuanto a los autores del delito, hablamos de personas condenadas, un 72% son hombres y un 61% de nacionalidad extranjera[5].

Desde la perspectiva de la política criminal, conscientes de la necesidad de afrontar de forma específica este tipo de criminalidad que genera en sus víctimas situaciones de enorme vulnerabilidad. Conscientes también de que debe elaborarse una estrategia de combate integral en múltiples frentes que deben estar bien coordinados, al tratarse de una cuestión transversal[6]. Conscientes, finalmente, de que es imprescindible allegar recursos económicos suficientes para ser eficientes y poder garantizar efectivamente los derechos de las víctimas. El Gobierno francés implementó un primer Plan de acción nacional contra la trata de seres humanos (2014-2016), que ha tenido continuidad con el segundo Plan de acción nacional contra la trata de seres humanos (2019-2021)[7]. En dicho planteamiento de política criminal, las víctimas de trata y explotación – su debida atención–deben estar «en el corazón de la estrategia francesa de prevención y lucha contra este fenómeno.»[8]

---

[5]   Vid., LANGLADE, A. y SOURD. A.: *La traite et l'exploitation des êtres humains en France: Les données administratives*, Grand angle, n° 52, Institut National des Hautes Études de la Sécurité et de la Justice (INHESJ), et Observatoire National de la Délinquance et des Réponses Pénales (ONDRP), Paris, 2019. El trabajo contiene una amplia referencia bibliográfica. Igualmente, *vid.* al respecto, MINISTÈRE DE LA JUSTICE: *Références Statistiques Justice*, Sous-direction de la Statistique et des Études, Paris, 2018.

[6]   Por ejemplo, en el campo de la lucha contra el trabajo ilegal que se debe coordinar con la lucha contra la TSH, existe la Circular interministerial de 11 de febrero de 2013. Igualmente, en materia de inmigración controlada, derecho de asilo efectivo e integración, la Instrucción del Ministerio del Interior de 1 de marzo 2019. Un ejemplo análogo lo constituye en España el Acuerdo del Consejo de Ministros de 10 de diciembre de 2021, por el que se aprueba el Plan de Acción Nacional contra el Trabajo Forzoso: relaciones laborales obligatorias y otras actividades humanas forzadas, publicado por el BOE el 24 de diciembre de 2021. Adicionalmente se deben afrontar de forma coordinada otros aspectos como el blanqueo de capitales derivado de la TSH.

[7]   La Comisión Nacional Consultiva de Derechos del Hombre (CNCDH), en su calidad de ponente nacional independiente en esta materia, fue la encargada de evaluar en 2017 la implementación del primer Plan de acción nacional contra la trata de seres humanos, en cuyo balance establece que las acciones afrontadas no permitieron alcanzar los objetivos perseguidos, detectando medidas previstas, pero no –total o parcialmente – ejecutadas. Igualmente, en diciembre de 2019 la CNCDH, emitió una opinión crítica sobre el segundo Plan nacional, particularmente en relación con las recomendaciones formuladas en 2017 y los estándares europeos e internacionales en materia de lucha contra la TSH, que deben ser tenidos en cuenta. Dicha Opinión o dictamen, aparece publicado en el JORF n° 0279 de 1 de diciembre de 2019.

[8]   "... l'importance primordiale de la création d'un véritable mécanisme national pour l'identification et l'accompagnement des victimes de traite et d'exploitation, qui doit être

En cuanto al contexto general en el que la lucha contra la TSH se inserta, al igual que ocurre en España, Francia está inmersa, desde hace ya algunos años, en un proceso de revisión a fondo del modelo procesal penal, que busca su modernización, tratando de alcanzar mayores estándares de calidad en la resolución de conflictos, aspirando por tanto a mejorar la justicia y con ella el estado de derecho. Nuestra impresión personal es que los agentes jurídico-políticos son mucho más activos, decididos y constantes en el país vecino, lo que permite generar políticas criminales específicas, mostrando propuestas viables y resultados tangibles[9].

Antes de centrarnos en analizar dicha política criminal específica, deseamos acercarnos al tema de las víctimas de delitos y su estatus en el proceso penal, constatando la consecución de una visibilidad de la que históricamente han carecido, lo que ya supone un cambio profundo y espectacular. Especialmente nos referiremos brevemente al marco político y normativo de la UE, en lo que al Espacio Europeo de Libertad, Seguridad y Justicia concierne, que acoge y permite desarrollar e interpretar correctamente todo lo relativo a la víctima de delitos, a su estatus procesal. Garantizando a su vez la coordinación entre los ordenamientos nacionales, cuestión imprescindible para la lucha contra la más grave criminalidad, y entre ella la TSH.

II. LA VÍCTIMA EN EL PROCESO PENAL, LA EVOLUCIÓN DE SU ESTATUS EN LAS ÚLTIMAS DÉCADAS

La víctima ha sido la gran olvidada en el diseño procesal penal del s. XX (sin remontarnos más en la historia) y ahora aspira legítimamente –siempre que con ello no se altere el equilibrio básico subyacente– a ser el centro (o al menos uno de sus ejes) del proceso de resolución de conflictos en el s. XXI. Partimos de un sujeto procesal de perfil bajo que, en este momento, tras las

---

au coeur de la stratégie française de prévention et de lutte contre ce phénomène.", JORF nº 0279 de 1 de diciembre de 2019, p.1.

[9] *Vid.*, ESPARZA LEIBAR, I.: "La reforma procesal penal francesa en curso. El informe de la Comisión Léger", *Revista Penal*, nº 26, 2010. Publicado también en la *Revista Penal México*, nº 1, mayo de 2011. Grupo normativo regulador: Ley para reforzar la protección de la presunción de la inocencia y los derechos de las víctimas, publicada en el JORF (Diario Oficial de la República Francesa) nº 138 de 16 de junio de 2000. Decreto relativo a la creación del Juez delegado para las víctimas JUDEVI, publicado en el JORF nº 265 de 15 de noviembre de 2007. Ley relativa a los derechos de las víctimas, publicada en el JORF nº 153 de 2 de julio de 2008. Ley relativa a la individualización de las penas y a aumentar la eficacia de las sanciones penales, publicada en el JORF nº 189 de 17 de agosto de 2014.

correspondientes reflexiones fruto de la investigación y del afán de mejora, es objeto de estudio y atención preferente[10].

Acceder a la condición de víctima es una circunstancia universal y, en buena medida, aleatoria, muy ligada a la naturaleza humana. Es la primera derivada de la comisión de un delito, por lo que su tratamiento –conceptualmente– debería ser paralelo al propio devenir del proceso. Esto, sin embargo, no ha sido así, y por ello nos interesa la gestión procesal de dicha condición, y la constatación de que realizada ésta de una manera (sin especial consideración de la víctima) u otra (rápida, adecuada, integral y efectiva atención a la misma), las consecuencias pueden ser muy distintas y la justicia finalmente alcanzada de muy diferente calidad.

Si repasamos, aunque sea de forma muy superficial, algunos hitos históricos relevantes al respecto, nos encontramos con que ni muchos tratados internacionales, v. gr., el propio CEDH, ni la CE, ni la Constitución francesa mencionan, ni mucho menos elaboran el concepto de víctima[11]. Es evidente que implícitamente se contempla, pero también lo es, que no constituye la parte estelar del proceso penal, que se reserva a la figura del sujeto pasivo del mismo, sobre el que se centra el esfuerzo doctrinal y normativo.

Avanzado el s. XX, se genera una reflexión que hace que se materialice un movimiento para su visualización. Su plasmación como sujeto procesal de primer rango, es en un principio lenta y, con carácter general, asimétrica, aunque posteriormente va adquiriendo consistencia y carácter integral.

El escenario actual, en lo que especialmente a la víctima de un delito en el proceso penal concierne, y desde una perspectiva global, nos muestra que su estatus, si bien es progresivamente objeto de reconocimiento, es también

---

[10]　Así lo acreditan, entre otros numerosos, los excelentes trabajos publicados por: GÓMEZ COLOMER, J. L.: *Estatuto jurídico de la víctima del delito. La posición jurídica de la víctima del delito ante la Justicia Penal. Un análisis basado en el Derecho Comparado y en las grandes reformas españolas que se avecinan*, Thomson Reuters Aranzadi, 2ª ed., Cizur Menor, 2015. También, ORDEÑANA GEZURAGA, I.: *El estatuto jurídico de la víctima en el Derecho Jurisdiccional español. Análisis lege data y lege ferenda a partir de la normativa europea en la materia*, IVAP/HAEE, Oñati, 2014. Tanto en castellano como en euskera. Más recientemente, PLANCHADELL GARGALLO, A.: "La víctima", en GÓMEZ COLOMER, J. L. y BARONA VILAR, S. (coords.), *Proceso Penal. Derecho Procesal III*, Tirant lo Blanch, Valencia, 2021.

[11]　En el caso del ordenamiento español, es el art. 24.1 CE el que, al reconocer el derecho a la tutela judicial efectiva, garantiza el resorte –el ejercicio de la acción penal– a las víctimas. Si se impidiera, en nuestro ordenamiento, su derecho a acusar (legitimación ordinaria), cabría ejercitar el recurso de amparo, 53.2 CE. El art 270.II LECrim, permite querellarse tanto a españoles como extranjeros, a lo que habría que añadir que podrán hacerlo tanto las personas físicas como las jurídicas.

susceptible de muy diferentes tratamientos, con lo que el abanico de opciones es de una enorme amplitud.

Desde los ordenamientos más clásicos (si se me permite la expresión) en los que la presencia de la víctima en el proceso es de perfil bajo, no ejercitan la acción penal, que queda en manos del MF, en régimen de monopolio, no pudiendo aquéllas en consecuencia adoptar ninguna decisión relevante en lo que a la intervención y conducción del proceso concierne y viéndose en todo momento forzosamente tuteladas por los poderes públicos. Hasta otros extremos como, por ejemplo, el de la República Popular China, donde de la víctima exclusivamente puede depender, en algunos casos, la conmutación de la pena capital por otra de prisión, lo que plantea desgarradores escenarios de "negociación" a los que la ley procesal se muestra ajena. Tomando en consideración únicamente el resultado.

En la génesis del proceso penal moderno, la víctima no era, lo hemos comprobado, objeto de especial consideración, la ley tenía como objetivo prevalente el de asegurar un determinado estatus al sujeto pasivo del proceso penal, el imputado o acusado, en su ajuste de cuentas, meramente retributivo, con la comunidad. El art. 24.2 CE, o el art. 6 CEDH, son una buena muestra de ello, lo que generaciones de juristas aprendimos en la Facultad lo acredita también así.

Con posterioridad, la obra del Profesor Antonio Beristain y su continuación por el Instituto Vasco de Criminología/KREI, constituyen un aporte esencial que conforma la base de la nueva perspectiva[12]. En un determinado caldo de cultivo, comienza a adquirir relevancia la figura de la víctima, elemento transversal sin cuyo debido tratamiento, no va a ser posible alcanzar la Justicia. A ella también, a la víctima, a todas ellas, hay que darles lo que es suyo. La Justicia restaurativa es un paso más en la búsqueda de una intervención, podríamos decir siguiendo con el símil médico, menos invasiva o traumática, con una curación que se quiere integral, que repercutirá beneficiosamente en el conjunto de la comunidad.[13]

A partir de aquí, la discusión puede surgir en torno a qué es lo que le corresponde y hasta donde se puede y se debe llegar, en torno también al punto a partir del que incluso puede no ser legítimo incorporar determinados conteni-

---

[12]   Para consultas, *vid.*, www.ivac.ehu.eus. Baste citar como ejemplo las numerosas perspectivas y referencias acreditativas al respecto que hallamos en la publicación realizada en su homenaje, Cuadernos Eguzkilore, IVAC/KREI, nº 23, 2009. Monográfico en homenaje a Antonio Beristain.

[13]   *Vid.*, al respecto y análogamente, todo lo relativo a la Therapeutic jurisprudence, concepto del que es pionero, y promueve con su trabajo, desde hace décadas, el Prof. David Wexler de la University of Arizona, Rogers College of Law, y la University of Puerto Rico, School of Law. Para consultas, *vid.*, International Network on Therapeutic Jurisprudence. También hay disponible bibliografía al respecto en: WEXLER, D.: *International Network on Therapeutic Jurisprudence*. Disponible en: www.law.arizona.edu

dos al estatus, tanto y sobre todo procesal como extraprocesal, de la víctima. La reflexión sobre dónde está este punto que garantiza un equilibrio entre los derechos de la víctima y los demás derechos, principios y sujetos procesales – incluida la comunidad– es la que tenemos que culminar.

El papel de la justicia restaurativa – como respuesta sistemática e integral frente al delito–en este punto puede ser decisivo, siendo su finalidad proporcionar una justicia de mayor calidad, a través de la reparación a víctimas, comunidades y también la rehabilitación de los delincuentes. Teniendo como base de la metodología el involucrar e incorporar a todos los agentes interesados. Para ello, el proceso ofrece un espacio único, especialmente apropiado, que debe ser acondicionado mediante las exigidas reformas y finalmente concienzudamente aprovechado[14].

Desde tal perspectiva, es de todo punto deseable que el proceso contemple las diferentes formas de resolución alternativa de conflictos (ADR), al servicio de la justicia restaurativa, si se quiere avanzar en una justicia de calidad que, de forma más eficiente, dará mayor satisfacción –una tutela realmente efectiva– tanto a las partes en un proceso concreto, como en general a la sociedad. Lo que debe ser un objetivo irrenunciable del Poder Judicial de un Estado de Derecho, parte inescindible del proceso debido[15].

---

[14]   Entre otras muchas obras de interés, vid., TAMARIT SUMALLA, J. M.: *La justicia restaurativa: concepto, principios, investigación y marco teórico*, en TAMARIT SUMALLA, J. M. (coord.), *La justicia restaurativa: desarrollo y aplicación práctica*, Comares, Granada, 2012. ARMENTA DEU, T.: *La víctima como parte procesal, justicia restaurativa y mediación penal: conexiones y paradojas*, en SOLETO, H, y CARRASCOSA, A. (dirs.), *Justicia restaurativa: una justicia para las víctimas*, Tirant lo Blanch, Valencia, 2019. De forma sectorial, en relación con la violencia de género, LLORENTE SÁNCHEZ-ARJONA, M.: *Justicia con perspectiva de género. El nuevo paradigma en la lucha contra la violencia de género*, Thomson Reuters Aranzadi, Cizur Menor, 2021, pp. 251 y ss.

[15]   En relación con la justicia restaurativa, el Code de Procédure Pénale (CPP) francés, incorpora un art. 10-1, modificado por la Ley nº 2014-896 de 15 de agosto de 2014, bajo el epígrafe "De la justice restaurative" en los siguientes términos: "Con ocasión de cualquier proceso penal y en todos los estadios del procedimiento, incluida la ejecución de la pena, la víctima y el autor de una infracción…pueden verse ante la propuesta de una medida de justicia restaurativa". "Constituye una medida de justicia restaurativa, cualquier medida que permita tanto a la víctima como al autor de una infracción, participar activamente en la resolución de las dificultades o problemas consecuencia de la infracción, y en particular, de la reparación de los perjuicios de cualquier naturaleza consecuencia de su comisión. Dicha medida no podrá acordarse sino una vez que la víctima y el autor de la infracción hayan recibido una información completa al respecto, y hayan consentido expresamente participar en ella. La medida será aplicada por un tercero independiente capacitado al efecto, bajo el control de la autoridad judicial…". Queremos consignar además en este punto una referencia a los fenómenos –surgidos ante situaciones de extrema dificultad, ante los que pueden suponer una alternativa válida, quizá la única– denominados de Justicia transicional, como el caso de Colombia, donde el papel de las víctimas (normalmente colectivos muy numerosos y diversos, generados en un contexto de violencia muy complejo y prolongado en el tiempo) es de primer orden.

En definitiva, la víctima de delitos ha pasado en un relativamente breve lapso temporal, de la práctica y generalizada invisibilidad a ocupar una posición procesal central. La mayoría de los estados de nuestro continente ha dotado a la víctima del delito, de un estatus cuyo suelo mínimo común, lo vamos a ver a continuación, ha sido garantizado por la UE.

El marco normativo de referencia es el Espacio Europeo de Libertad, Seguridad y Justicia, que va adquiriendo fuerza y madurez[16], y con ellas efectividad, marco que consideramos un ejemplo, a escala, que ilustra perfectamente lo que podría ser la globalización en la resolución de conflictos, que muchos propugnamos como solución a algunos de los más graves problemas que aquejan a la humanidad. Hablamos de un fenómeno reciente, que prácticamente arranca con el nuevo milenio, nos referimos por tanto a disposiciones nuevas y a una fase temprana, cuasi-experimental, cuyos resultados deberán ser analizados con una perspectiva temporal de la que todavía carecemos.

El Espacio Europeo de Libertad, Seguridad y Justicia –escenario de compleja génesis dados los múltiples idiomas, los numerosos países y legislaciones, las diferentes culturas y culturas jurídicas, etc., que armoniza– va adquiriendo fuerza, consistencia y efectividad y permite, cada vez de manera más integral la cooperación judicial basada en el reconocimiento y confianza recíprocos, lo que posibilita que las resoluciones de un estado puedan ser ejecutadas en otro, o que medidas cautelares (patrimoniales o personales) o de investigación decretadas por un estado, puedan ser materializadas en otro, así como el intercambio de información (incluidos datos de carácter personal). El Derecho Procesal intenta acomodarse a la realidad subyacente, y todo ello porque existe un sustrato básico compartido que hace que la actividad jurisdiccional y los sujetos que la llevan a cabo, actúen aplicando parámetros por todos reconocidos como adecuados y correctos en la resolución de conflictos, propios y característicos de un estado de derecho. Menciono algunos: Jueces independientes, imparciales y responsables, procesos públicos y contradictorios, ciudadanos a los que se garantiza la tutela judicial efectiva[17]. Esto no es así en la mayor parte del planeta, y en los lugares donde sobre el papel es así, con cierta inaceptable frecuencia, en la práctica adolece de clamorosas lagunas e interesadas excepciones.

---

[16]   Vid., específicamente, el Propio Tratado de la Unión Europea, la Carta de los Derechos Fundamentales de la UE de 2000 y el Tratado de Lisboa de 2007, que la hace vinculante.

[17]   Vid., ESPARZA LEIBAR, I.: "Artículo 47: El derecho a la tutela judicial efectiva y a un juez imparcial o el proceso debido como garantía de los derechos de los ciudadanos y de la viabilidad de la Unión Europea", en ORDEÑANA GEZURAGA, I. (dir.), La Carta de los Derechos Fundamentales de la Unión Europea y su reflejo en el ordenamiento jurídico español. Europar Batasunaren oinarrizko eskubideen gutuna eta bere isla espainiako ordenamendu juridikoan, Aranzadi Thomson Reuters, Pamplona, 2014.

En este estimulante contexto, fijamos nuestra atención específicamente en las víctimas. Al respecto, es clave la Directiva 2012/29 del Parlamento Europeo y del Consejo, por la que se establecen normas mínimas sobre los derechos, el apoyo y la protección de las víctimas de delitos cometidos en la UE y en relación con procesos penales tramitados en la UE, cuya transposición al ordenamiento español se realizó por medio del Estatuto de la Víctima del delito, de 28 de abril de 2015[18].

En definitiva, la UE a través de la concepción y materialización del Espacio Europeo de Libertad, Seguridad y Justicia, apuesta decididamente por fijar un estatus común y mínimo para todas las víctimas en el proceso penal. Estatus de mínimos basado en la información, la asistencia y la reparación integrales. Lo que sin duda constituye un enorme avance, ya que permite la coexistencia de diversos tratamientos, aunque es también obviamente mejorable. La Directiva a la que nos referimos, no legitima, por ejemplo, a la víctima para constituirse en parte procesal, lo que históricamente sí ha hecho el modelo español.

El contexto es de rápida evolución y surgimiento de nuevos tipos de delincuencia, organizada y con vocación de globalidad. La cibercriminalidad, que es transversal, sería un buen reflejo de ello, lo que permite generar nuevas y específicas formas de explotación como la ciber-prostitución. Pues bien, en lo que a las víctimas de trata de seres humanos concierne, la eficiencia depende mucho de la capacidad de superar los tradicionales límites o mentalidad nacionales, de la capacidad de coordinación y de creación de instrumentos normativos integrales y comunes de combate, ya que la delincuencia actúa cada vez más mediante redes internacionales que son capaces de conformar una logística eficiente que permite desplazar con gran celeridad a sus víctimas de un extremo a otro del continente, además de camuflar sus actividades en las redes[19].

---

[18]   Directiva 2012/29/UE del Parlamento Europeo y del Consejo de 25 de octubre de 2012. Estatuto de la Víctima del delito de 28 de abril de 2015, aprobado por la Ley 4/2015, de 27 de abril. En Francia, la transposición de la mencionada Directiva se realizó mediante la LOI n° 2015-993 du 17 août 2015 *portant adaptation de la procédure pénale au droit de l'Union européenne*.

[19]   Al respecto, *vid.*, VILLACAMPA ESTIARTE, C.: "La nueva Directiva Europea relativa a la prevención y a la lucha contra la trata de seres humanos y a la protección de la víctima ¿Cambio de rumbo de la política de la Unión en materia de trata de seres humanos?", *Revista Electrónica de Ciencia Penal y Criminológica*, n° 13-14, 2011. También, LLORIA GARCÍA, P.: "El delito de trata de seres humanos y la necesidad de creación de una ley integral", *Estudios penales y criminológicos*, vol. 39, 2019. Igualmente, PLANCHADELL GARGALLO, A.: "La protección procesal de las víctimas de trata: panorama europeo", en LLORENTE SÁNCHEZ-ARJONA, M. (dir.), *Estudios procesales sobre el espacio europeo de justicia penal*, Thomson Reuters-Aranzadi, Cizur Menor, 2021, pp. 117 y ss; PLANCHADELL GARGALLO, A.: "Protección procesal de las víctimas de trata: Aproximación general", *Revista Aranzadi de Derecho y Proceso penal*, núm. 61, 2021, pp. 35 y ss. En relación con la cibercriminalidad, *vid.*, AROCENA ALONSO, L. y ESPARZA LEIBAR, I.: "Los retos procesales de la criminalidad informática desde una perspectiva española", *Revista de*

III. DOS MODELOS DE ENJUICIAMIENTO CRIMINAL EN EL S. XXI, ESPAÑA Y FRANCIA

Con el inicio de 2022 la Policía Nacional española desarticuló en la ciudad de Madrid, un grupo criminal dedicado a la captación –principalmente en el extranjero– desplazamiento, traslado y albergue de personas para su explotación sexual. Entre las víctimas se incluyen menores de edad de entre 14 y 16 años, tanto de nacionalidad española como extranjera. Más o menos en las mismas fechas, en la ciudad de Burdeos, se produce una actuación análoga. Tenemos por tanto dos grupos víctimas de similares delitos en dos países de la UE cuyos ordenamientos han regulado un sistema de asistencia a las víctimas que cumple las funciones de una red o sistema de seguridad, para evitar su desprotección y su expulsión traumática de la normalidad, sin posibilidad de restauración. Ambos grupos de víctimas lo han sido de un delito grave en dos escenarios nacionales, dentro de la UE y lo que deseamos saber es cuál es su posición y cuáles sus expectativas y estatus frente al poder judicial, en cada caso.

La respuesta nacional es diversa y varía, y no poco, dependiendo de dónde estemos. La respuesta debería también ser dinámica, en la medida en que progresivamente se le presta mayor atención y mueve al legislador a actuar, y convergente, en cuanto a un estatus mínimo razonable y exigido dentro del espacio judicial europeo[20].

En España, las víctimas podrán constituirse como parte plenamente autónoma, acusación particular, con la consiguiente posibilidad de tener una estrategia y táctica procesales propias, no supeditadas a la de la acusación pública sustentada por el MF. Seguramente este el máximo al que la víctima puede aspirar en relación con la actividad procesal, por lo que España constituye en este punto, a nivel internacional, un ejemplo práctico tan bueno como infrecuente.

Conceptualmente, y pese a que la LECrim se promulgó en 1882, el diseño es difícil de superar. A la víctima se le empodera, dotándole de un estatus procesal máximo, lo que facilitará significativamente la consecución de una tutela judicial efectiva. Es preciso, no obstante, constatar que otro tipo de circunstancias y factores pueden afectar al objetivo mencionado, incluso hacerlo peligrar.

---

[20]   *Derecho Novum Jus*, vol. 11, nº 1, Universidad Católica de Colombia, Bogotá, Colombia, 2017
      Contextualmente, y es importante ya que puede ser causa y es también consecuencia (comportándose como un círculo vicioso) del fracaso del sistema de justicia, en España estamos en un momento crítico, de una alarmante falta de medios, sin iniciativas legislativas de suficiente envergadura y con la consideración del Poder Judicial en mínimos históricos por parte de los ciudadanos. Revertir la situación es vital y, afortunadamente, parece que ya hay consciencia de ello.

Me refiero por ejemplo a una duración excesiva de los procesos (por múltiples causas) o a la inexistencia o insuficiencia de medidas de justicia restaurativa que faciliten la recuperación integral (psicológica, patrimonial, etc.) de la víctima. Por lo que su importancia se revela igualmente como máxima.

En Francia se activaría lo establecido básicamente en el Código Procesal Penal de 1958, lo que constituye el punto de partida, que refleja un sistema en el que el juez de instrucción constituye una figura central a quien se atribuye la investigación de los delitos[21].

El Code de Procédure Pénale (en lo sucesivo CPP) francés, es la norma clave que posibilita la materialización del estatus de la víctima del delito en el proceso penal. El CPP tiene su origen en el Código de Instrucción Criminal de 1808, que entró en vigor el primero de enero de 1811. Incesante e intensamente modificado, el CPP vigente, entró en vigor en 1958, el 08 de abril, una vez acomodado a la vigente Constitución francesa de 1958 que, a diferencia de lo que ocurre en España, no se refiere sino muy excepcionalmente a los derechos fundamentales y a las garantías procesales en torno a las que se construye el proceso penal. El texto vigente consta de más de mil artículos (contando los que han sido duplicados) gran cantidad de los cuales han sido modificados, muchos de ellos en varias ocasiones.

El CPP diseña un proceso penal estándar para la época y la tradición jurídica continental, un proceso que, en la actualidad y tras sucesivas reformas, no plantea fricciones con las exigencias del TEDH, que por tanto preserva todos los derechos y garantías exigibles al proceso penal de un estado de derecho, como es Francia. Se trata en suma de un proceso respetuoso con el principio del proceso debido, algunos de cuyos aspectos esenciales son:

1. Monopolio en el ejercicio de la acción penal, por parte del Ministerio Fiscal.

2. Existencia de un juez instructor, encargado de la investigación, previa a la fase de juicio oral. Juicio oral que estará a cargo de un órgano jurisdiccional diferente.

3. Presunción de inocencia, derecho a la defensa.

4. Principios procesales de contradicción, igualdad, celeridad y publicidad.

5. Específicamente en lo que a la víctima del delito concierne, ésta empieza a dejar de ser invisible y se constituye como un sujeto procesal con perfil propio, pero sin alcanzar el estatus de parte procesal plena, como ocurre en España.

---

[21]   La información ha sido obtenida y está disponible en la página web *legifrance.gouv.fr.*, editada por el gobierno francés. Dernière mise à jour des données du CPP: 01 janvier 2022.

IV. EL ESTATUS DE LAS VÍCTIMAS DE DELITOS EN EL ORDENAMIENTO FRANCÉS

En la parte que nos ocupa, es decir en lo que a la víctima del delito se refiere, manifiesta la anteriormente mencionada Comisión Léger, que sienta las bases de la reforma procesal penal en Francia, la necesidad de garantizar y reforzar a todo lo largo de la investigación los derechos del imputado y de la víctima, cuyo estatus ya se consolidó mediante la reforma del año 2000[22].

Ante la revisión del modelo evaluado por el informe, que llegó a plantear la desaparición del Juez de Instrucción–que no ha llegado a producirse–la Comisión enfatiza que la supresión de la instrucción liderada por un juez no debe en ningún caso entrañar una minoración de los derechos del imputado o de la víctima durante el procedimiento preliminar. Es más, entiende que un proceso penal moderno y equilibrado justifica un respeto acrecentado del fundamental principio de contradicción, por lo que se propone un proceso en el que las partes puedan beneficiarse con mayor amplitud de los derechos derivados de dicho principio.

Es muy relevante que, en el diseño del nuevo estatus de la víctima, la propia Comisión establece que no se debe perder de vista al investigado, ya que ni puede ni debe construirse a su costa. Sería un grave error reforzar la posición de la víctima, mediante la erosión de la posición del sujeto pasivo, lo que rompería de manera inaceptable el equilibrio que debe caracterizar una correcta relación procesal.

En relación específicamente con la víctima, entiende la Comisión que sus derechos deben ser igual e integralmente protegidos, los tres pilares sobre los que se debe sustentar su estatus serían la información exhaustiva y fácilmente accesible, la intervención efectiva en el proceso o participación en el mismo, y, finalmente, la protección, personal y patrimonial, adecuadas.

En el caso de Francia, es cardinal la posibilidad para toda víctima de desencadenar una investigación –y la correlativa de acudir a la jurisdicción si la investigación no se iniciara por la fiscalía, pudiendo el Juez ordenar al representante del MF que investigue– que será dirigida, eso sí, por el Juez de Instrucción o el MF, con derecho a impugnar la resolución del mismo cuando ésta sea, tras la investigación, de archivo.

La víctima podrá constituirse como parte –en la forma y con los límites que veremos– en la investigación y beneficiarse de los derechos derivados de la plena contradicción y del derecho a la defensa.

---

22   ESPARZA LEIBAR, I.: "La reforma procesal penal francesa en curso. El informe de la Comisión Léger", *op. cit.*

En suma, los derechos de las partes se verán así reforzados dado que podrán interponer sus pretensiones con facilidad ante un Juez ajeno a la dirección de la investigación, cuyas resoluciones podrán imponerse al MF y, a su vez, ser objeto de apelación ante un tribunal colegiado.

El reforzamiento de los derechos de las partes civiles en la fase de enjuiciamiento es también objeto de atención por parte de la Comisión. Constatado el hecho de que la víctima tiene un estatus real en el proceso penal, a todo lo largo de su desarrollo. Se observa que durante el juicio oral la víctima pude constituirse como parte civil, asistida por un abogado, pudiendo intervenir en tal calidad de forma integral. Por el contrario, le está vedado recurrir las disposiciones de las resoluciones que se refieran a aspectos penales, cuestión criticada por diversas asociaciones de víctimas, que lo califican de vulneración del principio de igualdad de armas.

La Comisión se planteó a este respecto la ampliación del derecho a apelar de la parte civil, en relación con las disposiciones de naturaleza penal de una resolución. No obstante, se estimó que ello constituiría un profundo cambio que vendría a alterar el equilibrio existente en el proceso, generando graves problemas prácticos. Por ello, la mayoría de los integrantes de la Comisión rechazó dicha posibilidad, constatando (al comparar la situación francesa con la de otros ordenamientos europeos) que la legislación francesa ya garantiza un estatus relevante a la víctima, solamente superado por el sistema español en el que el estatus de la víctima es aún más completo ya que se puede constituir también como parte penal.

La justicia penal francesa se fundó inicialmente en un sistema acusatorio en el que el derecho de acción pertenecía al lesionado por el hecho delictivo. La evolución histórica ha llevado a un sistema, por otra parte, muy generalizado, basado en el ejercicio de la acción penal exclusivamente por parte del MF a quien corresponde la defensa del interés general (art. 1 CPP). En dicho sistema, a la víctima le queda, como parte en el proceso penal, el ejercicio de la acción civil y un rol, que sólo cabe calificar de secundario o residual, en relación con la acción pública.

No obstante, la Comisión formula algunas propuestas, que podríamos calificar de menores, tendentes a incrementar los derechos de la víctima tras la fase de juicio oral. V. gr., la obligación de informar a la parte civil de la fecha de la vista del recurso de apelación, aunque el contenido civil de la resolución recurrida no haya sido objeto de impugnación.

Tras las propuestas de la Comisión Léger, la reflexión surgida como consecuencia de la eventualidad de un cambio de modelo procesal, y las disposiciones europeas relativas específicamente a la víctima de delitos, el ordenamiento francés materializa su estatus, y la gestión del mismo, en los siguientes términos:

Por lo que a la regulación vigente concierne, y como eje vertebrador, encontramos que la asistencia a las Víctimas en el proceso penal constituye, decididamente desde el año 2000, una de las prioridades de la política penal llevada a cabo por el Ministerio de Justicia y de las Libertades. De tal manera que la Ley para reforzar la protección de la presunción de inocencia y los derechos de las víctimas, de 15 de junio (publicada en el JORF el de 16 de junio de 2000), establece que la autoridad judicial velará en todo momento para que se garantice la información y los demás derechos de las víctimas, en el curso de cualquier proceso penal[23].

En este punto, queremos destacar cuatro pilares principales sobre los que se construye y asienta el estatus actualizado de la víctima en el proceso penal del vecino galo:

1. El derecho a activar la persecución y de asociarse con tal finalidad.

2. El derecho a ser informado y a intervenir en el proceso.

3. El derecho a la indemnización de las víctimas de delitos.

4. Otros elementos relevantes: El juez para las víctimas (JUDEVI)): Las oficinas de asistencia y las asociaciones de ayuda a las víctimas de delitos. La protección de la imagen de las víctimas.

Vamos a analizarlos uno por uno:

1. El derecho a activar la persecución y de asociarse con tal finalidad

Las distintas modalidades para desencadenar el proceso por parte de la víctima, que contempla el CPP son:

1.1. La denuncia simple

En lo sucesivo, con la finalidad de simplificar los trámites a las víctimas, éstas podrán presentar una denuncia en cualquier sede de la policía judicial, sea cual fuere el lugar en el que la infracción hubiera sido cometida. Corresponde a los agentes de policía o a los gendarmes, residenciar la denuncia ante el órgano jurisdiccional competente. Dicha denuncia y la investigación subsiguiente, que eventualmente se haya practicado, serán sometidas al Ministerio Fiscal, quien

---

23   La mencionada Ley nº 2000-516 de 15 de junio de 2000, *"renforçant la protection de la présomption d'innocence et les droits des victimes"*, modificó numerosos preceptos del CPP. En tal sentido y complementariamente, incluso el juramento pronunciado por los jurados de la *Cour d´Assises*, fue modificado y adaptado, para completarlo con una referencia explícita a los intereses de las víctimas.

podrá archivar el asunto o perseguir al presunto autor de los hechos ante el tribunal que sea competente[24].

1.2. La citación directa del autor

En caso de inacción por parte del fiscal o de una decisión suya de archivo, o también de forma directa, la víctima puede desencadenar la persecución penal acudiendo al tribunal mediante la citación directa del autor.

En este caso, la víctima se dirigirá al secretario del tribunal del lugar de comisión de la infracción o del lugar donde radique el domicilio del supuesto autor de la misma. El secretario le indicará una fecha para la audiencia para la que la víctima deberá hacer citar al autor por medio de un funcionario de justicia.

La víctima que no se beneficie de asistencia jurídica gratuita deberá consignar –bajo sanción de inadmisión– una suma fijada por el tribunal destinada a servir de garantía en el caso de que se haya actuado de manera abusiva.

Este procedimiento implica que el supuesto autor esté identificado, sea mayor de edad, y exige además que los hechos no revistan especial complicación y que los elementos de prueba, no controvertidos, estén a disposición de la víctima.

Si los hechos fueran de mayor gravedad o fuera preciso llevar a cabo una investigación, sería necesaria la tramitación de una instrucción.

1.3. Denuncia de la víctima y constitución como parte civil

Para poder constituirse como parte civil, la víctima deberá dirigir una carta certificada con acuse de recibo al decano de los jueces de instrucción del *Tribunal de Grande Instance*, en cuya circunscripción hubiera sido cometida la infracción o en la que esté el domicilio del supuesto autor. En ella pondrá de manifiesto, de manera inequívoca, su voluntad de constituirse como parte civil.

---

[24] Vid., artículo 15-3 CPP. Article 15-3 Modifié par LOI n°2019-222 du 23 mars 2019–art. 42 *« Les officiers et agents de police judiciaire sont tenus de recevoir les plaintes déposées par les victimes d'infractions à la loi pénale, y compris lorsque ces plaintes sont déposées dans un service ou une unité de police judiciaire territorialement incompétents. Dans ce cas, la plainte est, s'il y a lieu, transmise au service ou à l'unité territorialement compétents. Tout dépôt de plainte fait l'objet d'un procès-verbal et donne lieu à la délivrance immédiate d'un récépissé à la victime, qui mentionne les délais de prescription de l'action publique définis aux articles 7 à 9 ainsi que la possibilité d'interrompre le délai de prescription par le dépôt d'une plainte avec constitution de partie civile, en application de l'article 85. Si elle en fait la demande, une copie du procès-verbal lui est immédiatement remise. Les officiers ou agents de police judiciaire peuvent s'identifier dans ce procès-verbal par leur numéro d'immatriculation administrative. »*

La víctima podrá igualmente asociarse a la persecución desencadenada por el ministerio fiscal hasta el día de la vista, constituyéndose como parte civil tanto ante el juez de instrucción como ante el órgano jurisdiccional de enjuiciamiento[25].

De esta forma se permite a la víctima la actuación como parte procesal integral, aunque limitada su intervención al objeto civil del proceso[26].

2. El derecho a ser informado y a intervenir en el proceso

Antes de iniciarse un proceso en particular, podríamos decir que se trata de información pre-procesal, existe una campaña activa de información masiva –muy accesible y pedagógica, dirigida a la ciudadanía– por parte del Ministerio de Justicia y de las Libertades, con enlaces específicos en su página web y edición de guías con información pormenorizada, específicamente orientada a la ilustración del estatus de las víctimas de delitos[27].

También la policía judicial (gendarmería y policía) y la autoridad judicial están obligadas a informar a las víctimas de sus derechos.

Ya en relación con un proceso en concreto y una víctima en particular, no ya potencial sino actual, y especialmente en relación con el derecho a desencadenar y a actuar en el proceso como parte civil con el objeto de obtener la reparación del perjuicio sufrido, la víctima será convenientemente informada por las autoridades e instituciones obligadas a ello.

Durante el procedimiento preliminar, el Juez de Instrucción deberá informar a la víctima de la evolución y avance de la investigación, y deberá hacerlo cada seis meses. Además, una vez constituidas como parte civil, las víctimas disponen de un derecho de supervisión (*droit de regard*) sobre la duración de la instrucción. Al respecto, el magistrado instructor deberá informar, desde el inicio de la instrucción y cada seis meses, sobre su previsible duración. En el caso de que se sobrepasara la estimación realizada, podrá acudir al órgano jurisdiccional (*Chambre de l'instruction*) competente para su conocimiento.

La víctima, constituida en parte civil, debe saber además que puede también solicitar la práctica o realización de actuaciones singulares, confrontaciones,

---

[25]   Si lo hiciera durante la investigación, requerirá el acuerdo del fiscal. Si lo hiciera antes de la vista, se dirigirá al secretario quien convocará a la víctima mediante carta certificada con acuse de recibo o un telefax, con 24 horas de antelación antes de la vista. Finalmente, el mismo día de la vista podrá hacerlo, compareciendo personalmente ante el tribunal o haciéndose representar por un abogado.

[26]   Al respecto, *vid.* arts. 2 y ss., y también el art. 418 y ss., todos ellos CPP.

[27]   MINISTÈRE DE LA JUSTICE ET DES LIBERTÉS: *Guide enrichi des victimes*, Laboratoire de normologie, linguistique et informatique juridique (LNLI), Institut de recherche juridique de la Sorbonne, Université de Paris I Panthéon-Sorbonne, Paris, 2012.

informes periciales, inspecciones, registros, con el objeto de reforzar y hacer valer sus argumentos con respecto a la defensa o al Juez de Instrucción. Igualmente, y durante la vista podrán interrogar directamente a los testigos.

En suma, la posición procesal de la víctima constituida en parte civil, al igual que la de la defensa, le permite ejercitar los mismos derechos de los que el ordenamiento pone a disposición del Ministerio Fiscal, en lo que supone la materialización del principio de igualdad de armas procesales.

3. El derecho a la indemnización de las víctimas de delitos

Somos de la opinión de que el derecho a la indemnización constituye un elemento especialmente útil, además de esencial, para garantizar la efectividad de la tutela de las víctimas, en el que la universalidad y la celeridad juegan un papel de la máxima relevancia. Al respecto, detectamos que en Francia se realiza un esfuerzo específico por lograr la reparación de los daños causados, por materializar la efectividad de las indemnizaciones en plazos de tiempo breves[28]. En tal sentido, se crea un dispositivo autónomo, independiente del proceso al que cabe, como veremos, acudir también cuando no hubiera autor conocido, pensado para las víctimas que, como consecuencia de la infracción, quedan en situaciones particularmente graves, quienes podrán solicitar una indemnización ante la Comisión de Indemnización de las Víctimas de Infracciones penales (CIVI), correspondiente[29].

Con ocasión del proceso penal, el tribunal debe pronunciarse sobre la culpabilidad del supuesto autor, y no podrá condenarle al pago de daños y perjuicios, salvo que sea declarado culpable. Si la víctima no hubiera reclamado los daños y perjuicios ante la jurisdicción penal, de la forma que hemos visto, podrá hacerlo a través de la vía civil.

La ley prevé asimismo la posibilidad de obtener una indemnización por medio de las ya mencionadas Comisiones de Indemnización de las Víctimas de Infracciones penales (CIVI), radicadas en cada *Tribunal de Grande Instance*, existiendo actualmente 181 en todo el país. Cada CIVI estará integrada por 3 personas, de las que 2 serán magistrados adscritos al mencionado tribunal, en el que la comisión tiene su sede, además de un tercero en calidad de asesor vinculado a la defensa de los intereses de las víctimas. De tal forma que las

---

[28]   Al respecto, *vid.*, arts. 706-3 y ss., CPP. Art. 706-3: "Cualquier persona, incluidos funcionarios públicos o militares, que hubiera sufrido un perjuicio resultado de hechos voluntarios o no, que presenten el carácter material de una infracción, podrá obtener la reparación integral de los daños que resultan de los perjuicios causados a la persona..." A continuación, el artículo establece las tres condiciones que deben ser reunidas por la víctima para acceder a la mencionada reparación.

[29]   Para las víctimas de accidentes de trabajo, de actos de terrorismo y accidentes de circulación, existen procedimientos específicos para la eventual indemnización.

víctimas de daños y perjuicios de carácter económico o de daños psicológicos, serán indemnizadas cuando el autor sea desconocido o insolvente[30].

La indemnización será total o integral (supuestos de especial gravedad, v. gr., de muerte de un familiar como consecuencia de la comisión de un delito o en el caso de víctimas de trata de seres humanos o de agresiones sexuales), o parcial, en función de las circunstancias que aprecie la CIVI, y cumplidas las condiciones requeridas, básicamente podríamos resumirlas en una situación de falta de recursos económicos que abocarían a la víctima a una situación de vulnerabilidad[31].

En el caso de que la persona condenada no abonara los daños y perjuicios (incluyendo obviamente los intereses) que le hubieran sido impuestos por sentencia firme, v. gr., por insolvencia, el *Service d´Aide au Recouvrement en faveur des Victimes d´Infractions*, SARVI, proporcionará a la víctima que se hubiera constituido en parte civil una ayuda de cobertura de daños, intereses y otras cantidades, que le permitirá percibir ciertas sumas. Para poder acudir al SARVI, además de otros requisitos de carácter material, deberán haber transcurrido dos meses desde que la resolución condenatoria sea definitiva, y podrá hacerse siempre que no se haya producido el pago voluntario. El abono de las ayudas será integral (para cantidades menores o iguales a 1000€) o parcial (hasta un máximo de 3000€), y se verificará en un plazo de 2 meses. El SARVI repetirá del condenado y gestionará el cobro total de las cantidades fijadas por la resolución, lo que, de obtenerse, se adjudicará hasta su completa satisfacción a la víctima[32].

---

[30]   La presidencia de cada una de estas comisiones (CIVI), corresponde al denominado juez para las víctimas (JUDEVI), del que nos ocuparemos a continuación. *Vid.*, art. D. 47-6-1 CPP. *Vid.*, también, art. 706-4 CPP.

[31]   La CIVI, tras las verificaciones pertinentes, residenciará la demanda de indemnización ante los *Fonds de garantie des victimes des actes de terrorisme el d´autres infractions* (FGTI) quien deberá realizar una propuesta concreta de indemnización en el plazo de 2 meses.

[32]   *Vid.*, también, arts. 706-15-1 y ss. CPP. "*Toute personne physique qui, s'étant constituée partie civile, a bénéficié d'une décision définitive lui accordant des dommages et intérêts en réparation du préjudice qu'elle a subi du fait d'une infraction pénale, mais qui ne peut pas obtenir une indemnisation en application des articles 706-3 ou 706-14, peut solliciter une aide au recouvrement de ces dommages et intérêts ainsi que des sommes allouées en application des articles 375 ou 475-1. Cette aide peut être sollicitée y compris si l'auteur de l'infraction fait l'objet d'une obligation d'indemnisation de la victime dans le cadre d'une peine de sanction-réparation, d'un sursis probatoire ou d'une décision d'aménagement de peine ou de libération conditionnelle*". *Vid.*, MINISTÈRE DE LA JUSTICE ET DES LIBERTÉS: *Guide enrichi des victimes, op. cit.*, p. 44.

4. Otros elementos relevantes: El juez para las víctimas (JUDEVI). Las oficinas de asistencia y las asociaciones de ayuda a las víctimas de delitos. La protección de la imagen de las víctimas

Creada la figura por Decreto nº 2007-1605 de 13 de noviembre de 2007, que entra vigor el 2 de enero de 2008, el juez para las víctimas está concebido como un nuevo actor en el proceso penal cuya principal tarea es procurar la atención integral a las víctimas de delitos, con especial incidencia en la actividad jurisdiccional en relación con la que debe respetar el diseño legal de equilibrio entre los derechos de las partes en ella intervinientes[33].

En cada demarcación administrativa que constituye el Departamento, concretamente en la sede de los Tribunales de *Grande Instance*, se ubican, desde 2009, con la finalidad de ayudar a las personas perjudicadas por la comisión de delitos informándolas, acompañándolas y asistiéndolas en el curso del proceso las Oficinas de Asistencia a las Víctimas, que tienen habilitado un teléfono específico de información, operativo durante los 7 días de la semana[34].

Existe además una tupida red de 177 Asociaciones de Ayuda a las Víctimas, que prestan gratuitamente, y con carácter universal, servicios de información, auxilio, psicológico, social y jurídico. Dichas asociaciones son fruto de la colaboración institucional soportada en la suscripción de convenios y objeto de financiación por parte del Ministerio de Justicia y de las Libertades[35]. La mayor parte de las mismas están federadas en el seno de la *Fédération Nationale d´Aide aux Victimes et de Médiation* (INAVEM).

La ley tipifica además una infracción específica de atentado a la dignidad de las víctimas de un delito, mediante la que se trata de proteger su imagen. De tal

---

[33]   Al respecto, y destacando las reticencias y riesgos que la nueva figura suscita, *vid.*, OTTEN-HOF, R.: "Un nouvel acteur de la justice pénale en France: Le juge des victimes", *Cuadernos Eguzkilore*, nº 23, 2009, IVAC/KREI, pp. 25 y ss. Monográfico en homenaje a Antonio Beristain. Establece el art. D. 47-6-1 CPP, que "El juez delegado para las víctimas velará, respetando el equilibrio de derechos de las partes, por la toma en consideración de los derechos reconocidos por la ley a las víctimas", a tal efecto, ejercerá las funciones jurisdiccionales y de otra naturaleza previstas en la ley (CPP).

[34]   *Bureaux d´aide aux victimes*, reforzadas por la Ley nº 2014-896 de 15 de agosto de 2014. *Vid.*, art. 706-15-4, CPP. "*Dans chaque tribunal judiciaire, il est institué un bureau d'aide aux victimes, dont la composition, les missions et les modalités de fonctionnement sont précisées par décret*».

[35]   En 2010, 238.352 víctimas fueron atendidas por dichas asociaciones, que en el mismo año percibieron 10.450.000 € de subvenciones por parte del Ministerio de Justicia y de las Libertades. En ellas prestan servicio juristas y psicólogos específicamente formados en atención a las víctimas. Con el objeto de ayudar a la víctima de una infracción penal, también el representante del Ministerio Fiscal podrá recurrir, con bastante amplitud, a una de estas asociaciones de ayuda, para procurar a la víctima información jurídica adicional, auxilio psicológico, ayuda para la confección de un expediente personalizado que facilite su seguimiento, etc.

suerte que, si la víctima lo solicitara y se dieran las circunstancias previstas en la norma, se sancionaría la reproducción de las imágenes que pudieran comportar un atentado a su dignidad.

V. LA VÍCTIMA DE TRATA DE SERES HUMANOS EN FRANCIA, ESTRATEGIA Y LÍNEAS DE ACTUACIÓN

Específicamente en lo que a víctimas del delito de trata de seres humanos concierne, la disposición básica de referencia es la *"Circulaire du 22 janvier 2015 de politique pénale en matière de lutte contre la traite des êtres humains"*[36].

La estrategia que adopta el ejecutivo galo en relación con las víctimas de la TSH es la de situarlas en el centro de la lucha contra dicha específica criminalidad, para lo que desarrolla una política de acción pública de acompañamiento efectivo de las mismas que se materializa en las siguientes concretas iniciativas, que son de diferente naturaleza y calado:

1. Permitir a las ONGs o a las asociaciones o grupos de apoyo a las víctimas de TSH que, con motivo de la incoación de un proceso, puedan constituirse como parte civil que les permita reclamar la reparación integral de los daños causados por la TSH, así como de infracciones asociadas a la misma[37].

2. Creación del llamado "Dispositif National Ac.Sé", que es un mecanismo nacional de protección de víctimas de TSH que, financiado públicamente, se articula sobre una red de asociaciones especializadas en el acompañamiento de personas víctimas de TSH y se materializa sobre una amplia red de alojamientos o albergues[38].

3. Esta medida tiene vocación de ser integral y constituye una proyección específica sobre el ámbito jurisdiccional, ya que está orientada a prote-

---

[36]   Publicada en el Boletín Oficial del Ministerio de Justicia de 30 de enero de 2015, (BOMJ nº 2015-01 du 30 janvier 2015). Esta Circular constituye la ejecución del primer "Plan d´action national contre la traite des êtres humains pour la période 2014-2016", presentado ante el Consejo de Ministros francés el 14 de mayo de 2014.

[37]   Al respecto, vid., por ejemplo, SOURD, A. y VACHER, A: *La traite des êtres humains en France. Profil des victimes suivies par les associations en 2018*, ONDRP–MIPROF, Paris, 2019.

[38]   La implementación del Dispositivo Nacional de *"Accueil Sécurisant"* o acogida confortable, se inició a finales de 2001, promovido por la asociación ALC (*"Accompagnement, Lieux d´accueil y Carrefour éducatif et social"*). En su financiación intervienen, entre otras instituciones, el Ministerio de los Derechos de la Mujer y el Ministerio de Justicia. Acoge a víctimas de TSH sin distinción de edad, género o nacionalidad y contempla la necesidad, en su caso, de un alejamiento geográfico. Coordinación del Dispositivo Nacional Ac. Sé, en: www.acse-alc.org.

ger la identidad y la seguridad de las víctimas antes, durante y posteriormente a las investigaciones y procesos seguidos en casos de TSH. Existen así dispositivos específicos de protección de testigos y de víctimas cuyo objetivo es precisamente favorecer y fomentar su participación en el proceso. Para ello, son varias las medidas – materiales, morales y psicológicas– previstas en el ordenamiento. En primer lugar, aquéllas que conllevan su protección personal en cuanto testigo (seguridad física, protección policial, ayuda psicológica, testimonio bajo identidad protegida, asistencia sanitaria), también la garantía de la asistencia y protección sociales (ayudas sociales para alojamiento, formación y recursos), y, finalmente, medidas de naturaleza administrativa, con el objeto de lograr la regularización de su situación personal y familiar (por un mínimo de 6 meses y renovable mientras dure el proceso), o el otorgamiento de permisos de residencia[39].

4. De garantizar la efectividad de las ayudas a las víctimas de TSH en el marco del proceso, integralmente considerado se hará cargo, como hemos visto que ocurre con carácter general, el poder judicial.

5. Específicamente en relación con las víctimas menores, la circular de política penal de 19 de septiembre de 2012, resalta la importancia del principio de especialización de la justicia en lo que les concierne, principio que deberá ser activado integralmente en el proceso. En particular la individualización en lo que a las medidas de garantía se refiere, se aplicará con espacial atención y cuidado.

En general, la atención a las víctimas y sus derechos fueron reforzados por la reforma penal de 2014, y por el conjunto de las políticas públicas orientadas al auxilio de las víctimas[40]. De tal manera que tendrán derecho a obtener una reparación por los perjuicios sufridos, derecho a ser informadas del devenir del proceso y, en particular, de la circunstancia de la liberación de la persona condenada por vulnerar sus derechos. Adicionalmente son titulares del derecho a que su protección esté en todo momento asegurada, a una atención prioritaria

---

[39]   Está previsto en el ordenamiento, que se otorgue un permiso de estancia, que incluye el derecho a trabajar, a toda persona extrajera que denuncie a quien supuestamente haya perpetrado contra ella delitos de TSH o de proxenetismo. Si resultara finalmente condenada la denunciada, se otorgará a la denunciante un permiso de residencia. Ley de 18 de marzo de 2003, desarrollada por el décret nº 2007-135 de 13 de septiembre, "*relatif à l'admission, au séjour, à la protection, à l'accueil et à l'hébergement des étrangers victimes de la TEH et du proxénetisme*". La estancia y la residencia de las víctimas deberá asegurarse incluso aunque no puedan colaborar con las autoridades.

[40]   Loi nº 2014-896 du 15 août 2014, *relative à l'individualisation des peines et renforçant l'efficacité des sanctions pénales.*

por parte de los tribunales, a la indemnización y a todo el apoyo y el acompañamiento que sean necesarios.

VI. CONCLUSIONES

Primera: Una inmediata, a la vez que interesante conclusión que de lo visto podríamos extraer, es que cuestiones que pudieran ser calificadas –al menos en apariencia– de periféricas o de segundo nivel, podrían hacer que el más ventajoso estatus conceptual posible de la víctima desde la perspectiva del Derecho Procesal, v. gr., el existente en España, sea compensado, e incluso superado en efectividad, por una más eficaz gestión de la actividad jurisdiccional en su integridad.

Debe ser destacada la circunstancia, que hemos constatado fehacientemente, de que en Francia se produce una clara apuesta, un compromiso institucional real–y correlativamente se allegan recursos públicos de manera más que simbólica–para garantizar la celeridad, la atención integral y la materialización sin tardanza de indemnizaciones, en relación con las víctimas de delitos en general y de TSH en particular.

Se crea en el país vecino un entramado de organismos que, de forma complementaria y sistemática, actúan coordinadamente y en estrecha colaboración con los tribunales, incluso integrados en ellos, con el único y declarado objetivo de garantizar una asistencia integral y efectiva (lo que incluye evidentemente que sea rápida, y esto es crucial) a las víctimas de delitos.

Adicionalmente, también se impulsan en Francia formas de justicia restaurativa dirigidas tanto a las víctimas como a los infractores, a la sociedad por tanto como destinataria final de una justicia que se pretende que sea de calidad. Se intenta promover la implicación de todos los agentes involucrados en la búsqueda de soluciones, y para ello se fomenta su participación activa en la resolución del conflicto y de sus incidencias, mediante medidas de justicia restaurativa. En nuestra opinión una condición previa, un presupuesto que permitiera algo parecido, sería el correcto funcionamiento del servicio público de la justicia, lo que en nuestro país es, a día de hoy, cuando menos discutible.

Uno de los problemas más graves en lo que a España concierne es, a nuestro juicio, la obsoleta LECrim de 1882, que no contiene un modelo claro, que consecuentemente genera confusión y que no es –el acuerdo al respecto es muy amplio e incluye a la primera autoridad judicial del país, el Presidente del TS y del CGPJ– en absoluto eficiente. "Tan obvia resulta la obsolescencia de la Ley de Enjuiciamiento Criminal de 1882 que el clamor unánime en favor de su sustitución por un nuevo texto legal haría vana una detallada exposición de los argumentos justificativos de la decisión de emprender la reforma". Se afirmaba contundentemente, ya en la exposición de motivos de la Propuesta de texto articulado de Ley de Enjuiciamiento Criminal, elaborada por la Comisión Institucional creada por Acuerdo de Consejo de Ministros de 2 de marzo de 2012. Todo ello tiene, sin ninguna duda, repercusiones directas en relación con las víctimas de delitos. El Anteproyecto de LECrim de 2020 supone una luz –lejana– al final del túnel, a la vez que una oportunidad[41].

Tenemos un problema de base, el instrumento, la LECrim vigente, que no sólo nos impide, o por lo menos dificulta seriamente, innovar y ser punteros, también nos impide ser eficientes y ello incide, entre otras muchas cuestiones de gran relevancia, en el tratamiento y correcta gestión de los derechos de las víctimas de delitos, que también se verán directamente afectadas en la medida en que, a diferencia de lo que hemos visto que ocurre en Francia, no se alleguen recursos humanos, normativos y de otra naturaleza, además obviamente, de medios económicos para su correcta atención.

Una nueva y buena LECrim es una cuestión estratégica. La sensibilización al respecto de las víctimas deja de ser suficiente cuando no se le proporciona el debido cauce. Sin un buen instrumento al que se garantice un correcto mantenimiento, y sin una dotación real suficiente, la atención a las víctimas no va a ser eficiente, no nos podemos engañar al respecto, y ello repercutirá en la generación de frustración en los ciudadanos, en los que se han alentado expectativas, y descrédito para el poder judicial y las demás instituciones que sustentan el estado de derecho. De manera que el coste de no afrontar la cuestión correctamente será inconmensurable y socialmente inasumible.

Segunda: Otro aspecto que nos parece mejorable es el de la coordinación entre los diferentes ordenamientos que integran el Espacio europeo de Libertad, Seguridad y Justicia, y la generación de instrumentos normativos integrales y comunes. Pese a que nadie discute su necesidad, y muchos afirmamos que hay que dar pasos al respecto – cuestión que sin duda entraña dificultades–es evidente que la situación es diferente en cada país y, específicamente en lo concerniente al estatus de las víctimas, en general, y de las víctimas de TSH, en particular, el tratamiento puede llegar a ser notablemente desigual.

También queremos manifestar nuestra discrepancia con la estrategia consistente en priorizar selectivamente a determinados colectivos de víctimas sobre otros –como se ha hecho en España– lo que viene a consagrar una injustificada ruptura del principio de igualdad que, a la postre, es perjudicial e inasumible para un estado de derecho. Todas las víctimas precisan de atención específica, que se podrá materializar de distintas maneras en función de las diferentes

---

41   Su Disposición final sexta, *Incorporación de Derecho de la Unión Europea*, contempla completar la transposición al Derecho español de la Directiva 2012/29/UE del Parlamento Europeo y del Consejo, de 25 de octubre de 2012, por la que se establecen normas mínimas sobre los derechos, el apoyo y la protección de las víctimas de delitos.

necesidades, y que debe ser integralmente garantizada por las instituciones públicas.

Tercera: Para concluir, queremos manifestar que, en nuestra opinión, las medidas adoptadas, con notable agilidad, a lo largo de los últimos años en Francia, en materia de asistencia efectiva a las víctimas de delitos, y de TSH en particular[42], incluidas las de justicia restaurativa, evidencian la convicción al respecto por parte del legislador y de los demás poderes públicos. Son, sin duda, el resultado de un compromiso real con la calidad de la justicia, y así es percibido por la ciudadanía. Tienen además un notable interés como constitutivas de un buen ejemplo a considerar, una opción válida –naturalmente mejorable como los propios informes de autoridades independientes internas ponen de manifiesto- de entre las posibles que el Derecho Comparado nos muestra.

VII. REFERENCIA BIBLIOGRÁFICA Y DOCUMENTAL

ARMENTA DEU, T.: *La víctima como parte procesal, justicia restaurativa y mediación penal: conexiones y paradojas*, en SOLETO, H, y CARRASCOSA, A. (dirs.), *Justicia restaurativa: una justicia para las víctimas*, Tirant lo Blanch, Valencia, 2019.

AROCENA ALONSO, L. y ESPARZA LEIBAR, I.: "Los retos procesales de la criminalidad informática desde una perspectiva española", *Revista de Derecho Novum Jus*, vol. 11, nº 1, Universidad Católica de Colombia, Bogotá, Colombia, 2017.

CNCDH: *Opinión crítica sobre el segundo Plan nacional de lucha contra la TSH*, 2019.

ESPARZA LEIBAR, I.: "La reforma procesal penal francesa en curso. El informe de la Comisión Léger", *Revista Penal*, nº 26, 2010. Publicado también en la *Revista Penal México*, nº 1, mayo de 2011.

ESPARZA LEIBAR, I.: "Artículo 47: El derecho a la tutela judicial efectiva y a un juez imparcial o el proceso debido como garantía de los derechos de los ciudadanos y de la viabilidad de la Unión Europea", en ORDEÑANA GEZURAGA, I. (dir.), *La Carta de los Derechos Fundamentales de la Unión Europea y su reflejo en el ordenamiento jurídico español. Europar Batasunaren oinarrizko eskubideen gutuna eta bere isla espainiako ordenamendu juridikoan*, Aranzadi Thomson Reuters, Pamplona, 2014.

---

[42]   Lo que la mencionada "*Circulaire du 22 janvier 2015 de politique pénale en matière de lutte contre la traite des êtres humains*" denomina "el desarrollo del trabajo en red en la lucha contra la trata de seres humanos", BOMJ nº 2015-01 du 30 janvier 2015, p. 9, que prevé, entre otras, la creación e implementación de nuevas medidas, tales como grupos especializados de atención para menores, la habilitación de fondos adicionales para la lucha contra la TSH en el presupuesto del Ministerio competente, o la designación de un ponente nacional "*rapporteur national*" en materia de TSH, concebido como autoridad independiente que evaluará la correcta implementación de las políticas públicas en esta materia. Será finalmente la Comisión Nacional Consultiva de Derechos del Hombre (CNCDH) quien asumirá dicha responsabilidad.

ESPARZA LEIBAR, I.: "El estatus de la víctima del delito en el ordenamiento francés. El origen, las tendencias y las reformas procesales más recientes", en GÓMEZ CO-LOMER, J. L. (coord.), *El proceso penal en la encrucijada. Homenaje al Dr. César Crisóstomo Barrientos Pellecer,* Universitat Jaume I, Col·lecció "Estudis jurídics", vol. 1, nº 22, Castelló, 2015.

GÓMEZ COLOMER, J. L.: *Estatuto jurídico de la víctima del delito. La posición jurídica de la víctima del delito ante la Justicia Penal. Un análisis basado en el Derecho Comparado y en las grandes reformas españolas que se avecinan,* Thomson Reuters Aranzadi, 2ª ed., Cizur Menor, 2015.

LANGLADE, A. y SOURD. A.: *La traite et l'explotation des êtres humains en France: Les données administratives,* Grand angle, nº 52, Institut National des Hautes Études de la Sécurité et de la Justice (INHESJ), et Observatoire National de la Délinquance et des Réponses Pénales (ONDRP), Paris, 2019.

LLORENTE SÁNCHEZ-ARJONA, M.: *Justicia con perspectiva de género. El nuevo paradigma en la lucha contra la violencia de género,* Thomson Reuters Aranzadi, Cizur Menor, 2021.

LLORIA GARCÍA, P.: "El delito de trata de seres humanos y la necesidad de creación de una ley integral", *Estudios penales y criminológicos,* vol. 39, 2019.

MINISTÈRE DE L'INTÉRIEUR: *Instruction relative à l'application de la loi pour une immigration maîtrisée, un droit d'asile effectif et une intégration réussie-dispositions relatives au séjour et à l'intégration,* Paris, 2019.

MINISTÈRE DE LA JUSTICE ET DES LIBERTÉS: *Guide enrichi des victimes,* Laboratoire de normologie, linguistique et informatique juridique (LNLI), Institut de recherche juridique de la Sorbonne, Université de Paris I Panthéon-Sorbonne, Paris, 2012.

MINISTÈRE DE LA JUSTICE: *Références Statistiques Justice,* Sous-direction de la Statistique et des Études, Paris, 2018.

ORDEÑANA GEZURAGA, I.: *El estatuto jurídico de la víctima en el Derecho Jurisdiccional español. Análisis lege data y lege ferenda a partir de la normativa europea en la materia,* IVAP/HAEE, Oñati, 2014.

OTTENHOF, R.: "Un nouvel acteur de la justice pénale en France: Le juge des victimes", *Cuadernos Eguzkilore,* nº 23, 2009, IVAC/KREI.

PLANCHADELL GARGALLO, A.: "La protección procesal de las víctimas de trata: panorama europeo", en LLORENTE SÁNCHEZ-ARJONA, M. (dir.), *Estudios procesales sobre el espacio europeo de justicia penal,* Thomson Reuters-Aranzadi, Cizur Menor, 2021.

PLANCHADELL GARGALLO, A.: "La víctima", en GÓMEZ COLOMER, J. L. y BARONA VILAR, S. (coords.), *Proceso Penal. Derecho Procesal III,* Tirant lo Blanch, Valencia, 2021.

PLANCHADELL GARGALLO, A.: "Protección procesal de las víctimas de trata: Aproximación general", *Revista Aranzadi de Derecho y Proceso penal,* núm. 61, 2021.

SOURD, A. y VACHER, A: *La traite des êtres humains en France. Profil des victimes suivies par les associations en 2018,* ONDRP–MIPROF, Paris, 2019.

TAMARIT SUMALLA, J. M.: *La justicia restaurativa: concepto, principios, investigación y marco teórico,* en TAMARIT SUMALLA, J. M. (coord.), *La justicia restaurativa: desarrollo y aplicación práctica,* Comares, Granada, 2012.

UNODC: *Global Report on Trafficking in Persons 2018,* United Nations, Vienne, 2018.

US STATE DEPARTEMENT: *Trafficking in Persons Report*, Office to Monitor and Combat Trafficking in Persons, Washington 2019.

VILLACAMPA ESTIARTE, C.: "La nueva Directiva Europea relativa a la prevención y a la lucha contra la trata de seres humanos y a la protección de la víctima ¿Cambio de rumbo de la política de la Unión en materia de trata de seres humanos?", *Revista Electrónica de Ciencia Penal y Criminológica*, n° 13-14, 2011.

WEXLER, D.: *International Network on Therapeutic Jurisprudence*. Disponible en: www.law.arizona.edu

Capítulo XXIII

"COMMERCIO" DI ESSERI UMANI E RELATIVE NORME DI CONTRASTO NELL'ESPERIENZA ITALIANA

RENZO ORLANDI
Professore Ordinario de Diritto Processuale Penale
Università di Bologna

ELENA VALENTINI
Professoressa Associata di Diritto Processuale Penale
Università di Bologna

I. PREMESSA SOCIO-CRIMINOLOGICA

Uomini aiutano altri uomini a varcare un confine; uomini aiutano altri uomini a trovare la sistemazione desiderata in un luogo lontano. Uomini profittano del bisogno di altri uomini, per portarli oltre confine; uomini fanno leva su desideri diffusi, indotti o sollecitati, per impadronirsi del valore di altri uomini. Questa duplice coppia di affermazioni può essere abbinata ai traffici di merce umana. Essa esprime la contraddizione di un aiuto che viene al contempo desiderato e maledetto, comunque pagato a caro prezzo e non solo in termini economici. In quelle frasi troviamo gli elementi essenziali del dramma umano: il desiderio (di vita nuova), la tensione verso l'ignoto e il salto nel vuoto, l'affidarsi a qualcuno che quel desiderio può realizzare, il finale tutto da scrivere. Vi sono molti elementi della fiaba, così come analizzati da Vladimir Jakovlevič Propp quasi cento anni fa nella sua *Morfologia della fiaba* (1928): l'allontanamento (dal luogo d'origine); il divieto (di superare il confine); l'infrazione (il confine superato); la connivenza (con il proprio sfruttatore); il tranello su bito dall'aiutante rivelatosi cattivo; la lotta (per sfuggire alle ricerche oltre il confine) via, via fino al raggiungimento dell'obiettivo e alla realizzazione del desiderio. Ma non c'è davvero nulla di fiabesco nel commercio di uomini, salvo forse i lati crudeli che nelle narrazioni favolistiche non mancano mai.

Gli uomini che, profittando di uno stato di bisogno, aiutano altri uomini a varcare il confine, realizzano quello che i sociologi sono soliti chiamare "traffico di migranti" (*human smuggling*).

Gli uomini che aiutano altri uomini a trovare la sistemazione desiderata, facendo leva su un loro contingente bisogno o sulla loro ingenuità, realizzano quella che si definisce "tratta di persone" (*human trafficking*), finalizzata principalmente allo sfruttamento sessuale o lavorativo.

Fenomeni distinti, benché intersecantisi. Il primo è spesso un segmento del secondo, perché lo spostamento oltre confine è funzionale allo *human trafficking* e alle pratiche schiavizzanti che vi sono solitamente connesse.

La "tratta di persone" (*human trafficking*) è assai più impegnativa del semplice traffico di migranti (*human smuggling*). Essa implica una organizzazione, se non un insieme di organizzazioni, che operano in sequenza dal reclutamento della "merce umana" nel luogo di provenienza, allo spostamento nel luogo di destinazione, alla sistemazione "lavorativa" e alla sua successiva valorizzazione. Nessun dubbio, quindi, che lo *human trafficking* rientri nel concetto di "criminalità organizzata", che – come si dirà – per il diritto italiano (penale, processuale e penitenziario) ha conseguenze di notevole rilievo. Anche il traffico di migranti (*human smuggling*) rientra nel concetto di "crimine organizzato", purché si provi l'esistenza di una organizzazione (associazione per delinquere) che persegue sistematicamente questo scopo.

Quale sia, in Italia, la consistenza quantitativa di questi traffici di merce umana non è dato sapere. Si tratta di reati di non facile accertamento per il particolare rapporto che sin dall'inizio si insatura fra autore e vittima. Questa si presenta sempre in condizioni di particolare vulnerabilità: particolarmente nella tratta di persone (*human trafficking*), lo stato di bisogno (o il desiderio) di lasciare i luoghi d'origine e di cambiare vita crea le condizioni per un totale assoggettamento: vittime e trafficanti diventano praticamente complici nel perseguire – almeno in parte – un medesimo obiettivo. Difficile, pertanto, per polizia e magistratura superare la barriera di finzioni e falsi atteggiamenti che la vittima stessa allestisce per coprire quella complicità. Quel che si sa, a proposito di tratta di persone, lo si ricava principalmente dall'astuzia degli intervistatori (ad esempio, membri dell'*International Organization for Migration*) che sono andati elaborando speciali "indicatori oggettivi" per individuare le vittime di *human trafficking* e da lì risalire alla vicenda criminosa e ai suoi autori. Tali possono essere, ad esempio, il basso livello di istruzione; la sospetta provenienza da paesi (es. Nigeria) dove operano organizzazioni dedite a questo tipo di traffici. Rilevano anche "indicatori comportamentali" quali stati d'ansia, scarsa autostima o depressione non facilmente spiegabili; atteggiamenti aggressivi o di scarsa collaborazione con l'autorità di polizia; riluttanza a rilasciare dichiarazioni anche a soggetti diversi dalla polizia; uso ossessivo del telefono.

Va detto che l'identificazione delle vittime di tratta è premessa necessaria per applicare le misure di assistenza e protezione previste dalla legge italiana sui migranti: ha quindi una finalità ufficialmente amministrativa, che tuttavia può portare alla scoperta del reato e. conseguentemente all'apertura di un procedimento penale quando la vittima si convinca a denunciare il reato subito.

In base a quel che si è appena osservato si comprende per quale ragione la quantità di procedimenti penali relativi alla tratta di persone non sia molto elevata[1]. Dai documenti ufficiali si ricava che sono particolarmente attive sul fronte dell'*human trafficking* soprattutto le organizzazioni straniere (in particolare, nigeriane e albanesi), che si distinguono nel traffico di droga e di armi.

Ciò spiega perché le rotte della tratta di esseri umani sono praticamente le stesse allestite nel tempo per il traffico di stupefacenti, di armi, di migranti, da strutturate organizzazioni straniere e internazionali[2]. Il nesso con i movimenti migratori ha un rilievo particolare per il nostro tema. Situazioni conflittuali, cambi climatici, impoverimento progressivo in vaste aree del pianeta hanno prodotto – negli ultimi decenni – una considerevole massa umana derelitta e sofferente, desiderosa di riscattarsi altrove e disposta a tutto pur di "cambiare aria". Una massa in continua crescita.

Stando alle cifre fornite dal centro di studi IDOS nell'Africa subsahariana e nell'Asia meridionale si contavano, nel 2015, circa 700 milioni di persone con redditi inferiori alla soglia di povertà. L'emergenza pandemica (2020) sta facendo lievitare questo numero spropositato in ragione di 40-60 milioni per ogni anno[3]. Hanno quindi gioco facile gli "imprenditori" di "merce umana" nel reclutare persone da destinare alle nuove schiavitù: prostituzione; lavoro nero, manovalanza da sfruttare in attività criminose e, in particolare, nel mercato degli stupefacenti. Un reclutamento peraltro facilitato dalle normative migratorie che – anche in Italia – costringono decine di migliaia di stranieri a vivere nella fragile e ricattabile condizione del clandestino.

---

[1]   Le informazioni fornite nel testo sono tratte dalle relazioni semestrali al parlamento presentate dal Min. dell'Interno sull'attività svolta dalla DIA (Direzione Investigativa Antimafia). Si è fatto in particolare riferimento all'ultima delle relazioni presentate relativa al secondo semestre del 2020. Il testo di queste relazioni è accessibile al seguente link: https://direzioneinvestigativaantimafia.interno.gov.it/relazioni-semestrali/

[2]   Per dettagli sulle rotte della tratta si rinvia al saggio di CICONTE, E. & ROMANI, P.: *Le nuove schiavitù. Il traffico degli esseri umani nell'Italia del XXI secolo*, Editori riuniti, Roma, 2002.

[3]   Cfr. *Dossier Statistico sull'immigrazione*, a cura di Centro studi IDOS, Roma 2020.

II. QUADRO NORMATIVO: CENNO ALLE FONTI
INTERNAZIONALI

Gli ordinamenti contemporanei bandiscono lo schiavismo e, più in generale, qualsiasi condotta intesa a realizzare un dominio dell'uomo sui propri simili. Quand'anche le norme non le vietassero esplicitamente, le manifestazioni di schiavismo rientrerebbero nell'odierno *ius cogens*. Esse vanno pertanto considerate come dichiarative di un divieto immanente all'ordinamento internazionale. Tanto più il divieto si impone a fronte di Convenzioni o Patti che – a scanso di equivoci – ribadiscono che nessun uomo può vantare diritti di proprietà su altri uomini. Dalle norme internazionali discendono, per gli Stati, obblighi di impedire condotte schiavizzanti.

A tal riguardo, conviene pertanto distinguere fra norme internazionali (alle quali si accennerà in questo paragrafo) e norme di diritto interno che saranno esaminate nei paragrafi successivi dedicati rispettivamente agli aspetti sostanziali e a quelli processuali.

Le norme internazionali, già a un primo sguardo, ci appaiono come espressione di due diverse – ancorché coordinate – spinte motivazionali. Appartengono a un primo gruppo le enunciazioni solenni e perentorie quanto generiche, rintracciabili in Atti internazionali quali la *Dichiarazione universale dei diritti dell'uomo* del dicembre 1948 (art. 4); la *Convenzione europea dei diritti dell'uomo* del 1950 (art. 4); il *Patto internazionale sui diritti civili e politici* del 1966 (art. 8); la *Carta dei diritti fondamentali dell'Unione Europea* del 2000 (art. 5): tutti questi atti, con espressioni dal significato ricorrente, stabiliscono che nessuno può essere tenuto in condizioni di schiavitù, né può essere costretto a un lavoro forzato od obbligatorio. Affermazioni di principio che evidentemente aveva un senso ribadire soprattutto nell'immediatezza del secondo dopoguerra, per liquidare ogni dubbio al riguardo dopo le esperienze umilianti e schiavizzanti vissute da numerose persone nei contesti totalitari della prima metà del Novecento. A ben vedere, quelle affermazioni riecheggiano il testo del 13° emendamento della Costituzione americana, quello che nel 1865 pose fine – quanto meno sul piano normativo – alle pratiche schiavistiche all'epoca ancora presenti e lecite in quel contesto socio-politico[4].

Nella realtà attuale non è però sufficiente ripudiare – pur con formule solenni – ogni manifestazione od occasione di brutale asservimento dell'uomo al dominio di altro uomo. Il nostro tema cambia di segno, da quando lo schiavismo diventa pratica criminale attuata su vasta scala da organizzazioni internazionali dedite alla tratta di persone dalle zone povere del pianeta a quelle

---

4   *Neither slavery nor involuntary servitude, except as a punishment for crime whereof the party shall have been duly convicted, shall exist within the United States, or any place subject to their jurisdiction.*

benestanti. Le fonti internazionali (e in particolare, quelle euro-unitarie, per quanto qui interessa) assumono toni più dettagliati e tali da imporre ai singoli Stati scelte severe di politica criminale e giudiziaria.

Già la Convenzione di Ginevra del 1956 contiene un esplicito invito agli Stati aderenti di adottare le misure legislative e ordinamentali atte a prevenire e reprimere pratiche di schiavizzazione delle quali si percepiva, evidentemente, la diffusione nelle società dell'epoca, con particolare riguardo al traffico di donne per finalità matrimoniali[5].

Tale Convenzione rappresenta, in *nuce*, l'anticipazione delle norme internazionali che troveranno ampio sviluppo circa mezzo secolo dopo, grazie all'esplosione del fenomeno migratorio con spostamenti di grandi masse di persone verso aree del pianeta che offrono migliori prospettive di vita. Appartengono a questo secondo gruppo una molteplicità di provvedimenti normativi fra i quali sarà qui sufficiente menzionare le tre principali, per l'influenza che ne è derivata sul terreno della legislazione italiana di contrasto alla tratta di esseri umani:

- il *Protocollo addizionale della Convenzione delle Nazioni Unite contro la Criminalità organizzata transnazionale per combattere il traffico di migranti via terra, via mare e via aria* (Palermo, dicembre 2000)[6];
- la *Convenzione del Consiglio d'Europa sulla tratta degli esseri umani, approvata a Varsavia il 16 magio 2005*[7];
- la *Direttiva 2011/36/UE del Parlamento europeo e del Consiglio* (5 aprile 2011) *concernente la prevenzione e la repressione della tratta di esseri umani e la protezione delle vittime.*

Negli ultimi due si trovano rinvii ad altre fonti normative internazionali rilevanti ai nostri fini.

Comune a questa tipologia di atti normativi è l'attrazione dell'*human trafficking* nell'orbita del crimine organizzato, con una speciale attenzione alla figura della vittima percepita come particolarmente vulnerabile per lo stato di bisogno nel quale solitamente versa chi subisce i trattamenti di mercificazione caratteristici della tratta di persone.

È, questo, un assunto di base dalle conseguenze rilevantissime sul piano delle scelte di diritto interno. Sul piano del diritto penale sostanziale, innanzitutto, con riguardo alla individuazione dei soggetti chiamati a rispondere dei delitti in questione e con riguardo alla comminatoria delle sanzioni. Sul piano

---

[5]   Convenzione supplementare sull'abolizione della schiavitù, del commercio di schiavi, sulle istituzioni e pratiche assimilabili alla schiavitù, approvata a Ginevra il 7 novembre 1956, ratificata dall'Italia con l. 20 dicembre 1957, n. 1304.

[6]   *Entrato in vigore il 25 dicembre 2003 e ratificato dall'Italia il 2 agosto 2006.*

[7]   Ratificata dall'Italia con legge 2 luglio 2010, n. 108.

del diritto processuale, con riguardo al modo di organizzare l'indagine, agli strumenti disponibili per la sua attuazione, alle tecniche di formazione della prova testimoniale, ai limiti entro i quali può esprimersi il diritto di difesa per gli imputati gravati da questa specie di accuse. Sul piano, infine, del diritto penitenziario, per le particolari modalità di esecuzione della pena detentiva che la legislazione italiana prevede nei confronti di condannati per fatti di criminalità organizzata, considerati pericolosi proprio in ragione del titolo di condanna (art. 4-*bis* Ordinamento penitenziario).

III. SEGUE: BREVE RICOGNIZIONE DELLE NORME PENALI SOSTANZIALI

Le norme internazionali ricordate al termine del paragrafo precedente hanno indotto il legislatore italiano a rimaneggiare la parte del codice penale dedicata ai delitti contro la libertà individuale.

Nell'edizione originaria del codice penale italiano (1930), la soggezione di tipo schiavistico era oggetto di quattro fattispecie incriminatrici:

- la "riduzione in schiavitù" (art. 600), che puniva anche l'assoggettamento di altri a condizioni analoghe alla schiavitù;
- la "tratta e il commercio di schiavi" (art. 601), che puniva chi organizza e attua un traffico di merce umana;
- la "alienazione e l'acquisto di schiavi" (art. 602), che puniva chi, anche fuori dei casi di tratta, "aliena o cede una persona che si trova in stato di schiavitù o in una condizione analoga alla schiavitù, o se ne impossessa o ne fa acquisto o la mantiene nello stato di schiavitù";
- infine, il "plagio" (art. 603), che puniva chi avesse sottoposto una persona al proprio potere, "in modo da ridurla in particolare stato di soggezione" in un rapporto di subalternità psicologica.

L'ultimo degli articoli citati è stato dichiarato illegittimo dalla Corte costituzionale nel 1981[8], per difetto di determinatezza della relativa fattispecie. Da allora, per poco più di un ventennio, le sole norme penali volte a impedire forme di schiavizzazione furono pertanto quelle previste dai citati artt. 600-602 del codice penale italiano nella formulazione originaria risalente al 1930.

Le cose cambiano nel 2003[9], quando il legislatore italiano si sente in dovere di attuare nell'ordinamento interno i precetti contenuti nel Protocollo alla Convenzione di Palermo del quale si è detto nel paragrafo precedente.

---

8   Sent. Nr. 96 del 1981.
9   Legge 11 agosto 2003, n. 228 (*Misure contro la tratta di persone*).

Le pene per i tre reati indicati sono aumentate. Le tre fattispecie considerate vengono riscritte, estendendo le punibilità alle condotte di chi, profittando di condizioni di inferiorità, contribuisce ad assoggettare altri a prestazioni lavorative o sessuali o a costringerli all'accattonaggio. Viene poi estesa alle persone giuridiche la responsabilità per non aver impedito la commissione di questa specie di delitti e si minaccia l'interdizione definitiva all'ente stabilmente organizzato per agevolarne la commissione[10].

Successivi interventi legislativi hanno ulteriormente arricchito questa parte del codice penale italiano, introducendo nuove fattispecie incriminatrici volte a reprimere lo sfruttamento sessuale di minori[11]; perfezionando la fattispecie di tratta di esseri umani (art. 601) con l'estendere la punibilità per il delitto di tratta a chi "recluta, introduce nel territorio dello Stato, trasferisce anche al di fuori di esso, trasporta, cede l'autorità sulla persona, ospita una o più persone" che si trovano in condizione di soggezione o di particolare vulnerabilità[12]. Nella novellata fattispecie compaiono espressioni ("recluta", "introduce", "trasferisce"), che rinviano a condotte solitamente associate a fenomeni di immigrazione clandestina.

Un cenno a parte merita la nuova fattispecie di "intermediazione illecita e sfruttamento del lavoro", introdotta da una legge del 2016 che si propone di reprimere forme illegali di reclutamento e organizzazione della mano d'opera nel lavoro dipendente[13]. Un fenomeno criminoso, particolarmente diffuso in alcune regioni del Sud-Italia e noto con il nome di "caporalato". Qui il nesso con i movimenti migratori è meno evidente o addirittura assente. La condizione di bisogno o di particolare vulnerabilità viene dalla mancanza di lavoro che riguarda anche molti cittadini italiani, i quali possono trovarsi in balia di "intermediari" disposti a speculare su questi stati di bisogno, trovando occupazioni temporanee (specialmente nei lavori agricoli), a condizione di trattenere parte del guadagno giornaliero che spetterebbe a ciascun lavoratore. Le migrazioni clandestine hanno un effetto indiretto su un simile fenomeno criminoso: contribuiscono a ingrossare la massa dei disoccupati, privi di permesso di soggiorno, destinati alla manovalanza criminale o condannati al lavoro nero e costretti a mettere il loro destino nelle mani dei "caporali" che ne sfruttano la fragile condizione umana.

---

[10]   Art. 25-*quinquies* decreto legislativo n. 231 del 2001.

[11]   Artt. 600-*bis* – 600-*octies*, novellati dalla legge 6 febbraio 2006, n. 38 (*Disposizioni in materia di lotta contro lo sfruttamento sessuale dei bambini e la pedopornografia anche a mezzo Internet*).

[12]   Questo il testo attuale dell'art. 601 c.p., come modificato dal decreto legislativo 4 marzo 2014, nr. 24 (*attuativo della direttiva 2011/36/UE del Parlamento europeo e del Consiglio del 5 aprile 2011*).

[13]   Legge 29 ottobre 2016, n. 199 (*Disposizioni in materia di contrasto ai fenomeni del lavoro nero e dello sfruttamento del lavoro in agricoltura*).

Organizzazioni criminali ben strutturate hanno da tempo colto la conve-
nienza di una simile "valorizzazione" di mano d'opera a basso costo, in situazioni di costante, massiccia disoccupazione[14]. Anche questa tipologia criminosa
rientra nell'ampia categoria del crimine organizzato. Ne è conferma, del resto,
la speciale attenuazione (fino a due terzi della pena) promessa agli imputati che
aiutino polizia e magistratura a raccogliere prove decisive per accertare episodi
di caporalato (art. 603-*bis*.1 c.p.). Un incentivo alla collaborazione giudiziaria
che punta a rompere la catena di omertà caratteristica dei contesti criminosi
dominati da organizzazioni stabili e strutturate.

IV. PROFILI PROCESSUALI: OSSERVAZIONI INTRODUTTIVE

Come già rilevato, nell'intento di rendere più efficace la prevenzione e la repressione del *trafficking*, accanto al diritto penale sostanziale assume un ruolo
cruciale la disciplina processuale (penale e amministrativa).

Il tema pone studiosi ed operatori dinanzi a molte peculiarità e difficoltà, di
natura sia giuridica che empirica. Nel darne conto, sembra utile partire descri-
vendo l'applicazione a questo fenomeno di un modello di contrasto e repressione – quello del "doppio binario" – ben noto al sistema italiano; un modello
in origine pensato per fronteggiare la realtà mafiosa e poi gradualmente esteso
anche ad altre manifestazioni di delinquenza organizzata.

Dopo aver richiamato i connotati di tale modello, che identifica uno dei
tratti più originali dell'esperienza italiana, si seguirà poi un ordine espositivo
inteso ad accompagnare l'ipotetico svolgersi di un procedimento penale (dall'i-
nizio alla sua conclusione), isolando alcuni problemi ricorrenti nel dibattito fra
gli studiosi e affiorati nello scarno panorama giurisprudenziale interno riguar-
dante i processi per *trafficking*.

Questo modo di procedere implica un'avvertenza: sebbene tali singoli temi
(che coinvolgono disposizioni collocate in contesti normativi anche distanti tra

---

[14]   Per saperne di più sulle pesanti implicazioni schiavistiche del caporalato si veda Camera dei
        Deputati, *Sul fenomeno del cosiddetto «caporalato» in agricoltura* (documento approvato
        dalle Commissioni riunite – XI Lavoro pubblico e privato – XIII – Agricoltura – il 12 mag-
        gio 2021, in Atti Parlamentari, XVIII legislatura, accessibile al seguente link
        https://documenti.camera.it/_dati/leg18/lavori/documentiparlamentari/IndiceETe-
        sti/017/009/INTERO.pdf
        La letteratura è molto ampia. Ecco alcune letture consigliabili: DI MARTINO, A.: ""Capo-
        ralato" e repressione penale. Appunti su una correlazione troppo scontata, in *Diritto penale
        contemporaneo*, n. 2, 2015.
        LEOGRANDE, A.: *Uomini e caporali, Viaggio tra i nuovi schiavi nelle campagne del Sud*,
        Mondadori, Milano, 2008; LIMOCCIA L., LEO A. & PIACENTE N.: *Vite bruciate di
        terra, donne e immigrati. Storie, testimonianze, proposte contro il caporalato e l'illegalità*,
        Edizioni Gruppo Abele, Torino, 1997.

loro) vengano per esigenze espositive affrontati in modo schematico e "atomistico", non si deve mai trascurare quanto essi siano collegati tra loro; infatti, solo una visione d'insieme consente di verificare l'efficacia e l'equilibrio garantistico della disciplina di contrasto alla tratta, onde coglierne i problemi e prospettare idonee soluzioni.

V. TRATTA DI PERSONE E "DOPPIO BINARIO" PROCESSUALE

La circostanza che il *trafficking* coinvolga generalmente (anche se non necessariamente) forme di delinquenza organizzata ha indotto il legislatore interno, sin dalla legge "anti-tratta" 11 agosto 2003, n. 228, ad adottare anche in questo settore una strategia già ampiamente sperimentata in Italia, e nata proprio per colpire le organizzazioni criminali più pericolose: la strategia del "doppio binario", cui s'è appena fatto cenno in premessa, e che si estrinseca nella creazione di uno o più sottosistemi, dotati di accentuata autonomia, la cui regolamentazione contempla una significativa serie di deroghe alle regole vigenti per il procedimento penale "comune"[15].

Tali deroghe riguardano profili di primaria importanza, come la determinazione dell'ufficio del Pubblico ministero chiamato a svolgere le funzioni inquirenti, la durata delle indagini preliminari, il regime della custodia cautelare in carcere, i mezzi di acquisizione della prova (in particolare le intercettazioni telefoniche ed ambientali), i termini di durata della custodia cautelare ed il suo ripristino dopo la sentenza di condanna di primo grado.

Ebbene: già all'inizio del millennio in corso, il legislatore italiano ha esteso alla tratta di persone il particolare regime già previsto per il contrasto alle tradizionali manifestazioni di criminalità organizzata. Lo scopo è stato perseguito grazie a due riforme – del 2000 e del 2003[16] – che hanno inserito le fattispecie

---

[15]   Come vedremo, la scelta è senz'altro rispettosa dell'art. 9, par. 4 Direttiva 2011/36/UE.

[16]   V. in particolare l'art. 3 d.l. 24 novembre 2000, n. 341, convertito con modificazioni dalla l. 19 gennaio 2001, n. 4, che, nell'articolo 407, comma 2, lettera *a*), dopo il numero 7, ha aggiunto questa prima versione del n. 7-*bis*): «7-*bis*) dei delitti previsto dagli articoli 600-*bis*, comma 1, 600-*ter*, comma 1, 601, 609-*bis* nelle ipotesi aggravate previste dall'articolo 609-*ter*, 609-*quater*, 609-*octies* del codice penale;».
In seguito, è poi intervenuto l'art. 6 della l. 11 agosto 2003, n. 228, cui si deve la versione dell'art. 407, comma 2, lett. *a*), n. 7-*bis* attualmente in vigore e che, soprattutto, ha inserito l'associazione a delinquere finalizzata alla realizzazione della tratta di persone (insieme ai delitti di riduzione o mantenimento in schiavitù, di cui all'art. 600 c.p., e a quello di acquisto o alienazione di schiavi, punito dall'art. 602 c.p.), nel catalogo di cui all'art. 51, comma 3 *bis*, c.p.p. A commento della legge del 2003 v. AMATO G.: "Un nuovo sistema sanzionatorio e investigativo per una lotta efficace contro la schiavitù", in *Guida al diritto*, 2003, n. 35, 40 ss; GARGANI, A.: "Commento all'art. 4, l.11.8.2003, n. 228", in *Legislazione penale*, 2004, p. 674; MUSACCHIO, V.: "La nuova normativa penale contro la riduzione in schiavitù e la tratta di persone", in *Giurisprudenza italiana*, 2004, pp. 2446 ss.; PECCIOLI,

criminose intese a sanzionare la tratta di persone in due diversi cataloghi di reati: quello di cui all'art. 51, comma 3-*bis*, c.p.p. e quello che si ritrova all'art. 407, comma 2, lett. *a*) c.p.p.[17]

Per inquadrare tali sottosistemi è utile partire dall'art. 407 c.p.p., disposizione dedicata alla durata massima delle indagini preliminari (ossia della fase che precede l'esercizio dell'azione penale): al comma 2, lett. *a*), tale articolo individua classi di delitti in relazione ai quali la durata delle indagini preliminari – che ordinariamente, anche ove prorogata, non può superare i diciotto mesi – può dilatarsi per ben due anni. Ciò significa che, (anche) ove si proceda per *trafficking*, il Pubblico ministero ha a disposizione un termine più esteso di quello ordinario per poter svolgere le proprie investigazioni.

Sennonché, il regime speciale approntato per i delitti enumerati nell'art. 407 comma 2, lett. *a*) c.p.p. non si esaurisce in questa sola previsione, ma si riflette su altri istituti: infatti, l'elenco *ex* art. 407 comma 2 c.p.p. è oggetto di numerosi rinvii operati da altre norme del codice di procedura penale, dedicate alla regolamentazione di aspetti ulteriori del rito, e sempre con lo scopo di inserire una disciplina derogatoria e improntata a un minor tasso di garanzia rispetto a quella valevole per la generalità dei procedimenti penali.

Per le classi di delitti elencati nell'art. 407 comma 2 lett. *a*) c.p.p. (tra cui si colloca, oltre alla tratta di persone, la riduzione in schiavitù e il commercio di schiavi), il bilanciamento tra gli interessi contrapposti che sempre connota la disciplina processuale penale viene calibrato privilegiando istanze di difesa sociale, a scapito delle garanzie dell'accusato, che risultano, in questi casi, sensibilmente affievolite.

La tecnica normativa impiegata dal legislatore per comporre questo sottosistema normativo non rende semplice (specie per il neofita) ricostruire in tutti i suoi tasselli la disciplina derogatoria: appunto perché essa non è descritta in un *corpus* normativo organico e a sé stante, ma può essere ricostruita solo grazie

---

A.: "«Giro di vite» contro i trafficanti di esseri umani: le novità della legge sulla tratta di persone", in *Diritto penale e processo*, 2004, pp. 36 ss.; SPIEZIA F., FREZZA F. & PACE N. M.: *Il traffico e lo sfruttamento di esseri umani. Primo commento alla legge di modifica alla normativa in materia di immigrazione ed asilo*, Giuffré, Milano, 2002.

[17]   Sulle ricadute dell'adozione del "doppio binario processuale" in materia di traffico di migranti e di tratta si vedano, fra gli altri, DI CHIARA, G.: "Traffico di migranti via mare, poteri di polizia nelle azioni di contrasto e tutela della dignità della persona", in *Dir. pen. proc.*, 2016, pp. 5 ss.; MAGGIO, P.: "Giustizia penale e tratta di esseri umani: i risvolti processuali della vulnerabilità", in *Rivista italiana di medicina legale e del diritto in campo sanitario*, 2017, p. 701; MANGIARACINA, A.: *Le tecniche investigative nel contrasto ai traffici di migranti, stupefacenti e sigarette*, in MILITELLO, V., SPENA A., MANGIARACINA, A. & SIRACUSA L. (a cura di): *Il traffici illeciti nel Mediterraneo*, Giappichelli, Torino, 2019, pp. 115 ss.

a una (non semplice) lettura complessiva della disciplina processuale penale, nel suo insieme.

I principali elementi differenziali del doppio binario valevole per i delitti indicati nell'art. 407 comma 2 lett. *a*) riguardano questi aspetti, qui solo velocemente evocati: oltre ai già segnalati limiti temporali delle indagini preliminari, una peculiarità di questo regime è data dalla circostanza che, ove si proceda per uno di questi delitti, la persona sottoposta alle indagini viene tendenzialmente tenuta all'oscuro dell'esistenza stessa del procedimento a suo carico, con una tutela assai rigorosa del segreto investigativo (funzionale a una massima efficacia delle indagini medesime)[18]. Per questi delitti, la disciplina della custodia cautelare in carcere è costruita in modo tale da rendere possibile una durata particolarmente estesa della cattività carceraria[19].

Il regime congegnato per i delitti compresi nel catalogo stilato all'art. 407 comma 2 lett. *a*) non esaurisce la strategia del "doppio binario" applicabile anche al delitto di tratta degli esseri umani. Infatti, una seconda disposizione ispirata alla medesima logica si rinviene nell'art. 51, comma 3-*bis*, c.p.p. Tale disposto elenca una serie di delitti, che, a seguito dell'intervento operato dall'art. 6, legge 11 agosto 2003, n. 228, comprende anche quello di associazione a delinquere finalizzata alla realizzazione dei delitti di cui agli artt. 600, 601, 602 c.p. (e dunque anche alla commissione del delitto di tratta di persone, oltre che alla riduzione in schiavitù e al commercio di schiavi).

Il significato precettivo di questa disposizione è molto rilevante, perché contribuisce a definire le attribuzioni della Procura distrettuale antimafia e antiterrorismo. In forza di tale previsione, a seguito dell'innesto operato nel 2003, per questa forma di associazionismo criminale le funzioni inquirenti sono assegnate alla Procura della Repubblica che ha sede nel distretto di corte d'appello nel cui ambito ha sede il giudice competente[20]. Ancora: in conseguenza

---

[18]   Si allude al combinato disposto della disciplina risultante dagli artt. 407, comma 2, 406, comma 5-*bis*, e 335, comma 3, c.p.p., la cui lettura congiunta produce il risultato descritto nel testo: la durata delle indagini preliminari è più estesa di quella ordinaria (art. 407 comma 2); la proroga della durata delle indagini preliminari, che normalmente viene decisa dal giudice per le indagini preliminari previo coinvolgimento della difesa, viene attivata senza instaurare alcun tipo di contraddittorio a vantaggio della persona sottoposta alle indagini (art. 405, comma 5 *bis*); per di più, la persona sottoposta alle indagini non ha la possibilità di ottenere, su sua richiesta, la comunicazione di essere sottoposto a procedimento penale (art. 335 comma 3 c.p.p.).

[19]   V. in particolare gli artt. 303, 304, comma 2, 307, comma 1-*bis* c.p.p.

[20]   A questa attribuzione alla Procura distrettuale corrisponde poi un sostanziale "trascinamento" anche della competenza del giudice per le indagini e del giudice dell'udienza preliminare: stando al comma 1-*bis* e 1-*quater* dell'art. 328 c.p.p., le funzioni di giudice per le indagini preliminari e dell'udienza preliminare sono esercitate, salve specifiche disposizioni di legge, da un magistrato del tribunale del capoluogo del distretto nel cui ambito ha sede il giudice competente.

dell'inserimento nell'art. 51 comma 3-*bis*, c.p.p., la criminalità organizzata dedita al *trafficking* individua anche una delle manifestazioni criminali oggetto dell'azione della DNAA (Direzione nazionale antimafia e antiterrorismo): un organo, composto dal Procuratore nazionale antimafia, da due Procuratori aggiunti e da venti sostituti procuratori nazionali antimafia, che svolge funzioni di coordinamento delle indagini condotte dalle singole Direzioni distrettuali antimafia (DDA) nei reati commessi dalla criminalità organizzata[21]. Tale coordinamento è soprattutto rivolto ad assicurare la circolazione delle informazioni tra tutti gli uffici interessati e a collegare le DDA tra loro quando emergano fatti o circostanze rilevanti tra due o più di esse.

Al pari dell'art. 407 comma 2 lett. *a*), anche il comma 3-*bis* dell'art. 51 c.p.p. costituisce una norma dal contenuto precettivo polivalente, poiché richiamata anche da altre disposizioni e per fini diversi. Tra questi, particolarmente significativo è il rinvio operato dall'art. 275, comma 3, c.p.p., che, per tutti i delitti indicati nell'art. 51 comma 3-*bis* c.p.p. – e dunque, per quanto qui rileva, anche per l'associazione a delinquere finalizzata a realizzare la tratta di esseri umani – contempla, in presenza di gravi indizi di colpevolezza, l'imposizione pressoché automatica della custodia cautelare in carcere (che deve infatti trovare applicazione sempre che non risulti dimostrata l'insussistenza delle esigenze cautelari e l'idoneità, per affrontare tali rischi, di misure meno severe rispetto alla custodia carceraria).

Parimenti importante è il rinvio all'art. 51 comma 3-*bis* c.p.p. racchiuso nell'art. 266 comma 2-*bis* c.p.p., che per tali classi di reati accorda la possibilità di svolgere intercettazioni di comunicazioni tra presenti mediante inserimento di captatore informatico (c.d. *trojan virus*) nei dispositivi portatili[22].

Infine, devono essere quantomeno segnalati altri elementi di specialità, che contribuiscono a testimoniare la particolare attenzione riservata dal legislatore italiano alla repressione dell'associazionismo criminale dedito al *trafficking* (e

---

[21]   Le principali materie di interesse della Procura nazionale antimafia e antiterrorismo sono: mafia, camorra, 'ndrangheta, narcotraffico, tratta di esseri umani, riciclaggio, appalti pubblici, misure di prevenzione patrimoniali, ecomafie, contraffazione di marchi, operazioni finanziarie sospette, organizzazioni criminali straniere.

[22]   Come forma di contrasto a questa manifestazione di associazionismo criminale, rileva anche la disciplina delle misure di prevenzione: misure special-preventive, tradizionali al sistema italiano, dirette ad evitare la commissione di reati da parte di determinate categorie di soggetti considerati socialmente pericolosi, e che vengono applicate indipendentemente dalla commissione di un precedente reato (da cui anche la denominazione di misure *ante delictum* o *praeter delictum*). Infatti, nell'allargare il catalogo dei possibili destinatari delle misure preventive di competenza giudiziaria contenuto nell'art. 1 della l. 31 maggio 1965, n. 575, il d.l. 23 maggio 2008, n. 92 conv. dalla l. 24 luglio 2008, n. 125 vi ha aggiunto gli indiziati di uno dei reati previsti dall'art. 51, comma 3 *bis*, c.p.p. Tale allargamento è particolarmente importante ai nostri fini, poiché consente di attivare anche le cosiddette intercettazioni preventive, disciplinate dall'art. 226 disp. att. c.p.p.

a espressioni delinquenziali affini). Questi ulteriori tasselli del "doppio binario anti-tratta" sono stati inseriti dalla legge n. 228 del 2003. Infatti, con tale riforma il legislatore italiano ha contestualmente percorso due strade: da un lato ha inserito l'associazione a delinquere finalizzata alla tratta di esseri umani direttamente nel catalogo dell'art. 51 comma 3-*bis* c.p.p. (il cui innesto nel codice risale al d.l. n. 367 del 1991); dall'altro, ha stabilito alcune disposizioni *ad hoc*, che contribuiscono ad arricchire i mezzi a disposizione degli inquirenti per rendere più efficace l'azione investigativa volta a contrastare il fenomeno. In particolare, sono stati ampliati i presupposti per il ricorso alle intercettazioni[23], come pure la possibilità di ricorrere alle azioni sotto copertura tramite agente provocatore[24]; sempre nel 2003, sono stati introdotti meccanismi premiali per il trattamento dei collaboratori di giustizia e strumenti di protezione in loro favore[25].

Non è mancata, poi, l'attenzione sul versante economico: non solo la l. 228/2003 ha previsto che la realizzazione dei reati di cui agli art. 600 ss. c.p. rientri nel novero dei c.d. reati-presupposto che determinano la responsabilità delle persone giuridiche[26]; bisogna infatti aggiungere che, contro le ricchezze accumulate dai gruppi criminali dediti al *trafficking*, sono esperibili tanto la confisca per equivalente quanto la confisca cosiddetta allargata[27]. Le somme confiscate, peraltro, confluiscono nel fondo per le misure anti-tratta (fondo, istituito nel 2003, preposto alla realizzazione di programmi di assistenza e di integrazione sociale in favore delle vittime di *trafficking*).

Molto singolare, infine, la scelta di sottrarre la competenza per materia dei delitti di tratta e riduzione in schiavitù alla corte d'assise, per consegnarla al tribunale in composizione collegiale; una scelta che sembra in linea con la fuga dal pubblico dibattimento conseguente alla valorizzazione dell'incidente probatorio come momento di acquisizione anticipata della testimonianza della vittima e del testimone vulnerabile (e di cui si dirà *infra*, ai parr. 10 e 12).

VI. COMPETENZA GIURISDIZIONALE

---

[23]   V. art. 9 legge n. 228/2003, che rinvia all'art. 13 del decreto-legge 13 maggio 1991, n. 152 (convertito, con modificazioni, dalla legge 12 luglio 1991, n. 203): stando a tale disciplina, per poter disporre le intercettazioni gli indizi di reato non devono essere gravi, bastando che siano sufficienti; l'intercettazione nel domicilio l'intercettazione è consentita anche se non vi è motivo di ritenere che ivi si stia svolgendo l'attività criminosa; la durata delle operazioni di intercettazione può essere maggiore di quella ordinaria.

[24]   V. art. 10 l. n. 228/2003.

[25]   V. art. 11 l. n. 228/2003.

[26]   V. art. 5 l. n. 228/2003.

[27]   V. art. 15, comma 5, l. n. 228/2003, che ha modificato l'articolo 600-*septies* del codice penale.

Dato conto dei principali profili di specialità del "doppio binario anti-tratta", è ora il momento di passare in rassegna le principali questioni sorte e affrontate nell'esperienza italiana.

Il primo tema, ben noto anche a studiosi e operatori di altri ordinamenti, concerne la possibilità (o meno) di dare avvio a un procedimento penale dinanzi all'autorità giudiziaria italiana. Come intuibile, il problema nasce dalla natura assai frequentemente transnazionale del fenomeno della tratta[28], e risulta tanto più rilevante ove si consideri la carenza di efficaci strumenti di tutela e repressione nei Paesi che si affacciano sull'altra sponda del Mediterraneo, dove, almeno in parte, tali tipi di condotte vengono molto spesso perpetrate[29]. Sebbene essa sia stata affrontata dalla giurisprudenza italiana per lo più in relazione alle condotte di *smuggling*, è chiaro come la questione possa concretamente porsi anche per quelle punite dagli artt. 600, 601 e 602 c.p. c.p. che siano state commesse al di fuori dal territorio italiano; e ciò in particolare quando, oltre alle iniziali offerte di trasporto migratorio e successivo reclutamento, esse siano funzionali anche al «sistematico sfruttamento degli stranieri per scopi criminali, una volta giunti nel paese di destinazione[30]».

In generale, la determinazione della giurisdizione italiana si basa sul principio di territorialità, che trova alcune specificazioni negli artt. 4 e 6 c.p., ed alcuni temperamenti negli artt. 7, 8 e 10 c.p. A costo di appesantire il discorso, è necessario riportare almeno le coordinate fondamentali di questa disciplina, così da comprendere meglio i problemi e le relative possibili soluzioni affacciatesi in giurisprudenza.

Per come costruita, la legislazione italiana sembra in linea con quanto previsto dall'art. 10 Direttiva 2011/UE[31], ed anche con giurisprudenza della Corte europea dei diritti dell'Uomo[32].

Ai nostri fini, va innanzitutto segnalato il contenuto dell'art. 6 c.p., a norma del quale il reato si considera commesso in Italia quando l'azione o l'omissione

---

[28]   Su cui si consiglia la lettura di CENTONZE, A.: "Criminalità organizzata transnazionale e flussi migratori illegali: le illusioni giurisprudenziali perdute e gli equivoci dogmatici", in *Cassazione penale*, 2019, p. 2793 ss.

[29]   Il *deficit* assoluto di tutela è rilevato, fra gli altri, da MANACORDA, S.: "Tratta e traffico di migranti: il nodo della giurisdizione tra territorialità ed extraterritorialità", in *Diritto Penale Contemporaneo–Rivista trimestrale*, n. 3, 2018, p. 1.

[30]   Così MAGGIO P.: "Giustizia penale e tratta di esseri umani: i risvolti processuali della vulnerabilità", in *Rivista italiana di medicina legale e del diritto in campo sanitario*, 2017, p. 701.

[31]   SPIEZIA, F. & SIMONATO, M.: "La prima direttiva Ue di diritto penale sulla tratta di esseri umani", in *Cassazione penale*, 2011, p. 3210.

[32]   Si allude in particolare a quanto dichiarato in Corte EDU, 17 gennaio 2017, J. e altri c. Austria, ibid.), secondo cui gli Stati membri non sono tenuti – ai sensi dell'articolo 4 della Convenzione – a prevedere una giurisdizione universale sui reati di tratta avvenuti all'estero.

è avvenuta (in tutto o in parte) sul territorio nazionale, ovvero quando su tale territorio si è verificato l'evento. La previsione si ispira al cosiddetto "principio di ubiquità", e, consentendo di perseguire in Italia reati parzialmente commessi all'estero, risulta idoneo a radicare la giurisdizione anche nelle ipotesi in cui solo una porzione dell'azione criminosa si sia svolta sul suolo nazionale[33].

Un'ulteriore disposizione di grande importanza si rinviene nell'art. 10 c.p., che assoggetta alla legge penale italiana (e alla giurisdizione del giudice italiano) i delitti comuni commessi all'estero dallo straniero, sia pure solo in presenza di alcune condizioni. In particolare, l'art. 10 co. 2 c.p. precisa che i delitti comuni commessi all'estero dallo straniero a danno di uno straniero possono essere puniti secondo la legge italiana solo quando sia prevista la pena della reclusione nel minimo non inferiore a tre anni, l'agente si trovi sul territorio italiano, sia stata presentata querela (per reati perseguibili a querela) o istanza di procedimento (per reati perseguibili d'ufficio), sia pervenuta la richiesta del Ministro della Giustizia e, infine, vi sia stata non concessione o non accettazione dell'estradizione dello straniero.

Infine, deve segnalarsi anche la presenza di una disposizione speciale, applicabile solo ad alcuni reati, tra cui si annoverano, oltre alla tratta di persone, anche la riduzione in schiavitù e il commercio di schiavi (ma non il favoreggiamento dell'immigrazione illegale): l'art. 604 c.p., che, per questi (ed altri) reati, anche là dove il fatto sia commesso all'estero, stabilisce la giurisdizione del giudice italiano, purché il fatto sia stato commesso da un cittadino italiano, ovvero in danno di un cittadino italiano, ovvero da uno straniero in concorso con un cittadino italiano.

La mera lettura di quest'ultima disposizione ne denuncia la scarsa efficacia: oltre a dimostrare «l'estrema prudenza che accompagna il ricorso alla giurisdizione universale», le condizioni ivi dettate per attivare la giurisdizione italiana sono infatti talmente restrittive da farne «un'arma spuntata nei confronti dei trafficanti stranieri»[34].

Viceversa, il "difetto" dell'art. 10 c.p., che pure pone minori condizioni e limiti al riconoscimento della giurisdizione italiana, è dato, oltre che dalla necessaria presenza dell'autore del reato sul territorio nazionale, anche dalla necessità che venga presentata richiesta di procedimento ad opera del Ministro della Giustizia. Infatti, non sempre questa condizione di procedibilità sopraggiunge in tempi brevi: il che ha spesso indotto la giurisprudenza a esplorare

---

[33]   E questo anche nel caso in cui la porzione di condotta realizzatasi in Italia non è sufficiente a integrare gli estremi del tentativo. V. in tal senso, proprio in relazione a un'ipotesi di tratta, Cass. pen., Sez. VI, 24 aprile 2012, G., in *C.E.D. Cass.*, n. 252507.

[34]   MANACORDA, S.: "Tratta e traffico di migranti: il nodo della giurisdizione tra territorialità ed extraterritorialità", *op. cit.*

soluzioni alternative, volte a garantire l'applicabilità della legge penale italiana sulla base di altre disposizioni.

In tale contesto, diventa importante dar conto di alcune pronunce giurisprudenziali che hanno sperimentato il superamento dei limiti descritti dalle norme appena passate in rassegna. Anche se le fattispecie esaminate dalle pronunce non avevano ad oggetto casi di *trafficking*, è utile dar conto di un ragionamento suscettibile di essere esteso alla repressione del crimine organizzato transnazionale dedito alla tratta, le cui attività delinquenziali siano destinate a ripercuotersi sul territorio italiano.

Questa ricostruzione si basa sul contenuto dell'art. 7 comma 1 n. 5 c.p., secondo cui, in deroga al principio di territorialità, la giurisdizione italiana sussiste per i reati commessi all'estero, «quando speciali disposizioni di legge o convenzioni internazionali la prevedono».

In conseguenza di questa previsione generale (che peraltro secondo alcuni sarebbe priva di forza precettiva autonoma[35]), da qualche anno la giurisprudenza interna si è interrogata circa la possibilità di riconoscere la giurisdizione italiana (nonché, dunque, l'applicabilità della legge penale italiana) facendo leva su alcune disposizioni racchiuse nella Convenzione di Palermo del 2000 contro la criminalità organizzata transnazionale, ratificata dall'Italia con la legge 16 marzo 2006, n. 146.

In questa prospettiva, è fondamentale che ci si trovi dinanzi ad un gruppo criminale organizzato, e, al contempo, alla commissione di un reato transnazionale; un reato, che, dunque, «sia commesso in uno Stato, ma ne dispieghi gli effetti in un altro»[36].

Infatti, in conseguenza dell'art. 7, comma 1 n. 5 c.p., secondo alcune pronunce diverrebbe rilevante quanto previsto dall'art. 15, comma 2, lett. *c*)[37], che

---

[35]   LEVI, N.: *Diritto penale internazionale*, Milano, 1949, p. 14. In giurisprudenza, nello stesso senso, v. Cass. pen., Sez. I, 17 giugno 2020, Tartoussi Youssef, in *C.E.D. Cass.*, n. 279210, e che si può leggere anche in *Dir. pen. proc.*, 2021, p. 499, con nota di BLEFARI, C. R.: "Reato commesso all'estero: giurisdizione italiana, rapporto tra richiesta di procedimento e attività di indagine preliminare", in *Diritto penale e processo*, n. 4, 2021.

[36]   Così Cass. pen., Sez. I, 27 marzo 2014, n. 14510, Haji Hassan, in *www.dirittoittaliano.com*. In proposito, si segnala che la Cassazione ha ritenuto il legame descritto dall'art. 12 lett. c) c.p.p. (connessione teleologica) insufficiente per determinare la giurisdizione italiana: v. Sez. V, 12 settembre 2019, P., *ivi*, 277245, e che si può leggere anche in *Sistema penale*, 4 febbraio 2020, con nota di MENTASTI, G.: "La Cassazione interviene sull'applicabilità della legge penale italiana ai reati commessi nei campi di detenzione in Libia", in *Sistema penale*, 2020.

[37]   La disposizione recita come segue. «2. Fatto salvo quanto disposto dall'art. 4 della presente Convenzione, uno Stato Parte può altresì determinare la sua giurisdizione in relazione a tali reati quando: [...] (c) Il reato è: (I) Uno di quelli stabiliti ai sensi dell'art. 5, paragrafo 1, della presente Convenzione ed è commesso al di fuori del suo territorio, al fine di commettere un grave reato sul suo territorio [...]».

rinvia all'art. 5 par. 1 della medesima Convenzione di Palermo: in base al combinato disposto tra queste due norme, andrebbe riconosciuta la giurisdizione in capo allo Stato firmatario della Convenzione per i reati indicati nell'art. 5, par. 1, della medesima Convenzione, ovverossia la partecipazione ad un gruppo criminale organizzato, quando «è commesso al di fuori del territorio [dello Stato Parte della Convenzione], al fine di commettere un grave reato sul suo territorio»[38].

Ad esempio, valorizzando l'art. 5, par. 1 lett. c) della Convenzione di Palermo – in particolare ritenendola di immediata applicazione nell'ordinamento giuridico interno – è stata ritenuta correttamente radicata la giurisdizione italiana nei confronti di un'associazione criminale organizzata all'estero, ma diretta a produrre effetti in Italia, per la commissione di reati in materia di immigrazione, e quindi ricompresa nel perimetro dell'art. 15, comma 2, lett. c), della suddetta Convenzione[39].

Come anticipato, altre pronunce hanno invece preso in considerazione il combinato disposto degli artt. 7, comma 1 n. 5 c.p. e dell'art. 15, par. 4, stando al quale ogni Stato Parte della Convenzione di Palermo può adottare misure necessarie per determinare la sua giurisdizione in relazione ai reati di cui alla Convenzione, quando il presunto autore si trova sul suo territorio e non lo estrada. Ma su questa seconda possibile soluzione intesa a riconoscere la giurisdizione italiana, il diritto vivente si presenta diviso: a fronte di un orientamento che, pur in presenza della relativa ratifica (con la citata legge n. 146 del 2006), nega applicabilità diretta e immediata nell'ordinamento italiano

---

[38]   L'art. 5 specificamente prevede che «1. Ogni Stato Parte adotta le misure legislative e di altra natura necessarie a conferire il carattere di reato, laddove commesso intenzionalmente:(a) Ad una o ad entrambi delle seguenti condotte quali reati distinti da quelli che comportano il tentativo o la consumazione di un'attività criminale: [...] (II) La condotta di una persona che, consapevole dello scopo e generale attività criminosa di un gruppo criminale organizzato o della sua intenzione di commettere i reati in questione, partecipa attivamente: a. alle attività criminali del gruppo criminale organizzato; b. ad altre attività del gruppo criminale organizzato consapevole che la sua partecipazione contribuirà al raggiungimento del suddetto scopo criminoso».
       A sua volta, la definizione convenzionale di «reato grave», contenuta all'art. 2 della Convenzione, indica «la condotta che costituisce reato sanzionabile con una pena privativa della libertà personale di almeno quattro anni nel massimo o con una pena più elevata»: definizione in cui rientrano certamente le ipotesi di cui all'art. 600, 601 e 602 c.p.
[39]   Cass. pen., Sez. I, 27 marzo 2014, n. 14510, Haji Hassan, cit., V. anche Sez. I, 11 marzo 2014, P.M. in proc. Hamada, in *C.E.D. Cass.*, n. 262543, e Sez. I, 8 aprile 2015, Iben Massaoud, *ivi*, n. 263671.

dell'art. 15, par. 4 della Convenzione di Palermo[40], una recentissima pronuncia ha invece affermato il contrario[41].

La giurisprudenza italiana è, dunque, tutt'altro che univoca, con ciò riflettendo la difficoltà di trovare un punto di equilibrio tra l'aspirazione a una giurisdizione universalistica in materia di crimine transnazionale e il necessario rispetto del principio di legalità. Infatti, in mancanza di un'indicazione specifica (e incontrovertibile) nella legge di ratifica della Convenzione di Palermo (l. n. 146 del 2006), resta comunque arduo superare le perplessità di chi nega l'efficacia autoapplicativa della disciplina in tema di giurisdizione racchiusa nell'art. 15, parr. 2 e 4. Il che rende auspicabile una riforma capace di fornire maggiore chiarezza su una questione tanto determinante, poiché pregiudiziale alla possibilità stessa di aprire un procedimento penale[42], specie là dove si consideri che la difficoltà nell'affermare la giurisdizione "extraterritoriale" italiana potrebbe in concreto discendere da quella di dimostrare l'esistenza di una gestione unitaria o coordinata dei diversi livelli operativi del reclutamento, del trasporto e dello sfruttamento vero e proprio, generalmente "curati" da associazioni a delinquere distinte tra loro[43].

---

[40]   Cass. pen., Sez. I, 17 giugno 2020, cit., così massimata: «non sussiste la giurisdizione dello Stato italiano, ai sensi dell'art. 7, comma 1, n. 5 cod. pen. e della Convenzione ONU di Palermo sul contrasto alla criminalità organizzata transnazionale, ratificata con legge 16 marzo 2006, n. 146, allorché si proceda per un reato transnazionale (nella specie, importazione, esportazione e transito di materiali di armamento) commesso dallo straniero integralmente all'estero, non correlato a condotte da commettersi sul territorio italiano, in quanto la disposizione relativa alla giurisdizione, di cui all'art. 15, par. 4, della Convenzione, pur in presenza della sua ratifica, non è di immediata applicazione nell'ordinamento dello Stato parte».

[41]   Cass. pen., Sez. I, 2 luglio 2021, Jomaa Laamami, in *C.E.D. Cass.*, n. 281623: «sussiste la giurisdizione dello Stato italiano per il delitto di omicidio doloso plurimo commesso in alto mare a bordo di imbarcazioni prive di bandiera in danno di migranti trasportati illegalmente in Italia, in forza del principio di universalità della legge penale italiana di cui all'art. 3, comma 2 c.p. e – in virtù del rinvio di cui all'art. 7, n. 5, c.p. – della diretta applicazione della Convenzione ONU di Palermo sul contrasto alla criminalità organizzata transnazionale, trattandosi di reato grave, con effetti sostanziali nel territorio italiano, commesso da un gruppo criminale organizzato nell'ambito di una complessa condotta posta in essere allo scopo di commettere i reati previsti dalla Convenzione e dei Protocolli Addizionali, tra i quali rientra il traffico di migranti verso l'Italia».

[42]   Come accennato nel testo, l'esigenza di ricorrere alla tesi dell'applicazione diretta dell'art. 15, parr. 2 e 4 della Convenzione di Palermo nasce dalle difficoltà che spesso si riscontrano nell'evocare l'operatività dell'art. 10 c.p., in particolare considerando che non sempre la richiesta di procedimento del Ministro della Giustizia arriva, o arriva in tempo utile. Sul punto v. MENTASTI, G.: "La Cassazione interviene sull'applicabilità della legge penale italiana ai reati commessi nei campi di detenzione in Libia", *op. cit.*

[43]   Sulle caratteristiche criminologiche ricorrenti del *trafficking* v. PARISI, F.: "Il contrasto al traffico di esseri umani fra modelli normativi e risultati applicativi", in *Rivista italiana di diritto e procedura penale*, 2016, p. 1785. Quanto segnalato nel testo rileva specie ove si consideri l'impostazione privilegiata da Sez. V, 12 settembre 2019, P., cit. (v. *retro*, nota 36).

VII. VITTIME DI TRATTA E LORO INDIVIDUAZIONE

Oltre a costituire la premessa per attivare qualsiasi misura di assistenza e protezione nei suoi confronti, l'identificazione della vittima di tratta rappresenta una condizione indispensabile affinché possa avviarsi un procedimento penale inteso ad accertare il reato; proprio per questo, ne è evidenziata la particolare importanza innanzitutto dalle fonti sovranazionali[44].

Numerose sono le difficoltà poste da questa indagine delicata e imprescindibile: il controllo serrato da parte dei trafficanti; il timore delle conseguenze di un'eventuale ribellione e (talvolta) addirittura la presenza di possibili sentimenti di gratitudine nei confronti di chi ha reso possibile l'agognato progetto migratorio; le difficoltà a farsi testimoni di esperienze molto traumatiche, spesso per pudore o senso di colpa. Come già accennato in precedenza[45], attestano l'importanza di un'adeguata formazione di coloro che entrano in contatto con le potenziali vittime di tratta.

Momenti utili – e indubbiamente preziosissimi – ai fini dell'individuazione della vittima di tratta sono i contatti con le pubbliche autorità nel momento successivo all'approdo sul territorio nazionale, nonché, ancor prima, durante le operazioni di salvataggio in alto mare[46], come pure (anche a distanza di tempo dall'arrivo) con gli operatori preposti all'accoglienza.

La veste di vittima spesso emerge infatti nell'ambito delle pratiche concernenti la "gestione" del migrante in arrivo. In tale contesto, assume un'importanza dirimente l'opera di numerosi attori (a cui devono naturalmente aggiungersi anche i privati cittadini che potrebbero incappare in una situazione a rischio tratta): gli operatori e i mediatori linguistico-culturali che partecipano alle fasi di sbarco e di prima identificazione, il personale sanitario, gli operatori delle ONG, i servizi per l'immigrazione, il personale dei C.P.R. e degli *hotspot*[47], quello impiegato nei centri e delle comunità di accoglienza, gli operatori dei servizi sociali, degli enti anti-tratta, le forze di pubblica sicurezza, oltre (naturalmente) alla magistratura (*in primis*, ma non soltanto, quella minorile)

---

[44]   Si vedano, tra gli altri: l'art. 10 della "Convenzione di Varsavia" del 16 maggio 2005; i considerando n. 4 e 25 e dall'art. 18 par. 3 della Direttiva 2011/36/UE.

[45]   V. *retro*, par. 1.

[46]   Tale profilo è segnalato, fra gli altri, da PARISI, F.: "Il contrasto al traffico di esseri umani fra modelli normativi e risultati applicativi", *op. cit.*, p. 1788.

[47]   I C.P.R. (centri di preparazione al rimpatrio, regolamentati dall'art. 14 d. lgs. n. 286/1998 e dall'art. 6 d. lgs. n. 142/2015) sono i centri chiusi in cui si svolge la detenzione amministrativa degli stranieri espulsi e dei richiedenti protezione internazionale cui sia stato (parimenti) applicato il trattenimento. I cosiddetti *hotspot* («centri di crisi») sono i centri deputati alla detenzione all'arrivo, e trovano la loro disciplina (molto deficitaria) all'art. 10-*ter* d. lgs. n. 286/1998.

e alle commissioni territoriali preposte all'esame delle richieste di protezione internazionale [48].

Proprio per questo, già da tempo per tale vasta platea di soggetti sono state elaborate linee guida per l'identificazione delle vittime[49]. Esse includono la tipizzazione di alcuni indicatori che, oltre ad essere utili per inserire la vittima di tratta in un percorso di protezione sociale (v. il considerando n. 4 della Direttiva 2011/36/UE), orientano il *modus operandi* degli organi inquirenti in ambito penale, nonché, ancor prima, permettono di isolare gli estremi della notizia di reato da portare a conoscenza della magistratura o delle forze dell'ordine. Queste indicazioni si articolano nella specificazione di diverse classi di sintomi, alcuni dei quali ricorrenti in generale, mentre altri sono caratteristici della categoria soggettiva della vittima (come ad esempio i minori) o del tipo di sfruttamento cui la vittima è sottoposta (come quello sessuale, quello lavorativo, o quello che si realizza con la costrizione alla servitù domestica, all'accattonaggio e alla microcriminalità).

Purtroppo, questo sforzo informativo è spesso destinato a non produrre i frutti sperati, in particolare nel caso di arrivi ingenti, nella gestione dei quali risulta più difficile distinguere tempestivamente le persone offese dai trafficanti di esseri umani. Una difficoltà, questa, cui, specie a distanza di tempo dall'arrivo, può contribuire la possibile coesistenza tra il ruolo di persona offesa e quello di autore del reato[50].

Sarebbe però riduttivo ascrivere alle sole difficoltà oggettive gli ostacoli che rendono insufficiente questa preziosa opera di individuazione. Benché gli

---

[48]   La versione più aggiornata di queste linee guida, diffusa nel maggio 2021 e messa a disposizione delle Commissioni territoriali preposte all'esame delle domande di protezione internazionale, si può consultare in *https://www.asgi.it/notizie/aggiornate-le-linee-guida-identificazione-delle-vittime-di-tratta/*, con un commento di GIAMMARINARO, M. G. e NICODEMI, F.

[49]   Sul punto, non sono mancate voci critiche in ordine all'attuazione legislativa di questo specifico contenuto della Direttiva 2011/36, sulla scorta del fatto che l'art. 5 del d. lgs. n. 24 del 2014, attuativo della fonte sovranazionale, risulta troppo vago nel determinare i destinatari della formazione (le critiche sono state espresse da ASGI: *Osservazioni al decreto legislativo 4 marzo 2014 n. 24 di attuazione della direttiva 2011/36UE relativa alla prevenzione e la repressione della tratta di esseri umani e la protezione delle vittime e che sostituisce la decisione quadro del Consiglio 2002/629/GAI*, 2014, e sono condivise altresì da F. NICODEMI: "La tutela delle vittime della tratta di persone in Italia oggi. Riflessioni sulla capacità di risposta del sistema italiano alle vittime del trafficking rispetto alle evoluzioni del fenomeno", in *Diritto, immigrazione e cittadinanza*, 2017, f. 2, p. 96). Tuttavia, il Piano d'azione contro la tratta e il grave sfruttamento predisposto dal Dipartimento sulle pari opportunità (il cosidddetto P.N.A., la cui adozione è prescritta dall'art. 9 del decreto legislativo 4 marzo 2014, n. 24), racchiude indicazioni molto più specifiche in ordine all'individuazione dei soggetti tenuti alla formazione.

[50]   Così MAGGIO P.: "Giustizia penale e tratta di esseri umani: i risvolti processuali della vulnerabilità", *op. cit.*, p. 696. V. anche quanto si dirà *infra*, par. 6.

strumenti normativi e gestionali messi a punto dal sistema per intercettare tempestivamente gli stranieri in condizione di vulnerabilità e di sfruttamento siano all'avanguardia, è imprescindibile la consapevolezza circa l'alto tasso di ipocrisia che, se in generale marca lo scarto tra *law in action* e *law in the books* in quasi tutti i settori del diritto dell'immigrazione, trova a proposito della prevenzione e della repressione del *trafficking* uno dei più significativi punti di emersione.

Anche a tale proposito, la distanza tra procedure virtuose (codificate) e prassi (non sempre in linea con le affermazioni di principio) è generato dal conflitto tra due obiettivi contrapposti: da un lato, quello di contenere i flussi migratori in entrata; dall'altro, quello di proteggere i soggetti deboli delle migrazioni.

Infatti, se non bastasse la già di per sé restrittiva disciplina concernente gli ingressi, sono le modalità operative intese ad applicarla a fare la differenza. In particolare attraverso una gestione degli arrivi a dir poco "superficiale", specie per quanto riguarda la conduzione dell'intervista amministrativa destinata al migrante appena approdato. Tale intervista – uno dei cardini dell'approccio *hotspot*, poiché preposta a una prima classificazione tra migrante economico e richiedente protezione internazionale – non sempre viene condotta con la cura che, sulla carta, dovrebbe essere garantita all'interessato. In sostanza, anche a proposito della tutela delle vittime di tratta, la dinamica più ricorrente (pur non priva di virtuose eccezioni) somiglia molto a quella che investe i richiedenti asilo, tutelati sulla carta, ma molto meno in concreto.

Non è un caso se il momento più prezioso per individuare la persona trafficata – quello del salvataggio in mare o quello immediatamente successivo all'approdo – non sempre viene materialmente sfruttato. E ciò – si badi – neppure nei casi in cui gli indicatori di *trafficking* (ben identificati nelle già accennate linee guida) emergono in modo eclatante, come ad esempio rispetto a donne e ragazze, provenienti dalla Nigeria, che hanno già subito stupri durante il viaggio e che talvolta arrivano addirittura incinte in Italia[51]. Né si deve confondere l'identificazione cui è finalizzato il metodo *hotspot* con l'individuazione dei migranti vulnerabili, essendo il primo adempimento – disciplinato in Italia dall'art. 10-*ter* d. lgs. n. 286 del 1998, introdotto nel 2017 – preposto unicamente alla registrazione nella banca dati Eurodac.

Peraltro, e benché il fenomeno fosse più vistoso negli anni scorsi rispetto a ora, deve anche considerarsi la diffusa riluttanza degli stranieri a farsi identificare (una riluttanza che, in genere associata a un difficile rapporto con

---

[51] Questa specifica riflessione è tratta da GIAMMARINARO, M. G.: "L'individuazione precoce delle vulnerabilità alla tratta nel contesto dei flussi migratori misti", in *Questione giustizia*, n. 2, 2018, n. 2, p. 131.

l'autorità pubblica, rende giocoforza più arduo il riconoscimento della vittima di tratta)[52].

Se ciò non bastasse, specie per coloro che provengano da Paesi rispetto ai quali è difficile ipotizzare *chances* di protezione internazionale, la refrattarietà dinanzi alla prospettiva del fotosegnalamento e dell'identificazione[53] è spesso indotta dalle pressioni dello sfruttatore, poiché meglio rispondente al disegno criminoso di quest'ultimo: è infatti molto più facile perpetrare le condotte di tratta dinanzi a uno straniero invisibile e clandestino, come tale "tagliato fuori" dal circuito della legalità e impossibilitato a trovare forme di sostentamento alternative rispetto a quelle "offerte" dal *trafficker*[54].

Negli ultimi anni, a rendere meno agevole l'individuazione delle vittime di tratta in Italia ha contribuito anche la crescente stigmatizzazione (passata anche per l'apertura di procedimenti penali per favoreggiamento dell'immigrazione clandestina, e per alcune modifiche legislative, molto criticate, varate a partire dal 2017[55]) che ha colpito il ruolo fondamentale svolto dalle navi delle organizzazioni non governative (ONG), che, specie a partire dal 2014, hanno reso possibile un numero significativo di salvataggi in mare. Tale cambio di paradigma, rendendo più difficoltoso il lavoro delle imbarcazioni delle ONG, senz'altro contribuisce a ostacolare anche l'individuazione delle vittime di tratta in questa prima fase, così cruciale. Né – pare – a tal fine viene adeguatamente sfruttato il tempo "congelato" che, con l'avvento della pandemia da covid 19, i migranti in arrivo trascorrono sulle cosiddette "navi quarantena".

---

[52]   Sono note le conseguenze dell'identificazione del migrante all'arrivo, a seguito della quale l'eventuale incasellamento nella categoria del clandestino, oltre ad essere penalmente rilevante, rileva innanzitutto nella prospettiva dell'attivazione di una procedura preposta all'allontanamento dal territorio nazionale, passando per la temutissima "segnalazione Schenghen", idonea a pregiudicare un futuro reingresso nell'intero territorio dell'Unione europea. Né molto più allettante risulta, comunque, l'identificazione e l'inquadramento giuridico come richiedente asilo in Italia: viste le regole proprie del "sistema Dublino", tale prospettiva è infatti destinata a porsi in inevitabile contrasto con il progetto migratorio di individui che in genere puntano a raggiungere il Nord Europa e a vedere lì esaminata la propria richiesta di asilo (v. già MAGGIO P.: "Giustizia penale e tratta di esseri umani: i risvolti processuali della vulnerabilità", *op. cit.*, p. 697).

[53]   Tale diffusa riottosità ha indotto il legislatore italiano (con l'art. 17 del d.l. 13/2017, convertito in l. 13.4.2017, n. 46), a inserire l'art. 10 *ter* d. lgs. n. 286 del 1998 (di cui ai fini del discorso rileva, in particolare, il comma 3).

[54]   Viceversa, se le *chances* di ottenere l'asilo sono più elevate, non è raro che possa essere proprio l'autore della condotta di tratta il regista della strategia da adottare di fronte agli organi preposti al riconoscimento della protezione internazionale.

[55]   Per una illustrazione complessiva di tale strategia (diversamente modulata, ma comunque trasversale alle diverse maggioranze politiche che hanno governato l'Italia negli ultimi cinque anni), v. fra gli altri MASERA, L.: *Il contrasto amministrativo alle ONG che operano soccorsi in mare, dal codice di condotta di Minniti, al decreto Salvini bis e alla riforma Lamorgese: le forme mutevoli di una politica costante*, 2021.

VIII. LA PROTEZIONE INTEGRATA DELLA VITTIMA: IN GENERALE

L'emersione – e la possibile repressione penale – del fenomeno passa dunque, innanzitutto, per l'individuazione della vittima. Ma tale passaggio è solo il primo tassello di una serie di azioni successive intese alla tutela e alla protezione di persone che versano in una tipica situazione di vulnerabilità.

Quella predisposta dal sistema è una forma di tutela integrata, che postula l'applicazione di istituti distinti ma destinati ad operare in modo sinergico. Alcuni tra questi istituti non riguardano il processo penale (se non indirettamente): il soggetto passivo del reato di tratta viene infatti normativamente considerato non solo come «testimone di un grave delitto da reprimere», ma come «individuo al quale, prima di tutto, va fornita assistenza e protezione»[56]; altre forme di tutela, viceversa, sono strettamente legate al ruolo rivestito dalla vittima all'interno del procedimento penale, e proprio per questo trovano diretto riscontro nella disciplina processuale penale.

Superfluo segnalare, però, come tutte le tutele – e quindi anche quelle extraprocessuali – possano costituire una formidabile spinta verso l'emancipazione dallo sfruttamento; un'emancipazione che, a sua volta, si rivela imprescindibile affinché si possa svolgere un'efficace opera di accertamento e di repressione.

IX. SEGUE: LA PROTEZIONE "FUORI" DAL PROCESSO PENALE

La protezione extraprocessuale della vittima di tratta è un tema delicatissimo, che – come tale – viene affrontato da tutte le fonti internazionali dedicate alla prevenzione e alla repressione del fenomeno. Sennonché, queste fonti sono spesso ambigue su un aspetto molto importante (che investe proprio i rapporti con il procedimento penale), ossia quello concernente le condizioni per poter accedere alla protezione: in particolare, circa l'indipendenza (o meno) della concessione della protezione (e in particolare del rilascio del permesso provvisorio di soggiorno) dalla presentazione di una denuncia nei confronti del *trafficker* da parte della persona offesa, o comunque della collaborazione di quest'ultima con le autorità inquirenti.

Utile, in proposito, una breve rassegna sui contenuti delle fonti sovranazionali: se il Protocollo di Palermo del 2000, nel menzionare la possibilità di concedere la protezione alla vittima di tratta, non ricollega tale possibilità

---

[56]   Così, a descrizione del *human rights-based approach*, PARISI, F.: "Il contrasto al traffico di esseri umani fra modelli normativi e risultati applicativi", *op. cit.* pag. 1771.

al fatto che questa abbia sporto denuncia[57], la Convenzione di Varsavia del 2005, pur lasciando un ampio margine di manovra agli Stati aderenti, sembra comunque incoraggiarli a orientarsi in tal senso[58]. A livello di Unione europea, sulla medesima questione si può osservare un apparente cambio di paradigma (secondo alcuni proprio sul modello offerto dall'esperienza italiana, di cui subito si dirà), insito nel confronto tra il contenuto della Direttiva 2011/36/UE (concernente la prevenzione e la repressione della tratta di esseri umani e la protezione delle vittime) e quello della precedente Direttiva 2004/81/CE (sul riconoscimento del titolo di soggiorno da rilasciare ai cittadini di Paesi terzi vittime di traffico). Se infatti la disciplina comunitaria del 2004 subordinava esplicitamente la concessione della protezione alla collaborazione della vittima a fini di accertamento penale[59], quella del 2011 sceglie di orientarsi in modo diverso. Nel farlo, tuttavia, non si mostra abbastanza coraggiosa. Così infatti dispone l'art. 11, par. 3 della Direttiva 2011/36/UE: «gli Stati membri adottano le misure necessarie affinché l'assistenza e il sostegno alla vittima non siano subordinati alla volontà di quest'ultima di collaborare nelle indagini penali, nel procedimento giudiziario o nel processo, fatte salve la direttiva 2004/81/CE o norme nazionali analoghe»[60]. In questo modo, malgrado la prima parte della disposizione induca a constatare un cambio di prospettiva, l'ultima parte, nel richiamare la direttiva del 2004 (e i suoi contenuti), sembra mostrare un atteggiamento compromissorio, sostanzialmente idoneo a lasciare "carta bianca" ai singoli Stati membri.

In questo contesto, l'esperienza italiana spicca per l'elevato tasso di garanzia che (quantomeno sulla carta) l'ha connotata sin dal 1998, anno in cui il Paese ha adottato un istituto – la cosiddetta "protezione sociale" – molto all'avanguardia, volto ad assicurare assistenza e protezione alle persone straniere vittime di grave sfruttamento nella prospettiva di favorirne la fuoriuscita dal circuito criminale e l'inclusione sociale.

---

[57]   In tal senso sembra orientarsi l'art. 7 del Protocollo addizionale della Convenzione delle Nazioni Unite contro la criminalità organizzata transnazionale per prevenire, reprimere e punire la tratta di persone, in particolare di donne e bambini, ratificato dall'Italia con legge 2 luglio 2010, n. 108.

[58]   V. l'art. 14 della Convenzione n. 197 del Consiglio d'Europa sulla lotta alla tratta di esseri umani, approvata a Varsavia il 16 maggio 2005 e ratificata in Italia con L. 2 luglio 2010 n. 108.

[59]   V. art. 8 Direttiva 2004/81/CE.

[60]   L'ambiguità delle fonti è segnalata, fra gli altri, da SANTORO, E.: "Asilo e tratta: il tango delle protezioni", in *Questione giustizia*, 2018., f. 2, p. 139, il quale dà conto di come, secondo alcuni, la contraddittorietà della disposizione possa risolversi «distinguendo tra il "periodo di riflessione", da concedersi alla potenziale vittima indipendentemente dalla sua collaborazione con l'autorità giudiziaria, e il permesso di integrazione subordinato a tale collaborazione».

La protezione speciale è regolamentata dall'art. 18 del d. lgs. 286/98 (Testo Unico delle disposizioni concernenti la disciplina dell'immigrazione, cui va aggiunto il correlato disposto dell'art. 27 d.p.r. 394/99), ed è stata dunque inserita nel sistema italiano prima dell'avvento delle numerose fonti sovranazionali che dal 2000 in poi hanno indotto le successive norme di adattamento del diritto interno[61].

L'istituto ha posto le premesse normative per avviare programmi di assistenza e integrazione sociale che, a partire dal 1999, hanno iniziato ad essere attivati su tutto il territorio italiano. A seguito dell'entrata in vigore della legge "anti-tratta" del 2003 (varata allo scopo di recepire le disposizioni del Protocollo ONU sul *trafficking*), la normativa già inserita nel 1998 è stata arricchita con la creazione del Fondo per le misure anti-tratta (art. 12 legge n. 228/2003) e la previsione di ulteriori programmi di assistenza rivolti, nello specifico, alle vittime dei reati di riduzione o mantenimento in schiavitù e di tratta di persone (art. 13). Tramite quest'ultima disposizione si è riconosciuto alla vittima il diritto di fruire del programma di prima assistenza (che potrebbe corrispondere all'attuazione del "periodo di riflessione" previsto dall'art. 6 Direttiva 2004/81/CE): un fondo sociale istituito all'uopo garantisce l'assistenza sanitaria, il diritto a un alloggio e alla residenza per un limitato periodo di tempo (tre mesi prorogabili di altri tre)[62].

Con il d. lgs. n. 24 del 2014, i progetti di cui agli artt. 13 l. n. 228/2003 e quello già *ab origine* attivato ai sensi dell'art. 18 d. lgs. n. 286/1998 sono stati fusi per dar vita a un programma unico di emersione, ora menzionato dal comma 3-*bis* dell'art. 18 del testo unico sull'immigrazione[63]. Tale programma risulta, comunque, strutturato in due fasi: una prima di assistenza in via transitoria – evidentemente per quelle situazioni in cui si pone la necessità di verificare la reale situazione e la volontà della persona di aderire al programma – ed una seconda di prosecuzione dell'assistenza e integrazione sociale.

---

[61] *Cfr. supra*, par. 2.

[62] Attuazione all'art. 13 della legge n. 228/2003 è stata data dal d.P.R. 19 settembre 2005, n. 237. La sottrazione dello straniero e dei suoi familiari ai condizionamenti e ai pericoli provenienti dall'organizzazione criminale (in Italia o nel Paese d'origine) individua l'obiettivo sul breve termine; un inserimento sociale duraturo, quello a lungo termine.

[63] La differenza più significativa fra il contenuto dell'art. 13 legge n. 228/2003 e l'art. 18 d. lgs. n. 286/1998 è data dal fatto che la seconda disposizione prevede che si debbano proteggere le vittime di grave sfruttamento e/o violenza solo quando «emergano concreti pericoli per la sua incolumità, per effetto dei tentativi di sottrarsi ai condizionamenti di un'associazione dedita ad uno dei predetti delitti o delle dichiarazioni rese nel corso delle indagini preliminari o del giudizio». Niente di simile è previsto, viceversa, dall'art. 13. Introducendo il comma 3 *bis* nell'art. 18 d. lgs. n. 286/1998, la riforma del 2014 ha unificato i due programmi, senza però chiarire se il presupposto restrittivo già previsto dall'art. 18 comma 1 debba estendersi anche al programma di prima assistenza di cui all'art. 13 l. n. 228/2003.

La legge 7 aprile 2017, n. 47, ha poi integrato questa previsione introducendo un programma specifico di assistenza per i minori stranieri non accompagnati, identificati come vittime di tratta.

Il cuore di questo sistema di tutela è dato dal possibile rilascio, da parte del questore, del «permesso di soggiorno per motivi di protezione sociale», di cui al medesimo art. 18 d. lgs. n. 286/1998: un permesso creato «per consentire allo straniero di sottrarsi alla violenza e ai condizionamenti dell'organizzazione criminale e di partecipare ad un programma di assistenza ed integrazione sociale»[64]. I requisiti per la concessione di questo permesso di soggiorno sono il parere del Procuratore della Repubblica, la predisposizione di un programma di assistenza ed integrazione sociale e, naturalmente, l'adesione dello straniero a tale programma.

Tale titolo dura sei mesi, e può essere rinnovato per un anno o per il maggior periodo occorrente «per motivi di giustizia». Esso comporta il riconoscimento, in capo allo straniero, di numerosi diritti[65], e può essere convertito in permesso per lavoro o per motivi di studio; può anche essere revocato in caso di interruzione del programma o di condotta incompatibile con le sue finalità. La dicitura è tale da non menzionare la ragione alla base della sua concessione, all'evidente (e opportuno) scopo di proteggerne il titolare[66].

Per come configurata dal punto di vista normativo, la «protezione sociale» (dicitura «per motivi umanitari») contempla un doppio canale di accesso, in linea con la scelta di prescindere, ai fini della sua concessione, dalla presentazione di una denuncia o comunque dalla collaborazione della vittima nell'ambito del procedimento penale. Infatti, l'art. 18 d. lgs. n. 286/1998 prevede che il rilascio del permesso di soggiorno ad opera del questore possa costituire l'esito di due diverse iniziative: quella proveniente dai servizi sociali, o da enti e associazioni (percorso sociale), e quella del Procuratore della Repubblica (percorso giudiziario)[67].

Pur essendo sganciata da qualsiasi logica premiale a beneficio della vittima che decida di coadiuvare gli organi inquirenti, se correttamente applicata, la disciplina italiana dovrebbe comunque incentivare tale collaborazione, visto che la concessione del permesso di soggiorno *ex* art. 18 d. lgs. n. 286/1998

---

[64]   In proposito, è utile ricordare che il Consiglio di Stato ha precisato che il permesso di soggiorno provvisorio di cui all'art. 18 può essere concesso anche nei confronti dello straniero che sia già stato attinto da un provvedimento di espulsione.

[65]   In particolare: l'accesso ai servizi assistenziali e allo studio, l'iscrizione alle liste di collocamento per la ricerca del lavoro, lo svolgimento di lavoro subordinato, l'iscrizione al servizio sanitario nazionale.

[66]   V. art. 27, comma 3-*ter*, D.P.R. 31 agosto 1999, n. 39.

[67]   In questo secondo caso non è chiaro se il questore debba o meno ritenersi vincolato alla concessione del permesso di soggiorno. Peraltro, come già segnalato, nel caso di "percorso sociale" è comunque richiesto il parere del Procuratore della Repubblica.

aumenta il senso di sicurezza della vittima, condizione indispensabile per consentirle di «presentare la denuncia, testimoniare, sostenere il peso di un processo penale» nel quale – sovente – la sua parola «risulta elemento fondante dell'impianto probatorio d'accusa»[68].

Tuttavia, questa normativa va calata nel contesto del diritto vivente, che si è a lungo orientato in senso restrittivo. Infatti, e nonostante la presenza di circolari ministeriali intese a garantire una piena aderenza della prassi al tenore dell'art. 18 d. lgs. n. 286/1998[69], la casistica attesta che molte questure tendono a concedere il permesso di soggiorno umanitario solo in presenza dell'intervenuta apertura di un procedimento penale volto ad accertare la condotta delittuosa commessa ai danni dello straniero-vittima[70]. Questa prassi è spesso figlia dell'atteggiamento delle Procure della Repubblica, non sempre propense a dare "parere favorevole" al rilascio del permesso di soggiorno *ex* art. 18 in assenza di denuncia o collaborazione giudiziaria da parte della vittima[71].

Tale dinamica può in parte spiegarsi alla luce della necessità di ancorare la concessione del permesso di soggiorno *ex* art. 18 d. lgs. n. 286/1998 a un vaglio di plausibilità circa l'effettiva sussistenza della condotta delittuosa; sta di fatto, tuttavia, che essa finisce spesso per eludere il dato normativo, molto

---

[68]   Così VIRGILIO, M.: "Lavori in corso nei dintorni dell'immigrazione: art.18 e leggi in tema di traffico di esseri umani e prostituzione", in *Diritto immigrazione e cittadinanza*, 2003, f. 3., p. 32. V. anche GIAMMARINARO, M. G.: "Aspetti positivi e nodi critici della normativa contro la tratta di persone", in *Questione giustizia*, 2005, f. 3, p. 457, che, a dimostrazione dell'importanza dello strumento, l'A. ricorda come da una ricerca condotta dalla Direzione nazionale antimafia con l'istituto Transcrime, nei primi due anni di applicazione dell'art. 18 del decreto legislativo 286/1998 il numero dei procedimenti penali è passato da poco più di 200 a 2.930. Un dato, questo, che deve però "fare i conti" con l'atteggiamento restrittivo mostrato negli anni successivi da numerose Questure, e di cui si darò conto infra, nel testo.

[69]   Particolarmente significative, tra le numerose, sono: la circolare Min. interno n. 300 del 25 ottobre 1999, secondo cui le situazioni di violenza o grave sfruttamento «possono emergere sia da risultanze di procedimenti penali, sia nel corso di attività svolte dai servizi sociali degli enti locali, in tal modo superando la precedente disciplina che collegava la concessione di questo speciale permesso di soggiorno esclusivamente alla collaborazione offerta nell'ambito di un procedimento penale»; la circolare Min. interno n. 1025 del 2 gennaio 2006 e la n. 11050 del 28 maggio 2007, stando alle quali «non è necessariamente richiesta da parte della vittima la denuncia né alcuna forma di collaborazione con gli organi di polizia o con l'autorità giudiziaria».

[70]   F. NICODEMI: "La tutela delle vittime della tratta di persone in Italia oggi. Riflessioni sulla capacità di risposta del sistema italiano alle vittime del trafficking rispetto alle evoluzioni del fenomeno", *op. cit.*, p. 103.

[71]   Così F. NICODEMI: *Ibidem*, p. 102, che segnala altresì il ritardo cui questo atteggiamento dà luogo in ordine all'effettivo ottenimento del permesso di soggiorno, «con conseguenze pregiudizievoli per le vittime, che non sono in grado di rendersi autonome sotto un profilo economico e abitativo e per gli enti stessi, i quali a loro volta si vedono impossibilitati ad offrire accoglienza e tutela ad altre persone a causa della presenza protratta per molto tempo nelle strutture di accoglienza».

avanzato e privo di quelle ambiguità che segnano le fonti sovranazionali e finanche la direttiva 2011/36/UE.

Un altro difetto si individua nell'ambito operativo del sistema italiano di protezione, che, in concreto, risulta circoscritto quasi solo alle ipotesi di sfruttamento sessuale, non riuscendo ad operare fattivamente anche rispetto allo sfruttamento lavorativo[72]. La dottrina ha segnalato i fattori che si pongono a monte di questa emersione incompleta e parziale, che tra l'altro finisce per rappresentare la tratta di esseri umani come fenomeno quasi esclusivamente dedito allo sfruttamento della prostituzione: da un lato, la tendenza degli enti anti-tratta a focalizzarsi solo su questa tipologia di vittima; dall'altro, la resistenza a considerarsi come vere e proprie parti lese tipica delle persone sfruttate in ambiti diversi da quello della prostituzione[73].

Infine, un problema di forte impatto dinanzi al rischio di *re-trafficking* deriva dalla durata temporanea del sostegno alla vittima di tratta. Infatti, malgrado il coordinamento tra la disciplina dell'art. 13 l. n. 228/1998 e quella dell'art. 18 d. lgs. n. 286/1998, operato nel 2014 e che ha fuso i programmi di assistenza primaria e secondaria, al termine del complessivo periodo di sostegno si può osservare un concreto e frequente pericolo di ricaduta della vittima nelle maglie delle organizzazioni criminali. Un fenomeno, questo, senz'altro favorito dal difficile e controverso rapporto tra il sistema di protezione della vittima e quello della protezione internazionale. Infatti, malgrado recenti e significative aperture in tal senso (anche da parte della giurisprudenza di cassazione[74]), l'auspicato coordinamento – patrocinato in particolare dall'art. 10 d. lgs. n. 24/2014 – non opera ancora come dovrebbe, e solo in poche occasioni la giurisprudenza italiana ha riconosciuto che la condizione di vittima di tratta

---

[72]   Come noto, altre diffuse forme di sfruttamento della vittima di tratta sono quello connesso ad attività illecite o mediante l'impiego nell'accattonaggio, a cui devono aggiungersi anche le (meno numerose ma sicuramente esistenti) vicende di tratta a scopo di adozioni illegali internazionali e dei matrimoni forzati. L'ambito operativo circoscritto è segnalato, fra gli altri, da GIAMMARINARO, M. G.: "L'individuazione precoce delle vulnerabilità alla tratta nel contesto dei flussi migratori misti", *op. cit.*, p. 132.

[73]   V. PARISI, F.: "Il contrasto al traffico di esseri umani fra modelli normativi e risultati applicativi", *op. cit.* p. 1790.

[74]   V. ad es. Cass. civ., Sez. I, 4 novembre 2020, J. contro M., in *C.E.D. Cass.*, n. 659572: «in tema di protezione internazionale, nel caso in cui la domanda di asilo sia presentata da una donna e, nel giudizio, emerga un quadro indiziario, ancorché incompleto, che faccia temere che quest'ultima sia stata vittima, non dichiarata, di tratta, il giudice non può arrestarsi di fronte al difetto di allegazione (o anche all'esistenza di allegazione contraria), ma deve avvalersi degli strumenti di cui dispone per conoscerne la vera storia, ricorrendo, in particolare, allo strumento dell'audizione, paradigmaticamente indispensabile, al fine di consentire alla intravista realtà, occultata dalla stessa richiedente, di emergere in sede giurisdizionale.

possa identificare – di per sé sola – anche il presupposto per accedere alla protezione internazionale[75].

X. SEGUE: LA PROTEZIONE NEL PROCEDIMENTO PENALE

Come più volte premesso, il ruolo della vittima riveste un'importanza insostituibile ai fini dell'accertamento dei reati di *trafficking*. Inoltre, l'acquisizione del suo contributo conoscitivo presenta spiccate peculiarità, volte a evitare forme di vittimizzazione secondaria e a garantire il massimo livello di attendibilità della sua testimonianza.

La posizione della vittima di tratta nel procedimento penale italiano è oggetto di una disciplina sedimentatasi per sovrapposizioni, e che dunque, come tale, pecca spesso per difetto di organicità. Tale stratificazione normativa è stata indotta da numerosi fattori: non solo dal crescente allarme suscitato dalla tratta di persone, e dall'esigenza di adeguare il sistema italiano al susseguirsi (e al modificarsi) delle fonti sovranazionali vigenti in materia, ma anche dal parallelo rafforzamento del ruolo della vittima – in generale – nel codice di procedura penale italiano; un rafforzamento anch'esso in gran parte indotto dalla necessità di ottemperare alle indicazioni promananti dall'Unione europea e da alcune importanti convenzioni internazionali (su tutte, quella di Istanbul).

Come già segnalato, all'indomani del Protocollo della Convenzione di Palermo, la prima normativa interna organicamente dedicata al fenomeno – e dunque anche alla sua repressione – è stata varata con la "legge anti-tratta" del 2003: ma quella riforma, che pure ha apportato importanti innovazioni, anche procedurali, si è più che altro concentrata sulla strategia del "doppio binario"[76], così da affilare gli strumenti investigativi. Il d. lgs. n. 24/2014 si è invece mostrato attento alla tutela della vittima, e ha dato attuazione all'art. 15 della Direttiva del 2011 inserendo il comma 5-*ter* nell'art. 398 c.p.p. (e dunque incidendo sulla disciplina dell'incidente probatorio)[77]. Benché la disposizione non sia specificamente riferita al solo testimone-persona offesa, prestandosi ad un'applicazione generalizzata, la circostanza che essa sia stata inserita proprio da quella riforma risulta oltremodo significativa ai nostri fini.

---

[75] V. in particolare la recente pronuncia Cass. civ., Sez. II, 14 agosto 2020, K. Contro M., in *C.E.D. Cass.*, n. 658957, secondo cui «in tema di protezione internazionale, la riduzione di una persona in stato di schiavitù configura un trattamento persecutorio, rilevante ai fini del riconoscimento dello "status" di rifugiato [...]».

[76] V. *retro*, par. 2.

[77] La disposizione così recita: «5-*ter*. Il giudice, su richiesta di parte, applica le disposizioni di cui al comma 5-*bis* quando fra le persone interessate all'assunzione della prova vi siano maggiorenni in condizione di particolare vulnerabilità, desunta anche dal tipo di reato per cui si procede».

Per cogliere il senso di tale innovazione è necessaria una premessa, per chi non conosca la struttura del procedimento penale italiano, onde spiegare la funzione dell'incidente probatorio. L'istituto nasce per attenuare le conseguenze della cosiddetta "separazione tra le fasi del procedimento", in forza della quale, almeno tendenzialmente, le attività investigative svolte dagli organi inquirenti durante la fase delle indagini preliminari non possono essere impiegate per il giudizio dibattimentale (tanto che i relativi verbali non vengono neppure inseriti nel fascicolo messo a disposizione del giudice del dibattimento). L'incidente probatorio serve dunque proprio per scongiurare la dispersione di mezzi di prova che, se non acquisiti in tempi brevi, rischierebbero di non poter più essere utilmente assunti nella fase dibattimentale, preposta alla formazione dei mezzi di prova con il metodo del contraddittorio. Per fronteggiare questa eventualità (e dunque, in sostanza, per fronteggiare il prevedibile rischio di un'irripetibilità sopravvenuta della prova), gli artt. 392 ss. c.p.p. affidano al giudice per le indagini preliminari, su sollecitazione del pubblico ministero o della persona sottoposta alle indagini, il compito di acquisire anticipatamente la prova a rischio di dispersione; una volta verificata la sussistenza di una (o più) fra le situazioni puntualmente descritte dal legislatore all'art. 392 c.p.p. (tra le quali rientra anche il rischio che il testimone venga sottoposto a violenza o minaccia), tale giudice fissa un'udienza preposta all'acquisizione delle prove, con il metodo del contraddittorio, che si celebrerà dinanzi a tale organo con la presenza necessaria di pubblico ministero e difensore della persona sottoposta alle indagini.

Nel corso degli anni, all'originaria funzione assegnata all'incidente probatorio se ne è poi affiancata un'altra, più rilevante ai nostri fini. Tale funzione può esser meglio compresa ove si considerino le caratteristiche dell'udienza disciplinata dall'art. 401 c.p.p.: un'udienza in camera di consiglio e non pubblica, destinata a svolgersi di fronte ad un giudice monocratico (il giudice per le indagini preliminari), in un momento necessariamente più vicino al fatto di quanto non sia quello in cui si celebra il giudizio dibattimentale (che spesso in Italia si svolge a una distanza di tempo assai significativa dal fatto). Come si può agevolmente intuire, queste caratteristiche hanno indotto un allargamento dell'ambito operativo dell'istituto, che può rivelarsi uno strumento utile (fra l'altro) per scongiurare – o quantomeno ridurre – i rischi della vittimizzazione secondaria derivante dall'esigenza di escutere la vittima del reato o un testimone che versi in una condizione di particolare vulnerabilità.

Questa parentesi dedicata alla fisionomia dell'incidente probatorio fa cogliere l'importanza della riforma del 2014: l'art. 3 del d. lgs. n. 24 del 2014 ha infatti integrato la formulazione dell'art. 398 c.p.p., aggiungendovi un nuovo comma 5-*ter*, stando al quale il giudice, su richiesta di parte, estende alle persone maggiorenni «in condizioni di particolare vulnerabilità» (condizione «desunta anche dal tipo di reato per cui si procede») le cautele previste dal comma 5-*bis* per l'incidente probatorio che coinvolga minori di età. In particolare, in conseguenza di questa modifica – che appunto allarga anche al "maggiorenne fragile" le modalità di acquisizione della testimonianza protetta in precedenza stabilite dall'art. 398 comma 5-*bis* c.p.p. per il solo teste di minore età – è possibile che la deposizione del testimone vulnerabile maggiorenne (non necessariamente vittima) avvenga con modalità protette (es. con l'uso di un vetro divisorio[78]), o che l'udienza si svolga anche in luogo diverso dal tribunale o, in mancanza, presso l'abitazione della persona maggiorenne interessata all'assunzione della prova. Il giudice potrà avvalersi, ove possibile, di strutture specializzate di assistenza e le dichiarazioni potranno essere documentate integralmente con mezzi audiovisivi. A norma del medesimo comma 5-*ter* dell'art. 398 c.p.p., le dichiarazioni testimoniali devono essere documentate integralmente con mezzi di riproduzione fonografica o audiovisiva (così da garantire una modalità di verbalizzazione particolarmente fedele)[79].

Disposizioni altrettanto attente ai rischi di vittimizzazione secondaria si ritrovano, anche, negli artt. 351 comma 1-*ter* c.p.p. e 362 comma 1-*bis* c.p.p., a norma dei quali, già in fase di indagine (e dunque prima dell'instaurazione dell'incidente probatorio), gli organi inquirenti (rispettivamente la polizia giudiziaria e il pubblico ministero) che intendano acquisire informazioni dai medesimi soggetti si avvalgono dell'ausilio di un esperto in psicologia o in psichiatria infantile, nominato dal pubblico ministero[80].

Come già premesso, benché questo sistema speciale di acquisizione della testimonianza (e dell'omologo atto d'indagine) sia oggetto di una disposizione generale, che per come formulata si applica a tutti i testimoni maggiorenni che versino in una «condizione di particolare vulnerabilità», è importante considerare che tale peculiare condizione può ricavarsi anche "soltanto" dal titolo del reato per cui si procede. E che il legislatore italiano consideri la vittima di

---

[78] Questa possibilità si ricava dal tenore del comma 5-*quater* del medesimo art. 398 c.p.p., che a sua volta richiama il comma 4-*ter* dell'art. 498 c.p.p., dedicato alle modalità di escussione della prova nel dibattimento.

[79] Sebbene la posizione della vittima di tratta possa spesso rientrare nella fattispecie indicata nella lett. *b*) dell'art. 392, comma 1, c.p.p. (che consente l'acquisizione anticipata della testimonianza in incidente probatorio quando «vi è fondato motivo di ritenere che la persona sia esposta a violenza, minaccia, offerta o promessa di denaro o di altra utilità affinché non deponga o deponga il falso»), è chiaro come la disciplina delineata dai commi 5-*ter* e 5-*bis* dell'art. 398 c.p.p. risulti molto più adatta a scongiurare quel rischio di vittimizzazione secondaria che ha indotto il legislatore ha innestare una disciplina peculiare per l'esame della vittima-testimone vulnerabile.

[80] Anche in questo caso, la tutela della vittima di tratta è assicurata sia per il minorenne che per il maggiorenne. Ma mentre il minorenne vittima di tratta o anche semplice testimone di tale delitto è un soggetto "a vulnerabilità presunta" (per il quale l'operatività del ricorso all'ausilio psicologico è stabilita inderogabilmente), il maggiorenne vittima del delitto di cui all'art. 601 c.p. è una "vittima vulnerabile atipica", per l'esame del quale il ricorso a un esperto psicologo è deciso in funzione del caso concreto.

tratta come soggetto fragile è dimostrato dal fatto stesso che la disposizione qui in esame – l'art. 398, comma 5-*ter* c.p.p. – sia stata introdotta nell'ordito codicistico proprio dal decreto legislativo inteso a recepire la Direttiva 2011/36/UE[81].

Ove peraltro l'esame del teste minore o maggiorenne infermo di mente dovesse svolgersi in dibattimento (ad esempio perché non è stato possibile esperire per tempo l'incidente probatorio, o perché il pubblico ministero ha preferito completare le indagini sfruttando sino in fondo il segreto investigativo), sono comunque previste cautele analoghe, idonee ad attenuare le asprezze dell'esame incrociato[82], a cui va aggiunta anche la possibile deroga al principio di pubblicità che connota tale fase del giudizio[83].

Com'è facile immaginare, la scelta di assumere una prova così importante ricorrendo all'incidente probatorio non è "a costo zero", comprimendo significativamente l'operatività del principio di immediatezza (e dunque di quel principio che privilegia l'identità tra il giudice chiamato a decidere sulla responsabilità penale dell'imputato e il giudice dinanzi al quale viene acquisita la prova). Infatti, una volta che la deposizione della vittima (o comunque, più in generale, del teste vulnerabile) venga effettivamente acquisita in incidente probatorio e con il ricorso a modalità protette, una nuova eventuale escussione della medesima fonte di prova nel dibattimento (il fulcro del processo penale italiano) rischia di divenire del tutto residuale. In tal senso depone infatti l'art. 190-*bis* c.p.p., a norma del quale, ove la prova sia stata assunta in incidente probatorio, l'esame in dibattimento «è ammesso solo se riguarda fatti o circostanze diversi da quelli oggetto delle precedenti dichiarazioni, ovvero se il giudice o taluna delle parti lo ritengono necessario sulla base di specifiche esigenze». Sebbene spiegabile alla luce della *ratio* di evitare forme di vittimizzazione secondaria, questa limitazione non sfugge alle critiche di chi vi ravvisa una eccessiva compressione del diritto alla prova dell'imputato.

Quelle sin qui passate in rassegna non sono le uniche tutele previste dal codice di procedura penale a vantaggio della vittima di tratta. Tra queste, è senz'altro doveroso dar conto anche della disciplina cautelare, che, con una previsione non circoscritta alla sola ipotesi di *trafficking*, accorda alla vittima di «delitti commessi con violenza alla persona» la possibilità di svolgere un ruolo attivo nella procedura di sostituzione e revoca delle misure cautelari

---

[81] Certo: sulla carta nulla vieta che la vittima maggiorenne di tratta possa anche non essere definita vittima vulnerabile (trattandosi di un'ipotesi di vulnerabilità non presunta dalla legge: v. la nota precedente); tuttavia, gli indicatori normativi di fragilità di cui all'art. 90 *quater* c.p.p. comprendono, tra gli altri, anche la considerazione del solo titolo di reato per il quale si procede: viste le caratteristiche del *trafficking*, è davvero arduo ipotizzare che la vittima di tale manifestazione criminale possa in concreto ritenersi non vulnerabile.

[82] V. art. 498, commi 4-*bis* e 4 *ter* c.p.p.

[83] V. art. 472, comma 3-*bis* c.p.p.

personali già applicate nei confronti dell'imputato. In particolare, là dove la difesa dell'imputato faccia richiesta di revoca o sostituzione della ordinanza applicativa di una misura coercitiva in corso di esecuzione, deve essere garantita la possibilità, alla difesa della vittima, di interloquire (per eventualmente prospettare ragioni che suggeriscono, anche nell'interesse della persona offesa, di evitare un "addolcimento" del regime cautelare in corso di esecuzione). In ogni caso, al comma 2-*bis*, il medesimo art. 299 c.p.p., prevede che l'offeso da «delitti commessi con violenza alla persona» debba ricevere pronta comunicazione dell'eventuale revoca o sostituzione del provvedimento cautelare precedentemente disposto[84].

XI. LA TUTELA "MANCATA": DEFICIT DELLA DISCIPLINA ITALIANA A GARANZIA DELLA VITTIMA

A un esame complessivo, non mancano *deficit* di tutela per la vittima di *trafficking*. Quello più significativo è dato dall'inottemperanza, da parte del legislatore italiano, all'indicazione – racchiusa tanto nell'art. 8 della direttiva 2011/36/UE quanto nell'art. 26 della Convenzione di Varsavia – circa la non punibilità dei reati che le vittime si trovino costrette a compiere come conseguenza diretta delle condotte di tratta. La questione è particolarmente attuale (e dibattuta anche in Italia), alla luce della recente pronuncia della Corte Edu nel caso VCL e AN c. KU, il 12 febbraio del 2021.

Pur in assenza di una clausola generale esecutiva di tali prescrizioni (rilevanti in relazione agli obblighi assunti verso tanto la "piccola" quanto la "grande" Europa), per essere correttamente apprezzata, la questione va calata nel contesto del diritto interno. Ciò per due diversi ordini di ragioni. Da un lato perché, come già segnalato, la gran parte dei procedimenti penali aperti per tratta di persone riguarda ipotesi di sfruttamento della prostituzione: sennonché, in Italia l'esercizio del meretricio è di per sé privo di rilevanza penale. Dall'altro lato – ed è ciò che più rileva – va segnalata l'importanza della disciplina generale in materia di scriminanti, e in particolare di quella descritta dall'art. 54 c.p. sullo stato di necessità, che, così come mostrato da alcune pronunce giurisprudenziali, può comunque permettere di raggiungere il risultato perseguito dalla Direttiva[85].

---

[84]   Circa l'applicabilità di questa disciplina anche a vantaggio della vittima di tratta, v. Cass. pen., Sez. II, 3 maggio 2017, Adelfio, in *C.E.D. Cass.*, n. 270689.
Del tutto coerentemente, alla vittima di tratta dovranno essere estese anche le garanzie in materia di archiviazione assicurate a tutte le vittime di reati commessi con violenza alla persona previste dall'art. 408 comma 3 *bis* c.p.p.

[85]   V. ad esempio Cass. pen. Sez. III, 16 luglio 2015, Filip, in *C.E.D. Cass.*, 265039, che ha ritenuto «configurabile la causa di giustificazione dello stato di necessità (art. 54 cod. pen.)

Realmente deficitaria è invece la risposta all'indicazione – quella stabilita dagli artt. 18 comma 4 della Direttiva 2011/36/UE – che suggerisce ai Paesi membri di valutare «la possibilità di misure volte a sanzionare chi consapevolmente ricorre ai servizi oggetto dello sfruttamento di cui all'articolo 2, prestati da una persona che è vittima di uno dei reati di cui al medesimo articolo». Per quanto non si tratti di una tutela a diretta protezione della vittima, è però chiaro quali effetti indiretti potrebbero scaturire da una simile scelta, potenzialmente gravida di efficacia dissuasiva. Come intuibile, il tema si intreccia da vicino con scelte di politica criminale che l'Unione non può che lasciare all'autonomia dei singoli Stati: tra cui si collocano, ad esempio, le prospettive *de iure condendo* in materia di prostituzione[86] e di sfruttamento lavorativo[87].

Invece, il fronte che, anche solo dal punto di vista astratto (e quindi a prescindere dal livello di effettività degli strumenti messi a punto sul piano legislativo) presta maggiormente il fianco a critiche di inottemperanza alle indicazioni sovranazionali, è quello concernente la tutela economica della vittima: una garanzia, prescritta dall'art. 15 della Convenzione di Varsavia e dall'art. 17 della direttiva 2011/36/UE, che imporrebbe un meccanismo di compensazione – e dunque l'esborso di somme da parte dello Stato – per tutte le ipotesi in cui l'autore di reato non sia stato individuato o non sia in grado di risarcire il danno.

Le scelte dell'ordinamento italiano, tuttavia, non soddisfano i requisiti minimi di adeguamento, visto che l'art. 6 della legge n. 228/2003 riconosce un indennizzo forfettario di appena 1.500 €, «riconosciuto in modo apodittico e

---

nei confronti di soggetto straniero, ridotto in condizione di schiavitù e obbligato a prostituirsi, il quale sia costretto a commettere il reato di atti osceni in luogo pubblico per il timore che, in caso di disobbedienza, possa essere esposta a pericolo la vita o l'incolumità fisica dei suoi familiari»; per l'applicazione dello stesso principio, rispetto al reato di false generalità, Sez. III, 15 febbraio 2012, Mulliri, *ivi*, n. 252620. Sulla questione v. anche Sez. VI, 16 marzo 2021, Deji Gift, *ivi*, n. 281516.

86   V. PARISI, F.: "Interferenze e convergenze fra prostituzione e tratta nelle recenti proposte di incriminazione del cliente", in *Rivista italiana di medicina legale e del diritto in campo sanitario*, 2017, p. 667 ss.

87   Un aspetto critico della disciplina in materia di sfruttamento lavorativo è dato dal fatto che le norme penali contro il "caporalato" si applicano «soltanto nei confronti di colui che svolge attività di intermediazione, e non anche invece contro il datore di lavoro. E ciò sebbene, in non pochi casi, sia direttamente quest'ultimo a reclutare il dipendente e a sottoporlo a condizioni di sfruttamento. Analogamente, al momento non si prevede una responsabilità diretta dell'impresa nel caso in cui il reato di caporalato sia realizzato nel suo interesse o vantaggio» (PARISI, F.: "Il contrasto al traffico di esseri umani fra modelli normativi e risultati applicativi", *op. cit.* p. 1783, che altresì riassume di un interessante disegno di legge ivi, alla nota n. 43).

indifferenziato, senza tenere conto degli specifici pregiudizi subiti dal danneg-giato»[88].

Viceversa, il legislatore interno si è mostrato più attento al tema delle spese legali, garantendo con ampiezza il patrocinio a spese dello Stato, addirittura a prescindere dalle condizioni di reddito ordinariamente prescritte: in tal senso è decisivo il testo del comma 4-*ter* dell'art. 76 del d.P.R., 30 maggio 2002, n. 115 (testo unico sulle spese in materia di giustizia), che ammette l'accesso al cosiddetto "gratuito patrocinio" alla persona offesa (fra l'altro) dei delitti di cui agli artt. 600, 601 e 602 c.p., anche in deroga ai limiti di reddito previsti in via generale.

Ispirata dalla funzione di incentivare l'intervento della vittima nel proce-dimento penale a carico dell'autore del reato, tale previsione consente anche di superare un inconveniente pratico di non poco momento, insito nella dif-ficoltà, per lo straniero (o l'apolide), di offrire un'idonea certificazione della propria situazione reddituale: un aspetto da sempre problematico per la tutela processuale degli stranieri, e che solo recentemente è stato in parte risolto da un'importante pronuncia della Corte costituzionale[89].

XII. DICHIARAZIONI DELLA VITTIMA E LORO VALUTAZIONE

Finora abbiamo esaminato l'eventualità che il legislatore italiano mostra di privilegiare: quella che vede la vittima (o le vittime) di tratta o sfruttamento deporre nel contesto protetto dell'incidente probatorio. A ben vedere, tuttavia, non è affatto detto che tale eventualità si realizzi; e ciò può accadere per ragio-ni le più varie, tra cui la scelta, da parte degli organi inquirenti, di continuare a svolgere indagini sfruttando il vantaggio del segreto investigativo.

In tal caso, l'acquisizione della prova testimoniale viene rimandata al dibat-timento, cuore del processo, dove verrà comunque assunta con alcune cautele destinate a scongiurare il rischio di vittimizzazione secondaria e a salvaguar-dare l'attendibilità della prova[90].

---

[88]   Così PARISI, F.: "Il contrasto al traffico di esseri umani fra modelli normativi e risultati applicativi", *op. cit.* p. 1791.

[89]   V. Corte cost. 20 luglio 2021, n. 157, che ha dichiarato l'illegittimità costituzionale dell'art. 79, comma 2, del d.P.R. 30 maggio 2002, n. 115, nella parte in cui non consente al citta-dino di Stati non appartenenti all'Unione europea, in caso di impossibilità a presentare la documentazione richiesta dalla disposizione, di produrre, a pena di inammissibilità, una dichiarazione sostitutiva di tale documentazione.
A sua volta, il secondo comma dell'art. 79 d. P.R. stabilisce, in capo allo straniero, l'onere di allegare alla documentazione concernente i redditi prodotti all'estero una certificazione dell'autorità consolare competente, che attesta la veridicità di quanto in essa indicato.

[90]   Se ne è accennato *retro*, par. 5.2.

Non è raro, tuttavia, possa realizzarsi questa situazione: la vittima-testimone del reato, non escussa in incidente probatorio, ha però rilasciato dichiarazioni durante le indagini preliminari agli organi inquirenti (e con le garanzie
degli artt. 351 comma 1-*ter* c.p.p. e art. 362 comma 1-*bis* c.p.p., prima men-
zionate). Per questa ipotesi, che sulla carta dovrebbe essere marginale (ma che
in concreto non è infrequente), possono allora venire in gioco i meccanismi di
acquisizione al fascicolo dibattimentale delle dichiarazioni rese nelle fasi precedenti e stabiliti dagli artt. 500 comma 4 e 512 c.p.p.

La prima fra le due disposizioni permette di recuperare a fini decisori le
dichiarazioni rilasciate agli organi inquirenti durante le indagini ove sussistano
elementi tali da far ritenere che il testimone non stia rendendo una deposizione completa e veritiera perché sottoposto a violenza o minaccia affinché
non deponga o deponga il falso. Tale istituto, dotato di un ambito operativo
generalizzato, è senz'altro in linea con il primo paragrafo dell'art. 9 Direttiva 2011/36/UE[91], e consente di fronteggiare le conseguenze di un eventuale
re-trafficking, come pure gli effetti intimidatori promananti dall'eventuale ricorso a riti magici o tribali[92].

Parimenti rilevante è la seconda disposizione appena menzionata – l'art.
512 c.p.p. – che garantisce l'utilizzabilità dibattimentale degli atti d'indagine
divenuti irripetibili per cause che non potevano essere previste. Ad esempio, ricorrendo a tale disciplina è possibile recuperare le dichiarazioni rese in indagine dal teste poi divenuto irreperibile; sempre che, tuttavia, la sua irreperibilità,
oltre che imprevedibile, sia stata indotta da intimidazioni o minacce, e dunque
non sia riconducibile a libera scelta[93].

Il ricorso a questi due istituti – art. 500 comma 4 e 512 c.p.p. – può dunque
rivelarsi molto utile per contrastare alcune eventualità tipiche dei processi per
tratta di persone: e ciò nella prospettiva di scongiurare tanto gli effetti dell'e-
ventuale subornazione della vittima (come pure, più in generale, del semplice
testimone), frequente nei casi di *re-trafficking*, quanto le difficoltà generate dal-

---

[91] La prescrizione impone agli Stati membri di adottare, fra l'altro, le misure necessarie affinché «il procedimento penale possa continuare anche se la vittima ritratta una propria
dichiarazione».

[92] V. la inedita e recente Cass. pen., Sez. III, 15 aprile 2021, O, in *C.E.D. Cass.*, n. 281879, che
ha ritenuto immune da vizi la decisione di applicare l'art. 500 comma 4 c.p.p., giustificata
alla luce del contesto ambientale di provenienza della dichiarante, in precedenza sfruttata
come prostituta, «caratterizzato dall'utilizzo del rito "voodoo" per garantire la sottomis-
sione delle vittime, inducendo in esse uno stato di gravissimo turbamento e il timore di
ritorsioni ai danni dei parenti rimasti nel Paese di origine».
Per inquadrare l'incidenza di questa forma di intimidazione, si consideri che, nel marzo del
2018, l'Oba del Regno del Benin, Ewuare II (re e capo religioso secondo la tradizione del
popolo Edo) ha emanato un editto contro chi fa ricorso a tali riti per legare a sé le vittime
della tratta di essere umani.

[93] Vedi quanto previsto comma 1-*bis* dell'art. 526 c.p.p.

lo *status* di soggetto irregolare e senza fissa dimora che spesso connota (quantomeno prima che venga rilasciato il permesso di soggiorno *ex* art. 18 d. lgs. n. 286/1998) la posizione dello straniero che sia da poco approdato in Italia[94].

Le ricadute sulla posizione dell'imputato possono essere molto significative. Se infatti l'acquisizione della testimonianza in incidente probatorio, con una *cross examination* depotenziata, sacrifica la pienezza del contraddittorio nella formazione della prova, il recupero a fini decisori delle dichiarazioni rese dal teste-vittima durante le indagini, davanti ai soli inquirenti e senza la presenza del difensore, è naturalmente ancora più difficile da conciliare con le garanzie del giusto processo[95]. In particolare nel caso in cui l'accusa si basi sulle sole dichiarazioni di un testimone non comparso in giudizio, senza la possibilità di controesame da parte della difesa, il rischio di un attrito con l'art. 6 par. 1 e 3 lett. *d*) Cedu diventa praticamente certo[96].

Passando ai profili concernenti la valutazione della deposizione della vittima, va detto che, nel sistema italiano, la testimonianza di tale soggetto gode da sempre di un ruolo privilegiato: infatti, nonostante la diffidenza che inevitabilmente la circonda, il codice di procedura penale non esplicita, al riguardo, alcuna particolare regola di valutazione della prova. In altri termini: il giudice è legittimato – salva la necessità di una particolare cautela valutativa (di cui è tenuto a dar conto nella motivazione della sentenza) – ad affermare la responsabilità penale dell'imputato anche fondandosi sulla sola deposizione della persona offesa. Una regola, questa, che non subisce eccezioni neppure se tale soggetto decide di costituirsi parte civile nel processo penale per ottenere il risarcimento del danno subito in conseguenza del reato.

Questa disciplina ovviamente enfatizza i già segnalati problemi connessi all'esercizio del diritto di difesa: infatti, le modalità di audizione protetta, unite alla difficoltà (poste dalla disciplina dell'art. 190-*bis* c.p.p.) di ottenere una nuova escussione del testimone vulnerabile nel corso del dibattimento – e dunque in un momento in cui il diritto di difesa e quello al contraddittorio possono esprimersi in modo ben più compiuto e consapevole – espongono a censure di illegittimità l'autosufficienza della deposizione della vittima per fondare un

---

[94]   A dimostrazione della possibile operatività dell'art. 512 in casi come quello indicato nel testo, v. Cass. pen., Sez. I, 5 aprile 2019, Ouled Wafi Ezzedine, in *C.E.D. Cass.*, n. 275847, che ha ritenuto possibile recuperare le dichiarazioni predibattimentali di alcuni cittadini extracomunitari resisi irreperibili all'incidente probatorio fissato per la loro escussione (incidente probatorio di cui il pubblico ministero aveva fatto richiesta venti giorni dopo il loro sbarco), rilevando come «la loro mancata comparizione costituisse, in prognosi postuma, un evento inatteso alla luce dei tempi celeri di convocazione e della sistemazione offerta in idonei centri di accoglienza».

[95]   Critica in proposito, con osservazioni qui condivise, MAGGIO P.: "Giustizia penale e tratta di esseri umani: i risvolti processuali della vulnerabilità", *op. cit.*, pp. 707 ss.

[96]   V. Corte eu. Breakhoven v. Rep. Ceca 2011.

giudizio di colpevolezza. Non solo: l'insieme delle tutele extraprocessuali ac-
cordate alla vittima di tratta – tra cui spicca il permesso di soggiorno *ex* art.
18 d. lgs. n. 286/1998 – possono (quantomeno in astratto) paradossalmente
contribuire a indurre deposizioni compiacenti con la strategia accusatoria del
pubblico ministero, specie ove si consideri che tale titolo di soggiorno, che pure
andrebbe concesso a prescindere dalla collaborazione della vittima, in realtà
spesso viene accordato a condizione che quest'ultima dia il proprio apporto
all'accertamento penale.

In sostanza: la tutela della vittima rischia di determinare non solo un'eccessiva compressione delle prerogative dell'imputato nella formazione della
prova, ma anche di indurre la persona offesa a deposizioni preconfezionate,
particolarmente delicate sul piano dell'attendibilità[97].

Se in generale la valutazione della testimonianza della persona offesa non
soggiace a particolari vincoli valutativi, si deve però dar conto di un'eventualità – niente affatto remota – che viceversa potrebbe determinare la necessità di
rispettare un regime più stringente in ordine alla modalità di acquisizione e di
valutazione della deposizione della vittima di tratta (come pure, in ipotesi, del
testimone che non sia al contempo anche persona offesa dal reato di cui all'art.
601 c.p.); un regime che, talvolta, potrebbe generare significative conseguenze
concrete per la tenuta dell'accusa.

Si allude, in particolare, all'ipotesi in cui il testimone sia al contempo in-
dagato o imputato di un reato connesso (*ex* art. 12, lett. *a* e *c*, c.p.p.) o pro-
batoriamente collegato (ai sensi dell'art. 371, comma 2, lett. *b*) c.p.p. Infatti,
se da un lato non pone vincoli formali alla valutazione della deposizione della
persona offesa, il diritto processuale penale italiano si mostra tuttavia molto
più rigido e "diffidente" dinanzi al contributo dichiarativo fornito da persone
che risultino imputate (o sottoposte ad indagine) per reati che presentino un
legame con quello oggetto di imputazione: in tutte queste ipotesi, perché sia
possibile pervenire a condanna, le dichiarazioni della vittima (o del semplice
testimone) di *trafficking* devono infatti rispettarsi regole stringenti, in ordine
tanto alle modalità acquisitive quanto alla valutazione di tale contributo conoscitivo.

---

[97]   Molti, in astratto, potrebbero essere i moventi per rilasciare dichiarazioni contro l'imputato: dal loro contenuto può infatti venire a dipendere, oltre al rilascio del permesso di soggiorno *ex* art. 18 T.U.I., e una maggior possibilità di ottenere la protezione internazionale,
anche una certa accondiscendenza, da parte del Pubblico ministero, nel (non) perseguire
delitti commessi dalla vittima medesima (tra cui quelli legati allo *status* di irregolare sul territorio): v. a tale ultimo proposito G.U.P. Trapani, sent. 9 novembre 2016, Abdallah, in *Dir.
pen. cont.*, 10 marzo 2017, p. 7-8, in motivazione, in *https://archiviodpc.dirittopenaleuomo.
org*

Mediante una disciplina articolata e complessa, al soggetto imputato di reato connesso la legge processuale italiana riconosce la facoltà di non rispondere, nella prospettiva di non pregiudicare il principio del *nemo tenetur se detegere*. Ma, anche là dove egli dovesse non avvalersi di tale facoltà, comunque le sue dichiarazioni potrebbero fondare la condanna dell'imputato solo se corroborate da altri elementi che ne confermino l'attendibilità (art. 192 comma 3 e 197-*bis* comma 6 c.p.p.)[98].

Questa eventualità può verificarsi in non pochi casi: e non solo perché, come abbiamo già rilevato, la disciplina italiana è inadempiente rispetto all'indicazione, racchiusa nell'art. 8 della direttiva 2011/36/UE, che imporrebbe agli Stati membri di introdurre l'immunità della vittima dall'incriminazione per i fatti di reato dalla stessa realizzati come conseguenza del *trafficking*.

Tale ipotesi può infatti realizzarsi anche solo in conseguenza del mero *status* di irregolare dello straniero-vittima di reato sul suolo italiano, visto che l'art. 10-*bis* d. lgs. n. 286/1998 punisce l'ingresso e il soggiorno illegale nel territorio dello Stato. Un esempio, questo, che denota, oltre alla paradossale dannosità del reato di clandestinità (meramente simbolico[99]), anche l'esigenza di ricostruire la composita disciplina processuale italiana dedicata al contrasto della tratta di persone inquadrandola nella più ampia trama che compone il diritto dell'immigrazione italiano nel suo complesso.

È chiaro come la necessità di rispettare la regola di valutazione probatoria di cui s'è detto possa ripercuotersi (anche significativamente) sulla tenuta dell'accusa. Ciò può verificarsi nei casi di tratta "monosoggettiva" (e dunque perpetrata ai danni di un'unica vittima), ma anche nelle ipotesi in cui, tra le numerose vittime di tratta di un medesimo agente o di una medesima organizzazione criminale, solo una di essere sia riuscita a trovare la spinta e la forza

---

[98] Né, al netto della giurisprudenza, la mancata apertura del procedimento penale riuscirebbe a scongiurare la necessità di applicare il più stringente regime probatorio risultante dal combinato disposto degli artt. 197, 197 bis, 310 e 63 c.p.p. Per approfondire il tema, complicato ma di assoluto interesse, v. CASIRAGHI, R.: "Migrante soccorso in mare: indiziato di reato o testimone?", in *www.jusvitaepensiero.it*, 2021, cui si rinvia anche per i riferimenti giurisprudenziali e dottrinali.

[99] La natura squisitamente simbolica e propagandistica di questo reato si coglie considerando la natura della pena ad essa associata (una sanzione pecuniaria che va ad attingere individui spesso indigenti) e la possibilità di sostituire tale sanzione (stabilita dal primo comma dell'art. 10 *bis* d.lgs. n. 286/1998) con la misura dell'espulsione coattiva (ai sensi del d.lgs. n. 286 del 1998, art. 16, comma 1, e d.lgs. n. 274 del 2000, art. 62 *bis*); un'espulsione che però, sulla carta già risulterebbe "assicurata" dal diritto amministrativo, e in particolare dall'espulsione disposta dal prefetto (ai sensi dell'art. 13 d. lgs. n. 286/1998, comma 2, lett. *a*) e *b*).
Nonostante la sua sostanziale inutilità, e nonostante a una depenalizzazione già "prevista" dall'art. 2, co. 3, lett. *b*) della legge delega 28 aprile 2014, n. 67, il "reato di clandestinità" non è però mai stato espunto dall'ordinamento italiano, a dimostrazione della sensibilità politica (e dell'influenza elettorale) del tema.

interiori per intraprendere quel percorso di affrancamento che spesso passa anche per il processo penale.

XIII. BIBLIOGRAFIA

AMATO G.: "Un nuovo sistema sanzionatorio e investigativo per una lotta efficace contro la schiavitù", in *Guida al diritto*, 2003.

ASGI: *Osservazioni al decreto legislativo 4 marzo 2014 n. 24 di attuazione della direttiva 2011/36UE relativa alla prevenzione e la repressione della tratta di esseri umani e la protezione delle vittime e che sostituisce la decisione quadro del Consiglio 2002/629/GAI*, 2014, che si può consultare in *www.asgi.it*.

BLEFARI, C. R.: "Reato commesso all'estero: giurisdizione italiana, rapporto tra richiesta di procedimento e attività di indagine preliminare", in *Diritto penale e processo*, n. 4, 2021.

CASIRAGHI, R.: "Migrante soccorso in mare: indiziato di reato o testimone?", in *www.jusvitaepensiero.it*, 2021.

CENTONZE, A.: "Criminalità organizzata transnazionale e flussi migratori illegali: le illusioni giurisprudenziali perdute e gli equivoci dogmatici", in *Cassazione penale*, 2019.

CICONTE, E. & ROMANI, P.: *Le nuove schiavitù. Il traffico degli esseri umani nell'Italia del XXI secolo*, Editori riuniti, Roma, 2002.

CONTI, A.: "La Convenzione del Consiglio d'Europa contro la tratta degli organi umani", in *Processo penale e giustizia*, 2015.

DI CHIARA, G.: "Traffico di migranti via mare, poteri di polizia nelle azioni di contrasto e tutela della dignità della persona", in *Dir. pen. proc.*, 2016.

DI MARTINO, A.: ""Caporalato" e repressione penale. Appunti su una correlazione troppo scontata, in *Diritto penale contemporaneo*, n. 2, 2015.

GARGANI, A.: "Commento all'art. 4, l.11.8.2003, n. 228", in *Legislazione penale*, 2004.

GIAMMARINARO, M. G.: "L'individuazione precoce delle vulnerabilità alla tratta nel contesto dei flussi migratori misti", in *Questione giustizia*, n. 2, 2018.

GIAMMARINARO, M. G.: "Aspetti positivi e nodi critici della normativa contro la tratta di persone", in *Questione giustizia*, 2005.

LEOGRANDE, A.: *Uomini e caporali, Viaggio tra i nuovi schiavi nelle campagne del Sud*, Mondadori, Milano, 2008.

LEVI, N.: *Diritto penale internazionale*, Milano, 1949.

LIMOCCIA L., LEO A. & PIACENTE N.: *Vite bruciate di terra, donne e immigrati. Storie, testimonianze, proposte contro il caporalato e l'illegalità*, Edizioni Gruppo Abele, Torino, 1997.

MAGGIO P.: "Giustizia penale e tratta di esseri umani: i risvolti processuali della vulnerabilità", in *Rivista italiana di medicina legale e del diritto in campo sanitario*, 2017.

MAGGIO, P.: "Giustizia penale e tratta di esseri umani: i risvolti processuali della vulnerabilità", in *Rivista italiana di medicina legale e del diritto in campo sanitario*, 2017.

MANACORDA, S.: "Tratta e traffico di migranti: il nodo della giurisdizione tra territorialità ed extraterritorialità", in *Diritto Penale Contemporaneo–Rivista trimestrale*, n. 3, 2018.

MANGIARACINA, A.: *Le tecniche investigative nel contrasto ai traffici di migranti, stupefacenti e sigarette*, in MILITELLO, V., SPENA A., MANGIARACINA, A. & SIRACUSA L. (*a cura di*): *Il traffici illeciti nel Mediterraneo*, Giappichelli, Torino, 2019

MASERA, L.: *Il contrasto amministrativo alle ONG che operano soccorsi in mare, dal codice di condotta di Minniti, al decreto Salvini bis e alla riforma Lamorgese: le forme mutevoli di una politica costante*, 2021.

MENTASTI, G.: "La Cassazione interviene sull'applicabilità della legge penale italiana ai reati commessi nei campi di detenzione in Libia", in *Sistema penale*, 2020.

MUSACCHIO, V.: "La nuova normativa penale contro la riduzione in schiavitù e la tratta di persone", in *Giurisprudenza italiana*, 2004.

NICODEMI, F.: "La tutela delle vittime della tratta di persone in Italia oggi. Riflessioni sulla capacità di risposta del sistema italiano alle vittime del trafficking rispetto alle evoluzioni del fenomeno", in *Diritto, immigrazione e cittadinanza*, 2017.

PARISI, F.: "Il contrasto al traffico di esseri umani fra modelli normativi e risultati applicativi", in *Rivista italiana di diritto e procedura penale*, 2016.

PARISI, F.: "Interferenze e convergenze fra prostituzione e tratta nelle recenti proposte di incriminazione del cliente", in *Rivista italiana di medicina legale e del diritto in campo sanitario*, 2017.

PECCIOLI, A.: "«Giro di vite» contro i trafficanti di esseri umani: le novità della legge sulla tratta di persone", in *Diritto penale e processo*, 2004.

SANTORO, E.: "Asilo e tratta: il tango delle protezioni", in *Questione giustizia*, 2018.

SPIEZIA F., FREZZA F. & PACE N. M.: *Il traffico e lo sfruttamento di esseri umani. Primo commento alla legge di modifica alla normativa in materia di immigrazione ed asilo*, Giuffré, Milano, 2002.

SPIEZIA, F. & SIMONATO, M.: "La prima direttiva Ue di diritto penale sulla tratta di esseri umani", in *Cassazione penale*, 2011.

VIRGILIO, M.: "Lavori in corso nei dintorni dell'immigrazione: art.18 e leggi in tema di traffico di esseri umani e prostituzione", in *Diritto immigrazione e cittadinanza*, 2003.

Capítulo XXIV
POLÍTICA PROCESAL CRIMINAL Y TRATA DE SERES HUMANOS

JUAN-LUIS GÓMEZ COLOMER

Catedrático de Derecho Procesal
Universitat Jaume I de Castellón

Sumario: I. INTRODUCCIÓN; II. POLÍTICA CRIMINAL Y PROCESO PENAL; III. DOGMÁTICA Y PROCESO PE-NAL; IV. LA POLÍTICA PROCESAL CRIMINAL Y LA DOGMÁTICA EN LA PERSECUCIÓN DE LOS DELITOS DE TRATA DE SERES HUMANOS; V. EL PRAGMATISMO PROCESAL ANTE LA REALIDAD DE LA SOBRECARGA JUDICIAL Y SUS MANIFESTACIONES EN LA PERSECUCIÓN DE LOS DELITOS DE TRATA DE SERES HUMA-NOS; VI. BIBLIOGRAFÍA.

I. INTRODUCCIÓN

En el texto que a continuación ofrezco me ocupo de un tema específico con relación a un delito concreto y a su persecución judicial. Quisiera exponer cómo influye la Política criminal procesal y la Dogmática procesal penal en la protección que a las víctimas del delito de trata de seres humanos debe dispensarse en el ámbito del proceso penal. Es, digamos, una concreción práctica en un tema muy trascedente hoy en nuestra realidad social.

Se trata de una propuesta por dogmatizar positivamente el proceso penal español. Como toda propuesta, es inmediatamente criticable, pero no se ha hecho hasta ahora, que sea de mi conocimiento, y por ello creo que vale la pena intentarlo.

No es fácil, ante todo, porque es uno de los temas que más legislación ha producido en los últimos años, tanto internacional (ONU), como supranacio-nalmente (Consejo de Europa y Unión Europea) y, por supuesto, internamente (Código Penal). Pero la trata de seres humanos crece exponencialmente y sus víctimas son cada vez más humilladas y denigradas. La solución parece por ello que no esté sólo en la legislación sustantiva, sino más bien en la efectividad plena del proceso penal para condenar a sus culpables, garantizando al mismo tiempo que las funciones de prevención general y especial se cumplen con las penas impuestas. Para que el proceso penal sea seguro, debemos ordenarlo y sistematizarlo bien.

A España afectan muchas normas, pero especialmente el Protocolo para prevenir, reprimir y sancionar la trata de personas, especialmente de mujeres y niños, que complementa la Convención de las Naciones contra la Delincuencia Organizada Transnacional hecho en Nueva York el 15 de noviembre de 2000 (BOE del 11 de diciembre de 2003); la Directiva 2011/36/UE del Parlamento Europeo y del Consejo, de 5 abril de 2011, relativa a la prevención y lucha contra la trata de seres humanos y a la protección de las víctimas y por la que se sustituye la Decisión Marco 2002/629/JAI del Consejo, el art. 177 bis del Código Penal, y el Estatuto de la Víctima del Delito de 2015[1].

En concreto, el art. 177 bis fue introducido en 2010 por la Ley Orgánica 5/2010, de 22 de junio[2], como consecuencia de los compromisos internacionales suscritos por España para luchar activamente contra la trata de personas en cualquiera de sus manifestaciones. Antes ya había alguna regulación que se podía aplicar, destacando entre todos el art. 318 bis CP. El art. 177 bis fue reformado poco tiempo después por la Ley Orgánica 1/2015, de 30 de marzo, por la que se modifica la Ley Orgánica 10/1995, de 23 de noviembre, del Código Penal (art. único-94), y se considera una trasposición parcial que no completa de aquella Directiva en el aspecto sustantivo[3], lo que no afecta sólo al proceso penal[4]. Pero en realidad lo importante de la directiva son sus normas procesales.

Así es. La Directiva recoge en sus arts. 8 a 17 normas procesales penales de gran trascendencia, pero el Derecho español no ha contemplado una trasposición directa de la Directiva, sino que la ha enmarcado en una regulación general relativa a derechos y protección de todas las víctimas del delito, a través del Estatuto de la Víctima del Delito (Ley 4/2015, de 27 de abril), y la reforma de la LECrim que conllevó[5]. De este modo, las víctimas de trata de seres humanos caen bajo el concepto de "víctima especialmente vulnerable", lo que les da una cobertura jurídica importante, aunque no sea específica sólo para ellas.

---

[1]   Un listado, muy extenso pero incompleto porque obviamente no están las normas de los últimos años, puede verse en MARTÍN ANCÍN, F.: *La trata de seres humanos con fines de explotación sexual en el Código Penal de 2020. Aportaciones de la Ley Orgánica 1/2015*, Ed. Tirant lo Blanch y Universidad de Salamanca, Valencia, 2017, pp. 21 y ss.; y en PÉREZ ALONSO, E. y POMARES CINTAS, E. (coords.): *La trata de seres humanos en el contexto penal iberoamericano*, Ed. Tirant lo Blanch, Valencia, 2019, pp. 451 y ss.

[2]   Véase VILLACAMPA ESTIARTE, C.: "El delito de trata de personas: análisis del nuevo artículo 177 bis CP desde la óptica del cumplimiento de compromisos internacionales de incriminación", *Anuario da Facultade de Dereito da Universidade da Coruña* (AFDUDC), núm. 14, 2010, pp. 819 y ss.

[3]   *Vide* el apartado XXV de su Exposición de Motivos.

[4]   Las víctimas de trata extranjeras tienen una protección administrativa reforzada en caso de denunciar a sus explotadores (arts. 31 bis y 59 bis de la Ley Orgánica 4/2000, de 11 de enero, sobre derechos y libertades de los extranjeros en España, introducidos por la Ley Orgánica 10/2011, de 27 de julio).

[5]   Véase GÓMEZ COLOMER, J. L.: *Estatuto Jurídico de la Víctima del Delito* (2ª ed.), Ed. Thomson Reuters–Aranzadi, Pamplona, 2015, pp. 323 a 325.

Nuestro análisis partirá de unas consideraciones generales sobre Política criminal y Dogmática procesal penal, para concretarlas en punto a los delitos de trata de seres humanos, haciendo una incidencia final en torno a cómo repercute la sobrecarga judicial, nuestro gran problema práctico, en la persecución de dichos delitos.

Una aclaración inicial para terminar. El delito de trata es muy complejo y puede abarcar a víctimas muy diferentes, no teniendo todas la misma problemática, aunque todas ellas están unidas por el enorme ataque a su dignidad y libertad que han sufrido a causa de un comercio ilícito generalmente trasfronterizo[6]. Nos guiaremos por el art. 177 bis.1, de modo que estamos hablando de víctimas, sean españolas o extranjeras, de:

a) Esclavitud o prácticas similares a la esclavitud, de servidumbre o de mendicidad;

b) De explotación sexual, incluyendo la pornografía;

c) De explotación para realizar actividades delictivas;

d) De extracción de sus órganos corporales;

e) De matrimonios forzados; y

f) De menores con fines de explotación.

En todos estos casos, según esa misma norma, el autor del delito debe haber empleado sobre su víctima violencia, intimidación o engaño, o debe haber abusado de una situación de superioridad o de necesidad o de vulnerabilidad de la víctima nacional o extranjera, o mediante la entrega o recepción de pagos o beneficios debe haber logrado el consentimiento de la persona que poseyera el control sobre la víctima, para captarla, transportarla, trasladarla, acogerla, o recibirla, incluyendo el intercambio o transferencia de control sobre esas personas.

La gravedad de estos hechos y el profundo ataque que implica contra sus víctimas, no sólo físico sino también y sobre todo psíquico, obliga al estado a desarrollar una política criminal muy clara y concreta y a articular un proceso en el que el enjuiciamiento de los autores de tan horribles hechos, con pleno respeto a sus derechos constitucionales, esté garantizado.

---

[6] Véanse VILLACAMPA ESTIARTE, C.: *El delito de trata de seres humanos. Una incriminación dictada desde el Derecho Internacional*, Ed. Thomson Reuters – Aranzadi, Pamplona, 2011, pp. 64 y ss.; y MARTÍN ANCÍN, F.: *La trata de seres humanos con fines de explotación sexual en el Código Penal de 2020. Aportaciones de la Ley Orgánica 1/2015, op. cit.*, pp. 49 y ss.

II. POLÍTICA CRIMINAL Y PROCESO PENAL

Desde un punto de vista general, no tengo ninguna duda que el Derecho procesal penal debe tener su propia política, sin confundirla con la sustantiva (Política criminal), pero integrada en ella, y tampoco tengo ninguna duda que el Derecho procesal penal debe tener también su propia dogmática, en correspondencia igualmente con la sustantiva. El problema es que, si existen, no se ven, y no se ven porque en lo procesal el pragmatismo ha inundado todos los terrenos posibles, llegando a desfigurar incluso muchas de las esencias de los principios constitucionales de mayor relevancia en el proceso penal. Vayamos por partes.

La norma penal explica desde hace mucho tiempo su existencia, y no digamos ya su reforma, desde el punto de vista de la Política criminal. Pero modernamente se ha intentado construir el Derecho penal considerado en su conjunto, con gran éxito, desde los puntos de vista de la Política criminal[7].

¿De qué estamos hablando exactamente cuándo nos referimos a la Política criminal? No es fácil contestar a esta pregunta porque ante su enorme desarrollo a partir de los años 70 del siglo pasado, la doctrina discute todas las cuestiones fundamentales que le afectan, y son muchas, incluso discute hasta su propia justificación. Existe un acuerdo generalizado en entender que la Política criminal no es una ciencia política, sino una ciencia penal, más cercana a la Criminología que al Derecho penal al no ser normativa, consistente en el conjunto de principios, extraídos de la investigación empírica del delito y de la pena, que orientan la actividad del Estado en su lucha contra el crimen[8]. Por eso la Política criminal es la parte de la política jurídica del estado que atiende a la (administración de) Justicia penal[9], es decir, al Poder Judicial que se ocupa del enjuiciamiento del crimen y de su autor[10].

---

[7]   Es fundamental la obra del gran penalista alemán ROXIN, C.: *Kriminalpolitik und Strafrechtssystem* (2ª ed.) (trad. española de la 1ª ed.), Ed. De Gruyter, Berlín, 1973; ROXIN, C.: *Política criminal y sistema del Derecho penal* (traducido por MUÑOZ CONDE, F.), Ed. Bosch, Barcelona, 1972, *passim*.

[8]   En origen separada del Derecho penal. LISZT, F. von y SCHMIDT, Eb.: *Lehrbuch des deutschen Strafrechts* (25ª ed.), Ed. de Gruyter, Berlín, 1927, pp. 12 y ss., dijo que "el Derecho penal constituye el límite que la Política criminal no puede traspasar".

[9]   ZIPF, H.: *Kriminalpolitik. Ein Lehrbuch* (2ª ed.), Ed. C.F. Müller, Heidelberg, 1980, p. 6, la define, en sentido estricto, como "la gestación y ejecución de las ideas directrices (*Ordnungsvorstellungen*) en el ámbito de la Justicia penal".

[10]   ROXIN, C.: *La evolución de la Política criminal, el Derecho penal y el Proceso Penal*, Ed. Tirant lo Blanch, Valencia, 2000, p. 58. *Vide* también ROXIN, C.: *Derecho Penal. Parte General* (trad. LUZÓN PEÑA, D. M., DÍAZ Y GARCÍA CONLLEDO, M. y de VICENTE REMESAL, J.), Ed. Civitas, Madrid, 1997, pp. 223 y ss. Para este autor es "el conjunto de los aspectos fundamentales que según nuestra Constitución y el Código penal deben presidir la fijación y desarrollo de los presupuestos de la penalidad, así como de las sanciones", de ahí

Su finalidad principal es explicar los fines del sistema penal y los límites que tiene el *ius puniendi* del Estado, de manera que, con los instrumentos que le son propios, proponga soluciones para los problemas sociales que en el ámbito del Derecho penal se susciten. Su fin último es por tanto la defensa de la sociedad, manteniendo la paz social y logrando la convivencia pacífica entre los ciudadanos que la conforman[11]. Pero no a cualquier precio, puesto que la lucha contra la criminalidad en la actualidad sólo puede tener lugar en el marco del Estado de Derecho[12].

En la Política criminal actual es más importante el factor político que el criminal, de manera que prevalece la aplicación de la Justicia penal sobre la lucha contra el crimen, pero no ha sido siempre así[13].

En definitiva, estamos hablando de Política, naturalmente, pero no de un concepto de política concreta, es decir, la que gobierna, administra o decide, sino de la política en sentido general que se aplica a la delincuencia; y tampoco hablamos de cualquier política, sino sólo de la del Estado. En otras palabras, Política criminal es aquella parte de la Política general que se ocupa de la delincuencia, de la criminalidad y de su tratamiento[14].

Traducido al Derecho procesal penal deberíamos hablar de Política procesal penal, o de Política judicial penal, pero esta última denominación sería un error y no sólo lingüístico (el Poder Judicial no hace política), porque el análisis de la delincuencia debe incluir el de su enjuiciamiento. Es mejor pensar, por ello, que la expresión Política criminal engloba tanto al Derecho penal sustantivo como al Derecho procesal penal.

---

que los principios que limitan el ordenamiento jurídico penal, como los de culpabilidad o *nullum crimen sine lege*, formen parte también de la Política criminal.

[11]   SILVA SÁNCHEZ, J. M.: "Anexo. Política criminal en la dogmática: algunas cuestiones sobre su contenido y límites", en ROXIN, C., *La evolución de la Política criminal, el Derecho penal y el Proceso Penal*, Ed. Tirant lo Blanch, Valencia, 2000, p. 98. *Vide* también SILVA SÁNCHEZ, J. M.: *Aproximación al Derecho Penal contemporáneo* (2ª ed. Ampliada y actualizada), Ed. Euris, Buenos Aires, 2010, pp. 63 y ss.

[12]   ROXIN, C.: *La evolución de la Política criminal, el Derecho penal y el Proceso Penal, op. cit.*, p. 70.

[13]   Véanse COBO DEL ROSAL, M. y VIVES ANTÓN, T. S.: *Derecho penal. Parte General* (5ª ed.), Ed. Tirant lo Blanch, Valencia, 1999, pp. 128 y 129; MIR PUIG, S.: *Derecho penal. Parte General* (6ª ed.), Ed. Reppertor, Barcelona, 2002, pp. 57 y 58; MUÑOZ CONDE, F. y GARCÍA ARÁN, M.: *Derecho penal. Parte General* (5ª ed.), Ed. Tirant lo Blanch, Valencia, 2002, pp. 206 y ss.; QUINTERO OLIVARES, G.: *Manual de Derecho penal. Parte General* (3ª ed.), Ed. Thomson-Aranzadi, Pamplona, 2002, pp. 219 y ss. Véanse también LUZÓN PEÑA, D. M.: *Lecciones de Derecho penal. Parte General* (3ª ed.), Ed. Tirant lo Blanch, Valencia, 2016, pp. 29 y ss.; y ORTS BERENGUER, E. y GONZÁLEZ CUSSAC, J. L.: *Compendio de Derecho penal. Parte General* (3ª ed.), Ed. Tirant lo Blanch, Valencia, 2002, pp. 49 y ss.

[14]   CARBONELL MATEU, J. C.: *Derecho penal: Concepto y principios constitucionales*, Ed. Tirant lo Blanch, Valencia, 1999, p. 237.

La Política criminal ha sufrido históricamente una enorme evolución. Al principio era totalmente opuesta al Derecho penal, pero hoy está plenamente integrada en él. No es preciso detenerse en su análisis histórico[15]. Baste con afirmar, pensando en el proceso penal, que una Política criminal, en el sentido expresado, que quiera ser hoy relevante, debe tender por ello más al control de lo público, es decir, a fijar con claridad los límites de actuación de las autoridades públicas de persecución del delito y del juzgador y al respeto de las garantías procesales de los investigados y acusados, es decir, al desarrollo de su protección constitucional, que a la mera transmisión neutral de un pensamiento social. Ésta es la única orientación posible, a mi juicio, de una verdadera Política procesal criminal en estos momentos[16].

Este tema es muy importante para nosotros, pues sin que se pueda decir que el Derecho procesal penal sea totalmente ajeno a la Política criminal, ya que sería falso como veremos, insisto, sí podemos afirmar con certeza que está muy alejado de ella en comparación con el Derecho penal.

Si contemplamos los problemas más graves que actualmente tiene el Derecho penal, por ejemplo, la enorme expansión del mismo en la actual sociedad del riesgo globalizada[17], particularmente a través de la creación de numerosos delitos de riesgo[18], la presencia de la Política criminal es constante, hasta tal punto que el Derecho penal se está convirtiendo no en una barrera infranqueable, sino en un instrumento de la Política criminal[19]. Y es esta Política criminal precisamente la que causa la expansión del Derecho penal[20].

---

[15]   ROXIN, C.: *La evolución de la Política criminal, el Derecho penal y el Proceso Penal, op. cit.*, pp. 17 y ss.

[16]   La Política criminal que importa hoy en día es, a mi juicio, la valorativa, es decir, aquella que pretende participar e influir en la construcción dogmática de un sistema de enjuiciamiento criminal basado en los valores, integrador de los principios y garantías formales, determinante de una buena práctica en la realidad, *vide* ROXIN, C.: *Evolución y modernas tendencias de la teoría del delito en Alemania*, Ed. UBIJUS, México 2008, p. 19; y SILVA SÁNCHEZ, J. M.: "Política criminal en la Dogmática, algunas cuestiones sobre su contenido y límites", en SILVA SÁNCHEZ, J. M. (ed.), *Política criminal y nuevo Derecho penal. Libro Homenaje a Claus Roxin*, Ed. J. M. Bosch, Barcelona, 1997, p. 23.

[17]   *Vide* MENDOZA BUERGO, B.: *El Derecho penal en la sociedad del riesgo*, Ed. Civitas, Madrid, 2001, pp. 44 y ss.

[18]   *Vide* GÓMEZ COLOMER, J. L.: *La contracción del Derecho Procesal Penal*, Ed. Tirant lo Blanch, Valencia, 2020, pp. 41 y ss.

[19]   Basándose en la conocida frase de von Liszt, le pone la guinda HASSEMER, W.: en WASSERMANN, R. (Hrsg.), *Reihe Alternativkommentare. Kommentar zum Strafgesetzbuch*, Ed. Luchterhand, Neuwied, 1990, p. 133, § 1, número marginal 481.

[20]   Siguiendo a SILVA SÁNCHEZ, J. M.: *La expansión del Derecho penal. Aspectos de la Política criminal en las sociedades postindustriales* (2ª ed.), Ed. Civitas, Madrid, 2001 (reimpr. de la 2ª ed. ampl., con el mismo título, por Ed. BdeF, Buenos Aires-Montevideo, 2006), que es la que citamos aquí, pp. 91 y ss. Y no sería el único ejemplo a poner, pues cabría hablar también de la responsabilidad penal de las personas jurídicas, v. los razonamientos de

Un deber esencial de la Política criminal del Estado es que el legislador regule los tipos penales necesarios para luchar contra la criminalidad de la globalización de manera coherente con su propio sistema de Derecho penal ya existente, es decir, con el llamado Derecho penal clásico. Esto significa, y aquí entra la Dogmática, a la que más adelante me referiré en un sentido más general, que los tipos deben responder a los mismos valores y principios, regulen la acción típica que regulen.

Pero estamos viendo que ello no es así, porque la sociedad está cada vez más intranquila, pues existen muchos delitos hoy en día cuya estructura esencial se aleja notablemente de la de los delitos clásicos, que es, en éstos, mucho más rígida y estricta respecto a aquéllos.

Ciertamente, esta característica ontológica[21] debería llevar a confirmar el carácter supranacional de la ciencia del Derecho penal[22], pero el hecho evidente hoy es que no es posible una construcción ontológica de todo el Derecho penal, sino tan sólo de una parte o de varias partes del mismo, o lo que es lo mismo, de existir una parte general del Derecho penal de la globalización, será distinta a la parte general del Derecho penal clásico, con lo que habrá, al menos, dos políticas criminales distintas[23].

Obsérvese por tanto que, respecto a la criminalidad de la globalización, principalmente la criminalidad organizada, además de contribuir de forma clara a la expansión del Derecho penal, se le somete a medidas penales más represivas. La gran pregunta es si con ello el Derecho penal no estará cumpliendo tareas que en absoluto le competen, cual la de transformar los principios que estructuran organizativamente la sociedad. Si ello fuera así, la Política criminal para luchar contra la criminalidad de la globalización estaría haciendo un flaco favor al Estado de Derecho, porque significaría la consagración de la llamada "tolerancia cero", lo que repele al principio de proporcionalidad[24].

GONZÁLEZ CUSSAC, J. L.: *Responsabilidad penal de las personas jurídicas y programas de cumplimiento*, Ed. Tirant lo Blanch, Valencia, 2019, pp. 25 y ss.

[21]   Es decir, esencial, en tanto viene referida a la razón de la existencia del Derecho penal y a la fundamentación de las normas que lo conforman, a lo más profundo del Derecho penal, en suma.

[22]   Que proclamara von Liszt, cit. por PERRON, W.: "Sind die nationalen Grenzen des Strafrechts überwindbar?", *Zeitschrift für die gesamte Strafrechtswissenschaft (ZStW)* 109, cuaderno 2, 1997, p. 282, nota 6.

[23]   Y esto genera muchos y muy graves problemas, puestos de manifiesto por SILVA SÁNCHEZ, J. M.: *La expansión del Derecho penal. Aspectos de la Política criminal en las sociedades postindustriales, op. cit.*, pp. 95 a 109.

[24]   Véanse HASSEMER, W. y MUÑOZ CONDE, F.: *Introducción a la Criminología*, Ed. Tirant lo Blanch, Valencia, 2002, p. 329; DONINI, M.: "El Derecho penal frente al `enemigo´", en CANCIO MELIÁ, M. y GÓMEZ-JARA DÍEZ, C. (eds.), *Derecho penal del Enemigo. El discurso penal de la exclusión*, Ed. Edisofer-Euros-B de F, Buenos Aires, 2006, p. 614; JAKOBS, G.: "¿Derecho penal del Enemigo? Un estudio acerca de los presupuestos

Los procesalistas tenemos también un problema grave con la Política criminal, porque tampoco existe, y si existe nadie la ha visto. Los distintos gobiernos no saben lo que es o actúan como si no lo supieran y, en definitiva, carecemos de rumbo interpretativo de las necesidades sociales, para saber en qué está fallando el Derecho procesal penal y cambiar la situación. A no ser claro, que se considere que la Política criminal va implícita en la Dogmática[25], lo que no es correcto científicamente. Al Derecho penal le pasa lo mismo, pero no en la teoría, sino en la realidad. En la teoría todos la entienden y la explican muy bien, pero en el día a día del Ministerio de Justicia es invisible, nadie ha visto o ve, ni siquiera en las numerosas reformas penales habidas desde 1995, una Política criminal del gobierno coherente, fundada, sistematizada y fructífera, a lo sumo se intuyen en las reformas meros retazos de algún aspecto criminal concreto que le afecta.

Pues bien, dicho esto, observo que la doctrina penal sustantiva hace ya muchos años que cree que la Política criminal debe influir en la dogmática, caminando juntas[26]. Esto significa que la construcción del sistema penal, basado en dogmas o principios, debe tener en cuenta la valoración político-criminal de los mismos. La doctrina pone como ejemplo la relación que debe haber en teoría entre el principio de legalidad del delito y la función preventiva general del delito en concreto, vinculando la formulación teórica de la parte general con las necesidades reales de la parte especial. Otro ejemplo sería la relación que debe haber en teoría entre los principios de política social, como el principio de proporcionalidad, y la realidad de las causas de justificación, como la legítima defensa.

Para el procesalista ello debe tenerse en cuenta también, e igualmente desde el punto de vista teórico, ¿o es que no existe relación alguna entre el principio de necesidad u oficialidad, aquél en virtud del cual descubierto un hecho aparentemente delictivo debe abrirse una investigación criminal, y las alternativas a la persecución en manos del Fiscal por razones de política social, como la decisión de no perseguir los delitos bagatela?

---

de la juridicidad", en CANCIO MELIÁ, M. y GÓMEZ-JARA DÍEZ, C. (coords.), *Derecho penal del enemigo: el discurso penal de la exclusión*, Ed. Edisofer-Euros-B de F, Buenos Aires, 2006 (publicado también en la *Revista Peruana de Doctrina y Jurisprudencia Penales*, núm. 7, 2006), pp. 277 y ss.); ROMEO CASABONA, C.M. (ed. lit.): *Dogmática penal, Política criminal y criminología en evolución*, Ed. Universidad de Tenerife, Centro de Estudios Criminológicos, Tenerife, 1997; y por PORTILLA CONTRERAS, G.: *El Derecho penal entre el cosmopolitismo universalista y el relativismo posmodernista*, Ed. Tirant lo Blanch, Valencia, 2007, p. 57.

25   MUÑOZ CONDE, F.: *La relación entre Sistema del Derecho penal y Política criminal. Historia de una relación atormentada*, Ed. UBIJUS, México, 2008, p. 26.

26   ROXIN, C.: *Política criminal y sistema del Derecho penal* (traducido por MUÑOZ CONDE, F.), *op. cit.*, pp. 43 y ss.

El problema es que, en la realidad, cuando se anuncian grandes reformas, tanto penales como procesales penales, no se explicitan las razones de Política criminal que llevan a ellas en concreto. No se explica ni justifica desde la Política criminal por qué determinadas conductas que antes eran meros ilícitos administrativos, o sencillamente nada, ahora son delito, en contra del principio de intervención mínima. Simplemente se dice que la sociedad está alarmada o temerosa y sólo por ello se introduce el nuevo tipo penal, sin pensar si el Derecho penal de toda la vida y la Dogmática construida en torno a él pueden asumir tales novedades. Tampoco se explica ni justifica desde la Política criminal por qué mientras el Derecho penal se amplía, el Derecho procesal penal se reduce o contrae a efectos de conseguir a toda costa disminuir la sobrecarga judicial evitando que el proceso penal tenga lugar, es decir, permitiendo que termine en su fase de juicio oral, incluso cuanto antes mejor, diciendo sólo que la insoportable sobrecarga obliga al legislador a tomar esas medidas[27]. Y no digamos cuando se afirma que la barbarie de la criminalidad organizada obliga a restringir garantías procesales, como el derecho de defensa, por ejemplo.

No, la realidad muestra que por parte del gobierno no hay Política criminal en España, ni en Derecho penal, ni en Derecho procesal penal, y si algo de ella hay, es tan vago y general que resulta irrelevante o carece de consecuencias prácticas. Afirmar que la Política criminal está implícita en la Dogmática es quitarse el problema de encima por la vía rápida, porque ello obligaría a un meritorio trabajo de deslindamiento, que nadie está dispuesto a hacer en las instancias oficiales. Por consiguiente, la Dogmática sigue huérfana y el resultado que cabe esperar son leyes defectuosas, poco duraderas y que suelen crear más problemas que resuelven.

Defiendo aquí por esta razón la necesidad de recuperar la Política criminal para la reforma integral de nuestro proceso penal y que ella se manifieste expresamente en la actuación legislativa del gobierno. En mi opinión, debería hacerse desde estas cinco perspectivas:

1ª) Considerar el proceso penal incardinado en un todo jurídico formado por las Ciencias Penales en su conjunto, de manera que se tomen en consideración a la hora de redactar la norma procesal, tanto la Política criminal, como la Dogmática, el Derecho penal y la Criminología.

2ª) Decidir qué líneas generales conectan mejor con el anhelo de la ciudadanía de Justicia penal en el siglo XXI. Al pueblo, en mi modesta opinión, le trae sin cuidado si el modelo por el que opta nuestra nueva Ley de Enjuiciamiento Criminal es el anglosajón, el alemán o si finalmente es una

---

27   He dedicado recientemente una amplia monografía al tema, v. GÓMEZ COLOMER, J. L.: *La contracción del Derecho procesal Penal, op. cit., passim.*

evolución propia sin copia de sistema extranjero alguno, pero a la altura internacional exigida. Eso no le importa. Lo que le importa de verdad es que el proceso penal sirva para hallar la verdad y dictar una sentencia justa, sobre todo, para absolver al inocente, y además de forma rápida y económica.

3ª) Cuando exista una gran reforma del proceso penal, y no me refiero a los momentos actuales sólo, el Gobierno debe presentar un proyecto de Ley de Enjuiciamiento Criminal propio de un Estado de Derecho, la base de toda Política criminal de una democracia. Esto significa fortaleza de las instituciones públicas de persecución del crimen y, en perfecto equilibrio, firmeza en la defensa de los derechos de los ciudadanos implicados, particularmente de su dignidad, evitando que la obligada sujeción a un proceso penal hasta su final les pueda victimizar, especialmente si al final son declarados inocentes.

4ª) La investigación del crimen debe estar presidida por la eficacia y eficiencia, por un lado, y por otro el respeto al principio que afirma que no se puede investigar la verdad a cualquier precio. La sociedad no discute el uso de las nuevas tecnologías en la investigación del delito, al contrario, las aplaude, siempre que no se traspasen los límites que los principios reconocidos en nuestra Constitución fijan para garantizar un enjuiciamiento justo. El aumento del intervencionismo público, si los traspasa, se sitúa fuera de la Política criminal, sin duda alguna.

5º) Finalmente, no es posible que un grupo civilizado de personas determine el proceso penal como medio de equilibrio social frente a la perturbación de la convivencia pacífica y el quizás enorme daño a la víctima que implica el delito, y que luego el gobierno interprete que lo mejor que puede pasarle a esa sociedad es que el proceso no tenga lugar y se rodee de sucedáneos para evitarlo, especialmente si esos sucedáneos implican renuncias a derechos fundamentales de primera magnitud en el proceso penal. Cae por ello fuera de la Política criminal un uso desmesurado del principio de oportunidad, y el gobierno muestra su desprecio hacia él si propone su generalización.

Si estas reglas de Política criminal están claras, la construcción con ellas de los principios del nuevo proceso penal será muy fructífera. Esta tarea, reservada a la Dogmática jurídico-procesal penal, facilitará sin duda la interpretación, sistematización y crítica de las normas procesales penales, y obligará al legislador a idear nuevas instituciones y nuevos instrumentos procesales penales para adecuar la realidad a la necesidad social, marchando juntas de la mano todas las ciencias penales en su conjunto. No debe pensarse que esta relación vaya a ser siempre idílica, tampoco en el Derecho penal sustantivo[28], de hecho, será conflictiva en muchos puntos.

En definitiva, la Política criminal está ausente en España en nuestra realidad y la Dogmática no existe, porque el proceso, todo él, está condicionado por esa misma realidad: Sólo se ve, y por ello sólo importa (negativamente), su larga duración, su ineficacia, su ineficiencia y su carestía, y eso es lo que de verdad afecta al gobernante, lo que le da o le quita votos. Por eso, y por ejemplo, a la expansión del Derecho penal no ha seguido la expansión del Derecho procesal penal.

III. DOGMÁTICA Y PROCESO PENAL

Acabamos de ver cuál es la máxima preocupación del Derecho penal actual, no sólo en España, a saber, su enorme expansión. Debemos preguntarnos ahora qué ha hecho hasta el momento presente el Derecho procesal penal, particularmente el español, para resolver esta cuestión. La pregunta es absolutamente necesaria, no sólo porque ésta es una exposición básicamente de Derecho procesal penal, sino también porque no puede ignorarse la realidad de la necesaria interacción que debe existir entre el Derecho penal y el Derecho procesal penal, pues todos los cambios de relevancia que se producen en el Derecho penal, deben repercutir forzosamente en el Derecho procesal penal.

El Derecho procesal penal y el Derecho penal tienen además un marco de referencia del que carecen el Derecho procesal civil y el Derecho privado. Ese marco viene dado por el hecho de que el Derecho penal únicamente puede ser cumplido y satisfecho a través del proceso penal, mientras que en el ámbito privado el cumplimiento de las leyes se realiza mayoritariamente fuera y sin necesidad del proceso. Esto lleva indefectiblemente a la obligatoriedad de tener que marchar juntos de la mano el Derecho penal sustantivo y el Derecho procesal penal.

Al estar en juego la libertad de un ser humano, ese marco de referencia tiene un refuerzo basado en la dignidad humana, que hace a ambos Derechos más conjuntados que en los demás órdenes jurisdiccionales con relación al ejercicio de sus derechos materiales básicos. Ese refuerzo no es otro que el Estado de Derecho[29], pues si el Derecho penal se ha configurado para reprimir

---

[28]   *Vide* HASSEMER, W.: *Fundamentos del Derecho penal* (trad. y notas de MUÑOZ CONDE, F. y ARROYO ZAPATERO, L.), Ed. Bosch, Barcelona, 1984, p. 195.

[29]   HASSEMER, W.: *Crítica al Derecho penal de hoy. Norma, interpretación, procedimiento. Límites de la prisión preventiva* (trad. ZIFFER, P. S.), Ed. Ad-Hoc, Buenos Aires, 1995, p. 79; DONINI, M.: "El Derecho penal frente al `enemigo´", *op. cit.*, p." 681; KINDHÄUSER, U.: "Retribución de la culpabilidad y prevención en el estado democrático de Derecho", en CANCIO MELIÁ, M. y GÓMEZ-JARA DÍEZ, C. (coords.), *Derecho penal del enemigo:*

conductas delictivas, el Derecho procesal penal lo ha sido para enjuiciar justamente (el proceso debido anglosajón, es decir, el propio de una democracia de acuerdo con sus principios constitucionales) y garantizar la libertad del inocente, respetando la dignidad de la persona acusada.

La realidad sin embargo es muy otra en los procesos penales de las democracias de corte occidental, no sólo de la española. La misma nos muestra que el Derecho penal va por un lado y el Derecho procesal penal por otro[30]. En lo que a nosotros afecta, la expansión del Derecho penal sustantivo no ha causado ninguna mella en el Derecho procesal penal, salvo que indirectamente haya repercutido en la sobrecarga de los tribunales penales, el gran y al parecer único problema para el legislador. Varias razones se dan:

a) La primera es la aparente falta de base dogmática del Derecho procesal penal. Esto debe aclararse conceptualmente porque decir sin más que el Derecho procesal penal carece de dogmática es un error. Dogma tiene tres sentidos: Equivalente a verdad inmutable, equivalente a principio sustancial que sostiene una estructura jurídica, y equivalente a conocimiento de lo esencial para construir un sistema jurídico concreto[31].

Si hablamos de verdad inmutable, en el Derecho penal no hay ninguna, no estamos ante una religión, sino ante una parte del ordenamiento jurídico.

Si nos referimos a los principios esenciales, tanto el Derecho penal como el Derecho procesal penal los tienen, esto es indiscutible y, por tanto, ambos son partes dogmáticas del ordenamiento jurídico, que a su vez es dogmático.

Pero si hablamos de sistema, es decir, de una construcción interpretativa del contenido de los principios, de manera tal que se llegue a un conocimiento real de la rama del Derecho en cuestión, el Derecho penal va muy por delante del

---

el discurso penal de la exclusión, Ed. Edisofer-Euros-B de F, Buenos Aires, 2006, p. 162; SCHÜNEMANN, B.: "¿Derecho penal del enemigo? Crítica a las insoportables tendencias erosivas en la realidad de la Administración de Justicia Penal y de su insoportable desatención teórica", en CANCIO MELIÁ, M. y GÓMEZ-JARA DÍEZ, C. (coords.), Derecho penal del Enemigo. El discurso penal de la exclusión, Ed. Edisofer-Euros-B de F, Buenos Aires, 2006, p. 969.

30   DONINI, M.: "Diritto penale di lotta vs. Diritto penale del nemico", en GAMBERINI, A. y ORLANDI, R. (dirs.), Delitto politico e delitto penale del nemico, Ed. Monduzzi, Bolonia, 2007, p. 136; SCHULZ, L.: "Ficciones de una ficción. El Derecho penal de Jakobs para enemigos," en CANCIO MELIÁ, M. y GÓMEZ-JARA DÍEZ, C. (coords), Derecho penal del Enemigo. El discurso penal de la exclusión, Ed. Edisofer-Euros-B de F, Buenos Aires, 2006, p. 955.

31   MUÑOZ CONDE, F.: Introducción al Derecho Penal, Ed. Bosch, Barcelona, 1975, p. 118. Véase también DÍAZ Y GARCÍA CONLLEDO, M.: "Reivindicación de la (buena) dogmática", en de VICENTE REMESAL, J. et alii (dir.), Libro homenaje al Profesor Diego-Manuel Luzón Peña con motivo de su 70° aniversario, Ed. Reus, Madrid, 2020, pp. 130 y ss.

procesal penal[32], porque el Derecho penal acoge como intangibles sus rígidos principios, mientras que el Derecho procesal penal los va modificando en función de las circunstancias, porque atiende a la práctica y afronta las soluciones pragmáticamente.

Pondré un ejemplo para demostrarlo: Si analizamos el principio de legalidad penal y a continuación observamos el principio de oportunidad procesal, nadie debe tener ninguna duda que el Derecho penal se construye en torno a la dogmática jurídico-penal, mientras que el Derecho procesal penal se construye en torno a las exigencias de la realidad, en la que y, sobre todo, la práctica pueda encontrar las bases de solución del problema real concreto y una orientación segura para decidir justamente.

Pero esto no quiere decir que no existan intentos de dogmatizar la ciencia jurídico- procesal penal. De hecho, un buen procesalista tendría que intentarlo siempre, porque a través de los principios esenciales debería poder construirse un proceso penal en donde todo estuviera en su sitio, en el que cada institución respondiera a una necesidad y resolviera de verdad los problemas planteados.

Y esa dogmática del Derecho procesal penal, como la del Derecho penal, obviamente, tiene que gozar de ideología, la ideología democrática, pues debe servir para fortalecer al Estado de Derecho[33].

b) La segunda razón es la constatación de problemas propios muy graves que impiden al Derecho procesal penal pensar en cosas distintas, es decir, en adaptarse dogmáticamente al Derecho penal.

La Dogmática exige interpretación, sistematización y crítica[34]. Por muy grave y trascendente que sea un problema que, obviamente, hay que resolver, nada puede impedir su interpretación, sistematización y crítica para incardinarlo en el dogma. En España, siguiendo a Alemania desde principios del siglo XX, el Derecho penal así lo viene haciendo[35]. Pero en Derecho procesal penal parece que ello no es así.

---

[32]   Desde el principio, no sólo ahora, v. los antecedentes históricos de la Dogmática en JESCHECK, H. H.: "Nueva Dogmática penal y Política criminal en perspectiva comparada", *Anuario de Derecho Penal y Ciencias Penales*, tomo 39, vol. 1, 1986, pp. 10-12.

[33]   MUÑOZ CONDE, F.: *La relación entre Sistema del Derecho penal y Política criminal. Historia de una relación atormentada*, op. cit., p. 16.

[34]   Véase ampliamente MUÑOZ CONDE, F.: *Introducción al Derecho Penal*, Ed. Bosch, Barcelona, 1975, op. cit., pp. 139 y ss. También, ROBLES PLANAS, R.: "La identidad de la dogmática jurídico-penal", *Revista de Derecho penal* (Argentina), núm. 2, 2010, pp. 185 y ss.; y PERRON, W.: "La Administración de Justicia penal europea y transnacional como desafío para una dogmática de Derecho Penal moderna", *Cuadernos de Derecho penal*, enero-junio 2018, pp. 47 y ss.

[35]   MIR PUIG, S.: *Introducción a las bases del Derecho Penal*, Ed. Bosch, Barcelona, 1982, pp. 272 y ss.

No es que no existan reformas que ignoren el Derecho penal. Las hay, y relevantes. La regulación procesal penal del enjuiciamiento de una persona jurídica sería el ejemplo reciente más importante, aunque no se haya hecho ni al mismo tiempo, ni bien[36].

No, lo que ocurre es que, ante la falta de credibilidad de la Justicia penal entre la ciudadanía, la sobrecarga ocupa un lugar prioritario, y reducirla o eliminarla es por ello una imperiosa exigencia no conseguida a pesar del aluvión de reformas al respecto que hemos tenido desde 1978. Y en la interpretación, sistematización y crítica de esa sobrecarga se nota la falta de dogmática jurídico-procesal penal. No se piensan las reformas, se reacciona en caliente y sólo cuenta la venta política del producto.

Hoy esos problemas propios tan graves se reducen a evitar el juicio oral como sea, por varios caminos, todos ellos centrados en una extensión alarmante del principio de oportunidad, que es contrario directamente al principio sustantivo de legalidad, pero que se asume como inevitable ante la realidad.

c) La tercera razón es el realismo práctico que nos invade y ata. Somos los bomberos del Derecho, como he tenido oportunidad de afirmar ya en otro lugar[37]. Y es verdad, porque esa realidad a la que acabo de hacer referencia nos convierte en caldo adecuado para la improvisación, no para el estudio y el conocimiento, lo que hace si no imposible, sí muy difícil un análisis dogmático del proceso penal.

Muchas veces ha sido la esterilidad de la propia Dogmática penal sustantiva la que nos ha llevado a realidades procesales impensables e inasumibles[38].

---

[36]   GÓMEZ COLOMER, J. L.: "La responsabilidad penal de las personas jurídicas y el control de su actividad: Estructura jurídica general en el Derecho Procesal Penal español y cultura de cumplimiento (Compliance Programs)", en GÓMEZ COLOMER, J. L. (dir.): *Tratado sobre Compliance penal*, Ed. Tirant lo Blanch, Valencia. 2019, pp. 26 y 27; y GÓMEZ COLOMER, J. L.: *La contracción del Derecho procesal Penal*, op. cit., pp. 222 y ss.

[37]   GÓMEZ COLOMER, J. L.: *Ibidem*, p. 126.

[38]   La propia doctrina penal alemana más importante así lo reconoce sin tapujos, por ejemplo, siempre con matices, ROXIN, C.: *La evolución de la Política criminal, el Derecho penal y el Proceso Penal*, op. cit., pp. 57 y ss.; SCHÜNEMANN, B.: "Was heißt und zu welchem Ende betreibt man Strafrechtsdogmatik? Zu Fischers These der „fremden seltsamen Welten" anhand aktueller BGH-Urteile zu Begriff und Funktion der „besonderen persönlichen Merkmale im Strafrecht", *Goltdammer's Archiv*, núm. 8, 2011, pp. 445 y ss.; y GRECO, L.: "Dos formas de hacer dogmática jurídico-penal", *Revista Discusiones*, núm. 8, 2008, pp. 177 y ss. En España son de citar MUÑOZ CONDE, F.: *La relación entre Sistema del Derecho penal y Política criminal. Historia de una relación atormentada*, op. cit., pp. 12 y ss.; y GIMBERNAT ORDEIG, E.: *¿Tiene un futuro la dogmática jurídico-penal?*, Estudios de Derecho Penal (3ª ed.), Ed. Tecnos, Madrid, 1990, pp. 140 y ss. Discuten el carácter científico de la Dogmática VIVES ANTÓN, T. S.: *Fundamentos del Sistema Penal* (2ª ed.), Ed. Tirant lo Blanch, Valencia, 2011, pp. 576 y 577; y CUERDA ARNAU, M.: "La concepción significativa de la acción v. las pretensiones sistemáticas", en VIVES ANTÓN, T. S.: *Pensar en libertad. Últimas reflexiones sobre el Derecho y la Justicia*, Ed. Tirant lo Blanch, Valencia,

Toda Dogmática que esté alejada de la Política criminal es vacua, pero toda Dogmática y toda Política criminal que no estén orientadas a resolver los problemas de los ciudadanos, a ayudarles en alcanzar la meta Justicia, en definitiva, es estéril[39].

El imperio de la razón pragmática es en cierta manera comprensible, no lo niego. Cuando el terrorismo azotaba España, la preocupación era luchar jurídicamente de la forma más eficaz posible contra esta atrocidad, por eso se aprobaron tantas leyes en España que desde el punto de vista procesal penal querían conseguir ese objetivo. Ante la ineficacia constatada de la lucha contra la criminalidad organizada distinta al terrorismo tuvo que aprobarse, deprisa y corriendo, la amplia reforma de los actos de investigación basados en el uso de las nuevas tecnologías en 2015, y así un largo etcétera.

Es decir, cuando surgía un fuego, allí estaba el Derecho procesal penal para apagarlo. De poco sirven en estos casos las consideraciones dogmáticas, porque es imposible partir de los principios para construir con base en la ley y en el conocimiento un sistema, si el proceso penal hace aguas por la simple constatación de la realidad.

Esto lleva a una contracción, a una estrechez de miras, a una limitación de progreso jurídico, porque lo único que preocupa oficialmente es: 1º) Reforzar la persecución pública del crimen cada vez con medidas más agresivas; y 2º) Evitar el proceso como sea, incluso ponerle fin cuando antes si ya se ha iniciado.

Es cierto que hay otras cuestiones. Por ejemplo, se ha desarrollado el derecho de defensa, se ha mejorado la situación de la víctima, se ha potenciado la cooperación en la Unión Europea para facilitar enjuiciamientos, pruebas y puestas a disposición de sospechosos en otros países de manera rápida. Pero si nos fijamos, con todo, estas mejoras responden a iniciativas europeas, en donde, ni siquiera con la creación de la Fiscalía Europea[40] va a conseguirse articular pronto un proceso penal común a todos los países miembros de la Unión Europea. En resumen, pues, carecemos de Dogmática jurídico-procesal penal.

2019, pp. 22 y ss. Véanse también MATUS, J. P.: "Por qué citamos a los alemanes y otros apuntes metodológicos", *Política Criminal: Revista Electrónica Semestral de Políticas Públicas en Materias Penales*, núm. 5, 2008, pp. 1 y ss.; y SCHURMANN OPAZO, M.: "¿Es científico el discurso elaborado por la dogmática jurídica? Una defensa de la pretensión de racionalidad del discurso dogmático elaborado por la ciencia del derecho penal", *Política Criminal: Revista Electrónica Semestral de Políticas Públicas en Materias Penales*, vol. 14, núm. 27, 2019, pp. 555 y ss.

[39] Claramente, ROXIN, C.: *La evolución de la Política criminal, el Derecho penal y el Proceso Penal, op. cit.*, p. 69.

[40] Reglamento (UE) 2017/1939 del Consejo de 12 de octubre de 2017, por el que se establece una cooperación reforzada para la creación de la Fiscalía Europea (DOUE L283/1, de 31 de octubre de 2017).

IV. LA POLÍTICA PROCESAL CRIMINAL Y LA DOGMÁTICA EN LA PERSECUCIÓN DE LOS DELITOS DE TRATA DE SERES HUMANOS

A la vista de lo expuesto en los dos epígrafes anteriores, la actividad de trata de seres humanos reviste muchas modalidades. Varias de ellas son antiguas, como la esclavitud. Otras son muy modernas, como los ciberataques sexuales a menores, pero todas ellas revisten dos características comunes: La primera es que suelen ser actos realizados por personas integradas en bandas criminales organizadas; la segunda, que como consecuencia de la globalización esos grupos criminales se ven absolutamente favorecidos por un mundo sin fronteras físicas, en donde la persecución es problemática.

La sociedad ha decidido criminalizar, a causa del deshonor, de la indignidad y del ataque directo que representan contra sus víctimas, los hechos de trata. Algunas de sus variantes son delito ya hace siglos, pero hoy el prisma ha cambiado. Por eso esa sociedad ordena al legislador que priorice la defensa penal de la sociedad y la defensa procesal penal de las víctimas bajo parámetros únicamente admisibles y acordes con los más altos valores democráticos y de tutela de la dignidad humana.

Desde el punto de vista de la Política criminal, sin descuidar ni uno sólo de los aspectos que conlleva criminalizar todas esas conductas, lo importante es la víctima, la defensa de sus derechos constitucionales, su protección y reparación.[41] No siempre ha sido así, porque al principio los intereses estatales pesaban mucho (protección del estado frente a la criminalidad organizada y defensa de los ciudadanos frente a la inmigración ilegal, por ejemplo), pero hoy es indiscutiblemente el centro neurálgico del problema. Su fin último, la completa erradicación del problema.

Pero el concepto de trata no es claro, no sólo porque por trata podemos incardinar conductas de muy diversa naturaleza, sino porque no todos los subconceptos que lo integran están claros, principalmente debido a que cada país tiene su propia perspectiva del problema, de ahí los enormes esfuerzos de las

---

[41]   De paradigma victimocéntrico se habla desde el Convenio del Consejo de Europa sobre la lucha contra la trata de seres humanos (Convenio núm. 197 del Consejo de Europa), hecho en Varsovia el 16 de mayo de 2005 (Instrumento de ratificación BOE del 10 de septiembre de 2009), v. PÉREZ ALONSO, E.: "Marco normativo y política criminal contra la trata de seres humanos en la Unión Europea", en PÉREZ ALONSO, E. y POMARES CINTAS, E.: (coords.), *La trata de seres humanos en el contexto penal iberoamericano*, Ed. Tirant lo Blanch, Valencia, 2019, p. 85.; y PLANCHADELL GARGALLO, A.: "Protección procesal de las víctimas de trata: Aproximación general", *Revista Aranzadi de Derecho y Proceso Penal*, núm. 61, 2021, pp. 41 y ss.

instituciones internacionales para lograr líneas comunes de entendimiento.[42] Ello representa, sin duda alguna, una dificultad añadida para una tipificación y una persecución eficaces. No obstante, el art. 3 del Protocolo para prevenir, reprimir y sancionar la trata de personas, especialmente mujeres y niños, que complementa la Convención de las Naciones contra la Delincuencia Organizada Transnacional hecho en Nueva York el 15 de noviembre de 2000 (BOE del 11 de diciembre de 2003), dispone: "Por 'trata de personas' se entenderá la captación, el transporte, el traslado, la acogida o la recepción de personas, recurriendo a la amenaza o al uso de la fuerza u otras formas de coacción, al rapto, al fraude, al engaño, al abuso de poder o de una situación de vulnerabilidad o a la concesión o recepción de pagos o beneficios para obtener el consentimiento de una persona que tenga autoridad sobre otra, con fines de explotación. Esa explotación incluirá, como mínimo, la explotación de la prostitución ajena u otras formas de explotación sexual, los trabajos o servicios forzados, la esclavitud o las prácticas análogas a la esclavitud, la servidumbre o la extracción de órganos."

El Derecho Penal ha de desarrollar la tarea de tipificación en el seno de la Política Criminal, que, como sabemos, obliga a conseguir los fines de defensa de la sociedad, de mantenimiento de la paz social y de logro de la convivencia pacífica entre sus ciudadanos. La Política criminal no descubre ni regula crímenes, sólo propone la tipificación de unos hechos que considera merecen la máxima sanción. Por eso es política, alta política.

Todo ello, insistimos, dentro del Estado de Derecho, en el núcleo de la democracia misma. La consecuencia es la aprobación y entrada en vigor de uno o varios delitos de trata de seres humanos en los que se penalicen esas conductas, regulados en el Código Penal o en leyes penales especiales. No vamos a entrar en un análisis de Política criminal del art. 177 bis del Código Penal, porque este texto versa sobre Derecho procesal penal, pero al menos apuntaré unas reflexiones para que se vea la importancia de este tema:

1ª) ¿Qué conductas deben castigarse, partiendo de una idea clara de hasta dónde deben llegar en cada caso los límites del *ius puniendi*?

¿Qué es lo importante en las conductas de trata, el tráfico, el movimiento o traslado de personas, o el empleo de la coerción para la explotación de la persona? ¿Cómo incide en ellas el cruce de fronteras? El panorama internacional distingue entre trata de personas (*trafficking in persons*) y migraciones ilegales (*smuggling of migrants*), ambas ciertamente distintas, pero profundamente relacionadas entre sí, porque la emigración ilegal organizada por grupos criminales tiene como fin, prácticamente siempre, ejecutar acciones que caen

---

[42] Véase VILLACAMPA ESTIARTE, C.: *El delito de trata de seres humanos. Una incriminación dictada desde el Derecho Internacional*, op. cit., pp. 27 a 83.

bajo el delito de trata, por las que logran un suculento beneficio económico. ¿Estaríamos hablando de punir las dos?

2ª) ¿Qué pena debe imponerse al autor de cada una de esas conductas, incluidas las personas jurídicas que ampararon la actividad?

Desde que los Estados Unidos regularon por vez primera el delito de trata por la Ley de 28 de octubre de 2000[43], varias veces reformada, con gran influencia después en la legislación internacional y en la interna de muchos países, se ha discutido la pena que debía imponerse. Dicha ley reformó, entre otros, el Título 18, parte I del *US Code*, que regula los delitos, imponiendo por regla general a las conductas de trata una pena que puede llegar a los 20 años de prisión, por tanto, penas elevadísimas. Nuestro Derecho contempla entre 5 y 8 años de prisión, y parece que se discute también por considerarse muy elevadas a la vista del criterio fijado internacionalmente[44].

3ª) ¿Habrá circunstancias agravantes y atenuantes en la regulación del tipo?

Parce inevitable por razones de Política criminal entender que debe haber circunstancias de agravación de la pena, porque, por un lado, si la actividad delictiva se realiza por el crimen organizado, como grupo criminal ese ente tiene jefes, con una mayor responsabilidad criminal que los meros ejecutores, y, por otro, se pueden dar circunstancias objetivas que causen una mayor repulsa, como la enfermedad, la discapacidad o la minoridad de la víctima[45].

4ª) ¿Importará la personalidad del autor, por ejemplo, su profesión (ser funcionario público o autoridad), para agravar o atenuar la pena?

Debe considerarse este aspecto también, pues en muchas ocasiones la actividad delictiva únicamente es posible con la colaboración ilegal de autoridades o funcionarios públicos, sean de alto, medio o bajo nivel. Ello debe traducirse en una mayor punibilidad, probablemente a través del reconocimiento de agravantes específicas.

5ª) ¿Importará la personalidad de la víctima para agravar la pena, por ejemplo, si es una víctima especialmente vulnerable?

En principio no tendría por qué, siempre que se asegure su debida protección y reparación[46]. Pero en el momento actual la Política criminal parece orientarse a una sensibilidad especial en este tema, estableciendo medidas

---

43   Se puede consultar en: https://www.govinfo.gov/content/pkg/PLAW-106publ386/pdf/ PLAW-106publ386.pdf

44   Véanse VILLACAMPA ESTIARTE, C.: *El delito de trata de seres humanos. Una incriminación dictada desde el Derecho Internacional, op. cit.*, pp. 247 y ss.; y MARTÍN ANCÍN, F.: *La trata de seres humanos con fines de explotación sexual en el Código Penal de 2020. Aportaciones de la Ley Orgánica 1/2015, op. cit.*, pp. 344 y ss.

45   MARTÍN ANCÍN, F.: *Ibidem*, pp. 511 y ss.

46   GALAÍN PALERMO, P.: "La reparación del daño en un sistema penal funcional a las necesidades de la política criminal", en DE HOYOS SANCHO, M. (dir.), *Garantías y derechos*

adicionales de protección de las víctimas especialmente vulnerables y un mayo castigo, como avanzamos antes, para sus autores. Hay muchas víctimas vulnerables especialmente y no todos los países reconocen las mismas, pero al menos se acepta este calificativo con relación a los discapaces,[47] a las mujeres[48], especialmente en caso de violencia de género[49], a las personas mayores y ancianos[50] y a los niños (menores de 18 años, aunque con matices si tienen menos de 12)[51].

---

de las víctimas especialmente vulnerables en el marco jurídico de la Unión Europea, Ed. Tirant lo Blanch, Valencia, 2013, pp. 557 y ss.

[47] GANZENMÜLLER ROIG, C.: "Las personas con discapacidad como personas especialmente vulnerables", en DE HOYOS SANCHO, M. (dir.), Garantías y derechos de las víctimas especialmente vulnerables en el marco jurídico de la Unión Europea, Ed. Tirant lo Blanch, Valencia, 2013, pp. 435 y ss.

[48] MAQUEDA ABREU, M.L.: "Cuando el discurso de la vulnerabilidad se convierta en un discurso ideológico (a propósito de las "víctimas" de la prostitución y el tráfico sexual de mujeres)", en DE HOYOS SANCHO, M. (dir.), Garantías y derechos de las víctimas especialmente vulnerables en el marco jurídico de la Unión Europea, Ed. Tirant lo Blanch, Valencia, 2013, pp. 89 y ss.

[49] SENÉS MONTILLA, C.: "La especialización judicial en violencia de género en el sistema procesal español", en DE HOYOS SANCHO, M. (dir.), Garantías y derechos de las víctimas especialmente vulnerables en el marco jurídico de la Unión Europea, Ed. Tirant lo Blanch, Valencia, 2013, pp. 203 y ss.

[50] Véanse JAVATO MARTÍN, M.: "Maltrato y abandono de personas mayores", en DE HOYOS SANCHO, M. (dir.), Garantías y derechos de las víctimas especialmente vulnerables en el marco jurídico de la Unión Europea, Ed. Tirant lo Blanch, Valencia, 2013, pp. 105 y ss.; y VILLAR FUENTES, I.: "Maltrato a personas mayores, ¿víctimas vulnerables "olvidadas"?", en DEL POZO PÉREZ, M., BUJOSA BADELL, L. (dirs.) y GONZÁLEZ MONJE, A. (coord.), Proceso penal y víctimas especialmente vulnerables. Aspectos interdisciplinares, Ed. Aranzadi, Pamplona 2019, pp. 193 y ss.

[51] El tema de los menores ha suscitado últimamente mucha literatura en España. Véanse, por ejemplo, MIRANDA ESTRAMPES, M.: "Los menores como víctimas de hechos delictivos. Tratamiento procesal", en DE HOYOS SANCHO, M., (dir.), Garantías y derechos de las víctimas especialmente vulnerables en el marco jurídico de la Unión Europea, Ed. Tirant lo Blanch, Valencia, 2013, 131 y ss.; SERRANO MASIP, M.: "Protección jurisdiccional de menores en situación de riesgo y desamparo. Iniciativas del Consejo de Europea y de la Unión Europea en orden a una justicia adaptada a los menores, en DE HOYOS SANCHO, M., (dir.), Garantías y derechos de las víctimas especialmente vulnerables en el marco jurídico de la Unión Europea, Ed. Tirant lo Blanch, Valencia, 2013, pp. 159 y ss.; VIDAL FERNÁNDEZ, B.: "El menor como víctima especialmente vulnerable en los supuestos de sustracción parental transfronteriza: instrumentos procesales comunitarios", en DE HOYOS SANCHO, M., (dir.), Garantías y derechos de las víctimas especialmente vulnerables en el marco jurídico de la Unión Europea, Ed. Tirant lo Blanch, Valencia, 2013, pp. 405 y ss.; BUJOSA VADELL, L. M.: "El menor como víctima", en DEL POZO PÉREZ, M.; BUJOSA BADELL, L. (dir.) y GONZÁLEZ MONJE, A. (coord.), Proceso penal y víctimas especialmente vulnerables. Aspectos interdisciplinares, Ed. Aranzadi, Pamplona 2019, pp. 27 y ss.; GONZÁLEZ MONJE, A.: "Menores infractores y protección de la víctima de violencia de género menor de edad", en DEL POZO PÉREZ, M., BUJOSA BADELL, L. (dirs.) y GONZÁLEZ MONJE, A. (coord.), Proceso penal y víctimas especialmente vulnerables. Aspectos interdisciplinares, Ed. Aranzadi, Pamplona 2019, pp. 143 y ss. También, BELTRÁN MON-

6ª) En caso de que la víctima haya dado su consentimiento para realizar la actividad delictiva, ¿jugará en su contra, a su favor, o no jugará en absoluto?

Ante la tragedia personal que implica ser víctima de estos delitos, y las circunstancias que rodean la vida de las personas forzadas a cometerlos para, generalmente, evitar sufrir daños o incluso sobrevivir, la Política criminal obliga a plantearse seriamente que en caso de que hayan prestado su consentimiento para realizarlos, éste debería considerarse nulo. No es sin embargo una solución fácil y habrá que distinguir según los casos, porque puede que el delito no sea consecuencia directa de la explotación o que la respuesta dada no sea la adecuada proporcionalmente[52].

7ª) ¿Qué hacer si la víctima de trata comete delito contra su voluntad para salvar su vida o evitar daños físicos o psíquicos seguros con relación a los daños que cause?

La respuesta debe ser la misma que la anterior, sólo que ahora la perspectiva es distinta. En este sentido la Política criminal obliga a pensar igualmente en la posible exención de responsabilidad de las víctimas por los delitos que hayan podido cometer, y a considerar atribuir la responsabilidad civil y las penas pecuniarias en las que se haya podido incurrir en la que los beneficiarios sean terceros, a personas distintas a las víctimas autoras de esos delitos.

8ª) ¿Cómo se regulará el concurso de delitos, tan frecuentes en estos hechos?

Los delitos de trata nunca van sólos, siempre están acompañados de otros delitos, precisamente los cometidos como consecuencia de la explotación que implica las diversas conductas típicas. Por ejemplo, delitos de coacciones, de amenazas, de lesiones, incluso con resultado muerte, contra el honor, trato degradante, etc., etc. La pregunta es, ¿cómo debe afrontar la Política criminal esta relación concursal, qué penalidad debe imponerse si se admite el concurso de delitos?[53].

9ª) ¿Cómo jugará la cooperación internacional en esta materia para evitar la impunidad, facilitar la prueba, conocer los antecedentes, etc.?

La globalización ha hecho aumentar considerablemente la comisión de los delitos de trata y ha facilitado en muchos casos su impunidad, sobre todo por realizarse buena parte de la actividad en países que no la persiguen o que tienen muy difícil perseguirla efectivamente. En estos casos resulta imprescin-

---

TOLIU, A.: "Víctimas vulnerables: Especial referencia al Estatuto del Menor a la luz de la LO 8/2021 de protección integral a la infancia y adolescencia frente a la violencia", *Revista de la APDPUE*, 2021.

[52]   VILLACAMPA ESTIARTE, C.: *El delito de trata de seres humanos. Una incriminación dictada desde el Derecho Internacional*, op. cit., pp. 474 y ss.

[53]   VILLACAMPA ESTIARTE, C.: *El delito de trata de seres humanos. Una incriminación dictada desde el Derecho Internacional*, op. cit., pp. 482 y ss.

dible una eficaz cooperación policial y jurisdiccional entre los diversos países afectados. Desde luego en el seno de la Unión Europea parece que se está consiguiendo[54], pero fuera de ella las cosas no resultan tan claras. Por eso la Política criminal debe favorecer la aplicación de buenos instrumentos, tanto a nivel de las Naciones Unidas, como del Consejo de Europa. El aumento de la delincuencia en estos denigrantes casos demuestra hoy por hoy que ni son los mejores, ni son suficientes.

No son preguntas fáciles de responder, pero la Política Criminal tiene que preverlas todas ellas y darles adecuada respuesta.

Y el Derecho procesal penal desarrolla la tarea de articular un proceso, o el ordinario o uno especial, en el que la persecución de los autores de los delitos de trata, de acuerdo con la tipificación establecida por el Código Penal o leyes penales especiales, sea posible, y lo hace en el seno de la Política procesal criminal, que le obliga a tomar varias decisiones importantes, puesto que sólo puede hacerlo en el seno de una democracia, es decir, a través de un proceso penal que sea el propio de un Estado de Derecho.

Y esa Política procesal criminal nos lleva a plantearnos y responder a preguntas muy importantes:

1ª) ¿Qué proceso penal será el adecuado para enjuiciar los delitos de trata de seres humanos, cualquiera de los ordinarios previstos por al LECrim o se articulará uno especial?

No creo que la Política procesal criminal favorezca un proceso penal especial para luchar contra la delincuencia de trata de seres humanos. En mi opinión lo que sí exige esa política es la aprobación de normas efectivas, tanto en la fase de investigación del crimen, como en la fase de enjuiciamiento, especialmente en materia probatoria. Con ello debe ser suficiente.

Por lo que se refiere en concreto a las características internas de cada país, políticas criminales particulares de mejora del propio sistema al hilo de la lucha contra la trata de personas deben ser siempre bien recibidas. Por ejemplo, reforzar los instrumentos en manos de la Policía para una persecución exitosa, como el uso del agente infiltrado informático, o la libertad de decidir sin autorización previa la realización de actos absolutamente decisivos para

---

[54]   Véanse TAMARIT SUMALLA, J. M.: "La política europea sobre las víctimas de delitos", en DE HOYOS SANCHO, M., (dir.), *Garantías y derechos de las víctimas especialmente vulnerables en el marco jurídico de la Unión Europea*, Ed. Tirant lo Blanch, Valencia, 2013, pp. 31 y ss.; DE HOYOS SANCHO, M.: "El tratamiento procesal de las víctimas especialmente vulnerables en los últimos instrumentos normativos de la Unión Europea", en DE HOYOS SANCHO, M., (dir.), *Garantías y derechos de las víctimas especialmente vulnerables en el marco jurídico de la Unión Europea*, Ed. Tirant lo Blanch, Valencia, 2013, pp. 49 y ss.; y PÉREZ ALONSO, E.: "Marco normativo y política criminal contra la trata de seres humanos en la Unión Europea", *op. cit.*, pp. 67 y ss.

su descubrimiento, como interceptaciones telefónicas, uso de drones, etc. El control judicial, siempre necesario al tratarse de actos de investigación garantizados constitucionalmente, llegará después.

2ª) La ciudadanía quiere éxitos rotundos en esta materia. ¿Deberá alterarse alguno de los principios constitucionales del proceso penal, hasta lo permitido, ante la enorme gravedad de los hechos a enjuiciar? Por ejemplo, ¿va a contemplarse algún tipo de derecho premial, bien pre-condena, en la condena o en la ejecución de la pena? ¿Quedará afectado alguno de los derechos fundamentales procesales de los investigados o acusados?

Esta es una cuestión clave. Parece a veces muy difícil luchar con éxito contra el crimen organizado hoy por hoy sin contar con agentes infiltrados y con criminales arrepentidos. Pero para contar con ellos hay que facilitar la prueba y premiar a los declarantes con impunidad parcial o total de sus actos, anteriores a la investigación (caso de los arrepentidos), o coetáneos a la investigación (caso de los infiltrados). A veces incluso, debe facilitarse su inserción en el programa de testigos protegidos. Si la decisión es positiva, la regulación debe saber perfectamente qué límites no pueden traspasarse.

3ª) La investigación de estos delitos debe ser eficaz, de manera que el delito deje de cometerse inmediatamente es descubierto y se asegure que los autores serán llevados a juicio con pruebas suficientes para ser condenados. ¿Tenemos una Policía Judicial realmente a la altura para conseguir estos fines?

La Política procesal criminal no puede dejar de considerar en ningún caso la organización de las autoridades públicas de persecución del crimen, entre las que destaca por encima de todo la policía, sea judicial o no. La opción más eficaz consiste en especializarla creando unidades para la lucha contra la trata de seres humanas, coordinadas perfectamente con entes supranacionales, internacionales o intergubernamentales, como Europol, Interpol, etc.

4ª) ¿Están preparadas las autoridades de persecución del crimen para contrarrestar el uso de la alta tecnología de la que hacen gala estos grupos organizados para sus actividades de trata?

La Política procesal criminal, como la sustantiva, realiza sus análisis para llegar a conclusiones que hagan efectivas sus propuestas. No basta por ello con crear unidades especiales, por ejemplo de Europol, de Interpol, o de la Policía Nacional o de la Guardia Civil en España, hace falta dotarlas adecuadamente para la persecución de un delito tan complejo como el de trata de personas. Al menos debe disponer de los mismos instrumentos tecnológicos, existentes en el mercado o no, de los que puede disponer la propia delincuencia.

Un aspecto, finalmente, no menos relevante, afecta a la Dogmática, tanto a la penal, como a la procesal penal, en el sentido teórico expresado en este texto *supra*. Por lo que hace referencia a la procesal penal, la complejidad del delito, y las dificultades probatorias de las acciones típicas reflejadas en el art. 177 bis CP, pueden jugar en contra de una buena dogmática.

La razón fundamental reside en que la sociedad exige al legislador un proceso eficiente y eficaz para combatir tan importante lacra, esto es esencial en una Política criminal moderna y ambiciosa, y ello no es posible si la regulación sustantiva que aprueba dificulta esa eficiencia y eficacia, bien porque los actos de investigación previstos por la ley son aplicables a cualquier delito y no específicamente a éste, bien porque la capacidad de investigación de las autoridades de persecución carece de los instrumentos legales necesarios para actuar internacionalmente en contra del crimen organizado que comete delitos de trata de seres humanos.

En consecuencia, la Dogmática debe orientar, mediante la interpretación, sistematización y crítica, hacia:

1º) La construcción de una fase de investigación del crimen de trata con instrumentos adecuados, específicamente diseñados para una persecución eficaz, averiguando los hechos correctamente y determinando quiénes pueden ser los responsables de los mismos.

En mi modesta opinión, éste es el aspecto clave, y se proyecta sobre diversos escenarios:

a) Si contemplamos a las víctimas, se deben establecer en primer lugar claras medidas protectoras de las víctimas que garanticen su seguridad durante todo el proceso y después si hubiera condena. Me cuesta admitir como norma de Política procesal criminal obligar a la víctima a denunciar y a que colabore con la Policía en la investigación del crimen del que es víctima, porque la Política procesal criminal no puede obligar a nadie a que agrave su propia situación personal, a veces irremediablemente.

Pero las medias de protección no son las únicas a adoptar. Se le debe una información clara y concisa sobre sus derechos y obligaciones, así como posibilidades de ayuda externa en su caso. Debe resolverse de una vez si habilitamos su declaración en la fase de investigación como prueba preconstituída o no. Debe resolverse también si, debiendo declarar en el juicio oral, evitamos una confrontación directa con el acusado, por ejemplo, declarando fuera de la sede del tribunal mediante videoconferencia. Debe resolverse también si se excluye la publicidad del proceso y se protege el nombre y la imagen de la víctima frente a la libertad de información de la prensa.

Como se observa, la Política procesal criminal está en la obligación de ponderar si la debida protección de la víctima exige el sacrificio de derechos constitucionales del acusado tales como el de contradicción, defensa, confrontación y publicidad, o no. Si la víctima es especialmente vulnerable, esta decisión se antoja más fácil, pero no exenta de problemas.

b) Si contemplamos a los testigos, debe reforzarse el programa de protección de testigos, porque la prueba testifical es clave en el proceso penal, al enjuiciarse hechos. Si la víctima es testigo, y lo es aunque sea parte, también le afecta esta decisión, además de los comentarios que acabamos de hacer[55].

c) Si contemplamos a los órganos de persecución pública, en lo que ahora interesa, deben reforzarse las medidas que se prevén para investigar los crímenes de la delincuencia organizada. Ello afecta a la obtención de prueba testifical, prueba documental y prueba pericial principalmente.

d) Si contemplamos al acusado, debe reforzarse la fuerza probatoria de los indicios, porque la experiencia demuestra que en muchos casos las pruebas directas de cargo son o muy difícil o imposibles de obtener.[56] Otras cuestiones, como la adopción en todo caso de la prisión provisional, parecen menos complejas, pues pueden bastar las normas generales para satisfacer los fines que con ellas se pretenden.

Por encima de todas ellas debemos resolver el problema de la justicia universal. ¿Podremos perseguir a sus autores en cualquier país sin conexión alguna territorial, o deberemos establecer fueros de conexión territorial con el país para poder enjuiciar esos hechos en un país concreto?[57].

2°) Debe orientar también hacia una decisión sobre qué extensión debe tener el principio de oportunidad en el período de investigación del crimen, fijando primero si es admisible, y si lo es por razones de Política criminal (un buen argumento sería la garantía de cese inmediato de la actividad delictiva y una puesta en protección segura de las víctimas), qué límites deben fijarse a la mediación, la conciliación y la conformidad, porque parece evidente que la mayor parte de las víctimas no se encuentran en situación de igualdad (económica, jurídica y emocional) frente a sus explotadores, lo que perjudica sin duda alguna a una negociación eficaz[58].

---

[55]   JIMÉNEZ-VILLAREJO FERNÁNDEZ, F.: "La protección de testigos en Europa: Viabilidad de una legislación común en la Unión Europea. Especial referencia al documento de trabajo com (2007) 693 final", en DE HOYOS SANCHO, M. (dir.), *Garantías y derechos de las víctimas especialmente vulnerables en el marco jurídico de la Unión Europea*, Ed. Tirant lo Blanch, Valencia, 2013, pp. 245 y ss.

[56]   He tratado esta cuestión en mi libro GÓMEZ COLOMER, J. L.: *El indicio de cargo y la presunción judicial de culpabilidad*, Ed. Tirant lo Blanch, Valencia, 2021, *passim*.

[57]   *Vide* MARTÍN ANCÍN, F.: *La trata de seres humanos con fines de explotación sexual en el Código Penal de 2020. Aportaciones de la Ley Orgánica 1/2015, op. cit.*, pp. 523 y ss. CASTAÑO REYERO, M. J.: "El estatuto de protección internacional para las víctimas de trata desde la perspectiva de derecho internacional de los derechos humanos", en MARTÍN OSTOS, J. S. (dir.) y MARTÍN RÍOS, P. (coord.), *La tutela de la víctima de trata: Una perspectiva penal, procesal e internacional*, Ed. J. M. Bosch, Barcelona 2019, pp. 174 a 176.

[58]   Véanse BARONA VILAR, S.: *Mediación penal. Fundamento, fines y régimen jurídico*, Ed. Tirant lo Blanch, Valencia, 2011, pp. 257 y ss.; BARONA VILAR, S.: "Mediación penal como instrumento restaurativo de las víctimas: ¿En todo caso y para todas las víctimas?",

Unos sectores muy concretos de la sociedad no admiten la vigencia del principio de oportunidad en el proceso penal con víctimas de trata, al menos no lo admiten en todos los casos. La Política procesal criminal debe analizar si se hace eco de este sentir por considerarlo justificado o no. Únicamente tendría sentido admitir el principio de oportunidad en cualquiera de sus manifestaciones (alternativas a la persecución, justicia negociada y justicia restaurativa) si los hechos fueran penalmente de gravedad media o ínfima y si el beneficio obtenido por su aplicación fuera mayor que el que se pueda obtener en caso de condena. Por ejemplo, cese absoluto de la actividad delictiva, liberación de la explotación para siempre y reparación económica adecuada. Y eso en esta materia, cuando la víctima es una mujer, por ejemplo embarazada, un anciano, un discapaz o un menor de edad, es muy difícil de afirmar. Y finalmente,

3º) Debe igualmente orientar hacia un análisis de si la gravedad de los hechos justifica una limitación de ciertos derechos fundamentales de los investigados, bien por aumento del intervencionismo público, declarando secretas todas las actuaciones, bien ampliando los poderes discrecionales de la Policía y permitiendo al Fiscal adoptar inicialmente medidas restrictivas de derechos fundamentales, o bien, finalmente, limitando en ciertos momentos el principio de contradicción y el derecho de defensa.

Ya hemos ido haciendo anotaciones respecto a esta cuestión. La respuesta no es clara y la Política procesal criminal tiene mucho que analizar en esta materia. Se le exige al estado que sea fuerte para perseguir estos delitos y hacer justicia a las víctimas, pero el estado, incluso el más fuerte de todas, está limitado si es una democracia por los derechos fundamentales de los acusados, con lo que, por muchas fortaleza que exhiba, nunca podrá investigar a cualquier precio, lo que le hará ir siempre por detrás, hasta que la condena, si se obtiene, iguale la lucha definitivamente.

Hasta aquí la concreción que quería exponer. Soy muy consciente, sin embargo, que en la situación actual la aplicación de la Política procesal criminal y de la Dogmática procesal penal en el enjuiciamiento de los delitos de trata de seres humanos puede verse en serio peligro, porque nuestro proceso penal no es el apropiado para una democracia que se precie de serlo, por su situación real respeto a la obligación del estado de organizar una Justicia eficaz, es decir,

---

en DE HOYOS SANCHO, M., (dir.), *Garantías y derechos de las víctimas especialmente vulnerables en el marco jurídico de la Unión Europea*, Ed. Tirant lo Blanch, Valencia, 2013, pp. 457 y ss.; CASTILLEJO MANZANARES, R.: "Mediación con víctimas especialmente vulnerables. Violencia de género", en DE HOYOS SANCHO, M., (dir.), *Garantías y derechos de las víctimas especialmente vulnerables en el marco jurídico de la Unión Europea*, Ed. Tirant lo Blanch, Valencia, 2013, pp. 435 y ss.; y MARTÍN DIZ, F.: *Mediación penal y víctimas especialmente vulnerables: problemas y dificultades*, en DE HOYOS SANCHO, M., (dir.), *Garantías y derechos de las víctimas especialmente vulnerables en el marco jurídico de la Unión Europea*, Ed. Tirant lo Blanch, Valencia, 2013, pp. 503 y ss.

por sus enormes condicionantes negativos en la práctica, que lo convierten en un proceso penal ineficaz.

El estado intenta resolverlo convirtiendo al proceso en un instrumento meramente pragmático, fuera de la Política criminal y de la Dogmática, un gravísimo error. Ello merece un comentario específico.

V. EL PRAGMATISMO PROCESAL ANTE LA REALIDAD DE LA SOBRECARGA JUDICIAL Y SUS MANIFESTACIONES EN LA PERSECUCIÓN DE LOS DELITOS DE TRATA DE SERES HUMANOS

Así es. Retomando nuestro discurso inicial, independientemente de las consideraciones hechas sobre el delito de trata de seres humanos, el resultado que podemos contemplar serenamente hoy es que el Derecho procesal penal, al contrario que el Derecho penal, no se expande, sino que se reduce, se contrae, se aleja de una construcción dogmática amplia e integradora para ceñirse exclusivamente a resolver problemas concretos, cuya gravedad no se discute, pero que carecen de un hilo conductor común, carecen de sistema.

La dogmática jurídico-procesal penal es hoy más necesaria que nunca, pero casi nadie la cultiva, no es atrayente, y sin embargo sólo la dogmática explica correctamente la garantía de respeto a los derechos de los ciudadanos que sufren persecución penal frente al todopoderoso estado en una democracia, y sólo la dogmática es capaz de explicar por qué el estado debe quedar sometido a un control permanente en el ejercicio de la acusación. Al igual que en el Derecho penal, en el Derecho procesal Penal la dogmática tiene también una función legitimadora, porque proporciona a la ciudadanía el conocimiento necesario para que la norma sea aceptada por todos, o al menos por la mayoría[59].

Se puede decir que la única y máxima preocupación de nuestra Justicia en la actualidad, en realidad desde hace ya más de 50 años, es la sobrecarga judicial y sus consecuencias. Es la causa principal por la que nuestro proceso penal está tan alejado de la Política criminal y por la que, y no sólo por ello, carece de Dogmática jurídica, viviendo en el más absoluto pragmatismo.

El pragmatismo es, pues, la verdadera causa de nuestra contracción. El legislador y el operador jurídico se ven constreñidos a él para intentar resolver nuestros problemas por la enorme sobrecarga judicial que padecen nuestros órganos jurisdiccionales penales. No tienen tiempo para pensar. Esa sobrecar-

---

[59]   MUÑOZ CONDE, F.: *Introducción al Derecho Penal*, Ed. Bosch, Barcelona, 1975, *op. cit.*, p. 136; DÍEZ RIPOLLÉS, J. L.: "Exigencia sociales y Política criminal", en DÍEZ RIPOLLÉS, J. L., *Política criminal y Derecho penal – Estudios*, Ed. Tirant lo Blanch, Valencia, 2004, pp. 44 y 45.

ga y sus consecuencias son la única y máxima preocupación de nuestro gobierno y de nuestro Poder Legislativo, y sobre ella giran prácticamente todas las grandes reformas penales habidas en nuestra democracia que no se han limitado al desarrollo procesal penal de un derecho fundamental concreto previsto por nuestra Constitución. Obsérvese:

1°) Por un lado, sólo se piensa legislativamente en acelerar los procedimientos, en los juicos rápidos. Las reformas en España de 1967, 1980, 1988, 1992, 2002 y 2015, por destacar las más importantes, demuestran el fracaso de esta vía.

2°) Por otro, se realizan otras reformas, cuya utilidad dogmática no siempre es clara, por no decir que es casi nula, de carácter orgánico (más tribunales y más recursos humanos) e institucional (reinstauración del Jurado, ampliación de la conformidad, etc.).

Hay preocupación política, ciertamente, pues todos los presidentes de gobierno españoles desde la democracia han prometido, normalmente en sus discursos de investidura como consecuencia de estar escrito en el programa con el que han ganado las elecciones o han resultado elegidos presidente, que su Gobierno iba a promover la reforma del proceso penal en esa legislatura aprobando una nueva Ley de Enjuiciamiento Criminal. Hasta ahora, ninguno lo ha conseguido, aunque el Anteproyecto de 2020 parece en estos momentos que avance[60].

3°) Se ha focalizado el eje de la reforma del proceso penal en la figura del Ministerio Fiscal, destacando los intentos, todavía no conseguidos de otorgarle la dirección de la etapa de investigación del delito[61].

4°) Finalmente, se quiere evitar que el proceso llegue a su fin a toda costa, favoreciendo y ampliando la vigencia del principio de oportunidad en el proceso penal (alternativas a la persecución, conformidad o justicia negociada y justicia restaurativa). Resulta preocupante y a la par curioso constatar cómo el Derecho penal se mantiene "puro" a toda costa y las "bajezas" se dejan para el Derecho procesal Penal, cuando se piensa en la crisis de la Justicia penal y se proponen medidas concretas de más o menos calado para superarla. El principio de legalidad penal permanece siempre incólume, férreamente fijado, indiscutible e invariable, al menos en sus garantías estrictamente materiales, en suma inmaculado, pero la garantía jurisdiccional en que se traduce, por la que se obliga a perseguir los delitos que se consagran en el Código Penal o en leyes penales especiales a través del proceso por un tribunal de justicia, es otro

---

[60] Veamos ejemplos reales de ello en GÓMEZ COLOMER, J. L.: *La contracción del Derecho procesal Penal*, *op. cit.*, p. 176, nota 234.

[61] GÓMEZ COLOMER, J. L.: "El debate acerca del quién de la investigación a la luz de la experiencia y el modelo procesal alemán", *Revista Estudios Jurídicos. Ministerio Fiscal. El Ministerio Fiscal en el Derecho Comparado–El Consejo Fiscal*, núm. VI, 2001, pp. 97 y ss.

cantar, ya que es posible que sí rija, o es posible que no, al menos en el ámbito de la criminalidad menos grave y leve, en función de varias circunstancias que atentan o vulneran directamente aquel principio.

En conclusión, apuesto por resolver los grandes y pequeños problemas que en estos momentos tiene planteados el Derecho procesal penal en la realidad a través de una Dogmática correcta y adecuada, en la que la conceptualización, la interpretación y la sistematización de la ley procesal, partiendo de los grandes principios constitucionalizados, ayude al práctico a llegar a una sentencia justa. La alarmante duración del proceso, la insoportable impunidad de los grandes criminales organizados, el aumento injustificado del intervencionismo público en la investigación del crimen, la indefendible privatización de la Justicia penal, etc., etc., encontrarán en la Dogmática con toda seguridad soluciones mejores a las actuales y contribuirán a que nuestro proceso, realmente, sea el constitucionalmente debido.

Si ello es así, es decir, si el proceso penal español actual carece de Política procesal criminal y de Dogmática procesal penal por culpa del pragmatismo al que obliga el colapso de nuestros tribunales penales, ¿qué perspectivas de éxito tiene la investigación y el enjuiciamiento de los delitos de trata de seres humanos, en suma, sirve para algo su tipificación como delito?

Sin necesidad de estadísticas oficiales, cualquier observador atento de la realidad asiste aterrorizado a un aumento sin precedentes de la actividad delictiva en el mundo de la esclavitud, de los trabajos o servicios forzados, de la mendicidad, de la explotación sexual, particularmente de menores, de la pornografía, especialmente de la infantil, del contrabando de órganos, de la prostitución, de los matrimonios forzados. Si atendemos a estadísticas oficiales, se ha constatado un aumento de la proporción de menores víctimas de trata, pues se han multiplicado por cinco (a ello habría que añadir que la tendencia general de la trata de personas ha empeorado de forma paralela al COVID-19)[62].

La culpa de esta situación no es de España, ni tampoco de ningún país, civilizado o no, es del ser humano, y eso tiene remedio, si lo tiene, mucho más allá del Derecho penal y del Derecho procesal penal, puesto que en la base del problema está la extrema pobreza de muchas personas que se ven obligadas a delinquir o a emigrar ilegalmente, habitantes de países en los que la igualdad ni siquiera existe como concepto. Pero si uno de los remedios más eficaces es el Derecho penal y el Derecho procesal penal, nuestra obligación es hacerlo bien y que sirva de verdad para acabar con estas infamias y castigar a sus culpables.

En conclusión, debe advertirse con rigor científico del alto riesgo de que, obteniéndose una regulación legal perfecta, tanto a nivel sustantivo como pro-

---

[62]   Informe de la Oficina de las Naciones Unidas contra la Droga y el Delito (UNODC) de 2020, v. en https://www.unodc.org/unodc/en/data-and-analysis/glotip.html.

cesal penal, de los delitos de trata de seres humanos y de su persecución y enjuiciamiento criminal, gracias a consideraciones acertadas de Política (procesal) criminal y de Dogmática (procesal) penal, el sistema no sea capaz de practicarlo por estar colapsado, buscando salidas en absoluto precisas y desde luego no deseadas que hagan fracasar la investigación, que victimicen todavía más a las víctimas de trata y que, en definitiva, hagan naufragar a la misma reforma.

VI. BIBLIOGRAFÍA

BARONA VILAR, S.: "Mediación penal como instrumento restaurativo de las víctimas: ¿En todo caso y para todas las víctimas?", en DE HOYOS SANCHO, M., (dir.), *Garantías y derechos de las víctimas especialmente vulnerables en el marco jurídico de la Unión Europea*, Ed. Tirant lo Blanch, Valencia, 2013.

BARONA VILAR, S.: *Mediación penal. Fundamento, fines y régimen jurídico*, Ed. Tirant lo Blanch, Valencia, 2011.

BELTRÁN MONTOLIU, A.: "Víctimas vulnerables: Especial referencia al Estatuto del Menor a la luz de la LO 8/2021 de protección integral a la infancia y adolescencia frente a la violencia", *Revista de la APDPUE*, 2021.

BUJOSA VADELL, L. M.: "El menor como víctima", en DEL POZO PÉREZ, M.; BUJOSA BADELL, L. (dir.) y GONZÁLEZ MONJE, A. (coord.), *Proceso penal y víctimas especialmente vulnerables. Aspectos interdisciplinares*, Ed. Aranzadi, Pamplona 2019.

CARBONELL MATEU, J. C.: *Derecho penal: Concepto y principios constitucionales*, Ed. Tirant lo Blanch, Valencia, 1999.

CASTAÑO REYERO, M. J.: "El estatuto de protección internacional para las víctimas de trata desde la perspectiva de derecho internacional de los derechos humanos", en MARTÍN OSTOS, J. S. (dir.) y MARTÍN RÍOS, P. (coord.), *La tutela de la víctima de trata: Una perspectiva penal, procesal e internacional*, Ed. J. M. Bosch, Barcelona 2019.

CASTILLEJO MANZANARES, R.: "Mediación con víctimas especialmente vulnerables. Violencia de género", en DE HOYOS SANCHO, M., (dir.), *Garantías y derechos de las víctimas especialmente vulnerables en el marco jurídico de la Unión Europea*, Ed. Tirant lo Blanch, Valencia, 2013.

COBO DEL ROSAL, M. y VIVES ANTÓN, T. S.: *Derecho penal. Parte General* (5ª ed.), Ed. Tirant lo Blanch, Valencia, 1999.

CUERDA ARNAU, M.: "La concepción significativa de la acción v. las pretensiones sistemáticas", en VIVES ANTÓN, T. S., *Pensar en libertad. Últimas reflexiones sobre el Derecho y la Justicia*, Ed. Tirant lo Blanch, Valencia, 2019.

DE HOYOS SANCHO, M.: "El tratamiento procesal de las víctimas especialmente vulnerables en los últimos instrumentos normativos de la Unión Europea", en DE HOYOS SANCHO, M., (dir.), *Garantías y derechos de las víctimas especialmente vulnerables en el marco jurídico de la Unión Europea*, Ed. Tirant lo Blanch, Valencia, 2013.

DÍAZ Y GARCÍA CONLLEDO, M.: "Reivindicación de la (buena) dogmática", en de VICENTE REMESAL, J. *et alii* (dir.), *Libro homenaje al Profesor Diego-Manuel Luzón Peña con motivo de su 70° aniversario*, Ed. Reus, Madrid, 2020.

DÍEZ RIPOLLÉS, J. L.: "Exigencia sociales y Política criminal", en DÍEZ RIPOLLÉS, J. L., *Política criminal y Derecho penal – Estudios*, Ed. Tirant lo Blanch, Valencia, 2004.

DONINI, M.: "Diritto penale di lotta vs. Diritto penale del nemico", en GAMBERINI, A. y ORLANDI, R. (dir.), *Delitto politico e delitto penale del nemico*, Ed. Monduzzi, Bolonia, 2007.

DONINI, M.: "El Derecho penal frente al `enemigo´", en CANCIO MELIÁ, M. y GÓMEZ-JARA DÍEZ, C. (eds.), *Derecho penal del Enemigo. El discurso penal de la exclusión*, Ed. Edisofer-Euros-B de F, Buenos Aires, 2006.

GALAÍN PALERMO, P.: "La reparación del daño en un sistema penal funcional a las necesidades de la política criminal", en DE HOYOS SANCHO, M. (dir.), *Garantías y derechos de las víctimas especialmente vulnerables en el marco jurídico de la Unión Europea*, Ed. Tirant lo Blanch, Valencia, 2013.

GANZENMÜLLER ROIG, C.: "Las personas con discapacidad como personas especialmente vulnerables", en DE HOYOS SANCHO, M. (dir.), *Garantías y derechos de las víctimas especialmente vulnerables en el marco jurídico de la Unión Europea*, Ed. Tirant lo Blanch, Valencia, 2013.

GIMBERNAT ORDEIG, E.: *¿Tiene un futuro la dogmática jurídico-penal?*, Estudios de Derecho Penal (3ª ed.), Ed. Tecnos, Madrid, 1990.

GÓMEZ COLOMER, J. L.: "El debate acerca del quién de la investigación a la luz de la experiencia y el modelo procesal alemán", *Revista Estudios Jurídicos. Ministerio Fiscal. El Ministerio Fiscal en el Derecho Comparado–El Consejo Fiscal*, núm. VI, 2001.

GÓMEZ COLOMER, J. L.: "La responsabilidad penal de las personas jurídicas y el control de su actividad: Estructura jurídica general en el Derecho Procesal Penal español y cultura de cumplimiento (Compliance Programs)", en GÓMEZ COLOMER, J. L. (dir.): *Tratado sobre Compliance penal*, Ed. Tirant lo Blanch, Valencia. 2019.

GÓMEZ COLOMER, J. L.: *El indicio de cargo y la presunción judicial de culpabilidad*, Ed. Tirant lo Blanch, Valencia, 2021.

GÓMEZ COLOMER, J. L.: *Estatuto Jurídico de la Víctima del Delito* (2ª ed.), Ed. Thomson Reuters–Aranzadi, Pamplona, 2015.

GÓMEZ COLOMER, J. L.: *La contracción del Derecho Procesal Penal*, Ed. Tirant lo Blanch, Valencia, 2020.

GONZÁLEZ CUSSAC, J. L.: *Responsabilidad penal de las personas jurídicas y programas de cumplimiento*, Ed. Tirant lo Blanch, Valencia, 2019.

GONZÁLEZ MONJE, A.: "Menores infractores y protección de la víctima de violencia de género menor de edad", en DEL POZO PÉREZ, M., BUJOSA BADELL, L. (dirs.) y GONZÁLEZ MONJE, A. (coord.), *Proceso penal y víctimas especialmente vulnerables. Aspectos interdisciplinares*, Ed. Aranzadi, Pamplona 2019.

GRECO, L.: "Dos formas de hacer dogmática jurídico-penal", *Revista Discusiones*, núm. 8, 2008.

HASSEMER, W. y MUÑOZ CONDE, F.: *Introducción a la Criminología*, Ed. Tirant lo Blanch, Valencia, 2002.

HASSEMER, W.: *Crítica al Derecho penal de hoy. Norma, interpretación, procedimiento. Límites de la prisión preventiva* (trad. ZIFFER, P. S.), Ed. Ad-Hoc, Buenos Aires, 1995.

HASSEMER, W.: en WASSERMANN, R. (Hrsg.), *Reihe Alternativkommentare. Kommentar zum Strafgesetzbuch*, Ed. Luchterhand, Neuwied, 1990.

HASSEMER, W.: *Fundamentos del Derecho penal* (trad. y notas de MUÑOZ CONDE, F. y ARROYO ZAPATERO, L.), Ed. Bosch, Barcelona, 1984.

JAKOBS, G.: "¿Derecho penal del Enemigo? Un estudio acerca de los presupuestos de la juridicidad", en CANCIO MELIÁ, M. y GÓMEZ-JARA DÍEZ, C. (coords.), *Derecho penal del enemigo: el discurso penal de la exclusión*, Ed. Edisofer-Euros-B de F, Buenos Aires, 2006 (publicado también en la *Revista Peruana de Doctrina y Jurisprudencia Penales*, núm. 7, 2006).

JAVATO MARTÍN, M.: "Maltrato y abandono de personas mayores", en DE HOYOS SANCHO, M. (dir.), *Garantías y derechos de las víctimas especialmente vulnerables en el marco jurídico de la Unión Europea*, Ed. Tirant lo Blanch, Valencia, 2013.

JESCHECK, H. H.: "Nueva Dogmática penal y Política criminal en perspectiva comparada", *Anuario de Derecho Penal y Ciencias Penales*, tomo 39, vol. 1, 1986.

JIMÉNEZ-VILLAREJO FERNÁNDEZ, F.: "La protección de testigos en Europa: Viabilidad de una legislación común en la Unión Europea. Especial referencia al documento de trabajo com (2007) 693 final", en DE HOYOS SANCHO, M. (dir.), *Garantías y derechos de las víctimas especialmente vulnerables en el marco jurídico de la Unión Europea*, Ed. Tirant lo Blanch, Valencia, 2013.

KINDHÄUSER, U.: "Retribución de la culpabilidad y prevención en el estado democrático de Derecho", en CANCIO MELIÁ, M. y GÓMEZ-JARA DÍEZ, C. (coords.), *Derecho penal del enemigo: el discurso penal de la exclusión*, Ed. Edisofer-Euros-B de F, Buenos Aires, 2006.

LISZT, F. von y SCHMIDT, Eb.: *Lehrbuch des deutschen Strafrechts* (25ª ed.), Ed. de Gruyter, Berlín, 1927.

LUZÓN PEÑA, D. M.: *Lecciones de Derecho penal. Parte General* (3ª ed.), Ed. Tirant lo Blanch, Valencia, 2016.

MAQUEDA ABREU, M.L.: "Cuando el discurso de la vulnerabilidad se convierta en un discurso ideológico (a propósito de las "víctimas" de la prostitución y el tráfico sexual de mujeres)", en DE HOYOS SANCHO, M. (dir.), *Garantías y derechos de las víctimas especialmente vulnerables en el marco jurídico de la Unión Europea*, Ed. Tirant lo Blanch, Valencia, 2013.

MARTÍN ANCÍN, F.: *La trata de seres humanos con fines de explotación sexual en el Código Penal de 2020. Aportaciones de la Ley Orgánica 1/2015*, Ed. Tirant lo Blanch y Universidad de Salamanca, Valencia, 2017.

MARTÍN DIZ, F.: *Mediación penal y víctimas especialmente vulnerables: problemas y dificultades*, en DE HOYOS SANCHO, M., (dir.), *Garantías y derechos de las víctimas especialmente vulnerables en el marco jurídico de la Unión Europea*, Ed. Tirant lo Blanch, Valencia, 2013.

MATUS, J. P.: "Por qué citamos a los alemanes y otros apuntes metodológicos", *Política Criminal: Revista Electrónica Semestral de Políticas Públicas en Materias Penales*, núm. 5, 2008.

MENDOZA BUERGO, B.: *El Derecho penal en la sociedad del riesgo*, Ed. Civitas, Madrid, 2001.

MIR PUIG, S.: *Derecho penal. Parte General* (6ª ed.), Ed. Reppertor, Barcelona, 2002.

MIR PUIG, S.: *Introducción a las bases del Derecho Penal*, Ed. Bosch, Barcelona, 1982.

MIRANDA ESTRAMPES, M.: "Los menores como víctimas de hechos delictivos. Tratamiento procesal", en DE HOYOS SANCHO, M., (dir.), *Garantías y derechos de las víctimas especialmente vulnerables en el marco jurídico de la Unión Europea*, Ed. Tirant lo Blanch, Valencia, 2013.

MUÑOZ CONDE, F. y GARCÍA ARÁN, M.: *Derecho penal. Parte General* (5ª ed.), Ed. Tirant lo Blanch, Valencia, 2002.

MUÑOZ CONDE, F.: *Introducción al Derecho Penal*, Ed. Bosch, Barcelona, 1975.

MUÑOZ CONDE, F.: *La relación entre Sistema del Derecho penal y Política criminal. Historia de una relación atormentada*, Ed. UBIJUS, México, 2008.

ORTS BERENGUER, E. y GONZÁLEZ CUSSAC, J. L.: *Compendio de Derecho penal. Parte General* (3ª ed.), Ed. Tirant lo Blanch, Valencia, 2002.

PÉREZ ALONSO, E. y POMARES CINTAS, E. (coords.): *La trata de seres humanos en el contexto penal iberoamericano*, Ed. Tirant lo Blanch, Valencia, 2019.

PÉREZ ALONSO, E.: "Marco normativo y política criminal contra la trata de seres humanos en la Unión Europea", en PÉREZ ALONSO, E. y POMARES CINTAS, E. (coords.), *La trata de seres humanos en el contexto penal iberoamericano*, Ed. Tirant lo Blanch, Valencia, 2019.

PERRON, W.: "La Administración de Justicia penal europea y transnacional como desafío para una dogmática de Derecho Penal moderna", *Cuadernos de Derecho penal*, enero-junio 2018.

PERRON, W.: "Sind die nationalen Grenzen des Strafrechts überwindbar?", *Zeitschrift für die gesamte Strafrechtswissenschaft (ZStW)* 109, cuaderno 2, 1997.

PLANCHADELL GARGALLO, A.: "Protección procesal de las víctimas de trata: Aproximación general", *Revista Aranzadi de Derecho y Proceso Penal*, núm. 61, 2021.

PORTILLA CONTRERAS, G.: *El Derecho penal entre el cosmopolitismo universalista y el relativismo posmodernista*, Ed. Tirant lo Blanch, Valencia, 2007.

QUINTERO OLIVARES, G.: *Manual de Derecho penal. Parte General* (3ª ed.), Ed. Thomson-Aranzadi, Pamplona, 2002.

ROBLES PLANAS, R.: "La identidad de la dogmática jurídico-penal", *Revista de Derecho penal* (Argentina), núm. 2, 2010.

ROMEO CASABONA, C.M. (ed. lit.): *Dogmática penal, Política criminal y criminología en evolución*, Ed. Universidad de Tenerife, Centro de Estudios Criminológicos, Tenerife, 1997.

ROXIN, C.: *Derecho Penal. Parte General* (trad. LUZÓN PEÑA, D. M., DÍAZ Y GARCÍA CONLLEDO, M. y de VICENTE REMESAL, J.), Ed. Civitas, Madrid, 1997.

ROXIN, C.: *Evolución y modernas tendencias de la teoría del delito en Alemania*, Ed. UBIJUS, México 2008.

ROXIN, C.: *Kriminalpolitik und Strafrechtssystem* (2ª ed.) (trad. española de la 1ª ed.), Ed. De Gruyter, Berlín, 1973.

ROXIN, C.: *La evolución de la Política criminal, el Derecho penal y el Proceso Penal*, Ed. Tirant lo Blanch, Valencia, 2000.

ROXIN, C.: *Política criminal y sistema del Derecho penal* (traducido por MUÑOZ CONDE, F.), Ed. Bosch, Barcelona, 1972.

SCHULZ, L.: "Ficciones de una ficción. El Derecho penal de Jakobs para enemigos," en CANCIO MELIÁ, M. y GÓMEZ-JARA DÍEZ, C. (coords), *Derecho penal del Enemigo. El discurso penal de la exclusión*, Ed. Edisofer-Euros-B de F, Buenos Aires, 2006.

SCHÜNEMANN, B.: "¿Derecho penal del enemigo? Crítica a las insoportables tendencias erosivas en la realidad de la Administración de Justicia Penal y de su insoportable desatención teórica", en CANCIO MELIÁ, M. y GÓMEZ-JARA DÍEZ, C. (coords.), *Derecho penal del Enemigo. El discurso penal de la exclusión*, Ed. Edisofer-Euros-B de F, Buenos Aires, 2006.

SCHÜNEMANN, B.: "Was heißt und zu welchem Ende betreibt man Strafrechtsdogmatik? Zu Fischers These der „fremden seltsamen Welten" anhand aktueller BGH-Urteile zu Begriff und Funktion der „besonderen persönlichen Merkmale im Strafrecht", *Goltdammer's Archiv*, núm. 8, 2011.

SCHURMANN OPAZO, M.: "¿Es científico el discurso elaborado por la dogmática jurídica? Una defensa de la pretensión de racionalidad del discurso dogmático elaborado por la ciencia del derecho penal", *Política Criminal: Revista Electrónica Semestral de Políticas Públicas en Materias Penales*, vol. 14, núm. 27, 2019.

SENÉS MONTILLA, C.: "La especialización judicial en violencia de género en el sistema procesal español", en DE HOYOS SANCHO, M. (dir.), *Garantías y derechos de las víctimas especialmente vulnerables en el marco jurídico de la Unión Europea*, Ed. Tirant lo Blanch, Valencia, 2013.

SERRANO MASIP, M.: "Protección jurisdiccional de menores en situación de riesgo y desamparo. Iniciativas del Consejo de Europea y de la Unión Europea en orden a una justicia adaptada a los menores, en DE HOYOS SANCHO, M., (dir.), *Garantías y derechos de las víctimas especialmente vulnerables en el marco jurídico de la Unión Europea*, Ed. Tirant lo Blanch, Valencia, 2013.

SILVA SÁNCHEZ, J. M.: "Anexo. Política criminal en la dogmática: algunas cuestiones sobre su contenido y límites", en ROXIN, C., *La evolución de la Política criminal, el Derecho penal y el Proceso Penal*, Ed. Tirant lo Blanch, Valencia, 2000.

SILVA SÁNCHEZ, J. M.: "Política criminal en la Dogmática, algunas cuestiones sobre su contenido y límites", en SILVA SÁNCHEZ, J. M. (ed.), *Política criminal y nuevo Derecho penal. Libro Homenaje a Claus Roxin*, Ed. J. M. Bosch, Barcelona, 1997.

SILVA SÁNCHEZ, J. M.: *Aproximación al Derecho Penal contemporáneo* (2ª ed. Ampliada y actualizada), Ed. Euris, Buenos Aires, 2010.

SILVA SÁNCHEZ, J. M.: *La expansión del Derecho penal. Aspectos de la Política criminal en las sociedades postindustriales* (2ª ed.), Ed. Civitas, Madrid, 2001 (reimpr. de la 2ª ed. ampl., con el mismo título, por Ed. BdeF, Buenos Aires-Montevideo, 2006).

TAMARIT SUMALLA, J. M.: "La política europea sobre las víctimas de delitos", en DE HOYOS SANCHO, M., (dir.), *Garantías y derechos de las víctimas especialmente vulnerables en el marco jurídico de la Unión Europea*, Ed. Tirant lo Blanch, Valencia, 2013.

VIDAL FERNÁNDEZ, B.: "El menor como víctima especialmente vulnerable en los supuestos de sustracción parental transfronteriza: instrumentos procesales comunitarios", en DE HOYOS SANCHO, M., (dir.), *Garantías y derechos de las víctimas especialmente vulnerables en el marco jurídico de la Unión Europea*, Ed. Tirant lo Blanch, Valencia, 2013.

VILLACAMPA ESTIARTE, C.: "El delito de trata de personas: análisis del nuevo artículo 177 bis CP desde la óptica del cumplimiento de compromisos internacionales de incriminación", *Anuario da Facultade de Dereito da Universidade da Coruña* (AFDUDC), núm. 14, 2010.

VILLACAMPA ESTIARTE, C.: *El delito de trata de seres humanos. Una incriminación dictada desde el Derecho Internacional*, Ed. Thomson Reuters – Aranzadi, Pamplona, 2011.

VILLAR FUENTES, I.: "Maltrato a personas mayores, ¿víctimas vulnerables "olvidadas"?", en DEL POZO PÉREZ, M., BUJOSA BADELL, L. (dirs.) y GONZÁLEZ MONJE, A. (coord.), *Proceso penal y víctimas especialmente vulnerables. Aspectos interdisciplinares*, Ed. Aranzadi, Pamplona 2019.

VIVES ANTÓN, T. S.: *Fundamentos del Sistema Penal* (2ª ed.), Ed. Tirant lo Blanch, Valencia, 2011.

ZIPF, H.: *Kriminalpolitik. Ein Lehrbuch* (2ª ed.), Ed. C.F. Müller, Heidelberg, 1980.

Capítulo XXV

INVESTIGACIÓN Y ENJUICIAMIENTO DEL DELITO DE TRATA: ASPECTOS PROCESALES DESDE LA JURISPRUDENCIA

ANDREA PLANCHADELL GARGALLO

Catedrática de Derecho Procesal
Universitat Jaume I de Castellón

I. INTRODUCCIÓN

En estas páginas se pretende hacer un breve repaso de cómo la jurisprudencia ha abordado la protección de las víctimas de trata de seres humanos desde la perspectiva de la investigación y enjuiciamiento de este delito, sin entrar en las finalidades de la explotación concreta que se realice.

Sin perjuicio del interés del Protocolo de Palermo (Protocolo para prevenir, reprimir y sancionar la trata de personas, especialmente mujeres y niños, que complementa la Convención de las Naciones Unidas contra la Delincuencia Organizada Trasnacional de 2003), primer instrumento internacional que atiende a la protección integral de la trata, el art. 4 del Convenio de Varsovia (Convenio núm. 197, del Consejo de Europa hecho en Varsovia el 16 de mayo de 2005, con entrada en vigor en España el 1 de agosto de 2009) define la trata como "el reclutamiento, transporte, transferencia, alojamiento o recepción de personas, recurriendo a la amenaza o uso de la fuerza u otras formas de coerción, el secuestro el fraude, engaño, abuso de superioridad o de otra situación de vulnerabilidad, o el ofrecimiento o aceptación de pagos o ventajas para obtener el consentimiento de una persona que tenga autoridad sobre otra, con vistas a su explotación. La explotación comprenderá, como mínimo, la prostitución de otras personas u otras formas de explotación sexual, el trabajo o los servicios forzados, la esclavitud o las prácticas análogas a la esclavitud, la servidumbre o la extirpación de órganos"[1]. En definitiva, se trata de captar, transportar, trasladar, acoger o recibir personas empleando determinados medios con la finalidad de explotación sin añadirle calificativo, y aunque ésta no llegue a producirse. La Directiva 2011/36/UE del Parlamento europeo y del Consejo de 5 abril de 2011, relativa a la prevención y lucha contra la trata de seres humanos y a la protección de las victimas y por la que se sustituye la Decisión marco 2002/629/JAI del Consejo[2], no contiene una definición expresa de trata, si bien – de forma similar–en su art. 2 se definen las conductas que englobarían dicho concepto, concretamente "La captación, el transporte, el traslado, la acogida o la recepción de personas, incluido el intercambio o la transferencia de control sobre estas personas, mediante la amenaza o el uso de la fuerza u otras formas de coacción, el rapto, el fraude, el engaño, el abuso de poder o de una situación de vulnerabilidad, o mediante la entrega o recepción de pagos o beneficios para lograr el consentimiento de una persona que posea el control sobre otra persona, con el fin de explotarla". Común a las definiciones que encontramos en estos documentos es la consideración de la trata como una "moderna forma de esclavitud"[3].

---

[1]   Importante se considera por VILLACAMPA ESTIARTE, C. y TORRES ROSELL, N.: "Trata de seres humanos para explotación criminal: Ausencia de identificación de las víctimas y sus efectos", *Revista de Estudios Penales y criminológicos*, núm. 36, 2016, p. 774, la referencia que se introduce en la Directiva 2011 respecto a "explotar a la víctima en alguna actividad que produzca un beneficio económico..."

[2]   Junto con esta Decisión Marco, cabe citar también – sin ánimo de exhaustividad–el Plan de la UE sobre mejores prácticas, normas y procedimientos para luchar contra la trata de seres humanos y prevenirla o el Programa de Estocolmo "Una Europa abierta al ciudadano", en que se reconoce la lucha contra la trata de seres humanos como una prioridad del Consejo de Europa. A estas normas, entre otras más centradas en el ámbito migratorio o laboral, debe añadir el Convenio del Consejo de Europa sobre la lucha contra la trata de seres humanos de 2005 y su creación del Grupo de Expertos en la lucha contra la trata de seres humanos (GRETA).

[3]   VILLACAMPA ESTIARTE, C.: "El delito de trata de personas: Análisis del nuevo artículo 177bis CP desde la óptica del cumplimiento de compromisos internacionales de incriminación", *Anuario de la Facultade de Direito da Universidade da Coruña-AFDCUDC*, 2010, p. 824; PEREZ ALONSO, E.: "Marco normativo y política criminal contra la trata de seres humanos en la Unión Europea", en PÉREZ ALONSO, E. y POMARES CINTAS, E. (coords.), *La trata de seres humanos en el contexto penal iberoamericano*, Ed. Tirant lo Blanch, Valencia, 2019, p. 64, se refiere a un "... viejo fenómeno que aparece disfrazado bajo nuevas formas y métodos...".
El TEDH desde su Sentencia núm. 25965/04, de 7 de enero de 2010, *caso Rantsev contra Chipre y Rusia* entiende que el art. 4 del CEDH (prohibición de la esclavitud) ofrece protección frente a la trata. Pese a ello, como afirma Mestre i Mestre esta resolución "sigue siendo paradigmática porque desde su adopción han llegado pocos casos ante el TEDH...", v., MESTRE I MESTRE, R.: "La jurisprudencia del TEDH en materia de trata de seres humanos y la necesidad de regresar a las categorías jurídicas de esclavitud, servidumbre y

II. EL ENFOQUE VICTIMOLÓGICO Y LA VULNERABILIDAD DE LA VÍCTIMA DE TRATA

La aproximación tuitiva que pretendemos realizar, nos obliga a hacer una somera referencia a la importancia que, para la adecuada protección de la víctima de trata, supone la necesidad del referido enfoque victimológico[4]. Así, documentos internacionales y regionales sobre la trata, como los citados Protocolo de Palermo, Convenio de Varsovia, o la Directiva de 2011 afrontan el tratamiento de este fenómeno centrándose en la víctima del delito, lo que marca un punto de inflexión en su protección y tratamiento, en tanto que se considera que la trata supone una vulneración de los derechos humanos de la víctima y un atentado a la dignidad humana, por la cosificación que supone de la persona[5]. Como indica Villacampa estamos ante un "cambio de paradigma"[6] que traslada el centro de atención de la incriminación de las conductas a la protección de la víctima, suponiendo un tratamiento integral "más holístico, orientándonos a la protección y reconocimiento de los derechos de la víctima"[7].

---

trabajo forzado", *Revista del Laboratorio Iberoamericano para el Estudio Sociohistórico de las Sexualidades*, núm. 4, 2020, pp. 1 y ss.

[4]   V., también, PLANCHADELL GARGALLO, A.: "Protección procesal de las víctimas de trata: Aproximación general", *Revista de Derecho y Proceso Penal*, núm. 61, 2021, pp. 39; PLANCHADELL GARGALLO, A.: "La protección procesal de las víctimas de trata: Panorama europeo", en LLORENTE SÁNCHEZ-ARJONA, M. (dir.) y POSADA PÉREZ, J. A. (coord.), *Estudios procesales sobre el espacio europeo de justicia penal*, Ed. Tirant lo Blanch, Valencia 2021, pp. 117 y ss.

[5]   De hecho, el art. 1 del Convenio de Varsovia, establece como uno de sus objetivos "proteger los derechos humanos de las víctimas…" (art. 1, b). De igual forma, el Considerando 11 de la Directiva de 2011 se refiere a la trata como "una grave violación de la dignidad humana y de la integridad física". A nivel nacional, dicho enfoque es evidente en el Protocolo Marco de Protección de Víctimas de trata de seres humanos. V.: OBAKTA, T.: "Trafficking of human beings as a crime against humanity: Some implications for the international legal system", *The International and Comparative Law Quaterly*, núm. 54, 2005, p. 448; PEREZ ALONSO, E.: "Marco normativo y política criminal contra la trata de seres humanos en la Unión Europea", *op. cit.*, pp. 63 y 95. Así, la STS núm. 307/2021, de 9 de abril (TOL8.408.705): "Como dice la STS 214/2017, de 29 de marzo, la mecánica delictiva propia de la trata de seres humanos con destino a la explotación sexual, cosifica a las mujeres víctimas y las humilla y veja con toda clase de maltratos, incluida la violencia, la agresión sexual y, si llega a plantearse, el aborto forzado".

[6]   VILLACAMPA ESTIARTE, C.: "Víctimas de trata de seres humanos: Su tutela a la luz de las últimas reformas penales sustantivas y procesales proyectadas", *InDret* 2/2014, 2014, p. 3.

[7]   VILLACAMPA ESTIARTE, C.: "La nueva Directiva Europea relativa a la prevención y a la lucha contra la trata de seres humanos y a la protección de la víctima ¿Cambio de rumbo de la política de la Unión en materia de trata de seres humanos?", *Revista Electrónica de Ciencia Penal y Criminológica*, (13-14), 14: 2), 2011; VILLACAMPA ESTIARTE, C.: *El delito de trata de seres humanos. Una incriminación dictada desde el Derecho Internacional*, Ed. Aranzadi, Cizur Menor (Navarra), 2011, pp. 145 y ss., afirmando que dicho enfoque "despliega toda su gama cromática en el conjunto de derechos y facultades previstos para

Este abordaje de la trata se manifiesta a través llamadas "tres P" a que se refiere el Protocolo de Palermo: Prevención, protección y persecución, pero de forma conjunta[8]; en la que la protección de la víctima antes, durante y después de la celebración del proceso no dependa de que colabore o no en el mismo, sino de su propia condición de víctima, lo que obliga a la adecuada identificación de la misma como tal (art. 27 del Convenio de Varsovia y art. 9 de la Directiva de 2011)[9]. Identificación, que no siempre resulta una tarea sencilla[10].

A estas consideraciones previas, debemos añadir la vulnerabilidad consustancial a la víctima de trata[11]. La víctima de trata, sin duda alguna, pre-

---

la víctima de este tipo de delito", p. 188; TORRES ROSELL, N. y VILLACAMPA ESTIARTE, C.: "Protección jurídica y asistencia para víctimas de trata de seres humanos", *Revista General de Derecho Penal*, núm. 27, 2017, p. 2. En igual sentido, LLORIA GARCÍA, P.: "El delito de trata de seres humanos y la necesidad de creación de una ley integral", *Estudios penales y criminológicos*, 2019, pp. 353 y ss.

[8]   VILLACAMPA ESTIARTE, C.: "Víctimas de trata de seres humanos: Su tutela a la luz de las últimas reformas penales sustantivas y procesales proyectadas", *op. cit.*, pp. 4 y ss.

[9]   Puede consultarse la Sentencia del TEDH núm. nº 71545/12, de 21 de enero de 2016, *caso L.E contra Grecia*. Al respecto puede verse también los diversos informes de GRETA, particularmente el 2º y 4º. La no dependencia entre la colaboración de la víctima y su protección, AAVV: *Guía de criterios de actuación judicial frente a la trata de seres humanos*, Consejo General del Poder Judicial, Madrid, 2018, p. 51; FERNÁNDEZ OLALLA, P.: "La colaboración de la víctima en la investigación del delito de trata de seres humanos. Valoración de la colaboración de la víctima en el ámbito administrativo y penal", *Revista Aranzadi Doctrinal*, núm. 9, 2014, *passim*. En la temprana identificación y la necesidad de protección de las víctimas de trata sigue incidiendo el Plan Estratégico Nacional contra la Trata y la Explotación de Seres Humanos, del Ministerio del Interior, para los años 2021 a 2023 (se puede consultar en: http://www.interior.gob.es/documents/10180/12745481/220112_Plan_nacional_TSH_+PENTRA_FINAL_2021_2023/3f5c859a-69ef-40f8-a0b6-2a2b316f853d).

[10]   El art. 10 del Convenio de Varsovia establece la necesaria identificación de la víctima (art. 10) en el capítulo dedicado a las medidas para proteger y promover los derechos de las víctimas, destacando al respecto la necesaria formación y especialización de las personas involucradas en la prevención y lucha contra la trata de seres humanos; especialización y formación que sin duda contribuye a la mejor detección e identificación de las víctimas de trata. De hecho, es muy ilustrativo sobre estas dificultades el trabajo de VILLACAMPA ESTIARTE, C y TORRES ROSELL, N.: "Mujeres víctimas de trata en prisión en España", *Revista de Derecho Penal y Criminología*, núm. 8, 2012 (también publicado en inglés en *European Journal of Criminal Policy and Research* 2014, vol. 20, núm. 1), al que también nos referimos en la nota 22; FARALDO CABANA, P.: "¿Dónde están las víctimas de trata de personas? Obstáculos a la identificación de las víctimas de trata en España", en MIRANDA RODRÍGUEZ (coord), *Livro de Atas. Conferencia internacional 18 de octubre. Día europeo contra o tráfico de seres humanos*, U. de Coimbra, Coimbra, 2017, pp. 140 y ss. De estas dificultades se sigue haciendo eco el Informe Greta correspondiente al año 2019, particularmente en el caso de menores de edad; de hecho, nuestro país se encuentra entre los 45 países a los que desde esta institución se les "urge parcialmente" a mejorar la identificación de las víctimas de trata (https://rm.coe.int/9th-general-report-on-the-activities-of-greta-covering-the-period-from/16809e169e , pp. 44 y 54).

[11]   PLANCHADELL GARGALLO, A.: "Protección procesal de las víctimas de trata: Aproximación general", *op. cit.*, pp. 41 a 42; GÓMEZ COLOMER, J. L.: "Víctimas de trata:

senta una vulnerabilidad concreta, consecuencia de su propia condición y de las particularidades del delito que la victimiza. Estamos ante sujetos que se encuentran, generalmente, en situación ilegal, que frecuentemente viven bajo unas condiciones económicas precarias, posiblemente padeciendo una cierta marginación social, muy vulnerable sentimental y emocionalmente, en no pocas ocasiones con una formación deficiente, etc[12]. La Directiva de 2011, en su art. 2. 2 indica expresamente que esta situación de vulnerabilidad concurre además "cuando la persona en cuestión no tiene otra alternativa real o aceptable excepto someterse al abuso" y la necesaria adecuación a la situación de vulnerabilidad de la víctima figura como uno de los ejes centrales del reciente Plan Estratégico Nacional contra la Trata y la Explotación de Seres Humanos, del Ministerio del Interior, para los años 2021 a 2023.

Pues bien, todas estas circunstancias deben ser tomadas en consideración cuando se investiga y enjuicia el delito de trata, en cualquiera de sus manifestaciones. Necesidad que se apunta claramente en el art. 1 del Convenio de Varsovia (art. 1.1, b): "proteger los derechos de la persona de las víctimas de la trata, crear un marco completo de protección y de asistencia a las víctimas y los testigos, garantizando la igualdad entre las mujeres y los hombres, así como garantizar una investigación y unas acciones judiciales eficaces"). Si bien no existe un proceso específico para la investigación y enjuiciamiento del delito de trata, sí debemos reconocer el papel que juegan ciertas instituciones procesales, que aparecen con mayor frecuencia en este contexto como la utilización de especiales técnicas de investigación (a las que se refiere, por ejemplo, el art. 20 de la Convención de Palermo), la anticipación de la prueba, la protección de testigos o el valor de ciertas pruebas forenses.

III. INVESTIGACIÓN DEL DELITO

En realidad, la investigación de este delito no se diferencia de la de cualquier otro delito, pero sí concurren en él ciertas características propias – vinculación con la criminalidad organizada, participación de muy diversos actores, diversidad de conductas, posible conexión con otros delitos, transnacionalidad, etc. El repaso jurisprudencial realizado en nuestro estudio ha puesto de manifiesto la clara relación entre el delito de trata de seres humanos y la criminalidad organizada, por lo que las "técnicas de investigación utilizadas" en este contexto coinciden con las propias de la lucha contra esta criminalidad, jugando un papel esencial la especialización

---

Declaraciones y protección en el proceso penal", *Revista de Derecho y Proceso Penal*, núm. 64, 2021, pp. 2 y ss.

[12]   S AP de Barcelona núm. 183/2020, de 22 de junio (TOL8.287.952).

de las unidades involucradas. Así lo reconoce expresamente la S TS núm. 63/2020, de 20 de febrero (RJ 5720): "Existen formas de delincuencia, como muchas de las relacionadas con el tráfico de estupefacientes, que hacen necesarias técnicas policiales de investigación que implican restricciones de derechos fundamentales. La ausencia de testigos que se sientan "víctimas"; el blindaje y opacidad de sus operaciones, y la capacidad organizativa a ciertos niveles en que se manejan importantes montos económicos aboca a esas técnicas de investigación más agresivas, si no se quiere claudicar en la lucha contra ese tipo de delincuencia". Es pues evidente, que la vinculación con la delincuencia organizada añade dificultades a la investigación del delito, en tanto que la misma se dirigirá, en la mayoría de ocasiones, a la comprensión completa de la estructura personal y funcional de la organización, distribución de roles y adecuación de los comportamientos de sus miembros a una finalidad común. A todo ello, se añade una investigación patrimonial dificultosa y desenmarañar las actividades aparentemente legales utilizadas (empresas pantalla, ingeniería financiera, etc.)[13].

La indicada especialización no lo debe ser únicamente a efectos de la investigación del delito, sino que también debe procurar la adecuada e integral protección de la víctima, quien desde el primer contacto con las autoridades debe sentirse segura.

Consecuencia del análisis jurisprudencial realizado, hemos detectado una cierta coincidencia en cuanto a las diligencias utilizadas en la investigación de este delito, a las que brevemente nos referimos seguidamente, respecto de las que debemos cuestionarnos si realmente en su ejecución cumplen con la finalidad de protección, asistencia y acompañamiento de la víctima. En este estudio, por razones obvias, no vamos a analizar cada una de las medidas referidas atendiendo a sus presupuestos, requisitos, modalidades de ejecución, etc., sino que únicamente vamos a referir aquellos aspectos de las mismas que han sido destacados por la jurisprudencia al investigar el delito de trata de seres humanos.

1.   *Entrada, registro e inspección de lugares*

Las entradas y registros, reguladas en los artículos 545 a 572 LECrim, como es sobradamente conocido, se practican ante la existencia de indicios de que en dichos lugares se puede encontrar el investigado, efectos o instrumentos del delito, libros, papeles u objetos que pueden servir para su esclarecimiento. Esta entrada que, salvo consentimiento del interesado, requiere de autorización judicial a través de auto expresamente motivado, en la gran mayoría de los casos

---

13   AAVV: *Guía de criterios de actuación judicial frente a la trata de seres humanos*, *op. cit.*, pp. 44 y ss.

se centra en los lugares o locales en que se encuentran las víctimas explotadas, lo que obliga a extremar las precauciones de los agentes que la llevan a cabo a efectos de su protección y seguridad. Es pues, de especial trascendencia, que en dichas actuaciones intervenga personal especializado que puede llevar a cabo entrevistas preliminares en la escena del delito, identificando y discriminando las posibles víctimas, de los meros testigos, colaboradores, etc.

La trascendencia práctica de esta diligencia en la investigación del delito de trata es evidente; basta incluso con ver las noticias en los medios al respecto en que se nos ofrecen imágenes de "casas" o "lugares" en que se produce alguna de las conductas delictivas contempladas por el tipo penal, especialmente la explotación misma o en las que se retiene a las víctimas. Así, no son pocas las resoluciones de nuestros tribunales en que se analiza la validez constitucional de las entradas en clubs de alternes y sus distintas dependencias (bar, habitaciones[14], etc.)[15], y su consideración o no como domicilio; o en las habitaciones o "cubículos" donde las víctimas subsisten, generalmente en condiciones infrahumanas. En este último caso, la flagrancia y necesidad de protección de las víctimas juegan un importante papel a la hora de analizar la necesidad o no de la autorización judicial habilitante de la intervención[16]. En general, nuestra jurisprudencia ha entendido no es necesario un auto habilitante para cada una de las estancias que pudieran tener la consideración de domicilio[17], considerando suficiente un auto referido a todo el local, con sus dependencias y edificios anexos[18]. Similares consideraciones deben hacerse respecto a otros lugares en que se ejerce la explotación, por ejemplo, casas de citas.

---

[14]   Al respecto, por ejemplo, la S TS núm. 737/2004, de 16 de abril, afirma (TOL420.793) que "Una cosa es que determinados actos se lleven a cabo en la intimidad de un espacio cerrado anejo al lugar donde se conciertan y otra distinta es que aquél constituya domicilio... Por ello los reservados de un establecimiento público destinado a la práctica de relaciones o actos sexuales deben estar excluidos del concepto de domicilio"

[15]   SS. TS núm. 1505/1997, de 18 de febrero; núm. 1063/2010, de 15 de marzo. V., sobre esta cuestión con detalle, GARCÍA-BAQUERO BORRELL, S.: "Diligencia de entrada y registro en la investigación del delito de TSH", Estudios jurídicos, 2012, pp. 9 y ss.

[16]   S AP de Zamora de 1 de septiembre de 2012: "La única forma de evitar esa exigencia es que considerar que nos encontramos ante un supuesto de flagrante delito y teniendo en cuenta la naturaleza de los delitos que tratamos...", sin perjuicio de que dicha sentencia considera en el caso enjuiciado nula la actuación, por considerar que la autorización judicial no determinaba suficiente las habitaciones y personas afectadas.

[17]   Estamos de acuerdo con García-Baquero Borrell, cuando afirma, en relación a las habitaciones en los clubs de alterne, que "... no puede predicarse la consideración de domicilio de las habitaciones donde viven esas personas (se refiere a las personas que viven en el club forzosamente) que no han elegido libremente este domicilio, pero esto no obsta a que deba actuarse con las máximas garantías y cuidado respecto del conjunto de las habitaciones...", v., GARCÍA-BAQUERO BORRELL, S.: "Diligencia de entrada y registro en la investigación del delito de TSH", op. cit., p. 13.

[18]   STS núm. 10585/2008, de 8 de abril (TOL1.297.076).

2. Intervenciones telefónicas

En cuanto a las intervenciones telefónicas (arts. 588 ter a) a ter m) LE-Crim) aparecen también como otra de las medidas de mayor efectividad en la investigación del delito de trata. No pocas de las sentencias analizadas parten de la alegación por los recurrentes de la falta de indicios suficientes que justificaran la intervención telefónica, centrándose la respuesta de los tribunales en justificar precisamente la existencia de los mismos[19], particularmente fundamentándose en el informe u oficio policial, en que se contienen los datos de la investigación realizada[20].

En la práctica de estas actuaciones, nuestros tribunales han entendido que no es suficiente la invocación de simples sospechas o la afirmación de hipótesis, suposiciones o conjeturas, sino que dichas sospechas deben tener una base objetiva suficiente:

> "Se exige que las sospechas estén objetivadas, en un doble sentido: Deben ser accesibles a terceros ya que, en otro caso, no serían susceptibles de control, y deben estar apoyadas o corroboradas por una base real de la que pueda inferirse que se ha cometido o que se va a cometer el delito. Los indicios que deben servir de base a una intervención telefónica han de ser entendidos, no como la misma constatación o expresión de la sospecha, sino como datos objetivos, que por su naturaleza han de ser susceptibles de verificación posterior, que permitan concebir sospechas que puedan considerarse razonablemente fundadas acerca de la existencia misma del hecho que se pretende investigar, y de la relación que tiene con él la persona que va a resultar directamente afectada por la medida (STS núm. 635/2012, de 17 de julio)", (S TS núm. 554/2019, de 13 de noviembre, TOL7.593.832).

A ello, se añade que el análisis de dicha información, en que se sustenta la petición de intervención, deba considerarse de forma global, "como un todo" y no de manera desagregada. Respecto a la motivación de la medida a adoptar, la citada sentencia de 2019, nos recuerda que: … "en el momento inicial del procedimiento no resulta exigible una justificación fáctica exhaustiva, pues se trata de una medida

---

[19]   SS TS núm. 63/2020, de 20 de febrero (TOL7.794.337); núm. 554/2019, de 13 de noviembre (TOL7.593.832); núm. 396/2019, de 24 de julio (TOL7.431.979); núm. 77/2019, de 12 de febrero (TOL7.065.911); S TS núm. 827/2015, de 4 de noviembre (RJ 6624)

[20]   En este sentido, la S TS núm. 77/2019, de 12 de febrero (TOL7.065.911), afirma que "Conforme se señala en la sentencia de este Tribunal núm. 413/2015, de 30 de junio, la motivación por remisión no es una técnica jurisdiccional modélica, pues la autorización judicial debería ser autosuficiente (STS núm. 636/2012, de 13 de julio). Pero la doctrina constitucional admite que la resolución judicial pueda considerarse suficientemente motivada sí, integrada con la solicitud policial, a la que se remite o con el informe o dictamen del Ministerio Fiscal en el que solicita la intervención (STS núm. 248/2012, de 12 de abril), contiene todos los elementos necesarios para llevar a cabo el juicio de proporcionalidad (STC 72/2010, de 18 de octubre). Resultando en ocasiones redundante que el Juzgado se dedique a copiar y reproducir literalmente la totalidad de lo narrado extensamente en el oficio o dictamen policial que obra unido a las mismas actuaciones, siendo más coherente que extraiga del mismo los indicios especialmente relevantes (STS núm. 722/2012, de 2 de octubre)".

adoptada, precisamente, para profundizar en una investigación no acabada (SSTS 1240/98, de 27 de noviembre , 1018/1999, de 30 de septiembre , 1060/2003, de 21 de julio , 248/2012, de 12 de abril y 492/2012, de 14 de junio , entre otras), por lo que únicamente pueden conocerse unos iniciales elementos indiciarios que, según se ha expuesto, deben estar objetivados".

En esta motivación, reconociendo que no es una técnica modélica, se admite la remisión, como hemos indicado, "si la solicitud policial, o el informe del Ministerio Fiscal en el que solicita la intervención, contiene todos los elementos necesarios para llevar a cabo el juicio de proporcionalidad (SS TC 72/2010, de 18 de octubre, y 492/2012, de 14 de junio y STS 248/2012, de 12 de abril, entre otras)".

Por ejemplo, la citada sentencia núm. 554/2019, de 13 de noviembre, se refiere a los siguientes datos, que, constando en el informe policial, se valoran como indicios más que suficientes para ordenar la intervención telefónica: Denuncia anónima a la página web de la policía nacional por correo electrónico sobre prostitución coactiva en un club de alterne; acta de inspección de extranjería y laboral con diversas irregularidades detectadas en dicho club; recepción por vía de cooperación policial de una denuncia interpuesta por la madre de una persona que "trabajaba" en el club respecto a que podía ser víctima de trata; investigación del domicilio de la persona supuesta víctima, encontrándose una furgoneta con nueve mujeres indocumentadas, que se dirigían a otro club de alterne; resultados de seguimientos y de inspecciones patrimoniales.

Ante este tipo diligencias, si bien podemos generalizarlo para todas las medidas que analizamos, el Tribunal Supremo ha querido dejar claro que no es posible llevar a cabo estas actuaciones con carácter prospectivo (la conocida en Estados Unidos como "fishing expedition"). Así, por ejemplo, la S TS núm. 554/2019, de 13 de noviembre (TOL7.593.832) afirma que:

> "La Constitución prohíbe las investigaciones meramente prospectivas, porque el derecho al secreto de las comunicaciones no puede ser limitado para satisfacer la necesidad genérica de prevenir o descubrir delitos o para despejar las sospechas sin base objetiva. De conformidad con la STC 167/2002, de 18 de septiembre , " [...] las sospechas han de fundarse en datos fácticos o indicios que permitan suponer que alguien intenta cometer, está cometiendo o ha cometido una infracción grave o en buenas razones o fuertes presunciones de que las infracciones están a punto de cometerse (Sentencias del Tribunal Europeo de Derechos Humanos de 6 de septiembre de 1978 -caso Klass–y de 15 de junio de 1992 -caso Ludí) o, en los términos en los que se expresa el (actual) art. 579 LECrim, en "indicios de obtener por estos medios el descubrimiento o la comprobación de algún hecho o circunstancia importante de la causa".

3. Las vigilancias y seguimientos y el testimonio policial

El artículo 588 quinquies a) a quinquies c) regula la utilización de dispositivos técnicos de captación de la imagen, de seguimiento y de localización, que también pueden ser electrónicas[21]. Al respecto, y relacionado con el delito de trata, nuestra jurisprudencia se ha centrado en el valor de las declaraciones de los policías que han realizado la vigilancia y seguimiento. En este sentido, la reciente STS núm. 324/2021, de 21 de abril (TOL8.409.796) puntualiza que:

> "En cuanto al cuestionamiento del valor probatorio de las declaraciones de los policías que realizaron los seguimientos, en SSTS 920/2013, de 11-12; 364/2015, de 23-6, hemos dicho que debe distinguirse los supuestos en que el policía está involucrado en los hechos bien como víctima (por ejemplo, atentado, resistencia...) bien como sujeto activo (por ejemplo, detención ilegal, torturas, contra la integridad moral, etc.) (...) Pero cuando se refiere a hechos en que intervengan por razón de un cargo en el curso de investigaciones policiales, esto es, lo que la doctrina denomina "delitos testimoniales", que tienen como característica común la percepción directa de su comisión por aquellos, el art. 297.2 LECrim otorga valor de declaración testifical a la prestada por funcionarios de la policía judicial en cuanto se refieren a hechos de conocimiento propio, reiterando en parte tal formulación del art. 717 que añade, para el juicio oral, y sin restricción alguna, pues omite la limitación a los hechos de conocimiento propio que "serán apreciables según las reglas del criterio racional". El Tribunal Constitucional (S. 229/91 de 28.11) y esta Sala Segunda Tribunal Supremo (STS. 21.9.92, 3.3.93, 18.2.94), así lo entienden y conceden valor probatorio a sus testimonios debiendo ajustarse su apreciación y contenido a los mismos parámetros que los de cualquier otra declaración testifical. Dice en concreto, la STS. 395/2008 de 27.6, que según doctrina reiterada de esta Sala, las declaraciones de los agentes policiales sobre hechos de conocimiento propio, prestadas en el plenario con arreglo a los artículos 297 y 717 de la Ley de Enjuiciamiento Criminal, constituyen prueba de cargo apta y suficiente para enervar la presunción de inocencia, dado que gozan de las garantías propias de tal acto, sin que exista razón alguna para dudar de su veracidad, cuando realizan sus cometidos profesionales".

4. Otras especiales técnicas de investigación

Sin perjuicio de lo indicado en las páginas anteriores, es indudable la utilidad de otras actuaciones en la investigación del delito de trata, pudiendo añadir a las expuestas, la posible utilización de agentes encubiertos, la entrega vigilada y acudir a la colaboración de informantes y arrepentidos.

---

[21]   S TS núm. 77/2019, de 12 de febrero (TOL7.065.911); núm. 324/2021, de 21 de abril (TOL8.409.796).

4.1. El agente encubierto

La utilización del "agente infiltrado" se ha presentado como un acto de investigación especialmente efectivo en la lucha contra diversas formas de criminalidad, principalmente en los casos en que la actividad delictiva se lleva a cabo en el marco de una organización criminal[22]. Esta técnica implica la ocultación de la verdadera identidad de un agente especialmente preparado, con la intención de que establezca – introduciéndose de una u otra forma en la organización criminal – una relación de confianza con los miembros de la misma con la intención de obtener información especial y necesaria para satisfacer el interés de persecución de dichos hechos delictivos. En realidad, en este caso el engaño es "doble" pues se mantiene oculta tanto la identidad del sujeto como sus intenciones al "implicarse" en la actividad criminal.

El agente encubierto es, realmente, el único tipo de infiltración que se prevé expresamente en la LECrim. Esta figura es claro reflejo de cómo nuestros ordenamientos jurídicos han optado por hacer frente a esta criminalidad a través de medidas de investigación "extraordinarias"[23]. El art. 282bis LECrim, se centra, realmente, en regular, lo esencial y con parquedad, tanto de la infiltración como del agente encubierto. El infiltrado debe como tal analizar el modus operandi de la organización y sus miembros, los campos delictivos en que actúan y recoger información sobre la estructura del grupo[24], partiendo de la ocultación de su identidad[25] e, incluso, "el engaño"[26]. Precisamente por el

---

[22] Con detalle puede verse nuestro trabajo PLANCHADELL GARGALLO, A.: "El agente encubierto en la lucha contra la criminalidad organizada", en GÓMEZ COLOMER, J.L. (dir.), *La instrucción del crimen: Algunos problemas procesales*, Ed. Sepín, Madrid, 2020, pp. 69 y ss., y las obras en él referenciadas.

[23] Dicho carácter, así como sus implicaciones con los derechos del imputado se tratan detalladamente en RIFÁ SOLER, J. M., ABEL LLUCH, X. y RICHARD GONZALEZ, M.: *Estudios sobre la prueba penal* (vol. II), Ed. La Ley, Madrid 2011, págs. 225 y ss., y 353 y ss.

[24] ZAFRA ESPINOSA DE LOS MONTEROS, R.: *El policía infiltrado. Los presupuestos jurídicos en el proceso penal español*, Ed. Tirant lo Blanch, Valencia 2010, *passim*. STS núm. 508/2001, de 29 de enero; núm. 4287/2002, de 12 de junio.

[25] GÓMEZ DE LIAÑO FONSECA-HERRERO, M.: "Límites y garantías de la investigación con agentes encubiertos", *Diario La Ley núm. 6142 de 7 de diciembre de 2004*, 2004, pág. 3.

[26] GASCÓN INCHAUSTI, F.: *Infiltración policial y agente encubierto*, Ed. Comares, Granada, 2001, págs. 10 y 87, quien añade la nota consecuencia de dicho engaño del abuso de confianza, pues en esta figura es fundamental la "entrada y permanencia" en un determinado entorno. V., también muy detalladamente, ZAFRA ESPINOSA DE LOS MONTEROS, R.: *El policía infiltrado. Los presupuestos jurídicos en el proceso penal español*, op. cit., págs. 67 y ss.; GUZMÁN FLUJA, V.: "El agente encubierto y las garantías del proceso penal", *La prueba en el Espacio Europeo de libertad, seguridad y justicia penal*, Ed. Aranzadi, Cizur Menor (Navarra), 2006, pág. 17; GARCÍA SAN MARTÍN, J.: "Los límites entre el agente encubierto y el agente provocador en la persecución de los delitos de tráfico ilícito de drogas, *La Ley Penal*, núm. 107, marzo-abril 2014, p. 5. V., a modo de ejemplo, la STS núm. 671/2018, de 19 de diciembre (TOL6.977.339).

engaño en que se basa toda la actuación del agente encubierto, la utilización de esta técnica de investigación aparece como excepcional o subsidiaria en tanto que se acudirá a la misma cuando no existan otras vías para poder averiguar los hechos delictivos que se están investigando[27].

Si en el desarrollo de sus funciones como "infiltrado" pudiera verse afectado algún derecho fundamental la habilitación general no será suficiente, sino que deberá solicitar al órgano judicial las autorizaciones que al respecto se prevean en la Constitución y en la Ley ritual o leyes especiales, cumpliendo además en su ejecución concreta con todas las previsiones legales aplicables, so pena de ilicitud (así por ejemplo, por ejemplo para una intervención telefónica; es decir, la autorización genérica de infiltración no le exime de ello). La ilicitud de lo actuado no dependerá únicamente de la afección de derechos fundamentales sin la correspondiente autorización, sino también de la posible actuación del agente al margen de la autorización original, del posible incumplimiento de los requisitos legales de los diversos actos de investigación que sí está autorizado a llevar a cabo o de la propia provocación del delito o de su posible provocación del delito[28].

En el juicio oral el agente encubierto declarará en condición de testigo, normalmente como testigo protegido. La declaración que pueda prestar el agente encubierto se valora conforme a las reglas de la sana crítica por el tribunal, no habiéndosele otorgado mayor o particular valor probatorio, de forma que –

---

[27]   ZAFRA ESPINOSA DE LOS MONTEROS, R.: *El policía infiltrado. Los presupuestos jurídicos en el proceso penal español*, op. cit., pág. 26. El propio TS español, por ejemplo, en su sentencia de 29 de diciembre de 2011 (RJ 135), lo declara expresamente.

[28]   GASCÓN INCHAUSTI, F.: *Infiltración policial y agente encubierto*, op. cit., págs. 249 y ss. V., también, la S TS de 16 de febrero de 2006 (RJ 1068): "Alega la parte recurrente que la actuación de los agentes encubiertos, «si se realiza sin la debida autorización judicial, supone una flagrante vulneración de las normas procesales contenidas en los artículos 545 y siguientes, así como del derecho que todo acusado tiene a no declarar contra sí mismo y a no declararse culpable»; y que, al propio tiempo, supone «una vulneración de los principios constitucionales contenidos en el art. 10 de la Constitución española y de los derechos fundamentales a la inviolabilidad del domicilio y del secreto de las comunicaciones consagrados en el art. 18 apartados 2 y 3 CE»; afirmando, finalmente, que «en la investigación que ha dado origen a esta causa han participado como agentes encubiertos los testigos protegidos NUM000 y NUM001, los cuales, sin la autorización judicial establecida en el art. 282 bis LECrim, han procedido a obtener pruebas directamente de algunos de los acusados en este procedimiento, así como a transportar los objetos del delito, todo lo cual está afectado por una prohibición de valoración en los términos del art. 11.1 LOPJ»"; RICHARD GONZÁLEZ, M.: "Especialidades procesales en la investigación y enjuiciamiento del delito de trata de seres humanos", en POLEMANS, M.; RICHARD GONZÁLEZ, M.; GUTIÉRREZ SANZ, M. R. y RIAÑO BRU, I. (coords): *El fenómeno de la prostitución. Cooperación franco-española en la lucha contra la trata de seres humanos*, Thomson-Reuters, Cizur Menor (Navarra), 2015, pp. 372 y ss.

como cualquier declaración testifical – requerirá de la corroboración por otras pruebas practicadas en juicio oral[29].

Recordemos que La reforma operada por la Ley Orgánica 13/2015, de 5 de octubre, de modificación de la Ley de Enjuiciamiento Criminal para el fortalecimiento de las garantías procesales y la regulación de las medidas de investigación tecnológica añadió un nuevo número 6 al art. 282bis LECrim, ha introducido con identidad propia la figura del agente encubierto informático[30].

Si bien no podemos entrar en estas páginas, aspecto clave en el desarrollo de las investigaciones por los agentes encubiertos, es que el agente encubierto, en el desarrollo de sus funciones investigativas, debe respetar la legalidad vigente y actuar dentro de los límites previstos en la disposición habilitante de la infiltración, lo que supone que para averiguar los hechos delictivos lo que no puede es "provocar" el mismo la comisión del delito[31].

4.2. La colaboración de informantes, confidentes y arrepentidos

Estamos ante figuras cuya utilidad en la investigación de delitos, como la trata, es evidente y que tienen una relación directa con lo que se conoce como justicia premial.

A)   Confidentes o informantes

Desde una perspectiva general delimitadora, el confidente es una persona, generalmente perteneciente o relacionada con el círculo delictivo, que propor-

---

[29]   Se destacan estas cuestiones por RIFÁ SOLER, J.M.: "Agente encubierto o infiltrado en la nueva regulación de la Lecrim", *Revista del Poder Judicial*, (55), 1999, págs. 183 y ss., o STS de 1 de marzo de 2014.

[30]   Introducción que ya se exigía desde antes, por ejemplo, en el Pleno del Senado, sesión de 23 de marzo de 2011, moción núm. 169 del Grupo Parlamentario Popular. V., LAFONT NICUESA, L.: "El agente encubierto en el proyecto de reforma de la Ley de Enjuiciamiento Criminal", *La Ley Digital*, núm. 4617/2015, 2015, págs. 1 y ss.; RIZO GÓMEZ, B.: "La infiltración policial en internet. A propósito de la regulación del agente encubierto informático en la Ley Orgánica 13/2015, de 5 de octubre, de modificación de la Ley de Enjuiciamiento Criminal para el fortalecimiento de las garantías procesales y la regulación de las medidas de investigación tecnológica", en ASENCIO MELLADO, J. M. y FERNÁNDEZ LÓPEZ, M.: *Justicia penal y nuevas formas de delincuencia*, Ed. Tirant lo Blanch, Valencia, 2017, págs. 100 y ss.; ZARAGOZA TEJADA, J. I.: "El agente encubierto "online". La última frontera de la investigación penal", en *Revista Aranzadi Doctrinal*, núm. 1/2017, 2017.; VALIÑO CES, A.: "La actuación del agente encubierto en los delitos informáticos tras la Ley Orgánica 13/2015", en FUENTES SORIANO, O. (coord.), *El proceso penal. Cuestiones fundamentales*, Ed. Tirant lo Blanch, Valencia, 2017, pág. 381; SÁNCHEZ GÓMEZ, R.: "El agente encubierto informático", *La Ley Penal*, núm. 11, enero-febrero 2016, pág. 5.

[31]   PLANCHADELL GARGALLO, A.: "El agente encubierto en la lucha contra la criminalidad organizada", *op. cit.*, pp. 94 y ss.

ciona información a las autoridades en las primeras diligencias, normalmente de carácter extraprocesal, bien por iniciativa propia o "por encargo". Esta colaboración suele ofrecerse a cambio de algún beneficio, especialmente de carácter procesal.

El confidente, del que puede interesar mantener oculta su identidad para garantizar futuras colaboraciones, pero también por su protección personal, declarará en el acto de juicio oral como testigo, sometido, generalmente, a las normas de protección previstas para los mismos, no siendo posible que – para evitar su declaración – se acuda al testimonio de referencia prestado por los agentes de policía a las que el confidente narra los hechos. El tribunal debe valorar sus declaraciones conforme a las reglas de la sana crítica y teniendo especialmente en cuenta las circunstancias en que se ha producido la revelación de información y los motivos de la misma (venganza, auto-exculpación, beneficio personal, etc.). En cuanto a sus declaraciones, la S TS español de 26 de septiembre de 1997 afirma[32]:

> "la aceptación y valoración como prueba de cargo de las declaraciones de confidentes policiales anónimos, traídos al proceso a través del testimonio referencial de la policía... aparece proscrita en nuestro ordenamiento. En primer lugar en el plano de los derecho fundamentales reconocidos supranacionalmente por vulnerar el art. 6.3 d) del Convenio de Roma... que garantiza expresamente el derecho del acusado a interrogar a los testigos de cargo. En segundo lugar, en el plano constitucional por vulnerar el derecho a un proceso con todas las garantías y sin indefensión reconocido en el art. 24. 1 y 2 CE. En tercer lugar, en el plano de la legalidad ordinaria por desconocer lo prevenido en el art. 710 Lecrim, conforme al cual los testigos de referencia precisarán el origen de la noticia designando su nombre y apellidos, o con las señas con que fuere conocido a la persona que se le hubiere comunicado...".

B)   Arrepentidos

El arrepentido es un individuo, perteneciente a un grupo organizado criminal, que decide acudir ante las autoridades penales y colaborar con la Administración de Justicia, aunque ello implique tener que reconocer su participación en los hechos delictivos, facilitando información respecto a los hechos delictivos, el grupo y sus integrantes u otros datos de interés. Las declaraciones de estos sujetos pueden ser muy valiosas y, además, en no pocos casos son el detonante del inicio de las investigaciones; incluso suele conllevar una infiltración sobrevenida.

Este sujeto participa generalmente en la fase de instrucción ofreciendo información fundamental para la averiguación de los hechos delictivos, pero nada impide que pueda actuar como testigo en el juicio oral, si bien la valora-

---

[32]   V., también, la S TS de 22 de mayo de 2000 (TOL4.923.438).

ción de su declaración plantea no pocas dudas; de hecho, la utilización de esta figura y la valoración de sus declaraciones no es ajena a problemas y dudas, no pudiendo en este momento detenernos en ellas[33].

Consideramos interesante reproducir parte de la S TS núm. 1140/2010, de 29 de diciembre de 2010 (TOL2.017.457), que – además – confronta esta figura con la del informante:

> "… el arrepentido en el contexto de lo que ha sido denominado "prueba cómplice", supone una intervención durante el delito y antes de la sentencia. Este informador debe ser tratado de forma semejante a la de un coimputado en lo que respecta a la valoración de la prueba -bien entendido que es un testigo y como tal presta juramento o promesa de decir verdad (arts. 706 y 434 LECrim) y sujeto a las eventuales responsabilidades previstas conforme al art. 715 LECrim -, y como un confidente, que aporta datos fundamentales a partir del momento en que empieza a actuar en función de ese arrepentimiento. Refiriéndonos a la figura del infiltrado hemos de indicar que es en el plenario en donde la prueba testifical habrá de culminar con objeto de que los Jueces valorasen en su exacta medida las manifestaciones del confidente infiltrado, como testigo especialmente cualificado (STS 210/95 de 14.2), pero con acierto se destaca por el Ministerio Fiscal en su detallado escrito de impugnación del recurso, no supone descalificar su testimonio y sí analizarlo con precauciones y con un especial rigor, por cuanto la reforzada necesidad de razonar la credibilidad de un testigo que ha sido también participe en los hechos se acentúa por exigencias del derecho a un proceso con todas las garantías cuando se trata de declaraciones de quien puede obtener beneficios personales con la misma o incluso la exclusión de responsabilidad penal. Este dato debe valorarse a efectos de determinar su credibilidad o fiabilidad pero si su declaración se revela convincente y capaz de generar certeza, puede servir como base de un pronunciamiento condenatorio. El Tribunal Constitucional viene afirmando que el testimonio obtenido mediante promesa de reducción de pena no comporta una desnaturalización del testimonio que suponga en sí mismo la lesión de derecho fundamental alguno (AATC. 1/89 de 13.1, 899/85 de 13.12) y el TEDH por resolución de 25.5.2004 , caso Corneils contra Holanda inadmitió la demanda del condenado por pertenecer a una organización dedicada al trafico de drogas, condena que se basaba en las declaraciones de otro integrante de la organización que había llegado a un pacto de inmunidad con el Fiscal. En la medida en que el demandante pudo contradecir esas pruebas y cuestionar su fiabilidad y credibilidad, aunque no llegase a tener acceso a todas las conversaciones entre el procurador y el testigo inmune, no habrá afectación de ninguno de los preceptos del Convenio".

4.3.   La entrega vigilada

Estamos ante otra de las técnicas especiales de investigación, especialmente útiles en el ámbito de la delincuencia organizada, y a la que también debe acudirse de forma excepcional y atendiendo al principio de proporcionalidad

---

[33]   PLANCHADELL GARGALLO, A.: *Ibidem*, pp. 73 a 76.

y necesidad. Regulada en el art. 263 bis LECrim permite la entrega y circula-ción de determinadas sustancias, de los efectos e instrumentos del delito o las ganancias obtenidas del mismo, entre otras enumeradas en dicho artículo, con la finalidad de desentrañar la estructura de la organización criminal[34].

La excepcionalidad de la medida, lleva a que el legislador español haya querido limitarla a la investigación de ciertos delitos, concretamente 301 a 304 y 368 a 373 del Código Penal, y no sólo en el ámbito del narcotráfico. Si bien en dicho listado no aparece el art. 177 bis, creemos que sí es posible, en la investigación del delito de trata, la entrega vigilada de las remesas de dinero que este delito tan lucrativo genera, de los documentos falsos utilizados por los explotadores.

5. La importancia de los equipos conjuntos de investigación

Sin entrar en su estudio detallado, sí consideramos conveniente hacer men-ción expresa a que las particularidades y dificultades inherentes a la investi-gación de este delito, por su forma de ejecución, su carácter transfronterizo y relación con la delincuencia organizada, hacen especialmente importante la actuación de los equipos conjuntos de investigación y la cooperación jurídica internacional en general[35]. La necesidad de esta actuación conjunta se resalta, por ejemplo, por la Oficina de las Naciones Unidas contra la Droga y el Delito; la Convención de Palermo (art. 19) al referirse a las investigaciones conjuntas; o el Convenio de Varsovia, en que se dedica un Capítulo completo a la coope-ración internacional o el Considerando Quinto de la Directiva de 2011, con mención expresa a Europol y Eurojust[36].

---

[34]   En general, BELTRÁN MONTOLIU, A.: "La autorización judicial de circulación y entrega vigilada de drogas, sustancias, materiales y otros bienes lícitos como método para luchar contra la criminalidad organizada", en GÓMEZ COLOMER, J. L.: *La instrucción del cri-men*, Ed. Sepin, Madrid, 2020, pp. 99 y ss.

[35]   V., GARCÍA GARCÍA, T.: "La cooperación jurídica internacional en la persecución del delito de trata de seres humanos. Especial consideración a los equipos conjuntos de inves-tigación", *Revista Aranzadi Unión Europea*, núm. 31, 2018, pp. 8 y ss.; SAN JOSÉ GON-ZÁLEZ, A.: "Los equipos conjuntos de investigación y la posibilidad de su aplicación a los delitos de trata de seres humanos", *Centro de Estudios Jurídicos*, 2012, p. 14; JORDANA SANTIAGO, M.: "La lucha contra la trata en la Unión Europea: Los retos de la cooperación judicial penal transfronteriza", *Revista CIDOB d'Afers internacionals*, núm. 111, 2005, pp. 59 y ss.; BERMEJO ROMERO, J. A.: "Formas e instrumentos de cooperación judicial internacional en el delito de trata de personas", *Centro de Estudios Jurídicos*, 2014. La coo-peración internacionalidad, así como la especialización, siguen considerándose prioritarios como se indica en el Plan Estratégico Nacional contra la Trata y la Explotación de Seres Humanos 2021-2023, del Ministerio del Interior.

[36]   V., también, la Decisión marco del Consejo, de 13 de junio de 2002, sobre equipos conjun-tos de investigación.

Estos equipos conjuntos de investigación permiten una utilización más eficiente de los recursos materiales y personales, así como la formación especializada de sus integrantes. Como indica San José González, estos equipos, en que se integran autoridades policiales y judiciales, se caracterizan por la creación de un grupo para desarrollar una investigación o un operativo, con un objeto determinado y por un tiempo concreto[37].

El desarrollo de las investigaciones, y la cooperación en general, a través de estos grupos, permite, entre otras ventajas, obtener y compartir de forma sencilla información o la solicitud de las medidas de investigación entre los miembros del equipo de forma directa, evitando las comisiones rogatorias que dilatarían las mismas; incremente la confianza mutua entre las autoridades y, sin duda alguna, permite coordinar esfuerzos para la mayor eficacia de la investigación[38].

IV. ENJUICIAMIENTO DEL DELITO

En el ámbito del enjuiciamiento del delito, los temas claves, detectados en el análisis jurisprudencial realizado, se centran en la prueba preconstituida y el valor probatorio de ciertas declaraciones.

1. *La dispensa a declarar*

Si bien es mucho lo que se ha escrito y discutido sobre la dispensa a declarar contemplada para ciertos sujetos y regulada en el art. 416 LECrim[39], en estas páginas únicamente queremos llamar la atención del tratamiento que la misma

---

[37]   SAN JOSÉ GONZÁLEZ, A.: "Los equipos conjuntos de investigación y la posibilidad de su aplicación a los delitos de trata de seres humanos", *op. cit.*, p. 2.

[38]   SAN JOSÉ GONZÁLEZ, A.: *Ibidem*, p. 2

[39]   BELTRÁN MONTOLIU, A.: "Víctima de violencia de género y la dispensa del art. 416 Lecrim: evolución jurisprudencial", *Revista de Derecho Penal y Criminología*, núm. 19, 2018, pp. 13 y ss.; MONTESINOS GARCÍA, A.: "Especificidades probatorias en los procesos por violencia de género", *Revista de Derecho Penal y Criminología* 2017, núm. 17, pp. 127 y ss.; RODRÍGUEZ ÁLVAREZ, A.: "¿Hacia dónde camina la dispensa del deber de declarar?: Un breve comentario a propósito del Acuerdo de 24 de abril de 2013, del Pleno no jurisdiccional de la Sala Segunda del Tribunal Supremo", *Revista de Derecho y proceso penal*, núm. 33, 2014; RODRÍGUEZ LAINZ, J. L.: "El deber de declarar contra un pariente: comentario a la STC 94/2010, de 15 de noviembre", *Diario La Ley*, núm. 7577, 2011; CASTILLEJO MANZANARES, R.: "La dispensa del deber de declarar del artículo 416 de la Ley de Enjuiciamiento Criminal respecto de la mujer que sufre violencia de género", *Revista de Derecho Penal*, núm. 26, 2009.

ha tenido en supuestos de trata de seres humanos[40]. Al respecto, la S TS núm. 270/2016 de 5 de abril (TOL5.691.251) ha afirmado que:

> "… la Jurisprudencia de esta Sala ha venido reiterando que se trata de un derecho irrenunciable en beneficio de los testigos, pero no de las personas denunciantes espontáneas, respecto de los hechos que les han perjudicado, y que acuden a la policía en busca de protección, como sucede en el presente caso. Ciertamente hay que distinguir cuando como denunciante se acude a las autoridades para denunciar hechos de los que ha sido víctima para que actúen e inicien una investigación de aquellos otros supuestos en los que se cita como testigo a una persona incluida en la esfera de aplicación del artículo 416 de la Ley de Enjuiciamiento Criminal , y así se ha pronunciado esta Sala, como es exponente la Sentencia 449/2015, de 14 de julio , en la que se declara que otra cosa sería contradictorio con la clara y libre iniciativa de ser denunciante de hechos de los que ha sido víctima. Situación que es perfectamente compatible con el Acuerdo tomado por el Pleno no jurisdiccional de esta Sala, celebrado el 24 de abril de 2013, referido a la dispensa de la obligación de declarar.
>
> El Tribunal de instancia explica la correcta aplicación que se ha hecho del artículo 416 de la Ley de Enjuiciamiento Criminal en el caso que nos ocupa, ya que después de que Amanda Graciela, de 16 años de edad, acudiera a la policía en demanda de auxilio, una vez citada en el Juzgado fue instruida de la dispensa de la obligación de declarar a que se refiere dicho precepto en relación a su madre, manifestando que quería declarar, lo que hizo dándose cumplimiento a la debida contradicción en cuanto contestó asimismo a la preguntas que le hizo el abogado de su madre. Por el contrario su hermana Ana Clara, una vez instruida del artículo 416 en el Juzgado de Instrucción, manifestó que no quería declarar contra su madre y centró su relato en los hechos relacionados con Luis Urbano y Elena Isabel, así como en su trabajo en los clubs de Ovidio Urbano, cuando se marcharon de Gerona".

No encontramos, por tanto, particularidad alguna en la aplicación de esta dispensa, pero los razonamientos al respecto de la sentencia ponen de manifiesto la trascendencia que en los supuestos de trata juegan las últimas modificaciones en la materia[41]. Dado que en no pocas ocasiones en alguna de las conductas incluidas en el delito de trata participan familiares o personas ligadas a la víctima por una relación sentimental equiparable a la matrimonial, la correcta información a la víctima respecto a la dispensa se convierte en fundamental para su validez posterior.

---

[40]   GÓMEZ COLOMER, J. L.: "Víctimas de trata: Declaraciones y protección en el proceso penal", *op. cit.*, pp. 29 y ss.

[41]   BELTRÁN MONTOLIU, A.: "Victimas vulnerables: especial referencia al estatuto del menor a la luz de la lo 8/2021 de protección integral a la infancia y adolescencia frente a la violencia", *Revista de la Asociación de profesores de Derecho procesal de las universidades españolas (APDPUE)*, 2021, pp. 108 y ss.

2. La preconstitución de la prueba y su valor para desvirtuar la presunción de inocencia

Por si hubiera alguna duda respecto a la utilidad de la prueba preconstituida en el enjuiciamiento del delito de trata, la S TS núm. 53/2014, de 4 de febrero (TOL4.110.012), reconoce expresamente que "constituye una regla de experiencia que en los delitos de trata de seres humanos la presión sobre los testigos- víctima sometidos a la trata y explotación, es muy intensa, por lo que el recurso a la prueba preconstituida debe ser habitual ante la muy probable incidencia de su desaparición, huida al extranjero e incomparecencia al juicio oral, motivada ordinariamente por el temor a las eventuales consecuencias de una declaración contra sus victimarios. Esto es lo que ha ocurrido en el caso de autos"[42].

No podemos obviar, que en supuestos como la trata, la posible celebración del juicio oral y la propia acusación en el mismo puede tener como base probatoria fundamental la declaración de la víctima del delito; lo que, como sabemos, no ocurre únicamente en este supuesto, sino también en casos de violencia de género, agresiones sexuales o similares. Pues bien, la trascendencia de la declaración de la víctima, y de su colaboración durante el proceso, es algo que debe tenerse en cuenta durante el desarrollo del mismo, ya desde sus estados iniciales. Por ello, a lo largo del proceso deben aplicarse todas las medidas de protección y acompañamiento de la víctima durante su toma de declaración, que no solo servirán para evitar su victimización[43], sino también para evitar que la víctima, principalmente por miedo a algún tipo de represalia a ella o su familia, opte por no participar ni colaborar en el proceso, perdiendo la prueba fundamental[44].

---

[42]   Igualmente, las SS TS núm. 306/2020, de 12 de junio (TOL8.080.135); núm. 554/2019, de 13 de noviembre (TOL7.593.832); núm. 430/2019, de 27 de septiembre (TOL8.037.181); núm. 396/2019, de 24 de julio (TOL7.431.979); núm. 214/2017, de 29 de diciembre (TOL6.026.830). V., también, PEREA GONZÁLEZ, A.: "La prueba preconstuida en el delito de trata de seres humanos: El problema de la progresión procesal", *La Ley Penal*, núm. 140, 2019, p. 8; PLANCHADELL GARGALLO, A.: "Protección procesal de las víctimas de trata: Aproximación general", *op. cit.*, pp. 43 y ss.; AAVV: *Guía de criterios de actuación judicial frente a la trata de seres humanos*, *op. cit.*, p. 151.

[43]   PLANCHADELL GARGALLO, A.: "Protección procesal de las víctimas de trata: Aproximación general", *op. cit.*, pp. 43 y ss.; GÓMEZ COLOMER, J. L.: "Víctimas de trata: Declaraciones y protección en el proceso penal", *op. cit.*, pp. 35 y ss.

[44]   GONZÁLEZ ÁLVAREZ, J. L., MANUEL MUÑOZ, J., SOTOCA, A. y MANZANERO PUEBLA, A. L.: "Propuesta de protocolo para la conducción de la prueba preconstituida en víctimas especialmente vulnerables", *Papeles del Psicólogo*, vol. 34 (3), 2013, p. 229; GONZÁLEZ DE LA TAJADA, I.: "Víctimas vulnerables de especial protección tras las reformas en materia penal. Validez de la prueba preconstituida en fase sumarial. STS 19 de enero de 2016", *Revista Aranzadi Doctrinal*, núm. 8, 2016, p. 1; VIGUER SOLER, P. L.: "Estatuto de la víctima, protección del menor y prueba preconstituida", *Cuadernos Penales José María*

Nuestra jurisprudencia ha establecido los requisitos o condiciones para que la prueba preconstituida pueda ser valorada por el tribunal, aún siendo la única prueba de cargo, para desvirtuar la presunción de inocencia[45]. Claro es al respecto, por ejemplo, el A TC 205/2001, de 11 de julio, afirmando que "En efecto, en primer lugar, la prueba preconstituida o anticipada posee virtualidad para destruir la presunción de inocencia siempre y cuando se hayan practicado con observancia de las garantías establecidas en la Constitución y en el ordenamiento procesal y hayan sido incorporadas al juicio oral mediante su lectura, de tal manera que se permita a la defensa del acusado someterlas a contradicción, no bastando con la utilización de simples fórmulas de estilo, como «dar por reproducidas» (SSTC 62/1985, 22/1988, 25/1988, 137/1988, 201/1989, 217/1989, 51/1990, 10/1992, 323/1993, 32/1995 y 115/1998, entre otras muchas),…".

Para que a través de la prueba preconstituida pueda llevarse a juicio oral la declaración prestada por la víctima durante la instrucción por entender que no puede reproducirse, y que dicha declaración sea tomada en consideración por el tribunal para dictar sentencia nuestra jurisprudencia exige los siguientes requisitos[46]:

a) El requisito material, determinado por la imposibilidad de reproducción en el juicio oral. Cómo se interprete dicha imposibilidad en los casos de trata es clave para que no se pierda la declaración de la víctima, pues el art. 730 LE-Crim se refiere expresamente a una imposibilidad sobrevenida e imprevisible[47].

Lidón, núm. 14, Deusto Digital, Bilbao, 2018, p. 52; PLANCHADELL GARGALLO, A.: "Protección procesal de las víctimas de trata: Aproximación general", *op. cit.*, pp. 59 y 60.

45   Al respecto puede verse con más detalle, V., en general, ASENCIO MELLADO, J. M.: *Prueba prohibida y prueba preconstituida*, Ed. Trivium, Madrid, 1989; VEGAS TORRES, J.: *Presunción de inocencia y prueba en el proceso penal*, La Ley, Madrid, 1993; MUÑOZ CUESTA, F. J.: "Proposición, admisión y práctica de la prueba en los procesos ordinarios. Prueba anticipada y prueba preconstituida", *Estudios jurídicos Ministerio Fiscal*, Madrid, 2003-I; CLIMENT DURÁN, C.: *La prueba penal*, Ed. Tirant lo Blanch, Valencia, 2005.; FERNÁNDEZ LÓPEZ, M.: *Prueba y presunción de inocencia*, Ed. Iustel, Madrid, 2005; GUZMÁN FLUJA, V.: *Anticipación y preconstitución de la prueba en el proceso penal*, Ed. Tirant lo Blanch, Valencia, 2006; RICHARD GONZÁLEZ, M.: "Especialidades procesales en la investigación y enjuiciamiento del delito de trata de seres humanos", *op. cit.*, pp. 376 y ss.; MORENO CATENA, V.: "La prueba preconstituida", en GONZÁLEZ CANO, I. (dir.), *La prueba. Tomo II. La prueba en el proceso penal*, Ed. Tirant lo Blanch, Valencia, 2017, pp. 149 y ss.; MUERZA ESPARZA, J.: "Sobre el valor de la prueba preconstituida en el proceso penal", en JIMENO BULNES, M. y PÉREZ GIL, J. (dirs.), *Nuevos horizontes del Derecho Procesal. Libro-Homenaje al Profesor Ernesto Pedraz Penalva*, Ed. Bosch, Barcelona, 2016, pp. 769 y ss.; PLANCHADELL GARGALLO, A.: "Protección procesal de las víctimas de trata: Aproximación general", *op. cit.*, pp. 62 y 22.

46   SS TC 213/2013, de 21 de marzo; 53/2013, de 28 de febrero; 134/2011, de 2 de diciembre. En igual sentido, por ejemplo, la S TS núm. 470/2013, de 5 de junio (TOL3.773.465).

47   MOLINA GIMENO, F. J.: "Un nuevo paso en el camino de la involución garantística en la práctica procesal penal. Comentarios a la Sentencia del Tribunal Supremo núm. 96/2009,

En este sentido, creemos que las características propias que confluyen en la víctima de trata y su evidente vulnerabilidad deben influir claramente en la interpretación de la imposibilidad de reproducción en el juicio oral y, por qué no, su previsibilidad. Es en esta interpretación en la tiene aplicación el necesario enfoque victimológico que debe presidir los procesos incoados para el enjuiciamiento de los delitos de trata, como ocurre con los menores[48]. Esta aproximación nos permitirá entender que la imposibilidad puede fundamentarse en las negativas consecuencias que la reiteración de la declaración de la víctima, así como su continua presencia en el proceso pudiera implicar para su recuperación integral[49], y no sólo que la víctima pueda no presentarse a declarar en el juicio oral.

---

de 10 de marzo", *Revista Aranzadi Doctrinal*, núm. 61, 2009; VIGUER SOLER, P. L.: "Estatuto de la víctima, protección del menor y prueba preconstituida", *op. cit.,* p. 58

[48]   Clara es en este sentido la S TS núm. 470/2013, de 5 de junio (TOL3.773.465), en que se afirma que: "Esta Sala ha estimado (SS TS 96/2009 de 10 de marzo (RJ 2009, 3284), 743/2010, de 17 de junio (RJ 2010, 6674), 593/2012, de 17 de julio (RJ 2012, 10546) y 19/2013, de 9 de enero (RJ 2013, 4382) , entre otras) que la previsión de *«imposibilidad»* de practicar una prueba testifical en el juicio oral, exigible para justificar la *práctica anticipada de la prueba durante la instrucción, incluye los supuestos de menores víctimas de delitos sexuales, con el fin de evitar los riesgos de victimización secundaria, especialmente importantes en menores de muy corta edad, cuando sea previsible que dicha comparecencia pueda ocasionar daños psicológicos a los menores .*
Serán, pues, las circunstancias del caso las que, mediante un razonable equilibrio de los derechos en conflicto, especialmente la defensa del interés del menor y el derecho fundamental del acusado a un juicio con todas las garantías, aconsejen o no la ausencia del menor en el juicio, valorando las circunstancias concurrentes.
Es evidente que no se puede, ni se debe, sustituir la regla general de la presencia del testigo en el acto del juicio oral por la regla general contraria cuando se trate de menores.
Por ello la regla general debe ser la declaración de los menores en el juicio, con el fin de que su declaración sea directamente contemplada y valorada por el Tribunal sentenciador y sometida a contradicción por la representación del acusado, salvaguardando el derecho de defensa. Declaración del menor que ha de practicarse en el juicio con todas las prevenciones necesarias para proteger su incolumidad psíquica, expresamente previstas en la ley. Así el art. 707 de la Lecrim (LEG 1882, 16) , en su redacción conforme a la reforma operada por la LO 8/2006 (RCL 2006, 2152) , de diciembre, dispone para el ámbito del juicio oral que " la declaración de los testigos menores de edad se llevará a cabo evitando la confrontación visual de los mismos con el inculpado, utilizando para ello cualquier medio técnico que haga posible la práctica de la prueba" .
Cuando existan razones fundadas y explícitas (informe sicológico sobre un posible riesgo para los menores en caso de comparecer), puede prescindirse de dicha presencia en aras de la protección de los menores. Pero ha de hacerse siempre salvaguardando el derecho de defensa del acusado, por lo que tiene que sustituirse la declaración en el juicio por la reproducción videográfica de la grabación de la exploración realizada durante la instrucción judicial de la causa, en cuyo desarrollo haya sido debidamente preservado el derecho de las partes a introducir a los menores cuantas preguntas y aclaraciones estimen necesarias, y ordinariamente practicada en fechas próximas a las de ocurrencia de los hechos perseguidos".

[49]   Consideramos acertadas las apreciaciones de Muerza Esparza al hilo de su comentario a la Sentencia del Tribunal Supremo núm. 642/2015, de 29 de octubre (TOL5.558.217), en

b) Requisito subjetivo, que exige la necesaria intervención del Juez de Instrucción al tomar la declaración[50].

c) Requisito formal, en virtud del cual la introducción en el juicio oral del contenido de la declaración se realizará a través de la lectura del acta en que conste dicha declaración o el visionado del vídeo, en su caso, por el tribunal sentenciador (art. 730), garantizando la posibilidad de contradicción y la asistencia letrada el imputado, a fin de que pueda interrogar al testigo[51]. Respecto

---

el sentido de que la aprobación del Estatuto de la víctima del Delito y las medidas en él previstas en protección de la víctima en sus declaraciones pone de manifiesto la necesidad de reformar la prueba preconstituida, así como entender que la misma cabe dentro de las medidas del art. 25.2 del Estatuto. V., MUERZA ESPARZA, J.: "Sobre el valor de la prueba preconstituida en el proceso penal", *op. cit.*, pp. 782 y 783.

[50]   Conforme reiterada doctrina constitucional, estas declaraciones- en tanto que forman parte del atestado- tienen únicamente valor de denuncia, siendo necesaria su reproducción en el juicio oral para su valoración judicial. No obstante, las matizaciones introducidas en las SS TC 164/2014, de 8 de octubre y 33/2015, de 2 de marzo, llevaron al Acuerdo del Pleno no Jurisdiccional de la Sala Penal del Tribunal Supremo de 3 de junio de 2015, en virtud del cual las declaraciones prestadas ante los funcionarios policiales no tienen valor probatorio. Concretamente el acuerdo afirma que, precisamente por ello:
"No pueden operar como corroboración de los medios de prueba. Ni ser contrastadas por la vía del art. 714 de la Lecrim. Ni cabe su utilización como prueba preconstituida en los términos del art. 730 de la Lecrim.
Tampoco pueden ser incorporadas al acervo probatorio mediante la llamada como testigos de los agentes policiales que las recogieron.
Sin embargo, cuando los datos objetivos contenidos en la autoinculpación son acreditados como veraces por verdaderos medios de prueba, el conocimiento de aquellos datos por el declarante evidenciado en la autoinculpación puede constituir un hecho base para legítimas y lógicas inferencias. Para constatar, a estos exclusivos efectos, la validez y el contenido de la declaración policial, deberán prestar testimonio en el juicio los agentes policiales que la presenciaron".

[51]   En este sentido, SS TC 134/2010, de 2 de diciembre; 80/2003, de 28 de abril; 187/2003, de 27 de octubre; 142/2006, de 8 de mayo, que se refieren a que debe garantizarse al acusado a oportunidad adecuada y suficiente de contestar a los testimonios de cargo e interrogar a su autor. El Tribunal Constitucional ha dejado claro que la exigencia de contradicción debe entenderse como posibilidad de ella, respetándose "no sólo cuando el demandante goza de la posibilidad de intervenir en el interrogatorio de quien declara en su contra, sino también cuando tal efectiva intervención no llega a tener lugar por motivos o circunstancias que no se deben a una actuación judicial constitucionalmente censurable".
V., también, las SS TS núm. 396/2019, de 24 de julio (TOL7.431.979); núm. 136/2021, de 16 de febrero (TOL8.333.717) o, por ejemplo, el Auto TS núm. 346/2021, de 22 de abril (TOL8.436.808), en que se afirma que "La autorización de esta práctica está dentro del marco de legalidad y no supone vulneración alguna de los derechos fundamentales del acusado, procediendo recordar que, si bien ciertamente constituye garantía esencial del derecho de defensa el que las pruebas se practiquen en el plenario, bajo el juego ineludible de los principios de publicidad, concentración, inmediación y contradicción, ello no impide -como tiene esta Sala declarado, SS.TS 904/2006, de 16-10 ; 1080/2006, de 2-11; 732/2009, de 7-7; 1238/2009, de 11-12; y 867/2010, de 21-10–que el Tribunal de instancia pueda fundar su convicción condenatoria con base en la prueba practicada en la fase de instrucción cuando concurra una situación de imposibilidad de que el testigo declare en el juicio, citando

a la garantía de contradicción, nuestra jurisprudencia ha entendido que hay supuestos en que se admiten como prueba de cargo declaraciones sumariales sin contradicción; así se insiste en que "lo que nuestra doctrina garantiza no es la contradicción efectiva, sino la posibilidad de contradicción (SS TC 200/1996, de 3 de diciembre y 142/2006, de 8 de mayo), entendiendo que la contradicción se respeta "… no sólo cuando el demandante goza de la posibilidad de intervenir en el interrogatorio de quien declara en su contra, sino también cuando tal efectiva intervención no llega a tener lugar por motivos o circunstancias que no se deben a una actuación judicial constitucionalmente censurable" (S TS núm. 554/2019, de 13 de noviembre, TOL7.593.832) [52].

En estos momentos, y tras la última reforma de la LECrim[53], la obligatoriedad de grabar la declaración de la víctima únicamente está prevista cuando es

---

entre otros supuestos el fallecimiento antes de la celebración del juicio, cuando padezca una grave lesión cerebral o cuando su localización no sea factible (SS TC 209/2001 , 1/2006, 345/2006 y 134/2010).

Existe, pues, una sólida doctrina jurisprudencial, tanto del Tribunal Constitucional como de la Sala Segunda del Tribunal Supremo, que, en lo relativo a los efectos de la declaración judicial sumarial cuando no puede ser sometida a contradicción directamente en el plenario, argumenta que la falta de intervención en la vista oral del juicio de un testigo que haya depuesto en la fase de instrucción cuando éste fallece antes de que se celebra el juicio oral no despoja a esas declaraciones de todo valor probatorio. Pues, siendo cierto que el derecho del acusado a interrogar a los testigos de cargo está consagrado por el Convenio Europeo de Derechos Humanos e implícitamente por el derecho a un proceso con todas las garantías (art. 24 CE) y forma parte esencial del principio de contradicción que enlaza con el derecho de defensa, ese principio admite no obstante modulaciones en función de las circunstancias del caso (STS 1031/2013, de 12 de diciembre).

Y, en lo que se refiere a la incomparecencia por falta de localización, la más reciente jurisprudencia de esta Sala considera que no estamos necesariamente ante un caso de inutilizabilidad radical. No es un supuesto de invalidez probatoria. Habrá que ponderar todas las circunstancias y entre ellas esa limitación de la contradicción para valorar tal prueba sumarial introducida en el juicio oral a través de su lectura o la comparecencia de quienes oyeron esa declaración. No está vedada tajantemente la posibilidad de aprovechamiento probatorio. Será un problema de fiabilidad o credibilidad que habrá que solventar teniendo en cuenta que esa declaración se hizo al margen de la contradicción y por tanto que estará precisada de más elementos corroboradores, o habrá de limitarse a ser ella misma elemento corroborador que por sí sólo no bastaría para la condena. Pero no es correcto negar a priori todo valor a esa declaración (TS 158/2016, de 29 de febrero)".

52   V., también, SS TC 80/2003, de 28 de abril; 187/2003, de 27 de octubre o 142/2006, de 8 de mayo, o SS. TS núm. 136/2021, de 16 de febrero (TOL8.333.717), núm. 270/2016, de 5 de abril (TOL5.691.251). En sentido similar, aunque con matices, S TEDH de 19 de febrero de 2013, caso Gani contra España; 15 de diciembre de 2011, caso Al-Khawaja y Tahery c. Reino Unido.

53   BELTRÁN MONTOLIU, A.: "Victimas vulnerables: especial referencia al estatuto del menor a la luz de la lo 8/2021 de protección integral a la infancia y adolescencia frente a la violencia", op. cit., pp. 108 y ss.

menor de edad[54] o su capacidad ha sido modificada judicialmente (arts. 707-2°
y 731 bis Lecrim), pero no – pese a su evidente utilidad y efectos positivos para
la investigación y enjuiciamiento de los hechos – cuando es mayor de edad o
no padece incapacidad. La protección integral de la víctima de trata obliga a
plantearse la extensión a estas víctimas, tan vulnerables, y tras el correspondiente examen individual de su vulnerabilidad, de lo previsto en estos artículos.

3. *La protección de testigos y el valor de su declaración*

Sin perjuicio de la necesaria y urgente modificación de la legislación española de protección de testigos y peritos, la jurisprudencia analizada ha puesto
de manifiesto la importancia que tiene la necesaria protección de testigos en los
procesos penales en que se enjuicia la trata de personas, detallando, además,
los aspectos más importantes de esta práctica[55]. Como reconoce la S TS núm.
306/2020, de 12 de junio (TOL8.080.135), la colaboración con la Justicia que
supone la participación como testigos en el proceso penal se puede ver afectada o "menoscabada por la amenaza de represalias para su vida, integridad
física o libertad, por lo que resulta indispensable introducir diversas medidas
legales de protección, tanto en fases anteriores y posteriores del juicio oral
como incluso en el marco de su desarrollo, que permitan al órgano judicial,

---

[54]   MAGRO SERVET, V.: "Necesidad de la práctica de la prueba preconstituida en menores
de edad en el Juzgado de Instrucción en los delitos de agresiones sexuales", *La Ley Penal*,
núm. 64, 2009; MUÑOZ CUESTA, F. J.: "La declaración del menor en el proceso penal: en
especial cuando es víctima de un delito sexual", *Revista Aranzadi Doctrinal*, núm. 6, 2013;
MOLINA GIMENO, F. J.: "Un nuevo paso en el camino de la involución garantística en la
práctica procesal penal. Comentarios a la Sentencia del Tribunal Supremo núm. 96/2009, de
10 de marzo" *op. cit.*, en que se analizar críticamente el refrendo jurisprudencial de la exploración del menor en casos de abusos sexuales al margen de las reglas del art. 741 LECrim,
salvo el visionado del vídeo. En este artículo se plantea el autor si evitar la victimización
secundaria es suficiente finalidad para que se "orillen las reglas generales de la prueba en el
juicio oral". Esta idea se resalta también en MUERZA ESPARZA, J.: "Sobre el valor de la
prueba preconstituida en el proceso penal", *op. cit.*, pp. 772 y 773. V., A TC 479/2016, de
4 de febrero.

[55]   STS núm. 396/2019, de 24 de julio (TOL7.431.979). V., también, GÓMEZ COLOMER,
J. L.: "Víctimas de trata: Declaraciones y protección en el proceso penal", *op. cit.*, pp. 29
y ss.; RICHARD GONZÁLEZ, M.: "Especialidades procesales en la investigación y enjuiciamiento del delito de trata de seres humanos", *op. cit.*, pp. 368 y ss.; AAVV: *Guía
de criterios de actuación judicial frente a la trata de seres humanos*, *op. cit.*, p. 158; CA-
TALINA BENAVENTE, M. A.: "La protección de la víctima de trata como testigo en el
proceso penal", en PÉREZ ALONSO, E. (dir.), *El derecho ante las formas contemporáneas
de esclavitud*, Ed. Tirant lo Blanch, Valencia, 2017, pp. 987 y ss.; NOYA FERREIRO, L.:
"Investigación y prueba en la trata de seres humanos", en GONZÁLEZ CUÉLLAR, N.
(dir.), *Problemas actuales de la Justicia Penal*, Ed. Colex, Madrid, 2013, pp. 421 y ss.

tras una ponderación de los intereses en conflicto, aplicar las que resulten procedentes en cada caso"[56].

Establecida la necesidad de protección, la jurisprudencia se centra en la valoración de la declaración de los testigos protegidos, siguiendo similares parámetros a los de la declaración de la víctima, pues en definitiva los peligros son similares; declaración que también podría darse a través de la prueba preconstituida. En este sentido, la STS núm. 77/2019, de 12 de febrero (TOL7.065.911), afirma que:

> "En el caso de autos, como decíamos, el Tribunal ha conferido plena credibilidad a las declaraciones de las testigos protegidas, las cuales, a juicio del Tribunal, resultan consistentes y suficientes para considerar demostrado que los acusados llevaron a cabo los hechos que se relatan en el apartado de hechos probados. Así, examina la credibilidad subjetiva de su testimonio analizando sus circunstancias personales, como su edad, estado mental y la significación del hecho de que las mimas hayan declarado ante la instructora y hayan comparecido en el acto del juicio oral a mantener sus afirmaciones. También pone de manifiesto su corta edad al abandonar su país de origen, la ausencia de todo lazo afectivo, su desconocimiento del país donde fueron trasladadas para ejercer la prostitución. De esta forma excluye de forma racional y motivada la concurrencia de posibles motivaciones espurias, señalando además que efectúan un relato muy vivido donde no existe indicio alguno de que pudieran haberse puesto de acuerdo, apreciando que las mismas se expresaron con miedo y con vergüenza, por lo que no apreció indicios de que hubieran prestado declaración sobre un relato aprendido o repetido"[57].

En esta valoración, tiene su importancia la distinción entre las figuras del testigo oculto y el testigo anónimo, que ha desarrollado nuestra jurisprudencia[58]. La STS núm. 306/2020, de 12 de junio (TOL8.080.135), entiende que:

> " ... Desde otra perspectiva se ha señalado que el acusado debe conocer la identidad de los testigos protegidos antes del juicio oral al efecto de garantizar la plenitud de su derecho de defensa (STS nº 1023/2011), aunque en otras sentencias, como la nº 395/2009 se afirma que " el deber de revelar el nombre y apellidos de los testigos

---

[56]   SS TC 64/1994, de 28 febrero; 65/2013, de 8 abril o del TS núm. 649/2010, de 18 junio (TOL1.909.677); núm. 525/2012, de 19 junio (TOL2.587.886); núm. 455/2014, de 10 junio (TOL4.388.289). De forma similar, en sentido similar SS TEDH, de 23 de abril de 1997, caso Dorson c. Holanda; 14 de febrero de 2002, caso Van Mechelen y otros c. Holanda; 6 de diciembre de 2012, caso Pesukic c. Suiza.

[57]   Se puede indicar también la STS núm. 827/2015, de 4 de noviembre (TOL5.558.171), en que las testigos protegidas declaran por videoconferencia, ratificando además sus testimonios prestados en fase de investigación, siendo además corroboradas por pruebas periféricas, como las declaraciones de los policías, informes periciales médicos, etc.; o la STS núm. 845/2021, de 4 de noviembre (TOL8.646.276).

[58]   La STS núm. 306/2020, de 12 de junio (TOL8.080.135), se refiere a "los testigos anónimos, de los que ni siquiera se dan a conocer a las partes sus datos personales; y los testigos ocultos, que sí son identificados personalmente con nombres y apellidos, pero que deponen en el plenario con distintos grados de opacidad a la visión o control de las partes procesales".

no es, en modo alguno, de carácter absoluto ", y en la STS nº 708/2010 se admite la posibilidad de realizar una ponderación "... *entre los intereses de la defensa y los derivados de la protección del testigo, todo ello puesto en relación con las demás pruebas de cargo disponibles* ", sin perjuicio de que si no se comunica tal identidad, las declaraciones de esos testigos no deberán constituir la base única o fundamental de la condena (STS nº 649/2010 , FJ 1º.3).

El Tribunal Constitucional, en la Sentencia 64/1994, de 4 de marzo señalaba que el examen de la jurisprudencia del TEDH permite ... concluir que es la imposibilidad de contradicción y el total anonimato de los testigos de cargo lo que el citado Tribunal considera contrario a las exigencias derivadas del art. 6 del Convenio:

> "(...) cuando se trate de declaraciones de testigos que depongan ocultos o semiocultos, pero cuya identidad se conoce, resulta claro que el déficit de garantías procesales ya no atañe a la fiabilidad o la credibilidad del testimonio sino a su eficacia probatoria en el caso concreto en relación con los principios de inmediación. En estos casos el cuestionamiento del testimonio ha de afectar sólo al grado de convicción alcanzado y por lo tanto a la eficacia probatoria en el caso concreto, dependiendo de la intensidad del ocultamiento del testigo y de las posibilidades que tuvieron las partes de visualizar y percibir las declaraciones del testigo. No resultando, pues, razonable que las limitaciones en la forma de practicar la prueba puedan determinar en principio una nulidad o total ineficacia del elemento probatorio".

4. *La verosimilitud de la declaración de la víctima*

La problemática del cuestionamiento de la verosimilitud de la víctima de trata se pone de manifiesto por la S TS núm., 214/2017, de 29 de marzo (TOL6.026.830), afirmando:

> "que las declaraciones de las víctimas suponen prueba de cargo válida, por la naturaleza del delito, que dificulta la concurrencia de otras pruebas. Es cierto que la obtención de beneficios procesales por parte de las víctimas de trata impone una especial valoración de su testimonio como prueba de cargo, para descartar supuestos en los que la incriminación de terceros se utilice de forma espuria, y para salvaguardar el derecho a la presunción constitucional de inocencia de estos terceros. Por ello, es necesaria la valoración cuidadosa que debe ir necesariamente acompañada de la concurrencia de elementos de corroboración del testimonio, pues en todos los casos de testimonios premiados, como sucede igualmente con las declaraciones de los "arrepentidos", la concurrencia de elementos objetivos de corroboración es imprescindible para que sus declaraciones puedan ser valoradas como prueba de cargo suficiente para desvirtuar el derecho constitucional a la presunción de inocencia"[59].

---

[59]   En sentido similar, las SS TS núm. 609/2013, de 10 de julio o núm. 210/2014 de 14 de marzo; y núm. 943/2021, de 1 de diciembre (TOL8.692.076); FERNÁNDEZ OLALLA, P.: "La colaboración de la víctima en la investigación del delito de trata de seres humanos. Valoración de la colaboración de la víctima en el ámbito administrativo y penal", *op. cit.*,

Las características propias de las víctimas de trata, particularmente su vulnerabilidad, junto con las formas en que el delito se lleva a cabo, obligan a ser especialmente cuidadoso a la hora de aplicar los criterios jurisprudencialmente establecidos para valorar su declaración, particularmente cuando es la única prueba de cargo existente o la que va a tener un mayor peso[60].

Muy claramente, la STS núm. 554/2019, de 13 de noviembre (TOL7.593.832) reiterando el criterio jurisprudencial al respecto, afirma[61]:

> "Además de estas apreciaciones subjetivas, que son irremplazables y de suma relevancia, el testimonio de la víctima debe ser analizado desde criterios objetivos. Así, esta Sala viene afirmando que "la valoración de la razonabilidad del crédito que se le confiere es en buena medida tributaria de la percepción inmediata de la práctica de la prueba por el juzgador. Pero ello no releva de la exigencia de que la impresión que así se produce en el receptor no deba revalidarse desde la perspectiva de criterios objetivos. Como tampoco sería admisible fundar la resolución en una especie de acto de fe incondicionado en la veracidad de la versión de quien se dice víctima, por repugnante que sea el hecho denunciado, la vulnerabilidad de aquélla o la frecuencia de este tipo de hechos".

Estas "suspicacias" y sus consecuencias absolutorias se verían mitigadas cuando la investigación del delito se lleva de forma tal que la declaración de la víctima no se convierte en el eje central del proceso[62].

---

pp. 8 y siguientes, en que se recogen varias sentencias de Audiencia Provinciales que se desconfía de la declaración de la víctima por haber obtenido alguna ventaja y en que se dicta sentencia absolutoria, por ejemplo, la S AP de Zamora de 26 de noviembre de 2013, en la que se entiende que la denuncia se formula al haber sido detenida la "testigo" en un control policial rutinario en los clubs de alterne y, dada su situación irregular en España, para evitar la expulsión; finalidad que también se presenta en la S AP de Madrid de 2 de enero de 2014.

[60]   FERNÁNDEZ OLALLA, P.: "La trata de personas con fines de explotación sexual: Perspectiva del Ministerio Fiscal en la represión del delito de trata", en PÉREZ ALONSO, E. y POMARES CINTA, E. (coords.), *La trata de seres humanos en el contexto penal iberoamericano*, Ed. Tirant lo Blanch, Valencia, 2019, pp. 431 y ss.; FERNÁNDEZ OLALLA, P.: "La colaboración de la víctima en la investigación del delito de trata de seres humanos. Valoración de la colaboración de la víctima en el ámbito administrativo y penal", *op. cit.*; FERNÁNDEZ OLALLA, P.: "Delito de trata de seres humanos. Algunos consejos para la instrucción y celebración del juicio oral", *Centro de Estudios Jurídicos*, 2017, pp. 18 y ss.; LAFONT NICUESA, L.: "El delito de trata de seres humanos en la jurisprudencia del Tribunal Supremo", en PÉREZ ALONSO, E. (dir.), *El derecho ante las formas contemporáneas de esclavitud*, Ed. Tirant lo Blanch, Valencia, 2017, pp. 482 y ss.; RODRÍGUEZ REY, F.: "Abordaje integral del delito de trata de seres humanos. Víctima-testigo", *Centro de Estudios Jurídicos*, 2017, pp. 20 y ss.

[61]   Igualmente, SS TS núm. 77/2019, de 12 de febrero (TOL7.065.911); núm. 833/2017, de 18 de diciembre TOL6.461.906); S TSJ Castilla y León núm. 64/2019, de 4 de noviembre (ARP 2020/206).

[62]   CATALINA BENAVENTE, M. A.: "La protección de la víctima de trata como testigo en el proceso penal", *op. cit.*, p. 987.

Como sabemos, los criterios jurisprudencias que, pese a ser la única prueba de cargo, permiten valorar la declaración de la víctima son los siguientes:

a) La credibilidad subjetiva, que exige analizar si el testigo presenta algún tipo de deficiencia psíquica o física (minusvalías sensoriales o síquicas, ceguera, sordera, trastorno o debilidad mental, edad infantil) que debiliten el testimonio o si su declaración ha podido estar guiada por móviles espurios atendiendo a las relaciones anteriores con el sujeto activo (odio, resentimiento, venganza o enemistad), o de otras razones (ánimo de proteger a un tercero o interés de cualquier índole que limite la aptitud de la declaración para generar certidumbre).

La sentencia citada supra resuelve un supuesto en que las víctimas habían solicitado un permiso de residencia y esto es lo que se alegaba por los recurrentes para entender que su declaración no era objetiva, descartando que pudiera considerarse afectada dicha objetividad "no sólo porque las mujeres que relataron esa hipótesis ante fedatario público no comparecieron a juicio para someterse a la contradicción del plenario sino porque, de ser ciertas, el proceso estaría plagado de contradicciones entre sus manifestaciones y los restantes datos y corroboraciones. Además, se señala como dato relevante que las testigos no fueron a la policía para obtener ventaja alguna, sino que se vieron obligadas a declarar por consecuencia de la investigación policial, realizada al margen de los testimonios de las víctimas"[63].

b) La credibilidad objetiva o verosimilitud que obliga a analizar el testimonio en función de su lógica, de su coherencia interna, en la aportación de datos objetivos periféricos o complementarios, de su detalle y precisión o ausencia de contradicciones.

c) La persistencia en la incriminación basada en tomar en consideración que, por ejemplo, la versión ofrecida no ha cambiado a lo largo del proceso,

---

[63]   En similar sentido, la S TS núm. 565/2020, de 30 de octubre (TOL8.211.757) afirma: "La STS 214/2017, de 29 de marzo, señala que: "El objetivo de esta protección es salvaguardar los derechos humanos de las víctimas, evitar una mayor victimización y animarlas a actuar como testigos en los procesos penales contra los autores. Resultaría manifiestamente contradictorio con este objetivo que la propia posibilidad de obtener los beneficios legales que tutelan a las víctimas se transmutase en una causa de invalidez probatoria de sus declaraciones inculpatorias.

Es cierto también que estos beneficios procesales imponen una especial valoración del testimonio, para descartar supuestos en los que la incriminación de terceros se utilice de forma espuria, y para salvaguardar el derecho a la presunción constitucional de inocencia de estos terceros. Valoración cuidadosa que debe ir necesariamente acompañada de la concurrencia de elementos de corroboración del testimonio, pues en todos los casos de testimonios premiados, como sucede por ejemplo con las declaraciones de los "arrepentidos", la concurrencia de elementos objetivos de corroboración es imprescindible para que sus declaraciones puedan ser valoradas como prueba de cargo suficiente para desvirtuar el derecho constitucional a la presunción de inocencia".

lo que no significa que pueda haber matices o apreciaciones no siempre coincidentes. Nuestra jurisprudencia ha hecho referencia, por ejemplo, al comportamiento errático del testigo, indicando que no es un factor que favorezca el otorgamiento de credibilidad al testimonio. Respecto a las posibles contradicciones, por ejemplo, la sentencia indicada afirma que "frente a la alegación de contradicciones entre las declaraciones vertidas en fase de investigación (donde declararon ejercer la prostitución voluntariamente) y las vertidas en juicio oral (declarando que lo hicieron de forma coactiva), la sentencia también es muy clara "cambiaron su versión a los pocos días explicando sus reticencias iniciales por miedo a represalias en sus propias personas y en sus familias. En un contexto de violencia como el que han vivido estas mujeres es lógico su miedo a represalias, razón por la que en esta clase de juicios, y éste no es una excepción, se suele conceder protección a los testigos para favorecer que declaren libremente. Se destaca en la resolución judicial las coincidencias en detalles singulares de cada relato así como la corroboración de muchos de los datos aportados en sus testimonios mediante las vigilancias policiales".

La misma sentencia pone especial énfasis en que "la valoración del testimonio de la víctima debe hacerse en su conjunto y el análisis de los parámetros a que nos acabamos de referir debe ser entendido en sus justos términos. No se trata de presupuestos que necesariamente deban estar presentes de forma íntegra, ya que ello conduciría a una valoración tasada de la prueba, lo que no se compadece con el principio de libre valoración de la prueba establecido como regla general en el artículo 741 de la LECrim. Estos criterios son orientativos. Permiten exteriorizar el razonamiento judicial que se ha seguido para otorgar credibilidad a los testimonios y hacen posible que esa credibilidad no descanse en un puro subjetivismo, ajeno a todo control externo, sino en criterios lógicos y racionales".

Consideramos oportuno, pese a su ámbito restringido en estos momentos a los supuestos de violencia de género, adaptar a los casos de trata los criterios de valoración de la declaración de la víctima, que matizando los indicados, se establecieron en la S TS de 6 de marzo de 2019 (TOL7.105.682)[64].

---

[64]   Dicha sentencia se refiere a los siguientes once criterios: 1. Seguridad en la declaración ante el Tribunal por el interrogatorio del Ministerio Fiscal, letrado/a de la acusación particular y de la defensa; 2. Concreción en el relato de los hechos ocurridos objeto de la causa; 3. Claridad expositiva ante el Tribunal; 4. "Lenguaje gestual" de convicción. Este elemento es de gran importancia y se caracteriza por la forma en que la víctima se expresa desde el punto de vista de los "gestos" con los que se acompaña en su declaración ante el Tribunal; 5. Seriedad expositiva que aleja la creencia del Tribunal de un relato figurado, con fabulaciones, o poco creíble; 6. Expresividad descriptiva en el relato de los hechos ocurridos; 7. Ausencia de contradicciones y concordancia del iter relatado de los hechos; 8. Ausencia de lagunas en el relato de exposición que pueda llevar a dudas de su credibilidad; 9. La declaración no debe ser fragmentada; 10. Debe desprenderse un relato íntegro de los hechos y no fraccionado acerca de lo que le interese declarar y ocultar lo que le beneficie acerca de lo ocurrido;

5. *La importancia de preservar la intimidad de la víctima y la protección de su integridad física y psíquica*

La aprobación del Estatuto de la víctima del delito, con sus correspondientes modificaciones de la LECrim, obliga a las autoridades policiales, judiciales y demás operadores jurídicos que intervienen en el proceso y se relacionan con las víctimas a proteger, especialmente, en el desarrollo del mismo la dignidad, intimidad e integridad de la misma, previendo para ello un conjunto destacado de medidas; medidas que dada su clara naturaleza tuitiva pueden servir para minimizar los perniciosos efectos que la victimización secundaria provoca y que ya venían exigidas en los textos internacionales indicados en la introducción.

A la hora de sistematizar estas medidas, debe recordarse que la condición de vulnerabilidad de la víctima de trata lleva a que para su protección se disponga del catálogo más amplio de medidas legalmente previstas[65].

5.1. Medidas generales de protección como víctima

El art. 19 del Estatuto de la Víctima del delito (EVD) reconoce el derecho a la protección física de la víctima, estableciendo para las autoridades y funcionarios encargados de la investigación, persecución y enjuiciamiento de los hechos delictivos la obligación de adoptar las medidas necesarias para garantizar a la víctima y sus familiares el respecto a su propia vida, su integridad física y psíquica, su libertad, seguridad, libertad e indemnidad sexuales, su intimidad y dignidad; con especial atención a los casos en que la víctima, directa o indirecta, debe testificar en juicio.

Si bien podría entenderse en las medidas del artículo 19, el legislador ha querido destacar, en el art. 20 EVD la trascendencia del derecho a evitar el

---

11. Debe contar tanto lo que a ella y su posición beneficia como lo que le perjudica. V., al respecto, nuestro comentario en "Criterios orientativos para la valoración de la declaración de la víctima del delito", *Revista de Derecho y Proceso Penal* 2019-54, pp. 335-352.

65   Hemos tenido oportunidad de analizar estas medidas en trabajos previos, como PLANCHADELL GARGALLO, A.: "Las medidas de protección a favor de las víctimas vulnerables: el caso particular de la víctima de matrimonios forzados", en VILLACAMPA ESTIARTE, C. (coord.), *Matrimonios forzados: análisis jurídico y empírico en clave victimológica*, Ed. Tirant lo Blanch, Valencia, 2019, pp. 345 y ss.; PLANCHADELL GARGALLO, A.: "Vulnerable victims in time of crisis. Effective protection?", en BURDA; LÁZARO y SITEK, M. (eds.): *State and society facing pandemic*, Bratislava, 2020, pp. 147 y ss.; PLANCHADELL GARGALLO, A.: "La protección procesal de las víctimas de trata: Panorama europeo", *op. cit.*, pp. 117 y ss. Igualmente, véase, GÓMEZ COLOMER, J. L.: *Estatuto jurídico de la víctima del delito (La posición de la víctima del delito ante la Justicia Penal. Un análisis basado en el Derecho Comparado y en las grandes reformas españolas que se avecinan)*, Aranzadi, Cizur-Menor, 2015.

contacto entre víctima e infractor, vinculándola además con la propia fase de investigación. La norma se refiere a las dependencias policiales o judiciales, aunque podría extenderse a otros espacios en que pudieran encontrarse durante el desarrollo del proceso más allá de los cubiertos por la posible orden de alejamiento dictada[66]. Para la efectividad de este derecho podrá hacerse uso de tecnologías de la comunicación.

Destaca, por su trascendencia real, el derecho a la protección de la intimidad, que obliga a la adopción de las medidas necesarias al efecto, sin mayor definición, poniendo especial cuidado en impedir que se difunda cualquier tipo de información que permita la identificación de las víctimas menores de edad o con discapacidades necesitadas de especial protección[67].

Las medidas concretas, para dar cumplimiento a estas obligaciones, deben adaptarse a las necesidades concretas y particulares de cada una de las víctimas, especialmente cuando estemos ante víctimas especialmente vulnerables o "con necesidades especiales de protección", para las que se prevé una evaluación individual. En la efectividad de todas estas medidas de protección, las Oficinas de Asistencia a las Víctimas juegan un papel fundamental.

A las medidas previstas en el Estatuto, debe añadirse las contenidas en la LECrim, concretamente lo establecido en el art. 301bis, que se refiere a la adopción, de oficio o a instancia de parte, de cualquiera de las medidas previstas en el número 2 del art. 681 cuando se considere adecuada para proteger la intimidad de la víctima o respecto a la misma o su familia. El art. 681, que viene a reproducir lo dicho en el art. 22 del Estatuto, en tanto que se refiere a la prohibición de la divulgación o publicación de información relativa a la identidad de la víctima, datos que puedan facilitar su identificación o de aquellas circunstancias personales que hubieran sido valoradas para resolver sobre sus necesidades de protección; y a la prohibición de la obtención, divulgación o publicación de imágenes de la víctima o de sus familiares. Especial énfasis en estas medidas se pone en el número 3 de dicho artículo cuando se trata de menores de edad o víctimas con discapacidad necesitadas de especial protección.

Estas medidas convivirán con la tradicional declaración de que todas o algunas de las sesiones del juicio oral se celebren a puerta cerrada (art. 681.1

---

[66]   GÓMEZ COLOMER, J. L.: *Estatuto jurídico de la víctima del delito (La posición de la víctima del delito ante la Justicia Penal. Un análisis basado en el Derecho Comparado y en las grandes reformas españolas que se avecinan), op. cit.*, p. 370; VILLACAMPA ESTIARTE, C.: "La protección de las víctimas en el proceso penal tras la aprobación de la LEVD", en TAMARIT SUMALLA, J. M., VILLACAMPA ESTIARTE, C. y SERRANO MASIP, M., *El Estatuto de las víctimas de delitos*, Ed. Tirant lo Blanch, Valencia, 2015, pp. 247 y ss.

[67]   PLANCHADELL GARGALLO, A.: "Publicidad del proceso e intimidad de la víctima: Una aproximación desde el Estatuto de la Víctima del Delito", *Teoría y Derecho. Revista de pensamiento jurídico 2018, núm. especial: Garantías constitucionales, prensa y derecho penal*, 2018, pp. 150 y ss.

LECrim)[68]. El art. 682 se refiere a la posibilidad de limitar – con idéntica finalidad tuitiva–el acceso de los medios de comunicación audiovisuales a las
sesiones del juicio oral y prohibir que se graben todas o algunas de las sesiones
del mismo. Igualmente, ya en fase de juicio oral, el art. 709 LECrim permite
al juez o al presidente del Tribunal, durante la práctica de la prueba, adoptar
las medidas para impedir que se formulen a la víctima preguntas innecesarias
relativas a su vida privada y que no tengan relevancia ni relación con el hecho
delictivo, salvo que entienda el juez que deben ser necesariamente contestadas
para valorar los hechos o la credibilidad de sus declaraciones.

5.2. Medidas de protección como víctima vulnerable

El Estatuto distingue entre medidas aplicables a cualquier víctima vulnerable (art. 25) y las aplicables exclusivamente a menores de edad y discapa-
citados que cuenten con una evaluación favorable a su protección especial
conforme a lo previsto en los arts. 23 y 24 (art. 26). En la regulación de las
medidas específicas como víctima vulnerable, el Estatuto diferencia, además,
entre medidas que se pueden adoptar durante la investigación del delito y durante su enjuiciamiento.

Mientras se desarrolla la investigación de los hechos delictivos, se prevé,
por ejemplo, que se le pueda tomar declaración en dependencia especialmente concebidas y adaptadas a tal fin; que dichas declaraciones se tomen por
profesionales con formación especial para reducir o limitar los perjuicios a la
víctima, o que la declaración se tome por la autoridad competente, pero con
ayuda de estos profesionales y que se tomen por la misma persona, salvo que
perjudicar el desarrollo del proceso; a ellas debería añadirse la realización de
las mínimas comparecencias posibles.

Si la víctima es un menor de edad o una persona con discapacidad, además, se establecen una serie de medidas cuya finalidad es, en general, incidir
especialmente en evitar o limitar que el desarrollo de la investigación, pero
también la celebración del juicio, genere perjuicios añadidos a la víctima, esto es, evitar la victimización secundaria. Si bien el Estatuto hace referencia a
cualquier medida que permita cumplir dicha finalidad, enumera entre otras, la
grabación de las declaraciones emitidas durante la fase de investigación, para
–en su caso– reproducirse en el juicio oral (arts. 714, 730 y 731 bis LECrim),
o la representación en el proceso (investigación y juicio) de la víctima por un
defensor judicial en los casos de conflictos de intereses con representantes legales o progenitores. También prevé que se acuerde que las preguntas se trasladen
a la víctima directamente por expertos o, incluso, excluir o limitar la presencia

---

[68]   RICHARD GONZÁLEZ, M.: "Especialidades procesales en la investigación y enjuiciamiento del delito de trata de seres humanos", *op. cit.*, pp. 377 y ss.

de las partes en el lugar de la exploración de la víctima. Como hemos indicado respecto de la prueba preconstituida, creemos que la justificación para la adopción de estas medidas, es también predicable para las víctimas de trata adultas.

A estas medidas, los arts. 544ter. 7 y 544 quinques LECrim añaden la autorización para adoptar medidas de protección de carácter civil, como la atribución del uso y disfrute de la vivienda familiar, determinar el régimen de guarda y custodia, visitas, comunicación o estancia, la suspensión de la tutela, curatela, guarda o acogimiento, suspender el régimen de visitas, entre otras.

Durante la fase de juicio, se recogen entre otras medidas, la evitación del contacto visual entre la víctima y el agresor, medida que se reitera en ambas fases procesales; que la víctima pueda ser oída sin estar presente en la sala de vistas, haciendo uso a tal fin de los avances tecnológicos disponibles; o evitar que se hagan preguntas relativas a la vida privada de la víctima salvo que el Juez o Tribunal dispongan lo contrario, también aplicables a la fase de investigación.

La efectividad de estos derechos depende, nuevamente, de la pronta identificación de la víctima, de forma que cuanto más pronto se identifique, más pronto podrá aplicarse el catálogo de medidas para su protección, lo que – aunque no sea su finalidad principal – repercutirá también en una mayor implicación de la víctima en el proceso; lo que tendrá una trascendencia fundamental durante el periodo de reflexión regulado en el art. 59 bis de la Ley 4/2000, de 11 de enero, sobre derechos y libertades de los extranjeros en España y su integración social[69].

V. BIBLIOGRAFÍA

AAVV: *Guía de criterios de actuación judicial frente a la trata de seres humanos*, Consejo General del Poder Judicial, Madrid, 2018.

ASENCIO MELLADO, J. M.: *Prueba prohibida y prueba preconstituida*, Ed. Trivium, Madrid, 1989.

BELTRÁN MONTOLIU, A.: "La autorización judicial de circulación y entrega vigilada de drogas, sustancias, materiales y otros bienes lícitos como método para luchar contra la criminalidad organizada", en GÓMEZ COLOMER, J. L., *La instrucción del crimen*, Ed. Sepin, Madrid, 2020.

BELTRÁN MONTOLIU, A.: "Víctima de violencia de género y la dispensa del art. 416 Lecrim: evolución jurisprudencial", *Revista de Derecho Penal y Criminología*, núm. 19, 2018.

BELTRÁN MONTOLIU, A.: "Victimas vulnerables: especial referencia al estatuto del menor a la luz de la lo 8/2021 de protección integral a la infancia y adolescencia

---

[69] La STSJ de Extremadura Tribunal Superior de Justicia de Extremadura, de 16 de diciembre de 2021 (TOLTOL8.724.938) pone claramente de manifiesto la relación entre la sensación de protección de la víctima de trata y su colaboración con el proceso.

frente a la violencia", *Revista de la Asociación de profesores de Derecho procesal de las universidades españolas (APDPUE)*, 2021.

BERMEJO ROMERO, J. A.: "Formas e instrumentos de cooperación judicial internacional en el delito de trata de personas", *Centro de Estudios Jurídicos*, 2014.

CASTILLEJO MANZANARES, R.: "La dispensa del deber de declarar del artículo 416 de la Ley de Enjuiciamiento Criminal respecto de la mujer que sufre violencia de género", *Revista de Derecho Penal*, núm. 26, 2009.

CATALINA BENAVENTE, M. A.: "La protección de la víctima de trata como testigo en el proceso penal", en PÉREZ ALONSO, E. (dir.), *El derecho ante las formas contemporáneas de esclavitud*, Ed. Tirant lo Blanch, Valencia, 2017.

CLIMENT DURÁN, C.: *La prueba penal*, Ed. Tirant lo Blanch, Valencia, 2005.

FARALDO CABANA, P.: "¿Dónde están las víctimas de trata de personas? Obstáculos a la identificación de las víctimas de trata en España", en MIRANDA RODRÍGUEZ (coord), *Livro de Atas. Conferencia internacional 18 de octubre. Día europeo contra o trafico de seres humanos*, U. de Coimbra, Coimbra, 2017.

FERNÁNDEZ LÓPEZ, M.: *Prueba y presunción de inocencia*, Ed. Iustel, Madrid, 2005.

FERNÁNDEZ OLALLA, P.: "Delito de trata de seres humanos. Algunos consejos para la instrucción y celebración del juicio oral", *Centro de Estudios Jurídicos*, 2017.

FERNÁNDEZ OLALLA, P.: "La colaboración de la víctima en la investigación del delito de trata de seres humanos. Valoración de la colaboración de la víctima en el ámbito administrativo y penal", *Revista Aranzadi Doctrinal*, núm. 9, 2014.

FERNÁNDEZ OLALLA, P.: "La trata de personas con fines de explotación sexual: Perspectiva del Ministerio Fiscal en la represión del delito de trata", en PÉREZ ALONSO, E. y POMARES CINTA, E. (coords.), *La trata de seres humanos en el contexto penal iberoamericano*, Ed. Tirant lo Blanch, Valencia, 2019.

GARCÍA GARCÍA, T.: "La cooperación jurídica internacional en la persecución del delito de trata de seres humanos. Especial consideración a los equipos conjuntos de investigación", *Revista Aranzadi Unión Europea*, núm. 31, 2018.

GARCÍA SAN MARTÍN, J.: "Los límites entre el agente encubierto y el agente provocador en la persecución de los delitos de tráfico ilícito de drogas, *La Ley Penal*, núm. 107, marzo-abril 2014.

GARCÍA-BAQUERO BORRELL, S.: "Diligencia de entrada y registro en la investigación del delito de TSH", *Estudios jurídicos*, 2012.

GASCÓN INCHAUSTI, F.: *Infiltración policial y agente encubierto*, Ed. Comares, Granada, 2001.

GÓMEZ COLOMER, J. L.: "Víctimas de trata: Declaraciones y protección en el proceso penal", *Revista de Derecho y Proceso Penal*, núm. 64, 2021.

GÓMEZ COLOMER, J. L.: *Estatuto jurídico de la víctima del delito (La posición de la víctima del delito ante la Justicia Penal. Un análisis basado en el Derecho Comparado y en las grandes reformas españolas que se avecinan)*, Aranzadi, Cizur-Menor, 2015.

GÓMEZ DE LIAÑO FONSECA-HERRERO, M.: "Límites y garantías de la investigación con agentes encubiertos", *Diario La Ley núm. 6142 de 7 de diciembre de 2004*, 2004.

GONZÁLEZ ÁLVAREZ, J. L., MANUEL MUÑOZ, J., SOTOCA, A. y MANZANERO PUEBLA, A. L.: "Propuesta de protocolo para la conducción de la prueba preconstituida en víctimas especialmente vulnerables", *Papeles del Psicólogo*, vol. 34 (3), 2013.

GONZÁLEZ DE LA TAJADA, I.: "Víctimas vulnerables de especial protección tras las reformas en materia penal. Validez de la prueba preconstituida en fase sumarial. STS 19 de enero de 2016", *Revista Aranzadi Doctrinal*, núm. 8, 2016.

GUZMÁN FLUJA, V.: "El agente encubierto y las garantías del proceso penal", *La prueba en el Espacio Europeo de libertad, seguridad y justicia penal*, Ed. Aranzadi, Cizur Menor (Navarra), 2006.

GUZMÁN FLUJA, V.: *Anticipación y preconstitución de la prueba en el proceso penal*, Ed. Tirant lo Blanch, Valencia, 2006.

JORDANA SANTIAGO, M.: "La lucha contra la trata en la Unión Europea: Los retos de la cooperación judicial penal transfronteriza", *Revista CIDOB d'Afers internacionals*, núm. 111, 2005.

LAFONT NICUESA, L.: "El agente encubierto en el proyecto de reforma de la Ley de Enjuiciamiento Criminal", *La Ley Digital*, núm. 4617/2015, 2015.

LAFONT NICUESA, L.: "El delito de trata de seres humanos en la jurisprudencia del Tribunal Supremo", en PÉREZ ALONSO, E. (dir.), *El derecho ante las formas contemporáneas de esclavitud*, Ed. Tirant lo Blanch, Valencia, 2017.

LLORIA GARCÍA, P.: "El delito de trata de seres humanos y la necesidad de creación de una ley integral", *Estudios penales y criminológicos*, 2019.

MAGRO SERVET, V.: "Necesidad de la práctica de la prueba preconstituida en menores de edad en el Juzgado de Instrucción en los delitos de agresiones sexuales", *La Ley Penal*, núm. 64, 2009.

MESTRE I MESTRE, R.: "La jurisprudencia del TEDH en materia de trata de seres humanos y la necesidad de regresar a las categorías jurídicas de esclavitud, servidumbre y trabajo forzado", *Revista del Laboratorio Iberoamericano para el Estudio Sociohistórico de las Sexualidades*, núm. 4, 2020.

MOLINA GIMENO, F. J.: "Un nuevo paso en el camino de la involución garantística en la práctica procesal penal. Comentarios a la Sentencia del Tribunal Supremo núm. 96/2009, de 10 de marzo", *Revista Aranzadi Doctrinal*, núm. 61, 2009.

MONTESINOS GARCÍA, A.: "Especificidades probatorias en los procesos por violencia de género", *Revista de Derecho Penal y Criminología* 2017, núm. 17.

MORENO CATENA, V.: "La prueba preconstituida", en GONZÁLEZ CANO, I. (dir.), *La prueba. Tomo II. La prueba en el proceso penal*, Ed. Tirant lo Blanch, Valencia, 2017.

MUERZA ESPARZA, J.: "Sobre el valor de la prueba preconstituida en el proceso penal", en JIMENO BULNES, M. y PÉREZ GIL, J. (dirs.), *Nuevos horizontes del Derecho Procesal. Libro-Homenaje al Profesor Ernesto Pedraz Penalva*, Ed. Bosch, Barcelona, 2016.

MUÑOZ CUESTA, F. J.: "La declaración del menor en el proceso penal: en especial cuando es víctima de un delito sexual", *Revista Aranzadi Doctrinal*, núm. 6, 2013.

MUÑOZ CUESTA, F. J.: "Proposición, admisión y práctica de la prueba en los procesos ordinarios. Prueba anticipada y prueba preconstituida", *Estudios jurídicos Ministerio Fiscal*, Madrid, 2003-I.

NOYA FERREIRO, L.: "Investigación y prueba en la trata de seres humanos", en GONZÁLEZ CUÉLLAR, N. (dir.), *Problemas actuales de la Justicia Penal*, Ed. Colex, Madrid, 2013.

OBAKTA, T.: "Trafficking of human beings as a crime against humanity: Some implications for the international legal system", *The International and Comparative Law Quaterly*, núm. 54, 2005.

PEREA GONZÁLEZ, A.: "La prueba preconstuida en el delito de trata de seres humanos: El problema de la progresión procesal", *La Ley Penal*, núm. 140, 2019.

PEREZ ALONSO, E.: "Marco normativo y política criminal contra la trata de seres humanos en la Unión Europea", en PÉREZ ALONSO, E. y POMARES CINTAS, E. (coords.), *La trata de seres humanos en el contexto penal iberoamericano*, Ed. Tirant lo Blanch, Valencia, 2019.

PLANCHADELL GARGALLO, A.: "El agente encubierto en la lucha contra la criminalidad organizada", en GÓMEZ COLOMER, J.L. (dir.), *La instrucción del crimen: Algunos problemas procesales*, Ed. Sepín, Madrid, 2020.

PLANCHADELL GARGALLO, A.: "La protección procesal de las víctimas de trata: Panorama europeo", en LLORENTE SÁNCHEZ-ARJONA, M. (dir.) y POSADA PÉREZ, J. A. (coord.), *Estudios procesales sobre el espacio europeo de justicia penal*, Ed. Tirant lo Blanch, Valencia 2021.

PLANCHADELL GARGALLO, A.: "Las medidas de protección a favor de las víctimas vulnerables: el caso particular de la víctima de matrimonios forzados", en VILLACAMPA ESTIARTE, C. (coord.), *Matrimonios forzados: análisis jurídico y empírico en clave victimológica*, Ed. Tirant lo Blanch, Valencia, 2019.

PLANCHADELL GARGALLO, A.: "Protección procesal de las víctimas de trata: Aproximación general"; *Revista de Derecho y Proceso Penal*, núm. 61, 2021.

PLANCHADELL GARGALLO, A.: "Publicidad del proceso e intimidad de la víctima: Una aproximación desde el Estatuto de la Víctima del Delito", *Teoría y Derecho. Revista de pensamiento jurídico 2018, núm. especial: Garantías constitucionales, prensa y derecho penal*, 2018.

PLANCHADELL GARGALLO, A.: "Vulnerable victims in time of crisis. Effective protection?", en BURDA; LÁZARO y SITEK, M. (eds.): *State and society facing pandemic*, Bratislava, 2020.

RICHARD GONZÁLEZ, M.: "Especialidades procesales en la investigación y enjuiciamiento del delito de trata de seres humanos", en POLEMANS, M.; RICHARD GONZÁLEZ, M.; GUTIÉRREZ SANZ, M. R. y RIAÑO BRU, I. (coords), *El fenómeno de la prostitución. Cooperación franco-española en la lucha contra la trata de seres humanos*, Thomson-Reuters, Cizur Menor (Navarra), 2015.

RIFÁ SOLER, J. M., ABEL LLUCH, X. y RICHARD GONZALEZ, M.: *Estudios sobre la prueba penal* (vol. II), Ed. La Ley, Madrid 2011.

RIFÁ SOLER, J.M.: "Agente encubierto o infiltrado en la nueva regulación de la Lecrim", *Revista del Poder Judicial*, (55), 1999.

RIZO GÓMEZ, B.: "La infiltración policial en internet. A propósito de la regulación del agente encubierto informático en la Ley Orgánica 13/2015, de 5 de octubre, de modificación de la Ley de Enjuiciamiento Criminal para el fortalecimiento de las garantías procesales y la regulación de las medidas de investigación tecnológica", en ASENCIO MELLADO, J. M. y FERNÁNDEZ LÓPEZ, M.: *Justicia penal y nuevas formas de delincuencia*, Ed. Tirant lo Blanch, Valencia, 2017.

RODRÍGUEZ ÁLVAREZ, A.: "¿Hacia dónde camina la dispensa del deber de declarar?: Un breve comentario a propósito del Acuerdo de 24 de abril de 2013, del Pleno no jurisdiccional de la Sala Segunda del Tribunal Supremo", *Revista de Derecho y proceso penal*, núm. 33, 2014.

RODRÍGUEZ LAINZ, J. L.: "El deber de declarar contra un pariente: comentario a la STC 94/2010, de 15 de noviembre", *Diario La Ley*, núm. 7577, 2011.

RODRÍGUEZ REY, F.: "Abordaje integral del delito de trata de seres humanos. Víctima-testigo", *Centro de Estudios Jurídicos*, 2017.

SAN JOSÉ GONZÁLEZ, A.: "Los equipos conjuntos de investigación y la posibilidad de su aplicación a los delitos de trata de seres humanos", *Centro de Estudios Jurídicos*, 2012.

SÁNCHEZ GÓMEZ, R.: "El agente encubierto informático", *La Ley Penal*, núm. 11, enero-febrero 2016.

TORRES ROSELL, N. y VILLACAMPA ESTIARTE, C.: "Protección jurídica y asistencia para víctimas de trata de seres humanos", *Revista General de Derecho Penal*, núm. 27, 2017.

VALIÑO CES, A.: "La actuación del agente encubierto en los delitos informáticos tras la Ley Orgánica 13/2015", en FUENTES SORIANO, O. (coord.), *El proceso penal. Cuestiones fundamentales*, Ed. Tirant lo Blanch, Valencia, 2017.

VEGAS TORRES, J.: *Presunción de inocencia y prueba en el proceso penal*, La Ley, Madrid, 1993.

VIGUER SOLER, P. L.: "Estatuto de la víctima, protección del menor y prueba preconstituida", *Cuadernos Penales José María Lidón*, núm. 14, Deusto Digital, Bilbao, 2018.

VILLACAMPA ESTIARTE, C y TORRES ROSELL, N.: "Mujeres víctimas de trata en prisión en España", *Revista de Derecho Penal y Criminología*, núm. 8, 2012 (también publicado en inglés en *European Journal of Criminal Policy and Research* 2014, vol. 20, núm. 1).

VILLACAMPA ESTIARTE, C. y TORRES ROSELL, N.: "Trata de seres humanos para explotación criminal: Ausencia de identificación de las víctimas y sus efectos", *Revista de Estudios Penales y criminológicos*, núm. 36, 2016.

VILLACAMPA ESTIARTE, C.: "El delito de trata de personas: Análisis del nuevo artículo 177bis CP desde la óptica del cumplimiento de compromisos internacionales de incriminación", *Anuario de la Facultade de Direito da Universidade da Coruña-AFDCUDC*, 2010.

VILLACAMPA ESTIARTE, C.: "La nueva Directiva Europea relativa a la prevención y a la lucha contra la trata de seres humanos y a la protección de la víctima ¿Cambio de rumbo de la política de la Unión en materia de trata de seres humanos?", *Revista Electrónica de Ciencia Penal y Criminológica*, (13-14), 14: 2), 2011.

VILLACAMPA ESTIARTE, C.: "La protección de las víctimas en el proceso penal tras la aprobación de la LEVD", en TAMARIT SUMALLA, J. M., VILLACAMPA ESTIARTE, C. y SERRANO MASIP, M., *El Estatuto de las víctimas de delitos*, Ed. Tirant lo Blanch, Valencia, 2015.

VILLACAMPA ESTIARTE, C.: "Víctimas de trata de seres humanos: Su tutela a la luz de las últimas reformas penales sustantivas y procesales proyectadas", *InDret* 2/2014, 2014.

VILLACAMPA ESTIARTE, C.: *El delito de trata de seres humanos. Una incriminación dictada desde el Derecho Internacional*, Ed. Aranzadi, Cizur Menor (Navarra), 2011.

ZAFRA ESPINOSA DE LOS MONTEROS, R.: *El policía infiltrado. Los presupuestos jurídicos en el proceso penal español*, Ed. Tirant lo Blanch, Valencia 2010.

ZARAGOZA TEJADA, J. I.: "El agente encubierto "online". La última frontera de la investigación penal", en *Revista Aranzadi Doctrinal*, núm. 1/2017, 2017.

Capítulo XXVI

DIFICULTADES QUE SE SUSCITAN EN LA PRÁCTICA JUDICIAL PARA LA INVESTIGACIÓN Y EL ENJUICIAMIENTO DE CAUSAS POR TRATA DE SERES HUMANOS

CARMEN DELGADO ECHEVARRÍA
Magistrada y Letrada Jefa de la Sección de Igualdad
Consejo General del Poder Judicial

I. CUESTIONES DERIVADAS DE LA TIPIFICACIÓN PENAL DEL DELITO DE TRATA DE SERES HUMANOS

1. Complejidad intrínseca del tipo previsto y penado en el artículo 177 bis

El delito de trata de seres humanos como figura criminal autónoma es relativamente reciente dentro de nuestro sistema jurídico. No fue hasta el año 2010 que quedó introducido en el Código Penal por la LO 5/2010, de 22 de junio, a través del nuevo artículo 177 bis, posteriormente ampliado por la LO 1/2015, de 30 de marzo, que en su redacción actual define el tipo básico del delito de trata de seres humanos del siguiente modo:

> *"Será castigado con la pena de cinco a ocho años de prisión como reo de trata de seres humanos el que, sea en territorio español, sea desde España, en tránsito o*

> con destino a ella, empleando violencia, intimidación o engaño, o abusando de una situación de superioridad o de necesidad o de vulnerabilidad de la víctima nacional o extranjera, o mediante la entrega o recepción de pagos o beneficios para lograr el consentimiento de la persona que poseyera el control sobre la víctima, la captare, transportare, trasladare, acogiere, o recibiere, incluido el intercambio o transferencia de control sobre esas personas, con cualquiera de las finalidades siguientes:
>
> a) La imposición de trabajo o de servicios forzados, la esclavitud o prácticas similares a la esclavitud, a la servidumbre o a la mendicidad.
>
> b) La explotación sexual, incluyendo la pornografía.
>
> c) La explotación para realizar actividades delictivas.
>
> d) La extracción de sus órganos corporales.
>
> e) La celebración de matrimonios forzados.
>
> Existe una situación de necesidad o vulnerabilidad cuando la persona en cuestión no tiene otra alternativa, real o aceptable, que someterse al abuso."

De la simple lectura del precepto se desprende que estamos ante un tipo criminal complejo que exige la concurrencia conjunta de tres elementos esenciales: a) *la conducta típica*: captar, transportar, trasladar, acoger o recibir, incluido el intercambio o transferencia de control sobre la persona tratada; b) *el medio comisivo*: la conducta típica tiene que llevarse a cabo empleando violencia, intimidación o engaño sobre la víctima, o abusando de una situación de superioridad (del/la autor/a) o de una situación de necesidad o de vulnerabilidad de la víctima, o mediante la entrega o recepción de pagos o beneficios para lograr el consentimiento de la persona que poseyera el control sobre la víctima (este elemento no se exige cuando la persona tratada sea menor de edad); c) *elemento finalístico o subjetivo*: el delito de trata es un delito de *intención* o *propósito* (STS 420/2016, de 18 de mayo), de suerte que la conducta típica, realizada concurriendo cualquiera de estos medios comisivos, tiene que estar preordenada a cualquiera de las finalidades que el artículo enumera, todas las cuales implican la explotación de la víctima.

A la complejidad intrínseca del tipo se suma una redacción (tomada casi de forma literal de la Directiva 2011/36/UE del Parlamento y del Consejo, de 5 de abril de 2011) ciertamente farragosa y compleja, con la utilización de múltiples verbos, perífrasis y nombres alternativos para definir la acción típica, los medios comisivos y las finalidades a que ha de preordenarse la acción.

La suma de todos estos factores –tipo criminal nuevo, sin precedentes jurisprudenciales a los que acudir para facilitar la interpretación y aplicación, de estructura compleja por la exigencia de múltiples elementos cuya concurrencia ha de probarse y examinarse en sentencia, que además se definen con una redacción complicada y farragosa– hizo que durante mucho tiempo nuestros Tribunales de Justicia apenas aplicasen este tipo penal. Las conductas que podrían haber quedado subsumidas en la descripción típica del artículo 177 bis continuaban castigándose con arreglo a la figura criminal que se había venido empleando hasta el año 2010, el delito de tráfico ilegal de inmigrantes, tipo bien conocido, ya interpretado sólidamente por la Jurisprudencia del Tribunal Supremo y castigado hasta el año 2015 con penas suficientemente elevadas (de 4 a 8 años de prisión el tipo básico) para abarcar el desvalor de esta clase de conductas.

Para justificar la inaplicación del tipo contemplado por el artículo 177 bis se exacerbó el rigor en su interpretación y en no pocos casos se exigió la concurrencia cumulativa en lugar de alternativa bien de las acciones típicas -no apreciándose la concurrencia del delito, por ejemplo, si sólo quedaba acreditada la mera captación pero no el traslado y/o alojamiento posteriores, o cuando acreditada la recepción o el alojamiento, no se probaba la previa participación de quien aloja o recibe en las fases previas de captación o traslado -bien de los medios comisivos– excluyéndose la aplicación del tipo cuando no se había logrado acreditar el ejercicio de violencia e intimidación sobre la víctima pese a resultar meridianamente claro el abuso de una situación de necesidad del relato de hechos probados-. En otras muchas ocasiones se descartaba la existencia del delito de trata de seres humanos en el momento en que la víctima admitía haber consentido el ejercicio de la actividad en que se materializaba finalmente la explotación (generalmente la actividad de prostitución), ignorando el hecho de que el artículo 177 bis dispone expresamente en su apartado 3 que *"El consentimiento de una víctima de trata de seres humanos será irrelevante cuando se haya recurrido a alguno de los medios indicados en el apartado primero de este artículo"*.

Esta situación se va superando poco a poco (aunque todavía se encuentran sentencias condenatorias por delito de inmigración ilegal del artículo 318 bis cuyos relatos de hechos probados resultarían plena y perfectamente subsumibles en el delito de trata de seres humanos del artículo 177 bis) gracias a dos factores decisivos:

1°) Legislativo: La LO 1/2015, de 30 de marzo, de reforma del Código Penal lleva a cabo una labor muy relevante de diferenciación de los tipos de trata de seres humanos y tráfico ilegal de inmigrantes, que cambia su denominación por "inmigración ilegal". En palabras del preámbulo de la LO:

"...resulta necesario revisar la regulación de los delitos de inmigración ilegal tipificados en el artículo 318 bis. Estos delitos se introdujeron con anterioridad a que fuera tipificada separadamente la trata de seres humanos para su explotación, de manera que ofrecían respuesta penal a las conductas más graves que actualmente sanciona el artículo 177 bis. Sin embargo, tras la tipificación separada del delito de tráfico de seres humanos se mantuvo la misma penalidad extraordinariamente agravada y, en muchos casos, desproporcionada, para todos los supuestos de delitos de inmigración ilegal. Por ello, se hacía necesario revisar la regulación del artículo 318 bis con una doble finalidad: de una parte, para definir con claridad las conductas constitutivas de inmigración ilegal conforme a los criterios de la normativa de la Unión Europea, es decir, de un modo diferenciado a la trata de seres humanos,

como establece la Directiva 2002/90/CE ; y, de otra, para ajustar las penas conforme a lo dispuesto en la Decisión Marco 2002/946/JAI, que únicamente prevé para los supuestos básicos la imposición de penas máximas de una duración mínima de un año de prisión, reservando las penas más graves para los supuestos de criminalidad organizada y de puesta en peligro de la vida o la integridad del inmigrante. De este modo, se delimita con precisión el ámbito de las conductas punibles, y la imposición obligatoria de penas de prisión queda reservada para los supuestos especialmente graves.”

2º) Jurisprudencial, a través de una muy encomiable actividad interpretativa y pedagógica llevada a cabo por la Sala Segunda del Tribunal Supremo. En efecto, a través de un cuerpo ya bien nutrido de sentencias (STS 53/2014 de 4 de febrero, ECLI: ES:TS:2014:487; STS 191/2015, de 9 de abril, ECLI: ES:TS:2015:1502; STS 861/2015, de 20 de diciembre, ECLI: ES:TS:2015:5746; STS 214/2017 de 29 de marzo, ECLI:ES:TS:2017:1229; STS 396/2019, de 24 de julio, ECLI:ES:TS:2019:2572; STS 422/2020, de 23 de julio, ECLI:ES:TS:2020:2636; STS 1397/2021, de 21 de abril, ECLI:ES:TS:2021:1397) la Sala ha venido analizando de manera detallada y meticulosa los diferentes elementos que integran el tipo, fijando las bases esenciales que habrán de regir su interpretación y aplicación, entre las que cabe destacar las siguientes:

- *“La tipificación del delito de trata de seres humanos en el art. 177 bis del C. Penal (redacción de LO 1/2015, de 30 de marzo), comprende las acciones de captar, transportar, trasladar, acoger, recibir o alojar. Y como medios de ejecución tipifica el referido precepto la violencia, intimidación, engaño, abuso de situación de superioridad o de necesidad o de vulnerabilidad de la víctima, y la entrega o recepción de pagos o beneficios. Complementándose el cuadro tipificador con los fines de imposición de trabajos o servicios forzados, explotación sexual, realización de actividades delictivas, extracción órganos corporales y celebración de matrimonios forzados.”*

- *“Se establece una enumeración detallada y extensa de la conducta típica, lo que viene fundamentado por el ámbito transnacional del delito y, en muchas ocasiones, por la comisión por organizaciones criminales. Se intenta, por tanto, tipificar las distintas etapas a través de las cuales se desarrolla la conducta de trata de personas. (…) Se desprende sin dificultad de la descripción típica, que el delito puede cometerse en varios momentos, desde la captación hasta el alojamiento, pudiendo concurrir cualquiera de los elementos exigidos, es decir, la violencia, la intimidación, el engaño o el abuso de cualquiera de las situaciones mencionadas, en cualquiera de los citados momentos temporales, siempre que conste la finalidad típica.”*

- *La realización de cualquiera de las modalidades(i) enumeradas (captar, transportar, trasladar, acoger, recibir) determina la comisión del delito siempre que esté orientada o predeterminada al logro de alguna de las finalidades(ii) previstas en el tipo; y concurra alguno de los medios comisivos(iii): violencia, física o moral, engaño, o abuso de superioridad, vulnerabilidad o necesidad. Basta una de esas conductas para ser autor. De ahí que a estos efectos también resulte en cierta medida intrascendente que alguna de las varias acciones en las que se atribuye participación directa o indirecta a las acusadas (captación, traslado, transporte, acogimiento) se excluyese: subsistiría la tipicidad.*

- Partiendo de que el delito se comete por la realización de *cualquiera* de las acciones típicas, "*se requiere que el autor conozca la situación precedente de la captación de la víctima, y englobe su conducta en alguno de los verbos típicos de la acción. Y además que el delito no desaparece hasta que no concluya la vulnerabilidad, amenaza o intimidación a la víctima.*"

- *El empleo de cualquiera de estas formas de comisión en la realización de algunas de las conductas típicas es suficiente para integrar el delito. No resulta necesario, y en esto es acogible la propuesta exegética de la Circular 5/2011 FGE, que el medio comisivo persista en todo el proceso movilizador de la víctima. Puede llevarse a cabo cada conducta típica a través de un medio distinto (v.gr. puede captarse con engaño y trasladar o acoger con violencia o abuso de estado de situación de necesidad).*

- En relación con los medios comisivos, "*el abuso de una situación de superioridad o de una situación de necesidad o de vulnerabilidad de la víctima, supone aprovecharse de la correlativa situación de inferioridad que se da en el sujeto pasivo. Esta situación de superioridad podrá darse de múltiples formas (jerárquica, docente, laboral, dependencia económica, convivencia doméstica, parentesco, amistad o vecindad), excluyéndose la situación de superioridad que se genera por la minoría de edad o incapacidad de la víctima, pues vienen configuradas como causas de agravación de la pena. Tales métodos abusivos exigen el aprovechamiento de una posición de dominio del autor sobre el sujeto pasivo derivada de una situación de desigualdad, necesidad objetiva o fragilidad personal, que favorece la trata porque la víctima está más fácilmente expuesta a las conductas posteriores de explotación personal, o, conforme establece el art. 2.2 de la citada Directiva 2011, la persona en cuestión no tiene "otra alternativa real o aceptable excepto someterse al abuso".*

En definitiva, cabe perfectamente apreciar la existencia de un delito de trata de seres humanos desde el momento en que una persona realiza *cualquiera* de las acciones típicas sirviéndose de *cualquiera* de los medios comisivos mencionados por el precepto o con el conocimiento de que la víctima se halla en una situación de sumisión y dependencia derivada de la utilización de tales medios por otras personas, contribuyendo de tal manera a la consecución de la finalidad última de someter a la víctima a cualquiera de las formas de explotación enumeradas por el artículo 177 bis.

Esta tendencia interpretativa de la Sala Segunda del Tribunal Supremo relación con la trata de seres humanos con fines de explotación sexual encuentra una expresión particularmente clara en la STS 861/2015, de 20 de diciembre, ECLI: ES:TS:2015:5746; o en la más reciente STS 324/2021, de 21 de abril, ECLI:ES:TS:2021:1397, cuyo razonamiento trascribo literalmente por considerarlo de particular relevancia:

> *"Ya han sido descritas anteriormente cómo las mujeres fueron determinadas al ejercicio de la prostitución mediante engaño, la intimidación al menos derivada del temor inspirado por el juramento prestado y el aprovechamiento y abuso de su situación de necesidad y vulnerabilidad. La prostitución es, en la generalidad de los casos, una actividad a la que se llega por necesidad, pero la situación de necesidad y vulnerabilidad de las víctimas que han declarado en este procedimiento excluye que la aceptación de la necesidad de prostituirse en todos estos casos pueda ser asumida como una decisión voluntaria. Por el contrario, la prostitución fue aceptada por las circunstancias mencionadas (engaño, intimidación y, muy especialmente, el hecho de que se había configurado intencionadamente con relación a ellas una situación de vulnerabilidad e indefensión que hacía inviable otra alternativa real diferente de someterse a la explotación (arts. 187.1 p ll a) y 177 bis p II CP). La prostitución se desarrollaba, además, en condiciones claramente abusivas: las mujeres carecían de descanso semanal, desarrollaban jornadas continuadas entre las 20 y las 7 horas aproximadamente, carecían de la posibilidad de mantener alguna vida social o de desarrollar cualquier actividad lúdica, vivían en una infravivienda hacinadas durmiendo sobre colchones colocados en muchos casos sobre el suelo y en condiciones higiénicas lamentables, y debían dedicar la totalidad del dinero que ganaban con la prostitución al pago de su manutención y de la deuda que les reclamaban sus sponsor. Se trata de condiciones incuestionablemente abusivas y, en consecuencia, de un supuesto de explotación sexual igualmente subsumible en la letra b) del art. 187,1 p ll CP."*

Debe destacarse de manera especial la interpretación y el desarrollo que la Sala Segunda del Tribunal Supremo lleva a cabo en esta sentencia en relación con el abuso de la situación de necesidad de la víctima de trata de seres humanos por cuanto abre la puerta a la apreciación de la existencia del delito de trata en supuestos en que la víctima conocía que habría de dedicarse a la prostitución tras alcanzar el destino final de su desplazamiento, circunstancia que hasta ahora había sido tomada en cuenta por nuestros tribunales para excluir automáticamente la aplicación del delito del artículo 177 bis.

En relación específicamente con estas formas de explotación, y de manera particular con la denominada *"trata laboral"*, debe destacarse que hasta el año 2016 sólo consta en el fondo documental (jurisprudencia) del CGPJ la existencia de tres casos de condena por trata laboral, dos de ellos por la imposición de prácticas análogas a la esclavitud y una por explotación de la mendicidad ajena. Desde enero de 2016 hasta enero de 2021 se han registrado en la base de datos de jurisprudencia 162 sentencias dictadas en causas por delito trata de seres humanos, de las cuales tan solo 18 sentencias contemplaban supuestos de trata con fines de esclavitud, servidumbre, prácticas análogas a la servidumbre o mendicidad, y dos sentencias examinaban supuestos de trata dirigida a la comisión de actividades delictivas. De estas 20 sentencias, tan solo 8 fueron condenatorias, 4 de ellas referidas a los 2 mismos casos que se examinan en primera y segunda instancia. En definitiva, en las bases de datos de jurisprudencia del CGPJ sólo se registran 6 casos de condena por delito de trata de seres humanos preordenada a la imposición de trabajo o servicios forzados, esclavitud, prácticas similares a la esclavitud o servidumbre (3 casos), a la mendicidad (2 casos), o a la explotación para realizar actividades delictivas (1 caso). Las restantes 12 sentencias son absolutorias por falta de acreditación suficiente de los elementos del tipo.

Entre las causas de absolución debe destacarse, por estimarse particularmente relevante, la propia redacción del tipo penal, que no incluye la "explotación laboral" como tal en la letra a) del apartado 1 del artículo 177 bis, refiriéndose tan solo al "trabajo forzado", a la "esclavitud" y a la "servidumbre". Esta omisión ha llevado a los Tribunales a rechazar la apreciación del delito de trata de seres humanos desde el momento mismo en que la víctima afirma que realizaba el trabajo de que se tratase de manera voluntaria o consentida, con independencia de las condiciones en que dicho trabajo se llevara a cabo (en ocasiones incluso sin que conste que por el mismo se haya percibido remuneración o retribución alguna).

Para finalizar este apartado relativo al análisis de los elementos típicos del delito de trata de seres humanos deben destacarse dos ideas clave para la aplicación del artículo 177 bis, ambas puestas de manifiesto reiteradamente por la Sala Segunda de nuestro Tribunal Supremo:

1ª) El delito de trata es un delito de tendencia que se consuma desde el momento en que se comete alguna de las acciones típicas, empleando cualquiera de los medios comisivos para lograr cualquiera de las finalidades de explotación enumeradas por el artículo 177 bis, *sin que sea necesario que los tratantes hayan logrado esa finalidad, es decir, aunque la explotación no haya llegado a producirse efectivamente.* Si la explotación de la persona llegara a producirse, la misma será castigada de forma autónoma, de acuerdo con la figura criminal en que quepa subsumir la conducta de explotación de que se trate (prostitución coactiva, delito contra los derechos de los trabajadores, etc...), con arreglo a las reglas del concurso de delitos que analizaremos más adelante.

2°) Dado que lo que se trata de proteger con el delito de trata de seres humanos son bienes de naturaleza personalísima de la víctima, en caso de pluralidad de víctimas habrá que apreciar la comisión de tantos delitos como víctimas haya. En tal sentido, el Pleno no Jurisdiccional de la Sala Segunda del Tribunal Supremo de 31 de mayo de 2016, acordó:

> *"El delito de trata de seres humanos definido en el artículo 177 bis del Código Penal, reformado por L.O. 1/2015, de 30 de marzo, obliga a sancionar tantos delitos como víctimas, con arreglo a la norma que regula el concurso real".*

2. *Distinción de figuras afines*

Como ya se ha apuntado anteriormente, la distinción que más dificultades ha generado en la práctica de los Tribunales españoles es sin duda la que se refiere al delito de trata de seres humanos del artículo 177 bis y el delito de inmigración ilegal, tipificado en el artículo 318 bis, dificultades que llevaron a muchos órganos judiciales a sancionar como delito de inmigración ilegal supuestos claramente subsumibles en la figura de la trata de seres humanos.

Con el fin de resolver la cuestión, la Sala Segunda del Tribunal Supremo ha llevado a cabo una concienzuda e intensa labor de delimitación de ambos tipos, que puede resumirse en las siguientes pautas esenciales (SSTS 214/2017, de 29 de marzo, ECLI: ES:TS:2017:1229; 422/2020, de 23 de julio, ECLI:ES:TS:2020:2636; y 324/2021, de 21 de abril, ECLI:ES:TS:2021:1397, más todas las sentencias precedentes citadas en estas resoluciones):

- En relación con el bien jurídico protegido, en la trata de seres humanos prevalece la protección de la dignidad, la libertad y la integridad moral de las personas que la sufren mientras que, en el delito de inmigración ilegal, especialmente a partir de la nueva regulación dada al artículo 381 bis del CP por la LO 1/2015, la tutela penal se centra en la defensa de los intereses del Estado y de la UE en el control de los flujos migratorios.

- El delito de inmigración ilegal tiene siempre y por definición carácter transnacional, teniendo por objeto a un extranjero ajeno a la Unión Europea, mientras que la trata de seres humanos puede tener carácter trasnacional o no, ya que las víctimas pueden ser ciudadanos europeos, o incluso españoles (trata doméstica). En consecuencia, mientras el delito de inmigración ilegal requiere como elemento nuclear del tipo la vulneración de la legislación sobre entrada, estancia o tránsito de los extranjeros en la UE, en el delito de trata de seres humanos esta vulneración no se configura como elemento típico, siendo los elementos relevantes la afectación del consentimiento y la finalidad de explotación.

- Ambas conductas entrañan el movimiento de seres humanos, generalmente para obtener algún beneficio. Sin embargo, en el caso de la trata deben darse dos elementos adicionales con respecto a la inmigración ilegal: una forma de captación indebida, con violencia, intimidación, engaño, abuso de poder o pago de precio; y un propósito de explotación, principalmente sexual. Así, mientras en el delito de inmigración ilegal el consentimiento de la persona objeto de la conducta típica – el traslado–se presupone en todo momento, las víctimas de la trata de personas comienzan consintiendo en ser trasladadas ilícitamente de un Estado a otro exclusivamente para realizar un trabajo lícito (inmigración ilegal), para después ser forzadas a soportar situaciones de explotación, convirtiéndose así en víctimas del delito de trata de personas.

- Otra diferencia esencial se encuentra en el origen de las ganancias obtenidas por el delito. Mientras que en la trata de personas, la fuente principal de ingresos para los delincuentes y el motivo económico impulsor del delito es el producto obtenido con la explotación de las víctimas en la prostitución, trabajos forzados, extracción de órganos u otras formas de abuso; en el caso de la inmigración ilegal, el precio pagado por el inmigrante irregular, cuando se realiza en el subtipo agravado de ánimo de lucro, es el origen de los ingresos, y no suele mantenerse ninguna relación persistente entre el delincuente y el inmigrante una vez que éste ha llegado a su destino.

3. Problemas concursales

Las sentencias de los Tribunales españoles de la última década dan una idea muy clara de las numerosas dudas y cuestiones que se han venido suscitando en la práctica para la aplicación del nuevo tipo penal recogido en el artículo 177 bis en relación otros tipos penales que con frecuencia aparecen asociados a su comisión. Anticipando este fenómeno, ya el legislador de 2010 introdujo en el apartado 9 del precepto una regla concursal específica conforme a la cual *"en todo caso las penas previstas en este artículo se impondrán sin perjuicio de las que correspondan, en su caso, por el delito del artículo 318 bis de este Código y demás delitos efectivamente cometidos, incluidos los constitutivos de la correspondiente explotación."*

Ha sido, una vez más, la Sala Segunda del Tribunal Supremo la encargada de sentar las pautas necesarias para determinar cómo han de relacionarse concursalmente estos delitos concurrentes:

- Con el delito de inmigración ilegal previsto y penado en el artículo 318 bis se viene apreciando, por aplicación del apartado 9 del artículo 177 bis, un concurso real de delitos, ya que *"efectivamente, para la trata no es necesaria la previa infracción de los controles de inmigración, de forma fraudulenta, que se describen en la resultancia fáctica de la sentencia recurrida"* (SSTS 422/2020, de 23 de julio, ECLI:ES:TS:2020:2636 y 324/2021, de 21 de abril, ECLI:ES:TS:2021:1397, entre otras muchas).

- Con los delitos de prostitución coactiva previstos y penados en el artículo 187 CP (mayores de edad) y en el artículo 188 CP (menores de edad) la Sala Segunda viene apreciando la existencia de un concurso real medial (SSTS 861/2015, de 20 de diciembre, ECLI: ES:TS:2015:5746 y 422/2020, de 23 de julio, ECLI:ES:TS:2020:2636).

- Esta misma regla del concurso medial se ha venido aplicando para regular el concurso del delito de trata de seres humanos con el delito contra los derechos de los trabajadores en los excepcionales casos en que se ha producido condena por trata de seres humanos con fines de servidumbre (SAP Madrid 506/2019, de 23 de diciembre, ECLI:ES:APM:2019:16858).

- En relación con los delitos que integren en sí mismos los medios comisivos utilizados para lograr vencer la resistencia de la víctima (por ejemplo, el delito de amenazas o el delito de coacciones) habrá que aplicar las normas generales conforme a las cuales quedarán consumidos en la acción típica de trata.

- Es frecuente, por otra parte, que con los delitos de trata concurran otros delitos diversos–muerte, aborto, lesiones, agresiones sexuales, tráfico de drogas–que se dan bien a lo largo del proceso de trata, bien en relación con la explotación de la persona tratada. La regla general que se ha venido aplicando en estos supuestos es la de castigar tales delitos de manera autónoma en concurso real con el delito de trata. En cuanto a las lesiones, sin embargo, habrá que comprobar primero si revisten entidad suficiente como para constituir un delito independiente, sancionado de manera autónoma, o si por el contrario son inherentes al propio delito de la trata, en cuyo caso estaríamos en presencia de un concurso aparente, que obligaría a imponer la pena por el delito de trata, al absorber éste la vulneración de todos los bienes jurídicos implicados.

- Con el delito de falsedad documental, el ATS nº 2172/2013, de 14 de noviembre, establece que entre la falsedad documental del artículo 390.1.2º 3º y 4º del Código Penal y la trata hay un concurso medial.

II. LA VÍCTIMA EN LOS PROCESOS POR TRATA DE SERES HUMANOS

1. *Enfoque general de las investigaciones por delito de trata de seres humanos: la posición de la víctima en el proceso penal*

Es notorio que el delito de trata de seres humanos constituye uno de los más graves atentados contra los bienes de naturaleza personal de sus víctimas – dignidad, integridad física y moral, libertad y libertad sexual -. Ahora bien, no podemos olvidar que la trata de seres humanos no deja de ser un negocio de inmensas proporciones–y pingües beneficios – que en un porcentaje muy relevante de casos (la inmensa mayoría en la actualidad) viene dirigido y gestionado por organizaciones criminales equivalentes a las que dirigen y gestionan otras grandes actividades económicas ilícitas como el tráfico de drogas o el tráfico de armas.

Es importante recordarlo porque uno de los errores más habituales en la práctica forense radica precisamente en el enfoque o punto de partida con que se aborda el tratamiento de la investigación criminal por el delito de trata de seres humanos. Así, no es infrecuente que la investigación policial y judicial de este delito se aborde inicialmente siguiendo el esquema típico de las investigaciones por delitos contra otros bienes personales (lesiones, agresiones sexuales, violencia de género), que básicamente consiste en recibir declaración a la víctima en primer lugar, recogiendo las muestras corporales procedentes en los primeros momentos de la investigación, recibir seguidamente declaración al investigado con el fin de confrontar la declaración de la víctima con su propia versión de los hechos, y buscar seguidamente las pruebas directas o corroboraciones periféricas de tales versiones a fin de determinar cuál reviste mayor credibilidad.

Este esquema de investigación de los hechos resulta absolutamente inadecuado cuando lo investigado es un posible delito de trata de seres humanos, en primer lugar por su inefectividad. Hemos de partir de la base de que en un altísimo porcentaje de los casos que se someten a investigación existe una red de criminalidad organizada detrás de la comisión del delito de trata, de suerte que citar al eventual denunciado/a o investigado/a desde el principio de la instrucción para confrontarle con la versión de los hechos ofrecida por la víctima sólo servirá para dar aviso a la organización, destruir cualquier posibilidad de éxito de la investigación y colocar a la víctima-testigo en una posición extraordinariamente comprometida.

Por otra parte, este modo de investigar los hechos atribuye a la víctima y a su declaración la condición de "pieza clave" de toda la investigación, y en ocasiones incluso la condición de "prueba única" de los hechos investigados.

Esto ha venido conduciendo al fracaso de un elevadísimo número de instrucciones derivado de la ilocalizabilidad de las víctimas con posterioridad a su primera declaración policial o judicial, de la negativa de las víctimas a prestar una declaración en sede judicial, o de la aparente inconsistencia de las diversas declaraciones prestadas por la misma víctima, todo ello como consecuencia del miedo a las represalias, de las presiones sufridas durante la investigación, o de la delicada situación psicosocial en que suelen hallarse estas víctimas.

Hemos de tener en cuenta que, como regla general, cuando se inicia una investigación por trata de seres humanos la víctima ha pasado ya por uno de los más duros e intensos procesos de abuso, explotación y cosificación a los que puede ser sometida una persona. Los medios comisivos recogidos en el precepto legal (violencia, intimidación, engaño, abuso de estado de necesidad…), nos indican que en la columna vertebral de este delito está el miedo del sujeto pasivo. El empleo intenso, sistemático y prolongado de estos medios comisivos genera inevitablemente daños psicológicos y emocionales graves en la víctima, generalmente traducibles en un síndrome crónico y agudo de estrés postraumático que hace que no resulte extraño que en algún momento del proceso la víctima se sitúe en posición de ilocalizabilidad, que pueda ir variando las manifestaciones que presta a lo largo de la fase de investigación y enjuiciamiento, que incurra constantemente en contradicciones e inexactitudes o en una negación sistemática de los hechos acontecidos, o que se retracte de las iniciales declaraciones incriminatorias por miedo a las posibles represalias.

En palabras de nuestro Tribunal Supremo:

> "*Resulta evidente que en este tipo de delitos existan especiales dificultades para que las víctimas expongan todo lo que ha ocurrido, ya que la situación que han vivido, las posibles amenazas que sufren con respecto a ellas, o la creencia de que las que les efectúan de que actuarán contra sus familiares en el país de origen les dificulta que puedan contar lo ocurrido e implicar directamente a sus captores y explotadores, lo que surge en el seno de una organización.*" (STS, Sala Segunda, nº 422/2020, de 23 de julio, ECLI:ES:TS:2020:2636).

Hallándose la víctima en esta situación, se encuentra en no pocas ocasiones con que se espera de ella que proporcione una base sólida para iniciar la investigación criminal, que indique los elementos que pueden corroborar su historia, marcando así los hilos de investigación a seguir, que se preste a la práctica de exploraciones médicas, psicológicas, sociales, y que se mantenga firme, sólida y consistente en su postura a lo largo de toda la causa. No puede resultar sorprendente que una inmensa mayoría de víctimas opten por no iniciar siquiera este proceso evitando acudir a las autoridades, o por no participar en él cuando ha sido iniciado a otras instancias o por retirarse del proceso a pesar de haber colaborado inicialmente.

Cualquier persona que haya pasado por la experiencia de un proceso judicial sabe que en todo caso se trata de una experiencia difícil, ante la cual es habitual sentirse insegura, intimidada, asustada o impotente. Estas emociones se acentúan cuando se trata de un proceso judicial penal, en que a los sentimientos expresados suele añadirse el miedo a las represalias o el sufrimiento derivado de la evocación y consiguiente reexperimentación del fenómeno criminal (generalmente traumático o, al menos, intensamente perturbador). Este fenómeno de sufrimiento adicional derivado del tránsito por el proceso penal (victimización secundaria) resulta particularmente agudo o doloroso cuando se trata de víctimas que han sufrido un daño especialmente relevante como consecuencia del delito, trayendo como consecuencia su retirada del proceso y su rechazo a las autoridades e instituciones, a las que perciben como fuente de mayores sufrimientos en vez de lugar de seguridad, refugio y protección.

Por todo ello, en las causas seguidas por delito de trata de seres humanos es muy importante que las víctimas se sitúen en el centro de la actuación y la preocupación de las autoridades, pero no a los efectos de obtener una prueba directa del hecho criminal o una guía sobre los elementos que pueden corroborar su declaración, sino a los efectos de garantizar el restablecimiento de su dignidad, facilitar su recuperación y asegurar su protección no solo frente a cualquier represalia que pudiera derivar de los presuntos tratantes o su entorno, sino también frente a toda clase de victimización secundaria.

Por otra parte, y partiendo de la base de que en la inmensa mayoría de casos cuando se afronta una investigación por trata de seres humanos lo que se está afrontando en realidad es un delito muy grave vinculado a la criminalidad organizada, resulta ciertamente conveniente, por no decir indispensable, acudir a los métodos y herramientas de investigación que utilizaríamos para cualquier otra forma de criminalidad organizada. Esto incluye, la adopción de medidas limitativas de derechos fundamentales (señaladamente la intervención de comunicaciones y las entradas y registros en domicilio llegado el momento), para lo cual será necesaria una investigación policial lo suficientemente exhaustiva como para sentar una base sólida para las resoluciones que acuerden tales medidas, y una investigación económico-patrimonial igualmente exhaustiva que permita demostrar el fundamento de toda la conducta criminal.

Abordar la investigación por delito de trata de seres humanos como un caso de criminalidad organizada (generalmente internacional) supone considerar desde el primer momento que nos encontramos ante una causa compleja en la que habremos de coordinar varias líneas de investigación, en la que con casi toda probabilidad habrán de acordarse las medidas limitativas de derechos apuntadas, lo que conllevará el secreto de al menos una parte del sumario, y en la que será además preciso adoptar toda clase de cautelas para proteger a las víctimas, ponerlas fuera del ámbito de actuación de los tratantes y preservarlas tanto de las eventuales represalias como de la victimización secundaria. Por ello resulta necesario adoptar desde el inicio de la investigación ciertas prevenciones como la elaboración de un plan o estrategia de trabajo que permita ordenar la causa, organizar adecuadamente los recursos con que se cuenta en el Juzgado, pidiendo los refuerzos pertinentes en caso necesario, y coordinar adecuadamente las diferentes actuaciones que se van realizando.

2. Momento para recibir declaración a la víctima

Dispone la Ley 4/2015, de 27 de abril, del Estatuto de la Víctima, artículo 21, que *"Las autoridades y funcionarios encargados de la investigación penal velarán por que, en la medida que ello no perjudique la eficacia del proceso: a) Se reciba declaración a las víctimas, cuando resulte necesario, sin dilaciones injustificadas."*

De la dicción literal del precepto parece desprenderse que la declaración de la víctima debe llevarse a cabo tan pronto como sea posible desde el momento en que se tiene noticia de la posible existencia del delito.

Ahora bien, ha de tenerse en cuenta que, como ya se ha apuntado, en la inmensa mayoría de los casos las víctimas de trata de seres humanos han estado sometidas a situaciones muy traumáticas, en ocasiones durante largos periodos de tiempo, por lo que pueden necesitar un plazo para recuperar la serenidad de ánimo que les permita someterse al interrogatorio en condiciones adecuadas. Un interrogatorio practicado demasiado pronto puede resultar infructuoso (si no contraproducente) debido al estado de shock o bloqueo emocional de la víctima, además de generar una clara victimización secundaria.

Por tal motivo podría ser conveniente: 1) solicitar bien a la entidad especializada en asistencia a víctimas de trata que tuviera acogida a la persona en cuestión, bien a los equipos psicosociales adscritos al Juzgado de Instrucción, que con carácter previo al señalamiento formal de la declaración de la víctima informen acerca de su estado psicoemocional y de los posibles efectos adversos que la prestación de declaración en ese momento podría generar sobre dicha situación; 2) en caso de que así se recomiende por tales entidades o equipos especializados, posponer la declaración hasta que la víctima haya podido recuperarse en la medida necesaria para minimizar esos efectos adversos.

En el caso de víctimas extranjeras en situación irregular que se encuentren disfrutando del periodo de restablecimiento y reflexión previsto en el art. 59 bis de la Ley Orgánica 4/2000, de 11 de enero, sobre derechos y libertades de los extranjeros en España y su integración social, y el art. 142 del Real Decreto 557/2011, de 20 de abril, por el que se aprueba el Reglamento de la Ley Orgánica 4/2000, habrá que esperar a que finalice tal periodo para recibirles declaración.

3. Tratamiento y protección de la víctima en sede judicial

El trato que ha de dispensarse a la víctima de trata en sus primeros contactos con el sistema de justicia se ha de ajustar a los estándares establecidos por el Estatuto de la Víctima para todas las víctimas del delito (trato respetuoso, atento, paciente, profesional e individualizado), estándares que habrían de reforzarse, en su caso, atendidas las características personales de las víctimas de trata y la gravedad y circunstancias del hecho delictivo a que se han visto sometidas. Hay que tener en cuenta que nos encontramos con víctimas que poseen una capacidad de autogobierno muy limitada por diversos motivos (especialmente las víctimas extranjeras) como el desconocimiento del idioma, la desconfianza hacia las autoridades, el miedo a represalias hacia su persona o sus familiares, o el temor a una posible expulsión del territorio nacional debida a su situación administrativa irregular.

Es necesario contar con un espacio adecuado en las dependencias judiciales para poder realizar los contactos previos a la declaración judicial, en un marco donde no existan ni interrupciones ni sobresaltos para la víctima y, lo más importante, se garantice su derecho fundamental a la intimidad y a la confidencialidad.

Tomando como base las disposiciones recogidas en el art. 20, el art. 21, c), el art. 25.1, y el art. 26 del Estatuto de la Víctima, se recomiendan las siguientes prácticas relativas al modo de llevarse a cabo la declaración, especialmente en aquellos casos en que la declaración deba realizarse con todas las garantías necesarias para poder ser utilizada como prueba preconstituida:

1º) Grabación de la declaración por medios audiovisuales siempre que ello sea posible.

2º) Utilización de medios materiales (cámaras Gessell) o tecnológicos (videoconferencia) para evitar la presencia de la víctima en la misma sala que el investigado y su letrado defensor.

3º) Acompañamiento de la víctima durante la declaración, a ser posible por una persona de la organización especializada que le esté prestando asistencia, y por algún miembro del equipo psicosocial adscrito al Juzgado.

4º) Asistencia por parte del equipo psicosocial adscrito al Juzgado.

5º) Previsión de que este tipo de declaraciones requieren un importante despliegue logístico, y prepararlo con antelación para no hacer esperar a la víctima más de lo necesario.

6º) Previsión de que la duración de la declaración puede ser (suele ser) muy extensa, y no señalar otras diligencias para no ir atropellado y poder dedicarle el tiempo que con toda seguridad va a requerir.

7º) Evitar la suspensión de la declaración señalada en la medida de lo posible (interpretación restrictiva de las causas de suspensión de la LECrim).

Por otra parte, resulta de especial trascendencia proporcionar a la víctima una protección adecuada en cada ocasión en que deba acudir a la sede judicial.

Hemos de partir de la base de que cada comparecencia de la víctima en sede judicial entraña un riesgo relevante tanto para su seguridad (no resulta extraño que las redes de trata aprovechen estas comparecencias para tratar de contactar con la víctima a efectos de intimidarla y evitar que continúe participando en el proceso) como para su estabilidad psicoemocional.

Por tal motivo, y en consonancia con lo establecido por el artículo 21 del Estatuto de la Víctima, deberá reducirse el número de comparecencias de la víctima-testigo ante el Juzgado de Instrucción o ante el órgano de enjuiciamiento al mínimo imprescindible. Con esto lograremos la doble finalidad de asegurar su adecuada protección y evitar la victimización secundaria. Precisamente con tales finalidades resulta también conveniente concentrar en un mismo día las distintas actuaciones que la víctima-testigo haya de desarrollar en la sede judicial (prestación de declaración, reconocimiento forense, rueda de reconocimiento, etc…).

Se recomienda, además, la adopción de las siguientes precauciones a fin de evitar cualquier contacto accidental entre la víctima-testigo y el investigado o su entorno que pudiera comprometer la seguridad de la primera y perjudicar su testimonio:

- Citar a la víctima-testigo con al menos una hora de antelación respecto de la hora de citación del investigado/acusado y su Letrado defensor.
- Advertir al personal de control de entrada y de seguridad del órgano judicial de que se va a llevar a cabo una declaración de este tipo, a fin de que tan pronto como la víctima-testigo llegue a las dependencias del órgano judicial sea conducida a una sala adecuada (o a unas dependencias adecuadas y seguras), donde esperar hasta la práctica de las diligencias que deban entenderse con la misma.
- Recabar el auxilio del personal de seguridad del órgano judicial, o del personal del órgano judicial en sí, para que alguna persona de confianza y conocedora del edificio acompañe físicamente a la víctima-testigo durante todos los traslados que se produzcan por el interior, a fin de agilizar al máximo dichos traslados y evitar que la víctima-testigo pueda extraviarse.
- Evitar en todo caso que la víctima tenga que permanecer en las zonas de espera colectivas y públicas del órgano judicial (sala de espera del médico forense, zona de espera de las salas de vistas, o zonas de espera del propio Juzgado o Tribunal).

En caso de que la víctima-testigo no acudiera acompañada, resultaría muy conveniente encomendar a algún miembro del personal del órgano judicial, o a algún miembro del personal de seguridad del edificio, que se ocupe de acompañarla permanentemente durante su estancia en la sede del órgano. En caso de que la víctima-testigo acuda acompañada, resulta conveniente verificar la identidad de la persona acompañante y su relación con la víctima-testigo a fin de reducir las posibilidades de que el/la acompañante sea integrante de la red de trata.

Con el fin de proteger la identidad e intimidad de la víctima-testigo, durante la prestación de la declaración deben adoptarse las medidas adecuadas para evitar que se formulen preguntas relativas a la vida privada de la víctima-testigo que no guarden relación directa con el hecho investigado, a menos que excepcionalmente se consideren necesarias para valorar adecuadamente los hechos o la credibilidad de su declaración.

Una vez terminada la práctica de las diligencias que hubieran de llevarse a cabo con la víctima-testigo, resulta conveniente proteger su seguridad a la salida de las dependencias judiciales. A tal efecto, se recomienda:

- Planificar temporalmente las diligencias de manera que la víctima y el investigado no hayan de abandonar el edificio del órgano judicial en el mismo momento, y en caso de que ello no fuera posible y la práctica de diligencias haya de terminar a la vez para víctima e investigado, se recomienda pedir a la víctima que espere en las dependencias judiciales un tiempo razonable antes de salir, explicándole de manera clara y comprensible que dicha espera se debe a razones vinculadas con su seguridad personal.

- Pedir al personal de seguridad del órgano que verifique que ni el investigado, ni personas de su entorno–o del entorno de la red de trata–se encuentran a la salida de las dependencias judiciales, ni el perímetro del edificio inmediatamente antes de la salida de la víctima.

- De ser posible, conducir a la víctima a alguna salida secundaria diferente de la salida principal del edificio, y acompañarla hasta el medio de transporte que vaya a utilizar para abandonar el lugar donde se encuentre la sede del órgano judicial.[1]

---

[1]   Todas las recomendaciones recogidas en este apartado, relativas a protección de la víctima en sede judicial, se encuentran igualmente recogidas en la Guía de criterios de actuación judicial frente a la trata de seres humanos. *Vid.* CONSEJO GENERAL DEL PODER JUDICIAL: *Guía de criterios de actuación judicial frente a la trata de seres humanos*, 2018. Disponible en: https://www.poderjudicial.es/cgpj/es/Temas/Igualdad-de-Genero/Guias—estadisticas—estudios-e-informes/Guias/Guia-de-criterios-de-actuacion-judicial-frente-a-la-trata-de-seres-humanos
En el mismo sentido se pronuncia el Protocolo Marco de Protección de Víctimas de Trata de Seres Humanos, punto XI.C, "Actuaciones procesales de protección", disponible en: https://www.poderjudicial.es/cgpj/es/Temas/Relaciones-institucionales/Convenios/Protocolo-marco-de-proteccion-de-las-victimas-de-trata-de-seres-humanos

Es posible que el día señalado para la práctica de la declaración, la víctima-testigo se vea impedida de hacerlo (o de hacerlo de manera razonable) por encontrarse en estado de angustia y/o miedo agudos, que evidentemente interfieren con su capacidad para declarar de manera libre y coherente. En tal caso, se recomienda llevar a cabo un reconocimiento médico y psicológico de la víctima-testigo a fin de dejar constancia en el procedimiento del estado en que se encuentra, y posponer la declaración, concediendo a la víctima-testigo un plazo razonable de recuperación, a fin de que pueda deponer desde una posición de sosiego y tranquilidad. En tal sentido se ha pronunciado la STS, Sala Segunda, nº 686/2016, de 26 de julio, ECLI ES:TS:2016:3920.

4. Declaración de la víctima como prueba preconstituida. La regulación de la prueba preconstituida en la Ley Orgánica 8/2021

Por declaración sumarial preconstituida (generalmente declaración testifical) se entiende aquélla que se lleva a cabo durante la fase de instrucción o investigación de un delito, con las mismas garantías con que se llevaría a cabo durante el acto del juicio oral con la única excepción de que la autoridad que la preside es un/a Juez/a de Instrucción en lugar del órgano de enjuiciamiento, y puede ser incorporada al acto del juicio oral mediante lectura del acta escrita o reproducción del acta videográfica, y tomada en consideración por el tribunal enjuiciador con el mismo valor y significado de cualquier otra prueba practicada en el acto del juicio oral. En estos casos se sustituye la declaración directa ante el Tribunal sentenciador de la persona (generalmente una víctima-testigo a quien se dispensa de comparecer de manera directa en el acto del juicio oral) por la lectura o reproducción del acta escrita o videográfica de la prueba practicada durante la fase de investigación ante el/la Juez/a de Instrucción. Constituye una excepción al principio de inmediación, ya que la misma se practica durante la fase de instrucción del procedimiento pero puede hacerse valer en el juicio oral, como si en éste mismo se hubiera desarrollado, siempre y cuando se cumplan rigurosamente ciertos requisitos (SSTC 78/2010, 148/2005, 12/2002, 209/2001, 187/2003, 1/2006, STC de 25 de octubre de 1993 y SSTEDH 19-2-1991, 27-2-2001, 2-7-2002 entre otras, STS 28/2008 de 11 de febrero).

Hasta el año 2021, la prueba preconstituida carecía de regulación legal específica, tratándose de una figura de construcción jurisprudencial surgida de la necesidad de velar por la búsqueda de la verdad material en el proceso penal, de establecer una vía para volcar en el acto del juicio oral elementos de convicción que resultan imposibles o muy difíciles de reproducir en ese acto, y/o de prestar una protección reforzada a personas cuya situación de especial vulnerabilidad hacía necesario reducir al mínimo absoluto su contacto con el proceso y las personas investigadas/acusadas en el mismo. Esta construcción jurisprudencial se sustentaba por un lado sobre los artículos 448 y 777 de la

LECr, que regulan la denominada "prueba anticipada", y por otro sobre la Jurisprudencia consolidada del Tribunal Europeo de Derechos Humanos[2], que ha afirmado reiteradamente que la incorporación al proceso de declaraciones que han tenido lugar durante la fase de instrucción no lesiona los derechos reconocidos en los párrafos 3 d) y 1 del art. 6 CEDH, siempre que exista una causa legítima que impida la declaración en el juicio oral, y que se hayan respetado los derechos de defensa del acusado; esto es, siempre que se dé al acusado una ocasión adecuada y suficiente de contestar los testimonios de cargo e interrogar a su autor, bien cuando se prestan, bien con posterioridad.

En los procedimientos seguidos por delito de trata de seres humanos, la preconstitución de la prueba debe estimarse como prácticamente imprescindible en relación con las declaraciones de las víctimas y de otros testigos, ante el riesgo cierto de no localización de los mismos en el momento de celebración del juicio oral. En este sentido la STS, Sala Segunda, 53/2014, de 4 de febrero de 2014 (ECLI: ES:TS:2014:487), afirmaba de manera taxativa:

> "Constituye una norma de experiencia que en los delitos de trata de seres humanos la presión sobre los testigos-víctima sometidos a la trata y explotación, es muy intensa, por lo que el recurso a la prueba preconstituida debe ser habitual ante la muy probable incidencia de su desaparición, huida al extranjero e incomparecencia al juicio oral, motivada ordinariamente por el temor a las eventuales consecuencias de una declaración contra sus victimarios."

Esta línea jurisprudencial se ha venido manteniendo en todas las sentencias posteriores dictadas por la Sala Segunda en causas por delito de trata de seres humanos, habiéndose ampliado incluso el ámbito de validez de la prueba preconstituida a los supuestos en que encontrándose la víctima localizable y a disposición del Tribunal enjuiciador, no es capaz de prestar declaración en el momento del juicio oral como consecuencia de una situación de bloqueo emocional derivada del pánico, la angustia y la ansiedad (STS, Sala Segunda, nº 686/2016, de 26 de julio, ECLI: ES:TS:2016:3920).

La LO 8/2021, de 4 de junio, de protección integral a la infancia y la adolescencia frente a la violencia modifica en su Disposición Final 1ª la Ley de Enjuiciamiento Criminal con objeto, entre otras cuestiones, de introducir por primera vez en nuestro país una regulación legal de la prueba preconstituida, y lo hace a través de los artículos 449 bis, 449 ter y 703 bis, del siguiente tenor:

> *Artículo 449 bis.*
>
> *Cuando, en los casos legalmente previstos, la autoridad judicial acuerde la práctica de la declaración del testigo como prueba preconstituida, la misma deberá desarrollarse de conformidad con los requisitos establecidos en este artículo.*

---

[2]　EL cuerpo de Jurisprudencia del TEDH elaborado en relación con esta cuestión es analizado con minucioso detalle en la STS 686/2016, de 26 de julio, ECLI: ES:TS:2016:3920, § 4.

La autoridad judicial garantizará el principio de contradicción en la práctica de la declaración. La ausencia de la persona investigada debidamente citada no impedirá la práctica de la prueba preconstituida, si bien su defensa letrada, en todo caso, deberá estar presente. En caso de incomparecencia injustificada del defensor de la persona investigada o cuando haya razones de urgencia para proceder inmediatamente, el acto se sustanciará con el abogado de oficio expresamente designado al efecto.

La autoridad judicial asegurará la documentación de la declaración en soporte apto para la grabación del sonido y la imagen, debiendo el Letrado de la Administración de Justicia, de forma inmediata, comprobar la calidad de la grabación audiovisual. Se acompañará acta sucinta autorizada por el Letrado de la Administración de Justicia, que contendrá la identificación y firma de todas las personas intervinientes en la prueba preconstituida.

Para la valoración de la prueba preconstituida obtenida conforme a lo previsto en los párrafos anteriores, se estará a lo dispuesto en el artículo 730.2.

Artículo 449 ter.

Cuando una persona menor de catorce años o una persona con discapacidad necesitada de especial protección deba intervenir en condición de testigo en un procedimiento judicial que tenga por objeto la instrucción de un delito de homicidio, lesiones, contra la libertad, contra la integridad moral, trata de seres humanos, contra la libertad e indemnidad sexuales, contra la intimidad, contra las relaciones familiares, relativos al ejercicio de derechos fundamentales y libertades públicas, de organizaciones y grupos criminales y terroristas y de terrorismo, la autoridad judicial acordará, en todo caso, practicar la audiencia del menor como prueba preconstituida, con todas las garantías de la práctica de prueba en el juicio oral y de conformidad con lo establecido en el artículo anterior. Este proceso se realizará con todas las garantías de accesibilidad y apoyos necesarios.

La autoridad judicial podrá acordar que la audiencia del menor de catorce años se practique a través de equipos psicosociales que apoyarán al Tribunal de manera interdisciplinar e interinstitucional, recogiendo el trabajo de los profesionales que hayan intervenido anteriormente y estudiando las circunstancias personales, familiares y sociales de la persona menor o con discapacidad, para mejorar el tratamiento de los mismos y el rendimiento de la prueba. En este caso, las partes trasladarán a la autoridad judicial las preguntas que estimen oportunas quien, previo control de su pertinencia y utilidad, se las facilitará a las personas expertas. Una vez realizada la audiencia del menor, las partes podrán interesar, en los mismos términos, aclaraciones al testigo. La declaración siempre será grabada y el Juez, previa audiencia de las partes, podrá recabar del perito un informe dando cuenta del desarrollo y resultado de la audiencia del menor.

Para el supuesto de que la persona investigada estuviere presente en la audiencia del menor se evitará su confrontación visual con el testigo, utilizando para ello, si fuese necesario, cualquier medio técnico.

Las medidas previstas en este artículo podrán ser aplicables cuando el delito tenga la consideración de leve.

Artículo 703 bis.

Cuando en fase de instrucción, en aplicación de lo dispuesto en el artículo 449 bis y siguientes, se haya practicado como prueba preconstituida la declaración de un testigo, se procederá, a instancia de la parte interesada, a la reproducción en la vista de la grabación audiovisual, de conformidad con el artículo 730.2, sin que sea necesaria la presencia del testigo en la vista.

En los supuestos previstos en el artículo 449 ter, la autoridad judicial solo podrá acordar la intervención del testigo en el acto del juicio, con carácter excepcional, cuando sea interesada por alguna de las partes y considerada necesaria en resolución motivada, asegurando que la grabación audiovisual cuenta con los apoyos de accesibilidad cuando el testigo sea una persona con discapacidad.

En todo caso, la autoridad judicial encargada del enjuiciamiento, a instancia de parte, podrá acordar su intervención en la vista cuando la prueba preconstituida no reúna todos los requisitos previstos en el artículo 449 bis y cause indefensión a alguna de las partes.

Tal como ha quedado redactado finalmente el artículo 449 ter, parece que la declaración testifical preconstituida tendrá carácter obligatorio cuando se den las circunstancias expresadas en el mismo (persona menor de 14 años o persona con discapacidad necesitada de especial protección en causas seguidas por los delitos que se enumeran con carácter cerrado o numerus clausus), y queda, sin embargo, vedada fuera de esos concretos supuestos. Esta conclusión parece además avalada por el hecho de que en el texto original del Anteproyecto de Ley se incluía, junto a la enumeración de los casos en que se imponía obligatoriamente el recurso a la preconstitución probatoria, una cláusula facultativa que permitía a la autoridad judicial acudir a la prueba preconstituida para testigos mayores de 14 años, a la vista de a su vulnerabilidad y de la naturaleza del delito cometido, para evitar causar un perjuicio irreparable, cláusula facultativa que desaparece en el texto definitivo de la Ley.

La cuestión que se suscita en la actualidad, a la vista de la regulación transcrita, es que el recurso a la prueba preconstituida ha quedado extraordinariamente limitado, limitación que resulta particularmente visible y dolorosa en lo que se refiere a las víctimas del delito de trata de seres humanos. En efecto, hasta la aprobación de la Ley 8/2021 la preconstitución probatoria se había venido admitiendo como regla general (STS 53/2014, de 4 de febrero, ECLI: ES:TS:2014:487 y todas las posteriores) para *todas* las víctimas de trata de seres humanos con independencia de su edad y situación de discapacidad. Si interpretamos de manera literal y rigurosa la nueva legislación, el resultado será que solo las víctimas menores de 14 años o que tengan una discapacidad de tal entidad y naturaleza que les haga merecedoras de una especial protección – esto es, una proporción prácticamente insignificante de víctimas–podrán beneficiarse de la preconstitución probatoria de su testimonio. Teniendo en cuenta que la preconstitución probatoria constituye una de las más útiles herramientas de protección de víctimas y testigos, la regulación legal introducida por la LO 8/2021 en la LECrim ha venido a restringir el ámbito de protección de las víctimas de trata de seres humanos, tal como había quedado diseñado por la Jurisprudencia del Tribunal Supremo.

La cuestión que se suscita es si cabe integrar la regulación legal con la doctrina jurisprudencial elaborada en torno a la prueba preconstituida, de suerte que se exija la preconstitución del testimonio de forma preceptiva en todos los casos referidos en el nuevo artículo 449 ter, y se permita a la autoridad judicial acudir a la preconstitución probatoria de manera facultativa en los casos en que se venía ya admitiendo por la Sala Segunda de nuestro Tribunal Supremo. Será, en cualquier caso, la propia Sala Segunda la que deberá pronunciarse acerca del modo en que debe llevarse a cabo esta integración.

5. Aplicación a las víctimas de trata de seres humanos de la condición de testigos protegidos al amparo de la LO 19/1994, de 23 de diciembre, de protección a testigos y peritos en causas criminales. Testigo anónimo y testigo oculto

Una de las cuestiones que con más frecuencia se suscitan ante los Tribunales es precisamente la relativa a la validez como prueba de cargo de las declaraciones de las víctimas de trata de seres humanos cuando las mismas han declarado bajo la condición de testigos protegidos con arreglo a la LO 19/1994.

Antes de entrar a examinar la respuesta dada a esta cuestión por la Sala Segunda del Tribunal Supremo, conviene realizar algunas precisiones previas relativas al reconocimiento de la condición de testigo protegido a las víctimas de trata de seres humanos:

- Es conveniente que se ofrezca con carácter general a toda víctima de trata de seres humanos la posibilidad de acogerse a la protección dispensada por la LO 19/1994, desde el momento mismo en que se judicializa la investigación policial o preprocesal, y de oficio, esto es, sin necesidad de esperar a que así se solicite por la propia víctima, la Policía Judicial o el Ministerio Fiscal. Este ofrecimiento debe ir acompañado de una explicación clara, completa y realista del alcance y las limitaciones de la protección que se va a poder dispensar a la persona que se acoja al estatuto de testigo protegido.
- La condición de testigo protegido a los efectos previstos en la LO 19/1994 sólo puede ser reconocida por la autoridad judicial, no por la autoridad policial ni por el Ministerio Fiscal. Por ello, cuando con anterioridad a la judicialización de una causa se haya reconocido protección a determinada persona implicada en ella como víctima o testigo, es conveniente y necesario que el/la Juez/a de Instrucción se pronuncie expresamente acerca de la eventual concesión a dicha persona de la condición formal de testigo protegido. Este pronunciamiento judicial debe hacerse desde el momento en que la persona queda identificada en el

procedimiento, con el fin de evitar comprometer su seguridad o vulnerar los derechos de las demás partes en el procedimiento.

- La condición de testigo protegido puede y debe reconocerse de oficio siempre que la autoridad judicial aprecie racionalmente la existencia de un riesgo grave para la persona, libertad o bienes de quien vaya a quedar amparado por dicha condición, su cónyuge o pareja de hecho, ascendientes, descendientes o hermanos. Ello significa que esta condición puede ser reconocida a determinada persona siempre que la autoridad judicial lo estime conveniente o necesario, aunque la persona no lo solicite, e incluso aunque manifieste no querer acogerse a la protección que dispensa la LO 19/1994.

- Si se reconoce a determinada persona la condición de testigo protegido con todos los efectos previstos en el artículo 2 de la LO 19/1994, se recomienda extremar la precaución a la hora de confeccionar el expediente judicial con el fin de evitar la revelación accidental de datos del testigo protegido que puedan conducir a su plena identificación.

- Aunque la identidad de una persona haya quedado ya desvelada en el expediente, es posible reconocer a la misma la condición de testigo protegido a todos los efectos, señaladamente a los previstos en las letras b) y c) del artículo 2 de la LO 19/1994 (utilización de procedimientos que impidan la identificación visual normal y fijación de la sede del órgano judicial como domicilio a efecto de notificaciones).

- Aun cuando no se reconozca a una determinada víctima-testigo la condición formal de "testigo protegido" es conveniente evitar que en el expediente judicial figuren sus datos precisos de domicilio, residencia o paradero, pudiendo sustituirse estos datos por otros que permitan su citación sin revelar su localización exacta (p. ej. fijando como domicilio a efecto de notificaciones el de la entidad especializada que hubiera asumido la asistencia y apoyo a la víctima). Estas medidas de protección encontrarían apoyo en el artículo 22 del Estatuto de la Víctima.

- Aun cuando no se reconozca a una víctima-testigo la condición de "testigo protegido" puede y debe valorarse la conveniencia de evitar toda clase de contacto visual y/o físico con el/los investigado/s y las personas de su entorno. En tal sentido el artículo 22 y el artículo 25 del Estatuto de la Víctima.[3]

Volviendo a la cuestión apuntada al inicio de este epígrafe, validez como prueba de cargo de las declaraciones prestadas por las víctimas de trata de

---

[3]   Recomendaciones extraídas de CONSEJO GENERAL DEL PODER JUDICIAL: *Guía de criterios de actuación judicial frente a la trata de seres humanos, op. cit.*

seres humanos en condición de testigos protegidos, existe ya un cuerpo sólido y nutrido de Jurisprudencia elaborado por la Sala Segunda del Tribunal Supremo, cuya síntesis encontramos en la STS, Sala Segunda, 422/2020, de 23 de julio, ECLI:ES:TS:2020:2636, §12:

- *"El tema de los testigos protegidos y de la aplicación del régimen especial establecido en la Ley Orgánica 19/1994, de 23 de diciembre, genera complejas cuestiones en su aplicación práctica, debido a las dificultades que suscita el compatibilizar la tutela de los bienes jurídicos personales del testigo que se ponen riesgo con el derecho de defensa de los imputados, y más en concreto con las garantías procesales que imponen los principios de inmediación y contradicción en la práctica de la prueba testifical, así como la valoración de la prueba desde la perspectiva de la fiabilidad y credibilidad del testimonio."*

- *Los problemas que emergen en la práctica procesal diaria con las declaraciones de los testigos protegidos se focalizan generalmente en dos puntos principales: el descubrimiento de la identidad del testigo y la forma más o menos opaca o encubierta en que éste presta su declaración en la vista oral del juicio: 1°) En cuanto al primer aspecto (la identificación nominal del testigo protegido), el interés personal del testigo en declarar sin que sea conocida su identidad con el fin de evitar cualquier clase de represalia que pudiera poner en riesgo su vida o integridad física, bienes jurídicos de primera magnitud, tanto de su persona como de sus parientes o allegados, suele entrar en colisión con el derecho de las defensas a cuestionar la imparcialidad, credibilidad y la fiabilidad del testimonio de cargo, que pudiera fácilmente devaluarse en el caso de que se constatara cualquier clase de hostilidad, enemistad o animadversión entre el testigo y el acusado. Sin olvidar tampoco que también es relevante conocer las razones de conocimiento del testigo y posibles patologías personales que pudieran repercutir en la veracidad y fiabilidad de sus manifestaciones. La contradicción queda, pues, notablemente limitada y con ella el derecho de defensa. 2°) Y en lo que respecta a la forma de deponer en el plenario, también es habitual que el testigo protegido muestre su deseo de no ser visto u observado al menos por los acusados y por el público, y en algunas ocasiones incluso por las defensas de las partes. En estos casos la tutela de sus derechos personales entra en conflicto con la aplicación de los principios de inmediación y de contradicción, pues se priva a las partes procesales y a los acusados de comprobar a través de la visualización directa la convicción, veracidad y firmeza con que declara el testigo y se puede también limitar en alguna medida el grado de la contradicción procesal.*

- *Dentro, pues, de la categoría general de testigos protegidos pueden distinguirse dos subcategorías en orden al nivel de protección: los testigos anónimos, de los que ni siquiera se dan a conocer a las partes sus datos personales; y los testigos ocultos, que sí son identificados personalmente con nombres y apellidos, pero que deponen en el plenario con distintos grados de opacidad a la visión o control de las partes procesales. (...)*

- *La referencia a la anterior doctrina del TEDH permite, pues, concluir -según el Tribunal Constitucional- que es la imposibilidad de contradicción y el total anonimato de los testigos de cargo lo que el citado Tribunal considera contrario a las exigencias derivadas del art. 6 del Convenio; por el contrario, en aquellos casos en que el testimonio no pueda calificarse de anónimo sino, en todo caso, de "oculto" (entendiendo por tal aquel que se presta sin ser visto por el acusado), pero, en los que la posibilidad de contradicción y el conocimiento de la identidad de los testigos -tanto para la defensa como para el Juez o Tribunal llamado a decidir sobre la culpabilidad o inocencia del acusado- resulten respetados, han de entenderse cumplidas las exigencias derivadas del art. 6.3 d) del Convenio y, en consecuencia, también las garantías que consagra el art. 24.2 de nuestra Constitución."*

En definitiva, como regla general, se admite la validez como prueba de cargo de la declaración de las víctimas de trata de seres humanos cuando se presta en condición de testigos *"ocultos"*, es decir, testigos cuya identidad y datos personales son conocidos pero que declaran sin ser vistos de manera directa por el acusado y su defensa, pero no se admite, como regla general, la validez de la declaración cuando ésta se presta en calidad de testigo *"anónimo"*, esto es, sin que el acusado y su defensa tengan conocimiento de su identidad y datos personales.

Esta regla general ha sido matizada, sin embargo, por el propio Tribunal Supremo en algunos casos excepcionales en que la declaración de la víctima-testigo ha sido preconstituida en fase de investigación, en un momento en que la identidad y los datos personales de la misma permanecían ocultos para las partes acusadas, y el testimonio no ha podido ser reiterado en fase de juicio oral y con pleno conocimiento de tales datos identificativos por ilocalizabilidad de la víctima-testigo o cualquier otra causa justificada. En tales casos, el propio Tribunal Supremo ha admitido la validez como prueba de cargo de la declaración si el anonimato resulta ser meramente formal, y las partes acusadas dan muestras de conocer la identidad de la testigo protegida a través del interrogatorio realizado o a través de actos posteriores reveladores de dicho conocimiento (STS, Sala Segunda nº 384/2016, de 5 de mayo y STS, Sala Segunda, 686/2016, de 26 de julio, ECLI: ES:TS:2016:3920).

6. Aplicación de la excusa absolutoria del apartado 11 del artículo 177 bis. Declaraciones premiadas

El apartado 11 del artículo 177 bis incorpora un supuesto de exención de responsabilidad criminal de la víctima de trata:

> *"Sin perjuicio de la aplicación de las reglas generales de este Código, la víctima de trata de seres humanos quedará exenta de pena por las infracciones penales que haya cometido en la situación de explotación sufrida, siempre que su participación en ellas haya sido consecuencia directa de la situación de violencia, intimidación, engaño o abuso a que haya sido sometida y que exista una adecuada proporcionalidad entre dicha situación y el hecho criminal realizado."*

Este precepto pretende trasladar al derecho español la recomendación establecida por el artículo 26 de la Convención de Varsovia: *"Las Partes deberán prever, con arreglo a los principios fundamentales de su sistema jurídico, la posibilidad de no imponer sanciones a las víctimas por haber tomado parte en actividades ilícitas cuando hayan sido obligadas a ello"*.

Esta previsión también aparece recogida por el artículo 8 de la Directiva 36/2011/CE: *"Los Estados miembros adoptarán, de conformidad con los principios básicos de sus respectivos ordenamientos jurídicos, las medidas necesarias para garantizar que las autoridades nacionales competentes puedan optar por no enjuiciar ni imponer penas a las víctimas de la trata de seres humanos por su participación en actividades ilícitas que se hayan visto obligadas a cometer como consecuencia directa de haber sido objeto de cualquiera de los actos contemplados en el artículo 2"*.

Podría afirmarse que este apartado está pensando en aquellos supuestos en que sin que concurran todos los requisitos configuradores del estado de necesidad o, según los casos, del miedo insuperable, se ha producido una importante, patente y objetiva limitación del dominio de la voluntad de la víctima, consecuencia directa de la situación de violencia, intimidación, engaño o abuso a que haya sido sometida. En otras palabras, se está pensando en aquellas víctimas que por su situación de sometimiento se ven compelidas a realizar los delitos ordenados por el tratante.

No siendo posible la formulación de una relación de los supuestos en que cabrá la aplicación del apartado 11 del artículo 177 bis CP, deberá valorarse en cada caso la concurrencia de las condiciones determinantes de la situación de dominación y del hecho criminal realizado, siguiendo un criterio de proporcionalidad.

La STS nº 214/2017, de 29 de marzo, ECLI: ES:TS:2017:1229, en este sentido señala que:

> *"Es cierto que las víctimas de trata están amparadas por una serie de mecanismos de tutela, entre ellos la exención de pena sobre los delitos que hayan podido*

cometer como consecuencia de la explotación sufrida (art 177 bis 11 CP), siempre que su participación en ellos haya sido consecuencia directa de la situación de violencia, intimidación, engaño o abuso a que haya sido sometida y que exista una adecuada proporcionalidad entre dicha situación y el hecho criminal realizado, o la posibilidad de regularizar su situación en España, pero ello no significa que sus declaraciones carezcan de valor de convicción".

En principio, se ha considerado proporcionada la aplicación de la excusa absolutoria en los siguientes supuestos:

- Cuando la persona ha sido tratada precisamente con la finalidad de cometer determinados delitos (art. 177 bis 1 c) del CP) como carterismo, hurtos en comercios, o tráfico de estupefacientes (Directiva 36/2011/CE, considerando 11), en relación con esos delitos en que se manifiesta la explotación.

- En relación con cualquier delito que la víctima de trata de seres humanos hubiera cometido con ocasión del traslado a territorio español para facilitar su migración fraudulenta o subrepticia, especialmente los relativos a las falsedades documentales o infracciones contempladas en la legislación sobre prostitución o inmigración.

- En relación con los delitos contra la salud pública en aquellos casos en que las víctimas tratadas con fines de explotación sexual son obligadas a facilitar cualquier tipo de drogas o sustancias psicotrópicas o estupefacientes a los clientes.

Por otra parte, la experiencia demuestra que muchas víctimas de trata, significadamente en la modalidad de explotación sexual, son compelidas por los tratantes a colaborar con ellos directamente en cualquiera de las conductas alternativas típicas del tipo del art. 177 bis, o, incluso, en la explotación efectiva de otras personas tratadas. Así, por ejemplo, está comprobado que la forma de llevarse a cabo la captación de algunas ciudadanas subsaharianas en ocasiones se realiza por víctimas de su misma nacionalidad e incluso de su misma familia, a cambio de ser liberadas. En otros casos, frecuentes cuando las víctimas provienen de países del Este, son obligadas a realizar funciones de vigilancia de las recientemente acogidas en los centros de explotación sexual. En estos casos la víctima participa directamente en la victimización de otra persona o en el mantenimiento de la situación de explotación de otro. Esta previsión del artículo 177 bis 11 del Código Penal, no excluye de su aplicación ningún delito, por lo que la víctima de la trata que a su vez se ve obligada a colaborar directamente con los tratantes en cualesquiera de las conductas típicas (captación, transporte, recepción, vigilancia) podría quedar exenta de responsabilidad penal, siempre y cuando se acredite que su intervención sea una consecuencia directa de la situación de violencia, coacción, abuso o engaño a la que se encuentra sometida. Ahora bien, y en relación con este supuesto concreto, puede ocurrir – y de hecho es frecuente – que pese a que la persona no sea completamente libre para decidir participar en la realización de esos actos, esa limitación de su voluntad no sea tampoco tan intensa como para justificar la aplicación de la excusa absolutoria, esto es, la exclusión de la responsabilidad criminal por ausencia de voluntariedad, sobre todo teniendo en cuenta la rigurosa doctrina de la Sala Segunda del Tribunal Supremo interpretando cada uno de los elementos que la configuran ("impulso" e "insuperabilidad" del miedo) (ATS de 27 de marzo de 1996; SSTS nº 659/2012, de 26 de junio; nº 145/2014, de 6 de octubre; nº 519/2014, de 26 de junio). El hecho cierto es que nuestros Tribunales han hecho una interpretación muy restrictiva del apartado 11 del artículo 177 bis para personas que habiendo sido víctimas de trata, pasan a incorporarse a la organización y a participar en la realización de las conductas constitutivas del delito de trata, aplicando la excusa absolutoria en estos supuestos de manera absolutamente excepcional.

Desde el punto de vista procedimental, debe tomarse en consideración que, en principio, las conductas delictivas cuya comisión puede ser atribuida a alguna o algunas de las posible víctimas, por delitos que estas pudieran haber cometido durante el periodo de explotación sufrido y en las circunstancias recogidas en el punto 11 del art.177 bis, o que constituyen la propia explotación (supuesto previsto en el apartado 1.c del art. 177 bis), deben ser objeto de investigación y enjuiciamiento en el mismo procedimiento seguido por la trata de seres humanos, por conexidad delictiva y para no romper la continencia de la causa, siempre y cuando resulte conveniente para el esclarecimiento de los hechos y para la determinación de las responsabilidades procedentes, "salvo–como señala el art. 17 de la LECrim–que suponga excesiva complejidad o dilación para el proceso", debiendo determinarse cual es Órgano Judicial competente acudiendo a las normas generales (art. 18 LECrim).

Así, si aún no se han incoado causas independientes por esos delitos, no deberán iniciarse, debiendo ser todos ellos objeto de un mismo procedimiento, con las salvedades ya indicadas, y sin perjuicio de que, si como resultado de las diligencias practicadas, se llegara a la conclusión de que constituyen infracciones penales independientes y que fueron cometidos por las personas que aparecen como víctimas de la trata al margen de la situación de explotación sufrida, puedan esos hechos desgajarse del procedimiento principal y ser objeto de una causa separada.

El problema surge por la circunstancia de que, con frecuencia, cuando se inicia un procedimiento judicial por trata de seres humanos, ya existen causas abiertas (incluso concluidas por sentencia firme), contra alguna/s de las víctimas, por infracciones posiblemente cometidas en el marco referido, existiendo elementos que determinan que su comisión se debió precisamente a la situación de violencia, intimidación, engaño o abuso que venían sufriendo, o que formaban parte de la propia explotación.

- Puede ocurrir que tanto el procedimiento seguido por trata como los seguidos por el resto de los delitos, se encuentren en un momento procesal anterior a la apertura del Juicio Oral. En este supuesto, como regla general, deberá procederse a la acumulación de todas las causas que lo permitan para su instrucción y enjuiciamiento conjunto, con aplicación de las reglas legalmente establecidas al respecto (sin perjuicio de lo que pueda determinarse durante la instrucción a la vista del resultado que arrojen las diligencias que se vayan practicando).

- Puede darse también el caso de que no sea posible proceder a la acumulación porque el momento procesal en el que se encuentra cualquiera de los procedimientos, o alguno de ellos, no lo permite (se ha decretado la apertura del Juicio Oral en alguno de los dos o en ambos). En estos casos, procederá la suspensión del Juicio seguido por el delito secundario, por prejudicialidad penal, en tanto se tramita la causa seguida por trata, en el que la persona imputada aparece como víctima, hasta que finalice por una resolución firme que ponga fin al procedimiento. Esta suspensión puede solicitarse por cualquiera de las partes, pero también podrá acordarse de oficio por el Órgano Judicial que entienda de esos delitos, tras la realización de las comprobaciones precisas, si por cualquier otro medio, llega a su conocimiento la existencia de la causa seguida por trata (v.g., porque se lo haya comunicado el Órgano Judicial que entiende de esta última o los grupos operativos de policía judicial o la ONG o institución que tenga acogida a la víctima). En estos casos, una vez finalizado el procedimiento seguido por el delito de trata mediante resolución firme, esta deberá ser notificada al Órgano Judicial cuya causa se encuentre suspendida, a fin de que sea incorporada a la misma y se alce la suspensión en su día acordada. Dicha decisión firme, así como los demás testimonios que puedan deducirse de la causa principal por su relevancia en la secundaria, deben ser tomados en consideración, junto con el resto del acervo probatorio, para determinar adecuadamente la participación y la culpabilidad de la persona, presunta víctima de trata, en el hecho delictivo enjuiciado.

- Puede darse también el caso de que no habiéndose decretado la suspensión de la causa seguida contra la víctima porque se desconocía la existencia del procedimiento tramitado por el delito de trata de seres humanos, aquél haya finalizado por resolución firme condenatoria contra una persona que posteriormente es reconocida como víctima de un delito de trata de seres humanos en resolución judicial, también firme, en el procedimiento judicial seguido "ad hoc", deduciéndose de esta última, que aquel o aquellos delitos, pudieran haberse cometido como consecuencia directa del proceso de trata que sufría o como constitutivos de la propia explotación. En tales casos sería preciso recurrir al recurso de revisión, amparado en el artículo 954, apartado 1, letra d) de la LECrim.

Otra cuestión que se ha venido suscitando de manera reiterada es la relativa al valor que cabe reconocer a la declaración de la víctima de trata de seres humanos habida cuenta que podría calificarse de "declaración premiada" precisamente debido al juego de esta excusa absolutoria. Una vez más, la cuestión ha quedado ya resuelta por la Sala Segunda de nuestro Tribunal Supremo a raíz de la STS 214/2017, de 29 de marzo, ECLI: ES:TS:2017:1229, en el siguiente sentido:

> *"El objetivo de esta protección es salvaguardar los derechos humanos de las víctimas, evitar una mayor victimización y animarlas a actuar como testigos en los procesos penales contra los autores. Resultaría manifiestamente contradictorio con este objetivo que la propia posibilidad de obtener los beneficios legales que tutelan a las víctimas se transmutase en una causa de invalidez probatoria de sus declaraciones inculpatorias.*
>
> *Es cierto también que estos beneficios procesales imponen una especial valoración del testimonio, para descartar supuestos en los que la incriminación de terceros se utilice de forma espuria, y para salvaguardar el derecho a la presunción constitucional de inocencia de estos terceros. Valoración cuidadosa que debe ir necesariamente acompañada de la concurrencia de elementos de corroboración del testimonio, pues en todos los casos de testimonios premiados, como sucede por ejemplo con las declaraciones de los "arrepentidos", la concurrencia de elementos objetivos de corroboración es imprescindible para que sus declaraciones puedan ser valoradas como prueba de cargo suficiente para desvirtuar el derecho constitucional a la presunción de inocencia."*

Se acoge así nuestro Tribunal Supremo a una postura ciertamente ambigua que parece apuntar a la insuficiencia de la declaración de la víctima por sí sola para acreditar los hechos constitutivos del delito de trata y la necesidad de recopilar otras pruebas o elementos periféricos que vengan a corroborar su veracidad y exactitud.

III. INFORMES EMITIDOS POR LAS ENTIDADES ESPECIALIZADAS EN ASISTENCIA A VÍCTIMAS DE TRATA

Enlazando con la última STS transcrita, conviene recordar que uno de los elementos más valiosos de corroboración de la declaración de la víctima de trata de seres humanos viene constituido precisamente por los informes que en relación con la misma y su estado psicosocial pueda emitir la entidad especializada que tenga encomendada su asistencia y tratamiento.

Las ONGs y entidades especializadas en la asistencia a víctimas de TSH pueden proporcionar al Juzgado de Instrucción información extraordinariamente valiosa acerca del estado psicológico, social y emocional de aquellas víctimas a las que vienen prestando asistencia, y sobre la evolución que las mismas experimentan desde el momento en que comienza a prestarse esa asistencia, hasta el momento de terminación de la fase de instrucción. Hay que tener en cuenta que es el personal de estas entidades especializadas el que mantiene un contacto regular con la víctima desde el momento inicial de la detección de la situación de trata, hasta el final de su proceso de reintegración en la sociedad, pudiendo aportar datos importantes acerca de su estado y su conducta, muy en particular acerca de las circunstancias que pueden estar influyendo en su conducta procesal. Por tal motivo, siempre que una víctima de TSH esté recibiendo asistencia por parte de una ONG o entidad especializada en la materia es altamente recomendable que durante la instrucción de la causa se interese de dicha entidad la emisión de informe sobre la misma.

En cuanto a la función que estos informes vienen a cumplir dentro de la investigación penal, como ya se ha afirmado estos informes constituyen un importante elemento de corroboración periférica de la declaración de la víctima, y podrán contribuir decisivamente a dotar a dicha declaración de la solidez necesaria para servir de prueba de cargo durante la fase de enjuiciamiento. A veces, una descripción de una alteración psíquica compatible con el relato de los hechos descritos por la víctima puede resultar esencial a efectos de corroborar su veracidad.

En este sentido, la STS nº 910/2013 incide en la importancia del informe que aprecia un síndrome de estrés postraumático compatible con el relato efectuado. El ATS nº 1860/2014, de 13 de noviembre, tras examinar los informes llevados a cabo por las psicólogas del "Proyecto Esperanza", ratificados en el acto del juicio, concluye que los mismos son elementos corroboradores de la declaración de la víctima ya que los síntomas apreciados en los informes son plenamente compatibles con la vivencia denunciada. El ATS nº 1040/2013, de 9 de mayo y la STS nº 910/2013, de 3 de diciembre, valoraban la declaración de una asistente social de "APRAMP" que relató y describió el estado y las reacciones de la víctima desde que fue atendida en el seno de la asociación. En el ATS nº 1860/2014, de 13 de noviembre, se incide en las lesiones objetivas que se aprecian en la víctima y en el miedo a la red, expuesto por la coordinadora de la unidad de rescate de APRAMP, cuyo temor fue además corroborado por la coordinadora del Proyecto Esperanza al que fue derivada la víctima desde el día de su denuncia, describiendo el temor que tenía para salir a la calle, por el miedo a que fuese reconocida por algún amigo de los tratantes, manifestando (la víctima-madre) desde el inicio de su estancia, la preocupación por la seguridad de su hija.

En cuanto al contenido de estos informes, como regla general estos informes sirven para dar información acerca de: a) los indicios de trata observados en las entrevistas o durante el acompañamiento a las víctimas; b) aspectos sociológicos tales como el proceso de recuperación que está llevando a cabo la víctima a nivel integral, proporcionando una visión completa de su estado desde los aspectos más rutinarios de su vida diaria, las dificultades que debe afrontar para reintegrarse a una vida "normalizada", sus objetivos, sus necesidades, etc...; c) aspectos psicológicos tales como la sintomatología que presenta la víctima a nivel físico y psicológico a consecuencia de la situación de trata sufrida, tratamiento efectuado con la víctima desde su primer contacto con la entidad y evolución que ha tenido a lo largo del tiempo.

Además, en cuanto vienen a facilitar un mejor entendimiento de la relación entre los hechos vividos por la víctima y la sintomatología que presenta a causa de los hechos, estos informes pueden servir de gran ayuda a la hora de cuantificar las lesiones y las secuelas que presenta, y las posibilidades (y dificultades) que tiene para llevar una vida normalizada. Si el informe ha sido aportado al comienzo de la causa, resulta conveniente actualizarlo al término de la instrucción, especialmente si entre el inicio y el término de la instrucción ha transcurrido un lapso relevante de tiempo.

Los informes deberán ser ratificados durante la fase de plenario en sede judicial por el/la profesional o las profesionales que los hayan firmado. Como regla general estas profesionales declararán en el plenario en condición de testigos-peritos, figura admitida ya de manera habitual por nuestros Tribunales pese a no estar específicamente regulados en la LECrim (sí en la LEC). En este sentido se pronuncia la STS de 18 de septiembre de 2008, cuando dice:

> "La infracción de alcance constitucional se habría producido por el hecho de que fue llamada por la acusación particular como testigo y, sin embargo, la Sala de instancia le atribuye el carácter de perito, hasta el punto de servir su testimonio para dar por probada la existencia de estrés postraumático. De entrada, mal puede detectarse una infracción de rango constitucional originada por el dudoso carácter con el que un tercero comparece a declarar en el plenario. Ese quebranto de las garantías constitucionales ha de anudarse a cualquier posible limitación de las posibilidades de contradicción y defensa, hecho que no se produjo en el presente caso, en el que la representación del acusado pudo interrogar sin límites a quien compareció en el plenario (...). Es cierto que fue llamada a juicio –así consta en el acta del juicio oral– como testigo. Sin embargo, fue también interrogada –por cuanto, sin protesta alguna por la defensa– acerca de los términos del informe técnico que en su día emitió y que obra en las actuaciones. Sea como fuere, la figura del testigo-perito no es ajena a nuestro sistema jurídico. Esta Sala la ha admitido de forma expresa –SSTS nº 423/2007, nº 119/2007, nº 1393/1999, y nº1742/1994–, siendo figura usual en el ámbito del procedimiento civil, en el que se permite que cuando el testigo posea conocimientos científicos, artísticos o prácticos sobre la materia a que se refieren los hechos, pueda el Tribunal admitir las manifestaciones que en virtud de dichos conocimientos agregue el testigo a sus respuestas sobre los hechos (artículo 370.4 LEC)"

Finalmente debe ponerse de manifiesto que, debido a la gravedad de los hechos que se enjuician, las personas que prestan servicio para las entidades especializadas en asistencia a víctimas de trata y que hayan de actuar en el proceso penal como testigos y peritos profesionales, tendrán acceso a las medidas de protección que se recogen en la LO 19/1994, de protección de testigos y peritos en causas criminales.

Para garantizar la seguridad de las profesionales que emiten estos informes resulta recomendable que se utilicen los números de identificación profesional (número de colegiada/o) tanto para la firma del informe como para cualquier diligencia judicial que deba practicarse con las mismas, y que el domicilio proporcionado a efectos de citaciones sea uno diferente de su domicilio personal o profesional, preferiblemente en sede policial.

IV. INVESTIGACIÓN PATRIMONIAL Y ASEGURAMIENTO DE BIENES Y ACTIVOS PATRIMONIALES

1. La trascendencia de la investigación patrimonial y problemas que plantea

Ya se apuntaba anteriormente que uno de los errores básicos en que podía incurrirse en la investigación del delito de trata de seres humanos consiste en hacer descansar todo el peso de la prueba de cargo sobre la víctima y su declaración, no sólo por la inefectividad de esta estrategia, sino también, y principalmente, por la exigencia que ello comporta para la víctima y la victimización secundaria a que la expone. Para evitar este error, ciertamente común por otra parte, es esencial que desde el inicio de la investigación judicial se ordene la práctica de diligencias de investigación diversas de la declaración de la víctima con el fin de obtener otras pruebas o elementos de corroboración periférica de los hechos. Entre estas vías de investigación alternativas a la declaración de la víctima destaca especialmente la investigación económico-patrimonial. Si, como se afirmaba al inicio de este artículo, partimos de que el delito de trata de seres humanos tiene un importantísimo componente económico, es evidente que su investigación debe llevar aparejada la puesta en marcha de los mecanismos propios de toda investigación económico-patrimonial: búsqueda de los activos patrimoniales generados por el delito, rastreo de dichos activos, aseguramiento de los mismos y comiso final.

La realización de una investigación patrimonial es absolutamente necesaria en cualquier investigación delictiva relacionada con el crimen organizado, por cuanto responde a la idea de justicia y a la exigencia social que requiere que al delincuente no sólo se le persiga para responder de los hechos cometidos, sino que también le sean intervenidas las ganancias y bienes que haya obtenido o de las que se haya apropiado de manera ilícita. La desarticulación eficaz de una red de trata de seres humanos exige que se rompa también su estructura económico-financiera. De no hacerse así los logros obtenidos con una concreta investigación son efímeros y apenas inciden en la continuación del funcionamiento de la red.

Por otra parte, y tal como se ha venido apuntando anteriormente, la investigación de los aspectos económico-financieros de los delitos de trata puede aportar importantes elementos de convicción, que sirvan posteriormente para acreditar la existencia del delito y la participación en él de las personas acusadas, relevando así a la/s víctima/s de la carga exclusiva de la prueba del delito.

Esta clase de investigaciones suele encomendarse a las unidades especializadas en delincuencia económica y financiera de los Cuerpos y Fuerzas de Seguridad, por lo que no entraremos en la metodología a utilizar para desarrollarlas, pero sí deben destacarse dos cuestiones que atañen directamente a los órganos judiciales y que conviene poner de relieve:

1º) Inicio de la investigación patrimonial.

2º) Aseguramiento cautelar de bienes y activos patrimoniales.

2. *Inicio de la investigación patrimonial del delito de trata de seres humanos*

La investigación patrimonial puede comenzar por iniciativa del cuerpo policial que viene investigando el delito precedente, o a requerimiento de una autoridad judicial o fiscal. En cualquier caso es importante resaltar que las investigaciones patrimoniales deben iniciarse al mismo tiempo que la investigación del delito principal (origen de los beneficios ilícitos), y desarrollarse paralelamente a ésta, de forma que cada investigación se beneficie de la información obtenida en la otra, toda vez que las gestiones operativas efectuadas para la investigación del delito precedente son base fundamental para la investigación patrimonial y, en sentido contrario, de las investigaciones patrimoniales se pueden extraer datos muy útiles para la investigación del delito origen de los beneficios ilícitos.

De no ser posible realizar el inicio simultáneo de las dos investigaciones, el momento elegido para iniciar la investigación patrimonial debe garantizar, en todo caso y como mínimo, que en la fecha en la que se proceda a la detención de investigados y práctica de entradas y registros se encuentren identificados y localizados todos los bienes y derechos que conforman el patrimonio real de las personas investigadas y de sus entornos (empresas, familiares, testaferros, etc.). Sólo de esta manera será posible aplicar en ese mismo momento medidas cautelares encaminadas a asegurar los activos localizados y evitar su desaparición una vez destapada la investigación y practicadas las detenciones procedentes.

3.　Medidas de aseguramiento de bienes para garantizar la responsabilidad civil y medidas de aseguramiento del comiso

Otro de los problemas fundamentales que surgen en relación con la investigación judicial y enjuiciamiento de delitos de tata de seres humanos es que, llegado el momento de dictar la sentencia y hacer efectiva tanto la responsabilidad civil declarada a favor de las víctimas como el comiso de bienes y activos patrimoniales pertenecientes a la red de trata, no se hallan bienes ni activos patrimoniales de ninguna clase sobre los que llevar a cabo tales acciones. Esto supone, por una parte, que no se pueden hacer efectivas de ningún modo las indemnizaciones declaradas a favor de las víctimas, que quedan una vez más desprotegidas por las instituciones, y, por otra parte, que la red de trata no sufre quebranto económico alguno que sirva como elemento disuasorio a futuro. Es por ello esencial que desde el momento mismo en que se localicen bienes o activos patrimoniales pertenecientes a la red de trata o su entorno se proceda a su aseguramiento cautelar.

El art. 127 octies del Código Penal, prevé la posibilidad (no contemplada por nuestro ordenamiento con anterioridad a la reforma operada por la LO 1/2015, de 30 de marzo) de que la autoridad judicial acuerde la aprehensión, el embargo y la puesta en depósito de los bienes, medios, instrumentos o ganancias susceptibles de ser decomisados con arreglo a los artículos precedentes, desde el momento de las primeras diligencias, y siempre que existan razones que permitan pensar fundadamente que dichos bienes pueden ser decomisados en sentencia.

Las medidas cautelares reales encaminadas a asegurar el decomiso constituyen un instrumento muy eficaz en la lucha contra la trata de seres humanos, y, en general, en la lucha contra las organizaciones criminales y la delincuencia organizada. Con ellas se persigue evitar que los bienes, medios o instrumentos del delito vuelvan a ser utilizados para la comisión de nuevas actividades delictivas, así como la existencia patrimonios de procedencia ilícita que puedan servir para financiar nuevas actividades delictivas. Estas medidas sirven además como elemento esencial para asegurar el pago de las indemnizaciones que en su día se declaren procedentes a favor de las víctimas.

Las medidas cautelares para asegurar el decomiso pueden acordarse de oficio dado que garantizan el cumplimiento de responsabilidades pecuniarias de naturaleza penal, a diferencia de las medidas cautelares reales tendentes a asegurar la efectividad de una futura y posible responsabilidad civil, que están sometidas al principio acusatorio (requieren previa petición del Ministerio Fiscal o de la parte perjudicada) en virtud de la remisión que el art. 764.2 de la LECrim hace a la aplicación de los presupuestos generales de las medidas cautelares recogidos en la LEC (art. 721).

Objeto de estas medidas de aseguramiento pueden ser todos aquellos bienes, medios, instrumentos y ganancias que pueden ser objeto de decomiso, esto es, todos aquellos bienes, medios, instrumentos con los que se haya preparado el delito, y las ganancias derivadas de la actividad delictiva o provenientes de la misma, con independencia de las transformaciones que hubieran podido experimentar, incluso si se han transmitido a un tercero, salvo que se trate de un tercero de buena fe, no responsable del delito, que los haya adquirido legalmente. Las medidas de aseguramiento del comiso van a recaer, en principio, sobre bienes de origen ilícito, pero pueden también recaer excepcionalmente sobre bienes de origen lícito, como ocurre en el supuesto del comiso equivalente, cuando no puedan ser aprehendidos los anteriores.

La adopción de estas medidas de aseguramiento requiere (como la de toda medida cautelar acordada durante la instrucción de la causa) de la concurrencia de dos condiciones básicas: apariencia de buen derecho y peligro por mora procesal.

La apariencia de buen derecho supone que solo pueden adoptarse medidas de aseguramiento del decomiso en la medida en que, tras un juicio provisional, pueda concluirse razonable y fundadamente que concurren todos los requisitos exigidos legalmente para poder acordar el decomiso, caso de llegar a dictarse sentencia condenatoria. A estos efectos sólo se exige que se aprecie indiciariamente que los bienes, medios, instrumentos o ganancias están inmersos en alguna de las causas que permiten acordar el decomiso, ya se trate de decomiso directo (art. 127.1 y 2 CP), decomiso ampliado (arts. 127 bis, 127 quinquies y 127 sexies CP), decomiso por sustitución o valor equivalente (art. 127.3 y art. 127 septies CP), decomiso de bienes en poder de terceros (art. 127 quater CP), o decomiso autónomo o sin condena (art. 127 ter CP); si bien en este último supuesto, a quien corresponde resolver sobre tales medidas, no es al Juez de Instrucción, sino al órgano judicial competente para dictar sentencia en el proceso penal, en cuanto competente para el conocimiento del proceso de decomiso autónomo.

El peligro por mora procesal entendido como riesgo de no poder acordarse el decomiso (o no poder hacerse efectivo el mismo) como consecuencia de actos llevados a cabo durante el tiempo que tarda en tramitarse el procedimiento penal.

No se concretan, ni por el Código Penal, ni por la LECrim, las medidas cautelares que pueden adoptarse para el aseguramiento del decomiso, pero pueden tomarse como referencia, a título orientativo, los criterios contenidos en el apartado 7.2 de la Circular de la Fiscalía General del Estado nº 4/2010, sobre las funciones del Ministerio Fiscal en la investigación patrimonial en el ámbito del proceso penal, que a continuación se recogen:

1ª. En los supuestos en que lo incautado sea dinero en efectivo, se procederá a su ingreso en las cuentas judiciales habilitadas al efecto.

2ª. Cuando se trate de cuentas y depósitos bancarios, deberá dictarse un auto decretando su bloqueo y congelación de los saldos en las propias entidades en donde se encuentren, aunque en algunos supuestos puede resultar indicado permitir los movimientos de ingreso.

3ª Si lo intervenido son activos, valores u otros instrumentos financieros, se deberá decretar la prohibición de disponer, resolución que ha de comunicarse a la entidad emisora de los títulos y sociedades intermediarias o administradoras, con orden de ingresar en la correspondiente cuenta vinculada los rendimientos o dividendos que genere. Se trata, por tanto, de un supuesto de administración de los fondos, cuya gestión se encomienda a la entidad depositaria de aquellos, con las limitaciones indicadas y bajo control judicial.

4ª. Respecto de las joyas, debe procederse a su depósito en la Caja de Depósitos, o en establecimiento adecuado al efecto. No parece en principio procedente su venta anticipada, salvo que concurra alguno de los supuestos del artículo 367 quater.1 de la LECrim, particularmente en los apartados c) cuando los gastos de conservación y depósito sean superiores al valor del objeto en sí, e) cuando se trate de efectos que, sin sufrir deterioro material, se deprecien sustancialmente por el transcurso del tiempo, o f) cuando, debidamente requerido el propietario sobre el destino del efecto judicial, no haga manifestación alguna.

5ª. En cuanto a los medios de transporte en general–embarcaciones, camiones, automóviles, aviones o avionetas- la recomendación general es que se proceda a su enajenación anticipada, de acuerdo con lo establecido en la Instrucción de la Fiscalía General nº 6/2007, de 18 de diciembre, pero deberá evaluarse previamente si no resulta más conveniente en el caso concreto autorizar su utilización provisional, de acuerdo con lo previsto en el artículo 367 sexies de la LECrim, con las debidas garantías para su conservación.

6ª. Por lo que se refiere a los bienes inmuebles, la medida cautelar se ejecutará, conforme a lo dispuesto en el art. 604 LECrim, mediante la expedición de mandamiento al Registro de la Propiedad para que se haga la anotación preventiva de embargo o prohibición de disponer conforme a la legislación hipotecaria, teniendo en cuenta lo dispuesto en el párrafo final de art. 20 de la Ley Hipotecaria. En estos casos deberán evaluarse cuidadosamente extremos como el carácter privativo o ganancial de los bienes, o si los mismos pertenecen al imputado o a un tercero, para lo cual deberá prestarse especial atención a que el auto que se dicte sea expresivo de los elementos que fundamentan la convicción de que el titular real del inmueble es el imputado, y no aquél a cuyo nombre figura registrado (Resoluciones de la D.G.R.N. de 29 de diciembre de 2005 y 27 de febrero de 2006), u7lo que permitirá al Instructor o Tribunal, en su caso, frente a la negativa del Registrador de la Propiedad a anotar dicha prohibición, la imposición de multas coercitivas o incluso la deducción de testimonio por un delito de desobediencia.

7º. Si lo incautado es una entidad mercantil que pertenezca íntegramente a los imputados o a alguno de ellos, debe procederse a la constitución de una administración judicial, de acuerdo con lo dispuesto en los artículos 630 a 633 de la Ley de Enjuiciamiento Civil. Si se trata de simples participaciones sin derecho de administración, bastará con acordar la prohibición de disponer de aquellas, y requerir a los administradores para que los rendimientos que se abonen se ingresen en la cuenta de consignaciones y depósitos del órgano judicial competente.

En cuanto al momento de acordar estas medidas de aseguramiento de bienes y activos patrimoniales, hemos de tener en cuenta que, por una parte, una tardanza excesiva en la adopción de estas medidas de aseguramiento puede llevar a la total desaparición de los bienes y activos patrimoniales de las personas investigadas, pero, por otra parte, la adopción prematura de una de estas medidas sobre el patrimonio de alguna de las personas investigadas puede servir como aviso de la existencia de la investigación misma y dar al traste con ella.

Es por ello importante hacer coincidir del modo más preciso posible el momento de adopción efectiva de estas medidas de aseguramiento con el momento en que la investigación, hasta entonces secreta u oculta a las personas investigadas, se da a conocer a dichas personas, porque se ordena bien la práctica de entradas y registros, bien la detención de las personas investigadas o su citación para declarar como tales ante la autoridad judicial.

Para poder lograr esta sincronización es preciso que en el momento en que se vayan a llevar a cabo diligencias que implican la puesta de la investigación en conocimiento de las personas investigadas se tenga ya un conocimiento concreto de cuáles son los bienes y activos que integran sus respectivos patrimonios, de cuál es su localización exacta y de todos los datos relativos a tales bienes y activos que hagan posible la inmediata adopción de la medida de aseguramiento correspondiente (datos registrales, por ejemplo).

V. BIBIOGRAFÍA

CONSEJO GENERAL DEL PODER JUDICIAL: *Guía de criterios de actuación judicial frente a la trata de seres humanos*, 2018. Disponible en: https://www.poderjudicial.es/cgpj/es/Temas/Igualdad-de-Genero/Guias—estadisticas—estudios-e-informes/Guias/Guia-de-criterios-de-actuacion-judicial-frente-a-la-trata-de-seres-humanos

Capítulo XXVII

EL DERECHO A LA INFORMACIÓN DE LAS VÍCTIMAS DE TRATA

ANA BELTRÁN MONTOLIU

Profesora Titular de derecho procesal
Universitat Jaume I de Castellón

Sumario: I. CONSIDERACIONES GENERALES; II. MARCO NORMATIVO; III. TITULARES; IV. SUJETOS QUE DEBEN PROPORCIONAR LA INFORMACIÓN; V. FORMA Y MOMENTO; VI CONTENIDO; VII. BIBLIOGRAFÍA.

I. CONSIDERACIONES GENERALES

Es innegable que la trata de seres humanos[1] (en adelante TSH) en todas sus manifestaciones[2], supone una de las mayores lacras de nuestra sociedad[3], constituyendo una violación de los derechos humanos reconocidos en la Declaración

---

[1] El número de niños y niñas entre las víctimas de trata se ha triplicado en los últimos 15 años, y el porcentaje de niños se ha multiplicado por cinco. Las niñas son víctimas de trata principalmente con fines de explotación sexual, mientras que los niños son explotados con fines de trabajos forzosos. Así lo refleja el Informe Global sobre la Trata de Personas publicado en 2021. UNODC: *Global report on trafficking in persons*, 2020, p. 9. Sin ánimo de exhaustividad, se pueden consultar con carácter general, entre otros: FERRANDO GARCÍA, F. M. y BAS PEÑA, E.: *La trata de seres humanos: protección de las víctimas*, Laborum, Murcia, 2018; GARCÍA ARÁN, M.: *Trata de personas y explotación sexual*, Ed. Comares, Granada 2006; LARA AGUADO, A.: *Nuevos Retos en la Lucha contra la Trata de Personas con Fines de Explotación Sexual, Un Enfoque Interdisciplinar*, Ed. Civitas, Sevilla, 2014; MARTÍN ANCÍN, F.: *La trata de seres humanos con fines de explotación sexual en el código penal de 2010, aportaciones de la Ley Orgánica 1/2015*, Tirant lo Blanch, Valencia, 2017.

[2] Pueden ser diferentes los fines para los que se comete este delito. Así, trata de personas para para someterlas a trabajo forzado; para realización de actividades delictivas forzosas; para su explotación sexual o para la extracción de órganos. Por las características propias de este delito, la INTERPOL desempeña un papel esencial en relación a su persecución. En 2018, las operaciones de INTERPOL dieron como resultado el rescate de 600 víctimas de trata de personas, entre ellas casi 100 niños. https://www.interpol.int/es/Delitos/Trata-de-personas/Tipos-de-trata-de-personas.

[3] Así como una manifestación más de la violencia contra la mujer en el mundo, junto a la violencia por un compañero sentimental, violencia sexual, mutilación genital femenina y matrimonio infantil.
https://interactive.unwomen.org/multimedia/infographic/violenceagainstwomen/es/index.html#trafficking

Universal de los Derechos Humanos de 1948, pues supone un ataque, por un lado, contra la dignidad y la libertad de las personas, y, por otro, contra su integridad física y psíquica[4].

Para poder comprender el fenómeno global ante el que nos encontramos[5], el art. 3 del Protocolo de Palermo[6], nos proporciona una definición de lo que se entiende por trata de seres humanos:

> *"la captación, el transporte, el traslado, la acogida o la recepción de personas, recurriendo a la amenaza o al uso de la fuerza u otras formas de coacción, al rapto, al fraude, al engaño, al abuso de poder o de una situación de vulnerabilidad o a la concesión o recepción de pagos o beneficios para obtener el consentimiento de una persona que tenga autoridad sobre otra, con fines de explotación. Esa explotación incluirá, como mínimo, la explotación de la prostitución ajena u otras formas de explotación sexual, los trabajos o servicios forzados, la esclavitud o las prácticas análogas a la esclavitud, la servidumbre o la extracción de órganos".*

En este sentido, para poder luchar contra la TSH, es clave atender a lo que se ha denominado como "las tres p": prevención, protección y persecución.[7]

---

[4]   A nivel europeo, el Parlamento Europeo: "Pide a todos los Estados miembros que garanticen efectivamente los derechos de las víctimas, proporcionándoles asistencia jurídica desde el primer momento, en particular información accesible sobre sus derechos a nivel legal, las protejan y apoyen con un enfoque respetuoso con las cuestiones de género y la infancia, garantizando al mismo tiempo la complementariedad con la Directiva sobre los derechos de las víctimas; recuerda que la Directiva contra la trata de seres humanos obliga a los Estados miembros a adoptar las medidas necesarias para garantizar que las autoridades competentes puedan optar por no enjuiciar ni imponer penas a las víctimas de la trata de seres humanos por su participación en actividades ilícitas que se hayan visto obligadas a cometer", PARLAMENTO EUROPEO: *Informe sobre la aplicación de la Directiva 2011/36/ UE relativa a la prevención y lucha contra la trata de seres humanos y a la protección de las víctimas* (2020/2029 (INI)), A9-0011/2021, 1.2.2021.

[5]   Toda la normativa, protocolos y planes a nivel internacional y nacional sobre la TSH en general se puede consultar en https://violenciagenero.igualdad.gob.es/otrasFormas/trata/ normativaProtocolo/home.htm. Desde la perspectiva del derecho comparado apuntamos el dosier publicado por el Centro de Estudios Políticos y Constitucionales, *Dossier, Trata de seres humanos, trabajo forzoso y esclavitud*, 2020, https://cpage.mpr.gob.es/producto/trata-de-seres-humanos-trabajo-forzoso-y-esclavitud/

[6]   A fecha 15 de septiembre de 2021, 178 países han ratificado el Protocolo. https://www. unodc.org/unodc/en/human-trafficking/protocol.html

[7]   VILLACAMPA ESTIARTE, C.: "Víctimas de la trata de seres humanos: Su tutela a la luz de las últimas reformas penales sustantivas y procesales proyectadas", *InDret: Revista para el Análisis del Derecho*, 2, 2014, pp. 4-5.

Es en el ámbito de la protección[8], donde el derecho a la información constituye un pilar esencial en la lucha contra esta forma moderna de esclavitud[9]. Ello es así porque estamos ante víctimas vulnerables y es precisamente esa vulnerabilidad la que exige que el presupuesto previo para poder acceder al resto de derechos que le amparan, sea conocer bien qué está sucediendo desde el punto de vista judicial y cuáles son las medidas, no solo jurídicas, sino también de distinta índole de las que puede disponer[10]. En este sentido, será el requisito previo para acceder al derecho a la tutela judicial efectiva reconocido en el art. 24.1 CE[11].

Por otro lado, se debe tener en cuenta además que, si a menudo los procedimientos son complicados para una persona lega en derecho, en el supuesto de las víctimas de trata, donde es habitual que exista una barrera lingüística[12], es aún mayor la sensación de inseguridad que se genera en las mismas ante el desconocimiento de lo que les va a suceder durante ese proceso judicial. Si, además, se le añade el hecho de que uno de los problemas endémicos de la justicia es la lentitud en la resolución de los conflictos por parte de

---

[8]   El 14 de abril de 2021 la Comisión Europea adoptó la *Estrategia Europea sobre la lucha contra la trata de seres humanos 2021-2025*, COMUNICACIÓN DE LA COMISIÓN AL PARLAMENTO EUROPEO, AL CONSEJO, AL COMITÉ ECONÓMICO Y SOCIAL EUROPEO Y AL COMITÉ DE LAS REGIONES sobre la estrategia de la UE en la lucha contra la trata de seres humanos 2021- 2025 (COM/2021/171 final), p.19 , donde se pone de relieve la necesidad de adoptar un respuesta integral para combatir la trata de seres humanos: desde la prevención hasta el enjuiciamiento y la condena de los tratantes, pasando por la protección de las víctimas. https://ec.europa.eu/anti-trafficking/eu-strategy-combatting-trafficking-human-beings-2021-2025_en

[9]   Expresión atribuible a KEVIN BALES, cofundador de la organización *Free the Slaves*, asesor de Naciones Unidas y de los Gobiernos Británico y de Estados Unidos y uno de los máximos especialistas contemporáneos en esclavitud y trata de seres humanos, en su conocida obra «Disposable people; New Slavery in the Global Economy», así lo indica, VILLACAMPA ESTAIARTE, C.: "La moderna esclavitud y su relevancia jurídico penal", *Revista de Derecho Penal y Criminología*, 3.ª Época, n.º 10, 2013, p. 293.

[10] Coincidimos plenamente con PLANCHADELL GARGALLO, A.: "La víctima en el nuevo Código procesal penal desde la perspectiva de las exigencias europeas", en MORENO CATENA, V. M. (dir.), RUIZ LÓPEZ, C. y LÓPEZ JIMÉNEZ, R. (coords.), *Reflexiones sobre el nuevo proceso penal: jornadas sobre el borrador del nuevo Código Procesal Penal*, Tirant lo Blanch, Valencia, 2015, p. 160, cuando afirma: "presupuesto clave para toda la tutela que se prevé en la Directiva es que la víctima entienda cuál es su situación, qué consecuencias se derivan de la misma, qué derechos y medidas de apoyo tiene a su disposición y cuál puede ser su papel en el proceso penal".

[11] PLANCHADELL GARGALLO, A.: "La protección procesal de las víctimas de trata: panorama europeo", *Estudios procesales sobre el espacio europeo de justicia penal*, Aranzadi, Pamplona, 2021, p. 128.

[12] En detalle sobre la especificidad de las víctimas con barrera idiomática, ANTÓN GARCIA, L.: "Barrera idiomática y derecho a la información de las víctimas de violencia de género: El servicio de interpretación en el sistema penal de Cataluña", *Indret* 2, 2014.

los tribunales[13], esto significa que, hasta que se obtenga una sentencia, va a transcurrir un tiempo considerable y durante la espera, la víctima no se puede quedar desamparada. Es esencial que, en todo ese lapso temporal que acabamos de mencionar, las víctimas cuenten con asistencia y apoyo por parte de las autoridades nacionales, para lograr de ese modo, su participación efectiva en el proceso. No podemos olvidar que el testimonio de la víctima será determinante para lograr obtener una sentencia condenatoria[14]. En este sentido y en este contexto, el derecho a la información cobra un especial y fundamental protagonismo pues va a repercutir directamente en el conocimiento que debe tener la víctima sobre los recursos de los que dispone, así como de las posibilidades que la justicia le ofrece. Es imprescindible tener en consideración las particularidades que presenta el delito de trata, así como la especial vulnerabilidad, ya apuntada, que presentan estas víctimas en concreto y que, por consiguiente, requieren de un tratamiento individualizado a medida de sus necesidades.

Desde esta perspectiva, entendemos que existen cuatro aspectos[15] diferentes que inciden de forma muy significativa en el tratamiento procesal de la víctima de trata en particular. En primer lugar, es necesario contar con un marco normativo integral legal de prevención y protección frente a la trata[16] multidisciplinar que contemple todas las dimensiones que afectan a la víctima. A continuación, hay que establecer mecanismos adecuados (materiales y personales) para cerciorarse de que la víctima entiende y comprende el proce-

---

[13]   CGPJ, Estimación de los tiempos medios de duración de los procedimientos judiciales, Disponible en:
https://www.poderjudicial.es/cgpj/es/Temas/Transparencia/Estimacion-de-los-tiempos-medios-de-duracion-de-los-procedimientos-judiciales/

[14]   Tal y como resalta GÓMEZ COLOMER "Cuando estamos ante casos de víctimas de trata, la enorme gravedad de los hechos hace que esa declaración como testigo tenga especiales connotaciones. La protección jurídica de dicha víctima alcanza en primer lugar un rango prioritario, la información que las autoridades públicas deben ofrecerle, en segundo lugar, no desmerece de ese rango. Finalmente, un asesoramiento eficaz es la tercera acción que debe emprenderse", GÓMEZ COLOMER, J. L.: "Víctimas de trata: Declaraciones y protección en el proceso penal", *Revista Aranzadi de Derecho y Proceso Penal*, nº 64, 2021, p. 6.

[15]   SCHWARZ pone de relieve la necesidad de tener en consideración las circunstancias del caso para poder adaptar todo el sistema de asistencia y protección a las necesidades de las víctimas. SCHWARZ, K.: "After Enslavement Ends: Ensuring Redress for Victims", en BALES, K. & TRODD, Z. (eds.), *The Antislavery Usable Past History's Lessons for How We End Slavery Today*, The Rights Lab University of Nottingham, Nottingham, 2020, p. 148.

[16]   Así se pone de manifiesto por el Ministerio del Interior y para ello establece una línea de acción concreta.
MINISTERIO DEL INTERIOR, *Plan Estratégico Nacional contra la Trata y la Explotación de Seres Humanos 2021-2023* (PENTRA), 28 de enero 2022, p. 36.: Línea de acción 2.1: Promover una Ley integral de prevención y lucha contra la trata de seres humanos. Desde una perspectiva multidisciplinar, Adecuada detección, identificación, derivación, protección, asistencia y recuperación de sus víctimas

dimiento existente para poder obtener una compensación o reparación por el daño ocasionado[17]. Asimismo, el conocimiento de los factores contextuales del caso en concreto será decisivo para poder garantizar un verdadero derecho a la tutela judicial efectiva. Finalmente, las verdaderas necesidades de las víctimas, constituyen el punto de partida en todas las actuaciones para adaptar las medidas legales existentes a su propio caso.

En este estudio se pretende ofrecer una aproximación general del derecho a la información a las víctimas de trata. Para ello se comenzará apuntando el marco legal en el que se encuadra este derecho. A continuación, nos centraremos en el concepto del derecho a la información teniendo en consideración a las personas titulares del mismo. Asimismo, dedicaremos un apartado a los sujetos que deben proporcionar la información, sin perder de vista la forma y el momento en el que se debe llevar a cabo. Finalmente explicaremos el contenido de este derecho a la información.

II. MARCO NORMATIVO

Para poder conocer el alcance y significado del derecho a la información[18] de las víctimas de trata, es necesario realizar un breve apunte al marco normativo que lo recoge.

Así desde la perspectiva internacional[19], podemos señalar los siguientes instrumentos legales:

---

[17]   Únicamente podremos incentivar la participación activa de la víctima en el proceso, si garantizamos que ese derecho a la información se cumple en su totalidad.

[18]   *Vid.* GRETA, Group of Experts on Action against Trafficking in Human Beings, *Reply from Spain to the Questionnaire for the evaluation of the implementation of the Council of Europe Convention on Action against Trafficking in Human Beings by the Parties*, Third evaluation round, Thematic focus: Access to justice and effective remedies for victims of trafficking in human beings, (GRETA(2018)26_ESP_REP), 5 octubre 2021, p.5-6. El derecho a la información es el primero en analizarse.
      https://rm.coe.int/reply-from-spain-to-the-questionnaire-for-the-evaluation-of-the-implem/1680a4e7e7

[19]   En detalle, REBOLLO VARGAS, R., MIRIAM CUGAT MAURI, M. y RODRÍGUEZ PUERTA, M. J.: "Normativa internacional y derecho comparado", en GARCÍA ARÁN, M. (coord.), *Trata de personas y explotación sexual*, Ed. Comares, Granada 2006, pp. 33-108; CASTAÑO REYERO, M. J.: "Un estatuto de protección internacional para las víctimas de trata desde la perspectiva del derecho internacional de los derechos humanos", en MARTÍN OSTOS, J. S. (dir) y MARTÍN RÍOS, M. P. (coord.), *La tutela de la víctima de trata: una perspectiva penal, procesal e internacional*, Bosch, Barcelona, 2019, pp. 135-206; RUIZ SIERRA, J.: "Perspectiva internacional del delito de trata de seres humanos", en FERRANDO GARCÍA, F. M., BAS PEÑA, E. (dirs.), MEGÍAS BAS, A. y FERRE JAÉN, E. (coords.), *La trata de seres humanos: protección de las víctimas*, Laborum, Murcia, 2018, pp, 251-266.

- Declaración Universal de los Derechos Humanos de 1948, (arts. 14 y 19).
- Pacto Internacional de Derechos Civiles y Políticos de 1966, (art. 19.2).
- Protocolo para prevenir, reprimir y sancionar la trata de personas, especialmente mujeres y niños/as, conocido como "Protocolo de Palermo"[20] de 2000, (art. 6.2 a) y art. 6.3 b)

En el ámbito europeo, aparecen los siguientes textos jurídicos:

- Convenio del Consejo de Europa sobre la lucha contra la trata de seres humanos de 2005 (arts. 12.d; 15.1; 16.6).
- Carta de Derechos Fundamentales de la Unión Europea de 2010 (art. 11).
- Directiva 2011/36/UE relativa a la prevención y lucha contra la trata de seres humanos y a la protección de las mismas (art. 11.5 y 11.6).
- Directiva 2012/29/UE normas mínimas sobre los derechos, el apoyo y la protección de las víctimas de delitos (art. 1. 1) y 2); art. 3.1); art. 6. 1), 2), 3), 4), 5) y 6); art. 7. 3); art. 9. a) y b); art. 12. 1.b); art. 11.3).
- Decisión Marco 2001/220/JAI del Consejo relativa al estatuto de la víctima en el proceso penal (art. 4.1. a).

Por otro lado, en el ordenamiento jurídico español, podemos indicar como compendio legislativo básico, las siguientes normas:

- Estatuto de la víctima del delito de 2015 (considerando III, IV, V, arts. 3,4, 5, 7, 9, 11, 15, 16, 22, 24, 28.
- Ley de Enjuiciamiento Criminal de 1882 (arts. 109, 282, 771, 773 y 776 LECrim).
- Ley Orgánica del Tribunal del Jurado de 1995 (art. 25).
- Ley Orgánica 4/2000, de 11 de enero, sobre derechos y libertades de los extranjeros en España y su integración social (art. 59 bis)
- Ley Orgánica 1/2004, de 28 de diciembre, de Medidas de Protección Integral contra la Violencia de Género (arts. 18 y 19)
- Ley 35/1995, de 11 de diciembre, de ayudas y asistencia a las víctimas de delitos violentos y contra la libertad sexual[21] (art. 15.4)

---

[20]   Instrumento de Ratificación del Protocolo para prevenir, reprimir y sancionar la trata de personas, especialmente mujeres y niños, que complementa la Convención de las Naciones Unidas contra la delincuencia organizada transnacional, hecho en Nueva York el 15 de noviembre de 2000, BOE núm. 296, de 11 de diciembre de 2003.

[21]   CARAVACA LLAMAS, C. y SÁEZ OLMOS, J.: "Sistemas de protección y ayuda a las víctimas de delitos violentos y sexuales en España", en FERRANDO GARCÍA, F. M., BAS

- Ley Orgánica 19/1994, de 23 de diciembre, de protección a testigos y peritos en causas criminales.
- Ley 1/1996, de 10 de enero, de asistencia jurídica gratuita (arts. 2. g), 6, 24)
- Instrucción 6/2016, de la Secretaría de Estado de Seguridad sobre actuaciones de las Fuerzas y Cuerpos de Seguridad del Estado en la lucha contra la trata de seres humanos y en la colaboración con las organizaciones con experiencia acreditada en la asistencia a las víctimas[22].
- Real Decreto 1109/2015, de 11 de diciembre, por el que se desarrolla la Ley 4/2015, de 27 de abril, del Estatuto de la víctima del delito, y se regulan las Oficinas de Asistencia a las Víctimas del Delito (art. 27).

Asimismo, conviene destacar como documentos de referencia relacionados con el tratamiento procesal de la víctima de trata los siguientes:

- CGPJ, *Guía de criterios de actuación judicial frente a la trata de seres humanos*[23], 2018.
- GUARDIA CIVIL, *Acta de información de derechos a persona víctima de un delito*[24].
- *Protocolo Marco de Protección de las Víctimas de Trata de Seres Humanos*, adoptado mediante acuerdo de 28 de octubre de 2011 por los Ministerios de Justicia, del Interior, de Empleo y Seguridad Social y de Sanidad, Servicios Sociales e Igualdad, la Fiscalía General del Estado y el Consejo del Poder Judicial[25].

PEÑA, E. (dirs.), MEGÍAS BAS, A. y FERRE JAÉN, E. (coords.), *La trata de seres humanos: protección de las víctimas*, Laborum, Murcia, 2018, pp. 459-470.

[22] De especial interés es la instrucción QUINTA que se refiere a los "Elementos necesarios para proporcionar una información adecuada a las víctimas sobre sus derechos, servicios y recursos".

[23] En esta guía se proporciona una descripción del fenómeno de trata, se identifican las distintas modalidades, se indican las dificultades a las que se enfrenta la policía en la investigación, se alude a los derechos específicos de las víctimas, se aborda la tutela penal y administrativa y finalmente se dedica un aparatado a la cooperación internacional en esta materia. https://www.poderjudicial.es/cgpj/es/Temas/Igualdad-de-Genero/Guias—estadisticas—estudios-e-informes/Guias/Guia-de-criterios-de-actuacion-judicial-frente-a-la-trata-de-seres-humanos

[24] Es un documento de lectura fácil que permite facilitar el derecho a la información a las víctimas. Vid en especial el Anexo 4.- Información a la víctima de trata de personas de sus derechos. https://www.guardiacivil.es/web/web/documentos/prensa/lectura_facil/Protocolo04_GuardiaCivil_Final.pdf

[25] En especial se puede consultar el Anexo 3.- Información que debe proporcionarse a las víctimas y Anexo 4.- Guía de Recursos Existentes para la Atención a Víctimas de Trata con Fines de Explotación Sexual. A nivel autonómico hay que destacar que algunas Comunidades Autónomas han elaborado Protocolos de desarrollo del protocolo marco en su ámbito territorial (Galicia, Extremadura, Cataluña, Navarra y Madrid), https://violenciagenero.igualdad.gob.es/va/otrasFormas/trata/normativaProtocolo/marco/home.htm Por

- UNODC, *Manual para la lucha contra la trata de personas*[26], Programa mundial contra la trata de personas, 2007.
- UNODC, *Manual sobre la investigación del delito de trata de personas guía de autoaprendizaje*[27], 2009.
- Delegación del Gobierno Contra la Violencia de Género, Ministerio de Sanidad, Servicios Sociales e Igualdad, España, *Directrices para la detección de víctimas de trata en Europa*[28], 2013.
- Delegación del Gobierno Contra la Violencia de Género, Ministerio de Sanidad, Servicios Sociales e Igualdad, España, *Herramienta práctica para la detección de víctimas de trata con fines de explotación sexual*[29], 2013.

III. TITULARES

En cuanto al titular del derecho a la información, debemos tener en consideración que será la víctima del delito de trata[30] de conformidad con la definición prevista en el art. 2 LEVD. Se trata de un concepto aplicable a la víctima de "todo tipo de delito", si bien, seguidamente se diferencia entre víctimas directas e indirectas, y se hace alusión además a las víctimas con necesidades especiales. Con independencia de su posición procesal, es decir, si decide ejer-

---

otra parte, a nivel de la Comunidad Valenciana, también existe un Protocolo específico de intervención integral con víctimas de trata de seres humanos desde las oficinas de asistencia a víctimas del delito donde se dedica el apartado 3 a los derechos de las víctimas de trata https://cjusticia.gva.es/documents/19317797/174165680/G8-+Protocolo+asistencia+victim as+trata+de+seres+humanos.pdf/9e0f6525-3041-43b7-bbb0-95b3425fe8ff

[26]   Así, en el apartado 8, se refiere a la Asistencia y protección a las víctimas (pp. 143-172). Se prevén distintos instrumentos, siendo el primero el acceso a la información y a la representación legal. A continuación, se hace alusión a 2: Asistencia a las víctimas; 3: Asistencia a los niños víctimas de la trata; 4: Asistencia médica; 5: Asistencia psicológica; 6: Asistencia en materia de idiomas y traducción; 7: Programas de alojamiento; 8: Rehabilitación, formación profesional y educación; 9: Restitución e indemnización de las víctimas. https://www.unodc.org/pdf/Trafficking_toolkit_Spanish.pdf

[27]   Donde se destina el Módulo 7 a la atención y protección a las víctimas y testigos de trata de personas. https://www.unodc.org/documents/human-trafficking/AUTO_APRENDIZA-JE.pdf

[28]   Se enfatiza sobre la importancia del derecho a la información, como elemento esencial en la detección de las víctimas de trata, https://violenciagenero.igualdad.gob.es/otrasFormas/trata/detectarla/pdf/ManualDirectricesDeteccionTSH.pdf

[29]   Se constante en varios apartados la necesidad de proporcionar a las víctimas información completa y detallada.https://violenciagenero.igualdad.gob.es/otrasFormas/trata/detectarla/pdf/HerramientaDeteccionTSHexplotacionSexual.pdf

[30]   UNODC: *Trata de personas & tráfico ilícito de migrantes*, 2019, p. 6.

cer la acción particular o no, se establece un concepto de víctima amplio que comprende a toda persona física que sufra un delito, sin diferenciar entre categorías e independientemente del daño físico, moral o material padecido[31]. No obstante, es preciso señalar que en el supuesto de que la víctima fuera menor o tuviera la capacidad judicialmente modificada, será necesario que se proceda al trámite de información de sus derechos a su representante legal o persona que le asista.

IV. SUJETOS QUE DEBEN PROPORCIONAR LA INFORMACIÓN

En nuestra LECrim se diferencian distintos sujetos que pueden proporcionar información a la víctima de sus derechos dependiendo del tipo de procedimiento (ordinario, abreviado y tribunal del jurado, art 25 LOTJ). De ese modo, podemos encontrar las siguientes posibilidades: a) Policía Judicial (arts. 282 y 771 LECrim); b) Ministerio Fiscal (arts.773 LECrim) y, c) Letrado de la Administración de Justicia (arts. 109 y 776 LECrim).

Como regla general, en virtud de lo indicado en los arts, 109 y 109 bis de la LECrim, el trámite de ofrecimiento de acciones, se documentará por parte del Letrado de Administración de Justicia, mediante los impresos habilitados al efecto, donde aparece la diligencia de información de los derechos que enumeran los arts. 5 LEVD y 27 REVD y que podrán ser cumplimentados en el momento, o se entregarán a la víctima para que posteriormente se informe, con el tiempo que sea necesario, una vez terminados los trámites en la sede judicial.

Ahora bien, también cabe la posibilidad de que se puede delegar esta función en el personal especializado en la asistencia a víctimas, ya que art. 27 LEVD prevé que el gobierno y las Comunidades Autónomas que hayan asumido competencias en materia de Justicia organizarán las Oficinas de Asistencia a las Víctimas y entre las funciones que el art. 28 LEVD atribuye a estas Oficinas están, precisamente, la información y el asesoramiento de la víctima, sobre los siguientes extremos: información general sobre sus derechos y, en particular, sobre la posibilidad de acceder a un sistema público de indemnización; información sobre los servicios especializados de atención a las víctimas, en función de sus circunstancias personales y la naturaleza del delito del que hayan sido objeto; asesoramiento sobre el procedimiento para reclamar la indemnización de los daños y perjuicios causados por el delito y asesoramiento sobre el derecho a acceder a la justicia gratuita.

En el procedimiento abreviado, ese deber de información a las víctimas le corresponderá al primero que entre en contacto con la víctima. De modo que

---

[31] PLANCHADELL GARGALLO, A.: "La víctima en el nuevo Código procesal penal desde la perspectiva de las exigencias europeas", *op. cit.*, p. 121.

podrá ser la Policía Judicial (art. 771.1º LECrim) o el Ministerio Fiscal[32] (art. 773.2 LECrim). Una vez incoado el procedimiento, el Letrado de Administración de Justicia informará al ofendido y al perjudicado de sus derechos en la primera comparecencia, cuando previamente no lo hubiera efectuado la Policía Judicial (arts. 761 y 776 LECrim).

El art. 30 LEVD pone de relieve la importancia de la formación general y específica del personal que esté en contacto con las víctimas, de ahí que lo más coherente, teniendo en consideración la trascendencia que tiene que la víctima reciba una correcta y completa información de los derechos que le amparan, que dicha instrucción de derechos fuera realizada por aquellos que tengan una mejor formación y experiencia en este sentido.

Finalmente, en relación con el papel que desempeña la Policía Judicial en este ámbito, hay que destacar el interés por adecuar su intervención con los elementos necesarios para proporcionar una información adecuada a las víctimas sobre sus derechos, servicios y recursos y sobre los siguientes aspectos:

Con objeto de garantizar a la víctima el ejercicio de sus derechos, en cada fase del procedimiento se facilitará información actualizada de los derechos que tiene reconocidos y se le ofrecerá la posibilidad de contactar con las entidades especializadas para que le ofrezcan la asistencia y la protección que estén en disposición de proporcionarle.

En el caso de ser una persona extranjera que se encuentre en situación irregular, la potencial víctima será informada desde el primer momento del contenido del artículo 59 bis de la Ley Orgánica 4/2000, sobre derechos y libertades de los extranjeros en España y su integración social.

Asimismo, se les informará de los posibles riesgos y de las medidas de protección y seguridad que fuera necesario adoptar, de conformidad con lo dispuesto en el apartado VIII del Protocolo. Las FCSE a través del Interlocutor Social, recibirán los informes confeccionados por las entidades especializadas

---

[32]   Tal y como señala FERNÁNDEZ FUSTES, "Que se atribuya al Ministerio Fiscal el deber de informar a la víctima merece una valoración positiva, ya que resulta de gran relevancia que sea precisamente el Ministerio Fiscal el que la informe de sus derechos, especialmente de la posibilidad de personarse en el proceso en curso, y que si no se persona en la causa, esto no va a suponer una renuncia a sus derechos patrimoniales, ya que el propio Ministerio Fiscal actuará en defensa de sus intereses, instando la indemnización de los daños y perjuicios producidos por el hecho delictivo. En efecto, el Ministerio Fiscal ejercitará siempre la acción civil juntamente con la acción penal excepto cuando la víctima, haciendo uso de su poder de disposición de la acción civil, reserve su ejercicio para un proceso civil posterior o renuncie a la misma. Así las cosas, en esta información de sus derechos también el Ministerio Fiscal podrá tener conocimiento del alcance de los daños y perjuicios patrimoniales y morales ocasionados por el hecho delictivo para el futuro ejercicio de la acción civil.", FERNÁNDEZ FUSTES, M. D.: "Protección de los derechos de la víctima en el proceso penal", *Estudios Penales y Criminológicos*, vol. XXXIX, 2019, p. 765.

sobre indicios o motivos razonables de una situación de trata tras la entrevista (donde se concretarán los posibles indicios de trata, la situación personal de la víctima o presunta víctima y sus necesidades, la necesidad de la concesión y posible extensión del periodo de restablecimiento y reflexión, etc.)

Los citados informes acompañarán a la documentación remitida por las FCSE a la Autoridad competente, para su valoración en el contexto del correspondiente procedimiento administrativo instruido al efecto.

Cuando se trate de víctimas extranjeras en situación irregular que hubieran accedido al periodo de restablecimiento y reflexión, la unidad policial que hubiera realizado la identificación, contactará con la víctima para confirmar acerca de su decisión de colaborar en la investigación y persecución del delito, continuar con el procedimiento de exención de responsabilidad en relación con la infracción del artículo 53.1.a) de la Ley Orgánica 4/2000, de 11 de enero, o solicitar el retorno asistido a su país de procedencia, sin perjuicio de informar a la víctima de la posibilidad de solicitud de permiso de residencia por motivos personales previsto en el art 144 del Reglamento de Extranjería."[33]

V. FORMA Y MOMENTO

El art. 4 LEVD presenta como primer derecho básico de toda víctima entender y a ser entendida en cualquier actuación durante todo el proceso, con inclusión de la información previa a la interposición de la denuncia. Esto implica el reconocimiento del derecho de la víctima a comunicarse con las autoridades policiales, fiscales y judiciales desde el inicio del proceso. En este sentido, la efectividad de tal derecho dependerá de una adecuada información[34]. Por lo tanto, una de las premisas para poder entender la información que se ofrece a las víctimas es que ésta sea clara, adecuada y oportuna y en un idioma que la víctima pueda comprender.

Asimismo, se debe hacer especial hincapié en la necesidad de que esta información debe facilitarse desde que se produzca el primer contacto con las autoridades pertinentes[35]. Otra de las dificultades para poder transmitir esa información correctamente, tiene que ver con la complejidad en numerosas ocasiones de la terminología judicial. A tales efectos, como ya se ha apuntado

---

[33] *Vid.* Instrucción Quinta, Instrucción 6/2016, de la Secretaria de Estado de Seguridad, *sobre actuaciones de las fuerzas y cuerpos de seguridad del estado en la lucha contra la trata de seres humanos y en la colaboración con las organizaciones y entidades con experiencia acreditada en la asistencia a las víctimas.*

[34] PLANCHADELL GARGALLO, A.: "Protección procesal de las víctimas de trata: aproximación general", *Revista Aranzadi de Derecho y Proceso Penal*, Aranzadi, nº 61, 2021, p. 46.

[35] MARTINEZ DECAREAGA, C. et al.: *Guía de criterios de actuación judicial frente a la trata de seres humanos*, CGPJ, 2018, p. 64.

anteriormente, se utiliza por parte de las autoridades policiales el acta de información de derechos a persona víctima de un delito en lectura fácil, que tiene como finalidad precisamente facilitar la comprensión de los derechos que están contemplados en la legislación[36].

En cuanto al modo en el que se proporcionará la información desde sus primeros contactos policiales y judiciales debe consistir en un trato[37] respetuoso, atento y paciente y se deberá ajustar a los estándares previstos a tales efectos para las víctimas, atendiendo a las características personales de la víctima de trata y de las circunstancias que rodearon su intervención en los hechos investigados y su propia detección[38]. Son cuatro las garantías mínimas que deben asegurarse en el tratamiento adecuado a la víctima de trata: a) Asistencia letrada; b) Asistencia de traductor e intérprete en su caso; c) Asistencia del personal especializado, incluyendo preferentemente al equipo psicosocial y d) Espacio y medios adecuados para atenderla[39].

Pensemos que es absolutamente indispensable contar con un espacio adecuado en las dependencias judiciales para poder efectuar los contactos previos a la declaración judicial donde impere un ambiente de tranquilidad, exento de interrupciones, alteraciones y donde sobre todo se pueda garantizar su derecho fundamental a la intimidad y confidencialidad[40]. Hay que resaltar en este con-

---

[36]   Respecto a esta cuestión *vid.* considerando 26 de la Directiva 2012/29/UE donde se enfatiza: "cuando se facilite información, se debe ofrecer el grado de detalle suficiente para garantizar que se trata a las víctimas de manera respetuosa y permitirles adoptar decisiones con conocimiento de causa sobre su participación en los procesos. A este respecto, es especialmente importante la información que permite a la víctima conocer la situación en que se encuentra cualquier procedimiento, así como la información que permita a la víctima decidir si solicitará la revisión de una decisión de no formular acusación. A menos que se exija de otro modo, la información comunicada a la víctima debe poder facilitarse verbalmente o por escrito, incluso por medios electrónicos".

[37]   En detalle y con carácter exhaustivo respecto al tratamiento de la víctima y otros aspectos, GÓMEZ COLOMER, J. L.: *Estatuto Jurídico de la Víctima del Delito, La posición jurídica de la víctima del delito ante la Justicia Penal. Un análisis basado en el Derecho Comparado y en la Ley 4/2015, de 27 de abril, del Estatuto de la Víctima del Delito en España* (2ª ed.), Aranzadi, Pamplona, 2015. DEL POZO PÉREZ, M. y BUJOSA VADELL, L.: *Protocolos de actuación con víctimas especialmente vulnerables: Una guía de buenas prácticas*, Aranzadi, Pamplona, 2019; HERRERO, C.: "Bases psico-jurídicas para confeccionar medidas y protocolos de actuación respecto al tratamiento de víctimas especialmente vulnerables", *Protocolos de actuación con víctimas especialmente vulnerables: Una guía de buenas prácticas*, Aranzadi, Pamplona, 2019, pp. 23-40.

[38]   THILL, M. y ARMENTIA, P. G.: "El enfoque de género: Un requisito necesario para el abordaje de la trata de seres humanos con fines de explotación sexual", *Revista Europea de Derechos Fundamentales*, 2016.

[39]   MARTINEZ DECAREAGA, C. et al.: *Guía de criterios de actuación judicial frente a la trata de seres humanos*, op. cit., p. 145-146.

[40]   Hay que tener en cuenta que nos encontramos con víctimas que poseen una capacidad de autogobierno muy limitada por diversos motivos (especialmente las víctimas extranjeras) como el desconocimiento del idioma, la desconfianza hacia las autoridades, el miedo

texto la importancia que adquiere el Letrado de Administración de Justicia, ya que se encargará de recibir a las víctimas de trata, instruirlas en sus derechos y garantizar que se cumplen las garantías a las que tienen derecho.

En cuanto al modo de practicarse la instrucción de derechos, el art. 109 LECrim prevé que esta se realizará en el acto de recibirle declaración a la víctima, por tanto, adoptará la forma oral. Por otra parte, en el procedimiento abreviado, la forma del ofrecimiento de acciones dependerá de quien lo realice, ya que, como hemos apuntado previamente, se podrá llevar a cabo la Policía Judicial durante la investigación preliminar, el Ministerio Fiscal en la investigación preliminar, o el Letrado de Administración de Justicia una vez incoado el procedimiento penal. Tal y como se dispone en el art. 771 LECrim, la Policía Judicial deberá informar a los ofendidos y perjudicados por el delito de forma escrita de los derechos que les asisten. Sin embargo, tanto el Ministerio Fiscal como el Letrado de Administración de Justicia informarán a la víctima de sus derechos de forma oral. En el proceso ante el Tribunal del Jurado, se estipula en el art. 25 LOTJ que el asesoramiento de sus derechos a los ofendidos y perjudicados se haga por escrito.

En definitiva, con independencia de que las comunicaciones con las víctimas sean orales o escritas, lo verdaderamente relevante es que se deben realizar en un lenguaje claro, sencillo y accesible y con atención a las características personales de la víctima. Especialmente en casos de menores[41] o personas con

---

a represalias hacia su persona o a sus familiares, o el temor a una posible expulsión del territorio nacional debida a su situación administrativa irregular. Mención aparte y, por tanto, atención todavía más cuidadosa, merecen las víctimas en quienes a las circunstancias anteriores se añade la minoría de edad, *Ibidem*, par. 307.

[41]   Disponen de recursos específicos para su atención, que es importante que conozcan, de acuerdo a su edad y madurez:

Derecho a la información: tienen derecho a recibir plena información y asesoramiento adecuado a su edad y situación personal, a través de los servicios, organismos u oficinas que dispongan las Administraciones Públicas.

Derecho a asistencia jurídica gratuita: las víctimas de TSH tienen derecho a una defensa jurídica gratuita y especializada.

Derecho a la asistencia sanitaria gratuita por tratarse de un menor de edad, ya sea nacional o extranjero, aunque no ostente la condición de beneficiario del Sistema Nacional de Salud.

Derecho a la asistencia de un intérprete y a recibir información en un idioma que comprendan.

Derecho a las medidas de protección de testigos y peritos: en caso necesario, la Autoridad Judicial, podrá acordar, alguna de las medidas de protección previstas en la Ley Orgánica 19/1994, de 23 de diciembre, de protección a testigos y peritos en causas criminales: no constar sus datos de filiación en las diligencias que se practiquen, evitar que se tomen fotografías etc.

Los derechos recogidos en el Estatuto de la Víctima del Delito, que reconoce una serie de derechos procesales y extraprocesales para todas las víctimas de delitos, dando respuesta jurídica y social tanto a las víctimas como a sus familiares, además de una atención

discapacidad[42], el tratamiento aún deberá ser más personalizado, atendiendo a sus particulares necesidades.

Especial trascendencia tiene en el derecho de información la persona en la que se concreta el acompañamiento por una persona de su elección desde el primer contacto con las autoridades y funcionarios (arts. 4, c) y 21 c) LEVD). Hay que advertir que el acompañamiento se debe diseñar de conformidad con las necesidades de cada víctima. El elenco de personal que discurre durante la detección, identificación, intervención integral y proceso judicial y que se relacionan con personas tratadas es muy variado y cumple con distintos objetivos. En este sentido, hay que destacar que los profesionales de las entidades especializadas ofrecen a las víctimas de trata una atención interdisciplinar, específica, individualizada y de acompañamiento, desde la primera atención social y durante todo su proceso de recuperación. El objetivo de este acompañamiento es dar una respuesta a las necesidades de las víctimas, logrando de forma simultánea vínculos de referencia, confianza y seguridad[43].

Este acompañamiento es vital para que pueda lograrse una buena comprensión de todos los derechos de los que se obtiene información, pues ayuda a las víctimas, mediante su apoyo profesional y emocional, a que puedan afrontar las consecuencias físicas y psicológicas que esta forma de esclavitud provoca sobre las personas tratadas. Y lo que es más importante desde la perspectiva procesal: que puedan enfrentarse al proceso penal, ya que la falta de apoyo por profesionales de referencia genera desmotivación de la persona y puede comprometer la colaboración con las autoridades en las sucesivas etapas del proceso judicial. Es por ello que entendemos que la exclusión o limitación de acompañamiento a las víctimas, deberá ser siempre acordado mediante resolución judicial motivas donde se expliquen los motivos y se justifiquen las razones de la decisión, y de forma excepcional[44].

---

específica hacia las víctimas más vulnerables, como son las victimas de TSH y las victimas menores de edad.
MINISTERIO DE SANIDAD, SERVICIOS SOCIALES E IGUALDAD, *Actuaciones para la detección y atención de víctimas de trata de seres humanos (TSH) menores de edad*, Anexo al Protocolo Marco de Protección de víctimas de TSH, aprobado en sesión extraordinaria del Pleno del Observatorio de la Infancia celebrada el día 1 de diciembre de 2017, p.12. https://observatoriodelainfancia.vpsocial.gob.es/productos/pdf/Anexo_Protocolo_Marco_Menores_Victimas_TSH_aprobado_por_Pleno1_12_2017.pdf

[42]   Son dos las normas legales que afectan directamente a estas víctimas especialmente vulnerables: Ley 8/2021, de 2 de junio, por la que se reforma la legislación civil y procesal para el apoyo a las personas con discapacidad en el ejercicio de su capacidad jurídica y la Ley Orgánica 8/2021, de 4 de junio, de protección integral a la infancia y la adolescencia frente a la violencia.

[43]   MARTINEZ DECAREAGA, C. *et al.*: *Guía de criterios de actuación judicial frente a la trata de seres humanos*, op. cit., cit p. 149.

[44]   MARTINEZ DECAREAGA, C. *et al.*: *Ibidem*, p. 150.

Finalmente, entendemos que, en el modo de practicarse ese derecho a la información, la asistencia letrada[45] desempeña un papel fundamental en la investigación del delito de trata, así como en la atención a la víctima. Su asistencia será decisiva en las distintas fases del procedimiento pues su asesoramiento será determinante en las actuaciones judiciales, de ahí que, al transmitir la información a la persona tratada, deberá contar con la especialización adecuada para poder adaptarse a las necesidades concretas del caso. Son varios los momentos procesales en los que su intervención es esencial:

En primer lugar, en la fase de detección: desde el momento en el que se encuentre ante una posible víctima de trata, deberá ponerlo en conocimiento de las Fuerzas de Seguridad para que la deriven a los organismos especializados. En adelante, se mantendrá en contacto permanente con las entidades especializadas y con la víctima, informándole en todo momento sobre el curso del procedimiento y los avances sobre su situación procesal.

En la fase de contacto con la víctima, deberá informarle de la posibilidad de acogerse al periodo de reflexión[46] previsto en el art. 59 de la LOEX[47] y

---

[45]   La asistencia legal es el tipo de asistencia más solicitada vid en detalle, VILLACAMPA ESTIARTE, C. y TORRES FERRER, C.: "Aproximación Institucional a la Trata de Seres Humanos en España: Valoración Crítica", *Estudios Penales y Criminológicos*, nº 41, 2021, p 209.

[46]   A diferencia de otros países como Italia, Países Bajos o Noruega, en España el disfrute de este período y sus beneficios asistenciales sólo se ofrece a víctimas extranjeras que ya han sido formalmente identificadas, objetivo que no siempre se logra, de modo tales muchas víctimas, de no estar identificadas, no podrán acceso a ese periodo de reflexión, y tampoco por consiguiente a los derechos de asistencia que les acompañan, lo que no solo es beneficioso a nivel personal, sino que también afecta a su disposición y capacidad de colaborar con la investigación. En este sentido, coincidimos con ALONSO GARCÍA quien propone un modelo similar al italiano donde se ofrece ese periodo de reflexión y los servicios de asistencia que lo acompañan, a todas aquellas personas que presenten indicios de ser víctimas de trata. *Vid.* ALONSO GARCÍA, S.: "La trata de seres humanos en España. Análisis crítico de la normativa española y propuestas para una mayor protección de la víctima", *Universitas*, nº 34, 2021, p. 65-66.

[47]   Art. 59 bis Víctimas de la trata de seres humanos: Ley Orgánica 4/2000, de 11 de enero, sobre derechos y libertades de los extranjeros en España y su integración social: "1. Las autoridades competentes adoptarán las medidas necesarias para la identificación de las víctimas de la trata de personas conforme a lo previsto en el artículo 10 del Convenio del Consejo de Europa sobre la lucha contra la trata de seres humanos, de 16 de mayo de 2005. 2. Los órganos administrativos competentes, cuando estimen que existen motivos razonables para creer que una persona extranjera en situación irregular ha sido víctima de trata de seres humanos, informarán a la persona interesada sobre las previsiones del presente artículo y elevarán a la autoridad competente para su resolución la oportuna propuesta sobre la concesión de un período de restablecimiento y reflexión, de acuerdo con el procedimiento previsto reglamentariamente. Dicho período de restablecimiento y reflexión tendrá una duración de, al menos, noventa días, y deberá ser suficiente para que la víctima pueda decidir si desea cooperar con las autoridades en la investigación del delito y, en su caso, en el procedimiento penal. Tanto durante la fase de identificación de las víctimas, como durante

solicitará tanto a las autoridades policiales, como al Juez de Instrucción que sea declarada testigo protegido. Es muy importante que, a partir de ese momento, una vez logrado tal status, el letrado vigile que sus datos personales, firmas y cualquier otra circunstancia que la identifique sean eliminados del procedimiento principal y se trasladen a una pieza específica. Así se garantizar que el modo de contactar con la misma sea siempre a través de su representante legal o por medio de las entidades especializadas que la atiendan,

A lo largo de todas las actuaciones procesales, deberá informar a la víctima de su situación administrativa[48] y judicial. El letrado, con independencia de

---

el período de restablecimiento y reflexión, no se incoará un expediente sancionador por infracción del artículo 53.1.a) y se suspenderá el expediente administrativo sancionador que se le hubiere incoado o, en su caso, la ejecución de la expulsión o devolución eventualmente acordadas. Asimismo, durante el período de restablecimiento y reflexión, se le autorizará la estancia temporal y las administraciones competentes velarán por la subsistencia y, de resultar necesario, la seguridad y protección de la víctima y de sus hijos menores de edad o con discapacidad, que se encuentren en España en el momento de la identificación, a quienes se harán extensivas las previsiones del apartado 4 del presente artículo en relación con el retorno asistido o la autorización de residencia, y en su caso trabajo, si fueren mayores de 16 años, por circunstancias excepcionales. Finalizado el período de reflexión las administraciones públicas competentes realizarán una evaluación de la situación personal de la víctima a efectos de determinar una posible ampliación del citado período. Con carácter extraordinario la Administración Pública competente velará por la seguridad y protección de aquellas otras personas, que se encuentren en España, con las que la víctima tenga vínculos familiares o de cualquier otra naturaleza, cuando se acredite que la situación de desprotección en que quedarían frente a los presuntos traficantes constituye un obstáculo insuperable para que la víctima acceda a cooperar. 3. El periodo de restablecimiento y reflexión podrá denegarse o ser revocado por motivos de orden público o cuando se tenga conocimiento de que la condición de víctima se ha invocado de forma indebida. La denegación o revocación deberán estar motivadas y podrán ser recurridas según lo establecido en la Ley 30/1992, de 26 de noviembre, de Régimen Jurídico de las Administraciones Públicas y del Procedimiento Administrativo Común. 4. La autoridad competente podrá declarar a la víctima exenta de responsabilidad administrativa y podrá facilitarle, a su elección, el retorno asistido a su país de procedencia o la autorización de residencia y trabajo por circunstancias excepcionales cuando lo considere necesario a causa de su cooperación para los fines de investigación o de las acciones penales, o en atención a su situación personal, y facilidades para su integración social, de acuerdo con lo establecido en la presente Ley. Asimismo, en tanto se resuelva el procedimiento de autorización de residencia y trabajo por circunstancias excepcionales, se le podrá facilitar una autorización provisional de residencia y trabajo en los términos que se determinen reglamentariamente. En la tramitación de las autorizaciones referidas en el párrafo anterior se podrá eximir de la aportación de aquellos documentos cuya obtención suponga un riesgo para la víctima. 5. Las previsiones del presente artículo serán igualmente de aplicación a personas extranjeras menores de edad, debiendo tenerse en cuenta la edad y madurez de éstas y, en todo caso, la prevalencia del interés superior del menor. 6. Reglamentariamente se desarrollarán las condiciones de colaboración de las organizaciones no gubernamentales sin ánimo de lucro que tengan por objeto la acogida y protección de las víctimas de la trata de seres humanos."

48   Si la víctima es una persona extranjera en situación irregular, el/la letrado/a –si no lo ha hecho ya la autoridad policial– solicitará, si así lo desea la víctima, que se le otorgue el periodo

que la víctima haya decidido ejercer la acusación particular o no, le acompañará en cuantas diligencias sean necesarias, haciéndose cargo, por ejemplo, de solicitar la asistencia de un intérprete, para explicarle fundamentalmente las características del tipo delictivo, y la relevancia que adquiere la primera declaración de la víctima.

En el ámbito probatorio, es esencial la asistencia letrada (tanto en fase de investigación como en el juicio oral). Ante la evidente vulnerabilidad de la víctima, lo lógico, en la mayoría de los supuestos, será solicitar la preconstitución de las pruebas[49], de modo que se pueda evitar la revictimización en el caso de la declaración de la víctima, y así no tener que volver a declarar en el juicio oral. También es relevante su participación para solicitar todas aquellas investigaciones judiciales que sean precisas para encontrar los bienes de los investigados (tanto a nivel nacional como en el extranjero). Asimismo, se deberá procurar obtener el aseguramiento de los bienes que se hallen, con el fin de lograr que más adelante se pueda instar la responsabilidad civil que se derive del delito cometido. Otro aspecto que no podemos olvidar, es aquel que consiste en poner especial cuidado, en los supuestos de grabación audiovisual de la primera declaración de la víctima, así como de todas aquellas que sean necesarias, para evitar la confrontación visual y que no se le pueda identificar en las imágenes en donde se observe a su defendida. Además, el abogado velará por conocer los informes periciales que se emitan, a los efectos procesales oportunos del juicio oral.

A la luz del trascendente papel que el letrado puede desempeñar en todas las fases procedimentales (procedimiento preliminar y juicio oral), en los delitos de trata de seres humanos, se entiende indispensable que se asegure su

---

de restablecimiento y reflexión, así como la suspensión de la tramitación de los posibles expedientes sancionadores que se hayan podido incoar, y las prórrogas necesarias hasta que la víctima decida sobre su colaboración. Paralelamente realizará los trámites de solicitud de autorización de residencia contemplados en el artículo 59 bis de la LOEX, y si la víctima no tuviera ningún documento acreditativo de su identidad, solicitará a las autoridades policiales que sea documentada a la mayor brevedad posible, MARTINEZ DECAREAGA, C. *et al.*: *Guía de criterios de actuación judicial frente a la trata de seres humanos, op. cit.* p. 149.

[49]   Tal y como apunta GONZÁLEZ CANO, "no debe perderse de vista que las víctimas de este delito son mayoritariamente extranjeras, carentes de toda clase de arraigo en nuestro país, y que muchas de ellas optan por retornar a sus lugares de origen… y otras "desaparecen" por miedo a ser localizadas por sus tratantes y sometidas de nuevo a la situación de explotación o a represalias. En definitiva, existe en la mayoría de los casos un riesgo real de que las víctimas del delito no puedan ser localizadas en el momento de celebración del juicio oral, máxime cuando entre el inicio de la investigación y el enjuiciamiento pueden pasar meses o incluso años… por ello consideramos indispensable la preconstitución de la declaración testifical de las víctimas en fase de instrucción", GONZÁLEZ CANO, I.: "Algunas reflexiones sobre los nuevos paradigmas de la tutela procesal de la víctima del delito de trata", en OSTOS, J. M. (dir.) y MARTÍN-RÍOS, P. (coord.), *La tutela de la víctima de trata: una perspectiva penal, procesal e internacional*, Bosch, Barcelona, 2019, p. 225-226.

formación especializada en la materia, con la correspondiente inclusión en los turnos de oficio de los Colegios de Abogados, de profesionales expertos en víctimas de trata.

VI. CONTENIDO

Antes de entrar a analizar el contenido esencial del derecho a la información, es necesario aclarar como planteamiento inicial la cuestión de si este derecho a la información en concreto previsto para la víctima está contemplado en nuestra legislación con carácter preceptivo o si puede considerarse como facultativo. A nuestro parecer, el ofrecimiento de acciones se prevé en la normativa española con carácter preceptivo[50]. El componente esencial es que la víctima sepa o conozca que dispone de la posibilidad de ejercer la acusación particular. Ahora bien, es importante matizar, que dicha facultad, sin duda trascendental para la víctima, no implica que el ejercicio de la acusación sea la única forma en que ésta puede participar en el proceso penal[51]. Es más, tras la aprobación de la *Ley Orgánica 8/2021, de 4 de junio, de protección integral a la infancia y la adolescencia frente a la violencia*[52], se refuerzan los arts. 109 bis y el art. 110 LECrim para permitir ejercitar la acción penal (víctimas o personas perjudicadas) hasta el inicio del juicio oral adhiriéndose al escrito de acusación formulado por el Ministerio Fiscal o del resto de las acusaciones personadas.

En este sentido, téngase en cuenta que el art. 109 LECrim al regular el contenido de la información a la víctima u ofrecimiento de acciones dispone que

---

[50]   Así se entiende por parte de la doctrina, *vid.* entre otros, FERNÁNDEZ FUESTES, M.D.: "Protección de los derechos de la víctima en el proceso penal", *Estudios Penales y Criminológicos*, vol. XXXIX, 2019, p. 766, FONT SERRA, E.: *La acción civil en el proceso penal. Su tratamiento Procesal*, Wolters Kluwer, Madrid, 1991, p. 60; PLANCHADELL GARGALLO, A.: "La víctima", en GÓMEZ COLOMER, J. L. y BARONA VILAR, S. (coords.), *Proceso Penal, Derecho Procesal III*, Tirant lo Blanch, Valencia, 2021, p. 119. En sentido similar se ha pronunciado la jurisprudencia tal y como apunta la STC (Sala Primera) núm. 98/1993, de 22 de marzo (RTC 1993/98) al afirmar que "La pasividad de la oficina judicial, que tenía a su disposición el nuevo domicilio de este presunto ofendido y no intentó localizarle en aquel (…) le privó de una orientación preceptiva para el pleno ejercicio de su derecho a mostrarse parte en el proceso y pedir, si así le pluguiera, la indemnización de los daños y perjuicios sufridos, como previene el art. 109 de la Ley de Enjuiciamiento Criminal".

[51]   Así lo sostiene PLANCHADELL GARGALLO. Es más, señala que "no podemos negar que el posible ejercicio de la acción penal por la víctima no evita la tan temida victimización secundaria". De ahí que naturalmente sea la víctima en todo caso, la que decida ejercer o no esa acusación y para ello será fundamental que conozca y entienda perfectamente qué supone exactamente ejercer la acusación particular. PLANCHADELL GARGALLO, A.: "La víctima", *op. cit.*, p. 120.

[52]   BOE núm. 134, de 5 de junio de 2021.

"se le instruirá del derecho que le asiste para mostrarse parte en el proceso y renunciar o no a la restitución de la cosa, reparación del daño e indemnización del perjuicio causado por el hecho punible. Asimismo, le informará de los derechos recogidos en la legislación vigente, pudiendo delegar esta función en personal especializado en la asistencia a víctimas".

Dentro del derecho a la información, podemos establecer diferentes apartados. En primer lugar, un derecho a la información en general; un apartado diferenciado será el que se refiere al previsto en el art. 7 del LEVD, es decir el derecho a recibir información sobre la causa penal; el derecho a la traducción e interpretación (art. 9 LEVD) adquiere en las víctimas de trata una dimensión trascendental, pues sirve como instrumento idóneo para derribar la barrera lingüística que a menudo aparece en el perfil de las víctimas de trata; finalmente podemos hablar de un derecho a la información específico de las victimas de trata, pues debido a su especial vulnerabilidad, requieren de mayor protección.

En relación con el derecho a la información en un sentido genérico en el primer contacto con las autoridades competentes (art. 5 LEVD) podemos señalar los siguientes derechos:

a) Medidas de asistencia y apoyo disponibles, sean médicas, psicológicas o materiales, y procedimiento para obtenerlas. Dentro de estas últimas se incluirá, cuando resulte oportuno, información sobre las posibilidades de obtener un alojamiento alternativo.

b) Derecho a denunciar y, en su caso, el procedimiento para interponer la denuncia y derecho a facilitar elementos de prueba a las autoridades encargadas de la investigación.

c) Procedimiento para obtener asesoramiento y defensa jurídica y, en su caso, condiciones en las que pueda obtenerse gratuitamente.

d) Posibilidad de solicitar medidas de protección y, en su caso, procedimiento para hacerlo.

e) Indemnizaciones a las que pueda tener derecho y, en su caso, procedimiento para reclamarlas.

f) Servicios de interpretación y traducción disponibles.

g) Ayudas y servicios auxiliares para la comunicación disponibles.

h) Procedimiento por medio del cual la víctima pueda ejercer sus derechos en el caso de que resida fuera de España.

i) Recursos que puede interponer contra las resoluciones que considere contrarias a sus derechos.

j) Datos de contacto de la autoridad encargada de la tramitación del procedimiento y cauces para comunicarse con ella.

k) Servicios de justicia restaurativa disponibles, en los casos en que sea legalmente posible.

l) Supuestos en los que pueda obtener el reembolso de los gastos judiciales y, en su caso, procedimiento para reclamarlo.

m) Derecho a efectuar una solicitud para ser notificada de las resoluciones a las que se refiere el artículo 7, si lo solicita.

Desde este punto de vista, hay dos aspectos que merecen ser destacados. Por un lado, esta información debe ser constante y actualizada en las distintas fases del procedimiento para que la víctima pueda ejercitar sus derechos de forma efectiva y se extiende tanto a comunicaciones orales como escritas de las distintas autoridades que intervienen en el proceso (con especial previsión cuando sean procesos por delitos del art. 57 del CP[53] donde el Letrado de Administración de Justicia garantizará la comunicación a la víctima de los actos procesales que puedan afectar a su seguridad). Por otro, toda esta información se debe facilitar a la persona designada para acompañarle durante todo el proceso.

Por otra parte, el derecho de información también abarca el derecho a recibir información sobre la causa penal (art. 7 LEVD). Sin duda, conocer lo que está sucediendo a lo largo de todo el procedimiento repercute directamente en los derechos de la víctima. Así es de vital importancia para la víctima conocer la fecha, hora y lugar del juicio (arts. 659, 785 y 791.2 LECrim) y el contenido de la acusación planteada. Además, se le notificarán las siguientes resoluciones:

a) La resolución por la que se acuerde no iniciar el procedimiento penal.

b) La sentencia que ponga fin al procedimiento.

c) Las resoluciones que acuerden la prisión o la posterior puesta en libertad del infractor, así como la posible fuga del mismo.

d) Las resoluciones que acuerden la adopción de medidas cautelares personales o que modifiquen las ya acordadas, cuando hubieran tenido por objeto garantizar la seguridad de la víctima.

e) Las resoluciones o decisiones de cualquier autoridad judicial o penitenciaria que afecten a sujetos condenados por delitos cometidos con violencia o intimidación y que supongan un riesgo para la seguridad de la víctima. En estos casos y a estos efectos, la Administración penitenciaria comunicará inmediatamente a la autoridad judicial la resolución adoptada para su notificación a la víctima afectada.

---

[53]   El art. 57 del CP se refiere a los delitos de delitos de homicidio, aborto, lesiones, contra la libertad, de torturas y contra la integridad moral, trata de seres humanos, contra la libertad e indemnidad sexuales, la intimidad, el derecho a la propia imagen y la inviolabilidad del domicilio, el honor, el patrimonio y el orden socioeconómico.

f) Las resoluciones a que se refiere el art. 13 (ejecución).

Desde nuestro punto de vista, si bien, estas son las resoluciones que el Estatuto contempla, lo cierto es que esta información debería extenderse a todas aquellas resoluciones o actuaciones procesales que puedan afectar sustancialmente al avance de la causa, como pueda ser a declaración de nulidad de ciertas actuaciones[54].

El derecho a la traducción e interpretación (art. 9 LEVD) adquiere una gran relevancia en este tipo de delitos, pues como ya hemos señalado previamente, a menudo existen problemas lingüísticos con las víctimas de trata, lo cual dificulta enormemente la comprensión de la dinámica del proceso. A continuación, mostramos dos tablas que reflejan el número de víctimas de trata por regiones del mundo, así como las principales nacionalidades de las víctimas de trata sexual en España.

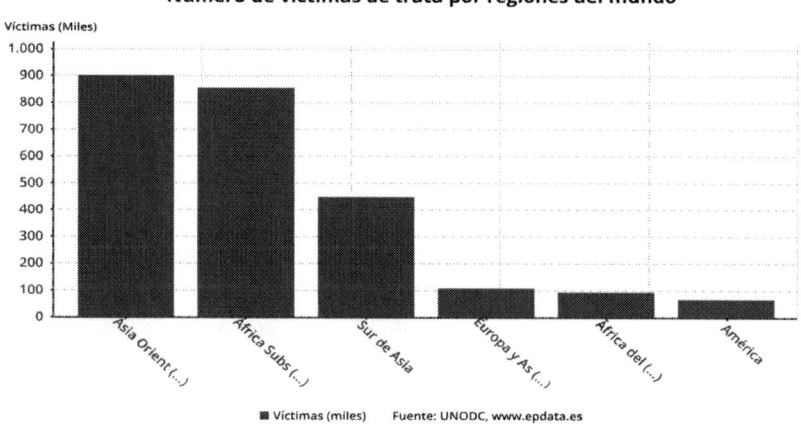

Fuente: Fuente: UNODC, www.epdata.es

---

54   Así lo pone de manifiesto PLANCHADELL GARGALLO, A.: "La víctima", *op. cit.*, p. 125.

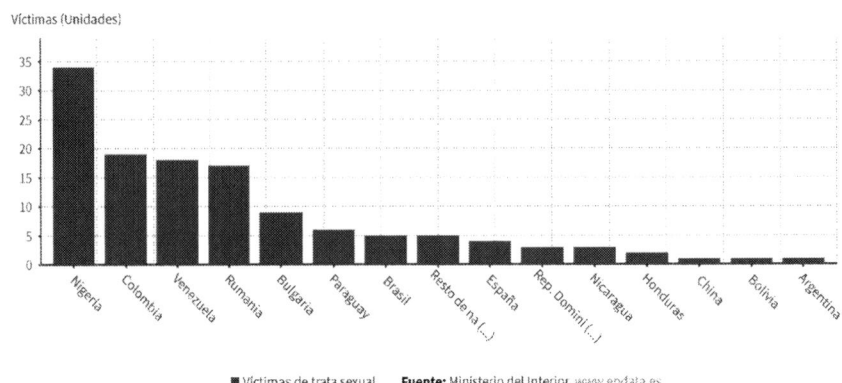

Fuente: Fuente. Ministerio del Interior. (2018). Agencia de datos de Europa Press. https://bit.ly/2RzvP7Q

Partiendo de lo que nos indican las fuentes oficiales, y teniendo en cuenta que en muchos de esos países el español no es la lengua materna, habrá que establecer mecanismos que garanticen el derecho a la traducción e interpretación[55] y que comprende los siguientes derechos:

a) A ser asistida gratuitamente por un intérprete que hable una lengua que comprenda cuando se le reciba declaración en la fase de investigación por el Juez, el Fiscal o funcionarios de policía, o cuando intervenga como testigo en el juicio o en cualquier otra vista oral[56].

b) A la traducción gratuita de las resoluciones a las que se refieren el apartado 1 del artículo 7 y el artículo 12. La traducción incluirá un breve resumen del fundamento de la resolución adoptada, cuando la víctima así lo haya solicitado.

---

[55]   Así existe jurisprudencia interesante, a nivel europeo entre otras, STJUE de 5 de febrero 1963, Asunto *Van Gend* en *Loos*; STJUE de 4 de diciembre 1974, Asunto *Van Duyn*, STJUE de 5 de abril de 1979, Asunto *Ratti*, STJUE de 15 de octubre 2015, Asunto *Gavril Covaci*, STJUE de 9 de junio 2016, *Asunto Balogh*, STJUE de 12 de octubre 2017, Asunto *Franck Sleutjes*. STEDH de 17 de febrero 2015, Caso *Kurt c. Bélgica*, STEDH de 18 de octubre 2006, Caso *Hermi contra Italia*, STEDH de 21 de abril de 1998, Caso *Daud c. Portugal*, STEDH, 26 de junio 1992, Caso *Drozd and Janousek c. Francia y España*, STEDH 19 diciembre 1989, Caso *Kamasinski contra Austria*, STEDH 21 de febrero 1984, Caso *Ozturk c. Alemania*. A nivel nacional: STC núm. 21/2018, de 5 de marzo, STC núm. 13/2017 de 30 de enero, STC núm. 901/2005, de 7 de julio, STC núm. 40/2002, de 14 de febrero, STC núm. 874/1999, de 27 de mayo, STC núm. 181/1994, de 20 de junio, STC núm. 188/1991, de 3 de octubre, STC núm. 71/1988, de 19 de abril, STC núm. 74/1987, de 25 de mayo.

[56]   Este derecho será también aplicable a las personas con limitaciones auditivas o de expresión oral.

c) A la traducción gratuita de aquella información que resulte esencial para el ejercicio de los derechos a que se refiere el Título II. Las víctimas podrán presentar una solicitud motivada para que se considere esencial un documento.

d) A ser informada, en una lengua que comprenda, de la fecha, hora y lugar de celebración del juicio en la forma prevista en los arts. 659 y 785 LECrim y para la segunda instancia atendiendo a lo dispuesto en el art. 791.2 LECrim.

Este derecho tiene una doble dimensión[57], ya que comprende, por un lado, el derecho a la interpretación gratuita, cuando la víctima tenga que declarar, y, por otro, el derecho a la traducción gratuita, para los supuestos de presentación o recepción de escritos (en particular los previstos en los arts. 7.1 y 12 LEVD).

En cuanto al modo en el que se procederá a realizar la asistencia, es posible que se realice por medio de videoconferencia o por cualquier medio de tele-

---

[57] Sin ánimo de exhaustividad, se recomienda, con carácter general sobre este derecho, entre otros: ARANGÜENA FANEGO, C.: "El derecho a la interpretación y a la traducción en los procesos penales: comentario a la Directiva 2010/64/UE del Parlamento Europeo y del Consejo, de 20 de octubre de 2010", *Revista General de Derecho Europeo*, n. 24, 2011; ARIZA COLMENAREJO, Mª J. (coord..): *Traducción, interpretación e información para la tutela judicial efectiva en el proceso penal*, Tirant lo Blanch, Valencia 2018; CERIJO SOTO: "El derecho a interpretación y a traducción en España: una nueva concepción a partir de la Directiva 2010/64/UE del Parlamento Europeo y del Consejo, de 20 de octubre de 2010, relativa al derecho a interpretación y a traducción en los procesos penales", *Unión Europea Aranzadi*, n. 7, 2011, pp.7-18; FERNÁNDEZ CARRON, C.: *El derecho a interpretación y a traducción en los procesos penales*, Tirant lo Blanch, Valencia, 2017; GONZÁLEZ CANO, I.: "La dimensión exterior de la Unión Europea en los ámbitos de cooperación judicial: armonización de las garantías procesales penales especial consideración del derecho a la traducción e interpretación en los procesos penales", en RUEDA FERNÁNDEZ, C. (dir.), *Principales manifestaciones de la Acción Exterior de la UE a la luz del Tratado de Lisboa (privilegios e inmunidades, dimensión exterior del ELSJ, Servicio Europeo de Acción Exterior, papel del Parlamento Europeo, Consejo de Europa)*, Ed. Thomon Reuters Aranzadi, Pamplona, 2014, pp. 213-231; JIMENO BULNES, M.: "El derecho a la interpretación y traducción gratuitas", *La Ley: Revista jurídica española de doctrina, jurisprudencia y bibliografía*, n. 2, 2007, pp. 1607-1623; LÓPEZ JARA, M.: "La modificación de la Ley de Enjuiciamiento Criminal en materia de derechos y garantías procesales los derechos a la traducción e interpretación y a la información en el proceso penal", *Diario La Ley*, n. 8540, 2015; MOJICA LÓPEZ, E.: "Análisis de la situación de la traducción y la interpretación en el ámbito judicial en España en casos específicos de violencia de género", *FITISPos international journal public service interpreting and translation*, vol. 4, 2017, pp. 69-84; VIDAL FERNÁNDEZ, B.: "El derecho a intérprete y a la traducción en los procesos penales en la Unión Europea. La iniciativa de 2010 de Directiva del Parlamento Europeo y del Consejo relativa a la interpretación y traducción", en ARANGÜENA FANEGO, C. (dir.), *Espacio europeo de libertad, seguridad y justicia, últimos avances en cooperación judicial penal*, Ed. Lex Nova, Madrid 2010, pp. 183-222.

comunicación, salvo que se acuerde por el órgano jurisdiccional, la presencia física del intérprete para salvaguardar los derechos de la víctima. A nuestro parecer, la presencia física del intérprete mejora sustancialmente la comunicación y más si tenemos en cuenta la especial vulnerabilidad de las víctimas en estos casos[58]. Es necesario también seguir las recomendaciones formuladas por el CGPJ en esta materia[59].

De forma excepcional, la traducción escrita de documentos podrá ser sustituida por un resumen oral de su contenido en una lengua que comprenda, cuando de este modo también se garantice suficientemente la equidad del proceso.

---

[58] Así es necesario también una especialización por parte de los intérpretes en violencia de género y violencia contra las mujeres, *vid.* BORJA ALBI, A. y DEL POZO TRIVIÑO, M.: *La comunicación mediada por intérpretes en contextos de violencia de género, Guía de buenas prácticas para trabajar con intérpretes*, Ed., Tirant Humanidades, Valencia 2015.

[59] CGPJ, *Informe del Pleno del Consejo General del Poder Judicial por el que se aprueba el régimen jurídico aplicable a la interpretación y traducción de idiomas extranjeros en el proceso penal*, Sala de Gobierno del Tribunal Superior de Justicia de Madrid, Acuerdo 12, Pleno, 15 de noviembre 2012: 1º Los intérpretes deben ser previamente informados del contenido de los actos procesales en los que se va a necesitar su intervención; 2º Al prestar juramento o promesa el intérprete, deberá ser advertido de su obligación de mantener la confidencialidad de toda información que adquiera durante el desempeño de su trabajo como intérprete y de la prohibición de utilizar esa información para beneficio propio o de terceros.

3º Debe disponer el intérprete, con la adecuada antelación, de información escrita –facilitada por el Secretario Judicial- sobre posibles menciones a preceptos legales, resoluciones judiciales dictadas en el procedimiento u otras actuaciones que puedan ser citadas durante su actuación como intérprete, siempre y cuando no se trate de actuaciones afectadas por el secreto acordado judicialmente o sometidas a un régimen de reserva. De ese modo, aparte de evitarse imprecisiones o errores en la traducción, se posibilitará la información al inculpado o acusado de los documentos esenciales a los que la Directiva 2010/64/UE del Parlamento Europeo y del Consejo, de 20 de octubre de 2010 presta especial atención: cualquier resolución que prive a una persona de libertad, el escrito de acusación y la sentencia; documentos que pueden ser suplidos también por un resumen oral de los documentos esenciales(artículo 3,apartados 2 y7 de la Directiva),si así lo acordara el Secretario Judicial; 4º Se procurará que tanto el declarante cuyas manifestaciones deben ser traducidas como el intérprete hablen pausadamente y de modo inteligible; 5º También debe procurarse que durante las declaraciones se realicen pausas en períodos cortos, a indicación del intérprete; 6º Debe evitarse que se expresen simultáneamente, en uno u otro idioma, dos o más de las personas que participan en el acto procesal. Si hablan al mismo tiempo dos o más personas, se dificultará la comprensión por el intérprete de las manifestaciones que debe traducir; 7º Si se prolonga en exceso el acto procesal deberá relevarse –si fuera posible- el intérprete inicial por otro, al objeto de mantener la calidad en la interpretación; 8º Cuando intervenga un intérprete será muy conveniente la grabación del acto procesal, para que pueda, en su caso, comprobarse si las manifestaciones se han traducido fielmente y la calidad de la interpretación ha sido suficiente para salvaguardar la equidad en el proceso; 9º Deberá facilitarse a los intérpretes un espacio adecuado en el edificio judicial donde vaya a realizar su tarea –si hubiera disponibilidad para que pueda analizar la documentación que se le facilite y tomar las notas necesarias.

No podemos olvidar mencionar la Directiva 2010/64/UE, de 20 de octubre de 2010, *relativa al derecho a la interpretación y traducción en los procesos penales* y la Directiva 2012/13/UE, de 22 de mayo de 2012, *relativa al derecho a la información en los procesos penales*, que han modificado la LECRIM en la materia (arts. 398 y 762-8ª), así como lo dispuesto en el art. 231 LOPJ.

En cuanto a los recursos de dotación de traducción e interpretación de los que se dispone en el sistema judicial español, es preocupante la actual falta de provisión de medios adecuados personales y materiales. Así, se pone de manifiesto que la respuesta legislativa y de provisión de medios adecuados por parte de las autoridades nacionales y autonómicas, está resultando insuficiente para dotar a este derecho de un elenco suficiente y bien dotado de intérpretes judiciales profesionales a nivel nacional y/o provincial. Asimismo, se detecta ausencia de una regulación legal suficiente, en concreto, hay una laguna legal respecto a los requisitos que debe reunir un intérprete judicial.

El art. 124 LECrim prevé que el traductor o intérprete judicial será designado de entre aquellos que se hallen incluidos en los listados elaborados por la Administración competente y en caso excepcional manifiesta que se puede habilitar como intérprete a cualquier persona conocedora de la lengua empleada previo juramento o promesa de aquélla y que se estime capacitada para el desempeño de dicha tarea[60]. De modo que no será preciso que el intérprete tenga título oficial. Desde ese punto de vista, esto puede provocar una total inseguridad jurídica, pues el derecho a la información puede quedar totalmente mermado si no se garantiza la profesionalización y especialización por parte de los traductores e intérpretes.

Es absolutamente necesario, para poder garantizar el derecho a la información que el intérprete quede sujeto a criterios claros de deontología profesional. El intérprete debe comprender que entra en contacto con la víctima y llega a conocer circunstancias íntimas y personales[61], de modo que el desempeño de su función sin un nivel adecuado de profesionalidad, seriedad y rigor puede poner en peligro el efectivo cumplimiento de los derechos y garantías procesales[62].

---

[60]   MARTINEZ DECAREAGA, C. *et al.*: *Guía de criterios de actuación judicial frente a la trata de seres humanos, op. cit.*, p. 150.

[61]   Art. 124.2 LECrim: "El intérprete o traductor designado deberá respetar el carácter confidencial del servicio prestado".

[62]   Hay tres aspectos clave en este sentido. (1) Externalización y justa retribución del servicio de interpretación, teniendo muy en cuenta para ello que de una adecuada traducción e interpretación depende directamente la adecuada gestión de la causa y, en muy buena medida, el éxito mismo de la investigación y de la ajustada decisión de la causa. La Administración de Justicia o, mejor dicho, las respectivas Consejerías de Justicia de las Comunidades Autónomas con competencias transferidas en medios materiales y personales se han inclinado, para dotar de estos servicios a los Juzgados y Tribunales de sus territorios, por suscribir conve-

Finalmente, para poder entender el alcance global del derecho a la información, debemos mencionar, aquellos derechos que, de forma específica, se refieren a la víctima de trata y que aparecen reflejados en el anexo 4 del Acta de información de derechos a persona víctima de un delito:

a) Derecho a la información: Tiene derecho a la información y asesoramiento por parte por los servicios y oficinas de las administraciones públicas.

b) Derecho a la asistencia jurídica gratuita. La víctima de trata de personas tiene derecho a los servicios de una asistencia jurídica gratuita, al interponer una denuncia o cuando comience un trámite penal. La víctima pierde la asistencia jurídica gratuita en el caso que la sentencia diga que no es víctima de trata de personas, pero la víctima no tiene que devolver las ayudas gratuitas recibidas hasta ese momento. Este derecho de asistencia jurídica gratuita, también les corresponde a los familiares de la víctima de trata si hubiera muerto.

c) Derecho de la víctima extranjera en situación irregular. La persona extranjera en situación irregular tiene 90 días para pensar si quiere ayudar a la policía y a la justicia en la investigación del delito.

Tiene los siguientes derechos durante estos 90 días:

- La víctima extranjera en situación irregular tiene derecho a vivir en España, y a que se suspendan las sanciones por estar de forma irregular en España.

- La Administración Pública trabajará por la seguridad de la víctima y de sus hijos menores de 18 años o con discapacidad. Los hijos entre 16 y 18 años pueden trabajar en España.

- La Administración Pública trabajará por la seguridad y protección de los familiares de la víctima que vivan en España, por el riesgo de que pueda afectar a la colaboración de la víctima en la investigación

---

nios con empresas privadas, lo que en algunos casos ha devaluado la calidad del servicio al no atender suficientemente a la garantía de que se cuide por las entidades adjudicatarias la calidad del personal a su servicio y su adecuada retribución.; (2) Necesidad de conocer con exactitud cuál es el idioma o dialecto de la víctima para determinar el concreto intérprete de que es preciso dotarles; (3) Conveniencia de realizar las averiguaciones oportunas en torno al intérprete o traductor que actúa, en el caso de que se sospeche de su posible pertenencia o vinculación al entorno del entramado criminal de los tratantes, lo que no resulta en absoluto inusual, especialmente cuando se trata de traductores de dialectos poco habituales o conocidos (señaladamente los dialectos africanos), MARTINEZ DECAREAGA, C. *et al.*: *Guía de criterios de actuación judicial frente a la trata de seres humanos*, op. cit., p. 151.

- La víctima podrá vivir en España y no tendrá sanciones en el caso que denuncie a las personas que han hecho la trata de personas y a las personas que han ayudado para hacer este delito.

d) Por otro lado, se incentiva la colaboración de la víctima en la investigación, estableciéndose que la víctima que ayude a la justicia en la investigación del delito, tiene derecho:

- A recibir ayuda para volver a su país.
- En circunstancias especiales, a vivir y trabajar en España con ayudas a su integración social.

e) Derecho a la seguridad de testigos y peritos. Los testigos y peritos tienen los siguientes derechos:

- A que no estén sus datos en las diligencias que se hagan.
- Contar lo que ha pasado, con medidas de seguridad para no ser reconocido. Por ejemplo, que el testigo cuente lo que vio o conoció detrás de una pantalla o biombo.
- Poner como domicilio del testigo o perito, para recibir las cartas y documentos del Juzgado, el domicilio donde éste se encuentra.
- Impedir que se hagan fotos o imágenes del testigo o perito.
- Utilizar los coches de la Guardia Civil, o de la policía para llevar a los testigos o peritos desde su casa a las dependencias policiales, al juzgado, u otro sitio necesario.
- Utilizar cuando esté en el Juzgado salas separadas del público, con seguridad y protección.
- Cuando el Fiscal lo solicite del Juez, recibirá protección, y en casos muy especiales, le darán una nueva identidad y ayudas económicas para cambiar de ciudad

Por último, no hay que olvidar que las ayudas de las víctimas de un delito violento o sexual o de violencia de género se pueden dar junto con las ayudas a las víctimas de trata de personas.

VII. BIBLIOGRAFÍA

ALONSO GARCÍA, S.: "La trata de seres humanos en España. Análisis crítico de la normativa española y propuestas para una mayor protección de la víctima", *Universitas*, nº 34, 2021.

ANTÓN GARCIA, L.: "Barrera idiomática y derecho a la información de las víctimas de violencia de género: El servicio de interpretación en el sistema penal de Cataluña", *Indret* 2, 2014.

ARANGÜENA FANEGO, C.: "El derecho a la interpretación y a la traducción en los procesos penales: comentario a la Directiva 2010/64/UE del Parlamento Europeo y del Consejo, de 20 de octubre de 2010", *Revista General de Derecho Europeo*, n. 24, 2011.

ARIZA COLMENAREJO, Mª J. (coord.): *Traducción, interpretación e información para la tutela judicial efectiva en el proceso penal*, Tirant lo Blanch, Valencia 2018

BORJA ALBI, A. y DEL POZO TRIVIÑO, M.: *La comunicación mediada por intérpretes en contextos de violencia de género, Guía de buenas prácticas para trabajar con intérpretes*, Ed. Tirant Humanidades, Valencia 2015.

CARAVACA LLAMAS, C. y SÁEZ OLMOS, J.: "Sistemas de protección y ayuda a las víctimas de delitos violentos y sexuales en España", en FERRANDO GARCÍA, F. M., BAS PEÑA, E. (dirs.), MEGÍAS BAS, A. y FERRE JAÉN, E. (coords.), *La trata de seres humanos: protección de las víctimas*, Laborum, Murcia, 2018.

CASTAÑO REYERO, M. J.: "Un estatuto de protección internacional para las víctimas de trata desde la perspectiva del derecho internacional de los derechos humanos", en MARTÍN OSTOS, J. S. (dir.) y MARTÍN RÍOS, M. P. (coord.), *La tutela de la víctima de trata: una perspectiva penal, procesal e internacional*, Bosch, Barcelona, 2019.

CERIJO SOTO: "El derecho a interpretación y a traducción en España: una nueva concepción a partir de la Directiva 2010/64/UE del Parlamento Europeo y del Consejo, de 20 de octubre de 2010, relativa al derecho a interpretación y a traducción en los procesos penales", *Unión Europea Aranzadi*, n. 7, 2011.

DEL POZO PÉREZ, M. y BUJOSA VADELL, L.: *Protocolos de actuación con víctimas especialmente vulnerables: Una guía de buenas prácticas*, Aranzadi, Pamplona, 2019.

FERNÁNDEZ CARRON, C.: *El derecho a interpretación y a traducción en los procesos penales*, Tirant lo Blanch, Valencia, 2017

FERNÁNDEZ FUESTES, M. D.: "Protección de los derechos de la víctima en el proceso penal", *Estudios Penales y Criminológicos*, vol. XXXIX, 2019

FERNÁNDEZ FUSTES, M. D.: "Protección de los derechos de la víctima en el proceso penal", *Estudios Penales y Criminológicos*, vol. XXXIX, 2019.

FERRANDO GARCÍA, F. M. y BAS PEÑA, E.: *La trata de seres humanos: protección de las víctimas*, Laborum, Murcia, 2018.

FONT SERRA, E.: *La acción civil en el proceso penal. Su tratamiento Procesal*, Wolters Kluwer, Madrid, 1991.

GARCÍA ARÁN, M.: *Trata de personas y explotación sexual*, Ed. Comares, Granada 2006.

GÓMEZ COLOMER, J. L.: "Víctimas de trata: Declaraciones y protección en el proceso penal", *Revista Aranzadi de Derecho y Proceso Penal*, nº 64, 2021.

GÓMEZ COLOMER, J. L.: *Estatuto Jurídico de la Víctima del Delito, La posición jurídica de la víctima del delito ante la Justicia Penal. Un análisis basado en el Derecho Comparado y en la Ley 4/2015, de 27 de abril, del Estatuto de la Víctima del Delito en España* (2ª ed.), Aranzadi, Pamplona, 2015.

GONZÁLEZ CANO, I.: "Algunas reflexiones sobre los nuevos paradigmas de la tutela procesal de la víctima del delito de trata", en OSTOS, J. M. (dir.) y MARTÍN-RÍOS, P. (coord.), *La tutela de la víctima de trata: una perspectiva penal, procesal e internacional*, Bosch, Barcelona, 2019.

GONZÁLEZ CANO, I.: "La dimensión exterior de la Unión Europea en los ámbitos de cooperación judicial: armonización de las garantías procesales penales especial consideración del derecho a la traducción e interpretación en los procesos penales", en RUEDA FERNÁNDEZ, C. (dir.), *Principales manifestaciones de la Acción Exterior de la UE a la luz del Tratado de Lisboa (privilegios e inmunidades, dimensión exterior del ELSJ, Servicio Europeo de Acción Exterior, papel del Parlamento Europeo, Consejo de Europa)*, Ed. Thomon Reuters Aranzadi, Pamplona, 2014

GRETA: *Reply from Spain to the Questionnaire for the evaluation of the implementation of the Council of Europe Convention on Action against Trafficking in Human Beings by the Parties*, Third evaluation round, Thematic focus: Access to justice and effective remedies for victims of trafficking in human beings, (GRETA(2018)26_ESP_REP), 2021.

HERRERO, C.: "Bases psico-jurídicas para confeccionar medidas y protocolos de actuación respecto al tratamiento de víctimas especialmente vulnerables", en del POZO PÉREZ, M., BUJOSA VADELL, L. M. (dirs.) y GONZÁLEZ MONJE, A. (coord.), *Protocolos de actuación con víctimas especialmente vulnerables: Una guía de buenas prácticas*, Aranzadi, Pamplona, 2019.

JIMENO BULNES, M.: "El derecho a la interpretación y traducción gratuitas", *La Ley: Revista jurídica española de doctrina, jurisprudencia y bibliografía*, n. 2, 2007

LARA AGUADO, A.: *Nuevos Retos en la Lucha contra la Trata de Personas con Fines de Explotación Sexual, Un Enfoque Interdisciplinar*, Ed. Civitas, Sevilla, 2014.

LÓPEZ JARA, M.: "La modificación de la Ley de Enjuiciamiento Criminal en materia de derechos y garantías procesales los derechos a la traducción e interpretación y a la información en el proceso penal", *Diario La Ley*, n. 8540, 2015.

MARTÍN ANCÍN, F.: *La trata de seres humanos con fines de explotación sexual en el código penal de 2010, aportaciones de la Ley Orgánica 1/2015*, Tirant lo Blanch, Valencia, 2017.

MARTINEZ DECAREAGA, C. et al.: *Guía de criterios de actuación judicial frente a la trata de seres humanos*, CGPJ, 2018.

MOJICA LÓPEZ, E.: "Análisis de la situación de la traducción y la interpretación en el ámbito judicial en España en casos específicos de violencia de género", *FITISPos international journal public service interpreting and translation*, vol. 4, 2017.

PARLAMENTO EUROPEO: *Informe sobre la aplicación de la Directiva 2011/36/UE relativa a la prevención y lucha contra la trata de seres humanos y a la protección de las víctimas (2020/2029 (INI))*, A9-0011/2021, 1.2.2021.

PLANCHADELL GARGALLO, A.: "La protección procesal de las víctimas de trata: panorama europeo", *Estudios procesales sobre el espacio europeo de justicia penal*, Aranzadi, Pamplona, 2021.

PLANCHADELL GARGALLO, A.: "La víctima en el nuevo Código procesal penal desde la perspectiva de las exigencias europeas", en MORENO CATENA, V. M. (dir.), RUIZ LÓPEZ, C. y LÓPEZ JIMÉNEZ, R. (coords.), *Reflexiones sobre el nuevo proceso penal: jornadas sobre el borrador del nuevo Código Procesal Penal*, Tirant lo Blanch, Valencia, 2015.

PLANCHADELL GARGALLO, A.: "La víctima", en GÓMEZ COLOMER, J. L. y BARONA VILAR, S. (coords.), *Proceso Penal, Derecho Procesal III*, Tirant lo Blanch, Valencia, 2021.

PLANCHADELL GARGALLO, A.: "Protección procesal de las víctimas de trata: aproximación general", *Revista Aranzadi de Derecho y Proceso Penal*, Aranzadi, n° 61, 2021.

REBOLLO VARGAS, R., MIRIAM CUGAT MAURI, M. y RODRÍGUEZ PUERTA, M. J.: "Normativa internacional y derecho comparado", en GARCÍA ARÁN, M. (coord.), *Trata de personas y explotación sexual*, Ed. Comares, Granada 2006.

RUIZ SIERRA, J.: "Perspectiva internacional del delito de trata de seres humanos", en FERRANDO GARCÍA, F. M., BAS PEÑA, E. (dirs.), MEGÍAS BAS, A. y FERRE JAÉN, E. (coords.), *La trata de seres humanos: protección de las víctimas*, Laborum, Murcia, 2018.

SCHWARZ, K.: "After Enslavement Ends: Ensuring Redress for Victims", en BALES, K. & TRODD, Z. (eds.), *The Antislavery Usable Past History's Lessons for How We End Slavery Today*, The Rights Lab University of Nottingham, Nottingham, 2020.

THILL, M. y ARMENTIA, P. G.: "El enfoque de género: Un requisito necesario para el abordaje de la trata de seres humanos con fines de explotación sexual", *Revista Europea de Derechos Fundamentales*, 2016. Disponible en: https://dialnet.unirioja.es/descarga/articulo/5866430.pdf

UNODC: *Global report on trafficking in persons*, 2020

UNODC: *Trata de personas & tráfico ilícito de migrantes*, 2019.

VIDAL FERNÁNDEZ, B.: "El derecho a intérprete y a la traducción en los procesos penales en la Unión Europea. La iniciativa de 2010 de Directiva del Parlamento Europeo y del Consejo relativa a la interpretación y traducción", en ARANGÜENA FANEGO, C. (dir.), *Espacio europeo de libertad, seguridad y justicia, últimos avances en cooperación judicial penal*, Ed. Lex Nova, Madrid, 2010.

VILLACAMPA ESTAIARTE, C.: "La moderna esclavitud y su relevancia jurídico penal", *Revista de Derecho Penal y Criminología*, 3.ª Época, n.° 10, 2013

VILLACAMPA ESTIARTE, C. y TORRES FERRER, C.: "Aproximación Institucional a la Trata de Seres Humanos en España: Valoración Crítica", *Estudios Penales y Criminológicos*, n° 41, 2021.

VILLACAMPA ESTIARTE, C.: "Víctimas de la trata de seres humanos: Su tutela a la luz de las últimas reformas penales sustantivas y procesales proyectadas", *InDret: Revista para el Análisis del Derecho*, 2, 2014.

Capítulo XXVIII

CONFIGURACIÓN JURISDICCIONAL DE LA MEDIACIÓN INTERCULTURAL EN CUANTO MECANISMO PARA COMBATIR LA TRATA REALIZADA CON FINES DE EXPLOTACIÓN LABORAL Y LOS CONFLICTOS JURÍDICOS ADYACENTES

IXUSKO ORDEÑANA GEZURAGA

Profesor Titular Derecho Procesal
Universidad del País Vasco/EHU

I. EL PROBLEMA (RELACIONES JURÍDICO-LABORALES QUE ROZAN LA ESCLAVITUD Y LOS CONFLICTOS JURÍDICOS DERIVADOS) Y PAUTAS PARA EL ESTUDIO DE SU SOLUCIÓN

1. *Supuesto de partida: la relación jurídico-laboral marco de conflictos jurídicos de diversa naturaleza sustantiva y la interculturalidad como rasgo condicionante*

Es conocido que determinados puestos de trabajo no encuentran ocupantes en nuestro país. Aunque las distintas crisis económicas que estamos concatenando -recrudecidas por la pandemia que estamos viviendo- nos están dejando altas tasas de paro, sectores como la agricultura, la construcción, las labores domésticas y el cuidado de mayores, menores o dependientes, no consiguen cubrir sus vacantes laborales. De ahí que, frecuentemente, son ocupados por personas extranjeras, en muchas ocasiones, de culturas distintas, con modos de vida, costumbres, idiomas, religiones y leyes muy diferentes a las españolas. Cuando estas personas -normalmente de bajo nivel formativo- llegan a España, no sólo tienen que hacer frente a sus obligaciones laborales sino también a una forma de vivir distinta; no es fácil adaptarse, y menos cuando el problema se magnifica debido a unas condiciones laborales extremas, que rozan la esclavitud. En esa situación, la relación jurídico-laboral es el marco en que, además de conflictos de esta misma naturaleza[1], se producen otras controversias jurídicas dispares (civiles -por ejemplo, cuando se firman contratos ilegales o leoninos (piénsese en préstamos usurarios), penales -cuando se producen delitos en el marco laboral o, incluso, extralaboral (amenazas, abusos,...)- o, incluso, administrativos (permisos y licencias varias, temas de salud o escolarización,...). Aunque el supuesto pudiera parecer exagerado, mucho nos tememos que es real. Si bien podríamos referirnos a otros ámbitos de la actividad económica o productiva y colectivos de personas[2], pudimos conocer, de cerca, en otra investigación, la situación de las trabajadoras marroquíes, contratadas laboralmente en su país de origen, para la recolección de fresa en los cultivos onubenses[3]. Su situación -sin reparar en todos los detalles, y sin pretender el análisis de un supuesto fáctico real-, puede servir para ilustrar, también, este

---

[1]   Piénsese, en general, en el incumplimiento de las condiciones laborales pactadas o en cualquier otro, en particular (el impago de las horas extras o el incumplimiento de las medidas de seguridad, por ejemplo).

[2]   Los rumanos que vienen a trabajar en la construcción y/o las hondureñas o venezolanas que vienen a realizar servicios domésticos y de cuidado, por ejemplo.

[3]   Explicamos nuestras fuentes, al tiempo que describíamos su situación laboral con detalle, analizando la protección jurisdiccional que reciben en el ordenamiento jurídico español, ORDEÑANA GEZURAGA, I.: "Oro rojo, fresas podridas, o sobre la protección jurisdiccional de los derechos fundamentales de los trabajadores extranjeros en España en cuanto

estudio. Mujeres jóvenes y con cargas familiares son contratadas, en Marruecos, para recoger fresa en Huelva. Se les promete un trabajo duro pero digno, sin que el cauce público de la oferta haga presagiar el futuro, bien diferente, que les espera. Efectivamente, cuando llegan a su destino, viven una realidad muy distinta: hacinadas en galpones, advierten incrédulamente que las condiciones laborales acordadas no se cumplen, modificándose continuamente en beneficio de los empresarios contratantes. Muestra de ello, se ven obligadas a hacer turnos interminables, sin respetar el horario laboral prefijado y hasta el agotamiento máximo, rayando, en pleno siglo XXI, la explotación laboral o la esclavitud. Como "a perro flaco, todo son pulgas", frecuentemente, el conflicto laboral va acompañado de delitos que victimizan a las trabajadoras: las mujeres sufren violencia física y psíquica, amenazas, violaciones, son obligadas a prostituirse... No resulta difícil añadir, a la coyuntura, conflictos jurídicos de naturaleza civil o administrativa. Piénsese, por ejemplo, en el ámbito del Derecho privado, en contratos de préstamo u otros (alquiler, compraventa...) que firman en condiciones muy desfavorables y en su consiguiente desarrollo (incumplimientos de préstamos usurarios, etc.). En el ámbito del Derecho administrativo, en su relación con las Administraciones y los correspondientes servicios públicos, también pueden darse conflictos, en temas educativos (escolarización de sus hijos, la alimentación en los comedores escolares, el uso del pañuelo,...) o sanitarios (al recibir un tratamiento,...), por ejemplo.

En el escenario descrito, queremos establecer como base de este estudio una relación laboral extrema, cercana a la explotación laboral o esclavitud, con elementos de interculturalidad, derivado del origen del trabajador o trabajadora, y que da o puede dar lugar a una pluralidad de conflictos jurídicos, más allá del meramente laboral. Sin duda, podría producirse la misma situación entre ciudadanos españoles, sin perjuicio de que el hecho de que una de las partes de la controversia pertenezca a una cultura distinta a la española (con religión, idioma, costumbres,... distintas) impregna de un carácter especial a todos los conflictos jurídicos existentes en la coyuntura, sumándose al choque de intereses típico, de cualquier pugna, un choque de culturas, en el que la persona inmigrante aparece, en muchas ocasiones, en situación especial de debilidad o indefensión. Obviamente, esta situación de especial vulnerabilidad se da con personas con escasos medios y menos formación, que vienen a España a buscarse la vida; difícilmente con los que cuentan con economías saneadas.

A pesar de que pudiera parecer extemporáneo, el trabajo forzoso existe en España, en el siglo XXI, siendo su mejor prueba la reciente aprobación[4], por el Consejo de Ministros, del *Acuerdo por el que se aprueba el Plan de*

---

forma de evitar su esclavitud (a partir de un caso real)", *Revista General de Derecho Procesal*, núm. 54, 2021.

4	El 10 de diciembre de 2021.

Acción Nacional contra el Trabajo Forzoso: relaciones laborales obligatorias y otras actividades humanas forzadas[5]. Este Plan de Acción se centra en la protección de las víctimas, para lo que deviene esencial la tipificación del delito de trabajo forzoso[6] y la adopción de medidas dirigidas a conocer mejor su perfil y necesidades, en cuanto vía para mejorar las políticas de prevención y detección[7]. Todo ello, en defensa de los derechos humanos y la dignidad de las personas, y en el contexto de la consecución del Objetivo de Desarrollo Sostenible 8 que prevé la Organización de las Naciones Unidad (en adelante, ONU) en su Agenda 2030 para el Desarrollo Sostenible, que persigue la promoción del crecimiento económico inclusivo y sostenible, el empleo y el trabajo decente para todos[8]. Más concretamente, la meta séptima del objetivo mentado requiere la adopción de "medidas inmediatas y eficaces para erradicar el trabajo forzoso, poner fin a las formas contemporáneas de esclavitud y la trata de personas"[9].

Totalmente vinculado con nuestro objeto de estudio, el propio Acuerdo reconoce que las prácticas de trabajo forzoso "a menudo involucran a personas procedentes de otros países", entendiendo esencial la cooperación con organismos internacionales.[10] Al respecto, en este trabajo de investigación, añadimos el elemento de interculturalidad o multiculturalidad. Con estos términos, se hace referencia a la situación que surge cuando inmigrantes, de culturas dispares a la autóctona (en nuestro caso, española), llegan a ésta. Se remarca, especialmente, la necesidad de crear lazos de entendimiento[11]. Es frecuente, en la doctrina, el análisis de esta situación o realidad atendiendo a los colectivos (el de inmigrantes, con culturas distintas a la autóctona, y el de la ciudadanía patria, con una cultura esencialmente homogénea) y a sus relaciones. Sin desmerecer este enfoque, y recogiendo sus

---

5   Este acuerdo pretende dar cumplimiento a la exigencia del Protocolo de la Organización Internacional del Trabajo de 2014, ratificado por España el 12 de diciembre de 2017. El mentado Protocolo entró en vigor el 20 de septiembre de 2018 y exige a los Estados un plan nacional para la erradicación del trabajo forzoso.

6   Cuestión pendiente, como veremos en apartados posteriores de esta investigación, en nuestro ordenamiento jurídico.

7   Este Plan tendrá una duración de 3 años, creándose, al efecto, un Grupo de trabajo Interministerial que hará seguimiento de su grado de cumplimiento.

8   Explica este objetivo, GIL y GIL, J. L.: "El trabajo decente como objetivo de desarrollo sostenible", *Lex Social: revista de los derechos sociales*, núm. 1, 2020.

9   A lo que se suma específicamente "asegurar la prohibición y eliminación de las peores formas de trabajo infantil, incluidos el reclutamiento y la utilización de niños soldados, y, de aquí a 2025, poner fin al trabajo infantil en todas sus formas".

10   Se citan EUROPOL, EUROJUST, FRONTEX y la Autoridad Laboral Europea.

11   Entre muchos, POLO SANTILLAN, M. A.: "Decolonialidad, interculturalidad y reconocimiento", *Vox Juris*, núm. 2, 2016 y URRUELA ARNAL, I. y BOLAÑOS CARTUJO, I.: "Mediación en una comunidad intercultural", *Anuario de Psicología jurídica*, núm. 22, 2012.

bases -el choque cultural y la necesidad de mutuo entendimiento y enriquecimiento- reiteramos, que nosotros, en este escenario, vamos a fijarnos en la situación individual de la persona inmigrante, partiendo de una relación laboral extrema, que puede confundirse, incluso, identificarse, con la trata con fines de explotación laboral, y todos los conflictos jurídicos derivados y/o adyacentes.

2. Objetivo de la investigación y pautas al efecto

En el marco dibujado, y partiendo de relaciones laborales extremas, en cuanto contexto conflictual, en primer lugar, tenemos que fijarnos sucintamente en la prohibición de la trata, en general, y la realizada con fines de explotación laboral, en particular, en nuestro ordenamiento jurídico. Sin solución de continuidad, y al efecto de advertir la protección de la dignidad y los derechos humanos de los inmigrantes en España, repararemos en el amparo de sus derechos fundamentales. Antes de ahondar en la mediación, como mecanismo pluridimensional, que se adapta a los distintos ámbitos del Derecho (laboral, civil, penal y administrativo), especialmente cuando aparecen elementos de interculturalidad, debemos reparar, igualmente, en las debilidades que presenta la jurisdicción, al efecto. Con ello, podremos profundizar en la mediación en cuanto instrumento para solventar conflictos que aparecen en el escenario planteado. Reiteramos que, escapando de la concepción de la mediación intercultural como instrumento para solventar el conflicto o choque entre culturas (el de los inmigrantes, con culturas distintas a la autóctona, y el de la ciudadanía patria, con una cultura esencialmente homogénea), vamos a centrarnos en este mecanismo extrajurisdiccional en su uso para conflictos concretos, de distintos ámbitos del Derecho, cuando los protagonistas son de culturas distintas, siendo una de ellas la española.

II. EL CONTEXTO JURÍDICO-NORMATIVO DEL CONFLICTO JURÍDICO A SOLVENTAR.

1. La prohibición de la trata, en general, y la realizada con fines de explotación laboral, en particular

1.1. La tipificación de la trata en el ordenamiento jurídico español

La trata en un fenómeno mundial, cuyo tratamiento provoca no pocas tensiones entre los distintos países, es por ello que, desde antiguo, la ONU, el Consejo de Europa y la propia Unión Europea (en adelante, UE) han puesto el foco en su detección y prevención[12]. Sin perjuicio de ello, y a pesar de su existencia, también en España, no se tipificó este delito, en nuestro ordenamiento jurídico, hasta el año 2010, cuando la Ley Orgánica 5/2010, de 22 de junio, que modificó la Ley orgánica 10/1995, de 23 de noviembre, del Código Penal (en adelante, CP) introdujo en aquélla un Título VII bis, con un único artículo (art. 177 bis), ordenando el delito de trata de seres humanos. Cumplía, de esta guisa, el legislador patrio con los compromisos internacionales adquiridos[13]. Fueron estas mismas obligaciones internacionales[14] las que forzaron a modificar el mentado art. 177 bis CP, mediante la ley orgánica 1/2015, de 30 de marzo, por la que se modifica la Ley Orgánica 1/1995, de 23 de noviembre, de CP. Así, *lege data*, la trata se tipifica, en nuestro ordenamiento jurídico, en el art. 177 bis CP, compuesto por 11 apartados, dedicados tres a la configuración del delito y a la determinación de la pena general y los restantes a ordenar tipos agravados y atenuados y otros elementos para la determinación de la sanción[15].

1.2. La explotación laboral y los delitos contra los derechos de los trabajadores

Como hemos reiterado, la trata es un delito de mera actividad, por lo que se consuma, incluso, aunque no se produzca la explotación concreta. Ahora bien, si esta última tiene lugar, estamos ante un concurso de delitos (art. 177 bis 9 CP). En este sentido, en primer lugar, conviene recordar que, aunque el legislador vincula expresamente la trata con la explotación, cuando se refiere a sus 5 finalidades, únicamente alude expresamente a la explotación sexual y a la producida para realizar actividades delictivas. La concerniente al ámbito laboral se describe o define como "la imposición de trabajo o de servicios forzados, la esclavitud o prácticas similares a la esclavitud, a la servidumbre o a la mendicidad", sin posterior definición o concreción de los distintos elementos. Únicamente divisamos la referencia a la mendicidad de

---

[12] Hacemos un recorrido por la trayectoria e instrumentos de estas instituciones para la lucha contra la trata, ORDEÑANA GEZURAGA, I.: "Oro rojo, fresas podridas, o sobre la protección jurisdiccional de los derechos fundamentales de los trabajadores extranjeros en España en cuanto forma de evitar su esclavitud (a partir de un caso real)", *op. cit.*

[13] Reparan esta primera ordenación, al tiempo que explica el fenómeno, DAUNIS RODRÍGUEZ, A.: *El delito de trata de seres humanos*, Tirant lo Blanch, Valencia, 2013.

[14] Concretamente, la adopción de la Directiva 2011/36/UE del Parlamento Europeo y del Consejo, de 5 de abril, relativa a la prevención y lucha contra la trata de seres humanos y a la protección de las víctimas y por la que se sustituye la Decisión marco 2002/629/JAI del Consejo.

[15] Para su análisis crítico, SÁNCHEZ-COVISA VILLA, J.: "El delito de trata de seres humanos: Análisis del artículo 177 bis CP", *Cuadernos de la Guardia Civil: Revista de Seguridad Pública*, núm. 52, 2016. También, FERNÁNDEZ HERNÁNDEZ, J.J.: "La regulación de la trata de seres humanos: la esclavitud del siglo XXI", en *Revista de Estudios en Seguridad Internacional* núm. 1/2019.

menores o personas con discapacidad en el art. 232.1 CP, que castiga con prisión de seis meses a un año a "los que utilizaren o prestaren a menores de edad o personas con discapacidad necesitadas de especial protección para la práctica de la mendicidad, incluso si ésta es encubierta" (art. 232.1 CP), y a la esclavitud, en el art. 607 bis CP, al ordenar los delitos de lesa humanidad, en los términos apuntados.

Tipifica, por otra parte, el Título XV del Libro II CP los delitos contra los derechos de los trabajadores: la imposición a los trabajadores a su servicio de condiciones laborales o de Seguridad Social que perjudiquen, supriman o restrinjan los derechos que tengan reconocidos por disposiciones legales, convenios colectivos o contrato individual (art. 311.1 CP); la ocupación simultánea de una pluralidad de trabajadores sin comunicar su alta en el régimen de la Seguridad Social que corresponda o, en su caso, sin haber obtenido la correspondiente autorización de trabajo, siempre que esté afectado un número mínimo de trabajadores (art. 311.2 CP); el emplear o dar ocupación, de forma reiterada, a ciudadanos extranjeros que carezcan de permiso de trabajo, o a un menor de edad que carezca de permiso de trabajo (art. 311 bis); el tráfico ilegal de mano de obra (art. 312.1 CP) o el reclutamiento de personas o determinarlas a abandonar su puesto de trabajo ofreciendo empleo o condiciones de trabajo engañosas o falsas, o el empleo a súbditos extranjeros sin permiso de trabajo en condiciones que perjudiquen, supriman o restrinjan los derechos que tuviesen reconocidos por disposiciones legales, convenios colectivos o contrato individual (art. 312.2 CP); la determinación o favorecimiento de la emigración de alguna persona a otro país, simulando contrato o colocación, o usando otro engaño (art. 313 CP); el realizar una grave discriminación en el empleo, público o privado, contra alguna persona por razón de su ideología, religión o creencias, su pertenencia a una etnia, raza o nación[16], su sexo, orientación sexual, situación familiar, enfermedad o discapacidad, por ostentar la representación legal o sindical de los trabajadores, por el parentesco con otros trabajadores de la empresa o por el uso de alguna de las lenguas oficiales dentro del Estado español, si no restablece la situación de igualdad ante la ley tras requerimiento o sanción administrativa, reparando los daños económicos que se hayan derivado (art. 314 CP); el impedir o limitar el ejercicio de la libertad sindical o el derecho de huelga mediante engaño o abuso de situación de necesidad (art. 315.1 CP); la coacción a otras personas a iniciar o continuar una huelga, actuando en grupo o individualmente, pero de acuerdo con otros (art. 315.3 CP), y la no facilitación de los medios necesarios para que los trabajadores desempeñen su actividad con las medidas de seguridad e higiene adecuadas, de forma que pongan así en peligro grave su vida, salud o integridad física, con infracción

---

[16]   Adviértase, en este elemento, la presencia de la interculturalidad.

de las normas de prevención de riesgos laborales y estando legalmente obligados (art. 316 CP)[17].

No advertimos ningún problema para que, en un caso concreto, además de la trata de personas con fines de explotación laboral, acontezca alguno de los delitos contra los derechos de los trabajadores, dando lugar a un concurso de delitos (art. 177 bis 9 CP). Ahora bien, reiteramos *lege data* la falta de concreción de la trata realizada con fines de explotación laboral, porque los delitos concretos que acabamos de citar infringen los derechos laborales de los trabajadores y trabajadoras[18] pero no específicamente la dignidad y libertad humanas, valores y bienes jurídicos que protege la trata[19].

2. *La protección de los derechos fundamentales de los extranjeros en España*

Incidiendo en el reconocimiento de la dignidad y libertad humanas de las personas, en general, y de los inmigrantes, en particular, para aprehender la situación jurídica de los trabajadores extranjeros en España, en el marco de un Estado Social y Democrático de Derecho, que propugna como valores superiores de su ordenamiento jurídico la libertad, la justicia y la igualdad -además, del pluralismo político- (art. 1 Constitución Española) (en adelante, CE), y en el que "la dignidad de la persona, los derechos inviolables que le son inherentes, el libre desarrollo de la personalidad, el respeto a la ley y a los derechos de los demás son fundamento del orden político y de la paz social" (art. 10.1 CE), tenemos que aludir al art. 13.1 CE, que garantiza a los extranjeros o no nacionales el goce de las libertades públicas ordenadas en el Título I CE. Luego, conforme a este precepto constitucional, se les reconoce el derecho a la vida y a la integridad física y moral, sin que, en ningún caso, puedan ser sometidos a tortura ni a penas o tratos inhumanos o degradantes (art. 15 CE); la libertad ideológica, religiosa y de culto (art. 16.1 CE); derecho a la libertad y a la seguridad (art. 17.1 CE); derecho al honor, a la intimidad personal y familiar y a la propia imagen (art. 18.1 CE); derecho a elegir libremente su residencia y a circular por el territorio nacional (art. 19.1 CE); derecho a la libertad de expresión (art. 20 CE); derecho de reunión (art. 21 CE); derecho de asociación

---

17   Para profundizar en los distintos tipos, LASCURAÍN SÁNCHEZ, J. A.: "Delitos contra los derechos de los trabajadores", en AA.VV., *Derecho penal económico y de la empresa*, Dykinson, Madrid, 2018, pp. 593-628 y PALOMO DEL ARCO, A.: "Delitos contra los derechos de los trabajadores", en CAMACHO VIZCAÍNO, A. (dir.), *Tratado de Derecho Penal Económico*, Tirant lo Blanch, Valencia, 2019, pp. 1747-1802.

18   Este es el bien jurídico que protegen, de ahí el nombre del Título del CP que los cobija

19   A nuestro favor, LOUSADA AROCHENA, J. F.: "Normativa internacional contra la explotación humana y laboral en el trabajo doméstico: La ONU y la OIT", *Lan harremanak: Revista de relaciones laborales*, núm. 39, 2018.

(art. 22 CE); derecho a la tutela judicial efectiva (art. 24 CE); derecho a la educación (art. 27 CE); derecho a sindicarse libremente (art. 28.1 CE) y a la huelga (art. 28.2 CE) y el derecho de petición (art. 29 CE).

Se excluyen expresamente de este catálogo de derechos (art. 13.2 CE), el derecho de los extranjeros a participar en los asuntos públicos, directamente o por medio de representantes, libremente elegidos en elecciones periódicas por sufragio universal (art. 23.1 CE) y el derecho a acceder, en condiciones de igualdad, a las funciones y cargos públicos (art. 23.2 CE), sin perjuicio de lo que, atendiendo a criterios de reciprocidad, pueda establecerse por tratado o ley para el derecho de sufragio activo y pasivo en las elecciones municipales (art. 13.2 CE).

Todos estos derechos fundamentales se interpretan de conformidad con la Declaración Universal de Derechos Humanos (en adelante, DUDH) y los Tratados y acuerdos internacionales que sobre los mismos ratifique España (art. 10.2). En este sentido, son fuente de interpretación de los mismos, además de la mentada Declaración, entre otros, el Pacto Internacional de Derecho Civiles y Políticos (1966), el Pacto Internacional de Derechos Económicos, Sociales y Culturales (1966)-en el ámbito de la ONU-, el Convenio Europeo de Derechos Humanos (1950) -en el marco del Consejo de Europa- y la Carta Europea de Derechos Fundamentales (2000).

Por lo demás, estos derechos constitucionales se concretan y desarrollan, para los extranjeros, en muchas y diversas leyes. Sin perjuicio de que la falta de espacio nos impide fijarnos en todas ellas, entendemos que es vital, al efecto, la ley orgánica, 4/2000, de 11 de enero, sobre derechos y libertades de los extranjeros en España y su integración social (en adelante, LODLEEIS), por ser la que genéricamente reconoce el estatuto jurídico general de aquéllos en nuestro ordenamiento jurídico[20].

---

[20]   Analizamos sucintamente su contenido, ORDEÑANA GEZURAGA, I.: "Oro rojo, fresas podridas, o sobre la protección jurisdiccional de los derechos fundamentales de los trabajadores extranjeros en España en cuanto forma de evitar su esclavitud (a partir de un caso real)", *op. cit.*

III. EN BUSCA DE SOLUCIONES: LAS DEBILIDADES DE LA VÍA JURISDICCIONAL Y LA APUESTA POR LA MEDIACIÓN

1. *Radiografía sucinta de la vía jurisdiccional y justificación para su renuncia parcial*

Como acabamos de apuntar, el inmigrante que llega a España a trabajar en condiciones extremas, de las que se pueden derivar, en primer lugar, conflictos jurídico-laborales, y al tiempo o después, otro tipo de controversias, está protegido por el derecho a la tutela judicial efectiva. No solo lo reconoce el art. 13.1 CE, sino que lo reitera el art. 20 LODLEEIS. En otros términos: puede acudir a la jurisdicción a solventarlos. No en vano, el derecho a la tutela judicial efectiva (art. 24 CE) -también llamado derecho de acción- es uno de los ejes, junto a la propia jurisdicción o Poder Judicial y el proceso, de la vía jurisdiccional o pública de resolución de conflictos. En este sentido, tenemos que reconocer como fortalezas de la actuación de jueces y juezas en la resolución de conflictos, en primer lugar, que intervienen en un sistema -entendiendo por este el conjunto de elementos organizados para cumplir su función- completo, previsto en todos sus elementos en la ley[21], que cuenta con el aval del Estado, no en vano, se estructura en torno a uno de sus poderes, y que siempre, conforme a ley, se asegura su objetivo -la obtención de una solución al conflicto-, pues al ser la potestad jurisdiccional irrenunciable, cuando unas personas presentan una disputa a los jueces, éstos vienen obligados a resolverla[22]. Del mismo modo, es su fuerza que, para responder eficientemente a los distintos conflictos que se dan en la sociedad, en el contexto de su unicidad, se estructura en cuatro órdenes jurisdiccionales (civil, penal, administrativo y laboral) (art. 9 Ley Orgánica 6/1985, de 1 de julio, del Poder Judicial), conociendo cada uno de ellos de su correspondiente ámbito material del Derecho. Por tanto, y en el supuesto de partida de este estudio, el inmigrante podría acudir en resolución de los distintos conflictos, según su diversa naturaleza, a los 4 órdenes jurisdiccionales. A estas fortalezas, podríamos sumar la necesidad de motivar las resoluciones judiciales (arts. 24 y 120.3 CE), el efecto de cosa juzgada de las sentencias firmes o el conjunto de garantías que se reconoce a la ciudadanía, en general en la ley, y en torno al derecho de acción, en particular.

No es oro, sin embargo, todo lo que reluce. Fuente de mil y un preocupaciones de los jurisdiccionalistas, frente a todas las bondades que presenta la vía

---

[21] Impregnando ésta de seguridad jurídica todas sus piezas o componentes. La ley ordena las tres tutelas que ofrece la autoridad jurisdiccional (declarativa, ejecutiva y judicial) y los procesos correspondientes, en las distintas leyes rituales.

[22] Existiendo siempre, conforme a ley, un órgano competente, al efecto. Lo garantiza el art. 448 CP, castigando la dejación de función jurisdiccional.

jurisdiccional en cuanto sistema de resolución de conflictos, aparecen sus debilidades. Fueron sus taras, precisamente, las que hicieron surgir modernamente, en EEUU, el movimiento global y globalizante *Alternative Dispute Resolution* (en adelante, ADR). En el contexto ideológico-práctico autodenominado *Critical Legal Studies* de la Universidad de Harvard, que reivindicó la vuelta al realismo jurídico, se celebró, en mayo de 1976, con ocasión del septuagésimo aniversario del discurso pronunciado por Roscoe Pound, la famosa Conferencia Pound. Representantes de los diversos estamentos jurídicos -jueces incluidos- abordaron las causas de la insatisfacción popular con la Administración de Justicia (*The causes of popular dissatisfaction with the Administration of Justice*), mostrando todas las debilidades del sistema jurisdiccional: las consecuencias del principio de dualidad de posiciones y la naturaleza adversativa; el colapso; lentitud; su carestía; tecnicismo;... especialmente se destacaron su ineficacia e incapacidad intrínseca para garantizar a la ciudadanía el acceso a la justicia[23]. Luego, quedaron patentes los males endémicos de la jurisdicción, aquéllos derivados de su propia concepción y/o configuración, que entonces ya se delataban y (obviamente) todavía existen. En el caso que nos ocupa, a los inconvenientes de la vía jurisdiccional, se le debe sumar el hecho de que el trabajador o trabajadora extranjera es de una cultura distinta a la española, con todas las peculiaridades que de ello se derivan (desconocimiento del idioma, del funcionamiento de la sociedad, de las leyes y costumbres autóctonas,...). De ahí que somos plenamente partidarios de utilizar la mediación, sin renunciar a la jurisdicción, en el marco del Derecho jurisdiccional diversificado, como razonamos, sin solución de continuidad.

2. *La mediación como mecanismo de resolución en el marco del Derecho jurisdiccional diversificado*

Fue en la propia Conferencia Pound mentada, donde de forma solemne y organizada, por primera vez, juristas del entorno y seno de la Administración de Justicia apuntaron la necesidad de crear y utilizar técnicas privadas de resolución de conflictos foráneas a la jurisdicción, basadas en la autonomía de la voluntad de las partes (*consensus decisión making*), que funcionen siguiendo reglas flexibles e informales, que garanticen a toda la ciudadanía el acceso a la justicia, superando los defectos de la actuación del Poder Judicial y solventando los conflictos con beneficios para ambas partes (*win-win*). Quede claro que, en este acto concreto y en el marco del movimiento ADR, nunca se cuestionó la indispensabilidad de la jurisdicción o Poder Judicial. Más precisamente, se planteó la necesidad de diversificar los procedimientos de resolución de

---

23   Reúnen sus actas, BURGER, W.: *The Pound Conference: Perspectives of Justice in future*, Minnesota, Saint Paul, 1979.

conflictos, reservando el ejercicio de la función jurisdiccional -y sus recursos limitados- para los conflictos en los que su intervención no fuera ineficaz. Se entendía esta salida como pieza, al tiempo, para mejorar la propia jurisdicción.

Con esta inspiración[24], levantamos, la que, a nuestro juicio, es la última fase en la evolución de nuestra disciplina: el Derecho jurisdiccional diversificado. Englobamos en esta rama del Derecho todos los mecanismos, técnicas o procedimientos que ofrece el Estado para resolver los conflictos jurídicos -para hacer justicia, en definitiva, garantizado el orden público, la paz social y el bien común-: la jurisdicción y las técnicas tradicionalmente llamadas alternativas. Se ha de reconocer a los justiciables o partes en conflicto la libertad para elegir el mecanismo que más les convenga en el supuesto en el que se ven envueltos[25]; incluso, en el ámbito de las técnicas extrajudiciales, y conforme a la flexibilidad que les caracteriza, la posibilidad de configurar el mecanismo que más les convenga en el caso concreto, siempre que se guarden unas garantías mínimas. La garantía más importante del sistema estatal de resolución de conflictos (del servicio público justicia, que es uno, sin perjuicio de que se utilice un mecanismo ADR o la propia jurisdicción) es la propia jurisdicción o Poder Judicial, que además de actuar como elemento auxiliador de las técnicas privadas, controla su desarrollo. Y sólo desde la centralidad de la jurisdicción y de sus funciones de auxilio y control, se puede entender el Derecho jurisdiccional diversificado, configurándolo como la forma eficiente y eficaz de resolución de conflictos, en un Estado moderno y desarrollado en el que la libertad de las partes (valor supremo de nuestro ordenamiento jurídico) (art. 1.1 CE) determina el mecanismo de resolución concreto, garantizando la justicia (también valor supremo de nuestro ordenamiento jurídico) (art. 1.1 CE).

En este contexto, y como explicaremos, a continuación, somos partidarios de utilizar la mediación para solventar los conflictos jurídicos que aparecen en la situación de partida de este trabajo.

---

[24]   En EEUU existe lo que se denomina *Court-annexed* o *related ADR*, que no es otra cosa más que la utilización de los mecanismos privados en el ámbito jurisdiccional para hacer justicia. Estamos ante una construcción que ya se presentó en la mentada *Conferencia Pound* y que teorizó el profesor SANDER. Se refirió, concretamente, al tribunal multipuertas (*multidoor court-house*), integrado por una pluralidad de mecanismos de resolución (puertas) -la propia jurisdicción y los mecanismos ADR-, en el que, cuando el justiciable presenta su conflicto, un funcionario le aconseja sobre el mecanismo más adecuado para su resolución, pudiendo aquél elegir el que más le convenga en el caso, circunstancias y necesidades concretas.

[25]   Siempre que se base en el empleo exclusivo de la razón en cuento método, quedando, en el marco del Estado social y democrático de Derecho, que consagra la CE, prohibido el uso de la fuerza (arts. 455 y 172 CP), al efecto. Por ello, se utiliza la expresión "medios pacíficos de resolución de conflictos".

IV. LA MEDIACIÓN INTERCULTURAL EN CUANTO MEDIACIÓN DE MEDIACIONES O MECANISMO PARA SOLVENTAR CONFLICTOS LABORALES EXTREMOS Y OTROS PRODUCIDOS EN SU CONTEXTO

1. Presentación de nuestra tesis y pautas para su acreditación

Se ha configurado la mediación intercultural, en España, como "una modalidad de intervención de terceras partes, en y sobre situaciones sociales de multiculturalidad significativa, orientada hacia la consecución del reconocimiento del otro y el acercamiento de las partes, la comunicación y comprensión mutua, el aprendizaje y desarrollo de la convivencia, la regulación de conflictos y la adecuación institucional, entre actores sociales o institucionales etnoculturalmente diferenciados"[26]. Así se ha vinculado especialmente con el choque de culturas -siendo, prioritariamente, una de ellas la española, autóctona y una segunda, foránea- entre colectivos de personas, utilizando la mediación y sus elementos (la comunicación y comprensión de las partes, que permite su aprendizaje y acercamiento), para garantizar su convivencia. Y, aunque, se ha especificado que esta mediación intercultural actúa en distintos ámbitos de la vida social, como "son el familiar, laboral, *socio-jurídico*[27], socio-educativo, sanitario, comunitario, etc",[28] no se ha puesto el foco en el conflicto jurídico individual, entre dos personas (una española y otra inmigrante de cultura distinta) o una persona inmigrante y una institución española. Seguramente, la justificación de ello es la intención de no presentar a la inmigración como fuente de conflictos[29]. Se ha identificado, al respecto, la mediación intercultural con la resolución de un problema social, administrativo o de convivencia

---

[26]   Literal GIMÉNEZ ROMERO, C.: "La naturaleza de la mediación intercultural", *Revista Migraciones*, núm. 2, 1997. Del mismo autor, más tarde, GIMÉNEZ ROMERO, C.: "Modelos de mediación y su aplicación en Mediación Intercultural", *Revista Migraciones*, núm. 2, 2001. Esta definición es muy repetida en los estudios sobre mediación intercultural.

[27]   En cuanto jurisdiccionalistas, no llegamos a comprender este ámbito (socio-jurídico) señalado y repetido por la doctrina, entendiendo que sociedad y Derecho siempre aparecen entremezclados, en cuanto el segundo es el instrumento de convivencia del primero. Nos llama la atención, igualmente, que algunos autores se refieran junto a estos ámbitos, como uno más, al judicial (por ejemplo, LABACA ZABALA, M. L.; GAMBOA URIBARREN, B.; HERNANDO COLLAZOS, I. y ARIETA-ARAUNABEÑA ALZAGA, J.: "La mediación intercultural", en ORDEÑANA GEZURAGA, I. y URIARTE RICOTE, M. (dir.), *Justicia en tiempos de crisis*, Consejo General del Poder Judicial-Universidad del País Vasco, Madrid 2016, pp. 161 y 177 y 178), cuando, en cuanto mecanismo de resolución de conflictos, la mediación debe ubicarse en éste.

[28]   Literal, SOUTO GALVÁN, B.: *Inmigración y mediación intercultural. Aspectos jurídicos*, Dykinson, Madrid, 2013, pp. 23 y 24

[29]   A nuestro favor, GIMÉNEZ ROMERO, C.: *Teoría y práctica de la mediación intercultural. Diversidad, conflicto y comunidad*, Reus, Madrid, 2019, p. 67

general. Es, por ello, que nosotros proclamamos la necesidad de una nueva re-formulación de la mediación intercultural, desde la perspectiva jurisdiccional, configurándola como mediación de mediaciones, aplicable a cualquier ámbito del Derecho (civil, penal, administrativo o laboral), siempre que entre los pro-tagonistas de la controversia aparezca una persona de otra cultura diferente a la patria[30]. Desarrollamos esta tesis en las siguientes líneas, mostrando sus debilidades y fortalezas. Antes, no obstante, y sin negar la importancia de los conflictos culturales colectivos y del rol fundamental de la mediación para su resolución -esto es, lo que, hasta la actualidad, se ha configurado, por la doc-trina, como mediación intercultural-, vamos a analizar esta modalidad, pues sus elementos y experiencia deben marcar cualquier nueva configuración del mecanismo. Nos interesa, en primer lugar, la conformación de la misma que se ha hecho -como veremos, a partir de su práctica- y la ordenación existente. Será la base para reconfigurar la mediación intercultural.

2.   Sobre la concepción tradicional de la mediación intercultural

2.1.   Configuración práctica

Característica de los mecanismos extrajurisdiccionales, incluso, bondad de los mismos, en cuanto estos se adaptan a las necesidades del caso con-creto, España carece de un tratamiento jurídico homogéneo de la mediación intercultural, con los consiguientes problemas de falta de profesionalización, acreditación y reconocimiento de los mediadores correspondientes. Tradicio-nalmente, se ha vinculado con la llegada de la inmigración a nuestro país, siendo las propias minorías étnicas las que, con patrocinio público o privado, la han fomentado, para facilitar su integración. Es más, cuestión descuidada, en general, por la doctrina jurídica, y especialmente, por la jurisdiccionalista[31],

---

30   A nuestro favor, URRUELA ARNAL, I. y BOLAÑOS CARTUJO, I.: "Mediación en una comunidad intercultural", *op. cit.* cuando postulan que el ámbito de la mediación inter-cultural es el de "todos los ámbitos de la mediación en general, donde existen diferencias culturales significativas en el conflicto".

31   E l tema ha sido más estudiado por trabajadores sociales, educadores y sociólogos, que han realizado labores de intervención social, que por juristas. Al respecto, reconoce ZAIDAM, D.: "La mediación intercultural: entre la diversidad y la interculturalidad", en MORA CAS-TRO, A. (ed.), *Mediación intercultural y gestión de la diversidad. Instrumentos para la pro-moción de una convivencia pacífica*, Tirant lo Blanch, Valencia, 2018, p. 159, "al concebir la mediación intercultural como modalidad de intervención social la estamos encuadrando junto a, y distinguiendo de, otras formas o mecanismos de acción social como pueden ser la movilización política, el asociacionismo, la animación sociocultural, el trabajo social, la difusión de ideas, el desarrollo planificado o la defensa comunitaria". Se lamenta de su escaso reconocimiento y regulación, en España, en contraste con la situación que vive en otros países, como Bélgica o Suiza, SALES SALVADOR, D.: "Mediación intercultural e

la práctica ha precedido a su teorización y debate científico[32]. Seguramente, la falta de soporte jurídico suficiente del mecanismo, en general, y de sus distintos elementos, en particular (tercero mediador, tramitación, resultado, vinculación con la jurisdicción...), es la causante principal de ello.

En este escenario, típico para la creación y normalización de los mecanismos extrajurisdiccionales, se han dado experiencias de mediación intercultural, casi siempre de la mano de Administraciones autonómicas y locales[33] o iniciativas privadas, organizadas, principalmente, en torno a ONGs, dedicadas a la protección de los inmigrantes[34]

Esta mediación intercultural se ha caracterizado por una actuación previa al conflicto, -también en cumplimiento de una de las finalidades y objetivos típicos de los mecanismos extrajurisdiccionales (la pedagógica)- especialmente, en el ámbito sanitario y educativo, actuando el tercero mediador en éstos, intentado romper las barreras lingüísticas y culturales, alimentando la comunicación, para garantizar la convivencia y evitar conflictos. Deviene este mecanismo extrajurisdiccional, en este sentido, un instrumento de integración social, dirigido a obtener no solo la convivencia pacífica de personas de culturas distintas en un mismo espacio físico, sino su interacción positiva. Para ello, se ha configurado una mediación que persigue (1) el reconocimiento del otro y el acercamiento de las partes; (2) la comunicación y la comprensión mutua; (3) la gestión y regulación de los conflictos, (4) el trabajar desde una actitud de conciliación, y (5) la adecuación institucional[35]. Muestran estos objetivos,

---

interpretación de los servicios públicos ¿Europa intercultural?", *Pliegos de Yuste: revista de cultura y pensamiento europeos*, núm. 7-8, 2008.

[32] Lo reconocen, LLEVOT CALVET, N. y GARRETA BOCHACA, J.: "La mediación intercultural en las asociaciones de inmigrantes de origen africano", *Revista Internacional de Sociología*, vol. 71, 2013, afirmando que "la mediación intercultural ha ido surgiendo en España ante la realidad social pluricultural y transcultural con la que nos hemos ido encontrando". Explica la cuestión, GIMÉNEZ ROMERO, C.: *Teoría y práctica de la mediación intercultural. Diversidad, conflicto y comunidad*, op. cit., p. 191. Es interesante, además, el relato de la evolución histórica de la mediación intercultural que hace este autor (pp. 286 y ss.).

[33] Subyace la idea de que corresponde, prioritariamente, a las Administraciones Públicas articular e implementar las estrategias y políticas dirigidas a la integración y al fomento de la cohesión social. Entre las CC.AA. que tienen tradición, en la materia, destacan la madrileña, la catalana y la andaluza. A nivel local, entre otros, el Ayuntamiento de Zaragoza cuenta con un Servicio de Mediación Intercultural; también lo tienen Barcelona o Madrid.

[34] Ha sido señero, en todo el Estado, el Servicio de Mediación Málaga Acoge. Se han organizado, asimismo, servicios de mediación intercultural en los distintos territorios, de la mano de la Cruz Roja o SOS Racismo. En Castilla y León es destacable la experiencia de la Asociación Desarrollo y Solidaridad (DESOD).

[35] Así, MORENO MORENO, J.: "La mediación en el ámbito de la inmigración y convivencia intercultural", *Acciones e investigaciones sociales*, núm. 1, 2006. En cuanto jurisdiccionalistas, estudiosos de los métodos de resolución de los conflictos jurídicos, consideramos que esta formulación rebaja la importancia de la mediación en su función principal. Entendemos esencial, al efecto, focalizar la actividad del mediador en la resolución del conflicto, sin

contundentemente, a nuestro juicio, el fin público y colectivo con el que se viene vinculando la mediación intercultural[36]. Es más, en este sentido, se ha calificado como instrumento para garantizar o mejorar la Democracia[37].

En esta configuración el mediador intercultural es "elemento clave y necesario" del mecanismo extrajurisdiccional[38]. Se le exige el conocimiento del idioma del país de acogida y del de origen de los inmigrantes; la facilidad y capacidad de moverse entre dos culturas diferentes, con capacidad de articularse entre dos códigos culturales; haber experimentado el proceso migratorio y una competencia profesional suficiente[39]. En este último sentido, se hace mucho hincapié en la importancia de su formación adecuada[40]. Del mismo modo, igual que en el resto de mediaciones, se le exige imparcialidad, neutralidad y confidencialidad[41].

Conforme a la configuración tradicional de la mediación intercultural, se identifica al mediador cultural como "gestor de los conflictos interculturales"[42]. En su implementación, entre otros, (1) garantiza que las personas autóctonas y foráneas interactúan de forma positiva; (2) desvela y traduce rasgos cultura-

---

perjuicio de que, en su implementación, se obtengan los otros objetivos (reconocimiento del otro y acercamiento de las partes; comunicación y comprensión mutua; trabajar desde una actitud de conciliación y la adecuación institucional).

[36]   Muy gráficamente, al respecto, PÉREZ-UGENA COROMINA, M.: "La mediación en sociedades interculturales. Referencia a la posible actuación del Defensor del Pueblo en procesos de mediación", *Eunomía. Revista en Cultura de la Legalidad*, núm. 14, 2018, postula que "la integración en sociedades plurales exige un esfuerzo y toma de postura por el Estado. Los poderes públicos deben implicarse en lograr un mayor grado de convivencia democrática, incidiendo en el aspecto real y no formal de la libertad y la igualdad, de manera coherente con la concepción social del Estado". En la misma línea, mantiene que "la inmigración no puede entenderse como separada de la integración, es decir, de un proceso gradual de partición de los inmigrantes en el proyecto común de la sociedad de acogida", BELLOSO MARTÍN, N.: "Inmigrantes y mediación intercultural", *Cuadernos electrónicos de filosofía del derecho*, núm. 7, 2003.

[37]   Al respecto, GUERRERO ROMERA, C.: "El mediador intercultural en el ámbito sociosanitario", *Revista de Educación Social*, núm. 14, 2012.

[38]   Así lo definen, GARCÍA CASTAÑO, F. J. y BARRAGÁN RUÍZ-MATAS, C.: "Mediación intercultural en sociedades multiculturales: hacia una nueva conceptualización", *Portularia: Revista de Trabajo Social*, núm. 4, 2004.

[39]   Entre muchos, ABALLOUCHE, S.: "La medición intercultural", *Anuario de Psicología*, núm. 4, 2002.

[40]   Destaca su trascendencia, señalando contenidos, OLIVER, M.: "Mediación intercultural: situación y futuro en la Comunitat Valenciana", en MORA CASTRO, A. (ed.), *Mediación intercultural y gestión de la diversidad. Instrumentos para la promoción de una convivencia pacífica*, Tirant lo Blanch, Valencia, 2018, pp. 247 y ss.

[41]   Por todos, GARCÍA CASTAÑO, F. J.; GRANADOS MARTÍNEZ, A. y MARTÍNEZ CHICÓN, R.: "Comprender y construir la mediación intercultural", *Portularia: Revista de Trabajo Social*, núm. 1, 2006.

[42]   Literal, MARTÍNEZ USARRALDE, M. J. y GARCÍA LÓPEZ, R.: *Análisis y práctica de la mediación intercultural desde criterios éticos*, Tirant lo Blanch, Valencia, 2009, p. 44.

les, lenguaje, tradiciones, memoria, religión,...; (3) entrena para el consenso, buscando lo común y lo diverso desde lo que puede construir; (4) previene, prevé y resuelve conflictos causados por la diferencia cultural[43]; (5) vela para que se resuelvan las necesidades de bienestar y se respete la igualdad básica de los derechos; (6) garantiza que todos los procesos interactivos entre personas autóctonas y foráneas tengan consecuencias inclusivas; (7) sensibiliza a la población, en general, sobre el enriquecimiento que supone la diversidad cultural; (8) crea redes de interacción dinámica; (9) fomenta el empoderamiento de las personas excluidas; (10) permite que las personas se encuentren, para contar; (11) reformula los proyectos de vida que las personas diseñaron al venir a otros país, ayudándoles a adecuarlo a la realidad, y (12) activa estrategias de convivencia y encuentro[44].

Por lo demás, y en relación al procedimiento, se destaca su voluntariedad, tanto para su utilización, como para su resultado; su flexibilidad, adaptándose a las circunstancias concretas, y confidencialidad. Se destaca, al tiempo, conforme a la naturaleza autocompositiva del mecanismo, su metodología: se basa en la comunicación y diálogo de las partes, animado por el mediador, quien ejerce las funciones apuntadas, conforme a uno de los métodos de negociación clásicos (método de negociación asistida (Harvard), método transformativo y/o método circular narrativo). [45]

En total coherencia, el resultado de la mediación intercultural es, en su caso -de obtenerse-, el acuerdo, de forma que ambas partes ganan (*win-win*) en la resolución del conflicto que protagonizan. Sin embargo, llama la atención que los estudios previos sobre mediación intercultural -realizados conforme a su configuración clásica- no profundizan en el significado concreto del acuerdo de mediación, que -lógicamente- no puede ser el mismo en un conflicto civil, laboral, penal o administrativo, sin perjuicio de compartir la esencia de la transacción. Es un elemento que tendremos que abarcar cuando reconfiguremos la mediación intercultural. Tampoco hacen hincapié en la relación del mecanismo, en general, y del acuerdo, en particular, con la jurisdicción (plazos para acudir a ésta, impugnación del acuerdo de mediación, su ejecución,...),

---

[43]   ¡Nótese que la resolución del conflicto queda diluida como función del mediador cultural, entre el resto de funciones!

[44]   Bebiendo de la práctica, así las identifica la *Guía de Mediación Intercultural ACCEM* (https://www.accem.es/wp-content/uploads/2017/07/guia_mediacion.pdf), citada por doctrina jurídica. Así, LABACA ZABALA, M. L.; GAMBOA URIBARREN, B.; HERNANDO COLLAZOS, I. y ARIETA-ARAUNABEÑA ALZAGA, J.: "La mediación intercultural", *op. cit.*, p. 172.

[45]   Explica sus bases, objetivo y funcionamiento, GIMÉNEZ ROMERO, C.: *Teoría y práctica de la mediación intercultural. Diversidad, conflicto y comunidad, op. cit.*, pp. 217 y ss. Más sucintamente, HERNÁNDEZ RAMOS, C.: "Modelos aplicables en mediación intercultural", *op. cit.*

que es el que lo dota de seguridad jurídica. Deberemos, por ende, estar atentos, también, a este elemento.

2.2. Ordenación sucinta existente

Como apuntábamos al inicio del epígrafe, el desarrollo de la mediación intercultural, en nuestro país, se ha producido más por la vía del hecho, que del Derecho, siendo muy escasa su regulación. Podemos citar, al respecto, dos leyes autonómicas. Así, de un lado la ley 15/2008, de 5 de diciembre, de la Generalitat, de Integración de las Personas Inmigrantes en la Comunitat Valenciana, ordena 3 elementos: (1) su configuración, atendiendo a su objetivo y medios para obtenerlo ("la mediación intercultural tiene como objeto, a través del diálogo y la comprensión mutua, facilitar la convivencia entre las personas o grupos pertenecientes a una o diversas culturas" (art. 13.1); (2) la necesidad de su promoción por la Administración Pública ("la Administración autonómica promoverá instrumentos de mediación intercultural como mecanismo de integración" (art. 13.2)) y (3) la figura del mediador intercultural ("la Administración autonómica favorecerá la formación especializada de mediadores interculturales, como instrumento de integración. Éstos deberán actuar en todo momento desde la imparcialidad, el diálogo y el acercamiento de posturas" (art. 13.3)[46]. Muestra claramente, esta regulación, el fin colectivo y público de la mediación intercultural, involucrando en su configuración y desarrollo, a la Administración pública, en cuanto instrumento de integración.

Prevé, igualmente, la mediación intercultural la Ley 3/2013, de 28 de mayo, de integración de los inmigrantes en la sociedad de Castilla y León. En este caso, rehusando a su configuración, se vinculan sus objetivos con la actividad de fomento de los Poderes Públicos ("Los poderes públicos de Castilla y León fomentarán la actividad de enlaces o mediadores interculturales entre ellos y los inmigrantes, así como entre los grupos de inmigrantes y cualquier otro colectivo, y velarán por un mejor conocimiento y entendimiento entre ellos") (art. 30.1). Se exige, al tiempo, a los poderes públicos que promuevan la formación especializada de los mediadores interculturales "con el fin de que actúen en favor de la integración de las personas inmigrantes en la Comunidad" (art. 30.2). Abonando nuestra tesis de la configuración de la mediación intercultu-

---

[46]   En su desarrollo, se dictó el Decreto 93/2009, de 10 de julio, del Consell, por el que se aprueba el Reglamento de la Ley 15/2008, de 5 de diciembre, de la Generalitat, de Integración de las Personas Inmigrantes en la Comunitat Valenciana. Más tarde, la Conselleria de Solidaridad y Ciudadanía dictó la Orden 8/2011, de 19 de mayo, por la que se regula la acreditación de la figura del mediador/a intercultural y el Registro de Mediadores Interculturales de la Comunitat Valenciana. Ahonda en esta regulación, OLIVER, M., "Mediación intercultural: situación y futuro en la Comunitat Valenciana", *op. cit.*, pp. 232 y ss.

ral, como instrumento público y colectivo, esta ley exige, igualmente, al efecto, la implicación de los Poderes Públicos.

Sobra añadir que, sin perjuicio de que las mentadas dos CCAAs cuenten con soporte normativo que introduce la mediación intercultural, el resto, también, fomenta y utiliza este mecanismo, en el marco de sus políticas de integración de los inmigrantes[47]

3. La nueva configuración de la mediación intercultural como mediación de mediaciones

3.1. Mecanismo único adaptable y adaptado a las distintas ramas del ordenamiento jurídico, posibilitando la resolución del conflicto pluridimensional planteado

El presupuesto material de cualquier técnica de resolución de conflictos, y también de la mediación, es el conflicto jurídico. Entendemos, el conflicto jurídico, atendiendo a su etimología, sin perjuicio de la rama del Derecho a la que afecte, como una situación de divergencia o disidencia entre dos o más ciudadanos/as y sus diferentes intereses subjetivos. Atendiendo a la naturaleza de estos intereses y al Derecho material que los regula o afecta, podemos distinguir, en primer lugar, entre conflictos privados y públicos, y más específicamente, en paralelo a la organización judicial -principal mecanismo (estatal) de resolución de conflictos-, conflictos civiles, penales, administrativos y laborales. Es posible, incluso, como en el supuesto de partida de este trabajo, que una relación jurídica concreta sea el contexto en el que se producen más de un conflicto de distintas naturalezas. Recordar que, como presupuesto material, dibujábamos una relación laboral que deviene extrema -bordeando la esclavitud-, que, junto a la cultura diferente de una de las partes, se convierte en el caldo de cultivo para la existencia de abundantes conflictos de distinta naturaleza. Es la situación que podemos identificar como conflicto jurídico pluridimensional, utilizando este último calificativo para denotar la existencia de discrepancias plurales de distinta naturaleza.

Antes de incidir en la mediación en cuanto mecanismo para la resolución de cualquier conflicto, y del pluridimensional con elemento intercultural, en concreto, queremos apuntar que el conflicto jurídico es normal, se ha dado en mayor o menor medida en todas las sociedades y, por ello, lejos concebirlo

---

[47]   Por ejemplo, la vasca cuenta con *Biltzen: Servicio Vasco de Integración y Convivencia Intercultural*, que, integrado en el Departamento de Igualdad, Justicia y Políticas Sociales, dinamiza el diálogo entre las distintas comunidades culturales presentes en la sociedad vasca así como entre éstas y la Administración, asesorando en materia de mediación y educación intercultural a los diferentes servicios públicos y privados en su tarea. En Cataluña es destacable, asimismo, el Programa de Mediación en Centros Sanitarios.

como acontecimiento patológico o negativo, en su justa medida, se ha de entender positivo, en cuanto equilibra los intereses sociales y actúa como motor de cambio. Del mismo modo, tenemos que recurrir al Derecho, en cuanto conjunto de normas que rigen el comportamiento de las personas en sociedad, para justificar la necesidad de solventar los conflictos. Corresponde, como es sabido, al Derecho institucionalizar e integrar los conflictos sociales, en general, y los jurídicos, en particular, dotando de seguridad a las relaciones sociales, al tiempo que asegura su conservación y evita su aniquilación. A ello cabe añadir que el propio conflicto jurídico, como estado o situación de una relación jurídica, busca su propia solución, resultando sus elementos "las semillas de su resolución"[48]. En este último sentido, en relación a la mediación intercultural que queremos reconfigurar, tendremos que tener en cuenta no sólo la rama del Derecho afectada (civil, penal, administrativo o laboral), sino la interculturalidad y las circunstancias que le acompañan. Con todo, constatado que el conflicto jurídico ha existido y existirá siempre, entendiendo una necedad pretender su desaparición, lo que se ha de buscar son vías o instrumentos adecuados para su gestión. Aplicamos esta teoría general a conflictos en los que, en la sociedad globalizada actual, aparecen elementos de interculturalidad, sin problema alguno.

Son los inconvenientes de la vía jurisdiccional mentados y la existencia de elementos de interculturalidad que aparecen en el conflicto pluridimensional que nos ocupa, los que nos empujan a defender su resolución mediante el mecanismo extrajurisdiccional de la mediación.

Entendemos por mediación, con criterio iuspositivista, conforme la define la ley 5/2012, de 6 de julio, de mediación en asuntos civiles y mercantiles (en adelante, LMACM), como un medio de solución de conflictos, en el que dos o más partes intentan, voluntariamente, alcanzar por sí mismas un acuerdo con la intervención de un (órgano) mediador (art. 1 LMACM)[49]. Aunque la flexibi-

---

[48]   Expresión de MARTÍNEZ DE MURGUÍA, B.: *Mediación y resolución de conflictos. Una guía introductoria, op. cit.*, p. 105.

[49]   Dos notas. Por un lado, utilizamos la definición iuspositivista del ámbito civil, por ser el que cuenta con una ley general y completa, sin perjuicio de que la configuración que realiza de la mediación es plenamente aplicable al resto de campos, a pesar de que la propia LMACM deja extramuros de su ámbito de ordenación la mediación penal, la mediación con Administraciones Públicas y la mediación laboral (art. 2.2. LMACM). Por otro lado, antes de la entrada en vigor de la LMACM, definimos la mediación, ORDEÑANA GEZURAGA, I.: "La mediación de consumo: la alternativa de la alternativa", *Diario La Ley*, núm. 7420, 2010, como «la técnica extrajurisdiccional de resolución de disputas en las que las partes de un conflicto acuden a un tercero (o más) denominado mediador, quien, además de velar porque la negociación de aquéllas encaminada a la resolución de su conflicto transcurra en paz y armonía -desechando tensiones y obstáculos para el consenso-, puede participar activamente en la resolución del conflicto, pudiendo llegar, incluso, a presentar propuestas de solución, que en su caso aquéllas tienen que hacer suyas».

lidad que caracteriza a los mecanismos ADR también aparece en la mediación («cualquiera que sea su denominación» dice el mentado art. 1 LMACM), sus elementos esenciales son tres: (1) su fundamento contractual -se basa en la libertad de las partes, quienes, en ejercicio de su autonomía de la voluntad, optan por acudir a este mecanismo y no a la jurisdicción para resolver su conflicto- y (2) la participación de un (órgano) mediador, que actúa *intra partes* o *infra partes* para intentar obtener (3) (su objetivo) la resolución del conflicto jurídico, mediante un acuerdo que puede alcanzar efectos públicos (arts. 23 a 17 LMACM).

En cuanto a su base contractual tenemos que destacar que la libertad (valor superior del ordenamiento jurídico español (art. 1 CE)), informa todo el mecanismo y su tramitación: nadie está obligado a mantenerse en el procedimiento de mediación, ni a concluir un acuerdo (art. 6 LMACM). Consecuentemente, en su tramitación -cuya configuración pueden articular las partes "a la carta", para el supuesto y conflicto concreto- aquéllas deben actuar con lealtad, buena fe y respeto mutuo (art. 10.2 LMACM). En términos jurisdiccionales, podemos decir que el principio dispositivo, que informa el proceso judicial civil, también informa el procedimiento de mediación, tanto en su articulación, como desarrollo. En coherencia, y antes -también en aplicación de este principio-, las partes, de común acuerdo, optan por determinar el conflicto jurídico concreto que someten a mediación. Podemos aplicar esta característica o elemento de disponibilidad del mecanismo a todos los conflictos a los que se aplica este mecanismo, incluso, a los penales, como veremos.

En relación al mediador debemos matizar que nos referimos a «órgano» porque el tercero -*third neutral*, en el entorno anglosajón- puede ser unipersonal o pluripersonal (art. 18 LMACM). Puede, al tiempo, crearse para el caso concreto (*ad hoc*) o ser permanente, en el marco de lo que se denomina mediación institucional (art. 5 LMACM). En todo caso se permite a las partes su elección, pudiendo escoger un perfil (formación trayectoria, experiencia...) concreto, interviniendo aquél, siempre, en el ámbito de actuación que le reconocen las partes (art. 10 LMACM), con independencia e imparcialidad, y guardando la confidencialidad. A diferencia del juez, e igual que el árbitro, el mediador no detenta autoridad (pública o privada) alguna, salvo la mera confianza que depositan en él, para realizar su labor, las partes del conflicto. Es este órgano mediador, a nuestro juicio, el elemento más importante de la mediación.

La mediación, en cuanto mecanismo de resolución de conflictos autocompositivo -en el que las partes resuelven por sí el conflicto, con la ayuda del mediador, mediante el diálogo y la comunicación, obteniendo en su caso un acuerdo-, es uno y único, si bien se adapta a los conflictos que se dan en las distintas ramas del Derecho, respondiendo a sus particularidades. Identificamos así la mediación civil, penal, administrativa y laboral, cuyos elementos más importantes destacaremos, a continuación. Antes, no obstante, y apelando a la argumentación expuesta, queremos reivindicar la posible especialización de estas modalidades cuando aparece un elemento de interculturalidad, focalizado en que alguna de las partes no es española, ni conoce nuestra cultura, por lo que aparece o puede aparecer especialmente débil o indefenso. Surgen así la mediación civil intercultural, la mediación penal intercultural, la mediación penal administrativa intercultural y la mediación laboral intercultural. Luego, postulamos, sin ambages, que la configuración tradicional de la mediación intercultural, articulada como subgénero de la mediación, debe configurarse, en adelante, como subgénero de las distintas modalidades de aquélla, pues sólo así se puede dotar de un régimen jurídico más o menos adecuado y obtener la protección necesaria de la jurisdicción, en el marco del Derecho jurisdiccional diversificado. Nos fijamos a continuación, brevemente, en la aplicación de las distintas modalidades de mediación a conflictos en lo que aparece un elemento de interculturalidad.

3.2.   Mediación civil intercultural

Cualquier conflicto civil o mercantil sobre materia disponible puede ser sometido a mediación. Luego, son únicamente los relativos al orden público o cuestiones reguladas por normas imperativas (nacionalidad, estado civil, capacidad, filiación,…) los que no pueden sujetarse a este mecanismo, debiendo indefectiblemente solventarse, en su caso, ante la jurisdicción.

En este ámbito, como hemos apuntado, en nuestro ordenamiento jurídico, contamos con una ley general (la mentada LMACM) que regula la mediación *ad hoc* y la mediación institucional[50]. Fija, al tiempo, los mínimos necesarios para dotar de seguridad jurídica a la institución: los principios informadores de la mediación[51]; el estatuto del mediador[52] y los elementos básicos del pro-

---

[50]   Se ordenan las instituciones de mediación en su art. 5. Comenta críticamente su regulación, VÁZQUEZ DE CASTRO, E.: "Artículo 5: las Instituciones de mediación", en GARCÍA VILLALUENGA, L., ROGEL VIDE, C. (dirs.) y FERNÁNDEZ CANALES, C. (coord.), *Mediación en asuntos civiles y mercantiles: comentarios a la Ley 5/2012*, Reus, Madrid 2012, pp. 73-99.

[51]   La voluntariedad y libre disposición (art. 6 LMACM); la igualdad de las partes y la imparcialidad del órgano mediador (art. 7 LMACM); la neutralidad del mediador (que le impide presentar propuestas de solución) (art. 8 LMACM); la confidencialidad de la mediación, para el órgano mediador y las partes (art. 9 LMACM); y el poder de organización del mecanismo que detentan las partes y su obligación de actuar con lealtad, buena fe y respeto mutuo y colaborando con el órgano mediador, manteniendo deferencia hacia su actividad (art. 10 LMACM). Ahonda en estos elementos, CARRETERO MORALES, E.: *La mediación civil y mercantil en el sistema de justicia*, Dykinson, Madrid, 2016.

[52]   Pueden ser mediadores las personas físicas que se hallen en pleno ejercicio de sus derechos civiles, salvo que la regulación de su profesión se lo impida; se les requiere título oficial universitario o de formación profesional superior y formación específica en mediación y deben

cedimiento de mediación[53]. Se ordena, asimismo, la posibilidad de elevar a escritura pública el acuerdo obtenido, convirtiéndolo en título ejecutivo (arts. 25 y 27 LMACM). Muestra de que la mediación es un instrumento del Derecho jurisdiccional diversificado, es decir, un mecanismo para hacer justicia, la LAMCM la prevé la relación entre la mediación y la jurisdicción, correspondiendo al Poder Judicial dotar de garantías a aquélla. Al efecto, regula los efectos de la mediación sobre los plazos de prescripción y caducidad (art. 4 LAMCM); la preferencia del pacto por escrito para acudir a la mediación sobre la jurisdicción (art. 6.2 LMACM); la protección de la confidencialidad de la mediación en un proceso judicial (art. 9.2 LMACM); la imposibilidad de acudir a un proceso judicial mientras dure el procedimiento de mediación, salvo en solicitud de medidas cautelares o urgentes, impidiendo el compromiso de sometimiento a mediación y el inicio de ésta a los tribunales conocer de su objeto, pudiendo el demandado en pleito interponer la consiguiente declinatoria (art. 10.2 LMACM); la facultad de recurrir el acuerdo de mediación ante los tribunales de justicia mediante la acción de nulidad por las causas que invalidan los contratos (art. 23.4 LMACM); la oportunidad de solicitar la homologación de un acuerdo ante los tribunales, cuando éste se ha alcanzado, en mediación, después de iniciado un proceso judicial (arts. 25.4 y 26 LMACM) y la facultad de acudir, bien en este último caso, como cuando el acuerdo se ha elevado a escritura pública ante notario, al juzgado correspondiente a fin de ejecutarlo (art. 26 LMACM).

No advertimos ningún problema para aplicar esta regulación genérica de la mediación civil y mercantil cuando exista un elemento de interculturalidad, pues

---

tener un seguro o garantía que les cubra la responsabilidad civil derivada de su actuación. También lo pueden ser las personas jurídicas, si bien (lógicamente) mediante las personas físicas que cumplan los requisitos mentados (art. 11 LMACM). El órgano de mediación puede ser unipersonal o pluripersonal (art. 18 LMACM). Se ordenan, asimismo, unos mínimos de su actuación (debe facilitar la comunicación entre las partes y velar porque éstas cuenten con la información y asesoramiento suficientes; debe desarrollar una conducta activa para lograr acercar a las partes, pero respetando la neutralidad, y puede renunciar a la mediación y no debe aceptarla o debe abandonarla cuando concurran circunstancias que afecten a su imparcialidad) y su responsabilidad por daños y perjuicios que ocasione en su actividad (art. 14 LMACM). Por último, se regula el pago de los costes del mecanismo (salvo que pacten otra cosa, a mitades) y la posibilidad de los mediadores o de las instituciones de mediación de solicitar provisión de fondos (art. 15 LMACM).

53   Se regulan, concretamente, la forma de iniciarse la mediación (de común acuerdo o a solicitud de una de las partes) (art. 16 LMACM); la posterior sesión informativa (art. 17 LMACM); otra constitutiva, en la que se da inicio a la mediación (art. 19 LMACM); la duración del procedimiento ("lo más breve posible y sus actuaciones se concentrarán en el mínimo número de sesiones") (art. 20 LMACM); la terminación (con acuerdo o sin él) (art. 22 LMACM) y el acuerdo final (art. 23 LMACM). Se prevé, igualmente, la posibilidad de que las partes acuerden que todo el procedimiento o parte del mismo se realice por medios electrónicos (art. 24 LMACM).

su flexibilidad es adecuada, también, para las necesidades de este supuesto. Entendemos que el fundamento de este mecanismo (la libertad en la elección y en su configuración e implementación) avala el diálogo y la comunicación, tan necesarios cuando el conflicto jurídico civil concreto se da en un contexto de interculturalidad. Es clave, al respecto, el órgano mediador, que debe estar compuesto por una persona o más que concite/n la confianza de ambas partes en conflicto, para lo que -a priori, según pacten aquéllas- deberá conocer el idioma y las culturas de ambos y alimentar la comunicación para intentar que, mediante cesiones recíprocas, lleguen a un acuerdo. La asistencia de las tres tutelas judiciales (declarativa, ejecutiva y cautelar), en auxilio y control de la mediación, conforme a la ordenación de la LMACM, dotan de seguridad jurídica a este mecanismo.

Junto a esta mediación civil y mercantil general, en el ámbito del Derecho privado se ordenan, en nuestro ordenamiento jurídico, otras específicas. Así, haciendo a un lado las del ámbito mercantil -porque en este estudio partimos de un conflicto pluridimensional en el contexto de una relación laboral por cuenta ajena extrema- podemos citar, la mediación familiar, la mediación de consumo o la mediación hipotecaria. Todas ellas pueden ser, igualmente, instrumento para la resolución de los conflictos que surjan en el ámbito concreto, existiendo un elemento de interculturalidad. Así, por ejemplo, para los problemas familiares, en general, o relativos al matrimonio entre un/a español/a y otra persona de otra cultura, en particular; o cuando el inmigrante tiene algún problema por el consumo de un bien o servicio, en general, o, en el pago de su hipoteca, en particular. En todos ellos, entendemos que la adaptabilidad del mecanismo extrajurisdiccional a las circunstancias del inmigrante y su metodología (la libertad, el consenso y el diálogo) pueden contribuir a la mejor protección de sus intereses. En todos ellos, además, contamos con un mínimo soporte normativo y el soporte de auxilio y control de los Tribunales de justicia.

3.3. Mediación penal intercultural

Es posible que el inmigrante perteneciente a una cultura diferente a la española se vea envuelto en un delito, bien como autor, bien como víctima. Ante la aplicación monopolística del *ius puniendi*, por parte de los jueces y juezas, y sus inconvenientes, aparece la posibilidad de la mediación penal. Trayendo el concepto general de la mediación, al ámbito penal, con una configuración propia, definimos ésta como el mecanismo en el que las partes del conflicto penal (el delito), infractor y víctima, protagonizan la resolución de aquél con la ayuda de un tercero imparcial, antes, durante o después del proceso penal; apoyándose, al efecto, en el diálogo y entendimiento recíproco, dando voz a la víctima y responsabilizando al delincuente, al tiempo que se ofrece a este último la oportunidad de reparar el daño causado a aquélla, contribuyendo así a la mejora del sistema jurisdiccional o entramado judicial penal.[54]

Entendemos que este mecanismo es especialmente adecuado cuando un inmigrante de otra cultura se ve envuelto en el delito, bien como autor, bien como víctima, en cuanto es expresión o especie de la justicia restaurativa o restauradora, que es un paradigma de justicia consensual y negociadora, que huye de la idea de justicia meramente retributiva.[55] Luego, este paradigma sirve para crear puentes entre culturas, huyendo de la estigmatización de determinados colectivos o personas de orígenes concretos.

Del mismo modo, estrechamente vinculado, y ahondando en su metodología, la mediación penal, en cuanto especie de su género, se basa en la libertad de las partes y en el diálogo y entendimiento recíproco como método para componer pacíficamente su controversia. Estamos convencidos de que, en un caso de interculturalidad, cuando el inmigrante es el victimario, este método puede ayudarle a comprender mejor la ilicitud de su hecho típico desviado, el daño producido o sufrido y sus consecuencias jurídicas y sociales en un país distinto al suyo de origen. Cuando el inmigrante de otra cultura diferente a la española es la víctima, por otra parte, la mediación le puede ayudar a entender mejor lo que le ha pasado y a sentirse protegido y amparado en un Estado y por un ordenamiento jurídico que no es el suyo propio. En ambos casos, la mediación penal es un instrumento de integración, haciendo de verdadero puente entre la cultura y justicia española y la cultura de origen del inmigrante. Es así, porque, si en el proceso (jurisdiccional) penal las partes son despojadas de su conflicto, quedando la gestión y arreglo de éste en manos exclusivas de los jueces y juezas -situación en la que el inmigrante sea victimario o víctima se puede sentir imbuido por la justicia y cultura española- la mediación penal convierte a la víctima y al victimario, en protagonistas de su solución[56]. Es una técnica que da voz a la víctima, sacándola del letargo al que le ha sometido el

---

[54]   Presentamos esta definición, ORDEÑANA GEZURAGA, I.: *El estatuto jurídico de la víctima en el Derecho Jurisdiccional penal español*, Instituto Vasco de Administración Pública, Oñati, 2014, p. 208.

[55]   Explicamos los elementos principales de esta justicia restaurativa y la concepción del conflicto penal y del delincuente y víctima que conlleva, ahondando en el cambio de paradigma de la justicia retributiva (*retributive justice*) a la justicia restaurativa (*restaurative justice*), ORDEÑANA GEZURAGA, I.: "Mediación penal: la alternativa jurisdiccional que funciona", en AA.VV., *Innovación para el progreso social sostenible. XVII Congreso de Estudios Vasco*, Eusko Ikaskuntza-Instituto de Estudios Vascos, Vitoria, 2012, pp. 1937-1956.

[56]   Ello permite que, a diferencia de lo que acontece en el proceso penal, los protagonistas del conflicto saquen y muestren sus sentimientos y emociones. Ellas deciden, en primer lugar, hacerse con los mandos de la resolución de su disputa, optando por el restablecimiento del diálogo roto por el delito, apostando por la comunicación y la interacción recíproca. En sus manos queda, en gran medida, a posteriori, también, la decisión de la forma de la tramitación (lugar, tiempo…) y, por último, su resultado.

modelo de justicia meramente retributivo, y que, al mismo tiempo, responsabiliza al delincuente, ofreciéndole la oportunidad de reparar el daño causado a la primera. Esencial resulta, asimismo, la intervención del (órgano) mediador, que actuando *intra partes*, de forma imparcial y confidencial, da nombre al mecanismo, ayudando a aquéllas a obtener un acuerdo. También en el caso de los delitos y su tratamiento es esencial que ambas partes acuerden la persona o personas que integran el *third neutral,* pudiendo resultar fundamental, si así lo consideran, elegir a una/s persona/s que conozca ambas culturas e idiomas.

Una vez más, y a favor de la mediación penal, debemos hablar de las garantías con las que dota la jurisdicción a aquélla. Es más, aunque la mediación es una técnica extrajurisdiccional, por su actuación en el ámbito de aplicación del *ius puniendi* del Estado, no se puede entender, de ninguna manera, fuera del marco de la jurisdicción y su función. Debemos traer a colación, en este sentido, el concepto de Derecho jurisdiccional diversificado, expuesto. Y, conforme a él, la mediación penal no puede pretender ni debe sustituir al proceso penal jurisdiccional; justo al contrario, se erige en un instrumento para mejorar aquél, en el marco del Derecho jurisdiccional diversificado. Se puede acudir a aquélla antes, durante o después del proceso penal, sin merma alguna del *ius puniendi* del Estado, ni de los derechos de los ciudadanos y ciudadanas, correspondiendo a los jueces y juezas, previo acuerdo con el Ministerio Fiscal, derivar un caso a mediación, y recoger (o traducir) su resultado en el proceso penal, como sobreseimiento, conformidad o beneficio en la pena o en su ejecución. En este sentido, hablamos de la oficialidad de la mediación penal, que justifica el carácter de servicio público gratuito de la mediación penal en el marco del Derecho jurisdiccional diversificado.

Sin perjuicio de las bondades que advertimos en la mediación penal, especialmente, en casos de interculturalidad, somos muy críticos con el marco jurídico en el que se está desarrollando en España, pues más de 20 años después de las primeras experiencias piloto en la materia, a día de hoy, este mecanismo extrajurisdiccional se está implementando apoyada en protocolos, y en disposiciones legislativas aisladas y no coordinadas[57].

---

[57]   Profundizamos en la crítica, tras el pertinente análisis *lege data* de la institución, al tiempo que requerimos su ordenación sistemática y completa *lege ferenda*, ORDEÑANA GEZURAGA, I.: "¿Hasta cuándo vamos a seguir así señor/a legislador/a? o sobre por qué ya no se puede defender la mediación penal en el marco jurídico vigente", en CASTILLEJO MANZANARES, R. (dir.) y ALONSO SALGADO, C. (coord.), *El nuevo proceso penal sin Código Procesal Penal*, Atelier, Barcelona, 2019, pp. 499-510.

3.4.　Mediación administrativa intercultural

Nos encontramos en el ámbito de la mediación en la que más tradición tiene la mediación intercultural entendida en sentido clásico, pues, como hemos explicado, aquélla se ha utilizado para solventar conflictos colectivos en el ámbito público, buscando especialmente la integración de los inmigrantes y la creación de puentes entre culturas, generalmente, de las manos de alguna Administración pública, local o autonómica. Tampoco podemos desdeñar la labor de las ONGs, en este sentido. Nos remitimos, al respecto, al epígrafe correspondiente. Nos centramos, no obstante, en las siguientes líneas, en la lectura jurisdiccional de esta modalidad de la mediación intercultural.

Con un enfoque jurisdiccional, no obstante, antes de entrar en la aplicación de este instrumento extrajudicial de resolución a los conflictos administrativos, debemos fijarnos en estos últimos y sus particularidades. Entendemos el conflicto administrativo como aquél (choque o enfrentamiento de intereses) que surge entre dos o más Administraciones públicas o entre una de ellas y un ciudadano o grupo de éstos, resultando, en todo caso, aplicable el Derecho administrativo. Obviando el primer supuesto, por escaparse de nuestro estudio -analizamos el conflicto pluridimensional en un contexto de trabajo extremo con un elemento de interculturalidad-, en el segundo, debemos señalar que, desde hace más de dos décadas, el Consejo de Europa anima a los Estados miembros a utilizar la mediación administrativa en los conflictos entre sus Administraciones y administrados[58]. A su favor, debemos alegar, igualmente, la exigencia de eficacia de la Administración que recoge la CE (art. 103.1) y la participación de la ciudadanía en la actuación de la Administración (art. 105). En contra, no obstante, cabe apuntar el sometimiento de la actuación de la Administración al principio de legalidad (art. 103.1 CE), la desigualdad de las partes (Administración y ciudadano particular) y el interés público que representa y protege la Administración (art. 103.1 CE), cuya suma hace que, a priori, los conflictos administrativos puedan parecer indisponibles y, por tanto, vetados de la mediación administrativa. No obstante, el Consejo de Estado vino a aclarar la situación, permitiendo la transacción administrativa cuando exista una relación jurídica incierta, dudosa o controvertida o, al menos, tenida por tal, y se actúe con la intención de sustituir aquélla por otra cierta y

---

[58]　Fundamental, al respecto, la Recomendación (2001) 9, del Comité de Ministros del Consejo de Europa para promover la utilización de medios alternativos de resolución de conflictos entre Administración y ciudadanos. Este instrumento exige que, en todo caso, esta mediación respete la igualdad, la imparcialidad y los derechos de las partes. Se fija en la normativa del Consejo de Europa que anima la mediación administrativa, BELANDO GARÍN, B.: "La mediación administrativa: una realidad jurídica", en LÓPEZ RAMON, F. (coord.), *Las prestaciones patrimoniales públicas no tributarias y la resolución extrajudicial de conflictos*, Instituto Nacional de Administración Pública, Madrid, 2015, pp. 265-273.

determinada, estableciendo para el futuro una situación segura, pudiendo, al efecto, las partes hacerse concesiones recíprocas[59]. Así, sin duda, se impulsa la comunicación entre la Administración y los administrados, alimentando el entendimiento mutuo, y haciendo sentir al ciudadano que la Administración está a su servicio, fomentando al tiempo el principio de buena Administración, reconocido como derecho fundamental en la Carta de Derechos Fundamentales de la Unión Europea (art. 41). Es más, incluso, la regulación vigente fomenta la mediación administrativa, bien como forma de finalización del procedimiento administrativo (art. 86 Ley 39/2015, de 1 de octubre, del Procedimiento Administrativo Común de las Administraciones Públicas)[60], bien como forma de terminar el proceso jurisdiccional administrativo (art. 77 Ley 29/1998, de 13 de julio reguladora de la Jurisdicción Contencioso-administrativa)[61]. En cualquier caso, fijándonos en la relación entre la jurisdicción y la mediación, en el marco del Derecho jurisdiccional diversificado, la modalidad administrativa de la última no puede, bajo ningún concepto, sustituir el control jurisdiccional de la actividad administrativa que requiere la CE (art. 106), sino que el mecanismo extrajurisdiccional viene a complementar y mejorar la actividad judicial, al tiempo que es un cauce para ofrecer mejor servicio a la ciudadanía. Además, como en las modalidades anteriores de mediación, la actuación de la Administración y del ciudadano en la mediación administrativa cuenta con el control y auxilio del Poder Judicial[62].

Este marco jurídico ha dado lugar a la existencia de una mediación administrativa genérica, regulada y practicada conforme a la normativa común administrativa[63] y otras específicas en torno a servicios concretos, siendo las más

---

[59]   Matiza el Consejo de Estado que, mientras los dos primeros requisitos son expresiones subjetivas de una situación, la ponderación del tercero de los requisitos debe ser más objetiva. Fue esta doctrina sentada en los dictámenes 41.876 de 22 de marzo de 1979, 51.528 de 3 de noviembre de 1988 y 929 de 10 de julio de 1997. Los recoge, PEREZ-TENESSA, A.: *Compendio de la doctrina del Consejo de Estado (En el XXV aniversario de la Constitución)*, Consejo de Estado, Madrid, 2003, pp. 328 y 329.

[60]   Incluso, se permite la sustitución del recurso de alzada por una mediación administrativa (art. 112.2 Ley 39/2015, de 1 de octubre, del Procedimiento Administrativo Común de las Administraciones Públicas). Al respecto, muy interesante, con análisis crítico de la situación actual y propuestas de mejora, IGLESIAS SEVILLANO, H.: "Propuestas para una mediación administrativa: los recursos administrativos como campo óptimo de implantación", *Administración de Andalucía: revista andaluza de administración pública*, núm. 98, 2017.

[61]   Incide en el lugar de la mediación administrativo en el marco del proceso jurisdiccional administrativo, GARCÍA DE LA ROSA, C.: "La mediación en la jurisdicción contencioso-administrativa: dificultades para su implantación eficaz", *Revista General de Derecho Procesal*, núm. 46, 2018.

[62]   Lo avala, CHAMORRO OTER, M.: "La mediación intrajudicial en el proceso contencioso-administrativo", *Revista jurídica de la Comunidad de Madrid*, 2019.

[63]   Recuérdese que la LMACM deja expresamente extramuros de su ordenación la mediación administrativa (art. 2.2). Esta mediación a la que llamamos genérica es la que abarca a temas generales de la Administración o la que se da en cuestiones sub iudice. Se refiere a

señeras la mediación sanitaria y la mediación escolar. En cualquier caso, en todas ellas se repiten las características básicas de la mediación, en cuanto especie: voluntariedad en el inicio y en la configuración; posibilidad de elección del órgano mediador, pudiendo dar cabida a personas que conozcan las culturas y los idiomas implicados, y acuerdo, en su caso, con fuerza de transacción. Estas mediaciones, en muchas ocasiones, se ofrecen como servicios de la propia Administración, sufragando ésta sus gastos y, frecuentemente, los integrantes del órgano mediador suelen ser funcionarios o personal laboral al servicio de aquélla. Conviene, al tiempo, destacar que, al quedar, en general, esta mediación fuera de la regulación de la LMACM, no se reconoce carácter ejecutivo a estos acuerdos, por lo que, en caso de incumplimiento, se deberá acudir a sede judicial para que así lo decrete un juez, convirtiéndose, en su caso, esta sentencia en título ejecutivo[64]. Sin perjuicio de este funcionamiento general, se pueden dar particularidades conforme al ámbito del Derecho administrativo afectado (por ejemplo, el escolar o el sanitario). En cualquier caso, todas las ventajas de la mediación en cuanto mecanismo de resolución se transfieren al ámbito concreto administrativo y a la relación Administración-administrado[65]. También, cuando el administrado es un inmigrante de otra cultura.

En el ámbito sanitario, sin perjuicio de que la mediación se puede utilizar para solventar distintos tipos de conflictos,[66] es un mecanismo adecuado para solventar las controversias entre pacientes de otras culturas y el servicio médico en general, o algún elemento personal del mismo. Igualmente, la mediación escolar resuelve, entre otros conflictos que pueden tener lugar en la escuela o

---

ellas, ROJAS POZO, C.: "La mediación administrativa", *Icade: Revista de la Facultad de Derecho*, núm. 98, 2016.

[64]　Sobre este elemento y, en general, sobre los acuerdos obtenidos en la mediación administrativa, RODRÍGUEZ LOZANO, L. G.: "El acuerdo de mediación administrativa", en SÁNCHEZ GARCÍA, A. y LÓPEZ PELÁEZ, P. (coords.), *Tipología contractual de los mecanismos alternativos de solución de conflictos*, Aranzadi Thomson Reuters, Madrid, 2016, pp. 327-351.

[65]　En nuestro apoyo, con detalle, SÁNCHEZ GARCÍA, A.: "La oportunidad de la mediación administrativa como respuesta a las necesidades del sistema de resolución de conflictos entre administración y administrado", en CABRERA MERCADO, R. (dir.) y QUESADA LÓPEZ, P. M. (coord.), *La mediación como método para la resolución de conflictos*, Dykinson, Madrid 2017, pp. 363-383

[66]　Así entre pacientes y médicos; entre médicos; entre éstos y otro personal; entre otro personal; entre los pacientes y su familia;… Ahonda en los mismos y en el contexto jurídico-social en el que se está dando la medición, en nuestro país, MUNUERA GÓMEZ, P.: *Mediación sanitaria*, Tirant lo Blanch, Valencia, 2016. Igualmente, PARRA SEPÚLVEDA, D. A.; OLIVARES VANETTI, A. y RIESCO MENDOZA, C.: "La mediación en el ámbito de la salud y su rol en la relación sanitaria", *Revista de Derecho*, núm. 243, 2018. Ahonda en su ordenación, ALVENTOSA DEL RÍO, J.: "La mediación sanitaria en la legislación de las comunidades autónomas", *Actualidad jurídica iberoamericana*, núm. 5, 2016.

en su entorno, el de las familias con los centros escolares, o alguno de sus colectivos (profesores, otros trabajadores…)[67]

Sin entrar en un estudio particular de ambas submodalidades de la mediación administrativa, únicamente queremos destacar que afectan a ámbitos en los que se suelen dar verdaderos choques culturales y que son servicios esenciales para los inmigrantes, por lo que la mediación administrativa se convierte en una solución que, además de todas sus ventajas (entendimiento mutuo, obtenido mediante el diálogo; acuerdos fruto del consenso; aprendizaje para el futuro,…), se convierte en verdadero instrumento de integración.

3.5.   Mediación laboral intercultural

Nos referimos, por último, a la aplicación de la mediación a los conflictos surgidos en el ámbito del Derecho del trabajo, recordando que el conflicto pluridimensional de partida de esta investigación surge de una relación laboral. En relación a su carácter extremo, incluso delictivo, nos remitimos a lo expuesta anteriormente. Nos centramos, a continuación, en la resolución del conflicto laboral ordinario mediante la mediación.

Configuramos el conflicto laboral como la concreta situación de disidencia sobrevenida, determinada y exteriorizada, que se produce entre un trabajador y un empresario, o un grupo de éstos y aquéllos, basada en un elemento del vínculo jurídico-laboral existente entre éstos[68]. Es importante distinguir el conflicto laboral de otras categorías superiores relacionadas (conflicto de clases,

---

[67]   Ahondamos en esta modalidad, incidiendo en sus distintos elementos (conflictos, órganos, tramitaciones…), analizando su marco jurídico actual, y proponiendo mejoras, ORDEÑANA GEZURAGA, I.: "Las semillas del presente para el fruto del mañana o una propuesta (*lege ferenda*) para ampliar la mediación escolar actual (*lege data*) encaminada a mejorar la solución del conflicto jurídico en el marco del Derecho Jurisdiccional Diversificado", *Justicia: revista de derecho procesal*, núm. 2, 2019. También, del mismo autor, ORDEÑANA GEZURAGA, I.: "Educación para los derechos humanos y la convivencia: la mediación escolar en cuanto instrumento apto para el aprendizaje individual y social", en LANDA GOROSTIZA, J. M. (dir.) y GARRO CARRERA, E. (coord.), *Retos emergentes de los derechos humanos: ¿garantías en peligro?*, Tirant lo Blanch, Valencia 2019, pp. 819-841. Por último, y con más profusión, URIARTE RICOTE, M. y ORDEÑANA GEZURAGA, I.: *La mediación escolar en el sistema educativo vasco no universitario: del respaldo institucional al impulso normativo*, Instituto Vasco de Administración Pública, Oñati, 2020.

[68]   Presentamos y argumentamos esta configuración, ORDEÑANA GEZURAGA, I.: *La conciliación y la mediación en cuanto instrumentos extrajurisdiccionales para solventar el conflicto laboral*, op. cit., pp. 32 y ss. Resumidamente, podemos apuntar que entendemos el conflicto laboral como una situación o vicisitud, en el contexto del vínculo jurídico-laboral entre un empresario y un trabajador, y que es una concreción del conflicto latente entre aquéllos, que requiere externalización, de forma que ambas partes conozcan de su existencia, diferenciándose, así, del mero malestar laboral.

conflicto social, conflicto sociolaboral o conflicto industrial) y especialmente de las medidas de presión o de conflicto colectivo (típicamente, la huelga).[69]

El conflicto laboral, atendiendo al número de personas o intereses afectados, puede ser individual o colectivo, y mirando a la pretensión u objetivo que persigue, jurídico (cuando requiere la interpretación de la norma)[70] o económico (cuando pretende modificar la norma para mejorar las condiciones laborales)[71].

Si bien otros mecanismos extrajurisdiccionales -especialmente, la conciliación y el arbitraje- cuentan con mucha tradición en el ámbito laboral del ordenamiento jurídico español, la mediación es la más lozana: aparece, por primera vez, como función de la Inspección de Trabajo en la ley 39/1962 de 21 de julio (art. 3. IV d)) y en el marco del Instituto de Mediación, Arbitraje y Conciliación (en adelante, IMAC), atribuyendo el Real Decreto Ley 5/1979 de 23 de noviembre, por el que se regula aquél al mismo la labor de designación de un mediador imparcial en cualquier momento de una negociación o una controversia colectiva a solicitud de empresarios y trabajadores (art. 6)[72]. No obstante, en los últimos años la mediación laboral se está reforzando, superando en cuanto método autocompositivo, a la conciliación, seguramente, por su preferencia por parte de sindicatos y asociaciones empresariales, que han optado por incluirla en los convenios colectivos de máximo nivel (acuerdos interprofesionales). También supera al arbitraje laboral, por considerarse éste, en cuanto mecanismo heterocompositivo, más agresivo o coactivo que la mediación. No en vano, el árbitro impone el laudo.

Sin duda, el ámbito laboral es en el que más normalizada esta la mediación en nuestro país, descargando de trabajo a los tribunales, al tiempo que se democratizan las relaciones laborales y se gestionan adecuadamente los

---

[69]　Estas últimas son, en palabras de OJEDA AVILÉS, A.: *Derecho sindical*, 6 ed., Tecnos, Madrid, 1992, p. 402, "las presiones dirigidas a acelerar la solución del conflicto en las direcciones que se juzga propicia para los actuantes", sin que podamos identificar ambas categorías por ser posible la existencia del conflicto laboral sin éstas. Lo contrario (medida de presión sin conflicto) sería desnaturalizar este elemento. Vinculamos y diferenciamos todos estos conceptos con el conflicto laboral, ORDEÑANA GEZURAGA, I.: *La conciliación y la mediación en cuanto instrumentos extrajurisdiccionales para solventar el conflicto laboral*, *op. cit.*, pp. 43 y ss.

[70]　Por eso, también llamado conflicto de aplicación e interpretación.

[71]　Por ello, también denominado de intereses o reglamentación.

[72]　Se refiere a la historia de la mediación laboral en España, LOSA MONTAÑEZ, J.: "El papel de la mediación en España", *Revista de Psicología del Trabajo y de las organizaciones*, vol. 12, núm. 2-3, 1996. Mayor tradición tienen la conciliación y el arbitraje, presentes, sin perjuicio de otros antecedentes, en la Ley de Consejo de Conciliación y Arbitraje Industrial de 19 de mayo de 1908. *Vid.* para más detalles, ORDEÑANA GEZURAGA, I.: *La conciliación y la mediación en cuanto instrumentos extrajurisdiccionales para solventar el conflicto laboral*, *op. cit.*, pp. 126 y ss.

conflictos[73]. Esta realidad responde a diversas razones, entre las que cabe apuntar, la necesidad recíproca y el mutuo entendimiento que exige la relación laboral[74]; el reconocimiento de la autonomía colectiva como fuente del Derecho de Trabajo (art. 3.1 b) Real Decreto Legislativo 2/2015, de 23 de octubre, por el que se aprueba el texto refundido de la Ley del Estatuto de los Trabajadores -en adelante, ET-)[75]; la previsión de la mediación en distintos y abundantes soportes (el propio contrato de trabajo[76], los convenios colectivos de distinto nivel y especialmente los de más alto nivel -llamados

---

[73]   Ahonda en estas ventajas de la mediación laboral, MARÍN ALONSO, I.: "El sistema de resolución colaborativo de los conflictos individuales y colectivos de trabajo en España", *Anuario de mediación y solución de conflictos*, núm. 5, 2017. También, MARTÍN MUÑOZ, M. R.: "La autocomposición de los conflictos laborales. Valoración teórico-práctica de la mediación y el arbitraje en el ámbito de aplicación del ASAC y del acuerdo SERCLA", *Nueva revista española de derecho del trabajo*, núm. 231, 2020.

[74]   Luego el espíritu de colaboración de la relación jurídico-material es llevada a la resolución de los conflictos que surgen en su desarrollo.

[75]   La autonomía colectiva se integra por la capacidad de representación, de autoorganización, autorregulación y autotutela, conllevando las dos últimas la facultad de crear mecanismos extrajurisdiccionales para la resolución de conflictos. Remarca que esta fuente se ha centrado en la resolución de los conflictos colectivos, haciendo a un lado la de los conflictos individuales, requiriendo su atención, también, para estos, NAVARRO NIETO, F.: "El tratamiento de los conflictos individuales en los procedimientos extrajudiciales de solución de conflictos", *Temas laborales: Revista andaluza de trabajo y bienestar social*, núm. 154, 2020. En el mismo sentido, explicando el cambio normativo, FERNÁNDEZ-COSTALES MUÑIZ, J.: "Novedades del III Acuerdo Interprofesional sobre Procedimientos de Solución Autónoma de Conflictos Laborales de Castilla y León: la inclusión de la resolución de conflictos individuales de trabajo", *Revista jurídica de Castilla y León*, núm. 50, 2020. Antes, en el mismo sentido, MARÍN ALONSO, I.: "La mediación previa e intraprocesal en los conflictos individuales de trabajo en España: el papel de la ley y la negociación colectiva", *Revista General de Derecho del Trabajo y de la Seguridad Social*, núm. 51, 2018.

[76]   Es posible, aunque no frecuente, que el contrato de trabajo, fuente de Derecho del Trabajo que recoge la voluntad de las partes contratantes (art. 3.1 c) ET), configure una mediación, como parte de su clausulado. Lo ha de hacer, en todo caso, con respeto a las fuentes del Derecho de trabajo (la ley y la negociación colectiva). En este sentido, defiende la importancia de la mediación laboral para solucionar conflictos individuales de trabajo, MIRANDA PLATA, P.: "Impulsar la mediación como mecanismo extrajudicial para resolver las controversias sobre teletrabajo: ¿una oportunidad perdida durante la pandemia de la Covid-19 y para el futuro?", *Trabajo, Persona, Derecho, Mercado: Revista de Estudios sobre Ciencias del Trabajo y Protección Social*, núm. 3, 2021. En el mismo sentido, ARASTEY SAHÚN, M. L.: "Mediación: un cambio de paradigma necesario para a mellora da relación laboral dende a óptica individual", *Revista Galega de Dereito Social*, núm. 11, 2020.

acuerdos interprofesionales[77]- y la ley[78]); y su obligatoriedad (junto a la conciliación, de forma alternativa) general para acceder a la jurisdicción (arts. 63 y 153 Ley 36/2011, de 10 de octubre, reguladora de la jurisdicción social) (en adelante, LJS).

Por lo demás, en cuanto modalidad de la mediación, su aplicación al Derecho laboral respeta los requisitos o elementos básicos de aquélla: en cuanto actividad y, en su caso, resultado, se ubica en un ámbito estrictamente privado, regido por la autonomía de la voluntad, por lo que si llega a buen puerto, estamos ante un acto de transacción, contrato en el que rige el principio dispositivo, por lo que sólo puede tener por objeto bienes e intereses disponibles (arts. 6.2 y 1814 Código Civil)[79] Ello, independientemente de que en un engranaje

---

[77]   El convenio colectivo, fruto de la negociación de empresarios y trabajadores y fuente del Derecho laboral, es, en la actualidad, el instrumento más apto para la creación de mecanismos extrajurisdiccionales, en general, y de la mediación, en particular, en cuanto son los propios protagonistas de la relación laboral los que acuerdan cómo solventar sus diferencias. Todo tipo de convenio colectivo (empresarial y supraempresarial, estatutario y extraestatutario), incluso sus comisiones paritarias, pueden ser instrumento configurador de una mediación. No obstante, los convenios marco, tanto los convenios para convenir (art. 83.2 ET), como lo convenios sobre materias concretas (art. 83.3 ET), son los más utilizados, al efecto. Incide en ello, DÍAZ AZNARTE, M. T.: "La mediación y el arbitraje como vías de gestión de la conflictividad laboral", *Temas laborales: Revista andaluza de trabajo y bienestar social*, núm. 140, 2017. Con una valoración crítica, MOLINA NAVARRETE, C.: "Procedimientos autonómicos de solución extrajudicial de conflictos laborales: balance de convergencias y divergencias 30 años después", *Temas laborales: Revista andaluza de trabajo y bienestar social*, núm. 154, 2020.

[78]   Atendiendo a esta fuente, tenemos que distinguir, en primer lugar, la mediación administrativa propiamente dicha, que es la prevista en la ordenación del desaparecido IMAC y que en la actualidad gira en torno a sus órganos sucesores. Tanto la norma que creó aquél (Real Decreto Ley 5/1979), como la que lo desarrolló (Real Decreto 2756/1979), permiten que trabajadores y empresarios acudan al IMAC en solicitud de la designación de un mediador; que tal solicitud provenga de la Administración laboral (autoridad laboral), siempre previa audiencia de los interesados y cuando las circunstancias lo demanden o que sea el propio IMAC el que ofrezca la mediación a las partes contendientes. Por otro lado, tenemos que referirnos a la mediación realizada por el Inspector de Trabajo. Efectivamente, además de todas sus funciones para la protección y guarda de la normativa laboral, la Ley 23/2015, de 21 de julio, Ordenadora del Sistema de Inspección de Trabajo y Seguridad Social atribuye a este cuerpo nacional labores de mediación (art. 1.2). Lo reitera el Real Decreto 138/2000, de 4 de febrero, por el que se aprueba el Reglamento de Organización y Funcionamiento de la Inspección de Trabajo y Seguridad Social (art. 15.3). Por último, tenemos que referirnos a la medición en el marco de las deliberaciones en la tramitación de un convenio colectivo. Concretamente, el art. 89.4 ET, al regular la tramitación (procedimiento de negociación)- de los convenios colectivos, dispone que en cualquier momento de las deliberaciones de un convenio colectivo las partes podrán acordar la intervención de un mediador designado por ellas.

[79]   Incide en ello, MARTÍNEZ DE MURGUÍA, B.: *Mediación y resolución de conflictos. Una guía introductoria, op. cit.*, p. 96. Al respecto, es importante la transacción –género al que pertenece, en su resultado, la mediación- de la simple renuncia de derechos, vedada al trabajador por el art. 3.5 ET. Mientras la última supone el abandono unilateral de derechos

-como veremos- adecuado con la vía jurisdiccional, resultando yerma, se puede tener por cumplido el presupuesto público procesal de mediación previa a aquélla (arts. 63 y 153 LJS).

En el mismo sentido, la libertad y el pacto de las partes rige la configuración del mecanismo, pudiendo optar entre una mediación *ad hoc*, creada por las partes para el caso concreto, o una mediación institucional, prevista -como hemos visto- en la ley o en convenios colectivos, en sus elementos básicos. En cualquier caso, en el ámbito laboral, la mediación se caracteriza por su flexibilidad y adaptabilidad al supuesto o conflicto concreto, sin perjuicio de que en este entramado se adviertan muchas y diferentes tramitaciones[80]. En todas ellas, se pueden tener en cuenta el elemento de interculturalidad que caracteriza la relación laboral que inspira este trabajo.

Esta misma posibilidad (configuración *ad hoc* o utilización de una mediación laboral prevista en la ley o en un convenio colectivo) rige para la composición y elección del órgano mediador (*third neutral*), abriéndose un gran abanico de posibilidades (órganos unipersonales, colegiados, de distinta formación -incluso, autoridades laborales o inspectores de trabajo-, listados de mediadores[81],...). En todo caso se les exige imparcialidad y confidencialidad. Cabe destacar que, en el ámbito laboral, se advierte con naturalidad la posibilidad de que, en su caso, el mediador presente una propuesta de solución a las partes -sin que pueda imponerla-, distinguiendo con este elemento este mecanismo de la conciliación. No advertimos, una vez más, problema alguno para que esta mediación se adapte al caso en el que el trabajador es de otra cultura distinta a la española. Incluso, *lege ferenda*, sería importante que los distintos instrumentos jurídicos en los que se recoge aquélla (especialmente, los acuerdos interprofesionales) hagan referencia a la situación, en cuanto elemento democratizador e integrador.

Por último, y a pesar de que la vía jurisdiccional laboral se caracteriza por su sencillez y rapidez, si bien la mediación laboral se configura como mecanismo alternativo a aquélla, su engranaje con el Poder Judicial, en el marco del Derecho jurisdiccional laboral, le dota de garantías y seguridad jurídica. Es fundamental, al respecto, la ordenación del título V, capítulo I (arts. 63-68) de la LJS que prevé el vínculo de la mediación laboral con la jurisdicción (la

---

ciertos sin contrapartida, la transacción incide sobre derechos dudosos al tiempo que resuelve en cesiones bilaterales conducentes a la superación de un conflicto.

[80]   En general, sobre las distintas configuraciones, a partir de soportes distintos, CRUZ VILLALÓN, J.: "Balance general de la mediación y el arbitraje en los conflictos laborales", *Temas laborales: Revista andaluza de trabajo y bienestar social*, núm. 154, 2020.

[81]   Estos aparecen, especialmente, en torno a los acuerdos interprofesionales y los órganos permanentes de resolución de conflictos que crean. Los explicamos con profusión, ORDEÑANA GEZURAGA, I.: *La conciliación y la mediación en cuanto instrumentos extrajurisdiccionales para solventar el conflicto laboral, op. cit.*, pp. 173 y ss.

mediación como requisito previo para acceder a la jurisdicción; la suspensión de los plazos de caducidad e interrupción de los de prescripción que conlleva la solicitud de mediación; la impugnación del acuerdo de mediación y su ejecutividad). Se ordena así, con mayor o menor fortuna, las funciones de auxilio y control del Poder Judicial respecto a la mediación laboral[82].

V. BIBLIOGRAFÍA

ABALLOUCHE, S.: "La medición intercultural", *Anuario de Psicología*, núm. 4, 2002.

ALVENTOSA DEL RÍO, J.: "La mediación sanitaria en la legislación de las comunidades autónomas", *Actualidad jurídica iberoamericana*, núm. 5, 2016.

ARASTEY SAHÚN, M. L.: "Mediación: un cambio de paradigma necesario para a mellora da relación laboral dende a óptica individual", *Revista Galega de Dereito Social*, núm. 11, 2020.

BELANDO GARÍN, B.: "La mediación administrativa: una realidad jurídica", en LÓPEZ RAMON, F. (coord.), *Las prestaciones patrimoniales públicas no tributarias y la resolución extrajudicial de conflictos*, Instituto Nacional de Administración Pública, Madrid, 2015.

BELLOSO MARTÍN, N.: "Inmigrantes y mediación intercultural", *Cuadernos electrónicos de filosofía del derecho*, núm. 7, 2003.

BURGER, W.: *The Pound Conference: Perspectives of Justice in future*, Minnesota, Saint Paul, 1979.

CARRETERO MORALES, E.: *La mediación civil y mercantil en el sistema de justicia*, Dykinson, Madrid, 2016.

CHAMORRO OTER, M.: "La mediación intrajudicial en el proceso contencioso-administrativo", *Revista jurídica de la Comunidad de Madrid*, 2019.

CRUZ VILLALÓN, J.: "Balance general de la mediación y el arbitraje en los conflictos laborales", *Temas laborales: Revista andaluza de trabajo y bienestar social*, núm. 154, 2020.

DAUNIS RODRÍGUEZ, A.: *El delito de trata de seres humanos*, Tirant lo Blanch, Valencia, 2013.

DÍAZ AZNARTE, M. T.: "La mediación y el arbitraje como vías de gestión de la conflictividad laboral", *Temas laborales: Revista andaluza de trabajo y bienestar social*, núm. 140, 2017.

FERNÁNDEZ-COSTALES MUÑIZ, J.: "Novedades del III Acuerdo Interprofesional sobre Procedimientos de Solución Autónoma de Conflictos Laborales de Castilla y León: la inclusión de la resolución de conflictos individuales de trabajo", *Revista jurídica de Castilla y León*, núm. 50, 2020.

GARCÍA CASTAÑO, F. J. y BARRAGÁN RUÍZ-MATAS, C.: "Mediación intercultural en sociedades multiculturales: hacia una nueva conceptualización", *Portularia: Revista de Trabajo Social,* núm. 4, 2004.

---

[82] Ahonda en la cuestión, SÁEZ LARA, C.: "Control judicial de los procedimientos autónomos de solución de conflictos", *Temas laborales: Revista andaluza de trabajo y bienestar social*, núm. 154, 2020.

GARCÍA CASTAÑO, F. J.; GRANADOS MARTÍNEZ, A. y MARTÍNEZ CHICÓN, R.: "Comprender y construir la mediación intercultural", *Portularia: Revista de Trabajo Social*, núm. 1, 2006.

GARCÍA DE LA ROSA, C.: "La mediación en la jurisdicción contencioso-administrativa: dificultades para su implantación eficaz", *Revista General de Derecho Procesal*, núm. 46, 2018.

GIL y GIL, J. L.: "El trabajo decente como objetivo de desarrollo sostenible", *Lex Social: revista de los derechos sociales*, núm. 1, 2020.

GIMÉNEZ ROMERO, C.: "La naturaleza de la mediación intercultural", *Revista Migraciones*, núm. 2, 1997.

GIMÉNEZ ROMERO, C.: "Modelos de mediación y su aplicación en Mediación Intercultural", *Revista Migraciones*, núm. 2, 2001.

GIMÉNEZ ROMERO, C.: *Teoría y práctica de la mediación intercultural. Diversidad, conflicto y comunidad*, Reus, Madrid, 2019.

GUERRERO ROMERA, C.: "El mediador intercultural en el ámbito sociosanitario", *Revista de Educación Social*, núm. 14, 2012.

IGLESIAS SEVILLANO, H.: "Propuestas para una mediación administrativa: los recursos administrativos como campo óptimo de implantación", *Administración de Andalucía: revista andaluza de administración pública*, núm. 98, 2017.

LABACA ZABALA, M. L.; GAMBOA URIBARREN, B.; HERNANDO COLLAZOS, I. y ARIETA-ARAUNABEÑA ALZAGA, J.: "La mediación intercultural", en ORDEÑANA GEZURAGA, I. y URIARTE RICOTE, M. (dir.), *Justicia en tiempos de crisis*, Consejo General del Poder Judicial-Universidad del País Vasco, Madrid 2016.

LASCURAÍN SÁNCHEZ, J. A.: "Delitos contra los derechos de los trabajadores", en AA.VV., *Derecho penal económico y de la empresa*, Dykinson, Madrid, 2018.

LLEVOT CALVET, N. y GARRETA BOCHACA, J.: "La mediación intercultural en las asociaciones de inmigrantes de origen africano", *Revista Internacional de Sociología*, vol. 71, 2013.

LOSA MONTAÑEZ, J.: "El papel de la mediación en España", *Revista de Psicología del Trabajo y de las organizaciones*, vol. 12, núm. 2-3, 1996.

LOUSADA AROCHENA, J. F.: "Normativa internacional contra la explotación humana y laboral en el trabajo doméstico: La ONU y la OIT", *Lan harremanak: Revista de relaciones laborales*, núm. 39, 2018.

MARÍN ALONSO, I.: "El sistema de resolución colaborativo de los conflictos individuales y colectivos de trabajo en España", *Anuario de mediación y solución de conflictos*, núm. 5, 2017.

MARÍN ALONSO, I.: "La mediación previa e intraprocesal en los conflictos individuales de trabajo en España: el papel de la ley y la negociación colectiva", *Revista General de Derecho del Trabajo y de la Seguridad Social*, núm. 51, 2018.

MARTÍN MUÑOZ, M. R.: "La autocomposición de los conflictos laborales. Valoración teórico-práctica de la mediación y el arbitraje en el ámbito de aplicación del ASAC y del acuerdo SERCLA", *Nueva revista española de derecho del trabajo*, núm. 231, 2020.

MARTÍNEZ USARRALDE, M. J. y GARCÍA LÓPEZ, R.: *Análisis y práctica de la mediación intercultural desde criterios éticos*, Tirant lo Blanch, Valencia, 2009.

MIRANDA PLATA, P.: "Impulsar la mediación como mecanismo extrajudicial para resolver las controversias sobre teletrabajo: ¿una oportunidad perdida durante la pandemia de la Covid-19 y para el futuro?", *Trabajo, Persona, Derecho, Mercado: Revista de Estudios sobre Ciencias del Trabajo y Protección Social*, núm. 3, 2021.

MOLINA NAVARRETE, C.: "Procedimientos autonómicos de solución extrajudicial de conflictos laborales: balance de convergencias y divergencias 30 años después", *Temas laborales: Revista andaluza de trabajo y bienestar social*, núm. 154, 2020.

MORENO MORENO, J.: "La mediación en el ámbito de la inmigración y convivencia intercultural", *Acciones e investigaciones sociales,* núm. 1, 2006.

MUNUERA GÓMEZ, P.: *Mediación sanitaria*, Tirant lo Blanch, Valencia, 2016.

NAVARRO NIETO, F.: "El tratamiento de los conflictos individuales en los procedimientos extrajudiciales de solución de conflictos", *Temas laborales: Revista andaluza de trabajo y bienestar social*, núm. 154, 2020.

OJEDA AVILÉS, A.: *Derecho sindical*, 6 ed., Tecnos, Madrid, 1992.

OLIVER, M.: "Mediación intercultural: situación y futuro en la Comunitat Valenciana", en MORA CASTRO, A. (ed.), *Mediación intercultural y gestión de la diversidad. Instrumentos para la promoción de una convivencia pacífica*, Tirant lo Blanch, Valencia, 2018.

ORDEÑANA GEZURAGA, I.: "¿Hasta cuándo vamos a seguir así señor/a legislador/a? o sobre por qué ya no se puede defender la mediación penal en el marco jurídico vigente", en CASTILLEJO MANZANARES, R. (dir.) y ALONSO SALGADO, C. (coord.), *El nuevo proceso penal sin Código Procesal Penal*, Atelier, Barcelona, 2019.

ORDEÑANA GEZURAGA, I.: "Educación para los derechos humanos y la convivencia: la mediación escolar en cuanto instrumento apto para el aprendizaje individual y social", en LANDA GOROSTIZA, J. M. (dir.) y GARRO CARRERA, E. (coord.), *Retos emergentes de los derechos humanos: ¿garantías en peligro?*, Tirant lo Blanch, Valencia 2019.

ORDEÑANA GEZURAGA, I.: "La mediación de consumo: la alternativa de la alternativa", *Diario La Ley*, núm. 7420, 2010.

ORDEÑANA GEZURAGA, I.: "La mediación de consumo: la alternativa de la alternativa", *Diario La Ley*, núm. 7420, 2010.

ORDEÑANA GEZURAGA, I.: "Las semillas del presente para el fruto del mañana o una propuesta (*lege ferenda*) para ampliar la mediación escolar actual (*lege data*) encaminada a mejorar la solución del conflicto jurídico en el marco del Derecho Jurisdiccional Diversificado", *Justicia: revista de derecho procesal*, núm. 2, 2019.

ORDEÑANA GEZURAGA, I.: "Mediación penal: la alternativa jurisdiccional que funciona", en AA.VV., *Innovación para el progreso social sostenible. XVII Congreso de Estudios Vasco*, Eusko Ikaskuntza-Instituto de Estudios Vascos, Vitoria, 2012.

ORDEÑANA GEZURAGA, I.: "Oro rojo, fresas podridas, o sobre la protección jurisdiccional de los derechos fundamentales de los trabajadores extranjeros en España en cuanto forma de evitar su esclavitud (a partir de un caso real)", *Revista General de Derecho Procesal*, núm. 54, 2021.

ORDEÑANA GEZURAGA, I.: *El estatuto jurídico de la víctima en el Derecho Jurisdiccional penal español*, Instituto Vasco de Administración Pública, Oñati, 2014.

PALOMO DEL ARCO, A.: "Delitos contra los derechos de los trabajadores", en CA-MACHO VIZCAÍNO, A. (dir.), *Tratado de Derecho Penal Económico*, Tirant lo Blanch, Valencia, 2019.

PARRA SEPÚLVEDA, D. A.; OLIVARES VANETTI, A. y RIESCO MENDOZA, C.: "La mediación en el ámbito de la salud y su rol en la relación sanitaria", *Revista de Derecho*, núm. 243, 2018.

PEREZ-TENESSA, A.: *Compendio de la doctrina del Consejo de Estado (En el XXV aniversario de la Constitución)*, Consejo de Estado, Madrid, 2003.

PÉREZ-UGENA COROMINA, M.: "La mediación en sociedades interculturales. Referencia a la posible actuación del Defensor del Pueblo en procesos de mediación", *Eunomía. Revista en Cultura de la Legalidad*, núm. 14, 2018.

POLO SANTILLAN, M. A.: "Decolonialidad, interculturalidad y reconocimiento", *Vox Juris*, núm. 2, 2016.

RODRÍGUEZ LOZANO, L. G.: "El acuerdo de mediación administrativa", en SÁNCHEZ GARCÍA, A. y LÓPEZ PELÁEZ, P. (coords.), *Tipología contractual de los mecanismos alternativos de solución de conflictos*, Aranzadi Thomson Reuters, Madrid, 2016.

ROJAS POZO, C.: "La mediación administrativa", *Icade: Revista de la Facultad de Derecho*, núm. 98, 2016.

SÁEZ LARA, C.: "Control judicial de los procedimientos autónomos de solución de conflictos", *Temas laborales: Revista andaluza de trabajo y bienestar social*, núm. 154, 2020.

SALES SALVADOR, D.: "Mediación intercultural e interpretación de los servicios públicos ¿Europa intercultural?", *Pliegos de Yuste: revista de cultura y pensamiento europeos*, núm. 7-8, 2008.

SÁNCHEZ GARCÍA, A.: "La oportunidad de la mediación administrativa como respuesta a las necesidades del sistema de resolución de conflictos entre administración y administrado", en CABRERA MERCADO, R. (dir.) y QUESADA LÓPEZ, P. M. (coord.), *La mediación como método para la resolución de conflictos*, Dykinson, Madrid 2017.

SÁNCHEZ-COVISA VILLA, J.: "El delito de trata de seres humanos: Análisis del artículo 177 bis CP", *Cuadernos de la Guardia Civil: Revista de Seguridad Pública*, núm. 52, 2016.

SOUTO GALVÁN, B.: *Inmigración y mediación intercultural. Aspectos jurídicos*, Dykinson, Madrid, 2013.

URIARTE RICOTE, M. y ORDEÑANA GEZURAGA, I.: *La mediación escolar en el sistema educativo vasco no universitario: del respaldo institucional al impulso normativo*, Instituto Vasco de Administración Pública, Oñati, 2020.

URRUELA ARNAL, I. y BOLAÑOS CARTUJO, I.: "Mediación en una comunidad intercultural", *Anuario de Psicología jurídica*, núm. 22, 2012.

VÁZQUEZ DE CASTRO, E.: "Artículo 5: las Instituciones de mediación", en GARCÍA VILLALUENGA, L., ROGEL VIDE, C. (dirs.) y FERNÁNDEZ CANALES, C. (coord.), *Mediación en asuntos civiles y mercantiles: comentarios a la Ley 5/2012*, Reus, Madrid 2012.

ZAIDAM, D.: "La mediación intercultural: entre la diversidad y la interculturalidad", en MORA CASTRO, A. (ed.), *Mediación intercultural y gestión de la diversidad. Instrumentos para la promoción de una convivencia pacífica*, Tirant lo Blanch, Valencia, 2018.

Parte V

ANÁLISIS SOBRE LA ASISTENCIA PRESTADA A LAS VÍCTIMAS DE TRATA Y EXPLOTACIÓN DE SERES HUMANOS

LA PROTECCIÓN A LAS VÍCTIMAS DE TRATA DE SERES HUMANOS: ANÁLISIS COMPARADO Y PROPUESTAS PARA UN FUTURO PROTOCOLO EN ESPAÑA

Investigador Postdoctoral
Universitat de Lleida

Sumario: I. INTRODUCCIÓN; II. APROXIMACIÓN AL SISTEMA DE PROTECCIÓN EN ESPAÑA; 1. Víctimas potenciales y reconocimiento formal; 2. El continuum de la intervención social con víctimas de trata; III. PERSPECTIVA COMPARADA CON PAÍSES DEL ENTORNO EUROPEO; 1. Detección e identificación; 2. Intervención y asistencia; 3. Periodo de restablecimiento y reflexión; 4. Permiso de residencia; IV. SÍNTESIS COMPARATIVA; V. CONCLUSIONES PROPOSITIVAS; VI. BIBLIOGRAFÍA.

I. INTRODUCCIÓN

En materia de protección a las víctimas de trata, España queda enmarcada bajo los instrumentos normativos internacionales más recientes, como son la Directiva 2011/36/UE relativa a la prevención y lucha contra la trata de seres humanos y a la protección de las víctimas, y el Convenio del Consejo de Europa sobre la lucha contra la trata de seres humanos del año 2005. Ambos instan a los Estados a superar la perspectiva de corte criminocéntrico, a partir de la adopción de medidas de carácter victimocéntrico. Este cambio de paradigma implica actuar más allá de la persecución penal del delito, e incorpora dos aspectos nucleares más: la prevención del fenómeno y la protección de las víctimas. De esta manera, se instaura la conocida como política "3P"[1] (*prevention, protection and prosecution*) que sirve de marco fundamental, a escala internacional, para combatir la trata de personas desde un enfoque basado en los derechos humanos. Según dicha aproximación, lo determinante a la hora de abordar el tratamiento del problema no es tanto luchar contra esta realidad en cuanto que delito o fenómeno criminal, o al menos no solamente como tal,

---

[1] Extensamente sobre dicha perspectiva, *vid.* OBOKATA, T.: *Trafficking in Human Beings from a Human Rights Perspective: Towards a Holistic Approach*, Martinus Nijhoff Publishers, Leiden, 2006.

sino hacerlo atendiendo fundamentalmente a la necesidad de salvaguardar los derechos de las víctimas, incidiendo más en su carácter de conducta lesiva para los sujetos pasivos que la padecen que en su condición de conducta con relevancia penal[2]. Esta resulta una propuesta que, partiendo de un acercamiento comprensivo hacia el impacto físico, psicológico, emocional y social que el delito conlleva sobre las personas que lo sufren[3], pretende lograr que estas tengan un acceso adecuado a las diversas formas de reparación integral[4], mediante el ejercicio pleno de sus derechos[5].

En lo que respecta a la segunda de las *P -protección-*, si bien España ha realizado avances significativos desde la adopción, en el año 2011, del Protocolo Marco de Protección de Víctimas de Trata de Seres Humanos, desde diversas instancias -como las entidades del tercer sector y la academia- se ha puesto de manifiesto la necesidad de seguir profundizando en aspectos que continúan siendo deficitarios[6]. En esta materia, y de acuerdo con los instrumentos normativos señalados, los Estados deben articular una infraestructura de intervención efectiva que, entre otros aspectos, les permita: *a)* detectar e identificar a las víctimas; *b)* proveerlas de los servicios y recursos sociales necesarios para su recuperación; c) concederles un periodo de al menos 30 días para que la persona, sobre la cual existan motivos razonables para creer que es víctima de

---

[2]   VILLACAMPA ESTIARTE, C.: *El delito de trata de seres humanos. Una incriminación dictada desde el Derecho internacional*, Thomson Reuters-Aranzadi, Cizur Menor, 2011.

[3]   SICAR CAT y PROYECTO ESPERANZA: *Recomendaciones para el acceso efectivo de las víctimas de la trata de personas a la justicia y la compensación*, Barcelona, 2019.

[4]   VILLACAMPA ESTIARTE, C.: «La nueva directiva europea relativa a la prevención y la lucha contra la trata de seres humanos y a la protección de las víctimas. ¿Cambio de rumbo de la política de la Unión en materia de trata de seres humanos?», *Revista electrónica de Ciencia Penal y Criminología*, RECP 13-14, 2011.

[5]   De acuerdo con la legislación de la Unión Europea, los estándares mínimos son: asistencia y apoyo; protección antes, durante y después del proceso penal; indemnización; integración y derechos laborales; período de reflexión y permiso de residencia para las víctimas que sean nacionales de terceros países; retorno (*vid.* EUROPEAN COMMISSION: *The EU rights of victims of trafficking in human beings*, Publications Office of the European Union, Luxembourg, 2013).

[6]   En respuesta a dicha necesidad se puede vincular la reciente elaboración del Plan Estratégico Nacional contra la Trata y la Explotación de Seres Humanos 2021-2023. Disponible en: https://www.lamoncloa.gob.es/serviciosdeprensa/notasprensa/interior/Paginas/2022/120122-plantrata.aspx
En el documento se presentan cinco prioridades troncales: detección y prevención de la trata de seres humanos; identificación, derivación, protección, asistencia y recuperación de las víctimas de la trata de personas; persecución del delito; cooperación y coordinación; mejora del conocimiento. Sobre ellas se establecen un conjunto de líneas de acción y medidas que persiguen el objetivo de «garantizar la adecuada protección, asistencia y recuperación de las víctimas de la trata y explotación de seres humanos a la vez que se neutraliza la amenaza que supone la criminalidad organizada y grave que opera en estos ámbitos». Para su seguimiento y evaluación, el Plan contempla la creación de un grupo de trabajo que apoye en esta función a la Secretaría de Estado de Seguridad.

trata, pueda restablecerse y escapar de la influencia de los traficantes y/o pueda tomar, con conocimiento de causa, una decisión en lo relativo a su cooperación con las autoridades competentes. En el caso concreto de las víctimas extranjeras, además de lo anterior, se establece la necesidad de ofrecer un mecanismo, como es el permiso de residencia, que les facilite la permanencia en el país, alejándolas así del riesgo de ser expulsadas en el caso de encontrarse en una situación de irregularidad.

El presente capítulo profundiza precisamente en esta fase de protección e intervención social con las víctimas de TSH. Con ello pretendemos determinar los problemas aplicativos y las carencias existentes en la infraestructura española, para posteriormente formular propuestas de mejora orientadas a determinar el contenido de un futuro protocolo para la aplicación de la anunciada Ley integral contra la trata de seres humanos y la esclavitud, que debería aprobarse en ejecución del Pacto de estado contra la violencia de género de 2017.

Para desarrollar dicho objetivo hemos examinado las herramientas vigentes en el sistema español de protección a la luz de las utilizadas en el contexto europeo. En este sentido, se ha llevado a cabo un análisis de contenido de material documental en España y de cinco países de nuestro entorno jurídico: Italia, Portugal, Países Bajos, Alemania y Reino Unido[7]. Dicho estudio se ha asentado en un muestreo intencional conformado sobre tres tipologías de fuentes. En primer lugar, se han recopilado fuentes de carácter gubernamental para cada país seleccionado -directamente elaboradas por los gobiernos o por entidades colaboradoras con estos en la lucha contra la trata de seres humanos (en adelante, TSH)- que integraran los procesos y mecanismos básicos para atender a las víctimas (tabla 1). En términos concretos, nos referimos principalmente a protocolos, documentos estratégicos y guías prácticas que fundamentan el marco de actuación en cada país. El criterio de selección de este material vino determinado por la oficialidad y vigencia de dicha documentación a escala nacional[8]. En segundo lugar, hemos seleccionado un conjunto de fuentes de carácter empírico y/o valorativo, entre las que se incluyen publicaciones académicas, contribuciones específicas elaboradas por las ONG especializadas en

---

[7]   La selección de estos países se explica por razones de similitud o distancia jurídica con el nuestro: los europeos continentales pertenecen a la misma tradición jurídica que España, conduciendo a la adopción de similares instrumentos jurídicos para luchar contra la trata, mientras el Reino Unido constituye el más claro exponente de un sistema basado en el *Common Law*. Se explica también por razones de tipo víctimo-asistencial: los Países Bajos, Alemania y el Reino Unido constituyen territorios pioneros en la asunción de un abordaje victimocéntrico de la trata de seres humanos, mientras en Italia y Portugal, en que la referida aproximación no parecía tan acusada, cabía esperar cierta similitud en el diseño del sistema asistencial con España por razones geográficas y de tradición jurídica común.

[8]   En ausencia de este criterio –como es el caso de Alemania, donde no existe un protocolo nacional– se ha optado por seleccionar aquellas fuentes que presentan las estructuras de atención a las víctimas de trata y que alcanzan a todo el país.

la materia, documentos de carácter técnico que, por su importancia, establecen estándares de actuación referentes dentro del ámbito, así como informes de seguimiento sobre la situación en los seis países seleccionados[9]. Los criterios de selección utilizados para esta segunda tipología de fuentes han consistido: en primer lugar, en la correspondencia de su contenido con las categorías de análisis diseñadas para desarrollar la investigación (detección e identificación; intervención y asistencia; periodo de restablecimiento y reflexión; permiso de residencia); en segundo término, se ha tomado en consideración su aportación crítica; finalmente, la relevancia de las distintas referencias dentro de su contexto documental. Finalmente, para dimensionar cuantitativamente la realidad española en relación al resto de países seleccionados, hemos utilizado las fuentes estadísticas provenientes de los dos últimos informes de la Dirección General de Migraciones y Asuntos Interiores de la Comisión Europea[10] en materia de TSH en Europa, así como el realizado por el Centro de Inteligencia contra el Terrorismo y el Crimen Organizado[11] en España.

Tabla 1
Selección de documentación y sitios web de referencia en materia de atención a víctimas de trata de seres humanos en España y en países del entorno jurídico español.

Documentos / Sitios web	
España	- *Protocolo Marco de protección de las víctimas de trata de seres humanos* - *Anexo 1 al Protocolo. Pautas para la entrevista a posibles víctimas* - *Anexo 2 al Protocolo. Identificadores para la identificación de víctimas* - *Anexo 3 al Protocolo. Información que debe proporcionarse a las víctimas* - *Anexo 4 al Protocolo. Guía de recursos existentes para la atención a víctimas de trata con fines de explotación sexual*
Italia	- *Meccanismo Nazionale di Referral per le Persone Trafficate in Italia* - *Linee guida per la definizione di un meccanismo di rapida identificazione delle vittime di tratta e grave sfruttamento Italia* - *Il lavoro forzato e la tratta di esseri umani. Manuale per gli ispettori del lavoro*
Países Bajos	- *Samen tegen mensenhandel. Een integrale programma-aanpak van seksuele uitbuiting, arbeidsuitbuiting en criminele uitbuiting* - *Wegwijzer mensenhandel* - *Coördinatiecentrum tegen Mensenhandel* - *Zorgcoördinatoren*

---

[9]   *Vid.* apartado sexto, Bibliografía.
[10]   Dirección General de Migraciones y Asuntos Interiores de la Comisión Europea, 2018 y 2020.
[11]   CENTRO DE INTELIGENCIA CONTRA EL TERRORISMO Y EL CRIMEN ORGANIZADO (CITCO): *Trata de seres humanos en España. Balance estadístico 2014-18*, Ministerio del Interior. Secretaría de Estado de Seguridad, Madrid, 2019.

Portugal	- *Sistema de referenciação nacional de vítimas de tráfico de seres humanos* - *Sistema de referenciação nacional de vítimas de tráfico de seres humanos. Fluxograma* - *Ferramenta prática para a sinalização de vítimas de tráfico de seres humanos para fins de exploração laboral* - *Ferramenta prática para a sinalização de vítimas de tráfico de seres humanos para fins de exploração sexual* - *Ferramenta prática para a sinalização de vítimas de tráfico de seres humanos para mendicidade forçada e atividades ilícitas*
Reino Unido	- *Victims of modern slavery – frontline staff guidance. Version 3.0* - *National referral mechanism guidance: adult* - *Modern slavery victims: referral and assessment forms* - *Modern slavery strategy*
Alemania	- *Menschenhandel* - *Hilfe Telefon. Gewalt gegen frauen*

Fuente: Elaboración propia

II. APROXIMACIÓN AL SISTEMA DE PROTECCIÓN EN ESPAÑA

1. *Víctimas potenciales y reconocimiento formal*

La detección y posterior identificación formal de las víctimas de trata constituye la fase crucial en cualquier estrategia de actuación ante este fenómeno[12]. Si esta no logra desarrollarse con eficacia, resulta inasequible para las víctimas el acceso a los derechos reconocidos, así como a los estándares de protección adecuados[13]. Incluso en algunos casos, puede conducir a su deportación[14] o detención[15], sufriendo así un doble proceso de victimización.

---

[12]   EUROPEAN COMMISSION: *Report from the Commission to the European Parliament and the Council. Second report on the progress made in the fight against trafficking in human beings (2018) as required under Article 20 of Directive 2011/36/EU on preventing and combating trafficking in human beings and protecting its victims*, Publications Office of the European Union, Luxembourg, 2018.

[13]   UNODC–UNITED NATIONS OFFICE ON DRUGS AND CRIME: *International Framework for Action to Implement the Trafficking in Persons Protocol*, United Nations, Vienna, 2009.

[14]   CARRILLO PALACIOS, L., y DE GASPERIS, T.: *La otra cara de la trata. Informe diagnóstico sobre otras formas de trata que afectan a las mujeres*, Accem, Barcelona, 2019.

[15]   VILLACAMPA ESTIARTE, C. y TORRES ROSELL, N.: «Mujeres víctimas de trata en prisión en España», *Revista de Derecho Penal y Criminología*, 8, 2012.

En gran medida, la complejidad asociada a este proceso se explica por una doble dificultad. En primer lugar, por aquella que interpela a las víctimas en aspectos como: la contrariedad en revelar su propia situación fruto de la desconfianza hacia los órganos oficiales de control; el miedo a las represalias por parte de sus captores y/o explotadores; la deportación debido a una situación administrativa irregular[16]; la presencia de sentimientos de culpabilidad –ante la sensación de haber participado en una acción delictiva– y/o vergüenza –en casos de ejercicio de la prostitución–[17]; las dificultades con el idioma local; o el hecho de no reconocerse como tales, aun siendo claramente explotadas[18]. En segundo lugar, por una falta de adecuación y/o formación de los profesionales encargados de dicha tarea, que puede comportar un desconocimiento hacia la situación que viven las víctimas, dificultando así su detección. En ocasiones, este desconocimiento conlleva una consideración errónea acerca de una supuesta voluntariedad de la situación vivida por las víctimas, y/o también una incomprensión hacia el comportamiento hermético y defensivo que pueden presentar, fruto de la propia experiencia traumática[19].

En España, el Protocolo Marco de protección de las víctimas de trata de seres humanos contempla en el capítulo quinto y sexto las pautas de actuación para la detección e identificación. Así mismo, en el anexo 1 y 2 se encuentran las herramientas prácticas para la realización de las entrevistas a posibles víctimas, y los indicadores para la identificación. Dicho protocolo sitúa en las Fuerzas y Cuerpos de Seguridad del Estado (en adelante, FCSE) la competencia en esta acción. Aun cuando deja la puerta abierta a la colaboración con organizaciones especializadas y otras administraciones, su participación no es obligatoria. Este hecho comporta que la colaboración

---

[16] OSCE–ORGANIZATION FOR SECURITY AND CO-OPERATION IN EUROPE: *National Referral Mechanisms. Joining Efforts to Protect the Rights of Trafficked Persons. A Practical Handbook*, OSCE/ODIHR, Warsaw, 2004.

[17] APRAMP: *Asistencia integral de las víctimas de trata de seres humanos con fines de explotación sexual: Guía de intervención con víctimas de trata para ayuntamientos y trabajadores sociales*, Madrid, 2017.

[18] FEI–FRANCE EXPERTISE INTERNATIONALE: *Guidelines for the first level identification of victims of trafficking in Europe*, Ministère des Affaires étrangères, Paris, 2013; MENESES FALCÓN, C., UROZ, J., RÚA, A., GORTAZAR, C. y CASTAÑO, M.J.: *Apoyando a las Víctimas de Trata. Las necesidades de las mujeres víctimas de trata con fines de explotación sexual desde la perspectiva de las entidades especializadas y profesionales involucradas. Propuesta para la sensibilización contra la trata*, Ministerio de Sanidad, Servicios Sociales e Igualdad, Madrid, 2015.

[19] VILLACAMPA ESTIARTE, C., y TORRES ROSSELL, N.: «Trata de seres humanos para explotación criminal: ausencia de identificación de las víctimas y sus efectos», *Estudios Penales y Criminológicos*, 36, 2016.

responda a criterios aleatorios[20], y en la práctica, resulte una excepción, tal y como indica la Red Española contra la Trata de Personas[21].

En términos de valoración de esta fase, existe un amplio consenso en la literatura en situarla como el principal punto débil del sistema debido a dos déficits. El primero consiste en circunscribir mayoritariamente el proceso de identificación al ámbito policial[22], y que este tenga lugar mediante una única entrevista[23] y sin la flexibilidad necesaria para respetar los tiempos y necesidades de cada víctima[24]. En este sentido, se apunta el hecho que, en muchas ocasiones, esta identificación depende de la existencia de indicios suficientes para iniciar un procedimiento penal, así como de la colaboración explícita de las víctimas con este[25]. De la misma manera, se critica el alto umbral de prueba necesario para la consideración formal de víctima de trata.

El segundo déficit tiene que ver con la falta de una acción proactiva en la identificación de víctimas, más allá de la tipología asociada a la explotación

---

[20]   MILANO, V.: «Protección de las víctimas de trata con fines de explotación sexual. Estándares internacionales en materia de enfoque de derechos humanos y retos relativos a su aplicación en España», *Revista electrónica de estudios internacionales*, 32, 2016.

[21]   RECTP – RED ESPAÑOLA CONTRA LA TRATA DE PERSONA: *Informe de la Red Española contra la Trata de Personas para la Coordinadora Europea de lucha contra la trata*, Madrid, 2015.

[22]   APRAMP: *Asistencia integral de las víctimas de trata de seres humanos con fines de explotación sexual: Guía de intervención con víctimas de trata para ayuntamientos y trabajadores sociales, op. cit.*; FERNÁNDEZ RODRÍGUEZ DE LIÉVANA, G., y WAISMAN, V.: «Implementation of Directive 2011/36/EU from a gender perspective in Spain», en SCHERRER, A., y WERNER, H., *Trafficking in Human Beings from a Gender Perspective Directive 2011/36/EU. European Implementation Assessment*, European Parliamentary Research Service, Brussels, 2016; GRETA–GROUP OF EXPERTS ON ACTION AGAINST TRAFFICKING IN HUMAN BEINGS: *Report concerning the implementation of the Council of Europe Convention on Action against Trafficking in Human Beings by Spain. Second evaluation round, op. cit.*; VILLACAMPA ESTIARTE, C.: «Víctimas de la trata de seres humanos: su tutela a la Luz de las últimas reformas penales sustantivas y procesales proyectadas», Indret, 2, 2014.

[23]   VILLACAMPA ESTIARTE, C., y TORRES ROSSELL, N.: «Trata de seres humanos para explotación criminal: ausencia de identificación de las víctimas y sus efectos», *op. cit.*

[24]   CARRILLO PALACIOS, L., y DE GASPERIS, T.: *La otra cara de la trata. Informe diagnóstico sobre otras formas de trata que afectan a las mujeres, op. cit.*

[25]   DEFENSOR DEL PUEBLO: *La trata de seres humanos en España: víctimas invisibles*, Madrid, 2012; y GARCÍA CUESTA, S.: «La trata en España: una interpretación de los Derechos Humanos en perspectiva de género», *Dilemata*, 10, 2012.

sexual[26]. De esta manera, la focalización en la tipología laboral[27] y criminal[28], así como entre los solicitantes de asilo e inmigrantes irregulares ubicados en los Centros de Estancia Temporal para Inmigrantes (CETI) y los Centros de Internamiento de Extranjeros (CIE)[29], resulta claramente insuficiente[30].

Los datos cuantitativos asociados a la eficacia de la fase de detección e identificación se corresponden con las críticas recogidas en la literatura. Podemos observar (tabla 2) que la ratio de víctimas[31] por millón de habitantes es

---

26   FERNÁNDEZ RODRÍGUEZ DE LIÉVANA, G., y WAISMAN, V.: «Implementation of Directive 2011/36/EU from a gender perspective in Spain», *op. cit.*; RECTP – RED ESPAÑOLA CONTRA LA TRATA DE PERSONA: *Informe de la Red Española contra la Trata de Personas para la Coordinadora Europea de lucha contra la trata*, op. cit.

27   En relación con la explotación laboral, se apunta que, más que un déficit técnico o profesional, existe una falta de voluntad política para combatirla (GRETA–GROUP OF EXPERTS ON ACTION AGAINST TRAFFICKING IN HUMAN BEINGS: *Report concerning the implementation of the Council of Europe Convention on Action against Trafficking in Human Beings by Spain. Second evaluation round*, op. cit.), especialmente en lo que concierne a sectores como la agricultura, la construcción, el trabajo doméstico y la fabricación de calzado. En este sentido, el informe GRETA destaca la escasa capacidad y mandato con el que cuenta la inspección de trabajo a este respecto, como con la escasa participación de los sindicatos en la lucha contra este fenómeno. Con posterioridad a este informe y de manera reciente, el Consejo de Ministros ha aprobado un plan específico para luchar contra el trabajo forzoso, disponible en: https://www.lamoncloa.gob.es/consejodeministros/referencias/Paginas/2021/refc20211210.aspx#trabajo.

28   Por lo que respecta a la objetivación de las causas que inciden en la baja identificación de las víctimas de explotación criminal, *vid.* VILLACAMPA ESTIARTE, C., y TORRES ROSSELL, N.: «Trata de seres humanos para explotación criminal: ausencia de identificación de las víctimas y sus efectos», *op. cit.*

29   Sobre las deficiencias del sistema de protección internacional a este respecto, *vid.* BUADES FUSTER, J., BOSCH NOCEA, A., VIDAL SAS, P., MOHAMED-LAMIN, M., LENDRINO TEJERINA, I. y AGÜERO COLLINS, A.: *Informe CIE 2019: Diez años mirando a otro lado*, Servicio Jesuita a Migrantes (SJM), Madrid, 2020; DEFENSOR DEL PUEBLO: *La trata de seres humanos en España: víctimas invisibles*, op. cit.; DEFENSOR DEL PUEBLO: *El asilo en España. La protección internacional y los recursos del sistema de acogida*, Madrid, 2016; SANTOS OLMEDA, B.: «Las víctimas de trata en España: el sistema de acogida de protección internacional», *Anuario CIDOB de la Inmigración 2019*, 2019; y más ampliamente en el contexto de la perspectiva europea comparada, *vid.* EUROPEAN MIGRATION NETWORK (EMN): *Identification of victims of trafficking in human beings in international protection and forced return procedures*, Home Office Science (Migration and Borders Analysis), United Kingdom of Great Britain and Northern Ireland, 2013.

30   GRETA–GROUP OF EXPERTS ON ACTION AGAINST TRAFFICKING IN HUMAN BEINGS: *Report concerning the implementation of the Council of Europe Convention on Action against Trafficking in Human Beings by Spain. Second evaluation round*, op. cit; RECTP – RED ESPAÑOLA CONTRA LA TRATA DE PERSONA: *Informe de la Red Española contra la Trata de Personas para la Coordinadora Europea de lucha contra la trata*, op. cit.

31   Cabe señalar que el indicador *víctimas registradas* incluye la suma de las presuntas víctimas de TSH y de aquellas formalmente identificadas. Los datos que entrega España a las autoridades europeas se refieren al segundo ítem, mientras que no se muestran datos del primero.

significativamente baja en España, al igual que sucede en Alemania -ambas con un sistema policial de identificación-, y contrasta con las cifras obtenidas por el Reino Unido y los Países Bajos, donde esta resulta muy superior.

Tabla 2
Número de víctimas registradas y ratio por millón de habitantes

	2015	2016	2017	2018
España	267 (6)	193 (4)	220 (5)	238 (5)
UE (28)	9147 (21)	11385 (23)	12514 (24)	13754 (27)
Alemania	470 (6)	536 (7)	773 (9)	607 (7)
Italia	781 (13)	879 (14)	1062 (18)	926 (15)
Países Bajos	1295 (76)	1147 (67)	956 (56)	668 (39)
Portugal	137 (13)	202 (20)	103 (10)	121 (12)
Reino Unido	3266 (50)	3805 (58)	5138 (78)	6985 (105)

Fuente: Elaboración propia a partir de EUROPEAN COMMISSION-MIGRATION AND HOME AFFAIRS: *Data collection on trafficking in human beings in the EU*; y EUROPEAN COMMISSION-MIGRATION AND HOME AFFAIRS: *Data collection on trafficking in human beings in the EU, op. cit.*).

Incluso en la tipología de explotación que ha sido tradicionalmente objeto de mayor atención por parte de las autoridades españolas, la sexual, la distancia entre las personas detectadas en situación de riesgo de padecerla y aquellas formalmente registradas resulta muy considerable. Según datos del CITCO, el año 2018 se detectaron 9315 personas en situación de riesgo de explotación sexual, de las que fueron formalmente identificadas 128, lo que representa el 1,4% del total. Si ponemos en relación este dato con el porcentaje de víctimas de TSH identificadas respecto de las presuntas víctimas en el contexto de la UE (tabla 3), seguimos obteniendo una distancia muy sustancial.

Tabla 3
Porcentaje de víctimas de trata identificadas sobre el total de presuntas víctimas

	2015	2016	2017	2018
UE 28	72%	82%	78%	52%

Fuente: Elaboración propia a partir de EUROPEAN COMMISSION-MIGRATION AND HOME AFFAIRS: *Data collection on trafficking in human beings in the EU*; y EUROPEAN COMMISSION-MIGRATION AND HOME AFFAIRS: *Data collection on trafficking in human beings in the EU, op. cit.*

Esta carencia se consolida si se tienen en cuenta aproximaciones cuantitativas más recientes al fenómeno en España, en las que se han detectado para el bienio 2017/18 un total de 7448 víctimas[32].

---

[32] VILLACAMPA ESTIARTE, C., y TORRES FERRER, C.: «Aproximación institucional a la trata de seres humanos en España: valoración crítica», *Estudios Penales y Criminológicos*, 41, 2021; VILLACAMPA ESTIARTE, C., GÓMEZ ADILLÓN, M.J., TORRES FERRER,

2. El continuum de la intervención social con víctimas de trata

Una vez que la víctima es identificada, el Protocolo Marco español establece que la unidad policial planteará la derivación a los recursos sociales pertinentes que puedan garantizarle, en su caso, alojamiento conveniente y seguro, ayuda material, asistencia psicológica, asistencia médica, servicios de interpretación y asesoramiento jurídico. Pese a algunos avances realizados por España en esta materia, especialmente vinculados al incremento de recursos para mujeres en situación de explotación sexual y a la mejora en el acceso a la atención médica por parte de las víctimas de trata[33], diversas son las carencias aún existentes.

Destaca, en primer lugar, la falta de recursos para otras formas de explotación más allá de la sexual y para víctimas que no sean mujeres. Este hecho refuerza el sesgo ya apuntado y deja en una situación de desprotección a hombres, menores y mujeres víctimas de otras formas de trata[34] que hayan sido identificadas.

En segundo lugar, se apunta la actuación prácticamente en solitario de las ONG durante esta fase, a lo que se unen problemas de financiación[35] y dificultades para diseñar proyectos de un mayor alcance, que puedan garantizar la continuidad de la intervención con las víctimas, más allá de la prestación de las actuaciones asistenciales más urgentes[36]. Este hecho plantea un interrogante sobre el modelo de provisión de servicios de carácter público que se presta en materia de trata, dada la inexistencia de recursos especializados con dicha titularidad. Si bien las Oficinas de Atención a la Víctima (OAV) son una excepción, dado que la Ley 4/2015[37] les atribuye un conjunto amplio de funciones en la intervención con las víctimas, su focalización exclusiva a lo largo del tiempo

---

C., y MIRANDA RUCHE, X.: «Trata de seres humanos: dimensión y características en España», *Revista General de Derecho Penal*, 35, 2021.

[33]   GRETA–GROUP OF EXPERTS ON ACTION AGAINST TRAFFICKING IN HUMAN BEINGS: *Report concerning the implementation of the Council of Europe Convention on Action against Trafficking in Human Beings by Spain. Second evaluation round, op. cit.*

[34]   CARRILLO PALACIOS, L., y DE GASPERIS, T.: *La otra cara de la trata. Informe diagnóstico sobre otras formas de trata que afectan a las mujeres, op. cit.*; TORRES ROSELL, N., y VILLACAMPA ESTIARTE, C.: «Protección jurídica y asistencia para víctimas de trata de seres humanos», *Revista General de Derecho Penal*, 27, 2017.

[35]   SCHERRER, A., y WERNER, H.: *Trafficking in Human Beings from a Gender Perspective Directive 2011/36/EU. European Implementation Assessment*, European Parliamentary Research Service, Brussels, 2016; TORRES ROSELL, N., y VILLACAMPA ESTIARTE, C.: «Protección jurídica y asistencia para víctimas de trata de seres humanos», *op. cit.*

[36]   GRETA–GROUP OF EXPERTS ON ACTION AGAINST TRAFFICKING IN HUMAN BEINGS: *Report concerning the implementation of the Council of Europe Convention on Action against Trafficking in Human Beings by Spain. Second evaluation round, op. cit.*

[37]   Más extensamente sobre la relevancia de esta ley en relación con la protección de las víctimas en el marco del procedimiento penal, *vid.* VILLACAMPA ESTIARTE, C.: «¿Es necesaria una ley integral contra la trata de seres humanos?», *Revista General de Derecho Penal*, 33, 2020.

en la violencia de género las sitúa todavía hoy, por inercia, en una posición secundaria a este respecto[38].

En materia de coordinación, a pesar de la inclusión de la figura reciente del interlocutor social territorial[39], se mantiene la necesidad de una mejor organización entre los operadores sociales que pueden entrar en contacto con las víctimas[40]. La disfunción existente se traduce en una ausencia de circuitos claros de intervención y en la dificultad para organizar las intervenciones sociales de una forma diligente, hecho que repercute en la eficacia de las mismas[41]. A ello hay que unirle una falta de concreción en el protocolo en diversos aspectos, como son los términos en los que debe materializarse dicha intervención, los estándares mínimos a implementar, o el escaso reconocimiento formal a las entidades que ejercen un rol central en esta fase[42].

En relación con los otros dos mecanismos de protección indicados, a pesar de que España presenta, en términos comparados con la media europea, unos datos razonablemente positivos en relación a las concesiones de periodos de restablecimiento y reflexión, así como de permisos de residencia, estos deben ponderarse e interpretarse a la luz de dos elementos. En primer lugar, cabe señalar que los resultados que obtiene España se sitúan en un contexto general deficitario dentro de la UE en lo que a la garantía de los dos derechos se refiere. En especial se subraya un uso excesivamente condicionado de ambos a la colaboración de las víctimas con las autoridades. Este es un aspecto ampliamente apuntado en la literatura analizada. En segundo lugar, debe considerarse que para acceder a ambos derechos es imprescindible que las víctimas hayan sido previamente identificadas.

---

[38]　TORRES ROSELL, N., y VILLACAMPA ESTIARTE, C.: «Protección jurídica y asistencia para víctimas de trata de seres humanos», *op. cit.*

[39]　Figura creada el año 2016 en el seno de las FCSE que cumple tareas de coordinación, cooperación y desarrollo en el ámbito territorial propio en actuaciones relacionadas con los delitos de trata.

[40]　FERNÁNDEZ RODRÍGUEZ DE LIÉVANA, G., y WAISMAN, V.: «Implementation of Directive 2011/36/EU from a gender perspective in Spain», *op. cit.*; RECTP – RED ESPAÑOLA CONTRA LA TRATA DE PERSONA: *Informe de la Red Española contra la Trata de Personas para la Coordinadora Europea de lucha contra la trata, op. cit.*; TORRES ROSELL, N., y VILLACAMPA ESTIARTE, C.: «Protección jurídica y asistencia para víctimas de trata de seres humanos», *op. cit.*

[41]　MENESES FALCÓN, C., UROZ, J., RÚA, A., GORTAZAR, C. y CASTAÑO, M.J.: *Apoyando a las Víctimas de Trata. Las necesidades de las mujeres víctimas de trata con fines de explotación sexual desde la perspectiva de las entidades especializadas y profesionales involucradas. Propuesta para la sensibilización contra la trata, op. cit.*

[42]　RECTP – RED ESPAÑOLA CONTRA LA TRATA DE PERSONA: *Informe de la Red Española contra la Trata de Personas para la Coordinadora Europea de lucha contra la trata, op. cit.*; TORRES ROSELL, N., y VILLACAMPA ESTIARTE, C.: «Protección jurídica y asistencia para víctimas de trata de seres humanos», *op. cit.*

A este respecto cabe señalar una particularidad acentuada en el caso español -y con implicaciones significativas en la fase de identificación e intervención social- que es el alto componente migratorio asociado a la TSH. Si bien España plantea una semejanza con la realidad italiana, observamos diferencias relevantes con respecto a Alemania y Reino Unido, pero sobre todo con Países Bajos y Portugal, que registran un porcentaje notable de personas nacionales entre sus víctimas de TSH, situando el número de víctimas de procedencia extranjera en cifras significativamente menores a las españolas. En su conjunto, las diferencias con la media europea se sitúan alrededor de los 21 puntos para el bienio 2015-16 (del 74% para la UE y del 95% en España) y en los 26 puntos en el 2017-18 (del 70% respecto al 96%).

Tabla 4
Víctimas registradas según ciudadanía

		Nacionales	Otra UE	No UE	Otras	Desconocida
España	2015-16	5%	42%	53%	-	-
	2017-18	4%	32%	64%	-	-
UE (28)	2015-16	18%	22%	52%	5%	3%
	2017-18	27%	14%	56%	2%	1%
Alemania	2015-16	22%	52%	26%	-	-
	2017-18	25%	42%	25%	2%	6%
Italia	2015-16	1%	12%	88%	-	-
	2017-18	-	5%	88%	7%	-
Países Bajos	2015-16	34%	25%	41%	-	-
	2017-18	32%	20%	46%	-	2%
Portugal	2015-16	44%	28%	28%	-	-
	2017-18	21%	16%	61%	1%	1%
Reino Unido	2015-16	7%	17%	76%	-	-
	2017-18	20%	12%	68%	-	-

Fuente: Elaboración propia a partir de EUROPEAN COMMISSION-MIGRATION AND HOME AFFAIRS: *Data collection on trafficking in human beings in the EU, op. cit.*

Por lo que respecta al perfil de las víctimas migrantes, cabe indicar que la trata externa, formada por ciudadanos de otros países externos a la UE, es la mayoritaria en España entre los años 2015 y 2018 -como también sucede en Italia, Países Bajos, Portugal, Reino Unido y, para el conjunto de la UE-, siendo la nacionalidad nigeriana la más numerosa. Por otra parte, la nacionalidad rumana lo es en la categoría interna -ciudadanos de la UE registrados como víctimas en países miembros de la UE diferentes a su nacionalidad de origen- al igual que sucede en el cómputo global de la UE. Con respecto a las dos tipologías de explotación mayoritarias, las personas de nacionalidad nigeriana son las más expuestas a sufrir explotación sexual en España, mientras que las procedentes de Rumanía lo son para la tipología laboral[43].

III. PERSPECTIVA COMPARADA CON PAÍSES DEL ENTORNO EUROPEO

1. *Detección e identificación*

En relación con esta fase y, en términos comparados, observamos que aquellos países de nuestro entorno que cuentan con un mayor número de actores con capacidad y autoridad para identificar son precisamente los que alcanzan un número más alto de víctimas registradas, hecho que los hace presuponer más eficaces en esta etapa. En este sentido, si anteriormente señalábamos que España y Alemania presentaban un número presumiblemente bajo de víctimas registradas en comparación con el resto de los países, ello coincide con el hecho de que ambos confían esta competencia, de manera exclusiva, a la autoridad policial. En cambio, países con una capacidad de detección mayor son también aquellos que presentan sistemas con más de un actor que atesora dicha atribución. En el caso de Portugal son 3 actores, el mismo número presenta Italia para el bienio 2015/16, y hasta 4 para el siguiente. Por lo que respecta a Reino Unido encontramos 5 actores para los dos bienios, y con un el mayor número situamos a los Países Bajos, con 6 actores también para ambos bienios[44] (tabla 5).

---

[43] CENTRO DE INTELIGENCIA CONTRA EL TERRORISMO Y EL CRIMEN ORGANIZADO (CITCO): *Trata de seres humanos en España. Balance estadístico 2014-18, op. cit.*; EUROPEAN COMMISSION-MIGRATION AND HOME AFFAIRS: *Data collection on trafficking in human beings in the EU*, Publications of the European Union, Luxembourg, 2018.; y EUROPEAN COMMISSION-MIGRATION AND HOME AFFAIRS: *Data collection on trafficking in human beings in the EU*, Publications of the European Union, Luxembourg, 2020.

[44] En el recuento de actores por países se ha contabilizado la categoría *Otros* como un único actor, si bien desconocemos si este aspecto ha significado la intervención de un número mayor a uno para los países indicados. De acuerdo con la Comisión Europea, en dicha categoría se incluyen: Oficinas de lucha contra la TSH; Centros para migrantes y solicitantes de asilo; Servicios nacionales de atención a las víctimas de TSH; y Centros de inteligencia contra el terrorismo y la delincuencia organizada.

Tabla 5
Porcentaje de víctimas según el tipo de organización que registra

Policía			ONG	Guardas fronterizos	Inmigra-ción	Inspectores laborales	Otros	Desconocido
España	2015-16	100%	-	-	-	-	-	-
	2017-18	100%	-	-	-	-	-	-
UE (28)	2015-16	51%	10%	2%	19%	1%	17%	-
	2017-18	43%	11%	1%	16%	1%	27%	1%
Alemania	2015-16	100%	-	-	-	-	-	-
	2017-18	100%	-	-	-	-	-	-
Italia	2015-16	27%	12%	-	-	-	61%	-
	2017-18	7%	7%	-	-	1%	83%	3%
Países Bajos	2015-16	45%	5%	1%%	4%	6%	40%	-
	2017-18	33%	9%	2%	1%	7%	48%	-
Portugal	2015-16	66%	22%	-	-	-	12%	-
	2017-18	69%	27%	-	-	-	4%	-
Reino Unido	2015-16	24%	16%	3%	47%	-	10%	-
	2017-18	29%	12%	2%	39%	-	18%	-

Fuente: Elaboración propia a partir de EUROPEAN COMMISSION-MIGRATION AND HOME AFFAIRS: *Data collection on trafficking in human beings in the EU, op. cit.*; y EUROPEAN COMMISSION-MIGRATION AND HOME AFFAIRS: *Data collection on trafficking in human beings in the EU, op. cit.*

Centrándonos precisamente en aquellos países con más capacidad de detección, observamos que sus infraestructuras de atención son más robustas e integrales, con mayor activación y formación de operadores y, fundamentalmente también, mayor coordinación entre estos[45]. En este sentido, destacamos el *National Referral Mechanism*[46] británico para la fase de identificación, dado que integra una mayor participación de operadores para la detección (*First Responders*)[47], en el marco de un sistema que establece, comparativamente con el sistema español, mecanismos más sólidos para la cooperación y coordinación de las actuaciones. En este sentido, el protocolo británico, además de incorporar la perspectiva multiagencia y dotar a los actores que se encuentran en

---

[45]   SECRETARIAT OF THE COUNCIL OF EUROPE CONVENTION ON ACTION AGAINST TRAFFICKING IN HUMAN BEINGS: *Compendium of good practices on the implementation of the Council of Europe Convention on Action against Trafficking in Human Beings*, Council of Europe, Brussels, 2016.

[46]   Para el análisis se ha tomado en consideración el *National Referral Mechanism* de aplicación en Inglaterra y Gales. Se distingue del que se aplica para Irlanda del Norte y Escocia.

[47]   El listado completo de operadores puede encontrarse en: https://www.modernslavery.gov.uk/designated-organisations

esta primera línea de la formación adecuada para realizar dicha tarea, cuenta con un procedimiento establecido (*Referral Form*[48]) mediante el cual los *First Responders* derivan el caso a la autoridad competente (el *Single Competent Authority – SCA*[49]). Una vez realizada la derivación, el *SCA* debe establecer, en el plazo de cinco días, si existen motivos razonables para considerar a la persona una víctima potencial. En este caso, se procede a la concesión de un periodo de restablecimiento y reflexión de cuarenta y cinco días, tiempo que la autoridad utilizará para examinar si dichos motivos son finalmente concluyentes. Cabe indicar que, desde el momento en el cual la persona es considerada como una víctima potencial, esta tiene acceso a una cobertura de protección que incluye asesoramiento legal, alojamiento, apoyo social y emocional.

Siguiendo con la detección de elementos significativos en esta fase, apuntamos la infraestructura neerlandesa y portuguesa[50]. Ambas destacan por la presencia de dispositivos integrados por profesionales del ámbito social que cumplen funciones de asesoramiento y apoyo temprano a las fuerzas y cuerpos de seguridad, así como a otros agentes públicos y privados para la detección e identificación de las víctimas. En el caso portugués se trata de los *Equipas multidisciplinares especializadas – EME*, gestionados por la ONG *Associação para o Planeamento da Família* y distribuidos en cinco zonas del territorio nacional[51]. Estos equipos resultan los encargados de la creación y dinamización de dichas redes en cada uno de los cinco territorios en los que se subdivide la actuación. Formados por tres profesionales -trabajadores/as sociales y psicólogos/as entre ellos- entre sus competencias, además de la ya mencionada, destaca el apoyo temprano a las fuerzas y cuerpos de seguridad y a otros agentes profesionales –públicos y privados– durante la detección, identificación y derivación de las víctimas. A estas funciones, se añade la sensibilización comunitaria y la formación específica a otros actores del sistema, además del soporte técnico,

---

[48]   Disponible en: https://www.gov.uk/government/publications/human-trafficking-victims-referral-and-assessment-forms

[49]   Unidad de reciente creación que asume las competencias en esta materia hasta ahora realizadas por el *UK Visa & Immigration (UKVI)*, el *Immigration Enforcement (IE)* y el *National Crime Agency (NCA)*.

[50]   Diversos informes internacionales han situado el sistema neerlandés, británico y portugués entre los más avanzados en la materia (MINDEROO FOUNDATION: *Measurement, action, freedom: An independent assessment of government progress towards achieving UN sustainable development goal 8.7*, Perth, 2019; US DEPARTMENT OF STATE: *Trafficking in Persons Report 2019*, United States Department of State Publication Office of the under Secretary for Civilian Security, Democracy, and Human Rights, New York, 2019), si bien cabe apuntar las dificultades metodológicas para ser conclusivos al respecto (*vid.* BRYANT, K., y LANDMAN, T.: «Combatting Human Trafficking since Palermo: What Do We Know about What Works? », *Journal of Human Trafficking*, 6:2, 2020; VAN DYKE, R.: «Monitoring and Evaluation of Human Trafficking Partnerships in England and Wales», *Anti-Trafficking Review*, 8, 2017).

[51]   EME Alentejo; EME Algarve; EME Centro; EME Lisboa; EME Norte.

la coordinación y organización de las actuaciones sociales con los Centros de Acolhimento e Proteção (CAP)[52] . Por encima de ellos, a un nivel nacional, destaca la existencia de una estructura básica de coordinación e intercambio de información (Rede de Apoio e Proteção às Vítimas de TSH-RAPVT) integrada por los actores gubernamentales y entidades del tercer sector especializadas. A través de dichas redes –nacional y regional– se socializan, entre los distintos operadores vinculados al protocolo *Sistema de referenciação nacional de vítimas de tráfico de seres humanos*, las herramientas e instrumentos técnicos dirigidos a la detección e identificación de víctimas. En este sentido, se pone de relieve la capacitación realizada sobre los inspectores de trabajo y, especialmente, sobre los agentes de policía de fronteras, hecho que ha redundado en un incremento progresivo en la detección de presuntas víctimas en Portugal (ibid). Por su parte, en los Países Bajos se trata de la red regional de coordinadores de atención (*Zorgcoördinatoren*) integrada en la propia administración local, y que señalaremos en el siguiente apartado.

En línea con este planteamiento, cabe destacar que en España también son las entidades más centradas en la intervención de casos de TSH, con más formación y mayor grado de especialización en la materia, así como más proactivas, aquellas que resultan más eficaces en la detección de víctimas[53]. Sin embargo, su atribución formal para la identificación dentro del sistema de atención español resulta inexistente.

En menor medida pueden tomarse referencias de la infraestructura italiana y alemana. En el primer caso, aun cuando resulta vigente el protocolo *Meccanismo Nazionale di Referral per le Persone Trafficate*, así como los diversos instrumentos asociados a este, existen evidencias de su escasa penetración e implementación a nivel práctico a lo largo del territorio[54]. Por otro parte, en Alemania, destaca la ausencia de un protocolo nacional que armonice la actua-

---

[52]   Recursos que siguen la distribución territorial señalada y que ofrecen servicios directos a las víctimas, tales como: alojamiento; apoyo social; fomento de la socialización; fomento de competencias; actividades de ocio; acciones formativas; apoyo psicoterapéutico; apoyo jurídico; atención médica.

[53]   VILLACAMPA ESTIARTE, C., y TORRES FERRER, C.: «Aproximación institucional a la trata de seres humanos en España: valoración crítica», *op. cit.*

[54]   GRETA–GROUP OF EXPERTS ON ACTION AGAINST TRAFFICKING IN HUMAN BEINGS: *Report concerning the implementation of the Council of Europe Convention on Action against Trafficking in Human Beings by Italy. Second evaluation round*, Council of Europe, Strasbourg, 2018.

ción a escala nacional[55]. Ello se une a la falta de indicadores formalizados por las autoridades para la identificación[56].

2. *Intervención y asistencia*

En términos comparativos dentro de esta fase, consideramos remarcable el esfuerzo realizado en Italia con la implantación en 2016 del *Programma unico di emersione, assistenza ed integrazione sociale*, mediante el cual el gobierno fusionó, en un solo, los anteriores programas de financiación de proyectos de intervención social existentes en la materia, ampliando significativamente la dotación presupuestaria así como la temporalidad de las actuaciones que las entidades del tercer sector y las administraciones locales y regionales pueden llevar a cabo con las víctimas de trata[57]. Por su parte, el caso alemán mantiene ciertos paralelismos con la situación en España, en cuanto que son las entidades del tercer sector, aglutinadas en Alemania bajo la alianza KOK–*Bundesweiter Koordinierungskreis gegen Menschenhandel e.V* (Grupo de coordinación nacional contra la trata de personas) las que asumen, prácticamente de forma exclusiva, el desempeño en la intervención con las víctimas. Con todo, cabe destacar positivamente la designación formal que recibe la alianza como organismo coordinador de los *Fachberatungsstellen* (Centros de Asesoramiento Especializado)[58] así como la financiación pública que reciben para llevarlo a cabo. A pesar de que las entidades que integran la alianza tratan de adoptar estándares comunes de actuación en todo el país, las posibilidades difieren en función del estado en el cual se actúa[59]. Entre la

---

[55] GRETA–GROUP OF EXPERTS ON ACTION AGAINST TRAFFICKING IN HUMAN BEINGS: *Report concerning the implementation of the Council of Europe Convention on Action against Trafficking in Human Beings by Germany. Second evaluation round*, Council of Europe, Strasbourg, 2019; KOK: *Evaluation Report on the implementation of the Council of Europe Convention on Action against Trafficking in Human Beings by the parties to the treaty*, Berlin, 2018; POLATSIDE, V., y MUJAJ, E.: *Road map for integration of victims of human trafficcking among migrants in Finland, Germany and Sweden*, The Council of the Baltic Sea States, Stockholm, 2018.

[56] PIOTROWICZ, R., SKRIVANKOVA, K., HEIDE, B., y WIJERS, M.: «Implementation of Directive 2011/36/EU from a gender perspective in Germany, Lithuania, Romania, Sweden, the Netherlands and the UK», en SCHERRER, A., y WERNER, H., *Trafficking in Human Beings from a Gender Perspective Directive 2011/36/EU. European Implementation Assessment*, European Parliamentary Research Service, Brussels, 2016.

[57] GRETA–GROUP OF EXPERTS ON ACTION AGAINST TRAFFICKING IN HUMAN BEINGS: *Report concerning the implementation of the Council of Europe Convention on Action against Trafficking in Human Beings by Italy. Second evaluation round, op. cit.*

[58] KOK: *Evaluation Report on the implementation of the Council of Europe Convention on Action against Trafficking in Human Beings by the parties to the treaty, op. cit.*

[59] GRETA–GROUP OF EXPERTS ON ACTION AGAINST TRAFFICKING IN HUMAN BEINGS: *Report concerning the implementation of the Council of Europe Convention on Action against Trafficking in Human Beings by Germany. Second evaluation round, op. cit.*

gama de servicios gestionados por los Centros, se encuentran el alojamiento, la asistencia legal, médica y psicológica y el apoyo formativo.

Si bien las dos aportaciones anteriores resultan relevantes, la contribución más significativa en esta fase la obtenemos del sistema neerlandés. Este se sustenta sobre una red regional de coordinadores de atención (*Zorgcoördinatoren*) integrada en la administración local. En términos generales, estos son el primer punto de contacto de las víctimas con el sistema de atención social. A su vez, sus profesionales resultan los encargados de realizar las derivaciones correspondientes y supervisar que la intervención que se les preste sea coherente y adecuada según el caso particular. En este sentido, mantienen el seguimiento desde el inicio del proceso de intervención social hasta su finalización. Para llevar a cabo esta tarea, los coordinadores de atención aglutinan un conocimiento especializado de la oferta de servicios existente en su región, así como de los instrumentos que sustentan la estructura de cooperación existente. También informan y asesoran al resto de profesionales que entran en contacto y/o actúan directamente con las víctimas. No en todas las regiones existe un coordinador de atención. Cuando eso ocurre, dicha competencia queda a cargo del *Coördinatiecentrum tegen Mensenhandel* (Centro Nacional de Coordinación contra la trata de personas), que actúa en ese caso como gestor regional del caso[60]. El Centro Nacional de Coordinación es gestionado por la entidad del tercer sector *CoMensha*, que lleva a cabo, además de la anterior, las siguientes funciones: la coordinación, a nivel nacional, de la atención y la intervención con las víctimas; el registro de las víctimas y la posterior elaboración de informes de situación y análisis de los mismos; la promoción de actuaciones proactivas ante las necesidades y problemas que plantea el fenómeno a nivel nacional; el apoyo a los municipios en el establecimiento de una política local y regional ante la trata; y finalmente, la capacitación y formación a profesionales, así como la sensibilización comunitaria a la población general. Además de con los coordinadores regionales de atención, el Centro Nacional de Coordinación trabaja en estrecha relación con las fuerzas y cuerpos de seguridad neerlandesas, la inspección de trabajo y el *Nationaal Rapporteur* (Relator Nacional).

3.   *Periodo de restablecimiento y reflexión*

La normativa europea insta a los Estados a prever en su legislación interna un periodo de al menos 30 días para que la persona, sobre la cual existan motivos razonables para creer que es víctima de TSH, pueda restablecerse y escapar

---

[60]   GRETA–GROUP OF EXPERTS ON ACTION AGAINST TRAFFICKING IN HUMAN BEINGS: *Report concerning the implementation of the Council of Europe Convention on Action against Trafficking in Human Beings by the Netherlands. Second evaluation round*, Council of Europe, Strasbourg, 2018.

de la influencia de los traficantes y/o pueda tomar, con conocimiento de causa, una decisión en lo relativo a su cooperación con las autoridades competentes. En este periodo, la persona tiene derecho a acogerse a un conjunto de medidas de asistencia mínimas para el restablecimiento físico, psicológico y social[61], y no podrá ser objeto de expulsión del territorio nacional, si se encontrara en una situación irregular.

En relación con la duración del periodo, España, al igual que Alemania y Países Bajos, contemplan un lapso superior al mínimo que indica el Convenio, estableciendo un tiempo de al menos 90 días -superior a los que encontramos en el Reino Unido (45 días) y Portugal e Italia (ambos de 30 días, extensible hasta los 60)-. También se sitúa en una franja alta en lo que se refiere al porcentaje de periodos de restablecimiento y protección concedidos sobre el total de víctimas registradas (tabla 6), ocupando la tercera posición en términos absolutos, por detrás de Italia y los Países Bajos (si bien Alemania y Reino Unido no ofrecen datos al respecto), y la segunda en términos relativos, con una media muy superior a la obtenida para el conjunto de la UE.

Tabla 6
Periodos de restablecimiento y reflexión concedidos y porcentaje sobre el total de víctimas registradas

	2015-2016	%
España	189	41
UE (28)	2674	13
Alemania	nd	nd
Italia	1660	100
Países Bajos	250	10
Portugal	46	14
Reino Unido	nd	nd

Fuente: Elaboración propia a partir de EUROPEAN COMMISSION-MIGRATION AND HOME AFFAIRS: *Data collection on trafficking in human beings in the EU, op. cit.*

Aunque la perspectiva comparada en términos cuantitativos sitúa España en una aparente buena posición, una aproximación a la realidad española, así como a la de los países comparados, muestran un conjunto de déficits ampliamente generalizados en lo que respecta al cumplimiento de este derecho por parte de los Estados.

---

[61]   Entre las que se encuentran: medidas de acceso a una vivienda; asistencia médica, psicológica y material; ayuda en materia de traducción e interpretación; asesoría e información; asistencia para la defensa de sus derechos e intereses; acceso a la educación para los niños (*vid.* EUROPEAN COMMISSION: *The EU rights of victims of trafficking in human beings, op. cit.*).

En primer lugar, subrayamos el hecho que dicho período se dirija exclusiva-mente a víctimas que se encuentran en situación administrativa irregular y que no se plantee para otras víctimas en situación regularizada, o procedentes de otros países de la UE o del Área Económica Europea. Estas pueden presentar el mismo tipo de necesidades que aquellas que se encuentran en dicha situa-ción ilegal[62]. De manera especial, en el grupo de personas procedentes de otros países de la UE o del Área Económica Europea, se debe tener en cuenta que si no presentan una serie de supuestos al cumplir tres meses de residencia (como, por ejemplo, desarrollar un trabajo por cuenta propia o ajena; disponer de recursos suficientes y de un seguro de enfermedad; ser estudiante de un centro público o privado, etc.)[63], se hallarán en una situación ilegal. Este resulta un aspecto crítico en España, así como también para el resto de sistemas com-parados[64], a excepción de Reino Unido, que ofrece la posibilidad a todas las presuntas víctimas -con independencia de su nacionalidad, incluso si son britá-nicas- a optar a este periodo (ibid., 2016). Por su parte, el caso italiano resulta particular. Si bien los datos que presenta presuponen la concesión automática del periodo a todas las víctimas que han sido identificadas, este es un derecho que no queda recogido en la legislación italiana. En este sentido, se ha urgido a las autoridades italianas a realizar dicha inclusión, ante el riesgo que presuntas

---

[62]   VILLACAMPA ESTIARTE, C.: «Víctimas de la trata de seres humanos: su tutela a la Luz de las últimas reformas penales sustantivas y procesales proyectadas», *op. cit.*; TORRES ROSELL, N., y VILLACAMPA ESTIARTE, C.: «Protección jurídica y asistencia para vícti-mas de trata de seres humanos», *op. cit.*

[63]   El conjunto de supuestos se puede consultar en MINISTERIO DEL INTERIOR: Estancia y residencia [en línea]. Recuperado de: http://www.interior.gob.es/ca/web/servicios-al-ciu-dadano/extranjeria/ciudadanos-de-la-union-europea/estancia-y residencia#Residencia%20 superior%20a%20tres%20meses

[64]   GRETA–GROUP OF EXPERTS ON ACTION AGAINST TRAFFICKING IN HUMAN BEINGS: *Report concerning the implementation of the Council of Europe Convention on Action against Trafficking in Human Beings by Portugal. Second evaluation round*, Council of Europe, Strasbourg, 2017; GRETA–GROUP OF EXPERTS ON ACTION AGAINST TRAFFICKING IN HUMAN BEINGS: *Report concerning the implementation of the Coun-cil of Europe Convention on Action against Trafficking in Human Beings by Spain. Second evaluation round*, *op. cit.*; GRETA–GROUP OF EXPERTS ON ACTION AGAINST TRA-FFICKING IN HUMAN BEINGS: *Report concerning the implementation of the Council of Europe Convention on Action against Trafficking in Human Beings by the Netherlands. Second evaluation round*, *op. cit.*; GRETA–GROUP OF EXPERTS ON ACTION AGA-INST TRAFFICKING IN HUMAN BEINGS: *Report concerning the implementation of the Council of Europe Convention on Action against Trafficking in Human Beings by Italy. Se-cond evaluation round*, *op. cit.*; GRETA–GROUP OF EXPERTS ON ACTION AGAINST TRAFFICKING IN HUMAN BEINGS: *Report concerning the implementation of the Coun-cil of Europe Convention on Action against Trafficking in Human Beings by Germany. Second evaluation round*, *op. cit.*

víctimas puedan ser deportadas sin habérseles concedido el tiempo necesario para su recuperación[65].

En segundo lugar, existen evidencias generalizadas que plantean un uso excesivamente condicionado del periodo de restablecimiento y reflexión a la denuncia y la colaboración con las autoridades. De nuevo con la excepción del Reino Unido, se señala también un alto umbral de exigencia probatoria para la identificación que condiciona a su vez el curso del periodo en cuestión. En este sentido, situando de nuevo la aproximación victimocéntrica, cabe destacar la desconfianza con la que las presuntas víctimas acceden a las entrevistas con las autoridades, dado el miedo a ser deportadas o expulsadas, hecho que dificulta la labor de exploración de los casos, más si cabe cuando no se identifican a sí mismas como víctimas[66]. A todo ello, cabe añadirles dos aspectos más. El primero, vinculado a la escasa o nula información que reciben muchas víctimas en proceso de identificación sobre la posibilidad de solicitar dicho periodo y, en segundo término, las carencias formativas de los profesionales que ocupan puestos relevantes para la valoración del periodo y la posterior gestión asistencial asociada.

A lo expuesto anteriormente, cabe añadir la particularidad en España acerca del sesgo institucional que conduce a visibilizar un tipo de TSH -de explotación sexual vinculada al sexo femenino- y que mantiene también correspondencia con lo referente a la concesión de este período. Como apuntan Villacampa y Torres[67], resulta ser 62 veces menos probable que se reconozca el período de restablecimiento y reflexión a las víctimas de TSH para explotación laboral que sexual.

En términos de buenas prácticas a este respecto, señalamos de nuevo el procedimiento británico, así como algunas experiencias singulares llevadas a cabo en dos estados alemanes. En lo que al primer caso se refiere, es importante apuntar que el periodo de restablecimiento y reflexión en Reino Unido se concede en el momento en que se establecen evidencias razonables para apuntar que la persona puede estar siendo víctima de TSH, tiempo que es utilizado

---

[65]   GRETA–GROUP OF EXPERTS ON ACTION AGAINST TRAFFICKING IN HUMAN BEINGS: *Report concerning the implementation of the Council of Europe Convention on Action against Trafficking in Human Beings by Italy. Second evaluation round, op. cit.*

[66]   FEI–FRANCE EXPERTISE INTERNATIONALE: *Guidelines for the first level identification of victims of trafficking in Europe, op. cit.*; MENESES FALCÓN, C., UROZ, J., RÚA, A., GORTAZAR, C. y CASTAÑO, M. J.: *Apoyando a las Víctimas de Trata. Las necesidades de las mujeres víctimas de trata con fines de explotación sexual desde la perspectiva de las entidades especializadas y profesionales involucradas. Propuesta para la sensibilización contra la trata, op. cit.*; VILLACAMPA ESTIARTE, C., y TORRES ROSSELL, N.: «Trata de seres humanos para explotación criminal: ausencia de identificación de las víctimas y sus efectos», *op. cit.*

[67]   VILLACAMPA ESTIARTE, C., y TORRES FERRER, C.: «Aproximación institucional a la trata de seres humanos en España: valoración crítica», *op. cit.*

para valorar por parte de la autoridad competente[68] si, efectivamente, esas evidencias resultan ser o no conclusivas. Es importante señalar este aspecto, dado que, de acuerdo con el Convenio, la concesión del periodo no debería estar sujeta al hallazgo de evidencias conclusivas, como se ha señalado críticamente para el caso español. A pesar de contar con este buen hacer procedimental, el Reino Unido (al igual que Alemania) no ofrecen datos acerca de los periodos concedidos. En lo que respecta a los estados alemanes de Hamburgo y Baja-Sajonia, ambos presentan un conjunto de buenas prácticas vinculadas a un proceso de decisión entorno a la adjudicación del periodo, basado fundamentalmente en el informe de sus centros de asesoramiento especializado gestionados por la alianza de entidades del tercer sector en materia de TSH. Nos referimos a un proceso que destaca positivamente por la simplificación burocrática, pero sobre todo por el trato directo de la víctima con profesionales sociales especializados en la atención, en detrimento del contacto con las autoridades policiales. Estas son prácticas que quedan enmarcadas dentro acuerdos de colaboración establecidos en ambos estados entre la autoridad policial y los centros de asesoramiento especializado[69].

4. Permiso de residencia

Finalizado el periodo de restablecimiento y reflexión, los Estados expedirán un permiso de residencia renovable a las víctimas cuando se considere que su situación personal así lo requiera, o bien debido a que su estancia se estime necesaria para cooperar con las autoridades en la investigación criminal. Cabe señalar que el estatus de irregularidad resulta un motivo añadido de vulnerabilidad para las víctimas, dado que reduce las posibilidades de salir de su situación, convirtiéndolas en un objetivo fácil para los tratantes. Así, garantizar la residencia legal supone, además de un cumplir con un requerimiento de carácter humanitario, un elemento esencial a efectos de desarrollar un proceso de recuperación exitoso con la víctima[70]. Dicha garantía debería darse con independencia de que la víctima participe en el curso del proceso penal contra los tratantes. Sin embargo, este es un aspecto que no se desarrolla plenamente ni en España, ni en ninguno de los países analizados.

---

[68]   Se trata del ya mencionado *Single Competent Authority*.
[69]   KOK: *Evaluation Report on the implementation of the Council of Europe Convention on Action against Trafficking in Human Beings by the parties to the treaty, op. cit.*; GRETA–GROUP OF EXPERTS ON ACTION AGAINST TRAFFICKING IN HUMAN BEINGS: *Report concerning the implementation of the Council of Europe Convention on Action against Trafficking in Human Beings by Germany. Second evaluation round, op. cit.*
[70]   OSCE–ORGANIZATION FOR SECURITY AND CO-OPERATION IN EUROPE: *National Referral Mechanisms. Joining Efforts to Protect the Rights of Trafficked Persons. A Practical Handbook, op. cit.*

En este sentido, se ha advertido que la interpretación que los profesionales pertenecientes al sistema de justicia penal español hacen de la protección de las víctimas tiende a presentar un carácter instrumentalizado y funcional, fundamentado en la colaboración de estas con la administración judicial. En caso contrario, subyace la idea de expulsión del territorio nacional[71]. Esta inclinación consistente en la interpretación restringida del primer supuesto resulta presente en Reino Unido, Portugal, Países Bajos e Italia[72], y de manera más aguda en Alemania[73], donde la posibilidad de obtener el permiso en base a la situación personal es totalmente inefectiva en la práctica, quedando únicamente reducida su obtención a la colaboración con las autoridades. Así, aunque con diversas intensidades, el déficit en este punto es generalizado, situando a las víctimas que no pueden o no desean colaborar (por motivos tan razonables como el miedo provocado por las amenazas de sus tratantes) en una situación de enorme inseguridad.

Al tiempo que se indica esta insuficiencia en su reconocimiento, cabe exponer también que España (junto con Italia y Alemania) mantiene en este ámbito el sesgo señalado en los apartados anteriores en relación al tipo de trata que presenta un mayor número de respuestas afirmativas, concentrándose esta en la explotación sexual[74] de personas del género femenino[75]. Con todo, España presenta unas cifras relativas de concesión de permisos comparativamente

---

[71]　GRETA–GROUP OF EXPERTS ON ACTION AGAINST TRAFFICKING IN HUMAN BEINGS: *Report concerning the implementation of the Council of Europe Convention on Action against Trafficking in Human Beings by Spain. Second evaluation round*, Council of Europe, Strasbourg, 2018; TORRES ROSELL, N., y VILLACAMPA ESTIARTE, C.: «Protección jurídica y asistencia para víctimas de trata de seres humanos», *op. cit.*

[72]　GRETA–GROUP OF EXPERTS ON ACTION AGAINST TRAFFICKING IN HUMAN BEINGS: *Report concerning the implementation of the Council of Europe Convention on Action against Trafficking in Human Beings by the United Kingdom. Second evaluation round*, Council of Europe, Strasbourg, 2016; 2017; GRETA–GROUP OF EXPERTS ON ACTION AGAINST TRAFFICKING IN HUMAN BEINGS: *Report concerning the implementation of the Council of Europe Convention on Action against Trafficking in Human Beings by the Netherlands. Second evaluation round, op. cit.*; GRETA–GROUP OF EXPERTS ON ACTION AGAINST TRAFFICKING IN HUMAN BEINGS: *Report concerning the implementation of the Council of Europe Convention on Action against Trafficking in Human Beings by Italy. Second evaluation round, op. cit.*

[73]　GRETA–GROUP OF EXPERTS ON ACTION AGAINST TRAFFICKING IN HUMAN BEINGS: *Report concerning the implementation of the Council of Europe Convention on Action against Trafficking in Human Beings by Italy. Second evaluation round, op. cit.*

[74]　GRETA–GROUP OF EXPERTS ON ACTION AGAINST TRAFFICKING IN HUMAN BEINGS: *Report concerning the implementation of the Council of Europe Convention on Action against Trafficking in Human Beings by Spain. Second evaluation round, op. cit.*; VILLACAMPA ESTIARTE, C., y TORRES FERRER, C.: «Aproximación institucional a la trata de seres humanos en España: valoración crítica», *op. cit.*

[75]　EUROPEAN COMMISSION-MIGRATION AND HOME AFFAIRS: *Data collection on trafficking in human beings in the EU, op. cit.*

elevadas, si se contrastan con la media de los veintiocho estados de la UE, e incluso con Italia, país con el que mantiene mayor similitud en términos de incidencia de la migración (tabla 7). Al respecto, cabe subrayar además dos ulteriores aspectos positivos. El primero, vinculado al gradual incremento que se ha producido en los últimos años referente al número de permisos de residencia concedidos en virtud de la situación personal de las víctimas[76][77]. En segundo lugar, al hecho de que la normativa española contemple que dicho permiso, de una duración de cinco años, considere la opción que la víctima de TSH pueda acceder a una ocupación, en cualquier sector y territorio nacional español, por cuenta propia o ajena[78] sin perjuicio de que la persona extranjera pueda acceder a una situación de residencia de larga duración. Con ello, España llega en este aspecto incluso más lejos de lo que se requiere en normativa europea[79].

Tabla 7
Permisos de residencia concedidos[80] y porcentaje sobre el total de víctimas extracomunitarias registradas

2015-2016		%
España	100	41
UE (28)	1312	14
Alemania	nd	nd
Italia	252	18
Países Bajos	329	44
Portugal	31	36
Reino Unido	nd	nd

Fuente: Elaboración propia a partir de EUROPEAN COMMISSION-MIGRATION AND HOME AFFAIRS: *Data collection on trafficking in human beings in the EU, op. cit. – nd* dato no disponible.

---

[76]   Si bien algunas entidades, como APRAMP, siguen denunciando que esta vía no funciona con normalidad, ya que la legislación no contempla criterios suficientemente claros para hacer efectivo este derecho. *Vid.* APRAMP: Asistencia integral de las víctimas de trata de seres humanos con fines de explotación sexual: *Guía de intervención con víctimas de trata para ayuntamientos y trabajadores sociales, op. cit.*

[77]   GRETA–GROUP OF EXPERTS ON ACTION AGAINST TRAFFICKING IN HUMAN BEINGS: *Report concerning the implementation of the Council of Europe Convention on Action against Trafficking in Human Beings by Spain. Second evaluation round, op. cit.*

[78]   SECRETARIAT OF THE COUNCIL OF EUROPE CONVENTION ON ACTION AGAINST TRAFFICKING IN HUMAN BEINGS: *Compendium of good practices on the implementation of the Council of Europe Convention on Action against Trafficking in Human Beings, op. cit.*

[79]   VILLACAMPA ESTIARTE, C.: «Víctimas de la trata de seres humanos: su tutela a la Luz de las últimas reformas penales sustantivas y procesales proyectadas», *op. cit.*

[80]   Con relación a este dato, cabe apuntar que existen diferencias significativas entre las cifras que presentan los informes GRETA para los diversos países analizados y el Informe de la Comisión Europea. Tomamos finalmente como referencia las provenientes de esta última fuente en ser recopiladas a través de los propios Estados miembros.

IV. SÍNTESI COMPARATIVA

El análisis del sistema de protección a las víctimas de trata en nuestro país nos ha permitido profundizar en los vigentes en Portugal, Reino Unido, Países Bajos, Italia y Alemania con una mirada orientada hacia aquellos mecanismos y dispositivos que pueden resultar significativos en clave española. Si bien en los cinco encontramos aspectos de interés, nos hemos centrado mayoritariamente en el sistema británico, portugués y neerlandés[81], y en menor medida en el italiano y alemán, al presentar estos últimos ciertas deficiencias estructurales en sus sistemas de atención. Así, en Alemania, aun cuando existen acuerdos de cooperación a nivel federal entre agentes públicos y privados en trece de los dieciséis estados[82], destaca la ausencia de un protocolo nacional que armonice la actuación a escala nacional[83]. Ello se une a la falta de indicadores formalizados por las autoridades para la identificación[84]. Por otro lado, en Italia, aun cuando resulta vigente el protocolo *Meccanismo Nazionale di Referral per le Persone Trafficate,* así como los diversos instrumentos asociados a este, existen

---

[81] A pesar de las dificultades metodológicas para dictaminar con certeza los sistemas que mejor funcionan en el ámbito de la lucha contra trata (*vid.* BRYANT, K., y LANDMAN, T.: «Combatting Human Trafficking since Palermo: What Do We Know about What Works? », *op. cit.*; y VAN DYKE, R.: «Monitoring and Evaluation of Human Trafficking Partnerships in England and Wales», *op. cit.*) existen algunos datos que permiten situar los vigentes en el Reino Unido, Portugal y Países Bajos entre los más avanzados (GRETA–GROUP OF EXPERTS ON ACTION AGAINST TRAFFICKING IN HUMAN BEINGS: *Report concerning the implementation of the Council of Europe Convention on Action against Trafficking in Human Beings by the United Kingdom. Second evaluation round, op. cit.*; GRETA–GROUP OF EXPERTS ON ACTION AGAINST TRAFFICKING IN HUMAN BEINGS: *Report concerning the implementation of the Council of Europe Convention on Action against Trafficking in Human Beings by Portugal. Second evaluation round,* Council of Europe, Strasbourg, 2017; GRETA–GROUP OF EXPERTS ON ACTION AGAINST TRAFFICKING IN HUMAN BEINGS: *Report concerning the implementation of the Council of Europe Convention on Action against Trafficking in Human Beings by the Netherlands. Second evaluation round, op. cit.*; MINDEROO FOUNDATION: *Measurement, action, freedom: An independent assessment of government progress towards achieving UN sustainable development goal 8.7, op. cit.*; US DEPARTMENT OF STATE: *Trafficking in Persons Report 2019, op. cit.*

[82] GRETA–GROUP OF EXPERTS ON ACTION AGAINST TRAFFICKING IN HUMAN BEINGS: *Report concerning the implementation of the Council of Europe Convention on Action against Trafficking in Human Beings by Germany. Second evaluation round, op. cit.*

[83] KOK: *Evaluation Report on the implementation of the Council of Europe Convention on Action against Trafficking in Human Beings by the parties to the treaty, op. cit.*; POLATSIDE, V., y MUJAJ, E.: *Road map for integration of victims of human trafficcking among migrants in Finland, Germany and Sweden, op. cit.*

[84] PIOTROWICZ, R., SKRIVANKOVA, K., HEIDE, B., y WIJERS, M.: «Implementation of Directive 2011/36/EU from a gender perspective in Germany, Lithuania, Romania, Sweden, the Netherlands and the UK», *op. cit.*

evidencias de su escasa penetración e implementación a nivel práctico a lo largo del territorio[85].

Por otra parte, si bien Portugal, Reino Unido y los Países Bajos cuentan con características singulares en lo que a la organización de la protección se refiere, ponemos de relieve dos componentes comunes que les permiten orientar sus sistemas hacia un enfoque más comprensivo del fenómeno. El primero de ellos pasa por la activación y capacitación[86] de un mayor número de operadores vinculados a la identificación e intervención con las víctimas. El segundo, por el establecimiento de mecanismos más robustos para la cooperación y la coordinación de las actuaciones, facilitando así el *continuum* de la intervención social. En términos prácticos, estos componentes forjan una infraestructura más preparada, en comparación con la existente en España, para abordar las diversas tipologías de trata –además de la explotación sexual– y proveer de una forma más coherente los servicios y actuaciones que pueden conducir a las víctimas a un proceso óptimo de recuperación. Más allá de la voluntad política requerida para dotar de estabilidad dicha infraestructura –con la dotación de recursos suficientes y mediante el reconocimiento formal de los operadores privados que intervienen– enfatizamos el hecho de incorporar el enfoque multidisciplinar y multisectorial como factor clave que permite aumentar las posibilidades de disponer del conocimiento y las competencias necesarias para abordar la complejidad del fenómeno.

Este es un aspecto que hemos podido advertir en el sistema británico mediante los *First Responders*, en el sistema portugués a partir de los *Equipas multidisciplinares especializadas*, y en el sistema neerlandés, mediante la articulación de los *Zorgcoördinatoren* y el *Coördinatiecentrum tegen Mensenhandel*.

V. CONCLUSIONES PROPOSITIVAS

Determinados los principales problemas aplicativos y las carencias existentes en la infraestructura española, formulamos tres propuestas orientativas de mejora para un futuro protocolo de atención a las víctimas de TSH en España,

---

85   GRETA–GROUP OF EXPERTS ON ACTION AGAINST TRAFFICKING IN HUMAN BEINGS: *Report concerning the implementation of the Council of Europe Convention on Action against Trafficking in Human Beings by Italy. Second evaluation round, op. cit.*

86   Los tres países cuentas con buenas prácticas reconocidas en materia de formación para aquellos profesionales que pueden entrar en contacto con posibles víctimas (*vid.* SECRETARIAT OF THE COUNCIL OF EUROPE CONVENTION ON ACTION AGAINST TRAFFICKING IN HUMAN BEINGS: *Compendium of good practices on the implementation of the Council of Europe Convention on Action against Trafficking in Human Beings, op. cit.*).

teniendo en consideración las prácticas de interés identificadas a través de la perspectiva comparada.

En primer lugar, entendemos que se debería reconsiderar la atribución en solitario asignada a las FCSE referente a la identificación de las víctimas. Si bien señalábamos con anterioridad la desconfianza de estas con los órganos oficiales de control, no parece lo más apropiado que los mismos cuerpos asociados al control migratorio y la investigación de actos delictivos lleven a cabo este primer contacto, o al menos, que lo hagan en solitario, dado que en este proceso se requiere rebajar cualquier aspecto intimidador para la presunta víctima. Tampoco lo es si se pretende ampliar la capacidad para detectar personas que sufren otras formas de explotación, más allá de la sexual. En ambos aspectos resulta conveniente establecer modalidades que puedan integrar una participación más significativa de agentes clave como los servicios sociales, pero también los de salud, la inspección laboral, así como los sindicatos. Aunque estructurar dicha contribución resulta complejo, la perspectiva comparada nos muestra dos posibilidades a tener en consideración: capacitar y facultar a un conjunto amplio de operadores distribuidos por todo el país, siguiendo el sistema británico, o bien desarrollar modelos territoriales de base comunitaria dinamizados por equipos especializados, como hacen Portugal y Países Bajos.

De la misma manera, en referencia a la intervención con las víctimas, el futuro protocolo español debería concretar los elementos básicos de la infraestructura de atención que resultan críticos para realizar una buena atención. Entre ellos, la delimitación de responsabilidades entre los operadores presentes en el territorio[87], los mecanismos de intercambio de información entre estos, la armonización y coherencia de los recursos y actuaciones que se prestan a las víctimas, así como también los instrumentos que permitan la evaluación de las intervenciones. En términos comparativos, destacamos el modelo neerlandés como aquel que ofrece mayores posibilidades de aprendizaje, dada la existencia de un marco institucional que incorpora las estructuras a distinto nivel (nacional y regional), así como los dispositivos técnicos y sociales, que posibilitan encauzar favorablemente dichos elementos. Siguiendo con este sistema, señalamos la figura del *National Rapporteur* (Relator Nacional), cuyas funciones resultan fundamentales para el monitoreo de las actuaciones públicas en materia de lucha contra la trata y la posterior realización de recomendaciones de mejora al respecto. A pesar de que esta es una figura existente en España, ponemos en valor un hecho diferencial en el sistema neerlandés, y es

---

[87]   En referencia a las responsabilidades, cabe destacar que si bien las entidades del tercer sector –así como otras organizaciones competentes u otros actores de la sociedad civil– pueden jugar un papel activo en la provisión de la atención, es el Estado quien sigue siendo responsable de cumplir con las obligaciones establecidas en el Convenio del Consejo de Europa (GRETA–GROUP OF EXPERTS ON ACTION AGAINST TRAFFICKING IN HUMAN BEINGS: *8th General Report on GRETA's Activities*, Council of Europe, Strasbourg, 2019).

su condición de actor independiente del gobierno. De la misma manera, su red regional de coordinadores de atención (*Zorgcoördinatoren*) integrada en la administración local, resulta una estrategia operativa de interés para desarrollar una intervención social más consistente.

Finalmente, la necesidad de superar el encuadre criminocéntrico y de avanzar de una manera más determinada hacia un enfoque centrado en la víctima, requiere seguir ampliando la dimensión social con la que se aborda la cuestión, tanto en términos operativos, como de conocimiento respecto del fenómeno. En este sentido, la perspectiva comparada nos muestra como la articulación de un sistema multiagencia organizado en clave territorial, unido al fortalecimiento de equipos competentes en materia de diversidad cultural -aspecto determinante en clave española debido al alto componente migratorio asociado a la TSH- permite aumentar la eficacia en esta fase. Así, a partir las referencias de los modelos indicados, sostenemos que esta es una competencia más cercana a los operadores sociales, como las ONG privadas especializadas, o los propios dispositivos sociales públicos de carácter local. Dicha atribución los sitúa en mejores condiciones para atender singularmente las diferencias que pueden plantear las víctimas en función de su origen y del patrón a partir del cual han sido captadas.

VI. BIBLIOGRAFÍA

APRAMP: *Asistencia integral de las víctimas de trata de seres humanos con fines de explotación sexual: Guía de intervención con víctimas de trata para ayuntamientos y trabajadores sociales,* Madrid, 2017. Recuperado de: https://apramp.org/download/guia-de-intervencion-con-victimas-de-trata-para-ayuntamientos-y-trabajadoresas-sociales/?wpdmdl=1324

BRYANT, K., y LANDMAN, T.: «Combatting Human Trafficking since Palermo: What Do We Know about What Works? », *Journal of Human Trafficking,* 6:2, 2020. https://doi.org/10.1080/23322705.2020.1690097

BUADES FUSTER, J., BOSCH NOCEA, A., VIDAL SAS, P., MOHAMED-LAMIN, M., LENDRINO TEJERINA, I. y AGÜERO COLLINS, A.: *Informe CIE 2019: Diez años miranda a otro lado,* Servicio Jesuita a Migrantes (SJM), Madrid, 2020. Recuperado de https://sjme.org/wp-content/uploads/2020/06/Informe-CIE-2019-SJM_Diez-a%C3%B1os-mirando-a-otro-lado.pdf

CARRILLO PALACIOS, L., y DE GASPERIS, T.: *La otra cara de la trata. Informe diagnóstico sobre otras formas de trata que afectan a las mujeres,* Accem, Barcelona, 2019. Recuperado de: https://www.accem.es/wp-content/uploads/2019/11/LA-OTRA-CARA-DE-LA-TRATA-NOVICOM-2019.pdf

CENTRO DE INTELIGENCIA CONTRA EL TERRORISMO Y EL CRIMEN ORGANIZADO (CITCO): *Trata de seres humanos en España. Balance estadístico 2014-18,* Ministerio del Interior. Secretaría de Estado de Seguridad, Madrid, 2019. Recuperado de: http://www.interior.gob.es/documents/10180/8736571/Balance+Ministerio+FINAL+2014-18.pdf/2051e1f9-5248-49e0-ab48-ae9dee5e53bc

DEFENSOR DEL PUEBLO: *El asilo en España. La protección internacional y los recursos del sistema de acogida*, Madrid, 2016. Recuperado de https://www.defensordelpueblo.es/wp-content/uploads/2016/07/Asilo_en_Espa%C3%B1a_2016.pdf

DEFENSOR DEL PUEBLO: *La trata de seres humanos en España: víctimas invisibles*, Madrid, 2012. Recuperado de: https://www.defensordelpueblo.es/wp-content/uploads/2015/05/2012-09-Trata-de-seres-humanos-en-Espa%C3%B1a-v%C3%ADctimas-invisibles-ESP.PDF

EUROPEAN COMMISSION: *Report from the Commission to the European Parliament and the Council. Second report on the progress made in the fight against trafficking in human beings (2018) as required under Article 20 of Directive 2011/36/EU on preventing and combating trafficking in human beings and protecting its victims*, Publications Office of the European Union, Luxembourg, 2018. Recuperado de: https://ec.europa.eu/home-affairs/sites/homeaffairs/files/what-we-do/policies/european-agenda-security/20181204_com-2018-777-report_en.pdf

EUROPEAN COMMISSION: *The EU rights of victims of trafficking in human beings*, Publications Office of the European Union, Luxembourg, 2013. Recuperado de https://ec.europa.eu/home-affairs/sites/homeaffairs/files/e-library/docs/thb_victims_rights/thb_victims_rights_en.pdf

EUROPEAN COMMISSION-MIGRATION AND HOME AFFAIRS: *Data collection on trafficking in human beings in the EU*, Publications of the European Union, Luxembourg, 2020. Recuperado de: https://ec.europa.eu/anti-trafficking/sites/antitrafficking/files/study_on_data_collection_on_trafficking_in_human_beings_in_the_eu.pdf

EUROPEAN COMMISSION-MIGRATION AND HOME AFFAIRS: *Data collection on trafficking in human beings in the EU*, Publications of the European Union, Luxembourg, 2018. Recuperado de: https://ec.europa.eu/home-affairs/sites/homeaffairs/files/what-we-do/policies/european-agenda-security/20181204_data-collection-study.pdf

EUROPEAN MIGRATION NETWORK (EMN): *Identification of victims of trafficking in human beings in international protection and forced return procedures*, Home Office Science (Migration and Borders Analysis), United Kingdom of Great Britain and Northern Ireland, 2013. Recuperado de: https://www.refworld.org/docid/5326ce1e4.htm

FEI–FRANCE EXPERTISE INTERNATIONALE: *Guidelines for the first level identification of victims of trafficking in Europe*, Ministère des Affaires étrangères, Paris, 2013. Recuperado de : http://www.renate-europe.net/wp-content/uploads/2013/12/2014.11_identification_1_GUIDELINES.pdf

FERNÁNDEZ RODRÍGUEZ DE LIÉVANA, G., y WAISMAN, V.: «Implementation of Directive 2011/36/EU from a gender perspective in Spain», en SCHERRER, A., y WERNER, H., *Trafficking in Human Beings from a Gender Perspective Directive 2011/36/EU. European Implementation Assessment*, European Parliamentary Research Service, Brussels, 2016. Recuperado de https://www.europarl.europa.eu/RegData/etudes/STUD/2016/581412/EPRS_STU(2016)581412_EN.pdf

GARCÍA CUESTA, S.: «La trata en España: una interpretación de los Derechos Humanos en perspectiva de género», *Dilemata, 10*, 2012.

GRETA–GROUP OF EXPERTS ON ACTION AGAINST TRAFFICKING IN HUMAN BEINGS: *Report concerning the implementation of the Council of Europe*

Convention on Action against Trafficking in Human Beings by the United Kingdom. Second evaluation round, Council of Europe, Strasbourg, 2016. Recuperado de: https://rm.coe.int/16806abcdc

GRETA–GROUP OF EXPERTS ON ACTION AGAINST TRAFFICKING IN HUMAN BEINGS: *Report concerning the implementation of the Council of Europe Convention on Action against Trafficking in Human Beings by Portugal. Second evaluation round*, Council of Europe, Strasbourg, 2017. Recuperado de: https://rm.coe.int/16806fe673

GRETA–GROUP OF EXPERTS ON ACTION AGAINST TRAFFICKING IN HUMAN BEINGS: *Report concerning the implementation of the Council of Europe Convention on Action against Trafficking in Human Beings by Spain. Second evaluation round*, Council of Europe, Strasbourg, 2018. Recuperado de: https://rm.coe.int/greta-2018-7-frg-esp-en/16808b51e0

GRETA–GROUP OF EXPERTS ON ACTION AGAINST TRAFFICKING IN HUMAN BEINGS: *Report concerning the implementation of the Council of Europe Convention on Action against Trafficking in Human Beings by the Netherlands. Second evaluation round*, Council of Europe, Strasbourg, 2018. Recuperado de: https://rm.coe.int/greta-2018-19-fgr-nld-en/16808e70ca

GRETA–GROUP OF EXPERTS ON ACTION AGAINST TRAFFICKING IN HUMAN BEINGS: *Report concerning the implementation of the Council of Europe Convention on Action against Trafficking in Human Beings by Italy. Second evaluation round,* Council of Europe, Strasbourg, 2018. Recuperado de: https://rm.coe.int/greta-2018-28-fgr-ita/168091f627

GRETA–GROUP OF EXPERTS ON ACTION AGAINST TRAFFICKING IN HUMAN BEINGS: *Report concerning the implementation of the Council of Europe Convention on Action against Trafficking in Human Beings by Germany. Second evaluation round*, Council of Europe, Strasbourg, 2019. Recuperado de https://rm.coe.int/greta-2019-07-fgr-deu-en/1680950011

GRETA–GROUP OF EXPERTS ON ACTION AGAINST TRAFFICKING IN HUMAN BEINGS: *8th General Report on GRETA's Activities*, Council of Europe, Strasbourg, 2019. Recuperado de: https://rm.coe.int/8th-/168094b073

HOME OFFICE: *Victims of modern slavery – frontline staff guidance,* Version 3.0, London, 2016. Recuperado de https://www.antislaverycommissioner.co.uk/media/1057/victims-of-modern-slavery-frontline-staff-guidance-v3.pdf

HOME OFFICE: *Modern slavery strategy*, London, 2014. Recuperado de: https://assets.publishing.service.gov.uk/government/uploads/system/uploads/attachment_data/file/383764/Modern_Slavery_Strategy_FINAL_DEC2015.pdf

JIMÉNEZ ROMERO, M., y TARANCÓN GÓMEZ, P.: «Perspectivas de profesionales del tercer sector sobre la intervención con víctimas de trata con fines de explotación sexual», *Revista Electrónica de Ciencia Penal y Criminología*, 20-25, 2018.

KOK: *Evaluation Report on the implementation of the Council of Europe Convention on Action against Trafficking in Human Beings by the parties to the treaty*, Berlin, 2018. Recuperado de: https://www.kok-gegen-menschenhandel.de/fileadmin/user_upload/medien/Publikationen_KOK/KOK_NGO_Report_to_GRETA_2nd_Evaluation_Round_01.03.18.pdf

MENESES FALCÓN, C., UROZ, J., RÚA, A., GORTAZAR, C. y CASTAÑO, M.J.: *Apoyando a las Víctimas de Trata. Las necesidades de las mujeres víctimas de trata* con *fines de explotación sexual desde la perspectiva de las entidades especializa-das y profesionales involucradas. Propuesta para la sensibilización contra la trata,* Ministerio de Sanidad, Servicios Sociales e Igualdad, Madrid, 2015. Recuperado de https://violenciagenero.igualdad.gob.es/violenciaEnCifras/estudios/investigaciones/2015/pdf/Apoyando_Victimas_Trata.pdf

MILANO, V.: «Protección de las víctimas de trata con fines de explotación sexual. Estándares internacionales en materia de enfoque de derechos humanos y retos relativos a su aplicación en España», *Revista electrónica de estudios internacionales,* 32, 2016. https://doi.org/ 10.17103/reei.32.05

MINDEROO FOUNDATION: *Measurement, action, freedom: An independent assessment of government progress towards achieving UN sustainable development goal 8.7,* Perth, 2019. Recuperado de: https://cdn.globalslaveryindex.org/2019-content/uploads/2019/07/17123602/walk.free_.MAF_190717_FNL_DIGITAL-P.pdf

MINISTERIO DEL INTERIOR: Estancia y residencia [en línea]. Recuperado de: http://www.interior.gob.es/ca/web/servicios-al-ciudadano/extranjeria/ciudadanos-de-la-union-europea/estancia-y   residencia#Residencia%20superior%20a%20tres%20meses

OBOKATA, T.: *Trafficking in Human Beings from a Human Rights Perspective: Towards a Holistic Approach,* Martinus Nijhoff Publishers, Leiden, 2006.

OSCE–ORGANIZATION FOR SECURITY AND CO-OPERATION IN EUROPE: *National Referral Mechanisms. Joining Efforts to Protect the Rights of Trafficked Persons. A Practical Handbook,* OSCE/ODIHR, Warsaw, 2004. Recuperado de: https://www.osce.org/files/f/documents/0/4/13967.pdf

PIOTROWICZ, R., SKRIVANKOVA, K., HEIDE, B., y WIJERS, M.: «Implementation of Directive 2011/36/EU from a gender perspective in Germany, Lithuania, Romania, Sweden, the Netherlands and the UK», en SCHERRER, A., y WERNER, H., *Trafficking in Human Beings from a Gender Perspective Directive 2011/36/EU. European Implementation Assessment,* European Parliamentary Research Service, Brussels, 2016. Recuperado de: https://www.europarl.europa.eu/RegData/etudes/STUD/2016/581412/EPRS_STU(2016)581412_EN.pdf

POLATSIDE, V., y MUJAJ, E.: *Road map for integration of victims of human trafficking among migrants in Finland, Germany and Sweden,* The Council of the Baltic Sea States, Stockholm, 2018. Recuperado de: https://cbss.org/following-the-traces-between-migration-and-human-trafficking-from-exploitation-to-integration-tf-thb-presented-and-launched-new-report/integration-rad-map/

PRESIDENZA DEL CONSIGLIO DEI MINISTRI Y ORGANIZZAZIONE INTERNAZIONALE DEL LAVORO: *Il lavoro forzato e la tratta di esseri umani. Manuale per gli ispettori del lavoro,* Roma, 2011. Recuperado de: https://www.osservatoriointerventitratta.it/wp-content/uploads/2018/01/allegato-3-manuale-ispettori-del-lavoro.pdf

PRESIDENZA DEL CONSIGLIO DEI MINISTRI: *Linee guida per la definizione di un mecanismo di rapida identificazione delle vittime di tratta e grave sfruttamento,* Roma, 2018. Recuperado de: https://www.osservatoriointerventitratta.it/wp-content/uploads/2018/01/allegato-2-linee-guida-rapida-identificazione.pdf

RECTP – RED ESPAÑOLA CONTRA LA TRATA DE PERSONA: *Informe de la Red Española contra la Trata de Personas para la Coordinadora Europea de lucha con-*

tra la trata, Madrid, 2015. Recuperado de: https://www.bienestaryproteccioninfan-
til.es/fuentes1.asp?sec=20&subs=233&cod=2197&page=

SANTOS OLMEDA, B.: «Las víctimas de trata en España: el sistema de acogida de
protección internacional», *Anuario CIDOB de la Inmigración 2019*, 2019. https://
doi.org/10.24241/AnuarioCIDOBInmi.2019.144

SCHERRER, A., y WERNER, H.: *Trafficking in Human Beings from a Gender Perspective Directive 2011/36/EU. European Implementation Assessment*, European Parliamentary Research Service, Brussels, 2016. Recuperado de: https://www.europarl.
europa.eu/RegData/etudes/STUD/2016/581412/EPRS_STU(2016)581412_EN.pdf

SECRETARIAT OF THE COUNCIL OF EUROPE CONVENTION ON ACTION
AGAINST TRAFFICKING IN HUMAN BEINGS: *Compendium of good practices
on the implementation of the Council of Europe Convention on Action against
Trafficking in Human Beings*, Council of Europe, Brussels, 2016. Recuperado de:
https://edoc.coe.int/en/trafficking-in-human-beings/7203-compendium-of-good-
practices-on-the-implementation-of-the-council-of-europe-convention-on-action-
against-trafficking-in-human-beings.html

SICAR CAT y PROYECTO ESPERANZA: *Recomendaciones para el acceso efectivo de
las víctimas de la trata de personas a la justicia y la compensación*, Barcelona, 2019.
Recuperado de: https://www.proyectoesperanza.org/wp-content/uploads/2019/10/
Declaracion_Dossier_15_Oct_version_digital.pdf

TORRES ROSELL, N., y VILLACAMPA ESTIARTE, C.: «Protección jurídica y asistencia para víctimas de trata de seres humanos», *Revista General de Derecho Penal*,
27, 2017.

UNODC–UNITED NATIONS OFFICE ON DRUGS AND CRIME: *International
Framework for Action to Implement the Trafficking in Persons Protocol*, United
Nations, Vienna, 2009. Recuperado de: https://www.un.org/ruleoflaw/files/Interna-
tional%20Framework%20for%20Action%20to%20Implement%20the%20Tra-
fficking%20in%20Persons%20Protocol.pdf

US DEPARTMENT OF STATE: *Trafficking in Persons Report 2019*, United States
Department of State Publication Office of the under Secretary for Civilian Security,
Democracy, and Human Rights, New York, 2019. Recuperado de: https://reliefweb.
int/sites/reliefweb.int/files/resources/2019-Trafficking-in-Persons-Report.pdf

VAN DYKE, R.: «Monitoring and Evaluation of Human Trafficking Partnerships in
England and Wales», *Anti-Trafficking Review*, 8, 2017. https://doi.org/10.14197/
atr.20121788

VILLACAMPA ESTIARTE, C. y TORRES ROSELL, N.: «Mujeres víctimas de trata en
prisión en España», *Revista de Derecho Penal y Criminología*, 8, 2012.

VILLACAMPA ESTIARTE, C., GÓMEZ ADILLÓN, M.J., TORRES FERRER, C., y
MIRANDA RUCHE, X.: «Trata de seres humanos: dimensión y características en
España», *Revista General de Derecho Penal*, 35, 2021.

VILLACAMPA ESTIARTE, C., y TORRES FERRER, C.: «Aproximación institucional
a la trata de seres humanos en España: valoración crítica», *Estudios Penales y Criminológicos*, 41, 2021.

VILLACAMPA ESTIARTE, C., y TORRES ROSSELL, N.: «Trata de seres humanos
para explotación criminal: ausencia de identificación de las víctimas y sus efectos»,
Estudios Penales y Criminológicos, 36, 2016.

VILLACAMPA ESTIARTE, C.: «¿Es necesaria una ley integral contra la trata de seres humanos?», *Revista General de Derecho Penal*, 33, 2020.

VILLACAMPA ESTIARTE, C.: «La nueva directiva europea relativa a la prevención y la lucha contra la trata de seres humanos y a la protección de las víctimas. ¿Cambio de rumbo de la política de la Unión en materia de trata de seres humanos?», *Revista electrónica de Ciencia Penal y Criminología*, RECP 13-14, 2011.

VILLACAMPA ESTIARTE, C.: «Víctimas de la trata de seres humanos: su tutela a la Luz de las últimas reformas penales sustantivas y procesales proyectadas», *Indret*, 2, 2014.

VILLACAMPA ESTIARTE, C.: *El delito de trata de seres humanos. Una incriminación dictada desde el Derecho internacional*, Thomson Reuters-Aranzadi, Cizur Menor, 2011.

Capítulo XXX

LA ESPECIAL VULNERABILIDAD DE LOS MENORES EXTRANJEROS NO ACOMPAÑADOS VÍCTIMAS DE TRATA: NECESIDAD DE UNA RESPUESTA PERSONALIZADA

RUBÉN ESPUNY CUGAT
Investigador predoctoral FPI de Derecho penal
Universitat de Lleida

Sumario: I. EL FENÓMENO CRECIENTE DE LA TRATA DE MENORES DE EDAD; II. RESPUESTA JURÍDICA INTERNACIONAL A LA TRATA DE MENORES: ABORDAJE BASADO EN LOS DERECHOS HUMANOS; III. LOS PROTOCOLOS DE ATENCIÓN A MENORES EXTRANJEROS NO ACOMPAÑADOS VÍCTIMAS DE TRATA EN ESPAÑA; IV. IDENTIFICACIÓN DE VÍCTIMAS; 1. Detección; 2. Determinación de la edad; 3. Identificación formal de víctimas; 4. La identificación de víctimas desde una perspectiva comparada con países de nuestro entorno; V. ASISTENCIA INTEGRAL A LAS VÍCTIMAS; 1. El circuito de intervención en España; 2. La asistencia integral desde una perspectiva comparada con países de nuestro entorno; VI. PROPUESTAS DE MEJORA PARA ESPAÑA; VII. BIBLIOGRAFÍA.

I. EL FENÓMENO CRECIENTE DE LA TRATA DE MENORES DE EDAD

La trata de seres humanos, conocida como la esclavitud del siglo XXI, constituye un grave fenómeno criminal en auge en el que sus autores aprovechan la situación de necesidad y vulnerabilidad de sus víctimas para esclavizarlas. A escala mundial cada vez son más los afectados que se detectan, y aunque este hecho podría encontrar su explicación en la mejora de los mecanismos de identificación de víctimas y el cada vez mayor número de países que contabilizan y comparten esta clase de información, la tendencia al alza en la cifra total de víctimas de este delito no ha dejado de aumentar en los últimos años a diferencia de lo que sucedía anteriormente[1].

Pese a las circunstancias específicas que presentan los afectados por la trata de personas en las distintas partes del mundo, en los últimos años se han

---

[1] UNITED NATIONS OFFICE ON DRUGS AND CRIME (UNODC): *Global Report on Trafficking in Persons 2018*, 2018, p.7.

evidenciado cambios importantes en los perfiles de víctimas en cuanto a las variables sexo y edad. Si con los datos disponibles en el año 2004 tres de cada cuatro víctimas detectadas en el mundo eran mujeres mayores de edad, según los últimos datos oficiales publicados en el año 2018 este colectivo representaba algo menos de la mitad del número total de afectados, aunque ello no evita que continuase siendo el perfil de víctima de trata predominante[2]. Esto sugiere que en estos quince años se ha ido detectando progresivamente una proporción creciente de sujetos pasivos hombres, niños y niñas con respecto del número global de víctimas de trata.

Centrando la atención en los casos de víctimas menores de edad[3], en el año 2004 representaban el 13% del total de los afectados identificados en el mundo —10% niñas y 3% niños—, mientras que en el año 2018 más de un tercio de las víctimas registradas eran menores de edad —19% niñas y 15% niños—[4]. En suma, la proporción de víctimas menores detectadas con respecto al número global de víctimas de la trata se ha multiplicado casi por tres en este período de 15 años. Destaca además que en el mismo intervalo de tiempo este alarmante incremento de casos se ha producido de forma desigual entre niños y niñas, habiéndose multiplicado por cinco veces el porcentaje de víctimas niños y por dos veces el de niñas[5].

Este preocupante incremento en el número de víctimas de trata menores de edad pone de manifiesto el peligro que corren muchos niños y niñas en el mundo ante este fenómeno criminal, lo que requiere de la adopción de medidas específicas para la creación de un entorno de protección que reduzca su vulnerabilidad[6]. Al no haber alcanzado todavía la mayoría de edad, los menores son un objetivo fácil para los tratantes por su falta de madurez. En este sentido, los menores extranjeros no acompañados, también conocidos como «MENA»[7],

---

[2]   UNITED NATIONS OFFICE ON DRUGS AND CRIME (UNODC): *Global Report on Trafficking in Persons 2020*, 2020, p. 16.

[3]   De acuerdo con la Convención sobre los Derechos del Niño (1989), ratificada por España el 30 de noviembre de 1990 y en vigor desde el 5 de enero del siguiente año: «se entiende por niño todo ser humano menor de dieciocho años de edad, salvo que, en virtud de la ley que le sea aplicable, haya alcanzado antes la mayoría de edad» (art. 1).

[4]   UNITED NATIONS OFFICE ON DRUGS AND CRIME (UNODC): *Global Report on Trafficking in Persons 2020, op. cit.*, p. 16.

[5]   UNITED NATIONS OFFICE ON DRUGS AND CRIME (UNODC): *Ibidem*.

[6]   GROUP OF EXPERTS ON ACTION AGAINST TRAFFICKING IN HUMAN BEINGS (GRETA): *Sixth General Report on GRETA's Activities*, 2018, p. 5.

[7]   De acuerdo con la definición establecida por la Directiva 2001/55/CE del Consejo, de 20 de julio de 2001, son «los nacionales de terceros países o apátridas menores de dieciocho años que lleguen al territorio de los Estados miembros sin ir acompañados de un adulto responsable de los mismos, ya sea legalmente o con arreglo a los usos y costumbres, en la medida en que no estén efectivamente bajo el cuidado de un adulto responsable de ellos, o los menores que queden sin compañía después de su llegada al territorio de los Estados miembros».

todavía presentan mayor indefensión ante los medios de captación de las redes criminales de trata, pues a su falta de desarrollo personal debido a su corta edad —motivo que por sí mismo ya representa suficiente agravio—, se le suma el hecho de encontrarse en una posición social de soledad, desamparo e invisibilidad en un país que no es el suyo, lo cual les lleva al olvido[8].

II. RESPUESTA JURÍDICA INTERNACIONAL A LA TRATA DE MENORES: ABORDAJE BASADO EN LOS DERECHOS HUMANOS

La creciente preocupación en torno a la trata de personas ha motivado una respuesta jurídica internacional que, superando el tradicional abordaje de esta cuestión desde el estricto marco de la persecución y el castigo del delito —visión criminocéntrica—, ha dado lugar a un nuevo enfoque que pone mayor énfasis en la protección de las víctimas ante la vulneración de sus derechos y el grave daño que sufren a nivel personal —visión victimocéntrica[9]—. Esta nueva perspectiva se plasmó a principios de este siglo en el conocido pero ya lejano Protocolo de Palermo[10], que estableció un abordaje multinivel basado en la tradicional prevención y persecución del delito, pero también en la protección de las víctimas. Esta mirada hacia la situación traumática que sufren las víctimas de trata fue subsiguientemente reforzada mediante el Convenio de Varsovia[11], y unos años más adelante también se instauró en el Derecho derivado de la Unión Europea[12] con la aplicación de la Directiva 2011/36/UE[13].

En cada uno de los tres instrumentos jurídicos mencionados se destaca la posición de marcada desprotección de los menores frente a la trata. Se alude, en consecuencia, a la necesidad de que los Estados adopten medidas específicas

---

[8]   SAVE THE CHILDREN: *Infancias invisibles*, 2016.

[9]   VILLACAMPA, C.: "Víctimas de la trata de seres humanos: su tutela a la luz de las últimas reformas penales sustantivas y procesales proyectadas", *Indret: Revista Para El Análisis Del Derecho*, 2, 2014, pp. 2-6.

[10]   Protocolo de las Naciones Unidas para prevenir, reprimir y sancionar la trata de personas, especialmente mujeres y niños (2000), ratificado por España el 21 de febrero de 2002 y en vigor desde el 25 de diciembre del siguiente año.

[11]   Convenio del Consejo de Europa sobre la lucha contra la trata de seres humanos (2005), ratificado por España el 10 de septiembre de 2009 y en vigor desde el 1 de agosto de ese mismo año.

[12]   VILLACAMPA, C.: "La nueva directiva europea relativa a la prevención y la lucha contra la trata de seres humanos y la protección de las víctimas", *Revista Electrónica de Ciencia Penal y Criminología*, RECPC 13–14, 2011, pp. 1–52.

[13]   Directiva 2011/36/UE del Parlamento Europeo y del Consejo, de 5 abril de 2011, relativa a la prevención y lucha contra la trata de seres humanos y a la protección de las víctimas y por la que se sustituye la Decisión marco 2002/629/JAI del Consejo.

de apoyo, asistencia y protección para este tipo de víctimas[14]. Además, en lo que respecta a los casos de menores extranjeros no acompañados víctimas de trata, el artículo 16 de la Directiva 2011/36/UE incide en la posición todavía más frágil que presentan, tanto por su falta de desarrollo personal como por la ausencia del acompañamiento de sus padres o tutores legales. Por esta razón, dicho artículo dispone que deben ser atendidos teniendo en cuenta que, aparte de ser víctimas que no han alcanzado la mayoría de edad, se encuentran en unas circunstancias personales muy particulares propias del grupo social al que pertenecen[15].

Más allá de los importantes avances que a nivel legislativo se han producido desde el año 2011 con el fin de transponer a los ordenamientos jurídicos internos de los Estados miembros el contenido de la mencionada Directiva 2011/36/UE[16], resulta igual de fundamental que los diferentes protocolos, mecanismos, guías prácticas u otros instrumentos que determinan las pautas de actuación a seguir con las víctimas por parte de los actores implicados sean actualizados. En suma, es esencial que los cambios impulsados a nivel legal para ofrecer una verdadera atención integral a los menores extranjeros no acompañados víctimas de trata cristalicen en la forma de proceder de los actores que intervienen en cada una de fases del proceso de atención a los afectados.

Que el núcleo de los compromisos adquiridos por España en materia de trata de seres humanos, ya sea en el plano comunitario o vía acuerdos internacionales, se haya situado en el reconocimiento de los derechos de las víctimas, ha propiciado la adopción de estrategias de actuación en las fases de detección, identificación, asistencia y protección de los afectados. En nuestro país esto se ha visto reflejado de forma multinivel, pues a la creación del Protocolo Marco de Protección de las Víctimas de Trata de Seres Humanos de 2011 (en adelante, Protocolo Marco de 2011), le han sucedido algunos otros de carácter autonómico que lo complementan de acuerdo con las políticas que cada comunidad autónoma ha decidido desarrollar[17]. Sin embargo, se ha criticado que algunas

---

[14]   Por ejemplo, los artículos 6.4, 28.3 y 14 del Protocolo de Palermo, el Convenio de Varsovia y la Directiva 2011/36/UE respectivamente.

[15]   GARCÍA DE DIEGO, M. J.: "«Bajo El casco de Hades»: menores migrantes no acompañadas como posibles víctimas de trata y su triple invisibilización", *Migraciones*, 28, 2010, pp. 195-207.

[16]   EUROPEAN COMISSION: *Report from de Commission to the European Parliament and the Council: Second report on the progress made in the fight against trafficking in human beings as required under Article 20 of Directive 2011/36/EU on preventing and combating trafficking in human*, 2018, pp. 1-11.

[17]   En Cataluña se aprobó un protocolo autonómico en octubre del año 2013, el cual es muy similar al protocolo marco estatal adoptado solo dos años antes, aunque ahonda un poco más en el aspecto asistencial de cara a las víctimas (VILLACAMPA, C.: "Víctimas de la trata de seres humanos: su tutela a la luz de las últimas reformas penales sustantivas y procesales proyectadas", *op. cit.*, p. 23).

de las cuestiones tratadas en el protocolo marco estatal quedan insuficientemente atendidas[18], al tiempo que el enfoque analítico sobredimensionado en torno a las víctimas sometidas a explotación sexual[19] ha enmascarado otros supuestos de trata que no por ello constituyen un ataque menor a los derechos humanos.

III. LOS PROTOCOLOS DE ATENCIÓN A MENORES EXTRANJEROS NO ACOMPAÑADOS VÍCTIMAS DE TRATA EN ESPAÑA

La traslación del abordaje internacional de afrontamiento de la trata al ordenamiento jurídico español se ha articulado, entre otros instrumentos normativos, a través del Real Decreto 557/2011[20], también conocido como Reglamento de Extranjería. El mismo impulsó la coordinación y actuación de las instituciones y administraciones en materia de extranjeros víctimas de trata mediante la creación de un protocolo marco estatal (art.140) que sería adoptado unos meses más tarde[21], a la par que se ordenaban actuaciones concretas y especializadas para abordar el fenómeno de la trata de personas afectante a menores extranjeros no acompañados (artículo 146), aunque sin establecer contenido normativo alguno. Sin embargo, decepcionó que este fuera uno de los asuntos exiguamente atendidos por el protocolo marco estatal en su apartado XIV.B.5, redirigiéndose para un mayor desarrollo a la creación de otro protocolo de carácter específico en materia de menores extranjeros no acompañados, de acuerdo con la previsión que en este sentido ya había efectuado el Real Decreto 557/2011:

---

[18]   VILLACAMPA, C., y TORRES, N.: "Human trafficking for criminal exploitation: the failure to identify victims", *European Journal on Criminal Policy and Research*, vol. 23, núm. 3, 2017, pp. 393-408; VILLACAMPA, C., y TORRES, N.: "Human trafficking for criminal exploitation: effects suffered by victims in their passage through the criminal justice system", *International Review of Victimology*, vol. 25, núm. 1, 2018, pp. 3-18; VILLACAMPA, C.: "Víctimas de la trata de seres humanos: su tutela a la luz de las últimas reformas penales sustantivas y procesales proyectadas", *op. cit.*, p. 23-24.

[19]   VILLACAMPA, C.: "Víctimas de la trata de seres humanos: su tutela a la luz de las últimas reformas penales sustantivas y procesales proyectadas", *Indret: Revista Para El Análisis Del Derecho*, 2, 2014, pp. 25-26; VILLACAMPA, C., y TORRES, N.: "Trata de seres humanos para explotación criminal: ausencia de identificación de las víctimas y sus efectos", *Estudios Penales y Criminológicos*, vol. 36, 2016, pp. 773 y ss.

[20]   Se trata del Reglamento que desarrolla la Ley Orgánica 4/2000, sobre derechos y libertades de los extranjeros en España y su integración social, tras su reforma por la Ley Orgánica 2/2009.

[21]   Se trata del mencionado Protocolo Marco de 2011. Por lo tanto, dicho protocolo sería publicado unos seis meses después de la entrada en vigor del Reglamento de Extranjería, que lo hizo en el mes de abril del mismo año.

"La Secretaría de Estado de Inmigración y Emigración impulsará la adopción de un Protocolo Marco de Menores Extranjeros No Acompañados destinado a coordinar la intervención de todas las instituciones y administraciones afectadas, desde la localización del menor o supuesto menor hasta su identificación, determinación de su edad, puesta a disposición del servicio público de protección de menores y documentación" (art. 190.2).

Posteriormente, con el Acuerdo para la aprobación del Protocolo Marco sobre determinadas actuaciones en relación con los Menores Extranjeros No Acompañados (2014), en adelante Protocolo MENA, se dio cumplimiento a la previsión contenida en el ya mencionado artículo 190.2 del Reglamento de Extranjería al que se remitía el protocolo marco estatal. No obstante, lo hizo sin ir mucho más lejos de lo que fue este último, pues en materia de trata de menores extranjeros no acompañados solo se recogieron algunas medidas específicas de prevención y contra la utilización de menores en situación de riesgo (Capítulo IV).

Por otro lado, también en el año 2014 y en paralelo a lo dispuesto en el párrafo anterior, por parte de la Secretaría de Estado de Servicios Sociales e Igualdad se atendieron las recomendaciones realizadas desde las propias instituciones públicas[22], comprometiéndose a impulsar los trabajos necesarios mediante el Observatorio de la Infancia para la creación del Protocolo marco relativo a la detección y atención de los menores de edad víctimas de trata (2017). Con este último, que complementa al Protocolo MENA de 2014, se abordan exclusivamente «las pautas para la detección y atención de menores víctimas de trata mediante la elaboración de un Anexo como complemento al Protocolo Marco de Protección de Víctimas de TSH»[23]. En atención a esto, por un lado se propuso la creación de un catálogo común de indicios para el mejor reconocimiento de aquellos casos en los que personas menores de edad podían estar siendo víctimas de trata; y, por otro lado, «se marcaron unos estándares mínimos de actuación para su atención inmediata y asistencia de carácter integral bajo ningún tipo de discriminación independientemente de su sexo, etnia, procedencia, discapacidad, condición social o ubicación territorial»[24].

---

[22]   DEFENSOR DEL PUEBLO: *La trata de seres humanos en España: víctimas invisibles*, 2012, p. 285.
[23]   *Vid.* página 4 del Protocolo Marco de 2011.
[24]   *Ibidem.*

IV. IDENTIFICACIÓN DE VÍCTIMAS

1. Detección

Una rápida y temprana identificación de los menores extranjeros no acompañados víctimas de trata es esencial para que las autoridades apliquen las medidas más adecuadas para su asistencia y protección[25]. En estos casos se requiere de una formación especializada por parte de los actores que intervienen en el proceso de identificación formal de las víctimas, porque a los ya de por sí complejos aspectos que la dificultan en cualquier caso de trata en general, se le unen otra serie de obstáculos relacionados con la vulnerabilidad de los menores y su situación de desamparo al encontrarse sin el acompañamiento de sus padres o tutores legales[26]. Por este motivo, es necesario actuar con celeridad para preservar el interés superior del menor desde la primera toma de contacto —aun cuando este se muestre incapaz de exteriorizar su situación personal como víctima del delito—, así como evitar que pueda volver a ser objeto de la trata de seres humanos de nuevo[27].

2. Determinación de la edad

Uno de los mayores desafíos que plantea la detección de víctimas de trata MENA es la determinación de la edad. Se trata de una cuestión crucial porque coloca en una situación de grave riesgo a aquellas víctimas cuya minoría de edad es incierta, no pudiendo determinarse de forma clara y segura desde el principio. Esta situación deja en una situación de gran vulnerabilidad a las víctimas menores de edad porque podrían producirse errores graves en su identificación formal, de manera que podrían ver privado el acceso a la atención especializada que deberían recibir en caso de ser considerados indebidamente mayores de edad. Por consiguiente, cuando existen razones para creer que la víctima de trata es menor de edad, aunque se alberguen dudas, debe actuarse

---

[25]   CUNHA, A., GONÇALVES, M. Y MATOS, M.: "Knowledge of Trafficking in Human Beings among Portuguese Social Services and Justice Professionals", *European Journal on Criminal Policy and Research*, 25(4), 2019, pp. 469–488; GROUP OF EXPERTS ON ACTION AGAINST TRAFFICKING IN HUMAN BEINGS (GRETA): *Fifth General Report on GRETA's Activities*, 2016, p. 36; GROUP OF EXPERTS ON ACTION AGAINST TRAFFICKING IN HUMAN BEINGS (GRETA): *Tenth General Report on GRETA's Activities*, 2020, pp. 49-50; UNICEF: *Reference Guide on Protecting the Rights of Child Victims of Trafficking in Europe*, 2006, p. 43.

[26]   Por esta razón se han solicitado a los países la aplicación herramientas específicas para estos casos (GROUP OF EXPERTS ON ACTION AGAINST TRAFFICKING IN HUMAN BEINGS (GRETA: *Sixth General Report on GRETA's Activities*, op. cit, p. 23).

[27]   GROUP OF EXPERTS ON ACTION AGAINST TRAFFICKING IN HUMAN BEINGS (GRETA): *Fifth General Report on GRETA's Activities*, op. cit, p. 36.

como si realmente fuera así[28]. De hecho, no parece que en la actualidad el estado de la ciencia médica pueda ofrecer estimaciones precisas que permitan obtener suficiente seguridad jurídica en cuanto a una determinación segura de la edad biológica de las víctimas en todos los casos[29], y por esta razón se ha sugerido adoptar un método holístico donde no solo se tenga en cuenta el aspecto físico del individuo, sino también su madurez psicológica a través del mayor protagonismo que cobran los exámenes de tipo psicosocial[30].

3. Identificación formal de víctimas

La detección de las víctimas no es, sin embargo, condición suficiente para que puedan gozar del estatuto jurídico que tienen reconocido. Para ello es requisito *sine qua non* que sean identificadas como tales víctimas. El capítulo sexto del Protocolo Marco de 2011 establece la forma de proceder para la identificación de posibles víctimas, limitando esta competencia exclusivamente al ámbito policial mediante la realización de una única entrevista de carácter privado y confidencial por parte de las Fuerzas y Cuerpos de Seguridad del Estado (FCSE) con la víctima[31]. Aparte de los numerosos aspectos de este modelo

---

[28] Tanto el artículo 10 del Convenio de Varsovia como el considerando número 22 de la Directiva 2011/36/UE establecen la necesidad de presumir que la víctima es menor de edad en los casos en que este sea un hecho desconocido y difícil de determinar con exactitud. La trata de personas en niños y niñas afecta tanto a adolescentes como a jóvenes muy próximos a la edad adulta, por lo que pueden ser confundidos fácilmente con adultos jóvenes, y de ahí la necesidad de establecer tal presunción (COMITÉ DE LOS DERECHOS DEL NIÑO: *Observación General no 5. Tratado de los menores no acompañados y separados de su familia fuera de su país de origen*, 2005, p. 11; DEFENSOR DEL PUEBLO: *La trata de seres humanos en España: víctimas invisibles, op. cit.*, p. 235 y ss.; UNICEF: *Reference Guide on Protecting the Rights of Child Victims of Trafficking in Europe, op. cit.*, pp. 43-44).

[29] DEFENSOR DEL PUEBLO: *La trata de seres humanos en España: víctimas invisibles, op. cit.*, p. 235 y ss; UNICEF: *They are children, they are victims. Situation of children who are victims of trafficking in Spain*, 2017, pp. 26-28.

[30] COMITÉ DE LOS DERECHOS DEL NIÑO: *Observación General no 5. Tratado de los menores no acompañados y separados de su familia fuera de su país de origen, op. cit.* p. 11; DEFENSOR DEL PUEBLO: *¿Menores o adultos?: procedimientos para la determinación de la edad*, 2011, *passim*; GROUP OF EXPERTS ON ACTION AGAINST TRAFFICKING IN HUMAN BEINGS (GRETA): *Fifth General Report on GRETA's Activities, op. cit.*, p. 37; OFFICE OF THE UNITED NATIONS HIGH COMMISSIONER FOR REFUGEES GENEVA: *Guidelines on Policies and Procedures in dealing with Unaccompanied Children Seeking Asylum*, 1997, p. 8

[31] En concreto, las unidades policiales dentro de las Fuerzas y Cuerpos de Seguridad del Estado que legalmente pueden identificar a víctimas de trata son las siguientes: la Unidad Central contra Redes De Inmigración y Falsedades Documentales (UCRIF) de la Policía Nacional; los Equipos Mujer-Menor (EMUME) de la Guardia Civil; y las unidades especializadas de las policías autonómicas, que en el caso de Cataluña corresponde a la Unitat Central de Tràfic d'Éssers Humans (UCTEH) de los Mossos d'Esquadra.

que han sido objeto de amplia crítica a lo largo de los últimos años[32], en lo que se refiere a esta fase cabe reseñar que no se adoptaron indicadores concretos para la identificación de menores extranjeros no acompañados que podrían ser víctimas de trata, ni tampoco medidas para su posterior registro en bases de datos policiales específicas[33].

Con la entrada en vigor en el año 2014 del Protocolo Marco sobre determinadas actuaciones en relación con los Menores Extranjeros No Acompañados[34], se adoptaron pautas más concretas para su identificación y determinación de edad[35]. Se previeron, además, medidas específicas sobre prevención de la trata de seres humanos y contra la utilización de menores de edad y otras disposiciones encaminadas a lograr el adecuado funcionamiento del Registro de Menores Extranjeros No Acompañados (RMENA), que constituye una herramienta esencial aunque con información limitada en cuanto a su utilidad en los casos de trata de personas[36]. Posteriormente, en el año 2017 se aprobó un nuevo instrumento como anexo al antes mencionado protocolo marco en el que se abordaron pautas para la detección y atención de menores víctimas de trata[37].

Sin embargo, a pesar de los esfuerzos realizados se sigue identificando un número escaso de víctimas menores en España de acuerdo con los da-

---

[32]   APRAMP: *Guía de intervención con víctimas de trata para ayuntamientos y trabajadores/as sociales*, 2017, p. 125-131; GROUP OF EXPERTS ON ACTION AGAINST TRAFFICKING IN HUMAN BEINGS (GRETA): *Report concerning the implementation of the Council of Europe Convention on Action against Trafficking in Human Beings by Spain. Second evaluation round*, 2018, pp. 33-38; VILLACAMPA, C., y TORRES, N.: "Trata de seres humanos para explotación criminal: ausencia de identificación de las víctimas y sus efectos", *op. cit.* pp. 790 y ss.

[33]   DEFENSOR DEL PUEBLO: *La trata de seres humanos en España: víctimas invisibles*, op. *cit.*, p. 279; GROUP OF EXPERTS ON ACTION AGAINST TRAFFICKING IN HUMAN BEINGS (GRETA): *Report concerning the implementation of the Council of Europe Convention on Action against Trafficking in Human Beings by Spain. First evaluation round*, 2013, p. 38.

[34]   La entrada en vigor de este protocolo dio cumplimiento a la previsión legal establecida en el artículo 190.2 del Reglamento de la Ley Orgánica 4/2000 en cuanto a la creación de un nuevo instrumento en relación a las actuaciones con menores extranjeros no acompañados para complementar el Protocolo Marco de protección de las víctimas de trata de seres humanos del año 2011.

[35]   GROUP OF EXPERTS ON ACTION AGAINST TRAFFICKING IN HUMAN BEINGS (GRETA): *Report concerning the implementation of the Council of Europe Convention on Action against Trafficking in Human Beings by Spain. Second evaluation round*, op. *cit.*, p. 42.

[36]   GROUP OF EXPERTS ON ACTION AGAINST TRAFFICKING IN HUMAN BEINGS (GRETA): *Ibidem.*

[37]   GOBIERNO DE ESPAÑA: *Actuaciones para la detección y atención de víctimas de trata de seres humanos (TSH) menores de edad. Anexo al Protocolo Marco de protección de víctimas de TSH*, 2017.

tos oficiales disponibles[38]. Es este un problema compartido a nivel global, puesto que estamos ante un desafiante fenómeno criminal que permanece oculto en gran medida, lo que dificulta establecer su magnitud real y añade más riesgo a la delicada situación de las víctimas menores de edad que lo sufren[39]. Concretamente, estas dificultades en la fase de identificación de víctimas se han venido explicando en el caso de España por la falta de un enfoque más proactivo de los actores implicados en la identificación de víctimas[40], aunque se trata de un déficit habitual y compartido con otros muchos países[41].

4. *La identificación de víctimas desde una perspectiva comparada con países de nuestro entorno*

Existen carencias importantes en cuanto a la identificación temprana de menores extranjeros no acompañados víctimas de trata, por lo que con frecuencia este tipo de víctimas reciben la misma atención que cualquier otro inmigrante irregular sin tener en cuenta el interés superior del menor[42]. La principal consecuencia de ello es que en muchos casos los menores acaban desapareciendo a los pocos días de su ingreso en los centros donde se les atiende —puesto que allí no se tienen en consideración las necesidades especiales que requieren[43]—, y en consecuencia se incrementa el riesgo de que vuelvan a caer en las redes de trata otra vez. A modo de ejemplo, este último hecho se ha

---

[38]   GROUP OF EXPERTS ON ACTION AGAINST TRAFFICKING IN HUMAN BEINGS (GRETA): *Report concerning the implementation of the Council of Europe Convention on Action against Trafficking in Human Beings by Spain. Second evaluation round*, op. cit., p. 43; SAVE THE CHILDREN: *Infancias invisibles*, op. cit., p. 84; UNICEF: *They are children, they are victims. Situation of children who are victims of trafficking in Spain*, op. cit., p. 15 y ss; VILLACAMPA, C. y TORRES, C.: "Aproximación institucional a la trata de seres humanos en España: valoración crítica", *Estudios Penales y Criminológicos*, núm. 41, 2021, p. 211-212.

[39]   GROUP OF EXPERTS ON ACTION AGAINST TRAFFICKING IN HUMAN BEINGS (GRETA): *Sixth General Report on GRETA's Activities*, op. cit. p. 6; UNICEF: *They are children, they are victims. Situation of children who are victims of trafficking in Spain*, op. cit., p. 15.

[40]   GROUP OF EXPERTS ON ACTION AGAINST TRAFFICKING IN HUMAN BEINGS (GRETA): *Report concerning the implementation of the Council of Europe Convention on Action against Trafficking in Human Beings by Spain. Second evaluation round*, op. cit., p. 44; US DEPARTMENT OF STATE: *2020 Trafficking in Persons Report*, 2020, pp. 458-460.

[41]   GROUP OF EXPERTS ON ACTION AGAINST TRAFFICKING IN HUMAN BEINGS (GRETA): *Sixth General Report on GRETA's Activities*, op. cit., p. 23.

[42]   GROUP OF EXPERTS ON ACTION AGAINST TRAFFICKING IN HUMAN BEINGS (GRETA): *Fifth General Report on GRETA's Activities*, op. cit. p. 37; SAVE THE CHILDREN: *Infancias invisibles*, op. cit., p. 84.

[43]   GROUP OF EXPERTS ON ACTION AGAINST TRAFFICKING IN HUMAN BEINGS (GRETA): *Sixth General Report on GRETA's Activities*, op. cit., p. 7; GROUP OF EX-

puesto de manifiesto especialmente en los últimos años en Italia con la crisis de los refugiados en Europa y su particular impacto en los menores de edad[44].

Para obtener mejores resultados en la fase de identificación de víctimas no solo es necesario que los países adopten protocolos o mecanismos de actuación estratégicos a nivel nacional, sino que también debe impulsarse la creación de otros instrumentos específicos centrados en la identificación de menores que son potenciales víctimas de cualquier explotación de trata, incluyendo herramientas concretas para aquellas situaciones en las que los menores se encuentren no acompañados[45]. De ahí que resulte conveniente explorar cómo funcionan los sistemas de identificación de los MENA víctimas de trata en otros países de nuestro entorno, de los que quizá puedan importarse buenas prácticas que contribuyan a mejorar el sistema español.

En este sentido, las estrategias adoptadas a nivel nacional en países como el Reino Unido, Portugal, Italia o los Países Bajos, se caracterizan por un modelo dividido en dos partes. En la primera de ellas se evalúan preliminarmente los indicios de trata que presenta la víctima y se le ofrece la asistencia más urgente, mientras que después se la deriva a la autoridad competente que corresponda para que considere su identificación formal como víctima de trata y se le asigne tal estatus de manera oficial[46].

Cabe poner de relieve el caso de Reino Unido por su significativa mejora en la capacidad de detección de potenciales víctimas[47]. Estos buenos resultados se explican por el cada vez mayor número —y también con mejor formación— de *First Responders* —*frontline staff*[48]—, una red de personal especializado formado por autoridades gubernamentales y organizaciones no gubernamentales (ONG) que actúan en la línea del frente —primera parte—, y que tienen la responsabilidad de detectar a posibles víctimas de trata para su derivación al *National Referral Mechanism* (NRM) —segunda parte—. Este instrumento es el que establece el marco legal del proceso de identificación y apoyo a las víctimas de trata para que cada caso sea considerado por la autoridad competente —United Kingdom Human Trafficking Centre (UKHTC) Competent Authority of the NRM—.

PERTS ON ACTION AGAINST TRAFFICKING IN HUMAN BEINGS (GRETA): *Tenth General Report on GRETA's Activities, op. cit.*, p. 51

[44]   GROUP OF EXPERTS ON ACTION AGAINST TRAFFICKING IN HUMAN BEINGS (GRETA): *Fifth General Report on GRETA's Activities, op. cit.*, p. 38.

[45]   GROUP OF EXPERTS ON ACTION AGAINST TRAFFICKING IN HUMAN BEINGS (GRETA): *Sixth General Report on GRETA's Activities, op. cit.*, p. 23.

[46]   INTERNATIONAL LABOUR ORGANIZATION (ILO): *Protection and assistance of victims of labour exploitation. A comparative analysis*, 2020, p. 9.

[47]   US DEPARTMENT OF STATE: *2019 Trafficking in Persons Report*, 2019, pp. 481-484.

[48]   US DEPARTMENT OF STATE: *Ibidem.*

Desde el año 2013, los First Responders disponen de una guía específica para actuaciones con menores de edad, más adelante actualizada en el año 2016 a su segunda versión[49], donde puede encontrarse información acerca del funcionamiento del *National Referral Mechanism* y el rol que desempeñan los *Child First Responders*[50]. Uno de los aspectos más reseñables de este instrumento es que el proceso de derivación de potenciales víctimas que llevan a cabo los *First Responders* mediante el uso de un formulario —NRM *referral form*— que se envía a la autoridad competente, varía dependiendo de si la potencial víctima se encuentra en edad adulta o no. En suma, dicho proceso se adapta a las especificidades de los casos donde se crea que la posible víctima tiene menos de 18 años, indiferentemente de si esta es nacional británica o no, y sin necesidad de que el menor preste su consentimiento para ser derivado[51].

Por otro lado, cabe mencionar que no solo los *First Responders* disponen de herramientas específicas para la detección y derivación de menores sospechosos de ser víctimas de trata. En el año 2014 se publicó una guía diseñada para las autoridades locales inglesas con el objetivo de prestar apoyo específico tanto a menores no acompañados solicitantes de asilo como a aquellos que son víctimas de trata[52]. Debido a los relevantes cambios legislativos acontecidos un poco más tarde, entre los que destaca la entrada en vigor de la *Modern Slavery Act* 2015, dicha guía fue reemplazada y actualizada en el año 2017[53]. En dicha actualización se incorporaron también las aportaciones de diversas personas, organizaciones y autoridades locales implicadas, revisándose posteriormente de acuerdo con los comentarios de un grupo de expertos —*Expert Reference Group*[54]—. Así pues, son las autoridades locales las que mediante el *National*

---

[49]   *Vid. National Referral Mechanism: guidance for child first responders.* Disonible en: https://assets.publishing.service.gov.uk/government/uploads/system/uploads/attachment_data/file/510091/NRM_-_guidance_for_child_first_responders_v2.0_EXT.PDF

[50]   GROUP OF EXPERTS ON ACTION AGAINST TRAFFICKING IN HUMAN BEINGS (GRETA): *Report concerning the implementation of the Council of Europe Convention on Action against Trafficking in Human Beings by the UK. Second evaluation round*, 2016, p. 49; GROUP OF EXPERTS ON ACTION AGAINST TRAFFICKING IN HUMAN BEINGS (GRETA): *Sixth General Report on GRETA's Activities, op. cit.*, pp. 23-24.

[51]   *Vid. National Referral Mechanism: guidance for child first responders*, p. 16.

[52]   *Care of unaccompanied and trafficked children: Statutory guidance for local authorities on the care of unaccompanied asylum seeking and trafficked children.* Disponible en: https://www.refworld.org/pdfid/565731844.pdf

[53]   *Vid. Care of unaccompanied migrant children and child victims of modern slavery: Statutory guidance for local autorities.* Disponible en: https://www.gov.uk/government/publications/safeguarding-children-who-may-have-been-trafficked-%0Ahttps://www.gov.uk/government/uploads/system/uploads/attachment_data/file/656429/UASC_Statutory_Guidance_2017.pdf

[54]   *Vid. Consultation on the revised statutory guidance for local authorities on the care of unaccompanied asylum seeking and trafficked children: Government response*, p. 3. Disponible en: https://assets.publishing.service.gov.uk/government/uploads/system/uploads/attachment_data/file/656434/UASC_SG_Govt_response_2017.pdf

Referral Mechanism deben notificar a la *Secretary of State* los casos con indicios razonables de trata en menores de edad, y subsiguientemente los *First Responders* serán quienes entren en acción considerando la derivación de las posibles víctimas a la autoridad competente para que, en su caso, se confirme su identificación formal[55]. Si bien este instrumento no ofrece pautas detalladas para la detección de posibles víctimas, se remite a otra guía realizada en el año 2011 que contiene información más detallada en este aspecto[56].

En el lado opuesto destaca el caso de Portugal, que a través de la *Rede de Apoio e Proteção a Vítimas de Tráfico* (RAPVT) actualizó en el año 2014 su mecanismo nacional de derivación de víctimas —*Sistema de Referenciação Nacional de Vítimas de Tráfico de Seres Humanos*[57]— con el objetivo de adaptar dicho instrumento a las reformas legislativas que se habían llevado a cabo en años anteriores, y también para implantar un enfoque mucho más amplio del fenómeno de la trata de seres humanos más allá de la explotación sexual en víctimas mujeres[58]. Aunque con estos esfuerzos la capacidad general de identificación de víctimas mejoró sustancialmente en algunos períodos concretos[59], se han arrojado también algunos datos que se encuentran lejos de lo deseable. Por dicha razón no se ha podido apreciar una tendencia positiva clara y sostenida a lo largo del tiempo[60]. Además, se han visibilizado importantes déficits en esta fase de identificación, especialmente en víctimas menores de edad[61]. Sin embargo, recientemente se ha elaborado un nuevo mecanismo nacional de derivación de víctimas específico para los casos con menores de edad —*Sistema de Referenciação Nacional para Crianças (presumíveis) Vítimas de Tráfico de Seres Humanos (2021)*[62]— que busca un nuevo encuadre para afrontar este

---

[55]   *Vid. Care of unaccompanied migrant children and child victims of modern slavery: Statutory guidance for local autoritiesm*, pp. 12-13.

[56]   HM GOVERNMENT: *Safeguarding children who may have been trafficked: Practice guidance*, 2011.

[57]   *Vid. Sistema de Referenciação Nacional de Vítimas de Tráfico de Seres Humanos. Orientações para a Sinalização de Vítimas de Tráfico de Seres Humanos em Portugal*, disponible en: https://www.cig.gov.pt/wp-content/uploads/2019/05/Sistema-de-referencia%C3%A7%C3%A3o-nacional-de-v%C3%ADtimas-de-tr%C3%A1fico-de-se-res-humanos.pdf

[58]   GROUP OF EXPERTS ON ACTION AGAINST TRAFFICKING IN HUMAN BEINGS (GRETA): *Report concerning the implementation of the Council of Europe Convention on Action against Trafficking in Human Beings by Portugal. Second evaluation round*, 2017, pp. 21-22.

[59]   US DEPARTMENT OF STATE: *2017 Trafficking in Persons Report*, 2017, p. 355; US DEPARTMENT OF STATE: *2019 Trafficking in Persons Report*, 2019, pp. 386-387.

[60]   US DEPARTMENT OF STATE: *2018 Trafficking in Persons Report*, 2018, pp. 355-357; US DEPARTMENT OF STATE: *2020 Trafficking in Persons Report*, 2020, pp. 411-413

[61]   US DEPARTMENT OF STATE: *2021 Trafficking in Persons Report*, 2021, pp. 461-463.

[62]   *Vid. Sistema de Referenciação Nacional para Crianças (presumíveis) Vítimas de Tráfico de Seres Humanos. Protocolo para a definição de procedimentos de atuação destina-*

fenómeno a través de herramientas prácticas que definen los procedimientos destinados a la prevención, detección y protección de esta clase de víctimas.

V. ASISTENCIA INTEGRAL A LAS VÍCTIMAS

1. El circuito de intervención en España

Una vez se identifica a un menor de edad extranjero no acompañado como víctima de trata, el capítulo catorce del Protocolo Marco de 2011 establece una serie de actuaciones específicas para estos casos. Concretamente, en su segundo apartado dispone que esta clase de víctimas deben ser atendidas de forma especial debido a su situación de vulnerabilidad, por lo que se aplicarán las medidas de acogida necesarias y adecuadas para proteger el interés superior del menor hasta que se encuentre una solución permanente. Esto implica el traslado de la víctima a centros específicos con recursos personales y materiales especializados[63]. Esta respuesta idónea y duradera que la víctima tiene derecho a recibir debe ser adoptada en el plazo de tiempo más breve posible, y puede derivar en cualesquiera de los siguientes escenarios: el primero, el retorno y la reintegración en el país de origen; el segundo, la concesión del estatuto de protección internacional —derecho de asilo—; o el tercero, la concesión de la autorización de residencia o de residencia y trabajo.

Pese a lo dispuesto en el mencionado protocolo y el anexo introducido en 2017 con nuevas actuaciones tanto para la identificación como para la asistencia a víctimas de trata menores de edad, el principal problema que se plantea en España en relación a este asunto es la carencia de personal especializado y de recursos específicos para poder atender debidamente a estos menores[64]. A pesar de los reconocidos esfuerzos que en nuestro país se han realizado du-

---

do à Prevenção, Deteção e Proteção, disponible en: https://www.cig.gov.pt/wp-content/uploads/2021/05/TSH_Book_M06.pdf

63   GOBIERNO DE ESPAÑA: *Actuaciones para la detección y atención de víctimas de trata de seres humanos (TSH) menores de edad. Anexo al Protocolo Marco de protección de víctimas de TSH*, op. cit., pp. 18-20.

64   GROUP OF EXPERTS ON ACTION AGAINST TRAFFICKING IN HUMAN BEINGS (GRETA): *Report concerning the implementation of the Council of Europe Convention on Action against Trafficking in Human Beings by Spain. Second evaluation round*, op. cit., p. 44; JIMÉNEZ ROMERO, M. y TARANCÓN GÓMEZ, P.: "Perspectivas de profesionales del tercer sector sobre la intervención con víctimas de trata con fines de explotación sexual", *Revista Electrónica de Ciencia Penal y Criminología*, 20-25, 2018, p. 12; RED ESPAÑOLA CONTRA LA TRATA DE PERSONAS (RECTP): *Informe de la Red Española contra la Trata de Personas (RECTP) a la Coordinadora contra la Trata de Seres Humanos de la Unión Europea*, op. cit. pp. 30-31; SAVE THE CHILDREN: *Infancias invisibles*, op. cit., p. 84. TORRES ROSELL, N. y VILLACAMPA ESTIARTE, C.: "Protección jurídica y

rante los últimos años para mejorar en esta fase de asistencia a las víctimas de trata[65], estos han sido focalizados prácticamente en exclusividad a la atención de mujeres víctimas de trata con fines de explotación sexual[66]. Este hecho ha derivado en la falta de respaldo de políticas públicas a proyectos específicos de alojamiento y asistencia adecuados y seguros para menores víctimas de trata, especialmente en el caso de niños[67], lo que incrementa el riesgo de desaparición de estos menores de los centros de recepción[68], siendo ejemplo de ello los casos que se han informado en España[69] y en Italia[70]. Por otra parte, ninguno de los instrumentos normativos actuales establece circuitos claros y eficaces de intervención en casos de víctimas menores, por lo que la ausencia de un marco de actuación óptimo también repercute negativamente en la coordinación de las autoridades competentes y, por ende, en la calidad general de la atención que estos reciben[71].

Cabe señalar, no obstante lo anterior, la reciente presentación por parte del Ministerio del Interior del Plan Estratégico Nacional contra la Trata y la Explotación de Seres Humanos 2021-2023, como ya preveía la Estrategia Nacional contra el Crimen Organizado y la Delincuencia Grave (2019-23) aprobada

---

asistencia para víctimas de trata de seres humanos", *Revista General de Derecho Penal*, núm. 27, 2017, pp. 37-38.

[65]   GROUP OF EXPERTS ON ACTION AGAINST TRAFFICKING IN HUMAN BEINGS (GRETA): *Report concerning the implementation of the Council of Europe Convention on Action against Trafficking in Human Beings by Spain. Second evaluation round*, op. cit. pp. 11 y 41.

[66]   APRAMP: *Guía de intervención con víctimas de trata para ayuntamientos y trabajadores/as sociales*, 2017, p. 89; GROUP OF EXPERTS ON ACTION AGAINST TRAFFICKING IN HUMAN BEINGS (GRETA): *Report concerning the implementation of the Council of Europe Convention on Action against Trafficking in Human Beings by Spain. Second evaluation round*, 2018, op. cit. pp. 11 y 41; VILLACAMPA, C. y TORRES, C.: "Aproximación institucional a la trata de seres humanos en España: valoración crítica", op. cit., p. 224; VILLACAMPA, C., y TORRES, N.: "Trata de seres humanos para explotación criminal: ausencia de identificación de las víctimas y sus efectos", op. cit. 773 y ss.

[67]   GROUP OF EXPERTS ON ACTION AGAINST TRAFFICKING IN HUMAN BEINGS (GRETA): *Report concerning the implementation of the Council of Europe Convention on Action against Trafficking in Human Beings by Spain. Second evaluation round*, 2018, op. cit., p. 44.

[68]   GROUP OF EXPERTS ON ACTION AGAINST TRAFFICKING IN HUMAN BEINGS (GRETA): *Tenth General Report on GRETA's Activities*, 2020, op. cit., p. 51.

[69]   GROUP OF EXPERTS ON ACTION AGAINST TRAFFICKING IN HUMAN BEINGS (GRETA): *Report concerning the implementation of the Council of Europe Convention on Action against Trafficking in Human Beings by Spain. Second evaluation round*, 2018, op. cit., pp. 44-45.

[70]   GROUP OF EXPERTS ON ACTION AGAINST TRAFFICKING IN HUMAN BEINGS (GRETA): *Fifth General Report on GRETA's Activities*, 2016, op. cit., p. 38.

[71]   RED ESPAÑOLA CONTRA LA TRATA DE PERSONAS (RECTP): *Informe de la Red Española contra la Trata de Personas (RECTP) a la Coordinadora contra la Trata de Seres Humanos de la Unión Europea*, op. cit., pp. 30-31.

en febrero de 2019 por el Consejo de Seguridad Nacional. Entre las líneas de actuación que incorpora este plan, destacan la creación de recursos especializados para víctimas menores de edad en todas las comunidades autónomas, el desarrollo de una plataforma a nivel nacional que facilite lo más rápido posible el acceso de tales recursos específicos a dichas víctimas, y la promoción de protocolos de colaboración entre las entidades públicas de tutela y las organizaciones especializadas en estas víctimas[72].

2. La asistencia integral desde una perspectiva comparada con países de nuestro entorno

Desde un análisis comparado, destacan los satisfactorios progresos realizados por los Países Bajos en esta fase de asistencia integral a las víctimas de trata gracias a la disposición de instalaciones de acogida adaptadas a sus necesidades bajo la supervisión de personal especializado[73]. En lo referente a los casos de menores de edad extranjeros no acompañados —sean o no víctimas de trata, o corran el riesgo de serlo[74]—, es la Fundación *Nidos* —*Nidos Jeugdbescherming voor vluchtelingen*[75]— la responsable legal de tutelarles temporalmente después de que hayan sido registrados formalmente en el centro de solicitantes de asilo —*Asielzoekerscentrum Ter Apel*[76]—. En concreto, dicha organización cuenta con profesionales que son designados como tutores legales temporales —*tijdelijke voogdij*— de estas víctimas menores de edad para que se encarguen de salvaguardar tanto el interés superior del niño como su desarrollo hacia la autosuficiencia personal una vez el joven alcance la edad adulta[77].

De acuerdo con el Código Civil de los Países Bajos —*Burgerlijk Wetboek*—, la misión de *Nidos* una vez el menor ya ha sido provisto de tutela legal se enfoca en buscarle un refugio adecuado y seguro, así como en ofrecerle una serie de servicios entre los que se encuentran la atención médica, el apoyo psicológico,

---

[72]   Para consultar el documento completo del plan al que se hace referencia, *vid.* http://www.interior.gob.es/documents/10180/12745481/220112_Plan_nacional_TSH_+PENTRA_FINAL_2021_2023/3f5c859a-69ef-40f8-a0b6-2a2b316f853d
[73]   GROUP OF EXPERTS ON ACTION AGAINST TRAFFICKING IN HUMAN BEINGS (GRETA): *Report concerning the implementation of the Council of Europe Convention on Action against Trafficking in Human Beings by Netherlands. Second evaluation round*, 2018, pp. 26-28; GROUP OF EXPERTS ON ACTION AGAINST TRAFFICKING IN HUMAN BEINGS (GRETA): *Tenth General Report on GRETA's Activities*, 2020, *op. cit.*, p. 50.
[74]   *Vid.* https://wegwijzermensenhandel.nl/
[75]   *Vid.* https://www.nidos.nl/
[76]   GROUP OF EXPERTS ON ACTION AGAINST TRAFFICKING IN HUMAN BEINGS (GRETA): *Report concerning the implementation of the Council of Europe Convention on Action against Trafficking in Human Beings by Netherlands. Second evaluation round, op. cit.*, p. 30.
[77]   *Vid.* https://www.nidos.nl/home/missie-en-visie-van-nidos/missie-nidos/; y también https://www.wegwijzermensenhandel.nl/partnerorganisaties/nidos

el acceso a la educación, el asesoramiento, la asistencia en materia jurídica, o una pequeña asignación económica de carácter semanal[78]. Se ha comprobado que este sistema de asignación de tutores es ágil —se completa entre dos y tres días desde que el menor es registrado en el *Asielzoekerscentrum Ter Apel*— y funciona adecuadamente[79]. Por otra parte, aunque en los Países Bajos no existe un mecanismo nacional de derivación específico para víctimas menores de edad[80], sí que existen otros recursos con información relevante en cuanto a las pautas de actuación que deben seguir los profesionales en las diferentes fases del proceso de atención a esta clase de víctimas, entre los que destaca el contenido que se encuentra disponible en línea en la plataforma web oficial de *Wegwijzer Mensenhandel*[81].

En lo que se refiere a Italia, al igual que Países Bajos tampoco dispone de un mecanismo nacional de derivación específico para víctimas menores de edad, aunque sí de otros instrumentos que guían a los profesionales en el proceso de atención a las víctimas[82]. Sin embargo, los resultados obtenidos por Italia en esta fase son deficientes debido a la falta de disponibilidad de alojamientos adecuados y seguros para las víctimas de trata menores de edad, ya que como ocurre en España el número de refugios especializados para estas víctimas se encuentra lejos de lo deseable[83].

---

[78]   GROUP OF EXPERTS ON ACTION AGAINST TRAFFICKING IN HUMAN BEINGS (GRETA): *Report concerning the implementation of the Council of Europe Convention on Action against Trafficking in Human Beings by Netherlands. Second evaluation round*, op. cit., p. 30; vid. https://english.wegwijzermensenhandel.nl/Support_for_under-aged_victims/support-for-under-aged-victims.aspx; y también https://www.nidos.nl/home/missie-en-visie-van-nidos/missie-nidos/.

[79]   GROUP OF EXPERTS ON ACTION AGAINST TRAFFICKING IN HUMAN BEINGS (GRETA): *Report concerning the implementation of the Council of Europe Convention on Action against Trafficking in Human Beings by Netherlands. Second evaluation round*, op. cit., p. 30; GROUP OF EXPERTS ON ACTION AGAINST TRAFFICKING IN HUMAN BEINGS (GRETA): *Tenth General Report on GRETA's Activities*, 2020, op. cit., p. 51.

[80]   GROUP OF EXPERTS ON ACTION AGAINST TRAFFICKING IN HUMAN BEINGS (GRETA): *Report concerning the implementation of the Council of Europe Convention on Action against Trafficking in Human Beings by Netherlands. Second evaluation round*, op. cit., p. 28.

[81]   Vid. https://wegwijzermensenhandel.nl/

[82]   Principalmente, vid. Agire per potenziare la partnership tra soggetti pubblici e privati nell'identificazione e supporto di minore vittime e a rischio di tratta in Europa (2010), disponible en: https://www.osservatoriointerventitratta.it/wp-content/uploads/2018/01/allegato-4-methodology.pdf; y Procedure operative standard per l'identificazione di minori vittime di tratta e sfruttamento (2020), disponible en: https://s3.savethechildren.it/public/files/uploads/pubblicazioni/procedure-operative-standard-lidentificazione-di-minori-vittime-di-tratta-e-sfruttamento_0.pdf

[83]   GROUP OF EXPERTS ON ACTION AGAINST TRAFFICKING IN HUMAN BEINGS (GRETA): *Report concerning the implementation of the Council of Europe Convention on Action against Trafficking in Human Beings by Italy. Second evaluation round*, 2019, p. 45.

Alemania, por su parte, no solo carece de un mecanismo nacional de derivación específico para víctimas menores de edad, como ocurre en Países Bajos e Italia[84], sino que además destaca por la ausencia de un protocolo homólogo para víctimas de trata en general[85], y también por la falta de instrumentos que establezcan un circuito asistencial óptimo para las víctimas de trata —especialmente en los casos que implican a víctimas que sean hombres o menores de edad[86]—. En la práctica, esto supone dejar en manos de los *Länder* la responsabilidad del sostenimiento de los servicios de asistencia a las víctimas, hasta ahora con resultados poco consistentes a lo largo del territorio y, en general, manifiestamente mejorables[87]. Si bien en los últimos años se han ido alcanzado algunos acuerdos a nivel federal en materia de cooperación entre relevantes agentes públicos y privados en la mayoría de los estados alemanes, sigue sin haber una estructura legal uniforme que brinde apoyo especializado a todo tipo de víctimas de trata, ya que dichos esfuerzos se han focalizado principalmente en la atención a mujeres víctimas de trata con fines de explotación sexual[88].

No obstante lo anterior, es reseñable que en el año 2018 el gobierno alemán impulsara a través del Ministerio Federal para la Familia, la Tercera Edad, las Mujeres y la Juventud —*Bundesministerium für Familie, Senioren, Frauen und Jugend*—, junto con la asociación ECPAT *Deutschland e.V. —Arbeitsgemeinschaft zum Schutz der Kinder vor sexueller Ausbeutung*—, una guía específica para proteger y apoyar a los niños que son víctimas en casos de trata y explotación[89]. El objetivo principal fue el de establecer un nuevo marco de actuación

---

[84] GROUP OF EXPERTS ON ACTION AGAINST TRAFFICKING IN HUMAN BEINGS (GRETA): *Report concerning the implementation of the Council of Europe Convention on Action against Trafficking in Human Beings by Germany. Second evaluation round,* 2019, p. 33; KOK: *Evaluation Report on the implementation of the Council of Europe Convention on Action against Trafficking in Human Beings by the parties to the treaty,* 2018, p. 12.

[85] GROUP OF EXPERTS ON ACTION AGAINST TRAFFICKING IN HUMAN BEINGS (GRETA): *Report concerning the implementation of the Council of Europe Convention on Action against Trafficking in Human Beings by Germany. Second evaluation round, op. cit.,* p. 26; KOK: *Evaluation Report on the implementation of the Council of Europe Convention on Action against Trafficking in Human Beings by the parties to the treaty, op. cit.,* pp. 26

[86] KOK: *Ibidem,* pp. 8-9 y 36-38.

[87] GROUP OF EXPERTS ON ACTION AGAINST TRAFFICKING IN HUMAN BEINGS (GRETA): *Report concerning the implementation of the Council of Europe Convention on Action against Trafficking in Human Beings by Germany. Second evaluation round, op. cit.,* pp. 30-32 y 35-37.

[88] GROUP OF EXPERTS ON ACTION AGAINST TRAFFICKING IN HUMAN BEINGS (GRETA): *Report concerning the implementation of the Council of Europe Convention on Action against Trafficking in Human Beings by Germany. Second evaluation round, op. cit.,* pp. 10, 26, 27 y 30.

[89] *Vid. Bundeskooperationskonzept „Schutz und Hilfen bei Handel mit und Ausbeutung von Kindern",* disponible en: https://www.bmfsfj.de/resource/blob/129878/558a1d7b8973aa96 ae9d43f5598abaf1/bundeskooperationskonzept-gegen-menschenhandel-data.pdf

a nivel legal y político entre los actores más relevantes que intervienen en las fases de identificación y asistencia a estas víctimas[90], aunque su aplicación en el territorio alemán está siendo irregular debido a la falta de recursos en la mayoría de los *Länder*[91]. De hecho, en Alemania no existen campañas de sensibilización sobre la trata y la explotación de menores ni a nivel federal ni tampoco en ninguno de los estados alemanes. Casi ninguno de los *Länder* cuenta con personal especializado en las comisarías de policía para atender debidamente a los casos de trata con presencia de víctimas menores de edad, ni tampoco se ha normalizado la constitución de mesas redondas que ayuden a mejorar la coordinación y comunicación entre los agentes implicados[92].

VI. PROPUESTAS DE MEJORA PARA ESPAÑA

Como se ha expuesto anteriormente, la delicada situación de las víctimas de trata requiere de un adecuado sistema de atención para asegurar su rápida y eficaz identificación formal con el fin de que puedan recibir una asistencia integral que les permita tanto recuperar su dignidad como superar la experiencia vivida. La atención puesta por parte de cada vez más países en la lucha contra este fenómeno criminal, junto con el impulso de una visión más victimocéntrica, ha permitido poner énfasis en la situación de marcada desprotección en la que se encuentran las víctimas menores de edad, especialmente cuando carecen del apoyo y protección de sus padres u otros adultos que ejerzan su tutela legal.

España dispone desde el año 2011 del Protocolo Marco de protección de las víctimas de trata de seres humanos, desde el año 2014 del Protocolo Marco sobre determinadas actuaciones en relación con los Menores Extranjeros No Acompañados y desde el año 2017 de un anexo al mencionado protocolo marco estatal que centra su atención en las actuaciones para la detección y

---

[90]   En suma, esta guía incorpora algunas definiciones legales, fija los objetivos que deben alcanzarse, establece las responsabilidades y los principios rectores de cooperación que deben guiar la actuación de las partes implicadas, detalla los derechos de las víctimas, dispone una lista de indicadores para detectar casos de trata, incluye datos de contacto de actores relevantes en la lucha contra la trata, y concluye con una serie de recomendaciones. *Vid.* GROUP OF EXPERTS ON ACTION AGAINST TRAFFICKING IN HUMAN BEINGS (GRETA): *Report concerning the implementation of the Council of Europe Convention on Action against Trafficking in Human Beings by Germany. Second evaluation round, op. cit.,* p. 33; KOK: *Evaluation Report on the implementation of the Council of Europe Convention on Action against Trafficking in Human Beings by the parties to the treaty, op. cit.,* p. 12.

[91]   GROUP OF EXPERTS ON ACTION AGAINST TRAFFICKING IN HUMAN BEINGS (GRETA): *Report concerning the implementation of the Council of Europe Convention on Action against Trafficking in Human Beings by Germany. Second evaluation round, op. cit.,* p. 33

[92]   KOK: *Evaluation Report on the implementation of the Council of Europe Convention on Action against Trafficking in Human Beings by the parties to the treaty, op. cit.,* p. 12.

atención a víctimas de trata menores de edad. Sin embargo, los resultados obtenidos hasta la fecha son deficientes tanto en la fase de identificación como en la de asistencia integral a los afectados. Por este motivo es necesario actualizar dichos mecanismos para continuar avanzando en el enfoque victimocéntrico. En las líneas que siguen se formulan algunas propuestas que pueden contribuir a articular la referida actualización.

En cuanto a la fase de identificación, sería recomendable que España siguiera los pasos dados por Reino Unido, Portugal, Italia y los Países Bajos, en el sentido de adoptar una estrategia dividida en dos partes. Conforme a la misma debería, en primer lugar, procederse a la evaluación preliminar de la situación de la posible víctima y a proveerla de primera asistencia. En segundo lugar, debería derivársela a la autoridad competente para que, si corresponde, se realice su identificación formal. Para esto último es necesaria la existencia de un mecanismo nacional de derivación de víctimas adaptado a las circunstancias específicas que rodean los casos de víctimas menores de edad, algo que como se ha visto está dando buenos resultados en Reino Unido[93].

En aras a mejorar los pobres resultados obtenidos en España en la fase de identificación de víctimas de trata, es necesario empezar por tener una mejor capacidad de detección de posibles casos. Por este motivo, el despliegue por el territorio nacional de una red especializada de personal que actúe en primera línea debería contar con la participación activa y coordinada de actores formados en materia de trata pertenecientes a distintos grupos de profesionales, como las Fuerzas y Cuerpos de Seguridad del Estado, la Inspección de Trabajo y Seguridad Social, los servicios sociales y las entidades del tercer sector —entre otros—. Esto con el objetivo de que en conjunto puedan atender inicialmente estos supuestos y considerar la posibilidad de derivar posibles víctimas a la autoridad competente para que sea considerada su identificación formal[94].

Uno de los aspectos más negativos del actual Protocolo Marco de 2011 es que los únicos actores que tienen reconocida la capacidad de otorgar el estatus oficial de víctima, que son las Fuerzas y Cuerpos de Seguridad del Estado, carecen de conocimientos específicos para abordar las singularidades que pre-

---

[93] US DEPARTMENT OF STATE: *2019 Trafficking in Persons Report, op. cit.*, pp. 481-484.
[94] Es imprescindible que los actores que más cerca están de las situaciones de trata con menores de edad tengan conocimiento para detectar estas situaciones de riesgo y actuar en consecuencia (SAVE THE CHILDREN: *Infancias invisibles, op. cit.*, p. 84). Por ejemplo, se ha constatado mayor capacidad de detección de víctimas en entidades asistenciales del tercer sector con formación especializada en trata que tienen contacto directo con víctimas (VILLACAMPA, C. y TORRES, C.: "Aproximación institucional a la trata de seres humanos en España: valoración crítica", *op. cit.*, p. 223; VILLACAMPA, C. y TORRES ROSELL, N.: "Trata de seres humanos para explotación criminal: ausencia de identificación de las víctimas y sus efectos", *Estudios Penales y Criminológicos*, núm. 36, 2016, pp. 771-829).

sentan los casos de trata con víctimas menores de edad[95], lo que todavía es más crítico cuando además son extranjeros no acompañados. Esta cuestión resulta crucial para conseguir mejores resultados en esta fase[96], y por esta razón sería oportuna la creación de una subsección especializada en la identificación formal de esta clase de víctimas dentro de cada una de las unidades policiales de las Fuerzas y Cuerpos de Seguridad del Estado dedicadas a la lucha contra este fenómeno criminal. Además, también sería conveniente que, en consonancia con lo dispuesto por el Protocolo Marco de 2011[97], estas subsecciones específicas de nueva creación contaran con la colaboración de otros profesionales desligados del ámbito estrictamente policial, como trabajadores sociales o psicólogos —entre otros—, que igualmente hayan recibido formación concreta en esta materia[98].

En suma, resultaría deseable que tanto la Unidad Central contra Redes De Inmigración y Falsedades Documentales (UCRIF) de la Policía Nacional, así como las unidades especializadas en trata de las distintas comunidades autónomas, siendo competente en este ámbito la Unitat Central de Tràfic d'Éssers Humans (UCTEH) de los Mossos d'Esquadra en el caso de Cataluña, incorporasen una subsección específica enfocada en la identificación formal de víctimas de trata menores de edad. Por otra parte, aunque en la Guardia Civil ya existe en la actualidad una unidad especializada que, entre otras funciones, incorpora dicha tarea de identificación de esta clase de víctimas a través de los llamados Equipos Mujer-Menor (EMUME), cabe tener en cuenta que su actuación en menores se circunscribe exclusivamente al campo de la trata para explotación sexual y la pornografía infantil. Con el fin de conseguir una

---

[95] GROUP OF EXPERTS ON ACTION AGAINST TRAFFICKING IN HUMAN BEINGS (GRETA): *Report concerning the implementation of the Council of Europe Convention on Action against Trafficking in Human Beings by Spain. Second evaluation round*, op. cit., pp. 44; RED ESPAÑOLA CONTRA LA TRATA DE PERSONAS (RECTP): *Informe de la Red Española contra la Trata de Personas (RECTP) a la Coordinadora contra la Trata de Seres Humanos de la Unión Europea*, 2015, p. 31; SAVE THE CHILDREN: *Infancias invisibles*, op. cit., p. 84.

[96] CUNHA, A., GONÇALVES, M. Y MATOS, M.: "Knowledge of Trafficking in Human Beings among Portuguese Social Services and Justice Professionals", op. cit., pp. 469–488; GROUP OF EXPERTS ON ACTION AGAINST TRAFFICKING IN HUMAN BEINGS (GRETA): *Fifth General Report on GRETA's Activities*, op. cit., p. 36; GROUP OF EXPERTS ON ACTION AGAINST TRAFFICKING IN HUMAN BEINGS (GRETA): *Tenth General Report on GRETA's Activities*, op. cit., pp. 49-50; UNICEF: *Reference Guide on Protecting the Rights of Child Victims of Trafficking in Europe*, op. cit., p. 43.

[97] *Vid.* apartado VI.B del mencionado protocolo.

[98] Previamente se ha dado cuenta de ello, por ejemplo, en MIRANDA-RUCHE, X. y VILLA-CAMPA, C.: La atención de las víctimas de trata de seres humanos. Un análisis crítico del protocolo marco español desde una perspectiva comparada, *Alternativas, Cuadernos de Trabajo Social*, 28(2), 2021, p. 17-18; RED ESPAÑOLA CONTRA LA TRATA DE PERSONAS (RECTP): *Informe de la Red Española contra la Trata de Personas (RECTP) a la Coordinadora contra la Trata de Seres Humanos de la Unión Europea*, op. cit., p. 31.

mejora en la identificación formal de todo tipo de víctimas de trata menores de edad independientemente de la explotación a la que son sometidas, sería de interés que esta competencia fuera absorbida por la nueva subsección específica creada a este efecto.

En lo que corresponde a la fase de intervención con las víctimas, es necesario actualizar el actual Protocolo Marco de 2011 en el sentido de concretar una verdadera asistencia integral dirigida a todo tipo de víctimas, profundizando la mirada hacia los derechos de las mismas[99]. Para alcanzar este objetivo con las víctimas menores de edad, y en especial los extranjeros no acompañados, es fundamental la creación de un programa de atención especializado con disponibilidad de una serie de recursos específicos que se concreten en materia de asistencia médica, apoyo psicológico, acceso a la educación, asesoramiento legal y respaldo económico, con el fin de separar y personalizar el abordaje de las necesidades particulares que presentan estas víctimas con respecto a aquellas que ya se encuentran en edad adulta[100].

Cumplir con este propósito requiere también de la ampliación del enfoque victimocéntrico actual, superando de esta forma los importantes sesgos que en el presente todavía prevalecen en países como España y Alemania, que durante años han concentrado excesivamente sus esfuerzos en la atención a víctimas mujeres en el terreno de la explotación sexual al tiempo que no han mostrado suficiente sensibilidad con las singularidades de otras tipologías victimales, como es el caso de la que ha centrado el interés de este capítulo: los menores de edad.

VII. BIBLIOGRAFÍA

APRAMP: *Guía de intervención con víctimas de trata para ayuntamientos y trabajadores/as sociales*, 2017. Disponible en: https://apramp.org/download/guia-de-intervencion-con-victimas-de-trata-para-ayuntamientos-y-trabajadores-as-sociales-ed-2020/

---

[99]   MIRANDA-RUCHE, X. y VILLACAMPA, C.: La atención de las víctimas de trata de seres humanos. Un análisis crítico del protocolo marco español desde una perspectiva comparada, *Alternativas, Cuadernos de Trabajo Social*, 28(2), *op. cit.*, p. 17.

[100]   A esta falta de recursos públicos se ha hecho mención en reiteradas ocasiones como uno de los déficits más graves en España. *Vid.* GROUP OF EXPERTS ON ACTION AGAINST TRAFFICKING IN HUMAN BEINGS (GRETA): *Report concerning the implementation of the Council of Europe Convention on Action against Trafficking in Human Beings by Spain. Second evaluation round*, *op. cit.*, pp. 44; RED ESPAÑOLA CONTRA LA TRATA DE PERSONAS (RECTP): *Informe de la Red Española contra la Trata de Personas (RECTP) a la Coordinadora contra la Trata de Seres Humanos de la Unión Europea*, 2015, pp. 30-31; SAVE THE CHILDREN: *Infancias invisibles*, *op. cit.*, p. 84.

COMITÉ DE LOS DERECHOS DEL NIÑO: *Observación General no 5. Tratado de los menores no acompañados y separados de su familia fuera de su país de origen*, 2005.

CUNHA, A., GONÇALVES, M. Y MATOS, M.: "Knowledge of Trafficking in Human Beings among Portuguese Social Services and Justice Professionals", *European Journal on Criminal Policy and Research*, 25(4), 2019.

DEFENSOR DEL PUEBLO: *¿Menores o adultos?: procedimientos para la determinación de la edad*, 2011.

DEFENSOR DEL PUEBLO: *La trata de seres humanos en España: víctimas invisibles*, 2012.

EUROPEAN COMISSION: *Report from de Commission to the European Parliament and the Council: Second report on the progress made in the fight against trafficking in human beings as required under Article 20 of Directive 2011/36/EU on preventing and combating trafficking in human*, 2018. Disponible en: https://eur-lex.europa.eu/legal-content/EN/ALL/?uri=COM%3A2018%3A777%3AFIN

GARCÍA DE DIEGO, M. J.: "«Bajo El casco de Hades»: menores migrantes no acompañadas como posibles víctimas de trata y su triple invisibilización", *Migraciones*, 28, 2010, pp. 193–223.

GOBIERNO DE ESPAÑA: *Actuaciones para la detección y atención de víctimas de trata de seres humanos (TSH) menores de edad. Anexo al Protocolo Marco de protección de víctimas de TSH*, 2017.

GROUP OF EXPERTS ON ACTION AGAINST TRAFFICKING IN HUMAN BEINGS (GRETA): *Report concerning the implementation of the Council of Europe Convention on Action against Trafficking in Human Beings by Spain. First evaluation round*, 2013.

GROUP OF EXPERTS ON ACTION AGAINST TRAFFICKING IN HUMAN BEINGS (GRETA): *Fifth General Report on GRETA's Activities*, 2016.

GROUP OF EXPERTS ON ACTION AGAINST TRAFFICKING IN HUMAN BEINGS (GRETA): *Report concerning the implementation of the Council of Europe Convention on Action against Trafficking in Human Beings by the UK. Second evaluation round*, 2016.

GROUP OF EXPERTS ON ACTION AGAINST TRAFFICKING IN HUMAN BEINGS (GRETA): *Report concerning the implementation of the Council of Europe Convention on Action against Trafficking in Human Beings by Portugal. Second evaluation round*, 2017.

GROUP OF EXPERTS ON ACTION AGAINST TRAFFICKING IN HUMAN BEINGS (GRETA): *Report concerning the implementation of the Council of Europe Convention on Action against Trafficking in Human Beings by Netherlands. Second evaluation round*, 2018.

GROUP OF EXPERTS ON ACTION AGAINST TRAFFICKING IN HUMAN BEINGS (GRETA): *Report concerning the implementation of the Council of Europe Convention on Action against Trafficking in Human Beings by Spain. Second evaluation round*, 2018.

GROUP OF EXPERTS ON ACTION AGAINST TRAFFICKING IN HUMAN BEINGS (GRETA): *Sixth General Report on GRETA's Activities*, 2018.

GROUP OF EXPERTS ON ACTION AGAINST TRAFFICKING IN HUMAN BEINGS (GRETA): *Report concerning the implementation of the Council of Euro-*

pe Convention on Action against Trafficking in Human Beings by Germany. Second evaluation round, 2019.

GROUP OF EXPERTS ON ACTION AGAINST TRAFFICKING IN HUMAN BEINGS (GRETA): Report concerning the implementation of the Council of Europe Convention on Action against Trafficking in Human Beings by Italy. Second evaluation round, 2019.

GROUP OF EXPERTS ON ACTION AGAINST TRAFFICKING IN HUMAN BEINGS (GRETA): Tenth General Report on GRETA's Activities, 2020.

HM GOVERNMENT: Safeguarding children who may have been trafficked: Practice guidance, 2011. Disponible en: https://assets.publishing.service.gov.uk/government/uploads/system/uploads/attachment_data/file/177033/DFE-00084-2011.pdf

INTERNATIONAL LABOUR ORGANIZATION (ILO): Protection and assistance of victims of labour exploitation. A comparative analysis, 2020.

JIMÉNEZ ROMERO, M., y TARANCÓN GÓMEZ, P.: "Perspectivas de profesionales del tercer sector sobre la intervención con víctimas de trata con fines de explotación sexual", Revista Electrónica de Ciencia Penal y Criminología, 20-25, 2018, pp. 1-25.

KOK BUNDESWEITER KOORDINIERUNGSKREIS GEGEN MENSCHENHANDEL E.V.: Evaluation Report on the implementation of the Council of Europe Convention on Action against Trafficking in Human Beings by the parties to the treaty, 2018.

MIRANDA-RUCHE, X. y VILLACAMPA, C.: "La atención de las víctimas de trata de seres humanos. Un análisis crítico del protocolo marco español desde una perspectiva comparada", Alternativas, Cuadernos de Trabajo Social, 28(2), 2021, p. 17.

OFFICE OF THE UNITED NATIONS HIGH COMMISSIONER FOR REFUGEES GENEVA: Guidelines on Policies and Procedures in dealing with Unaccompanied Children Seeking Asylum, 1997. Disponible en: http://www.unhcr.org/cgi-bin/texis/vtx/refworld/rwmain?page=search&docid=3ae6b3360

RED ESPAÑOLA CONTRA LA TRATA DE PERSONAS (RECTP): Informe de la Red Española contra la Trata de Personas (RECTP) a la Coordinadora contra la Trata de Seres Humanos de la Unión Europea, 2015.

SAVE THE CHILDREN: Infancias invisibles, 2016.

TORRES ROSELL, N. y VILLACAMPA ESTIARTE, C.: "Protección jurídica y asistencia para víctimas de trata de seres humanos", Revista General de Derecho Penal, núm. 27, 2017, pp. 1-48.

UNICEF: Reference Guide on Protecting the Rights of Child Victims of Trafficking in Europe, 2006. Disponible en: http://www.crin.org/docs/UNICEF_Child_Trafficking.pdf

UNICEF: They are children, they are victims. Situation of children who are victims of trafficking in Spain, 2017.

UNITED NATIONS OFFICE ON DRUGS AND CRIME (UNODC): Global Report on Trafficking in Persons 2018, 2018.

UNITED NATIONS OFFICE ON DRUGS AND CRIME (UNODC): Global Report on Trafficking in Persons 2020, 2020.

US DEPARTMENT OF STATE: 2017 Trafficking in Persons Report, 2017.

US DEPARTMENT OF STATE: 2018 Trafficking in Persons Report, 2018.

US DEPARTMENT OF STATE: 2019 Trafficking in Persons Report, 2019.

US DEPARTMENT OF STATE: *2020 Trafficking in Persons Report*, 2020.

US DEPARTMENT OF STATE: *2021 Trafficking in Persons Report*, 2021.

VILLACAMPA, C. y TORRES ROSELL, N.: "Trata de seres humanos para explotación criminal: ausencia de identificación de las víctimas y sus efectos", *Estudios Penales y Criminológicos*, núm. 36, 2016, pp. 771-829.

VILLACAMPA, C. y TORRES, C.: "Aproximación institucional a la trata de seres humanos en España: valoración crítica", *Estudios Penales y Criminológicos*, núm. 41, 2021, pp. 189-232.

VILLACAMPA, C., y TORRES, N.: "Human trafficking for criminal exploitation: the failure to identify victims", *European Journal on Criminal Policy and Research*, vol. 23, núm. 3, 2017, pp. 393-408.

VILLACAMPA, C., y TORRES, N.: "Human trafficking for criminal exploitation: effects suffered by victims in their passage through the criminal justice system", *International Review of Victimology*, vol. 25, núm. 1, 2018, pp. 3-18.

VILLACAMPA, C.: "La nueva directiva europea relativa a la prevención y la lucha contra la trata de seres humanos y la protección de las víctimas", *Revista Electrónica de Ciencia Penal y Criminología*, RECPC 13–14, 2011, pp. 1–52.

VILLACAMPA, C.: "Víctimas de la trata de seres humanos: su tutela a la luz de las últimas reformas penales sustantivas y procesales proyectadas", *Indret: Revista Para El Análisis Del Derecho*, 2, 2014, pp. 1–31.

Capítulo XXXI

APORTACIONES PARA UNA LEY INTEGRAL DE PREVENCIÓN DE LA TRATA DE SERES HUMANOS Y PROTECCIÓN DE TODAS LAS VÍCTIMAS: HACIA UNA LEY INTEGRAL HOLÍSTICA CON ENFOQUE DE DERECHOS HUMANOS, ETARIO Y DE GÉNERO

MARTA GONZÁLEZ MANCHÓN
Coordinadora del área de sensibilización e incidencia
Proyecto Esperanza

NEREA BILBATÚA THOMAS
Técnica del área de sensibilización e incidencia
Proyecto Esperanza

ROSA MARIA CENDÓN LERIS
Coordinadora del área de relaciones institucionales e incidencia
SICAR cat

SANDRA CAMACHO PADILLA
Técnica del área de relaciones institucionales e incidencia
SICAR cat

I. LA NECESIDAD DE UNA LEY INTEGRAL DE PREVENCIÓN DE LA TRATA DE SERES HUMANOS Y PROTECCIÓN INTEGRAL DE TODAS LAS VÍCTIMAS

1. *Una ley integral para asegurar el cumplimiento del mandato de protección y asistencia a las víctimas establecido en las convenciones internacionales*

Una ley integral permite dar cumplimiento a nuestros compromisos internacionales con mayor coherencia y, de esta forma, garantizar que España cumple con la obligación de diligencia debida y, en particular, con el mandato de protección y asistencia a las víctimas establecido en las convenciones internacionales. En los últimos años, tanto a nivel regional europeo como a nivel nacional se han dado pasos relevantes en materia de trata de seres humanos para proteger a las víctimas:

En 2005 en Varsovia se firmó y ratificó el *Convenio del Consejo de Europa sobre Lucha contra la trata de personas* que entró en vigor el 1 de agosto de 2009[1]. Este Convenio (comúnmente llamado Convenio de Varsovia) supuso una medida fundamental para avanzar en el tratamiento del fenómeno desde una perspectiva de derechos humanos y España forma parte, desde el año 2009, de los Estados que lo han ratificado.

En 2011, se aprobó la Directiva Europea 2011/36/UE, relativa a la prevención y lucha contra la Trata de Seres Humanos y a la protección de las víctimas. Esta Directiva establece normas mínimas a escala de la Unión Europea sobre la definición de las infracciones penales en materia de trata y contempla medidas destinadas a reforzar la protección de las víctimas.

En coherencia con las obligaciones adquiridas, España ha adoptado la normativa interna mediante la modificación del Código Penal, la modificación de la Ley Orgánica de Extranjería, la aprobación del I y II Plan Integral de Lucha contra la Trata de mujeres y niñas con fines de Explotación Sexual, y recientemente el Plan de Acción Nacional contra el Trabajo Forzoso[2] . Sin embargo, ante una violación de los derechos humanos tan grave como es la trata de seres humanos, consideramos que su abordaje debe quedar recogido en un instrumento legislativo que afronte el problema con vocación de estabilidad y consenso, y no, únicamente, a través de Planes que son esencialmente, coyunturales al tener una vigencia temporal limitada, y que no garantizan, por

---

[1]   Disponible   en: https://www.idhc.org/img/butlletins/files/ConveniodeConsejoEuropaTrata%281%29.pdf

[2]   Aprobado por el Consejo de Ministros en fecha 10/12/2021.

lo tanto, la continuidad de programas y medidas ante cambios políticos, al quedar sujetos a la voluntad del gobierno de turno.

Por otro lado, España ratificó en 2017 el Protocolo de 2014 de la Organización internacional del Trabajo (OIT) que complementa la Convención sobre el trabajo forzoso, 1930 (núm. 29)[3]. El presente Protocolo se basa en la necesidad de adoptar medidas adicionales para la urgente eliminación del trabajo forzoso, y se da en un contexto en el que un número creciente de trabajadores/as se encuentran en situación de trabajo forzoso u obligatorio. Este instrumento internacional, por primera vez, centra sus esfuerzos en, y tiene como objetivo, obligar a los Estados parte a adoptar medidas eficaces, tanto para para prevenir y eliminar el trabajo forzoso u obligatorio, como para proteger a las víctimas, facilitando acceso a acciones jurídicas y de reparación apropiadas y eficaces, tales como una indemnización, y sancionar a los autores del trabajo forzoso u obligatorio. La trata de personas con fines de trabajo forzoso u obligatorio (que también puede implicar explotación sexual, según la definición de la OIT) suscita una creciente preocupación internacional, reconociéndose y se incide en que su eliminación efectiva requiere acciones urgentes.

En el Estado Español, el Código Penal recoge las formas de explotación tal cual están definidas en el Protocolo de Palermo y el Convenio del Consejo de Europa, refiriéndose expresamente, a la imposición de trabajo o de servicios forzados, la esclavitud o prácticas similares a la esclavitud, a la servidumbre. Sin embargo, no delimita ni tipifica diferenciadamente otros delitos de explotación como el trabajo forzoso, esclavitud o prácticas análogas a la esclavitud o la servidumbre, para los cuales se da el proceso de captación y traslado propio de la trata de personas. Ello comporta una gran laguna legal que imposibilita la persecución del delito y además es incoherente e incongruente con una debida protección de los derechos humanos. La misma Fiscalía General del Estado, refiriéndose a la laguna legal existente en nuestro ordenamiento jurídico ha manifestado: "esta situación es insostenible tras la entrada en vigor del Protocolo de 2014 OIT relativo al Convenio sobre el trabajo forzoso que impone a todos los Estados miembros entre otras medidas la persecución y castigo de los responsables de la imposición del trabajo obligatorio"[4].

En aras de consolidar el enfoque de derechos humanos y con el fin de abordar la complejidad del fenómeno, se hace imperativa una ley integral de prevención de la trata de seres humanos y protección de las víctimas que dé respuesta a la realidad criminológica y a la situación de los diferentes perfiles de

---

[3]   Disponible en:
https://www.ilo.org/dyn/normlex/es/f?p=NORMLEXPUB:12100:0::NO::P12100_ILO_CODE:P029

[4]   FISCALÍA GENERAL DEL ESTADO: *Memoria elevada al Gobierno de S.M.*, Fiscalía General del Estado. Ministerio de Justicia, Madrid, 2019.

víctimas, en especial mujeres y niños y niñas víctimas de trata. En este sentido, es necesario tener en cuenta las obligaciones derivadas de la Convención sobre los Derechos del Niño y la necesidad de implementar las medidas específicas de identificación y protección de niños y niñas víctimas de trata en coherencia con la Directiva Europea 36/2011 y el Convenio de Varsovia, citados más arriba.

Además, una ley integral es coherente con el llamamiento universal a la acción para poner fin a la pobreza, proteger el planeta y mejorar las vidas y las perspectivas de las personas en todo el mundo que suponen los objetivos de Desarrollo Sostenible de la Agenda 2030[5] aprobados en 2015 por todos los Estados Miembros de las Naciones Unidas como parte de la Agenda 2030. Una ley integral impactaría directamente en los siguientes objetivos:

- ODS 5.1: Poner fin a todas las formas de discriminación contra todas las mujeres y las niñas.

- ODS 5.2: Eliminar todas las formas de violencia contra todas las mujeres y las niñas en los ámbitos público y privado, incluidas la trata y la explotación sexual y otros tipos de explotación.

- ODS 8.7: Adoptar medidas inmediatas y efectivas para terminar con el trabajo forzado, la esclavitud moderna y la trata de personas, así como el trabajo infantil en todas sus formas.

- ODS 10.3: Garantizar la igualdad de oportunidades y reducir la desigualdad de los resultados, en particular mediante la eliminación de las leyes, políticas y prácticas discriminatorias y la promoción de leyes, políticas y medidas adecuadas a ese respecto.

- ODS 16.2: Poner fin al maltrato, la explotación, la trata y todas las formas de violencia y tortura contra los niños y niñas.

2. Una ley Integral como oportunidad para abordar el fenómeno de la trata en todas sus formas

En España las medidas impulsadas por las administraciones en los últimos años han estado centradas única y exclusivamente en la trata con fines de explotación sexual para la prostitución. Sin embargo, la trata puede tener otros fines, tal y como reconoce el artículo 177 bis del Código Penal, que, de acuerdo con la normativa internacional, tipifica, además de la trata con fines de explotación sexual, incluida la pornografía, las siguientes manifestaciones del delito: la imposición de trabajo o de servicios forzados, la esclavitud o prácticas similares a la esclavitud, la servidumbre o a la mendicidad, la explotación

---

5   NACIONES UNIDAS: *Objetivos de Desarrollo Sostenible* [en línea]. Disponible en: https://www.un.org/sustainabledevelopment/es/

para realizar actividades delictivas, la extracción de sus órganos corporales, y la celebración de matrimonios forzados.

Mientras que la última reforma del Código Penal recogía la definición internacional de trata en todas sus formas y dimensiones —interna/internacional—, ni los planes, ni el resto del ordenamiento, ni los recursos destinados a la recuperación integral de las víctimas, son coherentes con esta definición ni con las obligaciones internacionales, ya que están dirigidas principal, y casi exclusivamente, a las mujeres y niñas víctimas de trata con fines de explotación sexual. Ello no hace más que contribuir a una mayor vulnerabilidad de las víctimas de trata para con otros fines de explotación en cuanto a su protección, asistencia y reparación, lo cual puede llegar a constituir un trato discriminatorio y contrario a las obligaciones internacionales del Estado español de proteger los derechos humanos de todas las personas que han sufrido el delito en cualquiera de sus formas. Esta situación produce *de facto* víctimas de trata de seres humanos de "primera" y de "segunda" categoría.

Es necesario abordar la complejidad del fenómeno de una forma integral, y es necesario que se aplique a todas las formas de trata interna o transnacionales, relacionadas o no con la delincuencia organizada, y teniendo en cuenta que España puede ser país de origen, tránsito o destino de la persona tratada.

3. Una ley integral para dar respuesta a las obligaciones del Estado frente a aquellos tipos de trata que suponen una forma de violencia contra la mujer

La Convención sobre la eliminación de todas las formas de discriminación contra la mujer (CEDAW, por sus siglas en inglés), es el instrumento jurídico internacional más amplio en materia de violencia contra la mujer. El texto entró en vigor en 1981 y fue ratificado por España en 1983. Esta Convención fue el primer instrumento internacional en definir la violencia contra la mujer como una forma de discriminación y una violación de los derechos humanos, reconociendo la trata de mujeres y niñas como una manifestación más de la violencia ejercida hacia ellas. Tal es así que en su artículo 6 establece que los Estados deberán tomar todas las medidas apropiadas, incluso de carácter legislativo, para suprimir todas las formas de trata de mujeres y niñas.

Por otro lado, el Convenio del Consejo de Europa sobre prevención y lucha contra la violencia contra la mujer y la violencia doméstica, hecho en Estambul el 11 de mayo de 2011 (en vigor en España desde agosto de 2014), es el primer instrumento regional vinculante jurídicamente en Europa que aborda de forma exhaustiva las diferentes formas de violencia contra la mujer, como la violencia psicológica, acoso, la violencia física y la violencia sexual. Por primera vez, y de forma explícita, establece que la violencia contra la mujer está basada en la desigualdad y la discriminación por razón de género. Concretamente, se enfoca en violencias basadas en creencias, costumbres, tradición o religión basadas en estereotipos y roles asignados al género femenino.

De acuerdo con la definición de violencia contra la mujer del Convenio de Estambul, la trata de seres humanos supone una forma de violencia contra la mujer por cuanto implica "actos de violencia basados en el género que comportan daños o sufrimientos de naturaleza física, sexual, psicológica o económica, incluidas las amenazas de realizar estos actos, la coacción o la privación arbitraria de la libertad, la vida pública o privada".

Además, determinadas formas de trata de seres humanos suponen "una violencia contra la mujer por razones de género, ya que son formas de violencia contra una mujer por el mero hecho de serlo o por el hecho de que les afecta de manera desproporcionada". El Comité para la Eliminación de la Discriminación contra la Mujer pidió a los Estados en su Recomendación General n° 19 (1992) que actuaran con la debida diligencia para prevenir la violencia contra la mujer y responder a ella. Entre las obligaciones positivas de proteger, promover y aplicar que se encuentran en los tratados de derechos humanos, se incluye también la obligación de proceder con la debida diligencia. La Declaración de 1993 —aprobada el año siguiente— exige que los Estados procedan con la debida diligencia a fin de prevenir, investigar y castigar todo acto de violencia contra la mujer, ya se trate de actos perpetrados por el Estado o por particulares. Esta disposición se incluyó en el apartado b) del párrafo 125 de la Plataforma de Acción de Beijing (1995)[6].

La trata conlleva un amplio abanico de violaciones a los derechos de sus víctimas, no solo en el país de destino, sino también en el de origen y durante el tránsito y puede constituir en ocasiones una forma de tortura y un trato cruel, inhumano y degradante (Rantsev c. Chipre y Rusia). El Tribunal Europeo ha establecido que los Estados tienen como obligaciones positivas bajo el artículo 4: uno, garantizar la existencia de un marco jurídico nacional que asegure la protección efectiva y práctica de los derechos de las víctimas o potenciales víctimas de trata; y dos, tomar todas las medidas operativas necesarias para proteger a las víctimas o potenciales víctimas de trata según las necesidades de cada caso concreto, e investigar toda posible situación de trata de seres humanos (Rantsev c. Chipre y Rusia).

Recientemente, además, el Comité para la Eliminación de la Discriminación contra la Mujer ha vuelto a manifestarse a través de su Recomendación General n° 38 (2020), con el fin de hacer un nuevo llamado a los Estados para que

---

[6]   La norma de la debida diligencia como instrumento para la eliminación de la violencia contra la mujer. ASAMBLEA GENERAL DE LAS NACIONES UNIDAS: *Informe de la Relatora Especial sobre la violencia contra la mujer, sus causas y consecuencias*, Naciones Unidas, 2019.

con urgencia: a) adopten todas las medidas necesarias para erradicar la trata de mujeres y niñas, b) incorporen la perspectiva de género en todo su abordaje.

4. Una ley integral como instrumento adecuado para corregir aquellas prácticas que imponen barreras y obstáculos al acceso efectivo a los derechos reconocidos a las víctimas de trata

Las víctimas de trata con cualquier fin de explotación tienen reconocidos en los instrumentos internacionales una serie de derechos que son claves para su recuperación integral y su reparación (entre otros):

- A ser identificada como víctima de trata en base a motivos razonables, sin exigir la denuncia y/o la colaboración de la víctima, en un procedimiento que tenga en cuenta la situación específica de mujeres, y niños y niñas víctimas contando con la participación de las organizaciones responsable de presentar asistencia (art. 10 Convenio del Consejo de Europa sobre la Trata).

- A recibir asistencia para su restablecimiento físico psicológico y social, la cual comprenderá como mínimo (art. 10, 12 y 28 Convenio del Consejo de Europa sobre la Trata, art. 11 Directiva 2011/36/UE):

    o asesoramiento e información,

    o alojamiento adecuado y seguro,

    o asistencia médica, psicológica y material,

    o asesoramiento jurídico,

    o oportunidades de educación y formación de acuerdo con la edad, el sexo y sus necesidades especiales, y, en particular, teniendo en cuenta las necesidades especiales de los niños y niñas.

- A recibir la asistencia de forma consensuada e informada, en cooperación con las ONG que participan en la prestación de dicha asistencia (arts. 12 y 35 Convenio del Consejo de Europa sobre la Trata, art. 11 Directiva 2011/36/UE).

- A la protección de su seguridad y de un ulterior daño (arts. 12 y 28 Convenio del Consejo de Europa sobre la Trata, art. 11 Directiva 2011/36/UE).

- A no ser detenidas, acusadas o procesadas por infracciones de la legislación de extranjería, y/o por actividades ilícitas en las que se hayan visto implicadas como consecuencia directa de su condición de víctimas de trata (art. 26 Convenio del Consejo de Europa sobre la Trata, art. 8 Directiva 2011/36/UE).

- Derecho a la protección en las investigaciones y los procesos penales:

  o A la protección apropiada sobre la base de una evaluación individual del riesgo en investigaciones (art. 12.3 Directiva 2011/36/UE).

  o Al asesoramiento jurídico y representación legal gratuita (art. 12.2 Directiva 2011/36/UE).

  o A recibir un trato especial destinado a prevenir la revictimización secundaria en los procesos penales (art. 12.4 Directiva 2011/36/UE).

- A la indemnización y reparación legal: los Estados deben promover medidas para que el infractor indemnice adecuadamente a la víctima en el curso del procedimiento penal (art. 15 del Convenio del Consejo de Europa sobre la Trata, art. 17 Directiva 2011/36/UE).

- A la protección de la vida privada y la identidad (art. 11 Convenio del Consejo de Europa sobre la Trata).

- A la repatriación y al retorno en base a los derechos, la dignidad y la seguridad de las personas (art. 16 Convenio del Consejo de Europa sobre la Trata).

- Derecho de las víctimas de trata extranjeras de terceros países:

  o A un periodo restablecimiento y reflexión (art. 13 Convenio del Consejo de Europa sobre la Trata; art. 11, apartado 6 Directiva 2011/36/UE; y art. 6 Directiva 2004/81).

  o A solicitar un permiso de residencia por colaboración ((art.8 Directiva 2004/8) y/o por su situación personal (art. 14 del Convenio del Consejo de Europa sobre la Trata).

  o A no ser devueltas a otro Estado cuando haya un riesgo grave de que sean sometidas a persecución, tortura u otra forma de malos tratos, y a solicitar y obtener asilo (art. 40 Convenio del Consejo de Europa sobre la Trata y art. 11 Directiva 2011/36/UE).

- Derechos de las/los niñas y niños víctimas de trata:

  o A recibir asistencia, apoyo y protección, adoptando medidas específicas tras una evaluación individual del caso, considerando siempre el interés superior del menor, aplicando el criterio de presunción de minoría de edad cuando su edad sea incierta y existan razones para creer que es una persona menor de edad (arts. 13 y 14 Directiva 2011/36/UE).

o A recibir protección adecuada durante las investigaciones y procesos penales (art. 15 Directiva 2011/36/UE).

o Derecho de los niños y niñas no acompañados a recibir asistencia y protección teniendo en cuenta sus circunstancias particulares (art. 16 Directiva 2011/36/UE). Sin embargo, en la realidad las víctimas encuentran numerosas barreras y obstáculos para acceder y disfrutar plenamente de estos derechos. Siendo la trata de personas una grave violación de los derechos humanos, se debe garantizar que las víctimas son sujetos de derecho dándoles acceso al máximo nivel de protección y prestaciones, así como acceso a la justicia y reparación, teniendo en cuenta, además, que el impacto del delito de trata es equiparable, en muchos casos, a la tortura[7].

El derecho a la justicia y a la reparación es un derecho fundamental que tienen las víctimas de violaciones de derechos humanos que, desafortunadamente, no está suficientemente garantizado. Uno de los aspectos cruciales para garantizarlo es el acceso efectivo al cobro de la indemnización (ya sea de carácter judicial y/o extrajudicial). Ello supone un reconocimiento de la violación de sus derechos y de los daños que han sufrido, y sirve como un instrumento de justicia restaurativa y de prevención[8].

El enfoque de derechos humanos incluye la responsabilidad de las autoridades de adoptar medidas legales, o de otra índole, para garantizar la reparación efectiva de las víctimas por parte del Estado:

- Como responsable directo ante la ausencia de diligencia debida e ineficacia de medidas de prevención, mediante, por ejemplo ayudas e indemnizaciones extrajudiciales a víctimas de trata de seres humanos.

- Como responsables subsidiarios, cuando los autores del delito se declaran insolventes o no cumplen con su obligación, mediante el pago/adelanto de las indemnizaciones reconocidas judicialmente en concepto de responsabilidad civil derivada del delito.

---

[7]   ORGANIZATION FOR SECURITY AND CO-OPERATION IN EUROPE (OSCE): *Trafficking in Human Beings Amounting to Torture and other Forms of Ill-treatment*, OSCE Office of the Special Representative and Co-ordinator for Combating Trafficking in Human Beings, Viena, 2013.

[8]   PROYECTO ESPERANZA ADORATRICES: *Justice at last. Compensación efectiva a víctimas de Trata, un derecho a conquistar* [en línea]. Disponible en: https://www.proyectoesperanza.org/justice-at-last-compensaci%C3%B3n-efectiva-a-v%C3%ADctimas-de-trata-un-derecho-a-conquistar/

5. Una ley integral para dotar de coherencia al ordenamiento jurídico

En el Estado Español, las disposiciones que regulan la trata se encuentran principalmente en el Código Penal, en la Ley de Extranjería y en su reglamento de desarrollo. El primero de estos instrumentos está destinado al castigo de los delitos, y los segundos a regular la estancia de los extranjeros en España. La Ley de Extranjería además contiene disposiciones que obligan a las administraciones en el caso de identificar a una víctima de trata extranjera de un tercer país, y el Reglamento extiende esas disposiciones a las víctimas de trata nacionales y de países comunitarios. Ante esta situación se hace necesario evitar la fragmentación normativa a nivel estatal, unificando y dotando de coherencia global a los distintos instrumentos.

Más allá del limitado enfoque criminal y/o de control migratorio de esas normas, hay importantes lagunas y aspectos que no han sido regulados, o que lo han sido de manera confusa. Asimismo, la falta de una legislación centrada en los derechos de las víctimas que dé coherencia a las diferentes disposiciones que de manera fragmentada existen en el ordenamiento español, impacta en el acceso de las víctimas a la protección, asistencia, estatus legal y a la justicia, generando un trato desigual que puede llegar a ser discriminatorio.

6. Una ley integral para establecer un mandato claro en todos los niveles administrativos

Una ley Integral es la manera de asegurar que haya una correcta y efectiva coordinación entre todos los organismos involucrados a nivel nacional y autonómico. La trata de seres humanos es, como ya se ha dicho anteriormente, un fenómeno complejo y global que exige un enfoque y despliegue transversal e intereseccional, además de una coordinación entre las políticas sobre diferentes materias que afectan a dicho fenómeno.

Algunas Comunidades Autónomas han elaborado normas de violencia de género con disposiciones sobre trata, aunque utilicen el término "tráfico" de mujeres y solamente incluyan la explotación sexual (Cantabria, Canarias, Madrid, Aragón y Galicia, entre otras). La falta, sin embargo, de una ley integral a nivel estatal y la existencia de disposiciones autonómicas, contribuye a una dispersión normativa y una heterogeneidad en los conceptos y en las intervenciones que tiene efectos considerables sobre las víctimas de trata, cuya protección y asistencia queda sujeta al territorio en el que se encuentren.

Teniendo en cuenta que la coordinación y la colaboración entre actores es una pieza fundamental en la lucha contra la trata, esta dimensión debe quedar recogida en un instrumento legal de obligado cumplimiento, aunque pueda ser desarrollado en detalle a través de protocolos. Por lo tanto, se hace evidente la necesidad de garantizar un nivel de coordinación y de coherencia a todos los niveles, local, provincial, autonómico y estatal, incluyendo además en todos los espacios la participación de las organizaciones y entidades especializadas en la atención integral a las víctimas.

Esta ley debería establecer unos estándares mínimos de obligado cumplimiento para los servicios de atención integral a las víctimas, ya sean prestados por gestión directa por parte de la administración, o de manera indirecta a través de organizaciones especializadas. Los estándares deberían contemplar[9], como mínimo: alojamiento adecuado y seguro; formación; especialización y experiencia acreditada de las/los profesionales; medidas de seguridad; enfoque de DDHH, de género y etario; y asistencia integral y no condicionada ni a la identificación formal ni a la denuncia y/o colaboración de la víctima con las autoridades.

Esta ley debería establecer un mecanismo nacional de derivación[10] que garantice la coherencia de todas las actuaciones derivadas de la detección, identificación, protección, actuaciones policiales y medidas procesales que pueden surgir al luchar contra la trata de seres humanos, así como la adecuada coordinación entre los actores implicados, poniendo en todo momento las necesidades y el bienestar de las víctimas en el centro de cualquier actuación.

7. Una ley integral para hacer efectivo la responsabilidad de dar seguimiento y evaluar el cumplimiento de las obligaciones por parte de las administraciones

Una ley integral permitiría disponer de unos mecanismos adecuados de seguimiento y control del correcto funcionamiento de la aplicación de la misma, y, por lo tanto, del cumplimiento de las obligaciones internacionales correspondientes.

El fenómeno de la trata es altamente complejo y variable, lo que hace evidente la necesidad de establecer mecanismos efectivos para evaluar las tendencias cambiantes de la trata de personas, medir los resultados de las acciones de lucha contra la trata, y recopilar estadísticas que vayan más allá de los datos de investigaciones policiales y judiciales, incluyendo todas las dimensiones del fenómeno y los datos sobre protección a las víctimas y su acceso a derechos, todo ello en colaboración con los actores de la sociedad civil.

---

[9]   En coherencia con OFICINA DEL ALTO COMISIONADO DE LAS NACIONES UNIDAS PARA LOS DERECHOS HUMANOS (ACNUDH): *Recommended Principles and Guidelines on Human Rights and Human Trafficking*, Naciones Unidas, 2002.

[10]   Un buen ejemplo de manual sobre los Mecanismos de derivación nacional se encuentra en ORGANIZATION FOR SECURITY AND CO-OPERATION IN EUROPE (OSCE): *National Referral Mechanisms - Joining Efforts to Protect the Rights of Trafficked Persons: A Practical Handbook*, 2004.

En especial, resulta fundamental hacer una valoración del impacto de las medidas adoptadas sobre los derechos humanos de las personas víctimas de la trata para corregir y mejorar las actuaciones que sean necesarias.

II. PRINCIPIOS RECTORES, MEDIDAS, Y CRITERIOS DE UNA LEY INTEGRAL DE PREVENCIÓN CONTRA LA TRATA DE SERES HUMANOS Y PROTECCIÓN INTEGRAL A LAS VÍCTIMAS

La interpretación y aplicación de la ley integral debería regirse por los siguientes principios rectores:

- Máxima protección: el Estado tiene la obligación de velar por la aplicación más amplia de medidas de protección de la dignidad, libertad, seguridad y demás derechos humanos de las víctimas de los delitos previstos por la ley. Las autoridades adoptarán, en todo momento, medidas para garantizar su seguridad, protección, bienestar físico y psicológico, su intimidad, y el resguardo de su identidad y datos personales.

- Perspectiva de género: entendida como una visión científica, analítica y política sobre las mujeres y los hombres, basada en los roles sociales establecidos, que permite enfocar y comprender las desigualdades construidas a fin de establecer políticas y acciones de Estado transversales para corregirlas y conseguir la igualdad real.

- Prohibición de la esclavitud, en los términos establecidos en el artículo 4 del Convenio de Roma, mediante el cual se establece la prohibición de someter a esclavitud o servidumbre o a realizar un "trabajo forzoso u obligatorio".

- Igualdad de trato y no discriminación, y principio de no discriminación, con el fin de asegurar su aplicación sin distinción alguna, especialmente por razones de sexo, raza, color, lengua, religión, identidad de género, orientación sexual, opiniones políticas u otras, origen nacional o social, pertenencia a una minoría nacional, fortuna, nacimiento o cualquier otra situación.

El principio de no discriminación tiene por objeto garantizar la igualdad de trato entre los individuos. Todas las personas tienen iguales derechos e igual dignidad y ninguna de ellas debe ser discriminada en relación con otra. La discriminación impide el desarrollo pleno del potencial de la persona, mina la confianza en las virtudes de las sociedades democráticas, y provoca exclusión social.

El principio de igualdad de trato y no discriminación ha de ser real y efectivo en la educación, la sanidad, las prestaciones y los servicios sociales, la vivienda y, en general, la oferta y el acceso a cualesquiera bienes y servicios.

- Interés superior del menor, entendido como la obligación del Estado de proteger los derechos de la niñez y la adolescencia, y de velar por las víctimas menores de 18 años de edad, atendiendo a su protección integral y su desarrollo armónico, reconociendo sus necesidades como sujetos de derecho en desarrollo. El ejercicio de los derechos de los adultos no podrá condicionar el ejercicio de los derechos de las niñas, niños y adolescentes.

- Presunción de minoría de edad: en los casos que no pueda determinarse o exista dudas sobre la minoría de edad o documentos de identificación, ésta será presumida.

- Debida diligencia: obligación de los servidores públicos de dar respuesta inmediata, oportuna, eficiente, eficaz y responsable en la prevención, investigación, persecución y sanción, así como en la reparación del daño, incluyendo la protección y asistencia a las víctimas.

- Principio de no devolución (*non refoulement*): la repatriación de las víctimas extranjeras de TSH será siempre voluntaria y conforme a la normativa para garantizar un retorno digno y seguro. Las víctimas de TSH no serán repatriadas bajo ninguna circunstancia cuando su vida, su libertad, su integridad, su seguridad o la de sus familias, corra algún peligro. El retorno voluntario debe hacerse siempre tras la pertinente evaluación de riesgo, y con la cooperación de todas las partes implicadas para asegurar la protección de la víctima.

Se debe garantizar a las potenciales víctimas de trata el derecho a la información, el acceso al procedimiento de asilo y un tratamiento diferenciado. En relación al Reglamento de Dublín III, se requiere establecer mecanismos de evaluación de las necesidades de la potencial víctima de trata para valorar la determinación del Estado miembro responsable. Los Estados deberían aplicar la cláusula de soberanía (art. 17 Dublín III) y asumir la responsabilidad de la evaluación de una solicitud de asilo de una víctima de trata cuando ésta pueda encontrarse en riesgo en caso de ser devuelta al Estado en el que sufrió la explotación.

En el caso de que se lleve a cabo el traslado a otro país de la Unión Europa, se debe garantizar que se realice un intercambio de información, así como la coordinación de asistencia para dar respuesta a las necesidades de acogida, salud y seguridad de las víctimas de trata.

La minoría de edad no debe ser impedimento para poder formalizar una solicitud de protección internacional.

- Derecho a la reparación del daño, entendida como la obligación del Estado de tomar todas las medidas necesarias para garantizar a la víctima la restitución de sus derechos, indemnización y rehabilitación por los daños sufridos, así como de vigilar la garantía de no repetición, que entre otros incluye la garantía a la víctima y a la sociedad de que el crimen que se perpetró no volverá a ocurrir en el futuro; el derecho a la verdad que permita conocer lo que verdaderamente sucedió; la justicia que busca que los criminales asuman la responsabilidad por los delitos cometidos; y a la reparación integral.

- Garantía de no re-victimización: obligación del Estado y los servidores públicos, en los ámbitos de sus competencias, de tomar todas las medidas necesarias para evitar que las víctimas sean revictimizadas en cualquier forma.

- Libertad de conciencia y de religión: garantía de libertad de conciencia, asegurando a las víctimas la posibilidad de vivir y manifestar su fe y practicar su religión sin ninguna imposición en los programas o acciones llevados a cabo por las instituciones gubernamentales o de la sociedad civil que otorgue protección y asistencia.

Con el objetivo de asegurar el enfoque integral de la ley, consideramos que ésta debe contener, como mínimo, las siguientes medidas[11]:

- Prevención y detección de la trata de seres humanos.
- Detección e identificación de las víctimas de trata.
- Derecho a la asistencia integral especializada: alojamientos adecuados y seguros, asesoramiento e información, asistencia médica, psicológica y material, asesoramiento jurídico, acceso a estatus legal, retorno voluntario al país de origen o al último país de residencia legal, oportunidades de educación y formación de acuerdo con la edad, el sexo y sus necesidades específicas (personas con discapacidad, niños y niñas víctimas de trata, unidades familiares, etc.).
- Acceso y obtención de justicia (incluida la protección, el acompañamiento y la seguridad de las víctimas).
- Derecho a la reparación, la indemnización y las garantías de no repetición.
- Actuación de las FCSE (incluida la actuación policial especializada, la investigación policial, la protección efectiva de las víctimas y la colaboración a nivel nacional e internacional).

---

[11]   Tal y como plantea se plantea en el Anteproyecto de Ley Orgánica de Garantía Integral de la Libertad Sexual del Ministerio de Igualdad. Disponible en: https://www.igualdad.gob.es/normativa/normativa-en tramitacion/Documents/APLOGILSV2.pdf

- Coordinación entre todos los actores, tanto a nivel nacional como internacional, entre agencias e instituciones.
- Formación en sectores y ámbitos clave (abogacía, FCSE, ámbitos educativo, sanitario y de servicios sociales, carrera judicial y fiscal, ámbitos forense, penitenciario y de inmigración y asilo).
- Investigación y producción de datos.
- Evaluación continuada del impacto de la ley integral.

Medidas para la aplicación efectiva de la ley. Una ley integral contra la trata ha de regirse por los siguientes criterios[12]:

- Contemplar todos los tipos de explotación y a todas las personas.
- Poner en el centro de las actuaciones a las personas y consolidar el enfoque de atención y protección integral que debe imperar ante esta grave violación de derechos humanos.
- Reconocer a las víctimas como titulares de derechos y a la administración como titulares de obligaciones.
- Respetar la autonomía de las personas, reconociendo su capacidad de decisión, resiliencia y garantizando su fortalecimiento.
- Incorporar, en todas sus disposiciones, un enfoque de derechos humanos y una clara perspectiva de género y de infancia, desde una aproximación interseccional y transcultural.
- Contemplar la trata como un continuo que se puede dar en origen, tránsito y destino, o bien en un mismo país en los casos de trata interna.
- La ley debería tener rango de ley orgánica y consolidar los avances que se han producido en este ámbito en los últimos años, proporcionando un marco de obligaciones estable y dotando de coherencia al ordenamiento jurídico actual.

III. CONCLUSIONES

En España es necesaria la aprobación de una ley integral de prevención de la trata de seres humanos y protección integral de todas las víctimas para cumplir eficazmente con los compromisos adquiridos a nivel europeo y a nivel internacional. Es necesario consolidar el enfoque de derechos humanos para cumplir con los mandatos de protección y asistencia a las víctimas, y por esta

---

[12]   Algunos de estos criterios han sido trabajados por parte de la Red Española contra la Trata de Personas (RECTP).

razón consideramos que un fenómeno tan amplio, grave y complejo como es la trata de seres humanos, debe abordarse mediante un instrumento legislativo que tenga rango de ley orgánica para establecer un marco normativo desde el consenso y con vocación de estabilidad y continuidad en el tiempo.

Una ley integral también es necesaria para abordar el fenómeno de la trata de seres humanos desde una perspectiva completa y de forma diligente, lo que significa que deben abordarse todas sus formas y dimensiones con actuaciones guiadas por el catálogo de principio rectores y demás criterios establecidos en el apartado anterior, algo que hasta la fecha no se refleja ni el ordenamiento jurídico español ni los recursos públicos destinados a la recuperación de estas víctimas.

La realidad actual nos demuestra que las víctimas encuentran numerosas barreras y obstáculos para poder disfrutar de los derechos que les corresponden por ser víctimas de trata. Todas ellas tienen derecho no sólo a recibir protección, sino también justicia y reparación para asegurar su recuperación. En este sentido, la responsabilidad del Estado para garantizar la reparación efectiva de las víctimas incluye el impulso de medidas legales que permitan su acceso a la justicia para conseguir el reconocimiento de las violaciones de derechos sufridas y, en general, de todo el daño recibido, así como la compensación mediante la indemnización, ya sea vía judicial como extrajudicial.

La regulación de la trata en el ordenamiento jurídico español se encuentra fragmentada. Aparte de la necesaria unificación de los distintos instrumentos mediante una ley integral para conseguir una mayor coherencia en la respuesta que el sistema ofrece a la grave situación de las víctimas, es importante corregir también los aspectos no regulados o aquellos que lo han sido de forma confusa hasta el momento. De esta forma se aseguraría un trato adecuado a las víctimas en su capacidad de acceso a la protección, asistencia, estatus legal y a la justicia.

Esta ley integral debería establecer un efectivo marco de coordinación y colaboración entre las administraciones públicas en todos los niveles, y también entre éstas y los espacios de participación de las organizaciones y otras entidades especializadas en la atención a víctimas de trata. Por otra parte, también consideramos relevante determinar y evaluar el seguimiento de unos estándares mínimos de obligado cumplimiento que definan el contenido de una verdadera asistencia integral para ser definida como tal, indiferentemente de si son las administraciones públicas o las organizaciones y otras entidades especializadas las que prestan los servicios de atención a las víctimas.

IV. BIBLIOGRAFÍA

ASAMBLEA GENERAL DE LAS NACIONES UNIDAS: *Informe de la Relatora Especial sobre la violencia contra la mujer, sus causas y consecuencias*, Naciones Unidas, 2019. Disponible en: https://www.acnur.org/fileadmin/Documentos/BDL/2016/10562.pdf

FISCALÍA GENERAL DEL ESTADO: *Memoria elevada al Gobierno de S.M.*, Fiscalía General del Estado. Ministerio de Justicia, Madrid, 2019. Disponible en https://www.fiscal.es/memorias/memoria2019/FISCALIA_SITE/index.html

NACIONES UNIDAS: *Objetivos de Desarrollo Sostenible* [en línea]. Disponible en: https://www.un.org/sustainabledevelopment/es/

OFICINA DEL ALTO COMISIONADO DE LAS NACIONES UNIDAS PARA LOS DERECHOS HUMANOS (ACNUDH): *Recommended Principles and Guidelines on Human Rights and Human Trafficking*, Naciones Unidas, 2002. Disponible en: https://www.ohchr.org/Documents/Publications/Traffickingen.pdf

ORGANIZATION FOR SEURITY AND CO-OPERATION IN EUROPE (OSCE): *National Referral Mechanisms - Joining Efforts* to *Protect* the *Rights* of *Trafficked Persons*: A *Practical Handbook*, 2004. Disponible en: https://www.osce.org/files/f/documents/0/4/13967.pdf

ORGANIZATION FOR SEURITY AND CO-OPERATION IN EUROPE (OSCE): *Trafficking in Human Beings Amounting to Torture and other Forms of Ill-treatment*. OSCE Office of the Special Representative and Co-ordinator for Combating Trafficking in Human Beings, Viena, 2013. Disponible en: https://www.osce.org/files/f/documents/d/b/103085.pdf

PROYECTO ESPERANZA ADORATRICES: *Justice at last. Compensación efectiva a víctimas de Trata, un derecho a conquistar* [en línea]. Disponible en: https://www.proyectoesperanza.org/justice-at-last-compensaci%C3%B3n-efectiva-a-v%C3%ADctimas-de-trata-un-derecho-a-conquistar/

Capítulo XXXII
¿POR QUÉ ES NECESARIA UNA LEY DE MEDIDAS INTEGRALES CONTRA LA TRATA DE PERSONAS?

ROCÍO MORA
Directora de APRAMP

I. ¿QUÉ ES LA TRATA DE PERSONAS?

El Protocolo de Palermo, ratificado por España el 15 de noviembre de 2000, define de este modo la trata de personas:

a) Por *"trata de personas" se entenderá la captación, el transporte, el traslado, la acogida o la recepción de personas, recurriendo a la amenaza o al uso de la fuerza u otras formas de coacción, al rapto, al fraude, al engaño, al abuso de poder o de una situación de vulnerabilidad o a la concesión o recepción de pagos o beneficios para obtener el consentimiento de una persona que tenga autoridad sobre otra, con fines de explotación. Esa explotación incluirá, como mínimo, la explotación de la prostitución ajena u otras formas de explotación sexual, los trabajos o servicios forzados, la esclavitud o las prácticas análogas a la esclavitud, la servidumbre o la extracción de órganos ;b) El consentimiento dado por la víctima de la trata de personas a toda forma de explotación que se tenga la intención de realizar descrita en el apartado a) del presente artículo no se tendrá en cuenta cuando se haya recurrido a cualquiera de los medios enunciados en dicho apartado; c) La captación, el transporte, el traslado, la acogida o la recepción de un niño con fines de explotación se considerará "trata de personas" incluso cuando no se recurra a ninguno de los medios enunciados en el apartado a) del presente artículo ; d) Por "niño" se entenderá toda persona menor de 18 años.*

Es relevante destacar que el Protocolo da prioridad a un enfoque de protección y promoción de los derechos de las víctimas.

Asumir un enfoque de derechos humanos, de género y un enfoque de infancia, es una forma comprensiva de aproximación a los derechos de las víctimas a ser protegidas de manera integral, a la atención básica de sus necesidades, a la justicia y a la reparación.

La OSCE en su Plan de Acción para la Lucha contra la Trata de Personas proporcionó una definición consensuada de las causas profundas de la trata de personas: la pobreza, la debilidad de las estructuras sociales y económicas, la falta de oportunidades de empleo y de igualdad de oportunidades para un bienestar, la violencia contra las mujeres y los niños, la discriminación por razón de sexo, raza y etnia, la corrupción, los conflictos no resueltos, las situaciones posteriores a los conflictos, la migración ilegal y la demanda de explotación sexual y de mano de obra barata, socialmente desprotegida y a menudo ilegal[1].

II. SITUACIÓN DE LAS VÍCTIMAS DE TRATA DE PERSONAS EN ESPAÑA

Es importante reconocer los avances normativos y el reconocimiento de derechos de las personas víctimas de trata de personas, sin embargo, se constata de forma reiterada una negación específica de estos derechos a las mujeres víctimas de este delito, y para las víctimas extranjeras en situación irregular la aplicación de la normativa es aún más difícil, no es automática. Muchas víctimas de trata de seres humanos son deportadas y se desconocen cifras de aquellas que han accedido al retorno voluntario, y las que han sido deportadas a pesar de ser identificadas por la policía como posibles víctimas.

Por ello, para cumplir con las obligaciones que tiene el Estado español, se requiere un sistema normativo y estratégico eficaz de protección a las víctimas que posibilite la coordinación de las actuaciones de las distintas administraciones e instituciones responsables en materia de Extranjería, Justicia, Fuerzas y Cuerpos de Seguridad del Estado, Servicios Sociales, Sanidad, Empleo y entidades especializadas en la atención integral de esta población. Ante posible

---

[1]   OSCE: *Applying Gender-Sensitive Approaches. Combating Trafficking In Human Being*, Viena, 2021.

víctima de trata de seres humanos, es preciso asegurar su protección y su asistencia por parte de servicios especializados, y recordar que frecuentemente no se identifican a sí mismas como víctimas, que las diversas formas de coacción, sometimiento y control ejercen presión sobre ellas para mantener silencio, para no pedir ayuda o para no denunciar.

En el caso de niñas, niños y adolescentes, la identificación resulta más complicada entre otras situaciones, porque muchos deben ser identificados formalmente como menores de edad. En la experiencia de APRAMP se ha constatado que muchas menores de edad víctimas, acompañadas incluso por documentación falsa que acreditan su supuesta mayoría de edad, son obligadas a reconocerse como adultas; en otros casos, las menores de edad son explotadas en condiciones de mayor secretismo e invisibilidad, con el fin de evadir a las autoridades.

Es por ello, que para lograr la protección efectiva de las víctimas de trata con fines de explotación sexual se requiere acceder a mecanismos adecuados para la detección, la identificación y la derivación y sobre todo, mecanismos de investigación policial para ubicar a estas víctimas.

La *detección* de mujeres víctimas de trata con fines de explotación sexual ocurre como consecuencia de investigaciones llevadas a cabo por las Fuerzas y Cuerpos de Seguridad del Estado, también se detectan por el contacto directo que tienen las entidades especializadas, como APRAMP a través de la Unidad Móvil, que acceden a los principales lugares donde se encuentran las mujeres prostituidas, o a través de las llamadas telefónicas al teléfono 24 horas de APRAMP.

La detección también puede ocurrir cuando la mujer víctima hace una denuncia o es un demandante de prostitución quien la realiza cuando evidencia la situación de explotación en la que se encuentra la mujer.

Las Fuerzas y Cuerpos de Seguridad encargadas de control de la inmigración, o en lugares donde las personas son explotadas, pueden detectar indicios de posible delito de trata, situación que deben poner en conocimiento del Ministerio Fiscal, luego de lo cual se inicia la investigación. Cuando es una organización especializada quien detecta una supuesta víctima de trata, debe ponerlo en conocimiento de las Fuerzas y Cuerpos de Seguridad, del Juzgado de Guardia donde se ha detectado o del Ministerio Fiscal.

Sin embargo, detectar las víctimas de trata con fines de explotación sexual no siempre es fácil. Por un lado, muchas mujeres se encuentran en lugares de difícil acceso y controladas; por otro lado, otras están temerosas de las autoridades, por su situación administrativa irregular; o incluso, algunas víctimas no cuentan nada porque los explotadores son personas cercanas a su familia o las víctimas pueden haber establecido un vínculo de dependencia emocional y lealtad con aquellos que las explotan.

La *identificación*, o reconocimiento formal, como víctima de trata de seres humanos en España es realizada por unidades policiales con formación específica en la lucha contra la trata. En este proceso, se tendrá en cuenta la información que las organizaciones especializadas consideren relevante. Las unidades realizan una entrevista a la supuesta víctima, evalúan los distintos elementos recabados y luego determinan la existencia o no de indicios razonables que lleven a considerar a la persona como víctima de trata de personas.

En el caso de los menores de edad víctimas de trata, el proceso de identificación tiene una mayor dificultad porque por un lado, se requiere reconocerlos como víctimas de este delito y, por otro lado, como menores de edad. Como se mencionó anteriormente, la normativa establece que en caso de duda, cuando no es posible establecer la minoría de edad, se asume que es menor de edad y deben ser protegidos como tales.

En este sentido el GRETA[2] advirtió a España en 2018 que este sistema de identificación conlleva que en muchas ocasiones el primer contacto que tienen las posibles víctimas de trata sea con la policía, por lo que aquellas personas que se encuentran en situación irregular, que se autoestigmatizan o que han sido obligadas a cometer delitos, pueden mostrar temor y desconfianza lo que impide hablar o denunciar.

Por lo anterior, las recomendaciones a España por GRETA[3], expresan la necesidad de tomar medidas para mejorar la identificación, por lo cual pide a España:

- Asegurar que en la práctica, la identificación formal de las víctimas no dependa de la presencia de suficiente evidencia para iniciar procesos de persecución del delito;
- Continuar el fortalecimiento de la cooperación multiagencial para los procesos de identificación, reconociendo el papel de las ONG especializadas en el proceso que conlleva la identificación;
- Poner mayor atención en la detección proactiva de víctimas de trata entre los solicitantes de asilo y personas en los centros de detención de inmigrantes., permitiendo el tiempo suficiente para recoger información necesaria y tomar en cuenta su experiencia traumática;
- Asegurar la disponibilidad y calidad de los intérpretes y mediadores culturales durante los procesos de investigación;

---

[2]   El GRETA es el Grupo de Expertos sobre la lucha contra la trata de seres humanos, responsable para supervisar la implementación del Convenio del Consejo de Europa.

[3]   GROUP OF EXPERTS ON ACTION AGAINST TRAFFICKING IN HUMAN BEINGS (GRETA): *Report concerning the implementation of the Council of Europe Convention on Action against Trafficking in Human Beings by Spain. Second evaluation round*, 2018.

- Prestar especial atención a los menores no acompañados, por lo que se requiere aumentar la formación a instituciones y servicios que tienen contacto con estos menores;
- Tomar medidas dirigidas a la situación de la desaparición de menores no acompañados;
- Asegurar la atención a largo plazo para la integración de menores de edad víctimas de trata.

Respecto a los procesos de *derivación,* la OSCE ha planteado la necesidad de la creación de un Mecanismo de Derivación Nacional que coordine el trabajo entre las diferentes instituciones y organizaciones que cuente con un equipo multidisciplinar especializado con criterios unificados y que a partir de la evaluación de las necesidades específicas de las víctimas tome decisiones respecto a la derivación, la protección y la gestión para la recuperación.

Por su parte, APRAMP realiza un trabajo de coordinación entre diferentes instituciones y entidades, públicas y privadas, ofreciendo a cada una de las víctimas, mediante un itinerario personalizado, un proceso completo de recuperación integral que va desde la detección de las posibles víctimas allí donde son explotadas, el acompañamiento judicial, social, psicológico, hasta su inserción plena en la sociedad.

III. MARCO NORMATIVO

Las prácticas vinculadas a la trata de personas están prohibidas en el derecho internacional de los derechos humanos. En dos de los principales tratados de derechos humanos se hace referencia particular a la trata: la Convención sobre la Eliminación de Todas las Formas de Discriminación contra la Mujer (artículo 6) y, la Convención sobre los Derechos del Niño (artículo 35). Sin embargo, otros instrumentos señalan de manera general que la trata de personas es una grave violación de los derechos humanos, como ocurre con el Convenio del Consejo de Europa sobre la Lucha contra la Trata de Seres Humanos y con la Directiva de la Unión Europea relativa a la prevención y lucha contra la trata de seres humanos y a la protección de las víctimas, califican la trata de violación de los derechos humanos. La Asamblea General de las Naciones Unidas y el Consejo de Derechos Humanos, al igual que muchos mecanismos internacionales de derechos humanos, han afirmado en repetidas ocasiones que la trata de personas viola y menoscaba derechos humanos fundamentales[4].

---

4   NACIONES UNIDAS: *Los derechos humanos y la trata de personas.* Oficina del Alto Comisionado. Folleto Informativo N° 36. Nueva York y Ginebra, 2014.

La trata de personas es un fenómeno complejo en el que se mezclan varias formas delictivas y como tal, en su abordaje se aplican diferentes tratados e instrumentos normativos relativos a la esclavitud y el comercio de esclavos, los derechos de la mujer, los derechos del niño, el trabajo forzoso, el tráfico de personas, los trabajadores migrantes, el trabajo infantil, la delincuencia organizada, la protección internacional, además de varios instrumentos específicos sobre trata. Es importante señalar que los Estados son responsables de actos u obligaciones que establece el derecho internacional, además de ser responsable por no haber adoptado medidas coherentes a las normas establecidas en los tratados, ya sea medidas de prevención, identificación, protección, persecución o cualquier respuesta de apoyo que se requiera para garantizar los derechos de las víctimas.

Las violaciones de los Derechos Humanos que sufren las personas víctimas de la Trata son tan extensas que se hace necesario referirse a todos los principales instrumentos de los Derechos Humanos. El Estado tiene la obligación de brindar protección a las personas objeto de Trata conforme a la Declaración Universal de los Derechos Humanos y a través de la ratificación o el acceso a numerosos instrumentos internacionales y regionales[5].

1.   Normativa internacional

A continuación se señalan los diversos instrumentos universales de derechos humanos y europeos que constituyen el marco normativo internacional, a partir de los cuales España ha adquirido el compromiso de trasponer de manera coherente en su legislación interna, que incluyen obligaciones relativas a la protección de las víctimas, compromisos con la garantía de los derechos de niñas, niños y adolescentes.

Declaración Universal de Derechos Humanos. 1948. De manera expresa la Declaración plantea en el Art. 4. «Nadie estará sometido a esclavitud ni a servidumbre, la esclavitud y la trata de esclavos están prohibidas en todas sus formas.».

Convenio para la represión de la trata de personas y de la explotación de la prostitución ajena, de 2 de diciembre de 1949, firmado en Nueva York, establece que las víctimas de este delito pueden ser de ambos sexos y califica la prostitución como una forma más de violencia. Este documento relaciona claramente la prostitución y la trata de personas, considerando que esta última es "el mal que acompaña a la prostitución" y que ambas actividades son incompatibles con la dignidad y el valor de las personas.

---

5   APRAMP: *La trata con fines de explotación sexual*, Madrid, 2011.

Los artículos 1 y el 2 de la Convención de Nueva York, establecen la necesidad de que los Estados se comprometan a castigar a las personas que se lucran de la prostitución de otra, es decir, que castiguen el "proxenetismo", no reconociendo además ninguna diferencia entre prostitución libre y forzada.

Convención de Naciones Unidas sobre la Eliminación de Todas las Formas de Discriminación contra la Mujer, 1979. Art. 6. Los Estados Partes tomarán todas las medidas apropiadas, incluso de carácter legislativo, para suprimir todas las formas de trata de mujeres y explotación de la prostitución de la mujer.

Carta de los Derechos Fundamentales de la Unión Europea. Señala el Artículo 5. Prohibición de la esclavitud y del trabajo forzado.

Protocolo de Palermo de Naciones Unidas, 2000. Protocolo para prevenir, reprimir y sancionar la trata de personas especialmente mujeres y niños, que complementa la Convención de las Naciones Unidas contra la Delincuencia Organizada Transnacional. (Instrumento de ratificación por parte de España del 21/02/2002 publicado en BOE de 11/12/2003).

Directiva 2004/81/CE del Consejo de 29 de abril, relativa a la expedición de un permiso de residencia a nacionales de terceros países que sean víctimas de la trata de seres humanos o hayan sido objeto de una acción de ayuda a la inmigración ilegal que cooperen con las autoridades competentes.

Directiva 2011/36/UE del Parlamento Europeo y del Consejo, de 5 de abril de 2011. Prevención y lucha contra la trata de seres humanos y derecho a la protección de las víctimas; se sustituye la Decisión marco 2002/629/JAI del Consejo.

Convenio del Consejo de Europa contra la trata de personas, 2005 ("Convenio de Varsovia"). Obliga a España a incorporar un enfoque de derechos humanos en la lucha contra la trata de personas, y no solamente de control migratorio y de lucha contra el crimen organizado. Establece un mecanismo de control mediante el establecimiento de un Grupo de Expertos sobre la acción contra la Trata de seres humanos (GRETA), cuyo objetivo es la evaluación periódica de las medidas adoptadas por los Estados parte.

Convenio del Consejo de Europa sobre Prevención y lucha contra la violencia contra la mujer y la violencia doméstica. Convenio de Estambul. Introdujo en un texto vinculante que las violencias de género constituyen una violación grave de los derechos humanos de mujeres y niñas, así como un obstáculo fundamental para la realización de la igualdad entre mujeres y hombres.

Estrategia de la UE para la erradicación de la trata de seres humanos 2012-2016. Con esta Estrategia, la Comisión Europea pretende centrarse en medidas concretas en apoyo de la transposición y aplicación de la Directiva 2011/36/UE Establece cinco prioridades: 1) Detección, protección y asistencia; 2) Prevención;3) Persecución;4) Coordinación y cooperación; 5) Conocimiento de las nuevas tendencias de trata.

Estrategia de la UE. Con esta Estrategia, la Comisión Europea pretende centrarse en medidas concretas en apoyo de la transposición y aplicación de la Directiva 2011/36/UE Establece cinco prioridades: 1) Detección, protección y asistencia; 2) Prevención; 3) Persecución; 4) Coordinación y cooperación; 5) Conocimiento de las nuevas tendencias de trata.

2. Normativa de Ámbito Estatal

Con la ratificación de distintos convenios internacionales España ha dado respuesta a los compromisos adquiridos y ha realizado importantes avances normativos y de políticas públicas en materia de trata de personas, dirigidos tanto a reforzar la persecución y sanción del delito, como a garantizar la protección y la asistencia a las víctimas:

Ley Orgánica 5/2010, de 22 de junio, por la que se modifica la Ley Orgánica10/1995, de 23 de noviembre, del Código Penal. El Artículo 177 Bis establece:

1. Será castigado con la pena de cinco a ocho años de prisión como reo de trata de seres humanos el que, sea en territorio español, sea desde España, en tránsito o con destino a ella, empleando violencia, intimidación o engaño, o abusando de una situación de superioridad o de necesidad o de vulnerabilidad de la víctima nacional o extranjera, o mediante la entrega o recepción de pagos o beneficios para lograr el consentimiento de la persona que poseyera el control sobre la víctima, la captare, transportare, trasladare, acogiere, o recibiere, incluido el intercambio o transferencia de control sobre esas personas, con cualquiera de las finalidades siguientes:

   a) *La imposición de trabajo o de servicios forzados, la esclavitud o prácticas similares a la esclavitud, a la servidumbre o a la mendicidad.*

   b) *La explotación sexual, incluyendo la pornografía.*

   c) *La explotación para realizar actividades delictivas.*

   d) *La extracción de sus órganos corporales.*

   e) *La celebración de matrimonios forzados.*

      Existe una situación de necesidad o vulnerabilidad cuando la persona en cuestión no tiene otra alternativa, real o aceptable, que someterse al abuso.

2. Aun cuando no se recurra a ninguno de los medios enunciados en el apartado anterior, se considerará trata de seres humanos cualquiera de las acciones indicadas en el apartado anterior cuando se llevare a cabo respecto de menores de edad con fines de explotación.

3. El consentimiento de una víctima de trata de seres humanos será irrelevante cuando se haya recurrido a alguno de los medios indicados en el apartado primero de este artículo.

4. Se impondrá la pena superior en grado a la prevista en el apartado primero de este artículo cuando: a) se hubiera puesto en peligro la vida o la integridad física o psíquica de las personas objeto del delito; b) la víctima sea especialmente vulnerable por razón de enfermedad, estado gestacional, discapacidad o situación personal, o sea menor de edad.

Ley de Extranjería 12/2009. Art. 59 bis Derecho a la autorización de residencia y trabajo por colaboración contra el crimen organizado. Concesión periodo de restablecimiento y reflexión de al menos 30 días a víctimas y posibles víctimas de trata.

Ley 4/2015, de 17 de abril. Estatuto de la Víctima del Delito.

Decreto Ley 3/2013, de 22 de febrero, por el que se modifica la Ley 1/1996, de 10 de enero. Asistencia jurídica gratuita

Ley 12/2009, de 30 de octubre, regula la ley de asilo y de protección subsidiaria.

Ley Orgánica 4/2000, de 11 de enero, sobre derechos y libertades de los extranjeros en España y su integración social.

Ley 19/1994, de 23 de diciembre. Protección de testigos y peritos en causas criminales.

2.1. Normas de Creación de Órganos Especializados e Instrucciones

Orden del Ministerio del Interior 28/2013, de 18 de enero, de la Brigada Central contra la Trata de Seres Humanos.

Protocolo Marco de Protección de las Víctimas de Trata de Seres Humanos, de octubre de 2011. En su apartado XV.B reconoce que las "organizaciones y entidades especializadas pueden detectar situaciones de trata a través de sus dispositivos de acercamiento a posibles víctimas…" reconociendo igualmente que "Esta detección es fundamental para que la autoridad competente pueda iniciar el proceso para la identificación de la posible victima".

El Protocolo Marco establece los mecanismos y el órgano instructor para la Identificación de las víctimas de trata, no obstante señala el carácter cercano y necesario del trabajo conjunto entre organizaciones gubernamentales y entidades especializadas como APRAMP para detectar a las víctimas y garantizar los derechos de protección y apoyo en base al Estatuto de la Víctima del Delito (RD 1109/2015, de 11 de diciembre). Este mismo protocolo establece la necesidad de adoptar cada una de las acciones generales en actuaciones concretas en la realidad de cada Comunidad Autónoma.

Instrucción 6/2016, de la Secretaría de Estado de Seguridad, sobre actuaciones de las Fuerzas y Cuerpos de Seguridad del Estado en la lucha contra la trata de seres humanos y en la colaboración con las organizaciones y entidades con experiencia acreditada en la asistencia a la víctimas. Por la que se crean las figuras del Interlocutor Social Nacional y de los Interlocutores Sociales Territoriales, que ejercen de punto de contacto con ONG y otras entidades con experiencia acreditada en la lucha contra la trata de seres humanos.

Plan Integral de lucha contra la trata de mujeres y niñas con fines de explotación sexual: 2015-2018. En línea con las anteriores normativas este Plan resalta el valor de las acciones de las entidades especializadas en el acercamiento a las víctimas y su importante labor para la detección de posibles víctimas. De esta manera, estos instrumentos reconocen la responsabilidad por parte de las Instituciones Gubernamentales, de establecer los mecanismos necesarios para la detección y atención a las víctimas y valora positivamente la cooperación con las entidades especializadas y se destaca el valor de su papel en las tareas de identificación y protección.

Pacto de Estado en materia de Violencia de Género. En noviembre de 2016 el Pleno del Congreso de los Diputados aprobó por unanimidad, una Proposición no de Ley por la que se instaba a promover la suscripción de un Pacto de Estado en materia de Violencia de Género por el Gobierno de la Nación, las Comunidades Autónomas y Ciudades con Estatuto de Autonomía y la Federación Española de Municipios y Provincias, que siguiese impulsando políticas para la erradicación de la violencia sobre la mujer como una verdadera política de Estado. Así, en septiembre de 2017, el Pleno del Senado aprobó por unanimidad, el Informe de la Ponencia de Estudio para la elaboración de estrategias contra la violencia de género, dentro de las cuales algunas de ellas van dirigidas a la trata con fines de explotación sexual.

La *Medida 257* del Pacto de Estado, ha planteado de manera específica, impulsar la aprobación de una ley orgánica de lucha integral y multidisciplinar contra la trata de seres humanos con fines de explotación sexual, que establezca mecanismos adecuados para la prevención, refuerce la persecución de oficio del delito, promueva la eliminación de publicidad de contenido sexual y ponga en marcha servicios y programas de protección social y recuperación integral de las víctimas.

3. Las niñas y niños víctimas de trata son sujetos de especial protección. Enfoque de derechos de infancia

La situación de las niñas, niños y adolescentes víctimas de trata requiere especial atención. Por un lado, hay que considerar su condición de víctimas de un grave delito, y por otro, su condición de menores de edad que, como lo establece la Convención de Derechos del Niño, son titulares de derechos y requieren especial protección. A continuación se hará referencia a la normativa internacional que los protege para garantizar sus derechos:

Convención sobre los Derechos del Niño. Resolución 44/25 de Naciones Unidas, 1989, particularmente:

Art. 35. Los Estados Partes tomarán todas las medidas de carácter nacional, bilateral y multilateral que sean necesarias para impedir el secuestro, la venta o la trata de niños para cualquier fin o en cualquier forma.

Artículo 19. Protección contra toda forma de violencia. Es obligación del Estado proteger a los niños de todas las formas de malos tratos perpetradas por padres, madres o cualquiera otra persona responsable de su cuidado, y establecer medidas preventivas y de tratamiento al respecto.

Artículo 20. Protección de los niños privados de su medio familiar. Es obligación del Estado proporcionar protección especial a los niños privados de su medio familiar y asegurar que puedan beneficiarse de cuidados que sustituyan la atención familiar o de la colocación en un establecimiento apropiado, teniendo en cuenta el origen cultural del niño.

Artículo 39. Sobre la recuperación y reintegración social. Es obligación del Estado tomar las medidas apropiadas para que los niños víctimas de la tortura, de conflictos armados, de abandono, de malos tratos o de explotación reciban un tratamiento apropiado para la recuperación y reintegración social.

Observación General N° 13 (2011). Derecho del niño a no ser objeto de ninguna forma de violencia del Comité de Derechos del Niño. Amplía el Artículo 19 de la Convención e incluye la trata dentro de las formas de violencia en el numeral 25, apartado d) "La prostitución infantil, la esclavitud sexual, la explotación sexual en el turismo y la industria de viajes, la trata (dentro de los países y entre ellos) y la venta de niños con fines sexuales y el matrimonio forzado. Muchos niños sufren abusos sexuales que, pese a no mediar la fuerza o la coerción físicas, son intrusivos, opresivos y traumáticos desde el punto de vista psicológico".

Protocolo facultativo sobre la venta de niños, la prostitución infantil y la utilización de niños en la pornografía. Define delitos de "venta de niños", "prostitución infantil" y "pornografía infantil". Obliga a los Estados a criminalizar y castigar actividades relacionadas con estos delitos, no solamente para quienes ofrecen o entregan niños y niñas para su explotación, sino también para todo aquel que acepte a un niño o niña destinado a estas actividades.

Carta de los Derechos Fundamentales de la Unión Europea. Específicamente el artículo 24 se refiere al derecho del niño a la protección y cuidado para su bienestar y el derecho a expresar sus opiniones libremente, las cuales deben ser tenidas en consideración, en concordancia con su edad y madurez.

Directrices del Consejo de Europa sobre justicia adaptada a los niños, 2010. Establecen el papel de los menores de edad en los procedimientos judiciales o administrativos, la relevancia de considerar sus opiniones y sus necesidades específicas, así como a considerar sus derechos a la información, la protección de su intimidad y su vida familiar, la garantía de su seguridad, la representación y la protección, considerando su grado de madurez y bajo la perspectiva de su interés superior. Y finalmente cabe destacar que en el caso de menores de edad, las medidas privativas de libertad deben ser un última medida y durante el menor tiempo posible.

Convenio del Consejo de Europa para la Protección de los Niños Contra la Explotación y el Abuso Sexual de octubre de 2007.Convenio de Lanzarote. Ratificado por España el 12 de marzo de 2009 (BOE 12 de noviembre de 2010).

Directiva 2011/93/EU del Parlamento Europeo y del Consejo, relativa a la lucha contra los abusos sexuales y la explotación sexual de los menores.

Directiva 2011/36/UE del Parlamento Europeo y del Consejo, de 5 de abril de 2011. En los artículos 13 a 16 establece medidas de protección adicionales para niños víctimas de trata incluyendo la presunción de minoría de edad, protección de menores no acompañados, enfoque personalizado para las medidas de apoyo, y mayor protección en los procedimientos penales y todas las actuaciones bajo la consideración primaria del interés superior del niño.

Código Penal. Como se mencionó anteriormente, en España el delito de trata se incluyó en el Código Penal (artículo 177 bis) en la reforma de 2010. En relación a los menores de edad, el consentimiento de una víctima de trata menor de edad para su explotación es irrelevante, independientemente de si se ha obtenido mediante la coacción o no, a diferencia de lo que sucede con las víctimas mayores de edad. Así mismo, señala el artículo, que se impondrá la pena superior cuando la víctima sea menor de edad.

Ley 26/2015. Modificación del sistema de protección a la infancia y adolescencia. Respecto a los delitos sobre indemnidad sexual, trata de personas.

Ley Orgánica 8/2021, de 4 de junio, de protección integral a la infancia y la adolescencia frente a la violencia. El objeto de esta ley es garantizar los derechos fundamentales de los niños, niñas y adolescentes a su integridad física, psíquica, psicológica y moral frente a cualquier forma de violencia, asegurando el libre desarrollo de su personalidad y estableciendo medidas de protección integral, que incluyan la sensibilización, la prevención, la detección precoz, la protección y la reparación del daño en todos los ámbitos en los que se desarrolla su vida. La Ley entiende violencia el maltrato físico, psicológico o emocional, los castigos físicos, humillantes o denigrantes, el descuido o trato negligente, las amenazas, injurias y calumnias, la explotación, incluyendo la violencia sexual, la corrupción, la pornografía infantil, la prostitución, el acoso escolar, el acoso sexual, el ciberacoso, la violencia de género, la mutilación genital, la trata de seres humanos con cualquier fin, el matrimonio forzado, el matrimonio infantil, el acceso no solicitado a pornografía, la extorsión sexual, la difusión pública de datos privados así como la presencia de cualquier comportamiento violento en su ámbito familiar.

En términos generales, para garantizar la protección integral de las niñas, niños y adolescentes víctimas de trata, se deben tener en cuenta las siguientes consideraciones:

- Los niños víctimas de trata no pueden ser penalizados ni detenidos por delitos vinculados a la explotación derivada del delito de trata. Por ello, no deben ser internados en dependencias penitenciarias ni de detención.
- Los Estados deben contar con procedimientos efectivos para la identificación eficaz y rápida de niños, niñas y adolescentes víctimas de trata.
- Independientemente de su cooperación en los procesos judiciales, requieren atención integral que respondan a sus necesidades específicas: seguridad, bienestar social, salud, educación, protección.
- El principio básico de actuación debe ser el interés superior, que es el marco de referencia para definir las medidas de protección y las decisiones en el proceso de identificación, protección y judicialización del delito.
- Deben ser informados de sus derechos y de los procedimientos a que serán sometidos una vez se encuentran en un proceso judicial o se han tomado medidas especiales de protección. Y tienen derecho a que su opinión sea tenida en cuenta.
- Su intimidad debe ser garantizada y se deben tomar medidas especiales para proteger su identidad y su intimidad.
- El Estado debe garantizar que cuenta con la figura de un tutor legal que aporte elementos necesarios para tomar decisiones basadas en el interés superior.

4. Enfoque de derechos humanos

El enfoque de derechos humanos es fundamental para el abordaje de la trata de seres humanos porque este delito compromete derechos fundamentales de las personas víctimas. Este enfoque plantea como fundamento el respeto de la dignidad humana y el valor de las personas como titulares de derechos y, en el caso de la trata de seres humanos conlleva la obligación del Estado de actuar con la debida diligencia para prevenir la trata, proteger integralmente a las víctimas garantizando sus derechos, dar acceso a la justicias, ofrecer reparación y enjuiciar a los tratantes.

Para cumplir con las obligaciones internacionales que establecen los convenios de derechos humanos, se hace indispensable incorporar el contenido de los derechos humanos y procurar que cumplan con las dimensiones de que se recogen en los convenios y tratados internacionales e incorporar las medidas para hacer posible su disponibilidad, accesibilidad, adaptabilidad, garantías de acceso, calidad y respuesta adecuadas y centradas en la persona.

El Convenio del Consejo de Europa sobre la lucha contra la trata de seres humanos, en el Artículo 1, establece que uno de sus objetivos es b) Proteger los derechos humanos de la víctimas de la trata, diseñar un marco global de protección y de asistencia a las víctimas y a los testigos, garantizando la igualdad de género, y asegurar investigaciones y actuaciones penales eficaces;

Este enfoque aborda el análisis de los derechos humanos que se vulneran en todo el proceso de la trata y la respuesta integral que deben ofrecer los Estados para identificar oportunamente y de esta manera proteger de manera integral a las personas víctimas de este delito. Así mismo, establece elementos en materia de prevención y de justicia para mitigar los factores de riesgo que promueven la discriminación, la distribución injusta del poder que subyace a la trata de personas, mantiene en la impunidad a los responsables y niegan justicia a sus víctimas.[6]

> *Las políticas y actividades incluidas en el concepto de "prevención" suelen ser las que atacan las causas de la trata de personas. De manera general se considera que constituyen causas de la trata los factores que a) aumentan la vulnerabilidad de las víctimas; b) crean o mantienen la demanda de bienes y servicios producidos por personas objeto de trata; y c) crean o mantienen un entorno en el que los tratantes y sus cómplices pueden operar impunemente.[7]*

La respuesta en todas las etapas–prevención, promoción y protección de los derechos, persecución del delito- deben estar orientadas por los principios de los derechos humanos: igualdad, no discriminación, universalidad de los derechos e imperio de la Ley.

Ante todo, el enfoque de derechos humanos sitúa a las personas víctimas y sobrevivientes en el centro de las actuaciones y considera la necesidad proteger y garantizar sus derechos humanos, así como empoderar a aquellas que se encuentran en situación de vulnerabilidad y garantizar sus derechos para reducir los factores que las sitúan en riesgo de ser víctimas de trata y explotación.

En resumen, asumir un enfoque de derechos humanos requiere que la normativa, las políticas públicas y las actuaciones institucionales deben estar enfocadas en la protección de los derechos de las víctimas, y tener en consideración sus necesidades.

> *"...significa que la intervención de las autoridades y de las entidades debe evitar la revictimización, y buscar un equilibrio entre los derechos de la víctima y todos*

6   NACIONES UNIDAS: *Los derechos humanos y la trata de personas, op. cit.*
7   NACIONES UNIDAS: *Ibidem*, p. 46.

los demás derechos procesales, señaladamente el derecho de defensa. Las personas que hayan sido víctimas de trata de seres humanos "deben de ser consideradas como sujetos y titulares de derechos y no como meros instrumentos para el correcto desarrollo del procedimiento penal, o como inmigrantes en situación irregular"[8]

5. Enfoque de género

La mayoría de las víctimas de trata de seres humanos son mujeres y niñas que sufren formas de explotación vinculadas a su género, como la explotación sexual, los matrimonios forzosos, el trabajo forzoso en trabajo doméstico y en el sector servicios. Igualmente, mujeres y niñas víctimas de trata, sufren las consecuencias de las distintas formas de violencia asociadas al género, como la violación, el aborto forzoso, las infecciones de trasmisión sexual, los embarazos no deseados, la discriminación y la estigmatización.

La trata de personas con fines de explotación sexual es la forma más frecuente de explotación, como señalan los informes internacionales y estatales. Es una forma de violencia de género. Son muchos los factores que aumentan la vulnerabilidad de las mujeres y las niñas a ser víctimas de trata de personas, entre ellos la desigualdad de género, la pobreza, la exclusión social, el origen étnico y la discriminación. Las mujeres y las niñas se encuentran en una situación de mayor vulnerabilidad y riesgo de ser víctimas de trata con fines de explotación sexual, una forma cruel de violencia contra las mujeres.

Es por ello que el convenio del Consejo de Europa contra la trata de seres humanos señala en el Artículo 1, apartado *a) Prevenir y combatir la trata de seres humanos, garantizando la igualdad de género.*

La Directiva 2011/36/UE, relativa a la prevención y lucha contra la trata de seres humanos y a la protección de las víctimas, incluye la necesidad de abordar la trata desde una perspectiva de género para mejorar la prevención del delito y la protección de las víctimas.

La dimensión de género debe ser tenida en cuenta en cualquier análisis o abordaje de la trata de seres humanos, ya que este delito afecta de manera diferencial a hombres y a mujeres. Requiere asumir que todas las medidas que se tomen con las personas víctimas de trata, deben de ser sensibles al género, lo que quiere decir, considerar el distinto impacto diferencial que tienen las normativas y las medidas contra la trata tanto en hombres como en mujeres.

---

[8]   MARTÍNEZ DE CAREAGA, C., SÁEZ, Mª C., MARTÍNEZ, G. y DÍAS, N. (coord.): *Guía de criterios de actuación judicial frente a la trata de seres humanos*, Consejo General del Poder Judicial, Madrid, 2018.

El Convenio del Consejo de Europa señala que *género* hace referencia a los papeles, comportamientos, actividades y atribuciones socialmente construidos, que una sociedad concreta considera propios de mujeres o de hombres.

De este modo, el abordaje de la trata de seres humanos debe revisarse desde la perspectiva de la violencia de género, tal como recomiendan los Convenios y los organismos internacionales, en línea con el planteamiento de la CEDAW, y en el caso de la trata con fines de explotación sexual, en concreto es considerada como una forma de violencia contra las mujeres, pero ello no significa que pueda ser abordada como una forma de violencia de género exclusivamente. Esto porque hablamos de un delito relacionado con la delincuencia internacional, migración irregular, violencia contra la mujer, protección internacional, etc. Por tanto, excede la especialidad y el sentido de los juzgados de violencia de género en España.

La Recomendación General Nº19 de la CEDAW sobre la violencia contra la mujer establece que la violencia basada en el género, es la violencia dirigida contra una mujer por el hecho de serlo o aquella que la afecta de forma desproporcionada, y es definida "una forma de discriminación que impide gravemente que goce de derechos y libertades en pie de igualdad con el hombre"; la violencia de género incluye "actos que infligen daños o sufrimientos de índole física, mental o sexual, amenazas de cometer esos actos, coacción y otras formas de privación de la libertad". Todo esto establece que un acto de violencia de género requiere que la víctima lo sea por el hecho de ser mujer, y, por otro lado, que se vea afectada de forma desproporcionada.

También consideramos que el abordaje de la trata de personas con fines de explotación sexual desde un enfoque de género requiere resaltar la realidad de los estereotipos de género, que se encuentran en la base de las dinámicas de la prostitución y la explotación sexual en general. Además es necesario recordar que los estereotipos desarrollan estigmas y auto estigmas asociados a esta forma de explotación. Vale la pena recordar que los estereotipos condicionan las actuaciones de operadores de justicia, operadores de las administraciones y operadores sociales que toman decisiones determinantes para las vidas de las víctimas. En este sentido, el trabajo de prevención debe enfocar también el trabajo de desmontar estereotipos y prejuicios en torno a las mujeres víctimas de trata con fines de explotación sexual.

El Parlamento Europeo en el informe de seguimiento de la implementación de la Directiva 2011/36/UE de 2016 señalaba a España que en el tema de trata, los estereotipos siguen presentes en las actuaciones judiciales, obstaculizando el acceso a la justicia de las víctimas. Estereotipos respecto a lo que es una víctima de trata, cómo debe ser su comportamiento. Por ello, la aplicación rigurosa de un enfoque de derechos humanos y de un enfoque de género previene decisiones y actuaciones basadas en estereotipos.[9]

6. *Desincentivar la demanda*

Como han señalado documentos de la OSCE y de Naciones Unidas, la trata de personas forma parte de un mercado mundial que busca satisfacer una demanda para servicios sexuales o mano de obra barata para producir bienes y servicios, al margen de cualquier reglamentación. Por lo cual tener presente este fenómeno lleva a hacer un llamado a los Estados para considerar la demanda una parte importante del negocio y de las ganancias que de la explotación de las personas, se derivan. La demanda y la oferta son interdependientes, ya que es posible que la oferta alimente la demanda.

La trata con fines de explotación sexual es la forma más frecuente de explotación a nivel mundial y por tanto la más lucrativa. La demanda de servicios sexuales es la fuente directa del daño y sufrimiento por el que pasan las personas víctimas de trata con fines de explotación sexual. Los compradores de sexo de pago, además de explotar o abusar directamente a la víctima, incentivan la trata, generando con ello, millones de euros para los explotadores y las mafias internacionales.

La prostitución reúne en una sola interacción dos formas de poder, el sexo y el dinero, estas esferas de la sexualidad y la economía han sido tradicionalmente ostentadas en las relaciones entre hombres y mujeres *"en la prostitución, estas diferencias de poder se funden en un acto que asigna y reafirma a la vez la función social dominante del hombre subordinando socialmente a la mujer*[10].

La trata con fines de explotación sexual es la forma más común de trata de personas en la región de la OSCE, y genera casi dos tercios de todos los beneficios de la trata a nivel mundial. La magnitud de este delito en España, la posición que el país ocupa como gran demandante de prostitución en Europa y en el mundo, así como sus dinámicas de mercado vinculadas al género, requieren que el Estado español de prioridad a la lucha contra la demanda que fomenta la trata con fines de explotación sexual, dentro de sus estrategias de prevención de la violencia de género y prevención de la trata de personas. Es un gran desafío el desarrollo de medidas efectivas de prevención que incluyan propuestas para disuadir, y penalizar la demanda que fomenta la trata de personas con fines de explotación sexual, desde la prevención de la explotación sexual de mujeres, niñas, niños y adolescentes a través de foros online, el establecimiento de códigos de conducta que prohíban las activida-

---

9   EUROPEAN PARLIAMENT: *Trafficking in Human Beings from a Gender Perspective. Directive 2011/36/EU*, European Implementation Assessment, 2016.

10   APRAMP: *La trata con fines de explotación sexual*, Madrid, 2011, p. 52.

des que avalan o fomentan la explotación sexual, el desarrollo de programas educativos para adultos jóvenes; y también medidas legislativas eficaces que luchen contra la impunidad de los explotadores.

La demanda lleva también implícita la obligación de los países de origen de las víctimas de promover los derechos en las poblaciones en situaciones de vulnerabilidad y realizar acciones de prevención y protección integral, ajustando sus marcos normativos a las obligaciones internacionales

Y finalmente respecto a la persecución del delito se recoge aquí la afirmación de Naciones Unidas que refiere que *al mantener la trata de personas como un delito de bajo riesgo y alta rentabilidad, el hecho de que el Estado no investigue, enjuicie y castigue efectivamente la trata de personas y la explotación conexa puede contribuir a la demanda generada por los tratantes y los explotadores*[11].

En España, la prostitución no es ilegal pero tampoco está regulada: la prostitución forzada está prohibida, pero no es activamente perseguida. "En esta labor, resulta imprescindible abordar la demanda de servicios sexuales, concienciando a la población sobre su incidencia en la explotación de las mujeres y en la trata de mujeres y niñas, y por ende, adoptando medidas tendentes a su reducción".[12]

En cuanto a la demanda, APRAMP considera relevante retomar los planteamientos del *Convenio de Nueva York*, así como los elementos que plantea la reciente *Estrategia de la Unión Europea para combatir la trata de seres humanos de Abril* 2021[13], que propone una respuesta global para combatir la trata de seres humanos, desde la prevención, pasando por la protección de las víctimas, hasta el enjuiciamiento y la condena de los tratantes. Esta Estrategia europea se ha planteado estos objetivos: 1) reducir la demanda de la trata y todas las formas de explotación; 2) romper el modelo delictivo para frenar la explotación de las víctimas; 3) proteger, apoyar y empoderar a las víctimas, especialmente a las mujeres y menores de edad; 4) profundizar en la cooperación internacional.

En este sentido, se requieren esfuerzos para desincentivar la demanda de prostitución, desarrollando acciones desde la prevención y, en línea con las legislaciones sobre el tema tanto de Suecia, Noruega o Francia, penalizando al demandante de prostitución y dotando de recursos de protección y asistencia a las mujeres en explotación sexual o víctimas de trata. En este sentido, cabe anotar que aquellos países donde la prostitución se ha regularizado, la trata

---

[11]   NACIONES UNIDAS: *Los derechos humanos y la trata de personas*, op. cit.
[12]   Véase el Plan Integral de lucha contra la Trata de mujeres y niñas con fines de Explotación Sexual, *2015-2018*, p. 17.
[13]   UNIÓN EUROPEA: *Estrategia de la Unión Europea para combatir la trata de seres humanos*, 2021- 2025. Bruselas, 2021.

de mujeres extranjeras ha aumentado y los negocios de los proxenetas se han legalizado y es aún más difícil la identificación de las víctimas de trata.

IV. POR QUÉ ES NECESARIA UNA LEY DE MEDIDAS INTEGRALES CONTRA LA TRATA DE PERSONAS

1. *Delito complejo de grandes dimensiones*

La trata de personas con fines de explotación sexual es un delito que se encuentra vinculado a las desigualdades de género y sociales, a la alta demanda de prostitución, a la inmigración irregular y al crimen organizado internacional. Es una vulneración de los derechos de las personas víctimas, especialmente la dignidad y la libertad.

La trata de seres humanos es un delito internacional que afecta a todos los países y que, según Naciones Unidas, es uno de los negocios más lucrativos del mundo. En el **Protocolo de Palermo en el año 2000**, se establecieron los grandes objetivos de perseguir el delito, prevenir el fenómeno y proteger a las víctimas. Aunque el Protocolo de Palermo fue ratificado por España en 2003, el Primer Plan Nacional contra la Trata se aprobó en el año 2008. Y dos años después, se tipificó por primera vez como delito. En el año 2010-2011 se acabaron de regular las cuestiones relacionadas con la situación administrativa de las víctimas extranjeras y se aprobó el primer Protocolo Marco de protección de las víctimas de trata de seres humanos.

La trata de personas con fines de explotación sexual, es la forma más frecuente de explotación, como señalan organizaciones como UNODC, OIT, OSCE en diversos informes internacionales y estatales, es considerada una forma de violencia de género. Según la Comisión Europea, el 95% de las víctimas registradas de la trata con fines de explotación sexual en la UE son mujeres y niñas[14]. Asimismo, como se ha señalado anteriormente, los datos de la UNODC indican que las mujeres y las niñas representan el 92% de las víctimas identificadas de la trata con fines de explotación sexual en todo el mundo[15].

El informe de UNOD del 2020 señalaba que los datos también indican que hay un número considerable de víctimas de la explotación sexual que no son mujeres o que no se identifican como tales, una cifra que probablemente esté muy infravalorada. Y no debe pasarse por alto la existencia de hombres y niños como víctimas de la trata con fines de explotación sexual, ya que los

---

14   COMISIÓN EUROPEA: *Trafficking for sexual exploitation: a gendered crime*, 2018.
15   UNITED NATIONS OFFICE ON DRUGS AND CRIME (UNODC): *Global Report on Trafficking in Persons 2020*, New York, 2021.

datos globales de la ONUDD indican que, entre las víctimas masculinas de trata detectadas, el 17% de los hombres y el 23% de los niños habían sido objeto de trata con fines de explotación sexual.

Numerosas investigaciones e informes confirman que la explotación sexual de niñas y niños en la prostitución va en aumento: El Informe Mundial sobre la Trata de Personas 2020 de la UNODC concluyó que aproximadamente un tercio de todas las víctimas identificadas son menores de edad y que las víctimas se ha triplicado en los últimos 15 años[16]. Además, los informes señalan que las víctimas infantiles, al igual que las adultas, son explotadas en el mercado de la prostitución a través de burdeles, clubes de sexo y zonas rojas, así como mediante anuncios en línea de servicios sexuales[17].

Son muchos los factores que aumentan la vulnerabilidad de las mujeres y las niñas a ser víctimas de trata de personas, entre ellos las desigualdades entre hombres y mujeres, la pobreza, la exclusión social, el origen étnico y la discriminación. Como señala la OSCE[18], estos daños condicionados por el género, los sufren de forma desproporcionada, aunque no exclusiva, las mujeres y las niñas, y la demanda de servicios sexuales es mayoritariamente masculina.

2. *Compromisos internacionales de España: Garantizar los derechos de las víctimas*

La situación de las supervivientes de la trata en España y la garantía de sus derechos supone un reto importante para todas las personas involucradas, así como para la gran cantidad de administraciones implicadas. En el ámbito de la seguridad es necesaria la cooperación de los países de origen ante posibles retornos voluntarios y en los que permanecen los familiares de las víctimas. También son muchos los agentes que en ello actúan: policías, fiscales y jueces que investigan y persiguen a los responsables; organizaciones no gubernamentales que asisten y acompañan a las supervivientes en procesos de recuperación que pueden ser muy largos; funcionarios estatales, autonómicos y locales que intentan dar respuesta a las necesidades dentro de un marco normativo incompleto.

---

[16] UNODC: *Informe mundial sobre la trata de personas*, Viena, 2021, p. 16, figura 8 y p. 31.

[17] Como señala la Oficina del Alto Comisionado de las Naciones Unidas para los Derechos Humanos (ACNUDH), la "demanda de prostitución (a menudo suministrada a través de la trata) puede reflejar actitudes y creencias discriminatorias basadas tanto en la raza como en el género". Véase ACNUDH: *Principios y Directrices recomendados sobre los derechos humanos y la trata de personas*, Ginebra, 2021, p. 101.

[18] OSCE: *Discouraging the demand that fosters trafficking for the purpose of sexual exploitation*, Viena, 2021.

A todo ello hay que añadir que en los procedimientos se requiere mejorar la eficacia, prevenir la impunidad, continuar formando a todos los actores en relación a las dinámicas de un delito tan complejo como es la trata de seres humanos.

Actualmente, en España gran parte de la protección que se ofrece a las personas víctimas de trata está vinculada a su calidad de testigo y su predisposición para colaborar con la justicia. En el caso de acceder a "colaborar con la justicia", la declaración de la víctima deberá ser coherente y no contradecirse, aunque por otro lado, a menudo estas personas tengan dificultad para reconocerse como víctimas, sufran consecuencias del trauma vivido con fases de negación o de olvidos de su historia y experiencias vividas.

Desde el punto de vista de la garantía de sus derechos, la protección de las víctimas no puede ser recogida solamente en la Ley de Extranjería, y demás normas dispersas, es necesaria una Ley que aborde de manera integral el delito de la Trata, así como la prevención, la protección y la asistencia integral a las víctimas, la indemnización y la persecución del delito. Una Ley de medidas integrales, coherente y que recoja todas las disposiciones que se encuentran actualmente de manera fragmentada en el marco normativo español.

En el caso de la trata con fines de explotación sexual, la demanda de sexo de pago funciona como factor de atracción de este mercado de personas. En España, la industria del sexo está normalizada y extendida, por ello es importante promover la protección de las víctimas, sancionar la demanda, perseguir el delito y establecer medidas que fomenten la garantía de derechos, la asistencia integral para ofrecer alternativas de vida dignas, la recuperación y la indemnización.

Considerando los Convenios, Tratados y Directivas señalado con anterioridad, lo que es evidente es que aún falta mucho para que el Estado español con sus actual marco normativo, políticas y estrategias relativas a la trata de personas, logre la protección integral, la garantía de los derechos de todas las personas víctimas de trata, prevenir el delito, y enjuiciar a los explotadores y tratantes. Una Ley integral debe garantizar que el delito de trata de personas quede definido con precisión y desarrolle orientaciones detalladas sobre los diversos elementos penales, de tal modo que se tipifiquen todas las formas de explotación que plantea la definición de trata de personas.

La trata con fines de explotación sexual es un mecanismo de violencia contra las mujeres por parte de los hombres, basado en las desigualdades de género, que reproduce el papel de control de los hombres sobre el cuerpo y la sexualidad de las mujeres. Es una forma de violencia de género basada en la construcción social de los roles masculinos y femeninos. Esta violencia de género no solamente es ejercida por los hombres, sino que puede ser ejercida por la misma familia, las legislaciones, las instituciones, el mercado de trabajo agudizan o profundizan esas desigualdades.

3. *Principios generales para una Ley de Medidas Integrales*

Una Ley de medidas integrales debe ser desarrollada en el contexto del marco de los derechos humanos, los derechos de la infancia y la perspectiva de género. Todo ello, implica poner a las víctimas de trata de seres humanos en el centro de todas las actuaciones considerando el enfoque de género para el desarrollo de todas las medidas y teniendo en especial consideración la protección que requieren las personas menores de edad que han sido víctimas.

APRAMP considera, en línea con los planteamientos de la OSCE que la propuesta de una Ley de medidas integrales para combatir la trata de personas, debe incluir la participación de las supervivientes cuyas actuaciones como agentes sociales, ya que sus aportaciones son fundamentales para el desarrollo de propuestas de normativa, política pública, regulaciones e incluso, debe incluirse en la normativa que su participación es fundamental en el acercamiento a las posibles víctimas, así como el acompañamiento en procesos judiciales y administrativos.

- Prevenir y luchar contra la trata de personas contemplando todos los tipos de explotación.
- Proteger y atender de manera integral a las víctimas de este delito, desde una perspectiva de derechos humanos, de género y derechos de la infancia.
- Garantizar el derecho a la información, a la participación y a ser escuchadas.
- Garantizar el derecho a la asistencia jurídica gratuita.
- Promover la investigación proactiva para perseguir a los tratantes.
- Promover y facilitar la cooperación internacional para lograr los objetivos de prevención en los países de origen, investigación de redes internacionales, realizar retornos con total garantía de seguridad y protección.
- Las medidas previstas para la identificación de víctimas, la protección y la atención integral se deben aplicar sin discriminación por motivos de sexo, etnia, nacionalidad, edad, religión, cultura, discapacidad, estatus migratorio o cualquier otra condición.
- Las niñas y niños víctimas deben recibir un trato de especial consideración y todas las medidas deben ser tomadas desde la perspectiva de su interés superior.
- Las víctimas de trata no deben ser perseguidas ni sancionadas por encontrarse en situación administrativa irregular.
- Incluir la participación activa de las supervivientes de trata en los procesos de detección, identificación, protección, inserción socio – laboral en calidad de agentes sociales. Hacemos referencia a las mujeres que de-

ciden, una vez superada la situación de trata vivida, apoyar a otras mujeres en su misma situación y que con apoyo en procesos de formación y de fortalecimiento de capacidades, realicen una labor de detección, apoyo y mediación con el colectivo de víctimas de trata y/o explotación sexual eficaz.

- Tomar las medidas adecuadas para indemnizar a las víctimas de trata de personas.
- Contar con un presupuesto para implementar todas las medidas que requiere la Ley.
- Se requiere que la Ley de medidas integrales para luchar contra la trata de personas tenga el rango de Ley Orgánica.

3.1.   Definiciones de trata de personas

En consonancia con el protocolo de Palermo, se debe retomar la definición sobre trata de personas, sin embargo, es importante la claridad en las definiciones. APRAMP considera que hay que recoger las diferentes formas de proxenetismo contenidas en los Artículos 1 y 2 del Convenio de Nueva York de 1950, para la represión de la trata de personas y de la explotación de la prostitución ajena de marzo de 1950:

> *Artículo 1. Las Partes en el presente Convenio se comprometen a castigar a toda persona que, para satisfacer las pasiones de otra: 1) Concertare la prostitución de otra persona, aun con el consentimiento de tal persona; 2) Explotare la prostitución de otra persona, aun con el consentimiento de tal persona.*
>
> *Artículo 2. Las Partes en el presente Convenio se comprometen asimismo a castigar a toda persona que: 1) Mantuviere una casa de prostitución, la administrare o a sabiendas la sostuviere o participare en su financiamiento; 2) Diere o tomare a sabiendas en arriendo un edificio u otro local, o cualquier parte de los mismos, para explotar la prostitución ajena.*

El actual Código penal no es la herramienta jurídica que posibilite la prevención y la atención integral a las víctimas.

Para generar claridad y coherencia en la Ley, las políticas derivadas para su implementación y en la normativa que requiere ser armonizada, se considera necesario llevar a cabo un consenso sobre las definiciones de los siguientes términos: Trabajo, trabajo forzoso, matrimonios forzosos, prácticas similares a la esclavitud, servidumbre, esclavitud, víctima, consentimiento, explotación y revictimización.

4. Ideas generales o transversales en torno a menores víctimas de trata

La Ley debe ampliar las actuaciones específicas en materia de menores víctimas de trata, ampliando lo establecido en la nueva Ley Orgánica de Protección Integral a la Infancia y la Adolescencia frente a la Violencia en el Artículo 52, relativo a intervención ante casos de explotación sexual y trata de personas menores de edad sujetas a medidas de protección.

Se desconoce el alcance y la dimensión cuantitativa de la situación de los niños, niñas y adolescentes víctimas de trata en España, por lo cual es preciso contar con un sistema de información que dé cuenta del perfil de las víctimas menores de edad que incluya edad, género, país de origen, situación de explotación, etc. De este modo nos acercamos a la realidad y las dinámicas del delito para desarrollar políticas pertinentes.

Las medidas de protección, seguridad y asistencia integral a menores de edad víctimas de trata deben realizarse en recursos especializados, (que en la actualidad sólo existen dos en España) y no en los centros de protección.

Por lo cual, se precisa la formación específica para la identificación, la protección y la recuperación de los menores de edad víctimas de trata, incluyendo pautas de actuación concretas a actores claves y profesionales como: técnicos y educadores de centros de protección de menores, centros de protección de menores no acompañados, ámbito policial, judicial, sanitario, etc.

Igualmente, es importante determinar un órgano responsable que vele por la evaluación y seguimiento concretos de esta realidad en cada CCAA (evolución, aplicación de mecanismos etc.)

4.1. Propuestas de trabajo con menores de edad

Esta ley orgánica ha de tener relación con los compromisos y metas del Pacto de Estado contra la violencia de género, así como de la Agenda 2030 en varios ámbitos, y de forma muy específica con la meta 16.2: «Poner fin al maltrato, la explotación, la trata y todas las formas de violencia y tortura contra los niños» dentro del Objetivo 16 de promover sociedades, justas, pacíficas e inclusivas. Las niñas, por su edad y sexo, muchas veces son doblemente discriminadas o agredidas.

Por eso, esta ley integral debe considerar las diversas formas de violencia que las niñas sufren específicamente por el hecho de ser niñas y así, abordarlas y prevenirlas a la vez que se incide en que solo una sociedad que educa en respeto e igualdad será capaz de erradicar la violencia hacia las niñas y las mujeres.

Las autoridades autonómicas competentes en materia de protección de la infancia son las responsables de garantizar la existencia de recursos para la protección y asistencia de las víctimas de trata menores de edad. Esta protección y asistencia deberá garantizarse con recursos públicos, derivando a organizaciones especializadas en la atención a menores de edad víctimas de este delito con quienes previamente deben establecerse convenios de colaboración; la experiencia de APRAMP ha mostrado que la ubicación de posibles víctimas en los centros de protección, no especializados en atención de la trata, pueden generar riesgos de re victimización o de ser captados nuevamente por las redes de explotación.

Como respuesta a las muy particulares condiciones de vulnerabilidad en que pueden encontrarse los niños, niñas y adolescentes víctimas de trata, es posible que sus necesidades de protección requieran de su traslado al territorio de otra Comunidad Autónoma, para estos casos las autoridades autonómicas deberán establecer mecanismos de colaboración entre Administraciones para garantizar esta derivación y posteriormente su protección integral.

Es conveniente resaltar que ante la sospecha de encontrarnos ante una víctima menor de edad los servicios de protección infantil competentes en el territorio, le prestarán inmediatamente asistencia, apoyo y muy especialmente protección. La mera sospecha de que la víctima sea menor de edad, supone la obligación de tratarla como tal en tanto se produzca una resolución sobre su edad. Esto supone, además de los aspectos que se especificarán en los siguientes apartados, que todas las decisiones que se adopten respecto al presunto niño o niña, deben estar orientadas por la búsqueda de su interés superior.

Sea cual sea el ámbito en el que se haya producido la detección de una víctima menor de edad, o existan indicios de que pueda serlo, sin lugar a dudas, se debe comunicar automáticamente a los servicios de protección de la infancia competentes en el territorio.

Éstos deberán adoptar las medidas necesarias para brindar la asistencia inmediata que requiera el niño o niña, informando al Ministerio Fiscal, a los Cuerpos y Fuerzas de Seguridad y a la policía autonómica, a la Delegación del Gobierno competente, y al recurso especializado en la atención integral de menores víctimas trata con quien mantuviere un convenio de colaboración, que deberán informar sobre las mejores medidas a adoptar en atención a las circunstancias específicas del caso.

Las medidas que se adopten con niñas, niños y adolescentes, estarán dirigidas a la seguridad, recuperación física y psicosocial, educación y, a encontrar una solución duradera a su caso. Estas medidas deberán estar basadas en la condición de especial vulnerabilidad de la víctima de trata menor de edad y se emprenderán tras una evaluación individual de las circunstancias específicas de la víctima y teniendo en cuenta su opinión, sus necesidades e intereses.

El papel de los recursos y las organizaciones especializadas en atención a las víctimas de trata menores de edad es fundamental en este punto en que debe garantizarse al niño o niña sus derechos y las posibilidades que le asisten, en un idioma que pueda entender y de un modo comprensible para el nivel de maduración del niño o niña. Esta información resulta esencial para garantizar que el derecho del menor a ser escuchado se cumple conforme a los estándares internacionales.

La institución pública de protección de menores competente, o el Ministerio Fiscal deberán proponer la derivación del niño o niña a recursos específicos para víctimas de trata de seres humanos, por razones de protección o de asistencia especializada. Así mismo, los recursos donde se derive a la víctima de trata menor de edad o presuntamente menor de edad, deben garantizar el respeto y cumplimiento de todos los derechos de que es titular como niño o niña.

Cuando la víctima de trata menor de edad no esté acompañada, bien por no haber identificado a ningún adulto a cuyo cargo esté legalmente, o por ser éste el responsable de su explotación, se le deberá prestar una atención especializada, por ser particularmente vulnerable, y hasta que se encuentre una solución permanente conforme, se aplicarán medidas de acogida adecuadas a las necesidades del menor de edad.

En el caso de que haya un adulto que manifieste ser legalmente responsable de la víctima, o que en cualquier momento posterior reclame su tutela, deberá comprobarse muy cuidadosamente la relación que se alude, asegurando que este adulto no tiene relación alguna con el ámbito de explotación del que se quiere proteger al niño o la niña.

Ante la evidencia de encontrarse ante un menor de 18 años no acompañado, cuya minoría de edad pueda ser establecida con seguridad, sin necesidad de realizar ningún tipo de prueba para la determinación de su edad, quedará constatada la situación de desamparo que deberá ser declarada automáticamente por el sistema público de protección de menores competente que será, desde este momento, quien ostente su tutela.

Informado el Ministerio Fiscal, de la detección de un niño o niña víctima de trata, indocumentado cuya minoría de edad no pueda ser establecida con seguridad, éste dispondrá en el plazo más breve posible, la determinación de su edad. Procediéndose, una vez sea determinada la edad, según sea: si es menor manteniendo las medidas de protección y seguridad, y si es mayor, informándole y asesorándole sobre sus derechos y la posibilidad de una atención integral en un recurso especializado para personas adultas víctimas de la trata de seres humanos de la CCAA.

Cuando se constata la situación de desamparo, la entidad pública competente de protección de menores deberá asumir su tutela. La guarda del niño o niña será ejercida por el director/a de la organización especializada que haya prestado la asistencia inmediata y pueda proporcionar la atención integral, salvo que el interés superior del menor indique lo contrario.

El servicio de protección de infancia deberá garantizar que en cualquier caso a partir de este momento, si no ha ocurrido con anterioridad, que el niño o niña ha sido informado de modo fehaciente y en un idioma comprensible del contenido básico del derecho a protección internacional, el procedimiento para su solicitud, y la normativa vigente en materia de protección de menores, así como de los procesos que en materia de extranjería procedan. De esta actuación quedará constancia escrita.

La Delegación o Subdelegación del Gobierno competente adoptará las medidas necesarias para establecer la identidad, nacionalidad y/o lugar de procedencia de la persona menor de edad y, en caso de no estar acompañada, se dispondrán los medios necesarios para la localización de su familia, así como para garantizar su representación.

Cuando un menor llegue a España tanto por frontera habilitada como por puesto no habilitado, acompañado de una persona adulta de la que no esté acreditada la relación de parentesco o en la que haya indicios de que la persona mayor de edad está vinculada a una red de trata de personas, se estará en lo dispuesto en el Dictamen 2/2012, sobre tratamiento a dar a menores extranjeros acompañados cuya filiación no resulta acreditada. En cualquiera de los casos siempre se recogerá toda la información necesaria para registrar al/a la menor de edad y como mínimo sus huellas digitales, fotografía, marcas físicas distintivas en caso de haberlas, edad estimada o declarada y nacionalidad.

Se tendrán en cuenta las circunstancias específicas del caso en el proceso de recabar esta información, para que ninguna de estas medidas pueda comprometer la seguridad y protección de la víctima. En particular asegurando que la petición de información a la representación diplomática del país de origen no compromete la seguridad de un niño o niña que haya invocado su derecho a la protección internacional, y en este caso cuidar de no poner en riesgo a la familia. Y, al efectuar la identificación de la familia de procedencia, verificar que no ha tomado parte alguna en la explotación del niño o niña. A estos efectos se investigará en particular si la desaparición del niño o niña ha sido denunciada a INTERPOL u otras instituciones similares.

En todo caso, primará siempre el interés supremo del niño, proporcionando la protección, seguridad, asistencia y atención precisa como víctima y no como menor no acompañado.

Desde la constitución de la tutela por parte de la entidad pública de protección de menores competente, la residencia de estos niños y niñas en España es regular.

La búsqueda de una solución duradera para la situación concreta de cada niño o niña identificado como víctima de trata, debe partir de un análisis individualizado de las circunstancias del caso, estar orientado hacia la consecución del interés superior del menor, y con la mayor celeridad posible, teniendo en cuenta de manera especial las necesidades de protección específicas en cada caso. Se prestará especial atención a las muy especiales necesidades de protección que deriven del riesgo en que se encuentre el menor.

Deberá garantizarse en este proceso de búsqueda de una solución duradera el derecho del niño o niña a ser escuchado. Igualmente se deberá oír la opinión sobre el caso de niño o niña en concreto de las organizaciones especializadas en asistencia a víctimas de trata menores de edad para garantizar que todas las precauciones que deban tomarse para la protección y recuperación, son contempladas.

Cuando la solución duradera consista en la repatriación, deberá justificarse la prevalencia del interés superior del niño en la misma y la valoración específica del beneficio que pueda tener el retorno para la recuperación del niño o niña, la vuelta a su ámbito familiar, y el acceso a los servicios que requiere para su bienestar.

5. *Medidas generales*

Las medidas generales para abordar la trata desde una perspectiva integral, deben incluir objetivos relativos a la prevención, la detección e identificación, el Mecanismo Nacional de Derivación, la protección integral, la cooperación internacional, y debe incluir medidas específicas dirigidas a niñas, niños y adolescentes víctimas de trata.

5.1. Prevención

Como se mencionó anteriormente, un tema importante para la prevención es el trabajo para desestimular la demanda que fomenta la explotación, a través de medidas legislativas. En el caso de la trata con fines de explotación sexual, generar un marco jurídico para sancionar al demandante de servicios sexuales y luchar contra los estereotipos de género que promueven la normalización de la demanda de prostitución y de servicios sexuales. El desarrollo de estas medidas en ningún momento puede conducir a la criminalización de las víctimas, debe abordarse con un enfoque centrado en las víctimas de trata, con enfoque de género y abordando las consecuencias que ha tenido la situación de explotación, en la vida de las personas.

En el caso de trata laboral, de manera proactiva a través de las inspecciones laborales, detectar posibles víctimas en aquellos sectores que suelen explotar personas, para asegurar los derechos de los trabajadores y sancionar a las empresas que explotan laboralmente a las personas.

Se requieren compromisos de política para promover medidas educativas, administrativas, sociales y culturales para desincentivar la demanda de prostitución y que desmonten los estereotipos de género que promueven ésta y todas las formas de violencia contra las mujeres. Y en relación a la trata en general, se propone tipificar como delito penal la demanda de servicios sexuales, de utilización de las personas para la explotación laboral, la servidumbre, el trabajo forzoso y en general, la demanda del uso de servicios de las víctimas de trata.

La industria de la pornografía está muy vinculada a la demanda de servicios sexuales, tal como mencionan numerosos organismos (CEDAW, OSCE, por ejemplo) la pornografía aumenta la demanda de trata con fines de explotación sexual, muchos tratantes obligan a las víctimas de trata a hacer material pornográfico durante la explotación sexual. En este punto, es importante mencionar que el debate frente a la pornografía, no puede centrarse en argumentos de tipo moral, sino sobre los contenidos de violencia y la visión de la sexualidad que trasmiten; muchos tipos de pornografía ofrecen imágenes de violencia y explotación que naturalizan formas de relación violenta entre hombres y mujeres o menores de edad, perpetuando estereotipos de género respecto a la dominación y ejercicio de control y poder masculinos, (CEDAW).

En línea con lo anterior, se propone prohibir la publicidad destinada a promover actividades relacionadas con la prostitución, la explotación sexual o que pueda promover la trata de personas con fines de explotación sexual y los delitos afines.

En todo objetivo de prevención, se requiere promover la formación de todos los actores e instituciones claves para la identificación, atención y protección de las víctimas de trata de personas, así como la cualificación de profesionales de las instituciones vinculadas a la identificación formal de las víctimas.

Promover campañas de sensibilización social sobre la trata con fines de explotación sexual, laboral, el trabajo forzoso, la esclavitud, para dotar a la población de herramientas de concienciación, de pautas de actuación y de colaboración con las autoridades frente a un posible caso de trata. Toda información, en medios de comunicación, relativa a la trata o que incluya situaciones de vida de las víctimas de trata debe garantizar el derecho a la intimidad a la dignidad y la libertad y debe asumir un compromiso de informar en el marco de los derechos humanos, evitando la perpetuación de estereotipos y prejuicios.

Para el desarrollo de políticas y medidas de protección, prevención y atención adecuadas a la realidad del delito de trata en España, se hace necesario y urgente, generar conocimiento sobre las dinámicas y las cambiantes tendencias de la trata en España a partir de investigaciones, estudios, sistematización de datos e información centralizada y unificada de las actuaciones de todas las instituciones y organizaciones vinculadas al tema.

5.2. Detección

Los indicios para detectar e identificar posibles víctimas de trata son absolutamente relevantes, ya que son la puerta de entrada al restablecimiento y a la garantía de los derechos de las posibles víctimas.

La formación de los actores que pueden detectar o identificar indicadores es fundamental, y se deben dotar a los profesionales de herramientas para la realización de entrevistas para detectar indicios de trata de personas. Por ello, se requiere contar con parámetros e indicadores claros para la detección dirigidos a aquellos ámbitos que puedan tener contacto con posibles víctimas de trata explotadas para diversas finalidades, incluidos los puestos de frontera, los CETI, los centros de protección para menores no acompañados, los profesionales de la salud, los profesionales de centros de acogida, de centros de protección de menores.

Esa tarea de formación incluyendo los indicadores, debe ir acompañada de protocolos de actuación frente a posibles víctimas de trata que incluya mapeos de recursos para la derivación.

Una vez detectadas las posibles víctimas, ya sea por las FCSE, por las entidades especializadas o por personal de las instituciones públicas, se derivarían al MND para la identificación provisional y definitiva y para iniciar todos los procesos necesarios para la protección integral, recuperación y justicia.

5.3. Información

En relación al derecho a información, se debe asegurar que las víctimas o posibles víctimas de trata cuenten con información relevante sobre indicadores para su propia identificación como tales, así como sobre sus derechos como víctimas, los recursos existentes y las opciones de acceso a procedimiento de asilo. Además, garantizar el derecho a la confidencialidad.

En todo caso, se debe ofrecer información en un lenguaje comprensible para la víctima y contar con traductores cuando la persona no hable castellano.

5.4. Identificación

Debido a que la identificación temprana de las víctimas es uno de los principales retos para poder aplicar la normativa nacional e internacional y es uno de los más cruciales para que las víctimas puedan ejercer sus derechos, se sugiere, en concordancia con las recomendaciones del GRETA, el desarrollo de un Mecanismo Nacional de Derivación -MND- que tenga como fin velar por los derechos de las víctimas, sea un ente coordinador de todos los actores y promueva las actuaciones pertinentes de protección y de asistencia y de garantía de todos los derechos.

Este Mecanismo, según plantea la OSCE, debe estar compuesto por personal profesional de la Administración estatal y de la sociedad civil y debe incluir un Enfoque Multidimensional y Multidisciplinario. Sus objetivos deben estar centrados en la identificación, el desarrollo de un sistema de recogida de información, la cooperación, la protección y asistencia integral, el retorno seguro y con garantías, la protección de víctimas y testigos y la protección de datos, todo ello con el fin de garantizar los derechos de las víctimas de trata y cumplir las obligaciones que tiene el Estado Español en esta materia.

Un MND debe incorporar (OSCE, 2007):

- Orientación respecto de cómo identificar y tratar apropiadamente a las víctimas de trata, respetando sus derechos y otorgándoles poder de decisión sobre sus vidas.

- Un sistema para derivar a las víctimas de trata a organismos especializados donde pueden obtener alojamiento y protección contra los daños físicos y psicológicos, así como servicios de asistencia. Tal alojamiento implica asistencia médica, social y psicológica; servicios legales; y asistencia para adquirir documentos de identidad, así como la facilitación de la repatriación voluntaria o el reasentamiento.

- El establecimiento de mecanismos apropiados y oficialmente vinculantes diseñados para armonizar la asistencia a la víctima con esfuerzos en el campo de la investigación y juzgamiento del delito.

- Un marco institucional contra la trata de personas con una participación multidisciplinar y trans-sectorial que posibilite una respuesta apropiada para garantizar los derechos de las víctimas.

Se propone que este mecanismo funcione en cada una de las Comunidades Autónomas, en cada Delegación del Gobierno, y estar conformado por un grupo multidisciplinar que incluya: delegaciones, subdelegaciones de gobierno, Fuerzas y Cuerpos de Seguridad del Estado, Fiscalía de Trata de Seres humanos y Extranjería, Consejerías de servicios sociales de la CCAA, Instituto de la Mujer o el organismo sobre el tema en la CCAA, Servicio de Protección de Menores, Fiscalía de Menores, Unidad de Violencia de Género de la Delegación del Gobierno, ONG especializadas en trata de personas y representantes de las supervivientes de trata.

5.5. Desarrollo de un Mecanismo Nacional de Derivación (MND)

Un Mecanismo Nacional de Derivación, tal como lo plantea la OSCE[19] es un marco nacional cooperativo a través del cual los gobiernos cumplen con sus obligaciones de proteger y promover los derechos humanos de las víctimas de la trata. Permite coordinar sus esfuerzos en una asociación estratégica con las organizaciones de la sociedad civil, el sector privado, los líderes de los supervivientes y otros actores que trabajan sobre el terreno.

El Mecanismo Nacional de Derivación garantiza que dentro de la jurisdicción de un Estado, todas las víctimas de la trata, presuntas o identificadas, accedan a sus derechos, independientemente de su origen, nacionalidad, actividades en las que puedan haber participado o su voluntad de cooperar con las autoridades policiales. La OSCE considera que este Mecanismo debe fundamentarse en cuatro pilares, que deben ser igualmente accesibles para todas las víctimas y supervivientes:

Primer pilar: identificación y protección

Segundo pilar: Apoyo individual y acceso a los servicios

Tercer pilar: Inclusión social

Cuarto pilar: Justicia penal y reparación

Por la experiencia de APRAMP, es fundamental implementar una línea de atención telefónica 24 horas específica para la trata de personas para que de orientación y derive a las instituciones y los recursos pertinentes y acordes a cada situación. Para dar información certera y adecuada, se requiere contar con un mapeo de recursos especializados en trata y en temas vinculados a las frecuentes necesidades de las víctimas: alojamientos provisionales, atenciones en salud y prevención de enfermedades, asistencia jurídica, educación no formal, formación para el empleo, ocio, interlocutores sociales para la trata, etc.

La incorporación de la figura de las mediadoras, supervivientes de la trata, en todo el proceso de recuperación, así como en las fases de instrucción, judicial y penal.

Cada miembro de este MND recabará la información pertinente de acuerdo a sus competencias. De este modo se realizará una valoración integral de las necesidades considerando las circunstancias personales, la información recabada y los posibles riesgos con el fin de realizar las derivaciones de manera pertinente y eficaz. Tareas propias de este MND:

---

[19]   OSCE: *National Referral Mechanisms: Joining Efforts to Protect the Rights of Trafficked Persons*, 2021.

- Identificación provisional de las víctimas, independientemente de su participación en la investigación del delito.
- Derivar a las víctimas o posibles víctimas a los recursos especializados y a los servicios que requieran, según la valoración de sus necesidades para garantizar todos sus derechos.
- Emisión de documento de identificación provisional para posibilitar el acceso a todos los derechos.
- Garantizar la identificación formal de las víctimas de trata para todas las formas de explotación.
- Garantizar el derecho al acceso al procedimiento de asilo y los mecanismos de protección internacional.
- Tomar medidas de protección inmediata en el caso de menores de edad, con la derivación a los servicios de protección y de asistencia especializada. Coordinar la protección integral de menores de edad víctimas de trata, a través de la figura de un tutor y posibilitar la coordinación entre CCAA para posibles traslados de menores a diferentes CCAA cuando se requiera para su seguridad.
- Conceder permisos de residencia y de trabajo.
- Generar un sistema unificado de información sobre trata de personas que dé cuenta del perfil de las víctimas: género, edad, país de origen, situación de explotación, etc. y que incluya datos recopilados por los organismos oficiales y las organizaciones de la sociedad civil que tienen contacto con víctimas o posibles víctimas de trata. Este sistema debe contar con medidas de seguridad de datos para respetar el derecho a la privacidad y promover la seguridad de las víctimas.
- En el caso de menores de edad víctimas de trata, incluir la información en el Registro Central de Delincuentes Sexuales y de Trata de Seres Humanos, que plantea la nueva Ley contra la violencia hacia la infancia y estos datos deben considerarse también en el sistema unificado de información sobre trata de personas.
- Desarrollar protocolos de actuación, de coordinación y cooperación. Esos protocolos deben contener indicadores para la detección e identificación de víctimas de trata con diversos fines de explotación, así como información actualizada de las instituciones y organizaciones tanto de ámbito nacional como de cada CCAA.

Finalmente, se sugiere reforzar la creación de bases de datos y el aporte de casos a INTERPOL y EUROPOL, que permitan la identificación de los tratantes y de las víctimas, especialmente personas menores de edad. Esto considerando que muchas redes pueden trasladar a las víctimas a otros lugares dentro de Europa.

5.6. Atención y Protección Integral

La atención y protección integral debe iniciar con la asignación de alojamiento apropiado y que brinde seguridad, atención en salud y los tratamientos médicos que se requieran, así como atención psicológica y asistencia jurídica. Además esa atención debe promover el acceso a recursos de formación y alternativas de empleo para brindar posibles alternativas de salida a la situación de explotación.

Sin lugar a dudas, se requiere contar con financiación de las organizaciones que proveen servicios de alojamiento, protección, asistencia, recuperación y restablecimiento de derechos.

Los procesos de atención deben garantizar el derecho a la atención en salud, independientemente de la situación administrativa; garantizar la asistencia legal para los procesos de investigación penal, de regulación de la inmigración y obtención de compensación. Estas atenciones deben ser extensivas a los menores de edad hijas e hijos de las víctimas o posibles víctimas de trata.

La decisión sobre retorno voluntario debe tomarse una vez evaluado el riesgo y se tenga garantía sobre la seguridad de la persona que retorna. Los mecanismos de cooperación internacional deben asegurar que la víctima seguirá con su proceso de recuperación y debe tener asegurado que al lugar donde regresa, no corre peligro.

5.7. Dotación Presupuestaria

El Presupuesto General del Estado debe incluir las partidas anuales necesarias para el cumplimiento de las disposiciones de la Ley; así como para el desarrollo de políticas públicas dirigidas a mujeres, niñas y niños víctimas de trata con la finalidad de prevenir, lograr la atención y la protección integral para su recuperación, indemnizar a las víctimas e investigar el delito.

Es relevante en este punto, retomar el derecho a la indemnización y compensación por parte del Estado, que debe ser garantizado a las víctimas. Como ha señalado GRETA España en 2018, rara vez se lleva a cabo la compensación en la práctica porque generalmente los tratantes se han asegurado de no contar con activos a su nombre, por lo que la indemnización no es posible y los criterios de elegibilidad para la compensación son restrictivos y la financiación del Estado para indemnizaciones es insuficiente.

5.8. Cooperación Internacional

Para efectos de la prevención se requiere trabajar conjuntamente con los países de origen de la mayoría de las víctimas de trata, para realizar campañas de información y de prevención de la trata de personas. Los estudios sobre la realidad de la trata pueden dar información relevante para tener en cuenta acerca de las dinámicas y modos de actuación que son utilizados en cada país para captar y trasladar víctimas; el intercambio de información y la cooperación para llevar a cabo la repatriación voluntaria en condiciones de seguridad y asegurando entornos protectores y garantistas para prevenir la revictimización, además de la cooperación policial para la persecución del delito.

5.9. Armonización normativa

Una de las principales razones por las que APRAMP apuesta por el desarrollo de una Ley Integral es la dispersión normativa que regulan distintos aspectos que afectan a las víctimas del delito de trata y en particular de la explotación sexual, lo que dificulta su tratamiento y abordaje eficaz. Por lo cual esta Ley debe considerar las siguientes modificaciones:

Código Penal. Modificar Artículo 177 bis de tal modo que abarque todas las modalidades de explotación; amplíe los medios comisivos y defina de manera amplia el concepto de situación de vulnerabilidad; garantice sus derechos y reconozca las garantías procesales de las víctimas independientemente de su participación en el proceso penal o de su situación administrativa.

Modificación de la Ley de Enjuiciamiento Criminal. De la persecución de oficio del delito. De los medios de investigación del delito. Prueba preconstituida (En los delitos de trata de seres humanos el juez o jueza instructor podrá acordar de oficio, a instancia de parte o del ministerio fiscal, la práctica como prueba preconstituida de las declaraciones de víctimas, testigos y peritos cuando exista causa legítima para considerar que no podrán hacerse en el juicio oral o pudiera motivar su suspensión.)

Modificación de la Ley 4/2015, de 27 de abril, del Estatuto de la Víctima. La propuesta de APRAMP y de la RECTP es la de establecer un concepto amplio de víctima, por cualquier delito y cualquiera que sea la naturaleza del perjuicio físico, moral o material que se le haya causado.

Ley Orgánica 4/2015, de 30 de marzo, de protección de la seguridad ciudadana. Que no tienen en cuenta las particularidades de las víctimas de trata obligadas a ejercer la prostitución y que obstaculiza la identificación y el acceso a justicia y a atención integral. Esto porque en su contenido se prevén sanciones por ofrecimiento de servicios sexuales en zonas abiertas.

Modificación de la Ley General de Publicidad. Prohibir la publicidad que atente contra la dignidad de la persona o vulnere los valores y derechos reconocidos en la Constitución. Incluyendo los anuncios que presenten a las mujeres como objetos de consumo, de manera vejatoria o discriminatoria; que utilicen su cuerpo o partes del mismo como mero objeto desvinculado del producto que se pretende promocionar, o que su imagen esté asociada a comportamientos estereotipados que vulneren los fundamentos de nuestro ordenamiento coadyuvando a generar violencia de género

Es importante considerar ilícita la publicidad que promueva conductas relativas a la prostitución, así como a la explotación sexual y toda aquella que pueda propiciar la trata de personas con fines de explotación sexual.

En el caso de niñas, niños y adolescentes víctimas de trata, se requiere armonizar los instrumentos relativos a trata de personas y aquellos específicos en materia de menores de edad: La **Ley Orgánica de Protección Integral a la Infancia y la Adolescencia frente a la Violencia (LOPIVI)**, **L.O. de Protección Jurídica del Menor**, el Plan contra la explotación sexual de la infancia y adolescencia.

Nueva **regulación de la Ley 19/1994, de 23 de diciembre**, de protección a testigos y peritos en causas criminales, que de un tratamiento jurídico protector diferenciado de las diferentes categorías de víctimas de trata, al margen de la Ley de extranjería, considerando si son potenciales víctimas, si han sido identificadas y/o si se encuentran en un riesgo grave.

5.10. Niños, niñas y adolescentes víctimas de trata de seres humanos

Cuando una autoridad entra en contacto con una supuesta víctima menor de edad, se realizará la oportuna comunicación al Mecanismo Nacional de Derivación en coordinación con el sistema de Protección de la Infancia y Fiscalía de menores, quien nombrará un tutor legal.

Cumplir y aplicar la presunción de minoría de edad, ante personas cuya edad ofrezca dudas razonables. Iniciar procedimientos de determinación de la edad en aquellos casos en los que, a pesar de que la víctima afirme ser mayor de edad, existan indicios que puedan hacer pensar que se trata de un menor de edad.

Se requiere realizar una valoración de los posibles riesgos de seguridad, riesgo de revictimización y antes de iniciar cualquier procedimiento necesario para su identificación como víctima, determinación de la edad, o para determinar si se requieren medidas de protección internacional, para determinar la filiación con el adulto acompañante si lo hubiere, y para derivación a recurso de acogida.

Las medidas de protección, seguridad y asistencia integral a menores de edad víctimas de trata se debe realizar en recursos especializados y no en los centros de protección regulares.

Todos los sistemas autonómicos de protección de menores deberán proporcionar centros de protección específicos para menores víctimas de trata, que aseguren la intervención de personal especializado, las medidas de seguridad y el apoyo psicosocial adecuados.

Ser menor de edad víctima de trata no puede constituir un impedimento para que se pueda formalizar su solicitud de protección internacional.

Se requiere garantizar que el menor de edad víctima o posible víctima esté informado, sea escuchado y participe activamente en todas las decisiones que le afecten, incluida la posibilidad de retorno con su familia. Las opiniones se ponderarán debidamente, de conformidad con su edad y grado de madurez.

Los menores de edad no acompañados deben tener asegurados los cuidados efectivos, incluyendo alojamiento, acceso a educación, cuidados en salud y sobre todo, es muy importante valorar el riesgo de estar expuestos a ser víctimas de trata cuando los centros tienen regímenes abiertos y para ello debe contar con personal que pueda identificar posibles indicios de trata.

También es necesario, generar medidas de protección integral para aquellos menores de edad víctimas de trata, una vez haya cumplido la mayoría de edad y así reducir las situaciones de riesgo de volver a ser víctimas de este delito. Medida que debe ser extensible a todo menor de edad que obliga a abandonar el centro de protección al cumplir 18 años.

Finalmente, las entrevistas, valoraciones y otros procedimientos dentro de la investigación deben ser realizados por profesionales entrenados en un ambiente amigable y en un lenguaje que sea comprensible para los menores de edad con el apoyo de un tutor legal.

V. BIBLIOGRAFÍA

ACNUDH: *Principios y Directrices recomendados sobre los derechos humanos y la trata de personas*, Ginebra, 2021, p. 101.

APRAMP: *A Pie de Calle. Actuaciones con menores víctimas de trata*, Madrid, 2017. Disponible en: https://apramp.org/download/a-pie-de-calle-actuaciones-con-menores-victimas-de-trata/

APRAMP: *Campaña de sensibilización social #EXIT*, 2017. Disponible en: https://www.youtube.com/watch?v=tLJPVaGJK54

APRAMP: *Campaña de sensibilización social #Isabella*, 2014. Disponible en: https://www.youtube.com/watch?v=0jJxBE-QYlo

APRAMP: *Campaña de sensibilización social #Loveth*, 2016. Disponible en: https://www.youtube.com/watch?v=9fWtHTQe3As

APRAMP: Esclavas Sexuales en España. Trata de Mujeres y Niñas Paraguayas, Madrid, 2015.

APRAMP: *Guía de Intervención con Víctimas de Trata para Ayuntamientos y Trabajadores/as Sociales*, Madrid, 2021. Disponible en: https://apramp.org/download/guia-de-intervencion-con-victimas-de-trata-para-ayuntamientos-y-trabajadores-as-sociales-ed-2020/

APRAMP: *La trata con fines de explotación sexual*, Madrid, 2011.

APRAMP: *Menores Víctimas de Trata y Explotación. Una realidad oculta, cada día más visible*, Madrid, 2020. Disponible en: https://apramp.org/download/menores-victimas-de-trata-y-explotacion-una-realidad-oculta-cada-dia-mas-visible/

COMISIÓN EUROPEA: *Trafficking for sexual exploitation: a gendered crime*, 2018. Disponible en: https:// ec.europa.eu/anti-trafficking/publications/trafficking-for-sexual-exploitation-a-gendered-crime_en

EUROPEAN PARLIAMENT: *Trafficking in Human Beings from a Gender Perspective. Directive 2011/36/EU*, European Implementation Assessment, 2016.

GROUP OF EXPERTS ON ACTION AGAINST TRAFFICKING IN HUMAN BEINGS (GRETA): *Report concerning the implementation of the Council of Europe Convention on Action against Trafficking in Human Beings by Spain. Second evaluation round*, 2018. Disponible en: https://rm.coe.int/greta-2018-7-frg-esp-en/16808b51e0

MARTÍNEZ DE CAREAGA, C., SÁEZ, Mª C., MARTÍNEZ, G. y DÍAS, N. (coord.): *Guía de criterios de actuación judicial frente a la trata de seres humanos*, Consejo General del Poder Judicial, Madrid, 2018.

MIGUEL, C. y FERNÁNDEZ T.: *La judicatura como garantía de protección de los derechos de las víctimas de trata en Elementos para una teoría crítica del sistema prostitucional*, Comares, Madrid, 2017.

NACIONES UNIDAS. COMITÉ DE LOS DERECHOS DEL NIÑO: *Observación General Nº 13. Derecho del niño a no ser objeto de ninguna forma de violencia (CRC/C/GC/13)*, 2011.

NACIONES UNIDAS: *Los derechos humanos y la trata de personas. Oficina del Alto Comisionado*, Folleto Informativo Nº 36, Nueva York y Ginebra, 2014.

OSCE: *Applying Gender-Sensitive Approaches in Combating Trafficking In Human Being*, Viena, 2021.

OSCE: *Discouraging the demand that fosters trafficking for the purpose of sexual exploitation*, Viena, 2021.

OSCE: *National Referral Mechanisms: Joining Efforts to Protect the Rights of Trafficked Persons*, 2021. Disponible en: https://www.osce.org/odihr/493981

UNODC: *Global Report on Trafficking in Persons 2020*, New York, 2021. Disponible en: https://www.unodc.org/documents/data-and-analysis/tip/2021/GLOTiP_2020_15jan_web.pdf

UNODC: *Informe mundial sobre la trata de personas*, Viena, 2021.